2025 판례·기출 증보판

객관식 테마

2024년 상반기 기준 개정법

경찰승진·채용·간부·수사경과 | 해경승진·채용·간부
법원직·검찰직·승진 | 철도경찰·마약수사

# 조충환·양건 형법 각론 Ⅱ

조충환·양건 편저

동영상강의 www.pmg.co.kr

# THEMA

조충환·양건

**형법**

THEMA

## 2025 테마 형법 판례·기출증보판을 내면서

이번 2025 판례·기출증보판에서는 다음과 같은 사안에 중점을 두었습니다.

**첫째, 기출문제 반영**

작년 테마 형법 출간 이후의 2023년 기출문제(순경 2차, 경력채용, 해경 2차, 해경승진, 7급 검찰 등)와 2024년 기출문제(경찰간부, 경찰승진, 순경 1차, 해경간부, 9급 검찰·마약수사·철도경찰, 변호사시험, 법원행정고등고시 등)를 전부 비교분석하여 테마와 객관식 문제에 반영하였습니다.

**둘째, 판례 반영**

최근 판례(2024.5.15. 대법원 판례공보)까지 빠짐없이 추가하였으며, 특히 전원합의체 판결(예 강제추행죄의 폭행·협박의 정도, 주거침입죄 등)에 따라 변경된 기존 판례들을 수정·교체·추가·삭제하였고, 기존 판례들도 최근 출제경향에 맞추어 수정·보완하였습니다.

**셋째, 테마**

각 단원마다 사안별로 (판례)총정리 또는 문제화하여 기본서나 요약집(sub-note)을 보지 않고도 한눈에 내용이 정리되고, 사안마다 키워드와 기출을 색표기로 중요도를 파악하여 짧은 시간에 기본서를 총정리하고 뒤에 나온 객관식 문제를 쉽게 해결할 수 있도록 하였습니다.

**넷째, 객관식 문제(기출문제)**

최근 판례와 기출문제까지 전부 비교·분석하여 최근 출제경향에 맞추어 선별하였습니다. 순서는 테마마다 이어서 관련 문제를 넣었고, 마지막에는 파트별 종합문제를 수록하였으며, 문제에서 빠진 기출문제들은 기출지문 종합문제로 배치하였습니다.

테마 형법으로 반복학습 하신다면 테마 형법 한 권만으로도 어느 시험에서나 고득점으로 합격·승진하는 데 아무런 지장이 없을 것입니다.
애독자 여러분께 진심으로 감사드리며, 절실한 심정으로 초지일관하시어 우수한 성적으로 합격·승진하시길 간절히 기원합니다.

2024. 6.

공편저자 조충환·양건

# 차례
CONTENTS

## 총론 I

**제1편**
서 론



**제2편**
범죄론

### 제3장 위법성



### 제4장 책임론



## 총론Ⅱ

### 제5장 미수론



### 제6장 공범론

# 차례

CONTENTS

# 차례
CONTENTS

# 각론 Ⅱ

제1편 개인적 법익에 대한 죄
제2편 사회적 법익에 대한 죄
제3편 국가적 법익에 대한 죄

# THEMA

# PART 01

# 개인적 법익에 대한 죄

# 제7절 배임의 죄

## 관련조문

**제355조【배임】** ② 타인의 사무를 처리하는 자가 그 임무에 위배하는 행위로써 재산상의 이익을 취득하거나 제3자로 하여금 이를 취득하게 하여 본인에게 손해를 가한 때에도 전항의 형과 같다.

**제356조【업무상의 배임】** 업무상의 임무에 위배하여 제355조의 죄를 범한 자는 10년 이하의 징역 또는 3천만원 이하의 벌금에 처한다.

1. 미수범 처벌(제359조)
2. 친족상도례 적용(제361조)

## THEMA 01 배임죄의 주체〔타인의 사무를 처리하는 자(진정신분범)〕 총정리

1. 공무원도 업무상 배임죄의 주체가 될 수 있다(대판 2013.9.27, 2013도6835 예 공무원이 그 임무에 위배되는 행위로써 제3자로 하여금 재산상의 이익을 취득하게 하여 국가에 손해를 가한 경우에도 업무상 배임죄는 성립한다). 19. 법원직, 20. 경찰간부, 22. 해경간부
2. 타인의 사무를 처리하는 자에는 고유의 권한으로서 그 처리를 하는 자에 한하지 않고, 그 업무담당자의 상급기관으로서 실행행위자의 배임행위에 적극 가담(배임행위를 교사하거나 배임행위의 전 과정에 관여하는 등)하거나(대판 2004.7.9, 2004도810) 보조기관으로서 직접 또는 간접으로 그 처리에 관한 사무를 담당하는 자도 포함된다(대판 1999.7.23, 99도1911). 09. 법원행시, 17. 경찰승진, 23. 해경승진
3. 타인의 사무를 처리하는 자라 함은 타인과의 대내관계에 있어서 신의성실의 원칙에 비추어 그 사무를 처리할 신임관계가 존재한다고 인정되는 자를 의미하고, 반드시 제3자에 대한 대외관계에서 그 사무에 관한 권한(예 대리권)이 존재할 것을 요하지 않는다(대판 2007.6.1, 2006도1813). 15. 순경 2차, 18. 7급 검찰·법원행시
4. '타인의 사무를 처리하는 자'라고 하려면, 타인의 재산관리에 관한 사무의 전부 또는 일부를 타인을 위하여 대행하는 경우와 같이 당사자 관계의 전형적·본질적 내용이 통상의 계약에서의 이익대립관계를 넘어서 그들 사이의 신임관계에 기초하여 타인의 재산을 보호 또는 관리하는 데에 있어야 한다(대판 1987.2.24, 86도1744). 17. 법원행시

**관련판례**

- **'타인의 사무를 처리하는 자'에 해당하는 경우 —임무위배→ 배임죄 ○**

1. 계주가 계원들로부터 월불입금을 모두 징수하였음에도 불구하고 그 임무에 위배하여 이를 낙찰계원에게 지급하지 아니한 경우 ⇨ 배임죄 ○(대판 1987.2.24, 86도1744) 10. 경찰승진, 17. 법원행시, 20. 경찰간부·9급 검찰·마약수사 계가 정상적으로 운영되고 있음에도 계주가 그동안 성실하게 계불입금을 지급하여 온 계원에게 계가 깨졌다고 거짓말을 하여 그 계원이 계에 참석하여 계금을 탈 수 있는 기회를 박탈하여 손해를 가한 경우 ⇨ 배임죄 ○(대판 1995.9.29, 95도1176) 20. 경찰간부

▶ **비교판례** : 낙찰계의 계주가 계원들에게서 계불입금을 징수하지 않은 상태에서 부담하는 계금지급의무는 배임죄에서 말하는 '타인의 사무'에 해당하지 않는다. 계주가 계원들과의 약정을 위반하여 계불입금을 징수하지 않은 경우에도 동일하다(대판 2009.8.20, 2009도3143). 13. 사시, 15 · 16. 경찰승진, 18. 법원행시, 21 · 22. 수사경과, 21 · 23. 해경승진

2. 미성년자와 친생자관계가 없으나 호적상 친모로 등재되어 있는 자가 미성년자의 상속재산을 처분한 경우 ⇨ 배임죄 ○(대판 2002.6.14, 2001도3534 ∵ 타인의 사무처리자 ○) 09. 법원행시, 15. 경찰승진 · 순경 3차, 17. 수사경과
3. 채무자가 차용원리금을 변제공탁한 것을 채권자(양도담보권자)가 아무런 이의 없이 이를 수령하고서도 담보물에 대한 경매 절차에 대하여 손을 쓰지 아니하는 바람에 타인에게 경락되게 하고 그 부동산의 경락잔금까지 받아간 경우 ⇨ 배임죄 ○(대판 1988.12.13, 88도184) 14. 경찰승진

▶ **유사판례** : 채권의 담보를 목적으로 부동산의 소유권이전등기를 경료받은 채권자는 채무자가 변제기일까지 그 채무를 변제하면 채무자에게 그 소유명의를 환원하여 주기 위하여 그 소유권이전등기를 이행할 의무가 있으므로 그 변제기일 이전에 그 임무에 위배하여 이를 제3자에게 처분하였다면 변제기일까지 채무자의 변제가 없었다 하더라도 배임죄가 성립한다(대판 2007.1.25, 2005도7559). 21. 7급 검찰

4. A가 주택조합 정산위원회 위원장의 직에서 해임됨으로써 법적인 권한이 소멸된 후라고 할지라도 후임 위원장 B에게 그 업무를 인계하기 전에는 그 사무를 신의칙에 따라 처리할 사실상의 신임관계가 존속한다고 보아야 할 것이므로 A는 배임죄에서 '타인의 사무'를 처리하는 자에 해당한다(대판 1999.6.22, 99도1095). 17. 법원행시
5. 타인 소유의 특허권을 명의신탁받아 관리하는 업무를 수행해 오다가 제3자로부터 특허권을 이전해 달라는 제의를 받고 대금을 지급받고는 그 타인의 승낙도 받지 않은 채 제3자 앞으로 특허권을 이전등록한 경우에는 업무상 배임죄가 성립한다(대판 2016.10.13, 2014도17211). 18. 변호사시험, 21. 해경간부
6. 다방을 임차하면서 임차기간 동안 영업허가 명의를 임차인 명의로 변경하고 임대차 종료시 임대인에게 명의반환을 하기로 약정하고도 임대차 종료 후 임차인이 명의반환을 거부하는 경우 ⇨ 배임죄 ○〔대판 1981.8.20, 80도1176 ∵ 다방 영업허가 ⇨ 재산적 가치 ○, 명의반환 협력의무 ⇨ 자신(임차인)의 사무인 동시에 타인(임대인)의 사무 ○〕 20. 경찰간부
7. 회사와 주주는 별개의 인격이므로 1인 회사의 1인 주주가 회사 재산을 임의처분하여 회사에 재산상 손해가 발생하였을 경우 ⇨ 업무상 배임죄(대판 1996.8.23, 96도1525) 15. 수사경과, 23. 해경 3차
8. 피고인이 甲과 공동으로 토지를 매수하여 그 지상에 창고사업을 하는 내용의 동업약정을 하고 동업재산이 될 토지에 관한 매매계약을 체결한 후, 甲 몰래 매도인과 사이에 위 매매계약을 해제하고 甲을 배제하는 내용의 새로운 매매계약을 체결한 다음 제3자 명의로 소유권이전등기를 마친 경우 ⇨ 甲에 대한 배임죄 ×, 조합에 대한 배임죄 ○(대판 2011.4.28, 2009도14268 ∵ 피고인은 '조합의 사무를 처리하는 자'의 지위에 있음)
9. 지입차주가 자신이 실질적으로 소유하거나 처분권한을 가지는 자동차에 관하여 지입회사와 지입계약을 체결함으로써 지입회사에게 그 자동차의 소유권등록 명의를 신탁하고 운송사업용 자동차로서 등록 및 그 유지 관련 사무의 대행을 위임한 경우에 지입회사 운영자는 지입차주와의 관계에서 '타인의 사무를 처리하는 자'의 지위에 있다(대판 2021.6.24, 2018도14365). 21. 법원행시

• '타인의 사무를 처리하는 자'에 해당하지 않는 경우 —임무위배→ 배임죄 ×

이익대립관계에 있는 통상의 계약관계에서 채무자의 성실한 급부이행에 의해 상대방이 계약상 권리의 만족 내지 채권의 실현이라는 이익을 얻게 되는 관계에 있다거나, 계약을 이행함에 있어 상대방을 보호하거나 배려할 부수적인 의무가 있다는 것만으로는 채무자를 타인의 사무를 처리하는 자라고 할 수 없고, 위임 등과 같이 계약의 전형적·본질적인 급부의 내용이 상대방의 재산상 사무를 일정한 권한을 가지고 맡아 처리하는 경우에 해당하여야 한다(대판 2020.2.20, 2019도9756 전원합의체). 20. 법원행시

예 ① 금전채무를 담보하기 위하여 동산이나 주식을 채권자에게 양도하기로 약정(양도담보설정계약 체결)하거나 양도담보로 제공한 채무자 ⇨ 타인의 사무처리자 ×(∴ 담보물을 제3자에게 처분하는 등으로 담보가치를 감소 또는 상실시켜 채권자의 담보권 실행이나 이를 통한 채권실현에 위험을 초래하더라도 배임죄가 성립한다고 할 수 없다.) 20. 법원행시

㉠ 동산의 양도담보 : 채무자가 채권담보의 목적으로 점유개정 방식으로 채권자에게 동산을 양도하고 이를 보관하던 중 임의로 제3자에게 처분한 경우나, 채무자가 동산에 관하여 양도담보설정계약을 체결하여 이를 채권자에게 양도할 의무가 있음에도 제3자에게 처분한 경우 ⇨ 배임죄 ×(대판 2020.2.20, 2019도9756 전원합의체) 21·22. 법원직, 22·23. 경찰간부

㉡ 주식에 관하여 양도담보설정계약을 체결한 채무자가 제3자에게 해당 주식을 처분한 경우 ⇨ 배임죄 ×(대판 2020.2.20, 2019도9756 전원합의체) 23. 순경 1차

㉢ 채무자가 '동산채권담보법(동산·채권 등의 담보에 관한 법률)'상 담보로 제공된 동산을 처분한 경우(예 주식회사의 대표이사가 A은행으로부터 대출받으면서 회사 소유의 기계에 대하여 동산양도담보설정계약을 체결하였으나 임의로 처분한 경우) ⇨ 배임죄 ×(대판 2020.8.27, 2019도14770 전원합의체) 21. 경찰승진·순경 1차, 24. 경찰간부

㉣ 권리이전에 등기·등록을 요하는 동산(자동차 등)에 관하여 양도담보설정계약을 체결한 채무자는 채권자에 대하여 그의 사무를 처리하는 지위에 있지 아니하므로, 채무자가 채권자에게 양도담보설정계약에 따른 의무를 다하지 아니하고 이를 타에 처분하였다고 하더라도 배임죄가 성립하지 아니한다(대판 2022.12.22, 2020도8682 전원합의체). 23. 법원직, 24. 변호사시험·순경 1차

② 부동산의 양도담보 : 채무자가 금전채무에 대한 담보로 부동산에 관하여 양도담보설정계약을 체결하고 이에 따라 채권자에게 소유권이전등기를 해 줄 의무가 있음에도 제3자에게 그 부동산을 처분한 경우 ⇨ 배임죄 ×〔대판 2020.6.18, 2019도14340 전원합의체 ∵ 소유권이전등기를 해줄 의무이행 ⇨ 채무자 자신의 사무 ○, 타인(채권자)의 사무를 처리하는 자 ×〕

③ 부동산의 이중저당 : 채무자가 금전채무에 대한 담보로 부동산에 관하여 저당권설정계약을 체결한 후 채무자가 제3자에게 먼저 담보물에 관한 저당권을 설정하거나(부동산의 이중저당) 담보물을 양도하는 등으로 담보가치를 감소 또는 상실시켜 채권자의 채권실현에 위험을 초래하더라도 배임죄가 성립한다고 할 수 없다(대판 2020.6.18, 2019도14340 전원합의체 ∵ 채무자가 저당권설정계약에 따라 채권자에 대하여 부담하는 저당권을 설정할 의무는 계약에 따라 부담하게 된 채무자 자신의 의무이다. 채무자가 위와 같은 의무를 이행하는 것은 채무자 자신의 사무에 해당할 뿐이므로, 채무자를 채권자에 대한 관계에서 '타인의 사무를 처리하는 자'라고 할 수 없다). 22. 변호사시험·법원직, 23. 경찰간부·경찰승진, 24. 9급 검찰·마약수사·순경 1차

④ 피고인이 甲새마을금고로부터 특정 토지 위에 건물을 신축하는 데 필요한 공사자금을 대출받으면서 이를 담보하기 위하여 乙신탁회사를 수탁자, 甲금고를 우선수익자, 피고인을 위탁자 겸 수익자로 한 담보신탁계약 및 자금관리대리사무계약을 체결하였고 계약내용에 따라 건물이 준공된 후 乙회사에 신탁등기를 이행하여 甲금고의 우선수익권을 보장할 임무가 있음에도 이에 위배하여 丙 앞으로 건물의 소유권보존등기를 마쳐줌으로써 甲금고에 재산상 손해를 가한 경우 ⇨ 배임죄 ×(대판 2020.4.29, 2014도9907 ∵ 피고인은 甲금고에 우선수익권을 보장할 민사상 의무를 부담함에 불과하고, 피고인이 통상의 계약에서의 이익대립관계를 넘어서 甲 금고와의 신임관계에 기초하여 甲금고의 우선수익권을 보호 또는 관리하는 등 그의 사무를 처리하는 자의 지위에 있다고 보기 어려우므로 배임죄에서의 '타인의 사무를 처리하는 자'에 해당하지 않는다.) 20. 법원행시, 21. 변호사시험

⑤ 아파트 수분양권 매도인이 수분양권 매매계약에 따라 매수인에게 수분양권을 이전할 의무를 이행하지 아니하고 수분양권 또는 이에 근거하여 향후 소유권을 취득하게 될 목적물을 미리 제3자에게 처분하더라도 형법상 배임죄가 성립하지 않는다(대판 2021.7.8, 2014도12104 ∵ 특별한 사정이 없는 한 수분양권 매도인이 수분양권 매매계약에 따라 매수인에게 수분양권을 이전할 의무는 자신의 사무에 해당할 뿐이므로, 매수인에 대한 관계에서 '타인의 사무를 처리하는 자'라고 할 수 없다). 21. 법원행시, 24. 순경 1차

⑥ 채무자가 채권양도담보계약에 따라 부담하는 '담보 목적 채권의 담보가치를 유지 · 보전할 의무'를 이행하는 것은 채무자 자신의 사무에 해당할 뿐이고, 채무자가 통상의 계약에서의 이익대립관계를 넘어서 채권자와의 신임관계에 기초하여 채권자의 사무를 맡아 처리한다고 볼 수 없으므로, 이 경우 채무자는 채권자에 대한 관계에서 '타인의 사무를 처리하는 자'에 해당한다고 할 수 없다〔대판 2021.7.15, 2015도3514 예 피고인(채무자)이 피해자(채권자)에게 전세보증금반환채권의 양도담보(채권양도담보계약)에 관한 대항요건을 갖추어 주기 전(채권양도의 통지를 하기 전)에 제3자에게 전세권근저당권을 설정하여 주었다 하더라도, 피고인이 피해자와의 신임관계에 의하여 '타인의 사무를 처리하는 자'의 지위에 있다고 볼 수 없어 배임죄는 성립하지 않는다〕. 21. 법원행시

▶ **유사판례** : 피고인이 피해자에게 채권양도담보에 관한 대항요건을 갖추어 주기 전에 담보 목적 채권을 타에 이중으로 양도하고 제3채무자에게 그 채권양도통지를 하였다 하더라도, 피고인이 피해자와의 신임관계에 의하여 '타인의 사무를 처리하는 자'의 지위에 있다고 볼 수 없어 배임죄는 성립하지 않는다(대판 2021.7.15, 2015도5184 예 甲은 乙로부터 금전을 차용하면서 甲이 국민건강보험공단에 대하여 가지는 요양급여채권을 乙에게 포괄근담보로 제공하는 채권양도담보계약을 체결한 이후 甲은 위 채권을 친형인 丙의 채권자에게 이중으로 양도하고 국민건강보험공단으로부터 요양급여금을 지급받게 한 경우 ⇨ 배임죄 ×).

⑦ 가상자산 권리자의 착오나 가상자산 운영 시스템의 오류 등으로 법률상 원인관계 없이 다른 사람의 가상자산 전자지갑에 가상자산이 이체된 경우, 가상자산을 이체받은 자는 가상자산의 권리자 등에 대한 부당이득반환의무를 부담하게 될 수 있다. 그러나 이는 당사자 사이의 민사상 채무에 지나지 않고 이러한 사정만으로 가상자산을 이체받은 사람이 신임관계에 기초하여 가상자산을 보존하거나 관리하는 지위에 있다고 볼 수 없다(대판 2021.12.16, 2020도9789 예 피고인이 알 수 없는 경위로 甲의 특정 거래소 가상지갑에 들어 있던 비트코인을 자신의 계정으로 이체받은 후 이를 자신의 다른 계정으로 이체한 경우 ⇨ 배임죄 ×). 22. 순경 1차, 23. 경찰간부 · 법원직 · 해경 3차, 24. 변호사시험

> 금전채권채무 관계에서 채권자가 채무자의 급부이행에 대한 신뢰를 바탕으로 금전을 대여하고 채무자의 성실한 급부이행에 의해 채권의 만족이라는 이익을 얻게 된다 하더라도, 채권자가 채무자에 대한 신임을 기초로 그의 재산을 보호 또는 관리하는 임무를 부여하였다고 할 수 없고, 금전채무의 이행은 어디까지나 채무자가 자신의 급부의무의 이행으로서 행하는 것이므로 이를 두고 채권자의 사무를 맡아 처리하는 것으로 볼 수 없다. 따라서 채무자를 채권자에 대한 관계에서 '타인의 사무를 처리하는 자'에 해당한다고 할 수 없다(대판 2020.10.22, 2020도6258 전원합의체).

㉠ 저당권이 설정된 동산(자동차)을 임의처분한 경우 및 권리이전에 등기 · 등록을 요하는 동산(자동차)에 대한 이중양도의 경우 ⇨ 배임죄 ×(대판 2020.10.22, 2020도6258 전원합의체)

① 채무자가 금전채무를 담보하기 위하여 자동차 등 특정동산저당법 등에 따라 그 소유의 동산에 관하여 채권자에게 저당권을 설정해 주기로 약정하거나 저당권을 설정한 경우, 채무자를 채권자에 대한 관계에서 배임죄의 주체인 '타인의 사무를 처리하는 자'에 해당한다고 할 수 없으므로, 채무자가 담보물을 제3자에게 처분하는 등으로 담보가치를 감소 또는 상실시켜 채권자의 담보권 실행이나 이를 통한 채권실현에 위험을 초래하더라도 배임죄가 성립하지 아니한다. 21. 변호사시험

② 위와 같은 법리는, 금전채무를 담보하기 위하여 공장 및 광업재단저당법에 따라 저당권이 설정된 동산을 채무자가 제3자에게 임의로 처분한 사안에도 마찬가지로 적용된다.

③ 권리이전에 등기 · 등록을 요하는 동산에 대한 매매계약에서 계약금 및 중도금을 지급받은 매도인이 매수인에게 소유권이전등록을 하지 아니하고 타에 처분한 경우 배임죄가 성립하지 아니한다(㉠ 피고인이 피해자에게 버스 1대를 매도하기로 하여 그로부터 중도금까지 지급받았음에도 위 버스에 관하여 K금고에게 공동근저당권을 설정해 준 경우 ⇨ 배임죄 ×). 22. 법원직, 22 · 23. 경찰승진, 23. 순경 1차

1. 채권 담보 목적으로 부동산에 관한 대물변제예약을 체결한 채무자가 대물로 변제하기로 한 부동산을 제3자에게 처분한 경우 ⇨ 배임죄 ×(대판 2014.8.21, 2014도3363 전원합의체 ∵ 대물변제예약의 내용에 좇은 이행을 하여야 할 채무는 '자기의 사무'에 해당) 15. 순경 3차, 16. 9급 검찰 · 마약수사 · 7급 검찰 · 철도경찰 · 법원행시, 17. 경찰승진, 19. 변호사시험 · 9급 검찰 · 법원직, 19 · 22. 순경 1차 · 경찰간부
2. 양도담보권자가 변제기 경과 후 담보권의 실행으로 원리금과 비용에 충당하고 나머지가 있음에도 이를 채무자에게 정산하여 주지 않는 경우(대판 1985.11.26, 85도1493 전원합의체)나 변제기 이후에 담보물을 부당하게 염가로 처분한 경우(대판 1997.12.23, 97도2430) ⇨ 배임죄 ×(∵ 자기의 사무처리에 해당) 13. 법원행시, 20. 법원직 · 9급 검찰 · 경찰승진, 21. 해경승진
3. 이른바 보통예금의 경우, 금융기관의 임직원은 예금주와의 사이에서 그의 재산관리에 관한 사무를 처리하는 자의 지위에 있다고 할 수 없으므로, 금융기관의 임직원 甲이 임의로 예금주 乙의 예금계좌에서 5,000만원을 인출하였을지라도 甲에게 업무상 배임죄가 성립하지 않는다(대판 2008.4.24, 2008도1408). 16. 경찰승진, 18. 순경 1차 · 7급 검찰, 21. 순경 2차, 23. 법원행시 · 법원직
4. 계약명의신탁에 있어서 수탁자가 신탁자와의 신임관계에 기하여 신탁자를 위하여 신탁 부동산을 관리한다거나 신탁자의 허락 없이 이를 처분하여서는 아니 되는 의무를 부담하는 등으로 타인의 사무를 처리하는 자의 지위에 있다고 볼 수 없다(대판 2008.3.27, 2008도455 ∴ 수탁자가 임의처분 ⇨ 배임죄 ×). 12. 법원행시, 15. 변호사시험 · 9급 검찰 · 마약수사
5. 피고인이 甲에게서 임야를 매수하면서, 계약금을 지급하는 즉시 피고인 앞으로 소유권을 이전받되 매매잔금은 위 임야를 담보로 대출을 받아 지급하기로 약정하였는데도, 피고인이 소유권이전등기를

받은 당일 이를 담보로 제공하여 융통한 자금을 甲에게 매매대금으로 지급하지 아니한 경우 ⇨ 배임죄 ×(대판 2011.4.28, 2011도3247 ∵ 그 대금의 지급은 당사자 사이의 신임관계에 기하여 매수인에게 위탁된 매도인의 사무가 아니라 애초부터 매수인 자신의 사무라고 할 것이다.) 12. 순경 2차, 14. 변호사시험 · 경찰간부, 17. 경찰승진

6. ① 점포임차권 양도계약을 체결한 후 계약금과 중도금까지 지급받은 양도인(임차인)이 위 임차권을 이중으로 양도한 경우 ⇨ 배임죄 ×(대판 1986.9.23, 86도811 ∵ 잔금수령과 동시에 양수인에게 점포를 명도해 줄 양도인의 의무는 양도계약에 따른 민사상의 채무이지 타인의 사무 ×) 08. 경찰승진, 13. 법원행시, 16. 경찰간부 ②음식점 임대차계약에 의한 임차인의 지위를 양도한 자가 임대사실을 임대인에게 통지하지 아니하여 임차인의 지위를 상실하게 한 경우 ⇨ 배임죄 ×(대판 1991.12.10, 91도2184 ∵ 양도사실을 임대인에게 통지할 임무는 임차권 양도인으로서 부담하는 채무로서 양도인 자신의 의무일 뿐이지 자기의 사무임과 동시에 양수인의 권리취득을 위한 사무의 일부를 이룬다고 볼 수 없음) 09. 경찰승진, 23. 법원행시
7. 타인으로부터 금원을 차용하여 주금을 납입하고 납입취급은행으로부터 납입금보관증명서를 발급받아 설립등기나 증자등기 후 바로 인출하여 차용금 변제에 사용하는 경우, 상법상 납입가장죄의 성립 외에 업무상 배임죄가 성립하지 않는다(대판 2005.4.29, 2005도856 ∵ 회사의 자본금에 아무런 변동 × ⇨ 불법이득의사 ×, 회사의 손해발생 ×). 07. 법원행시, 12. 경찰승진, 20. 수사경과
8. 보험계약모집인이 체결한 보험계약이 위험성이 크므로 해약하라는 보험회사의 지시를 이행하지 않고 있는 사이에 보험사고가 발생하여 보험금을 지급한 경우 ⇨ 업무상 배임죄 ×(대판 1986.8.19, 85도2144 ∵ 보험모집인에게 보험계약자를 설득하여 해약시켜야 할 법적 의무 ×) 17. 법원행시
9. 甲이 아울렛 의류매장의 운영과 관련하여 A로부터 투자를 받으면서 투자금반환채무의 변제를 위하여 의류매장에 관한 임차인 명의와 판매대금의 입금계좌 명의를 A 앞으로 변경해 주었음에도 B에게 의류매장에 관한 임차인의 지위 등 권리 일체를 양도한 경우 ⇨ 배임죄 ×(대판 2015.3.26, 2015도1301 ∵ 채무자가 투자금반환채무의 변제를 위하여 담보로 제공한 임차권 등의 권리를 그대로 유지할 계약상 의무는 투자금반환채무의 변제의 방법에 관한 것이고, 이는 배임죄에서 말하는 '타인의 사무'에 해당한다고 볼 수 없다). 16. 사시, 20. 법원행시, 24. 해경간부
10. 상표권양도약정을 체결한 자가 그 상표권이전등록의무의 이행을 거부하고 그 상표를 계속 사용하는 경우 ⇨ 배임죄 ×(대판 1984.5.29, 83도2930 ∵ 자기의 채무의 불이행에 불과 ○, 양수인의 사무를 처리하는 자의 임무위배행위 ×) 17. 법원행시
11. 피해자는 자금만 투자하고 피고인은 공사 시공 및 일체의 거래행위를 담당하는 내용의 동업계약을 체결하였다가 위 계약이 종료되었는데, 그 정산과정에서 피고인이 임의로 제3자에 대하여 채권양도행위를 한 경우 배임죄가 성립하지 않는다(대판 1992.4.14, 91도2390 ∵ 정산의무나 정산과정에서 행하는 행위는 피고인 자신의 사무 ○, 피해자를 위하여 하는 타인의 사무 ×). 18. 경찰승진
12. 서면에 의하지 아니한 증여계약이 행하여진 경우 증여자가 구두의 증여계약에 따라 수증자에 대하여 증여 목적물의 소유권을 이전하여 줄 의무를 부담한다고 하더라도 그 증여자는 수증자의 사무를 처리하는 자의 지위에 있다고 할 수 없다(대판 2005.12.9, 2005도5962 예 느티나무를 증여하기로 구두 약정한 자가 나무를 베어버린 경우 ⇨ 배임죄 ×). 18. 법원행시, 23. 해경승진
   ▶ **비교판례** : 서면으로 부동산 증여의 의사를 표시한 증여자가 수증자에게 증여계약에 따라 부동산의 소유권을 이전하지 않고 부동산을 제3자에게 처분하여 등기를 하는 행위는 수증자와의 신임관계를 저버리는 행위로서 배임죄가 성립한다(대판 2018.12.13, 2016도19308). 20. 경찰간부 · 법원행시, 21 · 23. 순경 1차

13. 골프시설의 운영자가 일반회원들을 위한 회원의 날을 없애고, 일반회원들 중에서 주말예약에 대하여 우선권이 있는 특별회원을 모집함으로써 일반회원들의 주말예약권을 사실상 제한하거나 박탈하는 결과가 되었다고 하더라도, 골프시설의 운영자가 일반회원들의 골프회원권이라는 재산관리에 관한 사무를 대행하거나 그 재산의 보전행위에 협력하는 지위에 있다고 할 수는 없으므로 일반회원들에 대한 배임죄를 구성하지 아니한다(대판 2003.9.26, 2003도763). 08. 법원직
14. 피고인이 임차인 甲과 아파트에 관한 임대차계약을 체결하면서 자신이 소유권을 취득하는 즉시 甲에게 알려 甲이 전입신고를 하고 확정일자를 받아 1순위 근저당권자 다음으로 대항력을 취득할 수 있도록 하기로 약정하였는데, 그 후 甲에게서 전세금 전액을 수령하고 소유권을 취득하였음에도 취득 사실을 고지하지 않고 다른 2, 3순위 근저당권을 설정해 준 경우 ⇨ 배임죄 ×(대판 2015.11.26, 2015도4976 ∵ 단순한 채권관계상의 의무를 넘어서 피해자의 재산을 보호 내지 관리 × ⇨ 타인의 사무를 처리하는 자의 지위 ×)
15. 유치권자로부터 점유를 위탁받아 부동산을 점유하는 자가 부동산의 소유자로부터 인도소송을 당하여 재판상 자백을 한 경우, 재판상 자백을 할 당시 피해자들과의 신임관계에 기초를 둔 '타인의 사무를 처리하는 자'에 해당한다고 단정할 수 없고, 피고인이 유치권자로부터 위탁받은 점유임을 적극적으로 항변하지 않은 것이 신임관계를 저버린 임무위배행위에 해당한다고 보기 어렵다(대판 2017.2.3, 2016도3674).
16. 주권발행 전 주식에 대한 양도계약에서 양도인이 양수인으로 하여금 회사 이외의 제3자에게 대항할 수 있도록 확정일자 있는 증서에 의한 양도통지 또는 승낙을 갖추어 주지 아니하고 위 주식을 다른 사람에게 처분한 경우 ⇨ 배임죄 ×(대판 2020.6.4, 2015도6057 ∵ 양도인이 양수인으로 하여금 회사 이외의 제3자에게 대항할 수 있도록 확정일자 있는 증서에 의한 양도통지 또는 승낙을 갖추어 주어야 할 채무를 부담한다 하더라도 이는 자기의 사무라고 보아야 하고, 이를 양수인과의 신임관계에 기초하여 양수인의 사무를 맡아 처리하는 것으로 볼 수 없다.) 20 · 21. 법원행시, 21. 법원직 · 경력채용

**• 사무처리의 근거가 된 법률행위가 당연무효인 때 ⇨ 본죄 ×**

1. 내연의 처와의 불륜관계를 지속하는 대가로서 부동산에 관한 소유권이전등기를 경료해 주기로 약정(증여계약)한 후에 등기의무를 이행하지 않는 경우 ⇨ 배임죄 ×(대판 1986.9.9, 86도1382 ∵ 부동산증여계약은 선량한 풍속과 사회질서에 반한 것으로 무효 ⇨ 소유권이전등기의무 인정 안됨) 09. 법원직, 11. 사시, 18 · 20. 수사경과
2. 국토이용관리법(제21조의 2)상 토지거래허가규제지역 내에 있는 토지를 거래허가를 받지 않고 매도한 매도인 ⇨ 타인사무를 처리하는 자 ×(대판 1996.8.23, 96도1514 ∵ 매도인에게 매수인에 대한 소유권이전등기에 협력할 의무 × ∴ 매수인으로부터 계약금과 중도금을 수령하였으나 토지거래허가를 받지 못한 상태에서 위 토지를 제3자에게 이중으로 매도하면서 토지거래허가를 받고 소유권이전등기까지 마쳐 준 경우 ⇨ 최초 매수인에 대한 배임죄 × : 대판 1983.4.12, 82도2938) 13 · 17. 법원행시

### 5. 공범관계

**관련판례**

1. 업무상 배임죄의 실행으로 인하여 이익을 얻게 되는 수익자 또는 그와 밀접한 관련이 있는 제3자를 배임의 실행행위자와 공동정범으로 인정하기 위하여는 실행행위자의 행위가 피해자 본인에 대한 배임행위에 해당한다는 것을 알면서도 소극적으로 그 배임행위에 편승하여 이익을 취득한

것만으로는 부족하고, 실행행위자의 배임행위를 교사하거나 또는 배임행위의 전 과정에 관여하는 등으로 배임행위에 적극 가담할 것을 필요로 한다(대판 2007.4.12, 2007도1033). 17. 법원행시·순경 1차, 19. 변호사시험·법원직, 21. 경력채용, 23. 해경승진

▶ **유사판례** : 거래상대방의 대향적 행위의 존재를 필요로 하는 유형의 배임죄에 있어서 거래상대방이 배임행위를 교사하거나 그 배임행위의 전 과정에 관여하는 등으로 배임행위에 적극 가담함으로써 그 실행행위자와의 계약이 반사회적 법률행위에 해당하여 무효로 되는 경우라면 그 상대방은 배임죄의 교사범 또는 공동정범이 될 수 있다(대판 2005.10.28, 2005도4915). 15. 9급 철도경찰, 18. 변호사시험, 21. 해경간부

2. 1인 회사의 주주가 개인적 거래에 수반하여 법인 소유의 부동산을 담보로 제공한다는 사정을 거래상대방이 알면서 가등기의 설정을 요구하고 그 가등기를 경료받은 경우, 그 거래상대방이 배임행위의 교사범 또는 공동정범이나 방조범에 해당한다고 할 수 없다(대판 2005.10.28, 2005도4915). 18. 경찰간부
3. 점포의 임차인이 임대인이 그 점포를 타인에 매도한 사실을 알면서 임대차계약 당시 '타인에게 점포를 매도할 경우 우선적으로 임차인에게 매도한다.'는 특약을 구실로 매매대금을 일방적으로 공탁하고 임대인과 공모하여 임차인 명의로 소유권이전등기를 경료한 경우 ⇨ 배임죄의 공동정범(대판 1983.7.12, 82도180) 13. 사시
4. 업무상 배임죄와 배임증재죄는 별개의 범죄로서 배임증재죄를 범한 자라 할지라도 그와 별도로 타인의 사무를 처리하는 지위에 있는 사람과 공범으로서는 업무상 배임죄를 범할 수도 있다(대판 1999.4.27, 99도883). 19. 법원직
5. 회사직원이 영업비밀을 경쟁업체에 유출하거나 스스로의 이익을 위하여 이용할 목적으로 무단으로 반출한 때 업무상 배임죄의 기수에 이르렀다고 할 것이고, 그 이후에 위 직원과 접촉하여 영업비밀을 취득하려고 한 자는 업무상 배임죄의 공동정범이 될 수 없다(대판 2003.10.30, 2003도4382). 18. 경찰간부, 22. 해경간부, 23. 경찰승진, 24. 해경승진

### 6. 부동산의 이중매매

① 부동산 매매계약에서 중도금이 지급되는 등 계약이 본격적으로 이행되는 단계에 이른 때에는 계약이 취소되거나 해제되지 않는 한 매도인은 매수인에게 부동산의 소유권을 이전해 줄 의무에서 벗어날 수 없다. 따라서 이러한 단계에 이른 때에 매도인은 매수인에 대하여 매수인의 재산보전에 협력하여 재산적 이익을 보호·관리할 신임관계에 있게 된다. 그때부터 매도인은 배임죄에서 말하는 '타인의 사무를 처리하는 자'에 해당한다(대판 2018.5.17, 2017도4027 전원합의체 ∴ 부동산 매매계약에서 중도금이 지급되는 등 계약이 본격적으로 이행되는 단계에 이르렀음에도 불구하고 매도인이 매수인에게 계약 내용에 따라 부동산의 소유권을 이전해 주기 전에 그 부동산을 제3자에게 처분하고 제3자 앞으로 그 처분에 따른 등기를 마쳐주는 행위를 하는 경우 배임죄가 성립한다). 20. 법원행시·법원직·9급 검찰, 21. 7급 검찰, 22. 변호사시험·경찰승진·순경 2차, 23. 경찰간부

② 매도인이 매수인에게 순위보전의 효력이 있는 가등기를 나쳐 주었더라도 이는 향후 매수인에게 손해를 회복할 수 있는 방안을 마련하여 준 것일 뿐 그 자체로 물권변동의 효력이 있는 것은 아니어서 매도인으로서는 소유권을 이전하여 줄 의무에서 벗어날 수 없으므로, 그와 같은 가등기로 인하여 매수인의 재산보전에 협력하여 재산적 이익을 보호·관리할 신임관계의 전형적·본질적 내용이 변경된다고 할 수 없다(대판 2020.5.14, 2019도16228 ㉑ 매도인이 매수인에게 가등기를 해 준 후에 이중매매를 한 경우 ⇨ 배임죄 ○). 20. 법원행시

③ • 실행의 착수시기 : 후매수인(丙)으로부터 중도금 수령시(통설 · 판례)
• 기수시기 : 丙에게 소유권이전등기 경료시(대판 1984.11.27, 83도1946), 소유권이전청구권 보전을 위한 가등기 경료시(대판 2008.7.10, 2008도3766) 16. 9급 검찰 · 마약수사, 17. 수사경과, 22. 순경 2차

**관련판례**

1. 부동산을 이중으로 매도한 경우에 매도인이 선매수인에게 소유권이전의무를 이행하였다고 하여 후매수인에 대한 관계에서 그가 임무를 위법하게 위배한 것이라고 할 수 없다(대판 2009.2.26, 2008도11722 예 아파트 건축분양회사가 수분양자들에게 소유권이전등기절차를 이행하지 않은 채 분양 전 금융기관과 체결한 근저당권설정계약에 따라 근저당권설정등기를 경료해 준 경우, 수분양자들에 대한 배임죄의 성립을 부정한 사례). 10. 법원행시, 12 · 17. 경찰승진
2. 피고인이 제1차 매수인으로부터 계약금 및 중도금 명목의 금원을 교부받은 후 제2차 매수인에게 부동산을 매도하기로 하고 계약금만을 지급받은 뒤 더 이상의 계약 이행에 나아가지 않았다면 배임죄의 실행의 착수가 있었다고 볼 수 없다(대판 2003.3.25, 2002도7134) 19. 법원행시 · 법원직
3. 부동산양도인이 계약금 및 중도금에 갈음하여 양수인 소유부동산에 관한 소유권이전등기 소요서류를 모두 교부받았다면 양도인이 그 양도부동산을 제3자에게 이중양도하고 소유권이전등기를 마친 경우 배임죄가 성립한다(대판 1986.10.28, 86도936). 06. 법원행시
4. 부동산을 이중으로 매도하여 2차 매수인 앞으로 소유권이전등기를 마친 이상 배임죄를 구성하고 1차 매수인이 한 처분금지가처분의 효력으로 위 등기가 궁극적으로 말소되었다 하더라도 배임죄의 성립에 영향이 없다(대판 1973.1.16, 72도2494). 06. 법원행시
   ▶ **유사판례** : 매도인이 부동산을 매도하고 매수인으로부터 계약금과 중도금을 수령한 후 제3자에게 담보조로 가등기를 경료해 주었다가 이를 말소한 경우 ⇨ 배임죄 ○(대판 1982.2.23, 81도3146) 01. 사시, 19. 경찰간부
5. 부동산 교환계약에 있어서 사회통념 내지 신의칙에 비추어 매매계약에서 중도금이 지급된 것과 마찬가지로 교환계약이 본격적으로 이행되는 단계에 이른 후에 그 부동산을 임의 처분한 경우에는 배임죄가 성립한다(대판 2018.10.4, 2016도11337).
6. 양수인에게 무허가건물을 인도할 의무를 부담하는 양도인이 중도금 또는 잔금까지 수령한 상태에서 양수인의 의사에 반하여 제3자에게 그 무허가건물을 이중으로 양도하고 중도금까지 수령하였다면 이는 양수인에 대한 관계에서 임무위배행위로서 배임죄의 실행의 착수가 있었다고 할 것이고, 더 나아가 제3자로부터 잔금을 수령하고 무허가건물을 인도하였다면 이는 배임죄의 기수에 해당한다(대판 2005.10.28, 2005도5713). 17. 법원행시

**7. 동산의 이중매매**(양도)

**관련판례** : 매도인이 매수인으로부터 중도금을 수령한 이후에 매매목적물인 "동산"을 제3자에게 양도한 경우(예 피고인이 피고인의 '인쇄기'를 甲에게 양도하기로 하고 계약금 및 중도금을 수령하였음에도 이를 자신의 채권자 乙에게 기존 채무 변제에 갈음하여 양도함으로써 재산상 이익을 취득하고 甲에게 동액 상당의 손해를 입힌 경우) ⇨ 배임죄 ×(대판 2011.1.20, 2008도10479 전원합의체 ∵ 동산인도채무 ⇨ 매도인의 자기사무 ○, 매수인의 사무를 처리하는 지위 ×) 15. 7급 검찰 · 철도경찰, 16. 순경 2차 · 3차, 17. 법원직, 18. 변호사시험 · 순경 1차, 20. 해경승진 · 9급 검찰, 21. 해경간부 · 경찰간부, 23. 법원행시, 20 · 21 · 23. 경찰승진

8. 동산의 이중양도담보

관련판례

1. 피고인이 그 소유의 동산(에어컨)을 피해자에게 양도담보로 제공하고 점유개정의 방법으로 점유하고 있다가 다시 이를 제3자에게 양도담보로 제공하고 역시 점유개정의 방법으로 점유를 계속한 경우 배임죄를 구성하지 않는다(대판 1990.2.13, 89도1931). 10. 법원행시, 14. 7급 검찰·철도경찰, 20. 순경 1차·해경승진, 21. 경찰간부
2. 채무자가 그 소유의 동산에 대하여 점유개정의 방식으로 채권자들에게 이중의 양도담보 설정계약을 체결한 후 양도담보 설정자가 목적물을 임의로 제3자에게 처분하였다면 뒤의 채권자에 대한 관계에서 배임죄가 성립하지 않는다(대판 2004.6.25, 2004도1751). 15. 변호사시험, 19. 9급 검찰, 20. 순경 1차·해경승진, 21. 경찰간부

**01** **배임의 죄에 관한 설명 중 가장 옳지 않은 것은?**(다툼이 있는 경우 판례에 의함) 18. 법원행시

① 부동산 매매계약에서 중도금이 지급되는 등 계약이 본격적으로 이행되는 단계에 이른 때에는 계약이 취소되거나 해제되지 않는 한 매도인은 매수인에게 부동산의 소유권을 이전해 줄 의무에서 벗어날 수 없다. 따라서 이러한 단계에 이른 때에 매도인은 매수인에 대하여 매수인의 재산보전에 협력하여 재산적 이익을 보호·관리할 신임관계에 있게 된다. 그때부터 매도인은 배임죄에서 말하는 '타인의 사무를 처리하는 자'에 해당한다.

② 배임죄의 주체로서 '타인의 사무를 처리하는 자'란 타인과의 대내관계에서 신의성실의 원칙에 비추어 그 사무를 처리할 신임관계가 존재한다고 인정되는 자를 의미하고, 반드시 제3자에 대한 대외관계에서 그 사무에 관한 대리권이 존재할 것을 요하지 않는다.

③ 낙찰계의 계주가 계원들로부터 계불입금을 징수하지 아니하였다면 그러한 상태에서 부담하는 계금지급의무는 단순한 채권관계상의 의무에 불과하여 타인의 사무에 속하지 아니하나, 이는 계주가 계원들과의 약정을 위반하여 계불입금을 징수하지 않은 경우에는 달리 보아야 한다.

④ 업무상 배임죄에 있어서 타인의 사무를 처리하는 자란 고유의 권한으로서 그 처리를 하는 자에 한하지 않고 그 자의 보조기관으로서 직접 또는 간접으로 그 처리에 관한 사무를 담당하는 자도 포함한다.

⑤ 서면에 의하지 아니한 증여계약이 행하여진 경우 증여자가 구두의 증여계약에 따라 수증자에 대하여 증여 목적물의 소유권을 이전하여 줄 의무를 부담한다고 하더라도 그 증여자는 수증자의 사무를 처리하는 자의 지위에 있다고 할 수 없다.

**해설** ① 대판 2018.5.17, 2017도4027 전원합의체(부동산의 이중매매)
② 대판 2007.6.1, 2006도1813
③ ×: ~ (2줄) 타인의 사무에 속하지 아니하고, 이는 ~ 징수하지 아니한 경우라 하여 달리 볼 수 없다(대판 2009.8.20, 2009도3143). ④ 대판 1999.7.23, 99도1911 ⑤ 대판 2005.12.9, 2005도5962

Answer 1. ③

**02 다음 설명 중 옳지 않은 것은 모두 몇 개인가?**(다툼이 있는 경우 판례에 의함) 19. 경찰간부

> ㉠ 금전채무를 담보하기 위하여 채무자 甲이 그 소유의 동산을 채권자 乙에게 점유개정에 의하여 양도한 후 양도담보된 동산을 처분하는 등 부당히 그 담보가치를 감소시키는 행위를 한 때에는 배임죄의 죄책을 진다.
> ㉡ 매도인 甲이 부동산을 매도하고 매수인 乙로부터 계약금과 중도금을 수령한 후 제3자에게 담보조로 가등기를 경료해주었다가 이를 말소한 경우 배임죄의 죄책을 진다.
> ㉢ 배임수재죄의 주체로서 '타인의 사무를 처리하는 자'란 타인과의 대내관계에서 신의성실의 원칙에 비추어 사무를 처리할 신임관계가 존재한다고 인정되는 자를 의미하고, 반드시 제3자에 대한 대외관계에서 사무에 관한 권한이 존재할 것을 요하지 않는다.
> ㉣ 채권담보목적으로 부동산에 관한 대물변제예약을 체결한 채무자 甲이 대물로 변제하기로 한 부동산을 제3자에게 처분한 경우 甲에 대해 배임죄가 성립한다.
> ㉤ 공무원 甲이 대통령의 퇴임 후 사용할 사저부지와 그 경호부지를 일괄 매수하는 사무를 처리하면서 매매계약 체결 후 그 매수대금을 대통령의 아들 乙과 국가에 배분함에 있어 이미 복수의 감정평가업자에게 감정평가를 의뢰하여 그 결과를 통보받았음에도 굳이 이를 무시하면서 인근 부동산업자들이나 인터넷, 지인 등으로부터의 불확실한 정보를 가지고 감정평가결과와 전혀 다르게 상대적으로 사저부지 가격을 낮게 평가하고 경호부지 가격을 높게 평가하여 매수대금을 배분하여 乙에게 재산상 이익을 취하게 하고 국가에 손해를 가한 경우 甲에 대해 업무상 배임죄가 성립한다.

① 없 음 ② 1개 ③ 2개 ④ 3개

**| 해설** ㉠ ×: 배임죄 ×(대판 2020.2.20, 2019도9756 전원합의체 ∵ 타인의 사무처리자 ×)
㉡ ○: 대판 1982.2.23, 81도3146
㉢ ○: 대판 2003.2.26, 2002도6834
㉣ ×: 배임죄 ×(대판 2014.8.21, 2014도3363 전원합의체 ∵ 대물변제예약의 내용에 좇은 이행을 하여야 할 채무는 '자기의 채무'에 해당)
㉤ ○: 대판 2013.9.27, 2013도6835

**03 다음 설명 중 옳지 않은 것은?**(다툼이 있는 경우 판례에 의함) 19. 9급 검찰 · 마약수사

① 부동산 매도인이 매수인으로부터 중도금을 지급받은 후 그 부동산을 제3자에게 이중으로 양도하였다면 배임죄가 성립한다.
② 채권담보를 위한 대물변제예약의 채무자가 대물로 변제하기로 한 부동산을 제3자에게 처분하였더라도 배임죄가 성립하는 것은 아니다.
③ 동산매매계약에서 매도인이 목적물을 매수인에게 인도하지 아니하고 이를 제3자에게 처분하였더라도 배임죄가 성립하는 것은 아니다.
④ 채무자가 채권자 A와 B에게 순차적으로 그 소유의 동산에 대하여 점유개정의 방식으로 이중의 양도담보 설정계약을 체결한 후 그 목적물을 임의로 제3자에게 처분하였다면 A는 물론 B에 대한 관계에서도 배임죄가 성립한다.

**Answer** 2. ③ 3. ④

| 해설 | ① 부동산의 이중매매(대판 2018.5.17, 2017도4027 전원합의체)
② 대판 2014.8.21, 2014도3363 전원합의체
③ 동산의 이중매매(대판 2011.1.20, 2008도10479)
④ × : A에 대한 배임죄 ×(대판 2020.2.20, 2019도9756 전원합의체), B에 대한 배임죄 ×(대판 1990.2.13, 89도1931) ⇨ 동산의 이중양도담보

**04** **업무상 배임죄의 주체에 관한 설명 중 가장 옳지 않은 것은?**(다툼이 있는 경우 판례에 의함)
19. 법원직

① 업무상 배임죄로 이익을 얻은 수익자 또는 그와 밀접한 관련이 있는 제3자라도 배임행위의 전 과정에 관여하는 등으로 배임행위에 적극 가담하는 경우는 배임의 실행행위자와 공동정범이 성립할 수 있다.
② 업무상 배임죄와 배임증재죄는 별개의 범죄로서 배임증재죄를 범한 자라 할지라도 그와 별도로 타인의 사무를 처리하는 지위에 있는 사람과 공범으로서는 업무상 배임죄를 범할 수도 있다.
③ 공무원은 업무상 배임죄의 주체가 될 수 없다.
④ 업무상 배임죄에 있어서 '타인의 사무를 처리하는 자'란 고유의 권한으로서 그 처리를 하는 자에 한하지 아니하고, 그 자의 보조기관으로서 직접 또는 간접으로 그 처리에 관한 사무를 담당하는 자도 포함된다.

| 해설 | ① 대판 2007.4.12, 2007도1033 ② 대판 1999.4.27, 99도883
③ × : 공무원이 그 임무에 위배되는 행위로써 제3자로 하여금 재산상의 이익을 취득하게 하여 국가에 손해를 가한 경우에 업무상 배임죄가 성립한다(대판 2013.9.27, 2013도6835). '타인의 사무'에는 사적 사무뿐만 아니라 공적 사무도 포함된다(대판 1974.11.12, 74도1138).
④ 대판 1999.7.23, 99도1911

**05** **배임죄에 관한 설명으로 가장 적절하지 않은 것은?**(다툼이 있는 경우 판례에 의함) 20. 순경 1차

① 피고인이 인쇄기를 甲에게 양도하기로 하고 계약금 및 중도금을 수령하였음에도 이를 자신의 채권자 乙에게 기존 채무변제에 갈음하여 양도한 경우 배임죄가 성립하지 않는다.
② 피고인이 그 소유의 에어컨을 피해자에게 양도담보로 제공하고 점유개정의 방법으로 점유하고 있다가 다시 이를 제3자에게 양도담보로 제공하고 역시 점유개정의 방법으로 점유를 계속한 경우 배임죄를 구성하지 않는다.
③ 동산에 대하여 점유개정의 방법으로 이중 양도담보를 설정한 경우 처음의 양도담보권자에게 이중으로 양도담보 제공을 하지 않기로 특약하였다면 배임죄를 구성한다.
④ 채무자가 그 소유의 동산에 대하여 점유개정의 방식으로 채권자들에게 이중의 양도담보 설정계약을 체결한 후 양도담보 설정자가 목적물을 임의로 제3자에게 처분하였다면 뒤의 채권자에 대한 관계에서 배임죄가 성립하지 않는다.

Answer 4.③ 5.③

| 해설 | ① 대판 2011.1.20, 2008도10479 ② 대판 1990.2.13, 89도1931
③ ×: 배임죄 ×(대판 1990.2.13, 89도1931)
④ 대판 2004.6.25, 2004도1751

**06** **배임죄에 대한 설명으로 가장 적절하지 않은 것은?**(다툼이 있는 경우 판례에 의함) 21. 경찰승진

① 동산매매계약에서의 매도인은 매수인에 대하여 그의 사무를 처리하는 지위에 있지 아니하므로, 매도인이 목적물을 매수인에게 인도하지 아니하고 이를 타에 처분하였다 하더라도 매도인에게 형법상 배임죄가 성립하지 않는다.

② 채무담보를 위하여 채권자에게 부동산에 관하여 근저당권을 설정해 주기로 약정한 채무자가 담보목적물을 임의로 처분한 경우 채무자에게 배임죄가 성립하지 않는다.

③ 부동산 매도인인 피고인이 매수인 甲 등과 매매계약을 체결하고 甲 등으로부터 계약금과 중도금을 지급받은 후 매매목적물인 부동산을 제3자 乙 등에게 이중으로 매도하고 소유권이전등기를 마쳐 준 것만으로는 피고인에게 배임죄가 성립하지 않는다.

④ 채무자가 금전채무를 담보하기 위하여 그 소유의 동산을 채권자에게 동산·채권 등의 담보에 관한 법률에 따른 동산담보로 제공함으로써 채권자인 동산담보권자에 대하여 담보물의 담보가치를 유지·보전할 의무 또는 담보물을 타에 처분하거나 멸실, 훼손하는 등으로 담보권 실행에 지장을 초래하는 행위를 하지 않을 의무를 부담하게 된 경우라도 채무자는 배임죄의 주체인 '타인의 사무를 처리하는 자'에 해당하지 않는다.

| 해설 | ① 대판 2011.1.20, 2008도10479 전원합의체
② 대판 2020.6.18, 2019도14340 전원합의체
③ ×: 배임죄 ○(부동산의 이중매매: 대판 2018.5.17, 2017도4027 전원합의체)
④ 대판 2020.8.27, 2019도14770 전원합의체

**07** **배임죄의 주체인 타인의 사무를 처리하는 자에 관한 다음 설명 중 가장 옳지 않은 것은?**(다툼이 있는 경우 판례에 의함) 22. 법원직

① 동산매매계약에서의 매도인은 매수인에 대하여 그의 사무를 처리하는 지위에 있지 아니하므로, 매도인이 목적물을 타에 처분하였다 하더라도 형법상 배임죄가 성립하지 아니하는데, 이러한 법리는 권리이전에 등기·등록을 요하는 동산에 대한 매매계약에서도 동일하게 적용되므로, 자동차 등의 매도인은 매수인에 대하여 그의 사무를 처리하는 지위에 있지 아니한다.

② 채무자가 채권자로부터 금원을 차용하는 등 채무를 부담하면서 채무담보를 위하여 부동산에 관한 저당권설정계약을 체결한 경우, 위 약정의 내용에 좇아 채권자에게 부동산에 관한 저당권을 설정하여 줄 의무는 자기의 사무인 동시에 상대방의 재산보전에 협력할 의무에 해당하여 '타인의 사무'에 해당한다.

Answer 6.③ 7.②

③ 채무자가 금전채무를 담보하기 위하여 그 소유의 동산을 채권자에게 양도담보로 제공함으로써 채권자인 양도담보권자에 대하여 담보물의 담보가치를 유지·보전할 의무 내지 담보물을 타에 처분하거나 멸실, 훼손하는 등으로 담보권 실행에 지장을 초래하는 행위를 하지 않을 의무를 부담하게 되었더라도, 이를 들어 채무자가 통상의 계약에서의 이익대립관계를 넘어서 채권자와의 신임관계에 기초하여 채권자의 사무를 맡아 처리하는 것으로 볼 수 없다. 따라서 채무자를 배임죄의 주체인 '타인의 사무를 처리하는 자'에 해당한다고 할 수 없다.

④ 주권발행 전 주식의 경우 양도인이 양수인으로 하여금 회사 이외의 제3자에게 대항할 수 있도록 확정일자 있는 증서에 의한 양도통지 또는 승낙을 갖추어 주어야 할 채무를 부담한다 하더라도 이는 자기의 사무라고 보아야 하고, 이를 양수인과의 신임관계에 기초하여 양수인의 사무를 맡아 처리하는 것으로 볼 수 없으므로, 주권발행 전 주식에 대한 양도계약에서의 양도인은 양수인에 대하여 그의 사무를 처리하는 지위에 있지 아니한다.

**| 해설** ① 대판 2020.10.22, 2020도6258 전원합의체
② ×: 채무자 '자신의 사무'에 해당 ○, '타인의 사무'에 해당 ×(대판 2020.6.18, 2019도14340 전원합의체)
③ 대판 2020.2.20, 2019도9756 전원합의체
④ 대판 2020.6.4, 2015도6057

**08** **배임의 죄에 관한 설명 중 가장 적절하지 않은 것은?**(다툼이 있는 경우 판례에 의함) 23. 순경 1차

① 채무자가 금전채무를 담보하기 위해 주식에 관하여 양도담보 설정계약을 체결한 후 변제일 전에 제3자에게 해당 주식을 처분하더라도 배임죄는 성립하지 않는다.

② 권리이전에 등록을 요하는 자동차에 대한 매매계약에서 매도인은 매수인의 사무를 처리하는 자의 지위에 있지 않으므로, 매도인이 매수인에게 소유권이전등록을 하지 아니하고 그 자동차를 제3자에게 처분하였다고 하더라도 배임죄는 성립하지 않는다.

③ 배임수재죄의 주체로서 '타인의 사무를 처리하는 자'라 함은 타인과의 대내관계에 있어서 신의성실의 원칙에 비추어 그 사무를 처리할 신임관계가 존재한다고 인정되는 자를 의미하고, 반드시 제3자에 대한 대외관계에서 그 사무에 관한 권한이 존재할 것을 요하지는 않는다.

④ 서면으로 부동산 증여의 의사를 표시한 증여자가 증여계약을 취소하거나 해제할 수 없음에도 불구하고 증여계약에 따라 수증자에게 부동산의 소유권을 이전하지 않고 부동산을 제3자에게 처분하여 등기를 한 경우, 증여자의 소유권이전등기의무는 증여자 자신의 사무일 뿐 타인의 사무에 해당하지 않으므로 배임죄가 성립하지 않는다.

**| 해설** ① 대판 2020.2.20, 2019도9756 전원합의체
② 대판 2020.10.22, 2020도6258 전원합의체 ③ 대판 2003.2.26, 2002도6834
④ ×: ~ (3줄) 증여자의 소유권이전등기의무는 타인의 사무에 해당되어 증여자는 '타인의 사무를 처리하는 자'로 배임죄가 성립한다(대판 2018.12.13, 2016도19308).

Answer 8. ④

**09** **(가)와 (나) 사례에 관한 설명 중 옳은 것은 모두 몇 개인가?**(다툼이 있는 경우 판례에 의함)

22. 순경 2차

(가) 甲은 A주식회사에 본인 소유 토지를 양도하는 내용의 매매계약을 체결한 후 A주식회사로부터 계약금, 중도금 및 잔금 중 일부를 교부받았으나, 乙에게 이 사건 토지를 매도하고 소유권이전등기를 경료해 주었다. 그런데 그 이전에 甲은 A주식회사로부터 계약금 중 3/4만 지급받은 상태에서 A주식회사 명의로 가등기를 경료해 주어 甲의 행위에도 불구하고 A주식회사가 甲의 아무런 협력 없이도 가등기의 순위보전 효력에 의해 자신 명의로 소유권이전등기를 마칠 수 있는 수단을 마련해 주었다.

(나) 丙은 B에게 본인 소유 임야를 매도하고 일부 잔금까지 지급받았음에도 다시 그 임야를 丁에게 매도하여 계약금을 지급받은 후, 丁의 명의로 소유권이전청구권 보전을 위한 가등기를 경료해 주었다.

㉠ 甲과 丙은 각각 A주식회사와 B와의 관계에서 타인의 사무를 처리하는 자에 해당한다.
㉡ 甲과 丙의 행위로 인해 A주식회사와 B에게는 현실적인 손해가 발생하였다.
㉢ 丙에게는 배임죄가 성립하지 않는다.
㉣ 甲과 丙에게는 배임죄의 미수가 성립한다.

① 1개 ② 2개 ③ 3개 ④ 4개

**| 해설** (가)와 (나)는 부동산의 이중매매에 있어서 매도인의 형사책임(배임죄) 문제임.

(가) 매도인이 매수인에게 순위보전의 효력이 있는 가등기를 마쳐 주었더라도 이는 향후 매수인에게 손해를 회복할 수 있는 방안을 마련하여 준 것일 뿐 그 자체로 물권변동의 효력이 있는 것은 아니어서 매도인으로서는 소유권을 이전하여 줄 의무에서 벗어날 수 없으므로, 그와 같은 가등기로 인하여 매수인의 재산보전에 협력하여 재산적 이익을 보호·관리할 신임관계의 전형적·본질적 내용이 변경된다고 할 수 없다(대판 2020.5.14, 2019도16228 ∴ 甲은 '타인의 사무를 처리하는 자'에 해당하고 배임죄가 성립한다).

(나) 배임죄에 있어서 재산상 손해를 가한 때라 함은 현실적인 손해를 가한 경우뿐 아니라 재산상 손해발생의 위험을 초래한 경우도 포함하는바, 부동산의 매도인으로서 매수인에 대하여 그 앞으로의 소유권이전등기절차에 협력할 의무 있는 자가 그 임무에 위배하여 같은 부동산을 매수인 이외의 제3자에게 이중으로 매도하고 제3자 앞으로 소유권이전청구권 보전을 위한 가등기를 마쳐 주었다면, 이는 매수인에게 손해발생의 위험을 초래하는 행위로서 배임죄를 구성한다(대판 2008.7.10, 2008도3766 ∴ 丙은 '타인의 사무를 처리하는 자'에 해당하고 배임죄가 성립한다).

㉠ ○ : 위의 (가)(나) 판례에 의하면 옳다.

㉡ × : (가)의 경우 乙에게 소유권이전등기를 경료해 주었으므로 A주식회사에게 현실적인 손해가 발생하였다고 볼 수 있으나, (나)의 경우 丁에게 소유권이전청구권 보전을 위한 가등기를 경료해 주었다면 B에게는 손해발생의 위험은 발생하였으나 현실적인 손해가 발생하였다고 볼 수 없다.

㉢ × : 위의 (나) 판례에 의하면 배임죄가 성립한다.

㉣ × : 본인에게 현실적인 손해가 발생하거나(甲의 경우) 손해발생의 위험이 있는 경우(丙의 경우)에 배임죄의 기수(미수 ×)가 성립한다.

Answer 9. ①

**10** **배임죄에 관한 다음 설명 중 가장 옳은 것은?**(다툼이 있는 경우 판례에 의함) 23. 법원직

① 배임죄는 피해자에 대한 재산상 손해 발생 위험만으로 기수에 이르는 구체적 위험범이므로, 배임미수죄는 성립할 수 없다.

② 자동차 양도담보설정계약을 체결한 채무자가 채권자에게 소유권이전등록의무를 이행하지 않은 채 제3자에게 담보목적 자동차를 처분하였다고 하더라도 배임죄가 성립하지 않는다.

③ 피고인이 알 수 없는 경위로 甲의 특정 거래소 가상지갑에 들어 있던 비트코인을 자신의 계정으로 이체받은 후 이를 자신의 다른 계정으로 이체하였다면 배임죄가 성립한다.

④ 금융기관의 직원은 예금주의 예금반환채권을 관리하는 사무처리자 지위에 있으므로 금융기관 직원이 임의로 예금주의 예금계좌에서 예금을 무단으로 인출하면 업무상 배임죄가 성립한다.

**| 해설** ① ×: 배임죄는 위험범으로 피해자에 대한 손해가 발생하였다거나 실해발생의 위험(구체적 · 현실적인 위험)이 있는 경우에는 배임죄의 기수이나, 그렇게 볼 수 없는 경우에는 배임의 범의로 임무위배행위를 함으로써 실행에 착수한 것이므로 배임죄의 미수범이 된다(대판 2017.7.20, 2014도1104 전원합의체).
② ○: 대판 2022.12.22, 2020도8682 전원합의체(∵ '타인의 사무를 처리하는 자' ×)
③ ×: 배임죄 ×(대판 2021.12.16, 2020도9789 ∵ 가상자산 권리자의 착오나 가상자산 운영 시스템의 오류 등으로 법률상 원인관계 없이 다른 사람의 가상자산 전자지갑에 가상자산이 이체된 경우, 가상자산을 이체받은 자는 가상자산의 권리자 등에 대한 부당이득반환의무를 부담하게 될 수 있다. 그러나 이는 당사자 사이의 민사상 채무에 지나지 않고 이러한 사정만으로 가상자산을 이체받은 사람이 신임관계에 기초하여 가상자산을 보존하거나 관리하는 지위에 있다고 볼 수 없다.)
④ ×: 배임죄 ×(대판 2008.4.24, 2008도1408 ∵ 보통예금은 은행 등 법률이 정하는 금융기관을 수치인으로 하는 금전의 소비임치 계약으로서 그 예금계좌에 입금된 금전의 소유권은 금융기관에 이전되고 예금주는 그 예금계좌를 통한 예금반환채권을 취득하는 것이므로, 금융기관의 임직원은 예금주로부터 예금계좌를 통한 적법한 예금반환 청구가 있으면 이에 응할 의무가 있을 뿐 예금주와의 사이에서 그의 재산관리에 관한 사무를 처리하는 자의 지위에 있다고 할 수 없다.)

Answer 10. ②

THEMA 02

1. **배임죄의 배임행위**(임무에 위배하는 행위)

1. 임무에 위배하는 행위(배임행위)라 함은 구체적 상황에 비추어 법률의 규정, 계약의 내용 혹은 신의칙상 당연히 할 것으로 기대되는 행위를 하지 않거나 당연히 하지 않아야 할 것으로 기대하는 행위를 함으로써 본인과 사이의 신임관계를 저버리는 일체의 행위를 포함하는 것으로 그러한 행위가 법률상 유효한가 여부는 따져볼 필요가 없고, 19. 법원행시 행위자가 가사 본인을 위한다는 의사를 가지고 행위를 하였다고 하더라도 그 목적과 취지가 법령이나 사회상규에 위반된 위법한 행위로서 용인할 수 없는 경우에는 그 행위의 결과가 일부 본인을 위하는 측면이 있다고 하더라도 이는 본인과의 신임관계를 저버리는 행위로서 배임죄의 성립을 인정함에 영향이 없다(대판 2002.7.22, 2002도1696). 03 · 07. 사시
2. 업무상 배임죄는 타인과의 신뢰관계에서 일정한 임무에 따라 사무를 처리할 법적 의무가 있는 자가 그 상황에서 당연히 할 것이 법적으로 요구되는 행위를 하지 않는 부작위에 의해서도 성립할 수 있다. 그러한 부작위를 실행의 착수로 볼 수 있기 위해서는 작위의무가 이행되지 않으면 사무처리의 임무를 부여한 사람이 재산권을 행사할 수 없으리라고 객관적으로 예견되는 등으로 구성요건적 결과 발생의 위험이 구체화한 상황에서 부작위가 이루어져야 한다. 그리고 행위자는 부작위 당시 자신에게 주어진 임무를 위반한다는 점과 그 부작위로 인해 손해가 발생할 위험이 있다는 점을 인식하였어야 한다(대판 2021.5.27, 2020도15529). 22. 경찰간부, 24. 해경승진

- **배임행위에 해당 × ⇨ 배임죄 ×**

1. 부동산을 경락한 자가 경락허가결정이 확정된 후에 소유권자에게 경락을 포기하겠다고 약속하고도 대금을 완납하고 소유권을 취득한 경우(대판 1969.2.25, 69도46 ∵ 실질적인 권리관계에 상응한 조치 ⇨ 배임행위 ×) 02. 사시, 11. 경찰승진
2. 직무발명에 대한 특허를 받을 수 있는 권리 등을 사용자 등에게 승계한다는 취지를 정한 약정이나 근무규정이 없는 한 종업원이 직무발명을 사용자가 아닌 종업원의 이름으로 특허출원하더라도 이는 자신의 권리를 행사하는 것으로서 업무상 배임죄가 성립할 여지는 없다(대판 2012.12.27, 2011도15093).

   **비교판례** : 그러나 그러한 약정 또는 근무규정의 적용을 받는 종업원 등이 그 임무에 위배하여 직무발명을 완성하고도 그 사실을 사용자 등에게 알리지 않은 채 그 발명에 대한 특허를 받을 수 있는 권리를 제3자에게 이중으로 양도하여 제3자가 특허권 등록까지 마치도록 한 경우 이는 사용자 등에게 손해를 가하는 행위로서 배임죄를 구성한다고 할 것이다(대판 2012.11.15, 2012도6676). 15. 법원행시, 24. 경찰간부
3. 전환사채 발행을 위한 이사회 결의에는 하자가 있었다 하더라도 실권된 전환사채를 제3자에게 배정하기로 의결한 이사회 결의에는 하자가 없는 경우, 전환사채의 발행절차를 진행한 것이 재산보호의무 위반으로서의 임무위배에 해당하지 않는다(대판 2009.5.29, 2007도4949 전원합의체). 24. 해경승진

- **배임행위에 해당 ○ ⇨ 배임죄 ○**

1. 기업의 영업비밀을 사외로 유출하지 않을 것을 서약한 회사의 직원이 경제적인 대가를 얻기 위하여 경쟁업체에 영업비밀을 유출하는 경우 ⇨ 배임죄 ○(대판 1999.3.12, 98도4704) 15. 경찰승진, 17. 법원직, 18. 수사경과, 23. 해경승진

① 회사직원이 재직 중에 영업비밀 또는 영업상 주요한 자산을 경쟁업체에 유출하거나 스스로의 이익을 위하여 이용할 목적으로 무단으로 반출하였다면 유출 또는 반출시에 업무상 배임죄의 기수가 된다(대판 2017.6.29, 2017도3808). 17. 순경 2차, 21. 수사경과

② 회사직원이 영업비밀 등을 적법하게 반출하여 반출행위가 업무상 배임죄에 해당하지 않는 경우라도, 퇴사시에 영업비밀 등을 회사에 반환하거나 폐기할 의무가 있음에도 경쟁업체에 유출하거나 스스로의 이익을 위하여 이용할 목적으로 이를 반환하거나 폐기하지 아니하였다면, 이러한 행위 역시 퇴사시에 업무상 배임죄의 기수가 된다. 17. 순경 2차, 18. 7급 검찰, 19. 9급 검찰·수사경과, 21. 법원직·해경간부, 23. 경찰승진·법원행시, 24. 해경승진

③ 회사직원이 경쟁업체 또는 스스로의 이익을 위하여 이용할 의사로 무단으로 자료를 반출한 행위가 업무상배임죄에 해당하기 위하여는, 그 자료가 반드시 영업비밀에 해당할 필요까지는 없다고 하겠지만 적어도 그 자료가 불특정 다수인에게 공개되어 있지 않아 보유자를 통하지 아니하고는 이를 통상 입수할 수 없고 그 보유자가 자료의 취득이나 개발을 위해 상당한 시간, 노력 및 비용을 들인 것으로서, 그 자료의 사용을 통해 경쟁상의 이익을 얻을 수 있는 정도의 영업상 주요한 자산에는 해당하여야 한다. 따라서 상당한 시간과 노력 및 비용을 들이지 않고도 통상적인 역설계 등의 방법으로 쉽게 입수 가능한 상태에 있는 정보라면 보유자를 통하지 아니하고서는 통상 입수할 수 없는 정보에 해당한다고 보기 어려우므로 영업상 주요한 자산에 해당하지 않는다(대판 2022.6.30, 2018도4794).

2. 1인 회사의 주주가 자신의 개인채무를 담보하기 위하여 회사 소유의 부동산에 대하여 근저당권설정등기를 마쳐 주어 배임죄가 성립한 이후에 그 부동산에 대하여 새로운 담보권을 설정해 주는 행위가 별도의 배임죄를 구성한다(대판 2005.10.28, 2005도4915). 12. 경찰승진, 21. 7급 검찰, 23. 법원행시

3. 대기업의 회장 등이 경영상의 판단이라는 이유로 甲계열회사의 자금으로 재무구조가 상당히 불량한 상태에 있는 乙계열회사가 발행하는 신주를 액면가격으로 인수하는 것이 그 자체로 업무상 배임 행위임이 분명하고 배임에 대한 고의도 충분히 인정된다(대판 2004.6.24, 2004도520). 10. 사시, 15. 경찰간부, 20·21. 수사경과

4. ① 회사의 대표이사가 회사가 속한 재벌그룹의 전(前) 회장이 부담하여야 할 원천징수 소득세의 납부를 위하여 다른 회사에 회사자금을 대여한 경우(대판 2010.10.28, 2009도1149) 13. 경찰간부, 16. 경찰승진, 21. 해경승진 ② 재벌그룹 회장과 그룹 구조조정추진본부 임원들이 해외금융자본과 특정 계열사의 분쟁을 해결하기 위하여 그 계열사의 유상증자에 다른 계열사들을 동원하여 참여시킴으로써 다른 계열사들에 손해를 입힌 경우(대판 2008.5.29, 2005도4640) 10. 사시 ③ 대기업 또는 대기업의 회장 등 개인이 정치적으로 난처한 상황에서 벗어나기 위하여 자회사 및 협력회사 등으로 하여금 특정 회사의 주식을 매입수량, 가격 및 매입시기를 미리 정하여 매입하게 한 경우(대판 2007.3.15, 2004도5742) 15. 경찰간부, 17. 법원행시 ④ 재벌그룹 소속 甲회사가 골프장 건설 사업을 진행 중인 비상장회사 乙의 주식 전부를 보유하고 乙회사를 위하여 수백억원의 채무보증을 한 상태에서 甲회사의 대표이사와 이사들이 乙회사의 주식 전부를 주당 1원으로 계산하여 그룹 회장인 위 대표이사와 그룹 계열사에 매도한 경우(대판 2008.5.15, 2005도7911) 15. 경찰간부

5. ① 회사의 대표가 회사에서 지급의무 없는 돈을 지급하거나(대판 1984.2.28, 83도2928) 08. 순경 ② 변제능력을 상실한 자에게 회사자금을 대여하거나(대판 2000.3.14, 99도457) ③ 지급능력 없는 타인발행의 약속어음에 회사명의로 배서한 경우(대판 2000.5.26, 99도2781 ∵ 대주주의 양해 ⇨ 회사손해 ○ 범의 ○, 이사회의 결의 ⇨ 배임행위가 정당화 ×, 경영상의 판단 ⇨ 배임죄 ○) 15. 법원행시

6. ① 상호지급보증 관계에 있는 회사 간에 보증회사가 채무변제 능력이 없는 피보증회사에 대하여 합리적인 채권회수책 없이 새로 금원을 대여하거나 예금담보를 제공한 경우(대판 2004.7.9, 2004도810) 15. 경찰간부 ② 대표이사가 회사에 필요한 물품을 할인된 가격으로 납품받을 수 있었음에도 자신이 이익을 취득할 의도로 납품업자에게 가공의 납품업체를 만들게 한 뒤 그 납품업체로부터 할인되지 않은 가격으로 납품을 받은 경우(대판 2009.10.15, 2009도5655) 11. 법원직 ③ 회사의 이사 등이 타인에게 회사자금을 대여할 때에 그 타인이 이미 채무변제능력을 상실하여 그에게 자금을 대여할 경우 회사에 손해가 발생하리라는 정을 충분히 알면서 상당하고도 합리적인 채권회수조치를 취하지 아니한 채 만연히 대여해 준 경우(대판 2012.7.12, 2009도7435) 21. 순경 2차 ④ 재무구조가 열악한 회사의 대표이사가 제3자에게 회사의 자산으로 거액의 기부를 한 경우 그 기부액수가 회사의 재정상태 등에 비추어 기업의 사회적 역할을 감당하는 정도를 넘는 과도한 규모로서 상당성을 결여한 경우(대판 2012.6.14, 2010도9871)
7. 대표이사가 임무에 배임하는 행위를 함으로써 주주 또는 회사 채권자에게 손해가 될 행위를 하였다면 그 회사의 이사회 또는 주주총회의 결의가 있었다고 하여 그 배임행위가 정당화될 수는 없다(대판 2005.10.28, 2005도4915). 06. 법원행시, 09. 경찰승진, 20. 경찰간부
8. 회사경영자가 종업원의 재산형성을 통한 복리증진보다는 적대적 M&A로부터 안정주주를 확보하여 경영권 계속유지를 주된 목적으로 종업원 자사주매입에 회사자금을 지원한 경우(대판 1999.6.25, 99도1141) 04. 입시, 15. 경찰승진
9. A주식회사를 인수하는 甲이 일단 금융기관으로부터 인수자금을 대출받아 회사를 인수한 다음, A주식회사에 아무런 반대급부를 제공하지 않고 그 회사의 자산을 위 인수자금 대출금의 담보로 제공하도록 하였다면, 甲에게는 배임죄가 성립한다(대판 2012.6.14, 2012도1283). 14. 변호사시험
10. 공무원이 대통령의 퇴임 후 사용할 사저부지와 그 경호부지를 일괄 매수하는 사무를 처리하면서 감정평가 결과와 전혀 다르게 사저부지 가격을 낮게 평가하고 경호부지 가격을 높게 평가하여 매수대금을 배분한 경우 ⇨ 업무상 배임죄 ○(대판 2013.9.27, 2013도6835) 15. 법원행시, 19. 경찰간부
11. 지점장이 기한 연장 당시에는 채무자로부터 대출금을 모두 회수할 수 있었는데 기한을 연장해 주면 채무자의 자금사정이 대출금을 회수할 수 없을 정도로 악화되리라는 사정을 알고도 그 기한을 연장해 준 경우(대판 2002.6.28, 2000도3716). 09. 경찰승진
12. 특정 목적을 위해 조성된 기금(중소기업진흥기금이나 수산업경영개선자금)을 부적격업체에 부당지출하거나(대판 1997.10.24, 97도2042 ; 대판 2007.4.27, 2007도1038) 08. 순경, 09. 경찰승진, 대학교총장이자 학교법인이사인 자가 명예총장을 추대하고 교비로써 명예총장의 활동비 및 전용운전사의 급여를 지급한 경우(대판 2003.1.10, 2002도758)
13. 재개발조합 조합장이 조합원들의 이주비 차용에 따른 약속어음공증신청을 법무사에게 일괄위임함에 있어 과다한 액수의 수수료 요구를 그대로 받아들여 용역계약을 체결한 경우(대판 1997.6.13, 97도618) 09. 경찰승진
14. 비등록・비상장 법인의 대표이사가 시세차익을 노려 주식시가보다 현저히 낮은 가액으로 전환사채를 발행하고 제3자 이름으로 인수한 후 전환권을 행사하여 인수한 주식 중 일부를 직원들에게 전환가격 상당에 배분한 경우(대판 2001.9.28, 2001도3191) 09. 법원행시
15. 대학교수가 학교법인으로부터 교부받아 소지하고 있던 판공비지출용 법인신용카드를 업무와는 무관하게 지인들과의 식사대금 등의 결제 등 개인적 용도에 사용한 경우 업무상 배임죄로 처벌할 수 있다(대판 2006.5.26, 2003도8095). 07. 법원행시, 19. 변호사시험

**2. 재산상 이익취득** : 배임죄가 성립하기 위해서는 배임행위로 인하여 재산상의 이익을 취득할 것을 요건으로 한다(본인에게 손해를 가하였다고 할지라도 행위자 또는 제3자가 재산상 이익을 취득한 사실이 없다면 배임죄가 성립할 수 없다 : 대판 2007.7.26, 2005도6439). 11. 법원직, 14. 경찰승진

**관련판례**

1. 영업사원인 甲이 회사가 정한 할인율보다 높은 할인율을 정하여 낮은 가격으로 제품을 판매하였다 하여도 시장거래가격으로 판매하여 제3자인 거래처가 재산상 이익을 취득한 것으로 볼 수 없는 경우 ⇨ 업무상 배임죄 ×(대판 2009.12.24, 2007도2484) 13. 사시, 14. 경찰간부, 20. 경찰승진, 21. 수사경과
2. 아파트 입주자대표회의 회장인 甲이 공공요금의 납부를 위한 지출결의서에 날인을 거부함으로써 아파트 입주자들에게 그에 대한 통상의 연체료를 부담시킨 경우 ⇨ 업무상 배임죄 ×〔대판 2009.6.25, 2008도3792 ∵ 열 사용요금 납부 연체로 인하여 발생한 연체료는 금전채무 불이행으로 인한 손해배상에 해당하므로, 공공기관(SH공사 : 공급업체)이 연체료에 해당하는 재산상 이익을 취득 ×〕 14. 변호사시험
3. 업무상 배임죄에서 '재산상 이익 취득'과 '재산상 손해 발생'은 대등한 범죄성립요건이고, 이는 서로 대응하여 병렬적으로 규정되어 있다. 따라서 임무위배행위로 인하여 여러 재산상 이익과 손해가 발생하더라도 재산상 이익과 손해 사이에 서로 대응하는 관계에 있는 등 일정한 관련성이 인정되어야 업무상 배임죄가 성립한다(대판 2021.11.25, 2016도3452 예 甲새마을금고 임원인 피고인이 새마을금고의 여유자금 운용에 관한 규정을 위반하여 금융기관으로부터 원금 손실의 위험이 있는 금융상품을 매입함으로써 甲금고에 액수 불상의 재산상 손해를 가하고 금융기관에 수수료 상당의 재산상 이익을 취득하게 한 경우 ⇨ 업무상 배임죄 × ∵ 피고인의 임무위배행위로 甲금고에 액수 불상의 재산상 손해가 발생하였더라도 금융기관이 취득한 수수료 상당의 이익을 그와 관련성 있는 재산상 이익이라고 인정할 수 없고, 또한 위 수수료 상당의 이익은 배임죄에서의 재산상 이익에 해당한다고 볼 수도 없다). 23. 순경 2차, 24. 법원행시

**3. 재산상 손해**

① 재산상 손해에는 재산의 감소와 같은 적극적 손해를 야기한 경우는 물론, 객관적으로 보아 취득할 것이 충분히 기대되는데도 임무위배행위로 말미암아 이익을 얻지 못한 경우, 즉 소극적 손해를 야기한 경우도 포함된다. 이러한 소극적 손해는 임무위배행위가 없었다면 실현되었을 재산 상태와 임무위배행위로 말미암아 현실적으로 실현된 재산 상태를 비교하여 그 유무 및 범위를 산정하여야 한다(대판 2013.4.26, 2011도6798). 15. 순경 2차

② 재산상 손해는 반드시 현실적으로 손해를 발생시킨 경우뿐만 아니라 손해에 대한 위험이 발생한 경우(실해발생의 위험)도 포함하는 것이므로 손해액이 구체적으로 명백하게 산정되지 않았더라도 배임죄의 성립에는 영향이 없다(다수설 · 판례). 06. 법원행시

③ 또한 재산상 손해의 유무판단은 본인의 모든 재산상태와의 관계에서 경제적 관점에 따라 판단되어야 하므로 법률적 판단에 의하여 당해 배임행위가 무효라 하더라도 경제적 관점에서 파악하여 본인에게 현실적인 손해를 가하였거나 재산상 실해 발생의 위험(본인에게 손해가 발생할 막연한 위험이 있는 것만으로는 부족하고 경제적인 관점에서 보아 본인에게 손해가 발생한 것과 같은 정도로 구체적인 위험이 있는 경우를 의미한다. 따라서 구체적 · 현실적인 위험이 야기된 정도에 이르러야 하고, 단지 막연한 가능성이 있다는 정도로는 부족하다 : 대판 2015.9.10, 2015도6745)을 초래한 경우에는 재산상의 손해를 가한 때에 해당하여 배임죄를 구성한다(대판 2006.6.2, 2004도7112). 18. 7급 검찰, 19. 변호사시험 · 경찰승진, 20. 수사경과, 21. 해경 2차, 22. 순경 1차, 23. 법원행시 · 사시 · 순경 2차

④ 따라서 부실대출의 경우 담보가치초과대출금이라 회수불가능한 금액만을 손해액으로 볼 것이 아니라, 손해발생위험이 있는 대출금 전액을 손해액으로 보아야 한다(대판 2000.3.24, 2000도28). 19·23. 법원행시 또한 배임행위에 의하여 손해배상청구권이나 원상회복청구권을 취득했거나, 피해가 사후에 회복되었다 하여 손해가 없어지는 것은 아니다(대판 2000.12.8, 99도3338).

**관련판례**

**• 재산상 손해발생 내지 재산상 실해발생의 위험이 초래된 경우 ⇨ 배임죄 ○**

1. 재단법인 불교방송의 이사장 직무대리인이 후원회기부금을 정상 회계처리하지 않고 자신과 친분관계에 있는 신도로서 별다른 자력도 없는 채무자에게 확실한 담보도 제공받지 아니한 채 대여하였으나 그 신도가 이자금을 제때에 불입하고 나중에 원금을 변제한 경우(대판 2000.12.8, 99도3338) 10. 사시
2. 甲주식회사와 가맹점 관리대행계약 등을 체결하고 그 대리점으로서 가맹점 관리업무 등을 수행하는 乙주식회사 대표이사인 피고인이, 임무에 위배하여 甲회사의 가맹점을 다른 경쟁업체 가맹점으로 임의로 전환하여 甲회사에 재산상 손해를 가한 경우(대판 2012.5.10, 2010도3532) 14. 경찰승진
3. 甲조합의 대출업무 등 담당자인 피고인이 甲조합에 처와 모친 소유의 토지를 담보로 제공하고 그들 명의로 대출을 받은 다음 위임장 등을 위조하여 담보로 제공된 위 토지에 설정된 근저당권설정등기를 말소한 경우 ⇨ 배임죄 ○(대판 2014.6.12, 2014도2578 ∵ 등기 말소로 甲조합에 손해가 발생하였음) 15. 사시, 18. 법원행시
4. 甲이 A에게 전세권설정계약을 맺고 전세금의 중도금을 지급받은 후 당해 부동산에 임의로 제3자에게 근저당권설정등기를 경료해 주어 담보능력상실의 위험이 발생한 경우(대판 1993.9.28, 93도2206) 16. 9급 검찰·마약수사
5. 금융기관이 상환능력이 의심스러운 채무자에게 실제로 대출금을 추가로 교부한 경우라도 새로운 대출금이 기존대출금의 원리금으로 상환되도록 약정이 있다고 하더라도 그 대출과 동시에 이미 손해발생의 위험은 발생하였다고 보아야 할 것이므로 업무상 배임죄가 성립한다(대판 2003.10.10, 2003도3516). 07. 사시
6. 실질적으로 전환사채 인수대금이 납입되지 않았음에도 전환사채를 발행한 경우, 전환사채 발행업무를 담당하는 사람이 업무상 배임죄의 죄책을 진다(대판 2015.12.10, 2012도235). 17. 법원행시
7. 피고인이 영업정지가 임박한 단계에 있는 저축은행의 특정 예금채권자들에게만 그 사실을 알려주어 다른 고객들과 달리 영업정지 직전에 예금 전액을 인출할 수 있도록 한 경우(대판 2013.1.24, 2012도10629)
8. 피고인이 피해회사의 재정상태나 투자금 회수 가능성, 향후 해외 투자대상 법인(홍콩거래소에 상장된 법인)을 통한 ○○그룹 계열사의 사업 확장 및 발전 가능성 등에 관한 면밀한 분석이나 피해회사 내부의 실질적인 의결과정을 거치지 않은 채 피해회사의 자금을 해외투자대상 법인에 투자한 경우 재산상 실해 발생의 위험을 초래하였으므로 업무상 배임죄가 성립한다(대판 2018.12.13, 2018도13689).

**• 배임죄에 있어서의 재산상 손해액**

1. 금융기관이 금원을 대출함에 있어 대출금 중 선이자를 공제한 나머지만 교부하거나 약속어음을 할인함에 있어 만기까지의 선이자를 공제한 경우, 배임행위로 인하여 금융기관이 입는 손해는 선이자를 공제한 금액이 아니라 선이자로 공제한 금원을 포함한 대출금 전액이거나 약속어음 액면금 상당액으로 보아야 한다(대판 2003.10.10, 2003도3516). 19. 변호사시험, 23. 법원행시

2. 피고인이, 甲이 운영하는 乙주식회사의 부사장으로 피고인 자신이 乙회사 대표인 것처럼 가장하거나 피고인이 별도로 설립한 丙주식회사 명의로 금형제작·납품계약을 체결함으로써 乙회사에 손해를 가한 경우, 乙회사의 재산상 손해는 원칙적으로 계약을 체결한 때를 기준으로 금형제작·납품계약 대금(2억원)에 기초하여 산정하여야 하며, 계약대금 중에서 사후적으로 발생되는 미수금이나 계약 해지로 받지 못하게 되는 나머지 계약대금(1억원)은 특별한 사정이 없는 한 계약대금에서 공제할 것이 아니다(대판 2013.4.26, 2011도6798). 13. 법원행시
3. 주식의 실질가치가 영인 회사가 발행하는 신주를 액면가격으로 인수하는 경우에 그로 인한 손해액은 그 신주 인수대금 전액 상당으로 보아야 한다(대판 2012.6.28, 2012도2623).
4. 타인을 위하여 도급계약을 체결할 임무가 있는 자가 부당하게 높은 가격으로 도급계약을 체결하여 타인에게 부당하게 많은 채무를 부담하게 하였다면 그로써 곧바로 업무상 배임죄가 성립하고, 그 경우 배임액은 도급계약의 도급금액 전액에서 정당한 도급금액을 공제한 금액으로 보아야 한다(대판 1999.4.27, 99도883). 23. 법원행시
5. 부동산 매도인이 매수인 앞으로 소유권이전등기를 마쳐 주기 전에 제3자로부터 금원을 차용하고 그 담보로 근저당권을 설정해 준 경우 매수인이 입은 손해는 그 근저당권이 설정될 당시의 부동산 교환가치 중 근저당권에 이용되어 상실된 담보가치 상당이다. 그리고 배임죄에 있어서 손해액이 구체적으로 명백하게 산정되지 않았더라도 배임죄의 성립에는 영향이 없다고 할 것이나, 발생된 손해액을 구체적으로 산정하여 인정하는 경우 이를 잘못 산정하는 것은 위법하다(대판 2018.7.11, 2015도12692).

**● 재산상 손해발생 내지 재산상 실해발생의 위험이 초래되지 않는 경우 ⇨ 배임죄 ×**

1. 대표이사가 개인명의로 작성·교부한 차용증에 추가로 회사의 법인 인감을 날인한 경우 ⇨ 배임죄 ×(대판 2004.4.9, 2004도771 ∵ 적법한 대표행위 ×, 회사가 차용증에 기한 차용금채무부담 ×, 회사가 대여자에 대해 사용자책임이나 불법행위책임 부담 ×) 10. 사시, 14. 순경 1차, 19. 경찰승진
   ▶ **유사판례** : 甲주식회사 대표이사인 피고인이 자신의 채권자들에게 甲회사 명의의 금전소비대차 공정증서와 약속어음 공정증서를 작성해 준 경우 ⇨ 배임죄 ×(대판 2012.5.24, 2012도2142) 17. 변호사시험·경찰승진, 21. 경력채용, 23. 해경승진
2. 새마을금고 임·직원이 동일인 대출한도 제한규정을 위반하여 초과대출행위를 하였더라도 대출채권 회수에 문제가 없는 것으로 판단되는 경우라면 업무상 배임죄가 성립하지 않는다(대판 2008.6.19, 2006도4876 전원합의체). 13. 사시, 15. 순경 3차, 17·20. 경찰승진 그러나 대출채권의 회수에 문제가 있는 것으로 판단되는 경우에는 업무상 배임죄가 성립한다고 할 것이다(대판 2011.8.18, 2009도7813).
3. 금융기관이 거래처의 기존 대출금에 대한 원리금 및 연체이자에 충당하기 위하여 위 거래처가 신규대출을 받은 것처럼 서류상 정리하였더라도 금융기관이 실제로 위 거래처에게 대출금을 새로 교부한 것이 아니라면 그로 인하여 금융기관에게 어떤 새로운 손해가 발생하는 것은 아니라고 할 것이므로 따로 업무상 배임죄가 성립된다고 볼 수 없다(대판 2000.6.27, 2000도1155). 10. 법원행시, 11. 사시·경찰승진
4. 피해자 회사의 영업팀장이 체인점들에 대한 전매입고 금액을 삭제하여 전산상 회사의 체인점들에 대한 외상대금채권이 줄어든 것으로 처리하는 전산조작행위를 하였다 하여 반드시 회사에게 재산상 실해발생의 위험이 생기는 것은 아니며, 배임죄에 있어서 본인에게 손해를 가한 경우라 할지라도 재산상 이익을 행위자 또는 제3자가 취득한 사실이 없다면 배임죄가 성립하지 않는다(대판 2006.7.27, 2006도3145). 14. 순경 1차, 16. 순경 2차, 21. 해경 2차

5. 甲주식회사 대표이사인 피고인이 주주총회 의사록을 허위로 작성하고 이를 근거로 피고인을 비롯한 임직원들과 주식매수선택권부여계약을 체결한 경우, 상법과 정관에 위배되어 법률상 무효인 계약을 체결한 것만으로는 업무상 배임죄 구성요건이 완성되거나 범행이 종료되었다고 볼 수 없다(대판 2011.11.24, 2010도11394). 13. 법원행시, 14. 순경 1차
6. 타인에 대한 채무의 담보로 제3채무자에 대한 채권에 대하여 권리질권을 설정하고, 질권설정자가 제3채무자에게 질권설정의 사실을 통지하거나 제3채무자가 이를 승낙한 상태에서, 질권설정자가 질권자의 동의 없이 제3채무자에게서 질권의 목적인 채권의 변제를 받은 경우 ⇨ 배임죄 ×(대판 2016.4.2, 2015도5665 ∵ 질권자에게 대항 ×, 질권자는 제3채무자에 대하여 채무변제 청구나 변제금액 공탁 청구 가능 ∴ 손해나 손해발생 위험 초래 ×) 19. 순경 2차, 21. 법원행시
7. 일반경쟁입찰에 의해 체결하여야 할 공사도급계약을 수의계약에 의하여 체결하였지만 수의계약에 의한 공사대금이 적정한 공사대금의 수준을 벗어나 부당하게 과대하여 일반경쟁입찰에 의해 공사도급계약을 체결할 경우 예상되는 공사대금의 범위를 벗어난 것이 아니라면 재산상 손해를 가한 때에 해당한다고 할 수 없다(대판 2005.3.25, 2004도5731). 17. 순경 1차
8. 이미 타인의 채무에 대하여 보증을 하였는데, 피보증인이 변제자력이 없어 결국 보증인이 그 보증채무를 이행하게 될 우려가 있고, 보증인이 피보증인에게 신규로 자금을 제공하거나 피보증인이 신규로 자금을 차용하는 데 담보를 제공하면서 그 신규자금이 이미 보증을 한 채무의 변제에 사용되도록 한 경우라면, 보증인으로서는 기보증채무와 별도로 새로 손해를 발생시킬 위험을 초래한 것이라고 볼 수 없다(대판 2013.9.26, 2013도5214). 16. 법원행시
9. 회사의 대표이사가 제3자를 위하여 회사의 재산을 담보로 제공한 후 이미 설정한 담보물을 교체하는 경우에 기존 담보물의 가치보다 새로 제공하는 담보물의 가치가 더 작거나 동일하다면 회사에 재산상 손해가 발생하였다고 볼 수 없으므로 배임죄가 성립하지 않는다(대판 2008.5.8, 2008도484). 09. 경찰승진, 21. 7급 검찰
10. 주식회사의 주주총회결의에서 자신이 대표이사로 선임된 것으로 주주총회의사록 등을 위조한 자가 회사를 대표하여 한 대물변제 등의 행위는 법률상 효력이 없어 그로 인하여 회사에 어떠한 손해가 발생한다고 할 수 없으므로, 배임죄를 구성하지 아니한다(대판 2013.3.28, 2010도7439).
11. 회사의 대표이사 등이 임무에 위배하여 회사로 하여금 다른 사업자와 용역계약을 체결하게 하면서 적정한 용역비의 수준을 벗어나 부당하게 과다한 용역비를 정하여 지급하게 하였다면 통상 그와 같이 지급한 용역비와 적정한 수준의 용역비 사이의 차액 상당의 손해를 회사에 가하였다고 볼 수 있다. 이 경우 적정한 수준에 비하여 과다한지 여부를 판단할 객관적이고 합리적인 평가방법이나 기준 없이 단지 임무위배행위가 없었다면 더 낮은 수준의 용역비로 정할 수도 있었다는 가능성만을 가지고 재산상 손해발생이 있었다고 쉽사리 단정하여서는 안 된다(대판 2018.2.13, 2017도17627).
12. A은행 지점장인 甲이 A은행을 대리하여 乙이 丙에 대하여 장래 부담하게 될 물품대금 채무에 대하여 지급보증을 하였다고 하더라도, 乙과 丙이 거래를 개시하지 않아 지급보증의 대상인 물품대금 지급채무가 현실적으로 발생하지 않았다면, 甲에게 배임죄가 성립하는지 여부를 검토함에 있어, A은행에게 경제적인 관점에서 손해가 발생한 것과 같은 정도의 구체적인 위험이 발생하였다고 평가하기는 어렵다고 보아야 한다(대판 2015.9.10, 2015도6745 ∴ 배임죄 ×). 21. 법원행시, 24. 해경간부
13. 甲주식회사가 도시개발사업의 시행자인 乙조합으로 부터 기성금 명목으로 체비지를 지급받은 다음 이를 다시 丙에게 매도하였는데, 乙조합의 조합장인 丁이 환지처분 전 체비지대장에 소유권

취득자로 등재된 甲회사와 丙의 명의를 임의로 말소한 경우 丁의 행위는 배임죄를 구성한다고 볼 수 없다(대판 2022.10.14, 2018도13604 ∵ 丙이 매매계약에 따라 취득한 권리를 행사하는 것은 체비지대장의 기재 여부와는 무관하므로 체비지대장상 취득자란의 甲명의가 말소되었더라도 丙의 甲회사에 대한 권리가 침해되거나 재산상 실해 발생의 위험이 있다고 볼 수 없음). 24. 법원행시

4. **배임죄의 미수 · 기수** : 타인의 사무를 처리하는 자가 배임의 범의로, 즉 임무에 위배하는 행위를 한다는 점과 이로 인하여 자기 또는 제3자가 이익을 취득하여 본인에게 손해를 가한다는 점에 대한 인식이나 의사를 가지고 임무에 위배한 행위를 개시한 때 배임죄의 실행에 착수한 것이고, 이러한 행위로 인하여 자기 또는 제3자가 이익을 취득하여 본인에게 손해를 가한 때 배임죄는 기수가 된다. 21 · 23. 법원직 그런데 타인의 사무를 처리하는 자의 임무위배행위는 민사재판에서 법질서에 위배되는 법률행위로서 무효로 판단될 가능성이 적지 않고, 그 결과 본인에게도 아무런 손해가 발생하지 않는 경우가 많다. 이러한 때에는 배임죄의 기수를 인정할 수 없다. 그러나 의무부담행위로 인하여 실제로 채무의 이행이 이루어지거나 본인이 민법상 불법행위책임을 부담하게 되는 등 본인에게 현실적인 손해가 발생하거나 실해 발생의 위험이 생겼다고 볼 수 있는 사정이 있는 때에는 배임죄의 기수를 인정하여야 한다(대판 2017.9.21, 2014도9960). 21. 법원행시

**관련판례**

- **주식회사의 대표이사가 대표권을 남용하여 회사 명의로 의무를 부담하는 행위를 한 경우**(대판 2017.7.20, 2014도1104 전원합의체)

1. 상대방이 대표이사의 진의를 알았거나 알 수 있었던 경우 : 특별한 사정(의무부담행위로 인하여 실제로 채무의 이행이 이루어졌다거나 회사가 민법상 불법행위책임을 부담하게 되었다는 사정)이 없는 이상 배임죄의 기수 ×(∵ 그 행위는 회사에 대하여 무효 ⇨ 회사에 대하여 현실적인 손해 발생이나 실해발생 위험 초래 ×), 배임죄의 미수범 ○(∵ 배임의 범의로 임무위배행위를 함으로써 실행에 착수한 것임) 21. 변호사시험, 24. 9급 검찰 · 마약수사
2. 상대방이 대표권 남용 사실을 알지 못한 경우 : 그 의무부담행위가 회사에 대하여 유효 ⇨ 회사의 채무 발생(이행의무 부담) 자체로 현실적인 손해 또는 재산상 실해발생의 위험 ○ ⇨ 그 채무가 현실적으로 이행되기 전이라도 배임죄의 기수 ○ 22. 변호사시험, 24. 순경 1차
3. 회사의 대표이사가 대표권을 남용하여 회사 명의의 약속어음을 발행한 사실을 상대방이 알았거나 알 수 있었을 때에 해당하여 약속어음 발행이 무효(회사가 상대방에 대하여 채무부담 ×)라 하더라도 그 어음이 실제로 제3자에게 유통되었다면 배임죄의 기수범이 되고(∵ 약속어음 발행의 경우 어음법상 발행인은 종전의 소지인에 대한 인적 관계로 인한 항변으로써 소지인에게 대항하지 못함. ∴ 회사로서는 어음채무를 부담할 위험이 구체적 · 현실적으로 발생), 유통되지 않았다면 배임미수죄(∵ 손해발생이나 실해발생의 위험 ×)이다. 18. 법원행시 · 순경 3차, 19. 변호사시험, 20. 법원직, 21. 경찰간부 · 순경 1차 · 2차 · 7급 검찰

## THEMA 03 '죄수 및 타죄와의 관계' 관련판례 총정리

1. 본인에 대한 배임행위가 본인 이외의 제3자에 대한 사기죄를 구성한다 하더라도 그로 인하여 본인에게 손해가 생긴 때에는 사기죄와 함께 배임죄가 성립한다(대판 2010.11.11, 2010도10690 예 건물관리인이 건물주로부터 월세임대차계약 체결업무를 위임받고도 임차인들을 속여 전세임대차계약을 체결하고 그 보증금을 편취한 경우, 사기죄와 별도로 업무상 배임죄가 성립하고 두 죄가 실체적 경합범의 관계에 있다). 12. 사시, 18. 변호사시험, 19. 수사경과, 21. 해경간부
2. 동일인 대출한도 초과대출 행위로 인하여 상호저축은행에 손해를 가함으로써 상호저축은행법 위반죄와 업무상 배임죄가 모두 성립한 경우, 위 두 죄는 형법 제40조 소정의 상상적 경합관계에 있다(대판 2012.6.28, 2012도2087). 13. 법원행시
3. 甲주식회사 대표이사인 피고인이 자신의 채권자 乙에게 차용금에 대한 담보로 甲회사 명의 정기예금에 질권을 설정하여 주었는데, 그 후 乙이 피고인의 동의하에 정기예금 계좌에 입금되어 있던 甲회사 자금을 전액 인출하였다면, 위와 같은 예금인출동의행위는 이미 배임행위로써 이루어진 질권설정행위의 불가벌적 사후행위에 해당하므로, 배임죄와 별도로 횡령죄까지 성립한다고 볼 수 없다(대판 2012.11.29, 2012도10980). 13. 사시·순경 2차
4. 甲주식회사의 대표이사와 실질적 운영자인 피고인들이 공모하여, 자신들이 乙에 대해 부담하는 개인채무 지급을 위하여 甲회사로 하여금 약속어음을 공동발행하게 하고 위 채무에 대하여 연대보증하게 한(배임죄) 후에 甲회사를 위하여 보관 중인 돈을 임의로 인출하여 乙에게 지급하여 위 채무를 변제한 경우(새로운 법익침해 ○, 배임 범행의 불가벌적 사후행위 ×, 횡령죄 ○) ⇨ 배임죄+횡령죄 ○(대판 2011.4.14, 2011도277) 12. 법원직, 17. 법원행시
5. 매도인 A가 甲에게 부동산을 매도한 후 계약금 및 중도금을 수령한 다음 그 부동산에 양도담보계약을 체결하고 乙에게서 돈을 차용한 경우(대판 2012.1.26, 2011도15179) ⇨ 甲에 대한 배임죄 ○, 乙에 대한 사기죄 ×(∵ 부동산의 이중매매나 이중양도담보에 있어서 제2의 매수인이나 양도담보권자의 매매목적물에 대한 권리실현에 장애가 안됨)
6. 아파트 소유권자인 피고인이 가등기권리자 甲에게 아파트에 관한 소유권이전청구권가등기를 말소해 주면 대출은행을 변경한 후 곧바로 다시 가등기를 설정해 주겠다고 속여 가등기를 말소하게 하여 재산상 이익을 편취하고, 가등기를 회복해 줄 임무에 위배하여 아파트에 제3자 명의로 근저당권 및 전세권설정등기를 마친 경우 ⇨ 사기죄 ○, 배임죄 ×(대판 2017.2.15, 2016도15226 ∵ 피고인이 약속대로 가등기를 회복해주지 않고 제3자에게 근저당권설정등기 등을 마쳐준 행위는 처음부터 가등기를 말소시켜 이익을 취하려는 사기범행에 당연히 예정된 결과에 불과하여 그 사기범행의 실행행위에 포함된 것일 뿐이므로 사기죄와 비양립적 관계에 있는 각 배임죄는 성립하지 않는다.)
7. 甲이 부동산에 乙명의의 근저당권을 설정하여 줄 의사가 없음에도 乙을 속이고 근저당권 설정을 약정하여 금원을 편취한 후, 이러한 약정이 사기 등을 이유로 취소되지 않는 상태에서 그 부동산에 관하여 제3자 명의로 근저당권설정등기를 마친 경우 ⇨ 사기죄 ○, 배임죄 ×(대판 2020.6.18, 2019도14340 전원합의체 ∵ 채무자가 저당권설정계약에 따라 채권자에 대하여 부담하는 저당권을 설정할 의무는 계약에 따라 부담하게 된 채무자 자신의 의무이다. 채무자가 위와 같은 의무를 이행하는 것은 채무자 자신의 사무에 해당할 뿐이므로, 채무자를 채권자에 대한 관계에서 '타인의 사무를 처리하는 자'라고 할 수 없다.) 12. 사시, 19. 법원행시·경찰승진
8. 타인의 사무를 처리하는 자가 본인을 기망하여 제3자에게 재산상 이익을 발생시키는 처분을 하여 손해를 가한 경우 ⇨ 사기죄와 배임죄의 상상적 경합(대판 2002.7.18, 2002도669 전원합의체 예 보험회사의 외무사원이 피보험자에 관하여 회사를 기망하고 보험계약을 체결하게 하여 피보험자에게 이익을 얻게 하고 회사에 손해를 입힌 경우) 06. 법원행시, 11. 7급 검찰, 18. 순경 3차

## 종합문제 배임죄

**01** **다음 중 판례가 배임행위로 인정한 경우를 모두 고른 것은?** 15. 경찰간부

> ㉠ 상호지급보증 관계에 있는 회사 간에 보증회사가 채무변제 능력이 없는 피보증회사에 대하여 합리적인 채권회수책 없이 새로 금원을 대여하거나 예금담보를 제공한 경우
> ㉡ 대기업의 회장 등이 경영상의 판단이라는 이유로 甲계열회사의 자금으로 재무구조가 상당히 불량한 상태에 있는 乙계열회사가 발생하는 신주를 액면가격으로 인수한 경우
> ㉢ 대기업 또는 대기업의 회장 등 개인이 정치적으로 난처한 상황에서 벗어나기 위하여 자회사 및 협력회사 등으로 하여금 특정 회사의 주식을 매입수량, 가격 및 매입시기를 미리 정하여 매입하게 한 경우
> ㉣ 재벌그룹 소속 甲회사가 골프장 건설 사업을 진행 중인 비상장회사 乙의 주식 전부를 보유하고 乙회사를 위하여 수백억원의 채무보증을 한 상태에서 甲회사의 대표이사와 이사들이 乙회사의 주식 전부를 주당 1원으로 계산하여 그룹 회장인 위 대표이사와 그룹 계열사에 매도한 경우

① ㉠　② ㉠, ㉡　③ ㉠, ㉡, ㉢　④ ㉠, ㉡, ㉢, ㉣

**| 해설** 모두 다 배임행위에 해당 ○ ⇨ 배임죄 ○(㉠ 대판 2004.7.9, 2004도810 ㉡ 대판 2004.6.24, 2004도520 ㉢ 대판 2007.3.15, 2004도5742 ㉣ 대판 2008.5.15, 2005도7911)

**02** **다음 중 배임죄 또는 업무상 배임죄가 성립하는 것은 모두 몇 개인가?**(다툼이 있는 경우 판례에 의함) 15. 법원행시

> ㉠ 甲이 아울렛 의류매장의 운영과 관련하여 A로부터 투자를 받으면서 투자금반환채무의 변제를 위하여 의류매장에 관한 임차인 명의와 판매대금의 입금계좌 명의를 A 앞으로 변경해 주었음에도 B에게 의류매장에 관한 임차인의 지위 등 권리 일체를 양도한 경우
> ㉡ 채권 담보 목적으로 부동산에 관한 대물변제예약을 체결한 채무자 乙이 대물로 변제하기로 한 부동산을 제3자에게 처분한 경우
> ㉢ 회사의 이사 丙이 채무변제능력이 없는 계열회사에 회사자금을 대여하면서 적절한 담보를 제공받는 등 상당하고도 합리적인 채권회수조치를 취하지 아니하여 회사에 손해를 가하였으나, 위 회사자금 대여행위에 대해 사실상 대주주의 양해를 얻고 이사회의 결의가 있었던 경우
> ㉣ 회사의 대표이사 戊가 대표권을 남용하여 회사 명의의 약속어음을 D에게 발행하여 제3자에게 유통되었지만, D가 그 남용의 사실을 알았거나 알 수 있어서 회사가 D에 대하여 채무를 부담하지 아니하는 경우
> ㉤ 직무발명에 대한 권리를 사용자 등에게 승계한다는 취지를 정한 약정 또는 근무규정의 적용을 받는 종업원 己가 직무발명의 완성 사실을 사용자 등에게 통지하지 아니한 채 그에 대한 특허를 받을 수 있는 권리를 제3자에게 이중으로 양도하여 제3자가 특허권 등록까지 마치도록 하는 등으로 발명의 내용이 공개되도록 한 경우

**Answer** 1.④ 2.③

① 1개 ② 2개 ③ 3개
④ 4개 ⑤ 5개

해설 • (업무상) **배임죄** ○ : ⓒ 대판 2012.7.12, 2009도7435 ⓔ 대판 2017.7.20, 2014도1104 전원합의체 ⓜ 대판 2012.11.15, 2012도6676
• (업무상) **배임죄** × : ㉠ 대판 2015.3.26, 2015도1301(채무자가 투자금반환채무의 변제를 위하여 담보로 제공한 임차권 등의 권리를 그대로 유지할 계약상 의무가 있다고 하더라도, 이는 기본적으로 투자금반환채무의 변제의 방법에 관한 것이고, 채권자의 재산을 보호 또는 관리하여야 하는 '타인의 사무'에 해당한다고 볼 수 없다.) ⓛ 대판 2014.8.21, 2014도3363 전원합의체(∵ 약정의 내용에 좇은 이행을 하여야 할 채무는 '자기의 사무'에 해당하는 것이 원칙)

## 03 배임의 죄에 관한 설명 중 가장 적절하지 않은 것은?(다툼이 있으면 판례에 의함)

16. 경찰승진, 21. 해경승진

① 금융기관의 임직원은 예금주와의 사이에서 그의 재산관리에 관한 사무를 처리하는 자의 지위에 있다고 할 수 없다.
② 담보권자가 변제기 경과 후 담보권을 실행하기 위하여 담보목적물을 처분함에 있어 부당하게 염가로 처분한 경우 배임죄가 성립한다.
③ 낙찰계의 계주가 계원들에게서 계불입금을 징수하지 않은 상태에서 부담하는 계금지급 의무는 배임죄에서 말하는 '타인의 사무'에 해당하지 않는다.
④ 회사의 대표이사가 회사가 속한 재벌그룹의 前 회장이 부담하여야 할 원천징수소득세의 납부를 위하여 채권확보에 필요한 조치를 취하지 아니한 채 다른 회사에 회사자금을 대여한 경우에는 업무상 배임죄가 성립한다.

해설 ① 대판 2008.4.24, 2008도1408
② × : 배임죄 ×(대판 1997.12.23, 97도2430 ∵ 자기의 사무처리에 해당)
③ 대판 2009.8.20, 2009도3143
④ 대판 2010.10.28, 2009도1149

## 04 배임죄에 관한 설명 중 가장 적절하지 않은 것은?(다툼이 있는 경우 판례에 의함) 17. 경찰승진

① 배임죄에서 '재산상 손해를 가한 때'에는 '재산상 손해 발생의 위험을 초래한 경우'도 포함되는 것이므로, 법인의 대표이사 甲이 회사의 이익이 아닌 자기 또는 제3자의 이익을 도모할 목적으로 권한을 남용하여 회사 명의의 금전소비대차 공정증서를 작성하여 법인 명의의 채무를 부담한 경우에는 상대방이 대표이사의 진의를 알았거나 알 수 있었다고 할지라도 배임죄가 성립한다.
② 업무상 배임죄에 있어서 타인의 사무를 처리하는 자란 고유의 권한으로서 그 처리를 하는 자에 한하지 않고 그 자의 보조기관으로서 직접 또는 간접으로 그 처리에 관한 사무를 담당하는 자도 포함한다.

Answer 3.② 4.①

③ 중도금 또는 잔금을 받은 단계에서 부동산을 이중으로 매도한 경우 매도인이 선매수인에게 소유권이전의무를 이행하였다고 하여 후매수인에 대한 관계에서 그가 임무를 위법하게 위배한 것이라고 할 수 없다.

④ 새마을금고 임・직원이 동일인 대출한도 제한규정을 위반하여 초과대출행위를 하였더라도 대출채권 회수에 문제가 없는 것으로 판단되는 경우라면 업무상 배임죄가 성립하지 않는다.

| 해설 ① × : 배임죄 ×〔대판 2012.5.24, 2012도2142 ∵ 그 행위는 회사에 대하여 무효(회사는 민법상의 사용자 책임이나 손해배상책임 ×) ⇨ 회사에 어떠한 손해가 발생하거나 발생할 위험 ×〕
② 대판 1999.7.23, 99도1911
③ 대판 2009.2.26, 2008도11722
④ 대판 2008.6.19, 2006도4876 전원합의체

## 05 다음 중 배임죄가 성립하는 것은 모두 몇 개인가?(다툼이 있는 경우 판례에 의함) 17. 법원행시

㉠ 타인에 대한 채무의 담보로 제3채무자에 대한 채권에 대하여 권리질권을 설정하고, 질권설정자가 제3채무자에게 질권설정의 사실을 통지하거나 제3채무자가 이를 승낙한 상태에서, 질권설정자가 질권자의 동의 없이 제3채무자에게서 질권의 목적인 채권의 변제를 받은 경우
㉡ 상표권양도약정을 체결한 자가 그 상표권이전등록의무의 이행을 거부하고 그 상표를 계속 사용하는 경우
㉢ 보험계약모집인이 회사로부터 자기가 모집한 보험계약을 해약토록 하라는 지시를 받고 이를 이행하지 않는 사이 보험사고가 발생하여 보험금을 지급토록 한 경우
㉣ 기업의 영업비밀을 사외로 유출하지 않을 것을 서약한 회사의 직원이 경제적인 대가를 얻기 위하여 경쟁업체에 영업비밀을 유출하는 경우

① 없 음 ② 1개 ③ 2개
④ 3개 ⑤ 4개

| 해설 • **배임죄** ○ : ㉣ 대판 1999.3.12, 98도4704
• **배임죄** × : ㉠ 대판 2016.4.2, 2015도5665(∵ 질권자에게 대항 ×, 질권자는 제3채무자에 대하여 채무변제 청구나 변제금액 공탁 청구 가능 ∴ 손해나 손해발생 위험 초래 ×) ㉡ 대판 1984.5.29, 83도2930(∵ 자기의 채무의 불이행에 불과 ○, 양수인의 사무를 처리하는 자의 임무위배행위 ×) ㉢ 대판 1986.8.19, 85도2144(∵ 보험모집인에게 해약시켜야 할 법적 의무 × ⇨ 업무위배 ×)

Answer 5. ②

## 06 배임죄에 관한 설명 중 옳은 것을 모두 고른 것은?(다툼이 있는 경우 판례에 의함)

18. 변호사시험, 21. 해경간부

㉠ 타인 소유의 특허권을 명의신탁받아 관리하는 업무를 수행해 오다가 제3자로부터 특허권을 이전해 달라는 제의를 받고 대금을 지급받고는 그 타인의 승낙도 받지 않은 채 제3자 앞으로 특허권을 이전등록한 경우에는 업무상 배임죄가 성립한다.

㉡ 회사 직원이 영업비밀을 적법하게 반출하여 그 반출행위가 업무상 배임죄에 해당하지 않는 경우라도, 퇴사시에 회사에 반환해야 할 의무가 있는 영업비밀을 회사에 반환하지 아니하였다면 업무상 배임죄가 성립한다.

㉢ 거래상대방의 대향적 행위의 존재를 필요로 하는 유형의 배임죄에서 배임죄의 실행으로 이익을 얻게 되는 수익자는 배임죄의 공범이 되는 것이 원칙이다.

㉣ 배임행위가 본인 이외의 제3자에 대한 사기죄를 구성한다 하더라도 그로 인하여 본인에게 손해가 생긴 때에는 사기죄와 함께 배임죄가 성립하고, 두 죄는 상상적 경합의 관계에 있다.

㉤ 동산매매계약에서 매도인은 매수인에 대하여 그의 사무를 처리하는 지위에 있지 아니하므로, 매도인이 목적물을 매수인에게 인도하지 아니하고 이를 타에 처분하였다 하더라도 배임죄가 성립하지 않는다.

① ㉠, ㉡, ㉢ ② ㉠, ㉡, ㉤ ③ ㉠, ㉢, ㉣
④ ㉡, ㉣, ㉤ ⑤ ㉢, ㉣, ㉤

**해설** ㉠ ○ : 대판 2016.10.13, 2014도17211
㉡ ○ : 대판 2017.6.29, 2017도3808
㉢ × : 거래상대방의 대향적 행위의 존재를 필요로 하는 유형의 배임죄에 있어서 거래상대방이 배임행위를 교사하거나 그 배임행위의 전 과정에 관여하는 등으로 배임행위에 적극 가담함으로써 그 실행행위자와의 계약이 반사회적 법률행위에 해당하여 무효로 되는 경우라면 그 상대방은 배임죄의 교사범 또는 공동정범이 될 수 있다(대판 2005.10.28, 2005도4915).
㉣ × : 실체적 경합범 ○, 상상적 경합관계 ×(대판 2010.11.11, 2010도10690)
㉤ ○ : 대판 2011.1.20, 2008도10479

## 07 배임죄에 관한 설명 중 옳지 않은 것을 모두 고른 것은?(다툼이 있는 경우 판례에 의함)

19. 변호사시험

㉠ 주식회사의 대표이사가 대표권을 남용하여 약속어음을 발행한 경우, 그 발행 상대방이 대표권 남용사실을 알았거나 알 수 있었던 때에 해당하여 약속어음 발행이 무효일 뿐 아니라, 실제 그 어음이 유통되지도 않았다면 회사에 현실적으로 손해가 발생하였다거나 실해 발생의 위험이 발생하였다고 볼 수 없으므로 배임죄의 기수, 미수 어느 것도 성립할 수 없다.

㉡ 금융기관이 금원을 대출함에 있어 대출금 중 선이자를 공제한 나머지만 교부하거나 약속어음을 할인함에 있어 만기까지의 선이자를 공제한 경우, 배임행위로 인하여 금융기관이 입는 손해는 선이자를 공제한 금액이 아니라 선이자로 공제한 금원을 포함한 대출금 전액이거나 약속어음 액면금 상당액으로 보아야 한다.

Answer 6. ② 7. ②

> ㉢ 배임죄에 있어 재산상 손해의 유무에 대한 판단과 관련하여, 법률적 판단에 의해 당해 배임행위가 무효인 경우에는, 경제적 관점에서 파악하여 본인에게 현실적인 손해를 가하였거나 재산상 실해 발생의 위험을 초래한 경우라도 재산상의 손해를 가한 때에 해당할 수 없다.
> ㉣ 업무상 배임죄의 실행으로 인하여 이익을 얻게 되는 수익자 또는 그와 밀접한 관련이 있는 제3자를 배임의 실행행위자와 공동정범으로 인정하기 위해서는, 위 수익자 또는 제3자가 실행행위자의 행위가 피해자 본인에 대한 배임행위에 해당한다는 것을 알면서도 소극적으로 그 배임행위에 편승하여 이익을 취득한 것만으로 충분하다.
> ㉤ 부동산에 근저당권을 설정하여 줄 의사가 없음에도 피해자를 속이고 근저당권 설정을 약정하여 금원을 편취한 다음, 근저당권 설정약정이 유효함에도 그 부동산에 제3자 명의로 근저당권 설정등기를 마친 경우, 사기죄와 배임죄가 성립한다.

① ㉠, ㉡, ㉢, ㉣　　② ㉠, ㉢, ㉣, ㉤
③ ㉠, ㉡, ㉣, ㉤　　④ ㉡, ㉢, ㉤, ㉣

**해설** ㉠ ×: ~ (2줄) 약속어음 발행이 무효라 하더라도 실제 그 어음이 유통되었다면 배임죄의 기수범이 되고, 유통되지 않았다면 배임미수죄이다(대판 2017.7.20, 2014도1104 전원합의체).
㉡ ○: 대판 2003.10.10, 2003도3516
㉢ ×: ~ 해당할 수 있다(대판 2015.9.10, 2015도6745).
㉣ ×: ~ (4줄) 취득한 것만으로는 부족하고, 실행행위자의 배임행위를 교사하거나 또는 배임행위의 전 과정에 관여하는 등으로 배임행위에 적극 가담할 것을 필요로 한다(대판 2007.4.12, 2007도1033).
㉤ ×: 사기죄 ○, 배임죄 ×(대판 2020.6.18, 2019도14340 전원합의체 ∵ 채무자를 채권자에 대한 관계에서 '타인의 사무를 처리하는 자'라고 할 수 없다.)

**08** **다음 중 판례가 배임행위의 성립을 인정한 경우는 모두 몇 개인가?**(다툼이 있는 경우 판례에 의함)

20. 경찰간부

> ㉠ 계가 정상적으로 운영되고 있음에도 계주가 그동안 성실하게 계불입금을 지급하여 온 계원에게 계가 깨졌다고 거짓말을 하여 그 계원이 계에 참석하여 계금을 탈 수 있는 기회를 박탈하여 손해를 가한 경우
> ㉡ 주식회사의 경영을 책임지는 이사가 임무에 위배하여 주주 또는 회사채권자에게 손해가 될 행위를 하였으나 주주총회 결의가 있었던 경우
> ㉢ 서면으로 부동산 증여의 의사를 표시한 증여자가 수증자에게 증여계약에 따라 부동산의 소유권을 이전하지 않고 부동산을 제3자에게 처분하여 등기를 마친 경우
> ㉣ 다방을 임차하면서 임차기간 동안 영업허가 명의를 임차인 명의로 변경하고 임대차 종료시 임대인에게 명의반환을 하기로 약정하고도 임대차 종료 후 임차인이 명의반환을 거부하는 경우

① 1개　　② 2개　　③ 3개　　④ 4개

**해설** • **배임죄** ○: ㉠ 대판 1995.9.29, 95도1176 ㉡ 대판 2005.10.28, 2005도4915 ㉢ 대판 2018.12.13, 2016도19308 ㉣ 대판 1981.8.20, 80도1176

Answer 8. ④

**09** **다음 중 배임죄 또는 업무상 배임죄가 성립하지 않는 경우를 모두 고른 것은?**(다툼이 있는 경우 판례에 의함) **20. 경찰승진**

| |
|---|
| ㉠ 새마을금고 임직원이 동일인 대출한도 제한규정을 위반하여 초과대출행위를 하였더라도 대출채권회수에 문제가 없는 것으로 판단되는 경우<br>㉡ 자기소유의 동산에 대해 매수인과 매매계약을 체결한 매도인이 중도금까지 지급받은 상태에서 그 목적물을 제3자에 대한 자기의 채무변제에 갈음하여 그 제3자에게 양도한 경우<br>㉢ 회사의 승낙없이 임의로 지정 할인율보다 더 높은 할인율을 적용하여 회사가 지정한 가격보다 낮은 가격으로 거래처에 제품을 판매하였지만 시장거래 가격에 따라 제품을 판매한 경우<br>㉣ 피고인의 채권에 대한 담보목적으로 피해자가 자신의 대지와 건물을 피고인에게 소유권이전등기를 해주었는데, 피해자가 약정기일까지 차용한 금전을 이행하지 못하자 피고인이 담보권의 실행으로 담보 부동산을 염가로 처분한 경우 |

① ㉠, ㉡ ② ㉠, ㉢ ③ ㉡, ㉢, ㉣ ④ ㉠, ㉡, ㉢, ㉣

**| 해설** • (업무상) **배임죄** × : ㉠ 대판 2008.6.19, 2006도4876 전원합의체 ㉡ 대판 2011.1.20, 2008도10479(동산의 이중매매) ㉢ 대판 2009.12.24, 2007도2484(∵ 거래처가 재산상 이익 취득 ×) ㉣ 대판 1997.12.23, 97도2430(∵ 자기의 사무처리에 해당)

**10** **다음 설명 중 甲에게** (업무상) **배임죄가 성립하는 경우로 가장 적절한 것은?**(다툼이 있으면 판례에 의함) **17. 수사경과**

① 지상건물을 철거해 주기로 약정한 대지매도인 甲이 잔금 수령 후 철거약정 기한 전에 그 건물에 관하여 타인 앞으로 소유권이전청구권보전을 위한 가등기를 마쳐준 사안에서, 甲이 철거약정 기한까지 위 가등기를 말소하고 건물 철거의무를 이행할 수 있을 것으로 믿었고 객관적으로도 그 이행이 가능하였다는 등의 특별한 사정이 있는 경우
② 영업사원인 甲이 회사가 정한 할인율보다 높은 할인율을 정하여 낮은 가격으로 제품을 판매하였다 하여도 시장 거래가격으로 판매하여 제3자인 거래처가 재산상 이익을 취득한 것으로 볼 수 없는 경우
③ 매도인 甲이 매수인 乙에게 임야를 매도하고 일부 잔금까지 지급받았음에도 다시 위 임야를 제3자에게 매도한 후 계약금을 지급받고는 그 앞으로 소유권이전청구권보전을 위한 가등기를 마쳐준 경우
④ 주식회사 대표이사 甲이 개인의 차용금 채무에 관하여 개인 명의로 작성하여 교부한 차용증에 추가로 회사의 법인 인감을 날인한 경우

**| 해설** ① × : 배임죄 ×(대판 2006.2.21, 2006도2684 ∵ 배임죄의 고의 ×)
② × : 업무상 배임죄 ×(대판 2009.12.24, 2007도2484)
③ ○ : 배임죄 ○(대판 2008.7.10, 2008도3766)
④ × : 업무상 배임죄 ×(대판 2004.4.9, 2004도771)

**Answer** 9. ④ 10. ③

**11** **배임의 죄에 관한 다음 설명 중 가장 적절하지 않은 것은?**(다툼이 있는 경우 판례에 의함)

20. 수사경과

① 신주발행에 있어서 대표이사가 납입의 이행을 가장한 경우에는 상법 제628조 제1항에 의한 가장납입죄가 성립하는 이외에 따로 기존 주주에 대한 업무상 배임죄를 구성한다고 할 수 없다.

② 내연의 처와 불륜관계를 지속하는 대가로서 부동산에 관한 소유권이전등기를 경료해 주기로 약정하고서도 소유권이전등기의무를 이행하지 않은 경우에는 배임죄가 성립하지 않는다.

③ 배임죄에 있어 재산상의 손해를 가한 때라 함은 현실적인 손해를 가한 경우뿐만 아니라 재산상 실해 발생의 위험을 초래한 경우도 포함되고, 재산상 손해의 유무에 대한 판단은 법률적 관점에서 파악하여야 한다.

④ 대기업의 회장 등이 경영상의 판단이라는 이유로 甲 계열회사의 자금으로 재무구조가 상당히 불량한 상태에 있는 乙 계열회사가 발행하는 신주를 액면가격으로 인수한 경우 배임의 고의가 인정된다.

**| 해설** ① 대판 2005.4.29, 2005도856 ② 대판 1986.9.9, 86도1382
③ × : ~ 경제적(법률적 ×) 관점에서 파악하여야 한다(대판 2006.6.2, 2004도7112).
④ 대판 2004.6.24, 2004도520

**12** **배임죄에 대한 설명으로 옳은 것은?**(다툼이 있는 경우 판례에 의함)

21. 경찰간부

① 채권담보를 위한 대물변제예약 사안에서 채무자가 대물로 변제하기로 한 부동산을 제3자에게 처분한 경우 채무자에게 배임죄가 성립한다.

② 동산 매매에서 매도인이 목적물을 매수인에게 양도하기로 하고 계약금 및 중도금을 수령하였음에도 목적물을 제3자에게 양도함으로써 재산상 이익을 취득하고 매수인에게 손해를 입힌 경우, 매도인에게 배임죄가 성립한다.

③ 채무자가 그 소유의 동산에 대하여 점유개정의 방식으로 채권자들에게 이중의 양도담보 설정계약을 체결한 후 양도담보 목적물을 임의로 제3자에게 처분하였다면, 후채권자와의 관계에서는 채무자에게 배임죄가 성립하지 않는다.

④ 법인의 대표이사가 대표권을 남용하여 약속어음을 발행한 경우, 상대방이 그 대표이사의 진의를 알았거나 알 수 있었던 경우여서 그 행위가 회사에 대하여 무효라면 그 약속어음이 제3자에게 유통되었더라도 해당 대표이사에게 배임죄가 성립하지 않는다.

**| 해설** ① × : 배임죄 ×(대판 2014.8.21, 2014도3363 전원합의체)
② × : 배임죄 ×(대판 2011.1.20, 2008도10479)
③ ○ : 대판 2004.6.25, 2004도1751
④ × : 배임죄 ○(대판 2017.7.20, 2014도1104 전원합의체)

**Answer** 11. ③ 12. ③

**13** **배임죄에 관한 다음 설명 중 가장 옳지 않은 것은?**(다툼이 있는 경우 판례에 의함) 21. 법원직

① 타인의 사무를 처리하는 자가 배임의 범의로, 즉 임무에 위배하는 행위를 한다는 점과 이로 인하여 자기 또는 제3자가 이익을 취득하여 본인에게 손해를 가한다는 점에 대한 인식이나 의사를 가지고 임무에 위배한 행위를 개시한 때 배임죄의 실행에 착수한 것이고, 이러한 행위로 인하여 자기 또는 제3자가 이익을 취득하여 본인에게 손해를 가한 때 기수에 이른다.

② 채무자가 채권담보의 목적으로 점유개정 방식으로 채권자에게 동산을 양도하고 이를 보관하던 중 임의로 제3자에게 처분한 경우 배임죄가 아니라 횡령죄가 성립한다고 보아야 한다.

③ 회사직원이 퇴사시에 영업비밀 등을 회사에 반환하거나 폐기할 의무가 있음에도 경쟁업체에 유출하거나 스스로의 이익을 위하여 이용할 목적으로 이를 반환하거나 폐기하지 아니하였다면, 이러한 행위 역시 퇴사시에 업무상 배임죄의 기수가 된다.

④ 주권발행 전 주식에 대한 양도계약에서 양도인이 양수인으로 하여금 회사 이외의 제3자에게 대항할 수 있도록 확정일자 있는 증서에 의한 양도통지 또는 승낙을 갖추어 주어야 할 채무를 부담한다 하더라도 이는 자기의 사무라고 보아야 하고, 이를 양수인과의 신임관계에 기초하여 양수인의 사무를 맡아 처리하는 것으로 볼 수 없다.

**| 해설** ① 대판 2017.9.21, 2014도9960
② ×: ~ 처분한 경우 ⇨ 횡령죄 ×(대판 2009.2.12, 2008도10971 ∵ 동산의 소유권은 채무자에게 유보되어 있음), 배임죄 ×〔대판 2020.2.20, 2019도9756 전원합의체 ∵ 채무자를 타인(채권자)의 사무를 처리하는 자라고 할 수 없음〕
③ 대판 2017.6.29, 2017도3808
④ 대판 2020.6.4, 2015도6057

**14** **배임의 죄에 대한 설명으로 가장 적절하지 않은 것은?**(다툼이 있는 경우 판례에 의함) 21. 순경 1차

① 채무자가 본인 소유의 동산을 채권자에게 동산 채권 등의 담보에 관한 법률에 따른 동산담보로 제공한 경우, 채무자가 담보물을 제3자에게 처분하는 등으로 담보가치를 감소 또는 상실시켜 채권자의 담보권 실행이나 이를 통한 채권실현에 위험을 초래하더라도 배임죄는 성립하지 않는다.

② 채무자가 금전채무를 담보하기 위한 저당권설정계약에 따라 채권자에게 본인 소유의 부동산에 관하여 저당권을 설정할 의무를 부담하게 된 경우, 이는 통상의 계약에서 이루어지는 이익대립관계를 넘어서 채권자와의 신임관계에 기초하여 채권자의 사무를 맡아 처리하는 것으로 보아야 하므로 배임죄에서의 '타인의 사무를 처리하는 자'라고 할 수 있다.

**Answer** 13. ② 14. ②

③ 서면으로 부동산 증여의 의사를 표시한 증여자가 수증자에게 증여계약에 따라 부동산의 소유권을 이전하지 아니하고 부동산을 제3자에게 처분하여 등기를 하는 행위는 수증자와의 신임관계를 저버리는 행위로서 배임죄가 성립한다.

④ 주식회사의 대표이사가 대표권을 남용하는 등 그 임무에 위배하여 약속어음을 발행하였는데 그 약속어음의 발행이 무효일 뿐만 아니라 유통되지도 않은 경우, 회사는 어음발행의 상대방에게 어음채무를 부담하지 않기 때문에 특별한 사정이 없는 한 배임죄의 기수범이 아니라 배임미수죄로 처벌하여야 한다.

**| 해설** ① 대판 2020.8.27, 2019도14770 전원합의체[∵ 채무자는 타인(채권자)의 사무를 처리하는 자 ×]
② × : ~ (4줄) 처리하는 것으로 볼 수 없으므로 배임죄에서의 ~ 할 수 없다(대판 2020.6.18, 2019도14340 전원합의체).
③ 대판 2018.12.13, 2016도19308
④ 대판 2017.7.20, 2014도1104 전원합의체

**15** **배임죄에 대한 설명으로 가장 적절하지 않은 것은?**(다툼이 있는 경우 판례에 의함) 21. 순경 2차

① 회사의 이사 등이 타인에게 회사자금을 대여함에 있어 그 타인이 채무변제능력을 상실하여 그에게 자금을 대여할 경우 회사에 손해가 발생하리라는 점을 충분히 알면서 대여했거나, 충분한 담보를 제공받는 등 상당하고도 합리적인 채권회수조치를 취하지 아니한 채 대여해 주었다면 이는 회사에 대하여 배임행위가 된다.

② 업무상 배임죄가 성립하려면 주관적 요건으로서 임무위배의 인식과 그로 인하여 자기 또는 제3자가 이익을 취득하고 본인에게 손해를 가한다는 인식, 즉 배임의 고의가 있어야 하고, 이러한 인식은 미필적 인식으로도 충분하다.

③ 보통예금은 은행 등 법률이 정하는 금융기관을 수치인으로 하는 금전의 소비임치 계약으로서 그 예금계좌에 입금된 금전의 소유권은 금융기관에 이전되고 예금주는 그 예금계좌를 통한 예금반환채권을 취득하는 것이므로, 금융기관의 임직원은 예금주로부터 예금계좌를 통한 적법한 예금반환 청구가 있으면 이에 응할 의무가 있을 뿐 예금주와의 사이에서 그의 재산관리에 관한 사무를 처리하는 자의 지위에 있다고 할 수 없다.

④ 배임죄에 있어서 '타인의 사무를 처리하는 자'라 함은 양자간의 신임관계에 기초를 둔 타인의 재산보호 내지 관리의무가 있음을 그 본질적 내용으로 하는 것이므로, 배임죄의 성립에 있어서는 행위자가 대외관계에서 타인의 재산을 처분할 적법한 대리권이 있음을 요한다.

**| 해설** ① 대판 2012.7.12, 2009도7435
② 대판 2000.12.8, 99도3338
③ 대판 2008.4.24, 2008도1408
④ × : ~ 대리권이 있음을 요하지 아니한다(대판 1999.9.17, 97도3219).

Answer 15. ④

## 16 배임죄에 대한 설명 중 적절하지 않은 것을 모두 고른 것은?(다툼이 있는 경우 판례에 의함)

21. 경력채용

㉠ 매도인이 매수인에게 매도인 소유의 토지를 양도하는 계약을 체결하고 순위 보전의 효력이 있는 가등기를 마쳐준 경우에는 매수인이 매도인의 협력 없이도 자신 명의로 소유권이전등기를 마칠 수 있으므로 매도인이 그 이후 제3자에게 처분하고 제3자 앞으로 등기가 이루어졌더라도 배임죄가 성립하지 않는다.
㉡ 거래상대방의 대향적 행위의 존재를 필요로 하는 유형의 배임죄에서 거래상대방은 실행행위자의 행위가 피해자 본인에 대한 배임행위에 해당한다는 점을 인식한 상태에서 배임의 의도가 전혀 없었던 실행행위자에게 배임행위를 교사하거나 또는 배임행위의 전 과정에 관여하는 등으로 배임행위에 적극 가담한 경우에 한하여 배임의 실행행위자에 대한 공동정범으로 인정할 수 있다.
㉢ 배임죄에서 '재산상 손해를 가한 때'에는 '재산상 손해발생의 위험을 초래한 경우'도 포함되는 것이므로, 법인의 대표이사 甲이 회사의 이익이 아닌 자기의 이익을 도모할 목적으로 권한을 남용하여 회사 명의의 금전소비대차 공정증서를 작성하여 법인 명의의 채무를 부담한 경우에는 상대방이 대표이사의 실제 의도를 알았거나 알 수 있었다고 할지라도 배임죄가 성립한다.
㉣ 양도인이 양수인에게 양도한 주권발행 전 주식에 대하여 확정일자 있는 증서에 의한 양도통지 또는 승낙을 갖추어 주어야 할 의무를 부담함에도 불구하고 양수인에게 위와 같은 제3자에 대한 대항요건을 갖추어 주지 아니하고 이를 타인에게 처분한 경우 배임죄가 성립하지 않는다.

① 1개 ② 2개 ③ 3개 ④ 4개

**| 해설** ㉠ × : 배임죄 ○(대판 2020.5.14, 2019도16228 ∵ 순위보전의 효력이 있는 가등기 ⇨ 물권변동의 효력 × ⇨ 매도인으로서는 소유권을 이전하여 줄 의무에서 벗어날 수 없음)
㉡ ○ : 대판 2007.4.12, 2007도1033
㉢ × : 배임죄 ×〔대판 2012.5.24, 2012도2142 ∵ 그 행위는 회사에 대하여 무효(회사는 민법상의 사용자책임이나 손해배상책임 ×) ⇨ 회사에 어떠한 손해가 발생하거나 발생할 위험 ×〕
㉣ ○ : 대판 2020.6.4, 2015도6057(∵ 의무부담은 자기의 사무 ⇨ 타인 사무처리자 ×)

## 17 배임죄에 관한 설명 중 옳은 것은 모두 몇 개인가?(다툼이 있는 경우 판례에 의함) 21. 법원행시

㉠ 타인에 대한 채무의 담보로 제3채무자에 대한 채권에 대하여 권리질권을 설정하고, 질권설정자가 제3채무자에게 질권설정의 사실을 통지하거나 제3채무자가 이를 승낙한 상태에서, 질권설정자가 질권자의 동의 없이 제3채무자에게서 질권의 목적인 채권의 변제를 받은 경우, 질권자에 대한 관계에서 배임죄가 성립한다.
㉡ A은행 지점장인 甲이 A은행을 대리하여 乙이 丙에 대하여 장래 부담하게 될 물품대금 채무에 대하여 지급보증을 하였다고 하더라도, 乙과 丙이 거래를 개시하지 않아 지급보증의 대상인 물품대금 지급채무가 현실적으로 발생하지 않았다면, 甲에게 배임죄가 성립하는지 여부를 검토함에 있어, A은행에게 경제적인 관점에서 손해가 발생한 것과 같은 정도의 구체적인 위험이 발생하였다고 평가하기는 어렵다고 보아야 한다.

Answer 16. ② 17. ④

> ㉢ 주식회사의 대표이사가 대표권을 남용하여 약속어음을 발행하였고, 그 어음발행이 무효라고 하더라도, 그 어음이 제3자에게 유통되었다면 그 어음채무가 실제로 이행되기 전이라도 배임죄의 기수범이 성립한다.
> ㉣ 주권발행 전 주식에 대한 양도계약에서 양도인이 양수인으로 하여금 회사 이외의 제3자에게 대항할 수 있도록 확정일자 있는 증서에 의한 양도통지 또는 승낙을 갖추어 주지 아니하고 위 주식을 다른 사람에게 처분한 경우, 배임죄가 성립한다.
> ㉤ 업무상 배임죄의 실행으로 이익을 얻게 되는 수익자는 배임죄의 공범이라고 볼 수 없는 것이 원칙이고, 실행행위자에게 배임행위를 교사하거나 또는 배임행위의 전 과정에 관여하는 등으로 배임행위에 적극 가담한 경우에 한하여 배임의 실행행위자에 대한 공동정범으로 인정할 수 있다.

① 없 음 ② 1개 ③ 2개
④ 3개 ⑤ 4개

**해설** ㉠ × : 배임죄 ×(대판 2016.4.2, 2015도5665 ∵ 질권자에게 대항 ×, 질권자는 제3채무자에 대하여 채무변제 청구나 변제금액 공탁 청구 가능 ∴ 손해나 손해발생 위험 초래 ×)
㉡ ○ : 대판 2015.9.10, 2015도6745
㉢ ○ : 대판 2017.7.20, 2014도1104 전원합의체
㉣ × : 배임죄 ×(대판 2020.6.4, 2015도6057 ∵ 양도인이 양수인으로 하여금 회사 이외의 제3자에게 대항할 수 있도록 확정일자 있는 증서에 의한 양도통지 또는 승낙을 갖추어 주어야 할 채무를 부담한다 하더라도 이는 자기의 사무라고 보아야 하고, 이를 양수인과의 신임관계에 기초하여 양수인의 사무를 맡아 처리하는 것으로 볼 수 없다.)
㉤ ○ : 대판 2007.4.12, 2007도1033

**18** **배임죄에 대한 설명 중 가장 적절하지 않은 것은?**(다툼이 있는 경우 판례에 의함) 23. 경찰승진

① 채무담보를 위하여 채권자에게 부동산에 관하여 근저당권을 설정해 주기로 약정한 채무자가 담보목적물을 임의로 처분하여 담보가치를 상실시킨 경우 채무자에게 배임죄가 성립한다.
② 자기 소유의 동산에 대해 매수인과 매매계약을 체결한 매도인이 중도금까지 지급받은 상태에서 그 목적물을 제3자에 양도한 경우 매도인에게 배임죄가 성립하지 않는다.
③ 권리이전에 등기 등록을 요하는 자동차에 대한 매매계약에 있어 매도인이 매수인에게 소유권이전등록을 하지 않고 제3자에게 처분한 경우 매도인에게 배임죄가 성립하지 않는다.
④ 회사직원이 영업비밀이나 영업상 주요한 자산인 자료를 적법하게 반출했을지라도 퇴사 시에는 그 자료를 회사에 반환하거나 폐기할 의무가 있음에도 불구하고 경쟁업체에 유출하거나 자신의 이익을 위해 이용할 목적으로 반환 또는 폐기를 하지 않은 경우 업무상 배임죄를 구성한다.

Answer 18. ①

**| 해설** ① ×：~ 배임죄가 성립하지 않는다〔대판 2020.6.18, 2019도14340 전원합의체 ∵ 저당권설정계약에 따른 저당권을 설정할 의무이행 ⇨ 채무자 자신의 사무 ○ ⇨ 타인(채권자)의 사무를 처리하는 자 ×〕.
② 대판 2011.1.20, 2008도10479 전원합의체
③ 대판 2020.10.22, 2020도6258 전원합의체
④ 대판 2017.6.29, 2017도3808

## 19 배임죄에 관한 설명 중 옳은 것은 모두 몇 개인가?(다툼이 있는 경우 판례에 의함) 23. 법원행시

㉠ 1인 회사의 주주가 자신의 개인채무를 담보하기 위하여 회사 소유의 부동산에 대하여 근저당권설정등기를 마쳐 주어 배임죄가 성립한 이후에 그 부동산에 대하여 새로운 담보권을 설정해 주는 행위는, 선순위 근저당권의 담보가치를 공제한 나머지 담보가치 상당의 재산상 이익을 침해하는 행위로서 별도의 배임죄가 성립한다.
㉡ 법률적 판단에 의하여 당해 배임행위가 무효라면 경제적 관점에서 파악하여 배임행위로 인하여 본인에게 현실적인 손해를 가하였거나 재산상 실해발생의 위험을 초래한 경우에도 재산상의 손해를 가한 때에 해당되지 아니하여 배임죄를 구성하지 아니한다.
㉢ 채권 담보를 위한 대물변제예약을 한 경우, 채무자가 대물로 변제하기로 한 부동산을 제3자에게 처분하였다고 하더라도 형법상 배임죄가 성립하는 것은 아니다.
㉣ 금융기관이 금원을 대출함에 있어 대출금 중 선이자를 공제한 나머지만 교부한 경우, 배임행위로 인하여 금융기관이 입는 손해는 선이자를 공제한 금액으로 보아야 하고, 이와 달리 선이자로 공제한 금원을 포함한 대출금 전액으로 볼 것은 아니다.
㉤ 타인을 위하여 도급계약을 체결할 임무가 있는 자가 부당하게 높은 가격으로 도급계약을 체결하여 타인에게 부당하게 많은 채무를 부담하게 하였다면 그로써 곧바로 업무상 배임죄가 성립하고, 그 경우 배임액은 도급계약의 도급금액 전액에서 정당한 도급금액을 공제한 금액으로 보아야 한다.

① 1개 ② 2개 ③ 3개
④ 4개 ⑤ 5개

**| 해설** ㉠ ○：대판 2005.10.28, 2005도4915
㉡ ×：재산상 손해의 유무판단은 본인의 모든 재산상태와의 관계에서 경제적 관점에 따라 판단되어야 하므로 법률적 판단에 의하여 당해 배임행위가 무효라 하더라도 경제적 관점에서 파악하여 본인에게 현실적인 손해를 가하였거나 재산상 실해 발생의 위험을 초래한 경우에는 재산상의 손해를 가한 때에 해당하여 배임죄를 구성한다(대판 2006.6.2, 2004도7112).
㉢ ○：대판 2014.8.21, 2014도3363 전원합의체
㉣ ×：~ (2줄) 공제한 금액이 아니라 선이자로 공제한 금원을 포함한 대출금 전액으로 보아야 한다(대판 2003.10.10, 2003도3516).
㉤ ○：대판 1999.4.27, 99도883

Answer 19. ③

01

**20 배임죄에 관한 설명 중 틀린 것은 모두 몇 개인가?**(다툼이 있는 경우 판례에 의함) 기출지문 종합

㉠ 금융기관의 담당직원이 거래처의 기존대출금에 대한 원리금 및 연체이자에 충당하기 위하여 거래처가 신규대출을 받은 것처럼 서류를 정리하였더라도 금융기관이 실제로 거래처에 신규대출을 새로 교부한 것이 아닌 경우 금융기관에 어떤 새로운 손해가 발생한 것은 아니므로 업무상 배임죄가 성립되지 아니한다.

㉡ 건물관리인이 건물주로부터 월세임대차계약 체결업무를 위임받고도 임차인들을 속여 전세임대차계약을 체결하고 그 보증금을 편취한 경우, 사기죄와 별도로 업무상 배임죄가 성립하고 두 죄가 상상적 경합의 관계에 있다.

㉢ 경영자가 적대적 M&A로부터 경영권을 유지하기 위하여 종업원의 자사주 매입에 회사자금을 지원한 경우에는 업무상 배임죄가 성립하지 않는다.

㉣ 대학교수가 학교법인으로부터 교부받아 소지하고 있던 판공비지출용 법인신용카드를 업무와는 무관하게 지인들과의 식사대금 등의 결제 등 개인적 용도에 사용한 경우 업무상 배임죄로 처벌할 수 있다.

㉤ 주식회사의 증자업무를 담당하는 자와 주식인수인이 사전에 공모하여 주금납입취급은행 이외의 제3자로부터 납입금에 해당하는 금액을 차입하여 주금을 납입하고 납입취급은행으로부터 납입금보관증명서를 교부받아 회사의 증자등기절차를 마친 직후 이를 인출하여 위 차용금채무의 변제에 사용하는 경우 업무상 배임죄로 처벌할 수 있다.

㉥ 행위자가 본인을 위한다는 의사를 가지고 행위한 경우에는 그 목적과 취지가 법령이나 사회상규에 위반된 위법한 행위로서 용인할 수 없는 경우에도 배임죄는 성립하지 않는다.

㉦ 부동산의 매도인이 매수인으로부터 계약금과 중도금을 받았음에도 잔금과 상환으로 소유권이전등기절차를 하여줄 임무에 위배하여 제3자 앞으로 근저당권설정등기를 마쳐 주었다면 비록 매수인이 그 근저당권설정등기 전 당해 부동산에 관하여 처분금지가처분을 해 두었다 하더라도 배임죄의 성립에 아무런 영향이 없다.

㉧ 회사의 대표이사가 제3자를 위하여 회사의 재산을 담보로 제공한 후 이미 설정한 담보물을 교체하는 경우에 기존 담보물의 가치보다 새로 제공하는 담보물의 가치가 더 작거나 동일하다면 회사에 재산상 손해가 발생하였다고 볼 수 없으므로 배임죄가 성립하지 않는다.

㉨ 수분양권 매도인이 수분양권 매매계약에 따라 매수인에게 수분양권을 이전할 의무를 이행하지 아니하고 수분양권 또는 이에 근거하여 향후 소유권을 취득하게 될 목적물을 미리 제3자에게 처분하더라도 형법상 배임죄가 성립하지 않는다.

㉩ 지입차주가 자신이 실질적으로 소유하거나 처분권한을 가지는 자동차에 관하여 지입회사와 지입계약을 체결함으로써 지입회사에게 그 자동차의 소유권등록 명의를 신탁하고 운송사업용 자동차로서 등록 및 그 유지 관련 사무의 대행을 위임한 경우에 지입회사 운영자는 지입차주와의 관계에서 '타인의 사무를 처리하는 자'의 지위에 있다.

㉪ 음식점 임대차계약에 의한 임차인의 지위를 양도한 자는 양도사실을 임대인에게 통지하고 양수인이 갖는 임차인의 지위를 상실하지 않게 할 의무가 있고, 이러한 임무는 자기의 사무임과 동시에 양수인의 권리취득을 위한 사무의 일부를 이룬다고 할 것이다.

① 2개 ② 3개 ③ 4개 ④ 5개

Answer 20. ④

**| 해설** ㉠ ○ : 대판 2000.6.27, 2000도1155
㉡ × : 실체적(상상적 ×) 경합범 ○(대판 2010.11.11, 2010도10690)
㉢ × : 배임죄 ○(대판 1999.6.25, 99도1141 ∵ 배임행위 ○)
㉣ ○ : 대판 2006.5.26, 2003도8095
㉤ × : 그들에게 불법이득의 의사가 있다거나 회사의 재산상 손해가 발생한다고 볼 수는 없으므로 업무상 배임죄가 성립한다고 할 수 없다(대판 2005.4.29, 2005도856).
㉥ × : 배임죄 ○(대판 2002.7.22, 2002도1696 ∵ 본인과의 신임관계를 저버리는 행위임)
㉦ ○ : 대판 1990.10.16, 90도1702
㉧ ○ : 대판 2008.5.8, 2008도484
㉨ ○ : 대판 2021.7.8, 2014도12104(∵ 특별한 사정이 없는 한 수분양권 매도인이 수분양권 매매계약에 따라 매수인에게 수분양권을 이전할 의무는 자신의 사무에 해당할 뿐이므로, 매수인에 대한 관계에서 '타인의 사무를 처리하는 자'라고 할 수 없다.)
㉩ ○ : 대판 2021.6.24, 2018도14365(∵ 특별한 사정이 없는 한 지입회사 측이 지입차주의 실질적 재산인 지입차량에 관한 재산상 사무를 일정한 권한을 가지고 맡아 처리하는 것으로서 당사자 관계의 전형적·본질적 내용이 통상의 계약에서의 이익대립관계를 넘어서 그들 사이의 신임관계에 기초하여 타인의 재산을 보호 또는 관리하는 데에 있음.)
㉪ × : ~ (2줄) 할 의무가 있다고 하여도, 이러한 임무는 임차권 양도인으로서 부담하는 채무로서 양도인 자신의 의무일 뿐이지 자기의 사무임과 동시에 양수인의 권리취득을 위한 사무의 일부를 이룬다고 볼 수 없다(대판 1991.12.10, 91도2184).

**21** **다음 중 배임죄에 관한 설명으로 가장 옳지 않은 것은?**(다툼이 있는 경우 판례에 의함)

24. 해경승진

① 甲은 A중공업 직원 乙이 영업비밀인 선박부품 설계도면을 해외로 유출하기 위하여 무단 반출하였다는 사실을 알고 몇 개월 후 乙에게 접근하여 설계도면을 취득하려고 하였다면 업무상 배임죄의 공동정범이 될 수 없다.

② 퇴사한 회사직원이 반환하거나 폐기하지 아니한 영업비밀 등을 경쟁업체에 유출하거나 스스로의 이익을 위하여 이용하였을지라도 따로 업무상 배임죄를 구성하지는 않는다.

③ 업무상 배임죄는 부작위에 의해서도 성립할 수 있는데, 이때 행위자는 부작위 당시 자신에게 주어진 임무를 위반한다는 점만 인식하면 족하고, 그 부작위로 인해 손해가 발생할 위험이 있다는 점을 인식할 필요는 없다.

④ 비상장법인의 대표이사가 주식의 시가보다 현저히 낮은 금액을 전환가액으로 한 전환사채를 지분비율에 따라 인수할 기회를 주주들에게 주었음에도 불구하고 주주들이 인수를 포기하자 그 전환사채를 제3자에게 동일한 발행조건으로 배정하여 발행한 경우, 업무상 배임죄는 성립하지 않는다.

**| 해설** ① 대판 2003.10.30, 2003도4382
② 대판 2017.6.29, 2017도3808
③ × : ~ (2줄) 위반한다는 점과, 그 부작위로 인해 손해가 발생할 위험이 있다는 점을 인식하였어야 한다(대판 2021.5.27, 2020도15529).
④ 대판 2009.5.29, 2007도4949 전원합의체

**Answer** 21. ③

**22 배임의 죄에 관한 설명으로 가장 적절한 것은?**(다툼이 있는 경우 판례에 의함) 24. 순경 1차

① 채무자 甲이 자신의 금전채무를 담보하기 위하여 채권자 A와 자신 소유의 자동차에 관한 양도담보설정계약을 체결한 후, A에게 양도담보설정계약에 따른 의무를 다하지 않고 이를 B에게 처분한 경우, 甲에게는 배임죄의 기수범이 성립한다.

② 수분양권 매도인 甲이 수분양권 매매계약에 따라 매수인 A에게 수분양권을 이전할 의무를 이행하지 않고, 수분양권 또는 이에 근거하여 향후 소유권을 취득하게 될 목적물을 미리 B에게 처분한 경우, 특별한 사정이 없는 한 甲에게는 배임죄의 기수범이 성립한다.

③ A주식회사의 대표이사인 甲이 대표권을 남용하는 등 그 임무에 위배하여 A주식회사 명의의 약속어음을 발행하고 그 사정을 모르는 B에게 이를 교부하였으나 아직 어음채무가 실제로 이행되기 전인 경우, 甲에게는 배임죄의 기수범이 성립한다.

④ 甲이 A로부터 18억원을 차용하면서 담보로 甲소유의 아파트에 A명의의 4순위 근저당권을 설정해 주기로 약정하였음에도 B에게 채권최고액을 12억원으로 하는 4순위 근저당권을 설정해 준 경우, 甲에게는 배임죄의 기수범이 성립한다.

| 해설 | ① ×：배임죄 ×(대판 2022.12.22, 2020도8682 전원합의체 ∵ 양도담보설정계약에 따른 의무는 채무자 자신의 급부의무 ⇨ 채무자를 채권자에 대한 관계에서 '타인의 사무를 처리하는 자'라고 할 수 없다.)
② ×：배임죄 ×(대판 2021.7.8, 2014도12104 ∵ 수분양권을 이전할 의무는 매도인 자신의 사무 ⇨ 매수인에 대한 관계에서 '타인의 사무를 처리하는 자'라고 할 수 없다.)
③ ○：대판 2017.7.20, 2014도1104 전원합의체
④ ×：배임죄 ×〔대판 2020.6.18, 2019도14340 전원합의체 ∵ 저당권설정계약에 따른 저당권을 설정할 의무이행 ⇨ 채무자 자신의 사무 ○ ⇨ 타인(채권자)의 사무를 처리하는 자 ×〕

Answer 22. ③

## 종합문제 횡령죄와 배임죄

**01 횡령죄와 배임죄에 대한 설명으로 가장 적절하지 않은 것은?**(다툼이 있는 경우 판례에 의함)

18. 경찰승진

① 포주인 甲이 자신의 종업원인 A에게 윤락을 권유하여 고용한 후, A가 받은 화대를 甲이 일단 보관하다가 절반씩 분배하기로 약정하였음에도 불구하고 甲이 보관 중인 화대를 임의로 소비한 경우, 그 화대는 불법원인으로 인한 것이지만 甲의 행위는 횡령죄에 해당한다.

② 피해자는 자금만 투자하고 피고인은 공사 시공 및 일체의 거래행위를 담당하는 내용의 동업계약을 체결하였다가 위 계약이 종료되었는데, 그 정산과정에서 피고인이 임의로 제3자에 대하여 채권양도행위를 한 경우 배임죄가 성립하지 않는다.

③ 상법상 주식은 자본구성의 단위 또는 주주의 지위를 의미하므로 재물이 아니며, 횡령죄의 객체가 될 수 없다.

④ 회사직원이 영업비밀 등을 적법하게 반출하였으나 퇴사시에 회사에 반환하거나 폐기할 의무가 있음에도 경쟁업체에 유출하거나 스스로의 이익을 위하여 이용할 목적으로 이를 반환하거나 폐기하지 아니하였다면, 반출시에 업무상 배임죄의 기수가 된다.

| 해설 ① 대판 1999.9.17, 98도2036

② 대판 1992.4.14, 91도2390(∵ 정산의무나 정산과정에서 행하는 행위는 피고인 자신의 사무 ○, 피해자를 위하여 하는 타인의 사무 ×)

③ 대판 2005.2.18, 2002도2822

④ ×: ~ 아니하였다면, 퇴사시(반출시 ×)에 ~ 된다(대판 2017.6.29, 2017도3808).

**02 다음 설명 중 옳지 않은 것은 모두 몇 개인가?**(다툼이 있는 경우 판례에 의함) 18. 법원행시

㉠ 배임행위가 법률상 무효이기 때문에 본인의 재산 상태가 사실상으로도 악화된 바가 없다면 현실적인 손해가 없음은 물론이고 실해가 발생할 위험도 없는 것이므로 본인에게 재산상의 손해를 가한 것이라고 볼 수 없다.

㉡ 조합장이 조합으로부터 공무원에게 뇌물로 전달하여 달라고 금원을 교부받고도, 이를 뇌물로 전달하지 않고 개인적으로 소비한 경우에는 횡령죄가 성립한다.

㉢ 회사의 대표이사가 대표권을 남용하여 회사 명의의 약속어음을 발행한 사실을 상대방이 알았거나 알 수 있었을 때에 해당하여 약속어음 발행이 무효가 되고 그 어음이 실제로 유통되지도 않았다면, 특별한 사정이 없는 한 배임미수죄가 성립한다.

㉣ 학교법인 이사장이, 학교법인이 설치·운영하는 대학 산학협력단이 용도를 특정하여 교부받은 보조금 중 3억원을 대학 교비계좌로 송금하여 교직원 급여 등으로 사용하였다면, 업무상 횡령죄가 성립한다.

Answer 1.④ 2.③

ⓜ 피해자의 대출업무 담당자가 서류를 위조하여 피해자의 근저당권설정등기를 말소하였더라도 피해자 명의 근저당권의 효력에는 영향이 없고 피해자가 불법행위 책임을 부담할 여지도 없으므로, 피해자에게 재산상 손해가 발생하였다고 볼 수 없다.
ⓑ 미리 부동산을 이전받은 매수인이 이를 담보로 제공하여 매매대금 지급을 위한 자금을 마련하고 이를 매도인에게 제공함으로써 잔금을 지급하기로 당사자 사이에 약정하였다고 하더라도, 이는 기본적으로 매수인이 매매대금의 재원을 마련하는 방편에 관한 것이고, 그 성실한 이행에 의하여 매도인이 대금을 모두 받게 되는 이익을 얻는다는 것만으로 매수인이 신임관계에 기하여 매도인의 사무를 처리하는 것이 된다고 할 수 없다.

① 0개 ② 1개 ③ 2개
④ 3개 ⑤ 4개

| 해설 ㉠ ○ : 대판 1987.11.10, 87도993
㉡ × : 횡령죄 ×(대판 1988.9.20, 86도628 ∵ 불법원인급여)
㉢ ○ : 대판 2017.7.20, 2014도1104 전원합의체
㉣ ○ : 대판 2011.10.13, 2009도13751
ⓜ × : 배임죄 ○(대판 2014.6.12, 2014도2578 ∵ 등기 말소로 사실상 담보를 상실한 것과 다를 바 없는 피해자에게 재산상 손해가 발생하였음)
ⓑ ○ : 대판 2011.4.28, 2011도3247

**03 횡령과 배임의 죄에 대한 설명 중 옳은 것을 모두 고른 것은?**(다툼이 있는 경우 판례에 의함)
19. 경찰승진

㉠ 타인으로부터 용도가 엄격히 제한된 자금을 위탁받아 집행하면서 그 제한된 용도 이외의 목적으로 자금을 사용하였더라도 결과적으로 자금을 위탁한 본인을 위하는 면이 있다면 불법영득의사가 인정되지 않아 횡령죄가 성립하지 아니한다.
㉡ 소유권의 취득에 등록이 필요한 타인 소유의 차량을 인도받아 보관하고 있는 사람이 이를 사실상 처분한 경우 보관 위임자나 보관자가 차량의 등록명의자가 아니라도 횡령죄가 성립한다.
㉢ 대표이사가 대표권을 남용하여 자신의 개인채무에 대하여 회사 명의의 차용증을 작성하여 주었고, 그 상대방이 이와 같은 진의를 알았거나 알 수 있었던 경우일지라도 무효인 차용증을 작성하여 준 것만으로는 업무상 배임죄가 성립하지 않는다.
㉣ 배임죄에서 재산상 실해 발생의 위험이란 본인에게 손해가 발생할 막연한 위험이 있는 것만으로는 부족하고 법률적인 관점에서 보아 본인에게 손해가 발생한 것과 같은 정도로 구체적인 위험이 있는 경우를 의미한다.

① ㉠, ㉡ ② ㉡, ㉢ ③ ㉢, ㉣ ④ ㉠, ㉣

| 해설 ㉠ × : ~ (2줄) 면이 있더라도 ~ 인정되어 횡령죄가 성립한다(대판 2008.2.29, 2007도9755).
㉡ ○ : 대판 2015.6.25, 2015도1944 전원합의체
㉢ ○ : 대판 2004.4.9, 2004도771
㉣ × : ~ (2줄) 경제적인 관점(법률적인 관점 ×)에서 보아 ~ 의미한다(대판 2015.9.10, 2015도6745).

Answer 3. ②

**04 횡령죄와 배임죄에 관한 설명으로 가장 적절하지 않은 것은?**(다툼이 있는 경우 판례에 의함)

19. 순경 2차

① 어음의 할인을 위하여 배서양도의 형식으로 약속어음을 교부 받은 자가 이를 자신의 채무변제에 충당한 경우, 이는 위탁의 취지에 반하는 것으로 횡령죄가 성립한다.

② 질권설정자가 타인에 대한 채무의 담보로 제3채무자에 대한 채권에 대하여 권리질권을 설정하면서 제3채무자에게 질권설정의 사실을 통지한 때에는, 질권설정자가 질권자의 동의 없이 제3채무자에게서 질권의 목적인 채권의 변제를 받았다 하더라도 배임죄가 성립하지 않는다.

③ 지입회사에 소유권이 있는 차량에 대하여 지입회사에서 운행관리권을 위임받은 지입차주가 지입회사의 승낙 없이 보관 중인 차량을 사실상 처분한 경우에는 횡령죄가 성립하지만, 그 차량의 보관을 지입차주로부터 위임받은 사람이 지입차주의 승낙 없이 보관 중인 차량을 사실상 처분한 경우에는 배임죄가 성립한다.

④ 금전채권을 담보하기 위하여 채무자 소유의 동산에 관하여 이른바 강한 의미의 양도담보 계약을 설정한 경우, 채무자가 이를 점유하던 중 임의로 양도담보된 동산을 처분하면 배임죄가 성립한다.

**해설** ① 대판 1983.4.26, 82도3079 ② 대판 2016.4.2, 2015도5665
③ ×: ~ (2줄) 횡령죄가 성립하고, 그 차량의 ~ (4줄) 사실상 처분한 경우에도 횡령죄(배임죄 ×)가 성립한다(대판 2015.6.25, 2015도1944 전원합의체).
④ ×: 동산의 양도담보에서 채무자가 동산을 임의처분하는 경우, 종전 판례는 배임죄가 성립한다고 하였으나, 판례 변경으로 이제는 배임죄가 성립하지 않는다(대판 2020.2.20, 2019도9756 전원합의체 ∵ 채무자를 배임죄의 주체인 '타인의 사무를 처리하는 자'에 해당한다고 할 수 없음).

**05 횡령과 배임의 죄에 대한 설명으로 가장 적절한 것은?**(다툼이 있는 경우 판례에 의함)

22. 경찰승진

① 부동산 실권리자 명의등기에 관한 법률을 위반하여 부동산을 소유자로부터 명의신탁받아 소유권이전등기를 경료한 후 명의수탁자가 이를 임의처분하면 명의신탁자에 대한 횡령죄가 성립한다.

② 부동산 매매계약에 있어 매도인이 매수인으로부터 계약금과 중도금을 지급받아 매수인의 재산보전에 협력할 의무를 부담하게 되었더라도, 매도인은 통상의 계약에서의 이익대립관계를 넘어 배임죄에서 말하는 신임관계에 기초한 '타인의 사무를 처리하는 자'의 지위에 있다고 할 수는 없다.

③ 甲이 A에게 자신의 B에 대한 채권을 양도한 후 채권양도통지를 하기 전에 B로부터 채권을 추심하여 금전을 수령한 경우, 甲은 A를 위하여 해당 금원을 보관하는 지위에 있으므로 이를 임의로 사용하면 횡령죄가 성립한다.

Answer 4. ③④ 5. 정답 없음

④ 권리이전에 등기・등록을 요하는 자동차에 대한 매매계약에 있어 매도인은 매수인에 대하여 그의 사무를 처리하는 자의 지위에 있으므로, 매도인이 매수인에게 소유권이전등록을 하지 아니하고 제3자에게 처분하였다면 배임죄가 성립한다.

**| 해설** ① × : 횡령죄 ×(대판 2021.2.18, 2016도18761 전원합의체 ∵ 명의수탁자가 명의신탁자에 대한 관계에서 '타인의 재물을 보관하는 자'의 지위에 있다고 볼 수 없음)
② × : ~ 지위에 있다(대판 2018.5.17, 2017도4027 전원합의체).
③ × : 횡령죄 ×(대판 2022.6.23, 2017도3829 전원합의체 ∵ 금전의 소유권은 양도인에게 귀속하고 양도인은 양수인을 위해 보관하는 자의 지위에 있다고 볼 수 없음)
④ × : ~ (2줄) 처리하는 자의 지위에 있다고 보기 어려우므로, 매도인이 ~ 배임죄가 성립하지 아니한다(대판 2020.10.22, 2020도6285 전원합의체).

## 06 **횡령과 배임의 죄에 관한 설명 중 옳은 것을 모두 고른 것은?**(다툼이 있는 경우 판례에 의함)

22. 변호사시험

㉠ 甲이 성명불상자로부터 계좌를 빌려주면 대가를 주겠다는 제안을 받고 자신의 계좌에 연결된 체크카드를 양도하였는데, A가 보이스피싱 사기 범행에 속아 위 계좌로 금원을 송금하여 甲이 보관하던 중 이를 현금으로 인출하여 개인 용도로 사용한 경우, 甲이 사기범행에 이용되리라는 사정을 알지 못한 채 체크카드를 양도한 것이라면 A에 대한 횡령죄가 성립한다.
㉡ 타인으로부터 용도가 엄격히 제한된 자금을 위탁받아 집행하면서 그 제한된 용도 이외의 목적으로 자금을 사용한 행위가 개인적인 목적에서 비롯된 것이 아니라 결과적으로 자금을 위탁한 본인을 위하는 면이 있는 경우에는 횡령죄가 성립하지 않는다.
㉢ 甲이 乙로부터 18억원을 차용하면서 담보로 甲 소유의 아파트에 乙 명의의 4순위 근저당권을 설정해 주기로 약정하였음에도 제3자에게 채권최고액을 12억원으로 하는 4순위 근저당권을 설정하여 준 경우 특정경제범죄 가중처벌 등에 관한 법률위반(배임)죄가 성립한다.
㉣ 부동산 실권리자명의 등기에 관한 법률을 위반하여 명의신탁자가 그 소유인 부동산의 등기명의를 명의수탁자에게 이전하는 이른바 양자간 명의신탁의 경우 명의수탁자가 신탁받은 부동산을 임의로 처분하더라도 횡령죄가 성립하지 않는다.
㉤ 타인의 사무를 처리하는 자가 그 직무에 관하여 여러 사람으로부터 각각 부정한 청탁을 받고 수회에 걸쳐 금품을 수수한 경우, 그 청탁이 동종의 것이면 단일하고 계속된 범의 아래 이루어진 범행으로 보아 그 전체를 포괄일죄로 볼 수 있다.

① ㉠, ㉣
② ㉡, ㉢
③ ㉠, ㉢, ㉤
④ ㉠, ㉣, ㉤
⑤ ㉡, ㉣, ㉤

**| 해설** ㉠ ○ : 대판 2018.7.19, 2017도17494 전원합의체
㉡ × : 횡령죄 ○(대판 2008.2.29, 2007도9755)
㉢ × : 배임죄 ×〔대판 2020.6.18, 2019도14340 전원합의체 ∵ 저당권설정계약에 따른 저당권을 설정할 의무이행 ⇨ 채무자 자신의 사무 ○ ⇨ 타인(채권자)의 사무를 처리하는 자 ×〕
㉣ ○ : 대판 2021.2.18, 2016도18761 전원합의체
㉤ × : 포괄일죄 ×(대판 2008.12.11, 2008도6987)

**Answer** 6. ①

**07** **횡령과 배임의 죄에 대한 설명 중 옳지 않은 것만을 모두 고른 것은?**(다툼이 있는 경우 판례에 의함)

**23. 경찰간부**

㉠ A가 착오로 甲의 통장계좌로 송금한 돈을 甲이 인출하여 임의로 사용한 경우, 甲은 그 송금된 돈을 보관하는 지위에 있다고 볼 수 없으므로 이를 영득할 의사로 인출하는 경우에도 횡령죄에 해당하지 아니한다.
㉡ 甲이 A에게 1억원을 빌리면서 그 채무에 대한 담보로 자신의 부동산에 근저당권을 설정해 주기로 약정하였음에도, 이후 B에게 자신의 부동산을 매도해 버린 경우, 甲에게는 배임죄가 성립하지 아니한다.
㉢ 채무자 甲이 금전채무를 담보하기 위하여 그 소유의 동산을 채권자 A에게 양도담보로 제공하였음에도 甲이 채무변제 이전에 담보물을 임의로 처분한 경우, 甲에게는 A에 대한 횡령죄가 아니라 배임죄가 성립한다.
㉣ 매도인 甲이 자기 소유의 부동산을 매수인 A에게 매도하기로 약정하고 A로부터 계약금과 중도금을 지급받는 등 계약이 본격적으로 이행되는 단계에 이르렀음에도 그 부동산에 관한 소유권을 A에게 이전해 주기 전에 B에게 처분하면서 소유권이전등기를 경료해 준 경우, 甲에게는 A에 대한 배임죄가 성립한다.
㉤ 甲이 자신이 알 수 없는 경위로 A의 특정 거래소 가상지갑에 들어 있던 가상화폐를 甲 자신의 계좌로 이체받은 후 이를 자신의 다른 계정으로 이체한 경우, 甲에게는 A에 대한 배임죄가 성립하지 아니한다.

① ㉠, ㉢ ② ㉡, ㉢, ㉣ ③ ㉡, ㉣, ㉤ ④ ㉠, ㉢, ㉤

**| 해설** ㉠ ×: ~ (2줄) 지위에 있다고 볼 수 있으므로 이를 ~ 인출하면 횡령죄가 성립한다(대판 2018.7.19, 2017도17494 전원합의체).
㉡ ○: 대판 2020.6.18, 2019도14340 전원합의체
㉢ ×: ~ 처분한 경우 ⇨ 횡령죄 ×(대판 2009.2.12, 2008도10971 ∵ 동산의 소유권은 채무자에게 유보되어 있음), 배임죄 ×〔대판 2020.2.20, 2019도9756 전원합의체 ∵ 채무자를 타인(채권자)의 사무를 처리하는 자라고 할 수 없음〕
㉣ ○: 2018.5.17, 2017도4027 전원합의체
㉤ ○: 대판 2021.12.16, 2020도9789(∵ 가상자산 권리자의 착오나 가상자산 운영 시스템의 오류 등으로 법률상 원인관계 없이 다른 사람의 가상자산 전자지갑에 가상자산이 이체된 경우, 가상자산을 이체받은 자는 가상자산의 권리자 등에 대한 부당이득반환의무를 부담하게 될 수 있다. 그러나 이는 당사자 사이의 민사상 채무에 지나지 않고 이러한 사정만으로 가상자산을 이체받은 사람이 신임관계에 기초하여 가상자산을 보존하거나 관리하는 지위에 있다고 볼 수 없다.)

**08** **횡령과 배임의 죄에 대한 설명으로 옳지 않은 것은?**(다툼이 있는 경우 판례에 의함)

**24. 9급 검찰 · 마약수사**

① 타인의 재물을 보관하는 사람이 단순히 반환을 거부한 사실만으로 횡령죄가 성립하는 것은 아니며, 반환거부의 이유 및 주관적인 의사 등을 종합하여 반환거부행위가 횡령행위와 같다고 볼 수 있을 정도이어야만 횡령죄가 성립할 수 있다.

**Answer** 7. ① 8. ③

② 저당권설정계약에 따라 채권자에게 저당권설정의무를 부담하는 채무자가 제3자에게 먼저 담보물에 관한 저당권을 설정하거나 담보물을 양도하는 등으로 채권자의 채권실현에 위험을 초래하더라도 배임죄가 성립한다고 할 수 없다.

③ 건물의 임차인이 임대인에 대한 임대차보증금반환채권을 제3자에게 양도하였는데도 임대인에게 채권양도 통지를 하지 않고 임대인으로부터 남아 있던 임대차보증금을 반환받아 보관하던 중 이를 개인적인 용도로 사용하면, 채권을 양수한 제3자를 피해자로 하는 횡령죄가 성립한다.

④ 주식회사의 대표이사가 대표권을 남용하는 등 그 임무에 위배하여 회사 명의로 의무를 부담하는 행위를 하더라도 상대방이 대표권남용 사실을 알았거나 알 수 있었던 경우, 그 의무부담행위로 인하여 실제로 채무의 이행이 이루어졌다거나 회사가 민법상 불법행위 책임을 부담하게 되었다는 등의 사정이 없는 이상 배임죄의 기수에 이른 것은 아니다.

| 해설 ① 대판 2008.12.11, 2008도8279 ② 대판 2020.6.18, 2019도14340 전원합의체
③ × : ~ (3줄) 개인적인 용도로 사용한 경우 횡령죄가 성립하지 않는다(대판 2022.6.23, 2017도3829 전원합의체). ④ 대판 2017.7.20, 2014도1104 전원합의체

## 09 횡령과 배임의 죄에 관한 설명으로 옳은 것은 모두 몇 개인가?(다툼이 있는 경우 판례에 의함)

24. 경찰간부

㉠ 건물의 임차인 甲이 임대인 A에 대한 임대차 보증금반환채권을 B에게 양도하고, 이를 A에게 통지하지 않고, A로부터 남아있던 임대차보증금을 반환받아 甲이 소비한 경우 횡령죄가 성립하지 않는다.

㉡ 직무발명에 대한 권리를 사용자 등에게 승계한다는 취지를 정한 약정 또는 근무규정의 적용을 받는 종업원 등이 직무발명의 완성 사실을 사용자 등에게 통지하지 아니한 채 그에 대한 특허를 받을 수 있는 권리를 제3자에게 이중으로 양도하여 제3자가 특허권 등록까지 마치도록 하는 등으로 발명의 내용이 공개되도록 한 경우, 배임죄가 성립한다.

㉢ 채무자가 본인 소유의 동산을 채권자에게 동산·채권 등의 담보에 관한 법률에 따른 동산담보로 제공한 경우, 채무자가 담보물을 제3자에게 처분하는 등으로 담보가치를 감소 또는 상실시켜 채권자의 담보권 실행이나 이를 통한 채권실현에 위험을 초래하더라도 배임죄는 성립하지 않는다.

㉣ 甲이 범죄수익 등의 은닉을 위해 乙로부터 교부받은 무기명 양도성예금증서를 현금으로 교환하여 임의로 소비하였다면 횡령죄가 성립한다.

① 1개 ② 2개 ③ 3개 ④ 4개

| 해설 ㉠ ○ : 대판 2022.6.23, 2017도3829 전원합의체
㉡ ○ : 대판 2012.11.15, 2012도6676
㉢ ○ : 대판 2020.8.27, 2019도14770 전원합의체
㉣ × : 횡령죄 ×(대판 2017.10.26, 2017도9254 ∵ 범죄수익 등의 은닉을 위해 교부받은 무기명 양도성예금증서는 불법원인급여 물건 ○ ∴ 소유권은 甲에게 귀속됨.)

Answer 9. ③

**10** **횡령과 배임의 죄에 관한 다음 설명 중 옳지 않은 것은 모두 몇 개인가?**(다툼이 있는 경우 판례에 의함) 24. 법원행시

㉠ 채권양도인이 채무자에게 채권양도 통지를 하는 등으로 채권양도의 대항요건을 갖추어 주지 않은 채 채무자로부터 채권을 추심하여 수령한 경우, 원칙적으로 그 금전은 채권양수인을 위하여 수령한 것으로서 채권양수인의 소유에 속하므로 채권양도인이 위 금전을 임의로 처분한 경우 횡령죄가 성립한다.
㉡ 피고인이 송금 절차의 착오로 인하여 피고인 명의의 은행 계좌에 입금된 돈을 임의로 인출하여 소비한 행위는 횡령죄에 해당하지만, 만일 송금인과 피고인 사이에 별다른 거래관계가 없었다면 피고인에게 위탁관계에 의한 보관자의 지위가 인정된다고 볼 수 없으므로 위와 같은 피고인의 행위는 횡령죄가 아닌 점유이탈물횡령죄를 구성할 뿐이다.
㉢ 예탁결제원에 예탁되어 계좌 간 대체 기재의 방식에 의하여 양도되는 주권은 유가증권으로서 재물에 해당되므로 횡령죄의 객체가 될 수 있으나, 주권이 발행되지 않은 상태에서 주권불소지 제도, 일괄예탁 제도 등에 근거하여 예탁결제원에 예탁된 것으로 취급되어 계좌간 대체 기재의 방식에 의하여 양도되는 주식은 재물이 아니므로 횡령죄의 객체가 될 수 없다.
㉣ 甲주식회사가 도시개발사업의 시행자인 乙조합으로 부터 기성금 명목으로 체비지를 지급받은 다음 이를 다시 丙에게 매도하였는데, 乙조합의 조합장인 丁이 환지처분 전 체비지대장에 소유권 취득자로 등재된 甲회사와 丙의 명의를 임의로 말소한 경우 丁의 행위는 배임죄를 구성한다고 보아야 한다.
㉤ A새마을금고의 임원인 B가 새마을금고의 여유자금 운용에 관한 규정을 위반하여 금융기관으로부터 원금 손실의 위험이 있는 금융상품을 매입함으로써 A새마을금고에 액수 불상의 재산상 손해를 가하고 금융기관에 수수료 상당의 재산상 이익을 취득하게 한 경우 위 수수료 상당의 이익은 배임죄에서의 재산상 이익에 해당한다.

① 없 음 ② 1개 ③ 2개
④ 3개 ⑤ 4개

**해설** ㉠ ×: 횡령죄 ×(대판 2022.6.23, 2017도3829 전원합의체 ∵ 특별한 사정이 없는 한 금전의 소유권은 채권양수인이 아니라 채권양도인에게 귀속하고 채권양도인이 채권양수인을 위하여 양도 채권의 보전에 관한 사무를 처리하는 신임관계가 존재한다고 볼 수 없다. 따라서 채권양도인이 위와 같이 양도한 채권을 추심하여 수령한 금전에 관하여 채권양수인을 위해 보관하는 자의 지위에 있다고 볼 수 없다.)
㉡ ×: ~ (2줄) 소비한 행위는 횡령죄에 해당하고, 이는 송금인과 피고인 사이에 별다른 거래관계가 없다고 하더라도 마찬가지이다(대판 2010.12.9, 2010도891).
㉢ ○: 대판 2023.6.1, 2020도2884
㉣ ×: ~ (3줄) 배임죄를 구성한다고 볼 수 없다(대판 2022.10.14, 2018도13604 ∵ 丙이 매매계약에 따라 취득한 권리를 행사하는 것은 체비지대장의 기재 여부와는 무관하므로 체비지대장상 취득자란의 甲명의가 말소되었더라도 丙의 甲회사에 대한 권리가 침해되거나 재산상 실해 발생의 위험이 있다고 볼 수 없음).
㉤ ×: ~ (3줄) 재산상 이익을 취득하게 한 경우 ⇨ 업무상 배임죄 ×(대판 2021.11.25, 2016도3452 ∵ 피고인의 임무위배행위로 A새마을금고에 액수 불상의 재산상 손해가 발생하였더라도 금융기관이 취득한 수수료 상당의 이익을 그와 관련성 있는 재산상 이익이라고 인정할 수 없고, 또한 위 수수료 상당의 이익은 배임죄에서의 재산상 이익에 해당한다고 볼 수도 없다.)

Answer 10. ⑤

**관련조문**

**제357조 【배임수증재】** ① 타인의 사무를 처리하는 자가 그 임무에 관하여 부정한 청탁을 받고 재물 또는 재산상의 이익을 취득하거나 제3자로 하여금 이를 취득하게 한 때에는 5년 이하의 징역 또는 1천만원 이하의 벌금에 처한다.
② 제1항의 재물 또는 재산상 이익을 공여한 자는 2년 이하의 징역 또는 500만원 이하의 벌금에 처한다.
③ 범인 또는 그 사정을 아는 제3자가 취득한 제1항의 재물은 몰수한다. 그 재물을 몰수하기 불가능하거나 재산상의 이익을 취득한 때에는 그 가액을 추징한다.

배임수재죄 ⇨ 필요적 몰수(제357조 ③), 배임증재죄 ⇨ 임의적 몰수

**01** **배임수재죄, 배임증재죄에 관한 다음 설명 중 가장 옳지 않은 것은?**(다툼이 있는 경우 판례에 의함) 17. 법원행시

① 거래상대방의 대향적 행위의 존재를 필요로 하는 유형의 배임죄에서 거래상대방이 양수대금 등 거래에 따른 계약상 의무를 이행하고 배임행위의 실행행위자가 이를 이행받은 것을 두고 부정한 청탁에 대한 대가로 수수하였다고 쉽게 단정하여서는 아니 된다.
② 배임수재죄와 배임증재죄는 필요적 공범의 관계에 있으므로, 증재자가 자신에게 정당한 업무에 속하는 청탁을 하여 배임증재죄에 해당하지 아니하면, 수재자도 배임수재죄에 해당하지 아니한다.
③ 수재자가 증재자로부터 받은 재물을 그대로 가지고 있다가 증재자에게 반환하였다면 증재자로부터 이를 몰수하거나 그 가액을 추징하여야 한다.
④ 임무위배행위나 본인에게 손해를 가하는 행위는 배임수재죄의 구성요건이 아니다.
⑤ 배임수재죄의 주체인 타인의 사무를 처리하는 자라 함은 타인과의 대내관계에 있어서 신의성실의 원칙에 비추어 그 사무를 처리할 신임관계가 존재한다고 인정되는 자를 의미하고, 반드시 제3자에 대한 대외관계에서 그 사무에 관한 권한이 존재할 것을 요하지 않는다.

**해설** ① 대판 2016.10.13, 2014도17211
② × : 배임수재죄에 해당할 수 있다(대판 1991.1.15, 90도2257 ∵ 반드시 같이 처벌받아야 하는 것은 아님).
③ 대판 2017.4.7, 2016도18104 ④ 대판 2011.2.24, 2010도11784 ⑤ 대판 2003.2.26, 2002도6834

**02** **다음 사례 중 배임수재죄에 해당하는 것은 모두 몇 개인가?**(다툼이 있는 경우 판례에 의함) 18. 법원행시

㉠ 백화점 및 면세점의 입점업체 선정 업무를 총괄하는 피고인이 입점업체들로부터 추가 입점이나 매장 이동 등 입점 관련 편의를 제공해 달라는 청탁을 받고 그 대가로 매장 수익금 등을 지급받는 방법으로 돈을 수수한 경우

**Answer** 1. ② 2. ④

㉡ 甲주식회사를 사실상 관리하는 乙이 甲회사가 사업용 부지로 매수한 토지에 관하여 처분금지 가처분등기를 마쳐두었는데, 위 토지를 매수하려는 丙에게서 가처분을 취하해 달라는 취지의 청탁을 받고 돈을 수수한 경우
㉢ 시·도 화물자동차운송사업협회 대표자인 피고인들이 甲으로부터 전국화물자동차운송사업연합회 회장 선거에서 자신을 지지해달라는 취지의 청탁을 받고 돈을 수수한 경우
㉣ 조합 이사장이 조합이 주관하는 도자기 축제의 대행기획사를 선정하는 과정에서 최종 기획사로 선정된 회사로부터 조합운영비 지급을 약속받고 위 축제가 끝난 후 조합운영비 명목으로 현금 3,000만원을 교부받아 조합운영비로 사용한 경우
㉤ 회원제 골프장의 예약업무 담당자가 부킹대행업자의 청탁에 따라 회원에게 제공해야 하는 주말부킹권을 부킹대행업자에게 판매하고 그 대금 명목의 금품을 받은 경우

① 1개　② 2개　③ 3개
④ 4개　⑤ 5개

**해설** • **배임수재죄** ○ : ㉠ 대판 2017.12.7, 2017도12129 ㉡ 대판 2011.10.27, 2010도7624 ㉢ 대판 2011.8.25, 2009도5618 ㉤ 대판 2008.12.11, 2008도6987
• **배임수재죄** × : ㉣ 대판 2008.4.24, 2006도1202

**03** **배임수재죄 및 배임증재죄에 관한 설명 중 옳지 않은 것을 모두 고른 것은?**(다툼이 있는 경우 판례에 의함)
20. 변호사시험

㉠ 배임수재죄가 성립하기 위해서는 타인의 사무를 처리하는 지위를 가진 자가 부정한 청탁을 받아야 하므로, 타인의 사무처리자의 지위를 취득하기 전에 부정한 청탁을 받은 경우에는 배임수재죄로 처벌할 수 없다.
㉡ 배임수재죄 및 배임증재죄에서 공여 또는 취득하는 재물 또는 재산상 이익은 반드시 부정한 청탁에 대한 대가 또는 사례일 필요가 없다.
㉢ 청탁 내용이 단순히 규정이 허용하는 범위 내에서 최대한 선처를 바란다는 내용에 불과하거나 위탁받은 사무의 적법하고 정상적인 처리범위에 속하는 것이라면 그 청탁의 사례로 금품을 수수하는 것은 배임수재에 해당하지 않는다.
㉣ 부정한 청탁을 받고 나서 사후에 재물 또는 재산상 이익을 취득하였다면 재물 또는 재산상 이익이 청탁의 대가이더라도 배임수재죄가 성립하지 아니한다.
㉤ 배임수재죄에서 말하는 재산상 이익의 취득이라 함은 현실적인 취득만을 의미하는 것이 아니라 단순한 요구 또는 약속을 한 경우도 포함한다.
㉥ 공동의 사기 범행으로 인하여 얻은 돈을 공범자끼리 수수한 행위가 공동정범들 사이의 범행에 의하여 취득한 돈이나 재산상 이익의 내부적인 분배행위에 지나지 않는다면 돈의 수수행위가 따로 배임수증재죄를 구성한다고 볼 수는 없다.

① ㉠, ㉡, ㉥　② ㉡, ㉣, ㉥　③ ㉠, ㉢, ㉣
④ ㉡, ㉣, ㉤　⑤ ㉡, ㉢, ㉣, ㉤

Answer 3. ④

| 해설 | ㉠ ○ : 대판 2010.7.22, 2009도12878
㉡ × : ~ 대가 또는 사례여야 한다(대판 2016.10.13, 2014도17211).
㉢ ○ : 대판 2011.4.14, 2010도8743
㉣ × : 부정한 청탁을 받고 나서 사후에 재물 또는 재산상의 이익을 취득하였다고 하더라도 재물 또는 재산상의 이익이 청탁의 대가인 이상 배임수재죄가 성립되며, 또한 부정한 청탁의 결과로 상대방이 얻은 재물 또는 재산상 이익의 일부를 상대방으로부터 청탁의 대가로 취득한 경우에도 마찬가지이다(대판 2013.11.14, 2011도11174).
㉤ × : ~ 취득만을 의미하므로 단순한 ~ 경우에는 포함되지 아니한다(대판 1999.1.29, 98도4182).
㉥ ○ : 대판 2016.5.24, 2015도18795

**04 배임수증재죄에 관한 설명 중 옳지 않은 것은?**(다툼이 있는 경우 판례에 의함) 23. 변호사시험

① 배임수재자가 배임증재자로부터 부정한 청탁으로 받은 재물을 그대로 가지고 있다가 증재자에게 반환하였더라도, 이미 기수에 이른 범죄 수익에 불과한 그 재물에 대한 몰수나 가액의 추징은 배임수재자를 대상으로 하여야 한다.

② 배임수재죄에서 타인의 업무를 처리하는 자에게 공여한 금품에 부정한 청탁의 대가로서의 성질과 그 외의 행위에 대한 사례로서의 성질이 불가분적으로 결합되어 있는 경우에는 그 전부가 불가분적으로 부정한 청탁의 대가로서의 성질을 갖는 것으로 보아야 한다.

③ 배임수재죄는 타인의 사무를 처리하는 자가 그 임무에 관하여 부정한 청탁을 받고 재물 또는 재산상의 이익을 취득한 경우는 물론, 제3자로 하여금 이를 취득하게 한 때에도 성립한다.

④ 타인의 사무를 처리하는 자가 증재자로부터 돈이 입금된 계좌의 예금을 인출할 수 있는 현금카드를 교부받아 이를 소지하면서 언제든지 위 현금카드를 이용하여 예금된 돈을 인출할 수 있다면, 예금된 돈을 재물로 취득한 것으로 보아야 한다.

⑤ 공동의 사기 범행으로 인하여 얻은 돈을 공범자끼리 수수한 행위가 공동정범들 사이의 그 범행에 의하여 취득한 돈이나 재산상 이익의 내부적인 분배행위에 지나지 않는 것이라면, 공범자끼리 내부적으로 그 돈을 수수하는 행위가 따로 배임수증재죄를 구성한다고 볼 수 없다.

| 해설 | ① × : 제357조 제3항에서 몰수의 대상으로 규정한 '범인이 취득한 제1항의 재물'은 배임수재죄의 범인이 취득한 목적물이자 배임증재죄의 범인이 공여한 목적물을 가리키는 것이지 배임수재죄의 목적물만을 한정하여 가리키는 것이 아니다. 그러므로 수재자가 증재자로부터 받은 재물을 그대로 가지고 있다가 증재자에게 반환하였다면 증재자로부터 이를 몰수하거나 그 가액을 추징하여야 한다(대판 2017.4.7, 2016도18104).
② 대판 2012.5.24, 2012도535
③ 제357조 제1항
④ 대판 2017.12.5, 2017도11564
⑤ 대판 2016.5.24, 2015도18795

Answer 4. ①

**05** **배임수증재죄에 관한 설명 중 가장 옳지 않은 것은?**(다툼이 있는 경우 판례에 의함) 23. 법원행시

① 甲이 A로부터 골프장 회원권 제공의 의사표시를 받고 이를 승낙한 후 골프장 회원권의 입회신청서를 제출한 경우, 그 골프장 회원권에 관하여 甲명의로 명의변경이 이루어지지 아니하였더라도 甲에게 배임수재죄가 성립한다.

② 주택조합아파트 시공회사 직원인 甲이 조합장으로부터 조합의 이중분양에 관한 민원을 회사에 보고하지 않고 묵인하거나 이중분양에 대한 조치를 강구할 때 조합의 입장을 배려하여 달라는 청탁을 받고 위 아파트 분양권을 취득한 경우, 甲에게 배임수재죄가 성립한다.

③ 배임수재죄는 타인의 사무를 처리하는 자가 그 임무에 관하여 부정한 청탁을 받고 재물 또는 재산상의 이익을 취득하거나 제3자로 하여금 이를 취득하게 한 때에 성립하는 것이고 그 취득 후에 청탁의 취지에 따른 배임행위를 하였음을 요하지 않는다.

④ 甲이 자기소유로 믿고 있는 부동산을 제3자에게 처분하기 위하여 매매계약을 하였는데 종중에서 그 부동산에 대한 권리를 주장하면서 처분금지가처분결정까지 받아 이를 집행하자, 甲이 종중의 대표자에게 가처분의 부당성을 지적하면서 가처분 비용을 지급하고 그 신청을 취하하도록 하였다면, 설사 종중대표자에게 부정한 점이 있다고 하더라도 甲을 배임증재죄로 처벌할 수 없다.

⑤ 학교법인의 이사장이 학교법인 운영권을 양도하고 양수인으로부터 양수인 측을 학교법인의 임원으로 선임해 주는 대가로 양도대금을 받기로 하는 내용의 청탁을 받았다 하더라도, 그 청탁의 내용이 학교법인의 존립에 중대한 위협을 초래할 것임이 명백하다는 등의 특별한 사정이 없는 한, 이를 배임수재죄의 부정한 청탁에 해당한다고 할 수 없다.

**| 해설** ① ×: 골프장회원권에 관하여 피고인 명의로 명의변경이 이루어지지 아니한 이상 피고인이 현실적으로 재산상 이익을 취득 × ⇨ 배임수재죄 ×(대판 1999.1.29, 98도4182 ∵ 배임수재죄에서 말하는 '재산상 이익의 취득'이라 함은 현실적인 취득만을 의미하므로 단순한 요구 또는 약속만을 한 경우에는 배임수재죄의 기수로 처벌하지 못한다.) ② 대판 2011.2.24, 2010도11784
③ 대판 2010.9.9, 2009도10681 ④ 대판 1980.8.26, 80도19 ⑤ 대판 2014.1.23, 2013도11735

**최신판례**

1. **개정 형법** 제357조의 '제3자'에는 다른 특별한 사정이 없는 한 사무처리를 위임한 타인은 포함되지 않는다고 봄이 타당하다. **그러나 부정한 청탁에 따른 재물이나 재산상 이익이 외형상 사무처리를 위임한 타인에게 지급된 것으로 보이더라도 사회통념상 그 타인이 재물 또는 재산상 이익을 받은 것을** 부정한 청탁을 받은 사람이 직접 받은 것과 동일하게 평가할 수 있는 경우**에는 배임수재죄가 성립될 수 있다**(대판 2021.9.30, 2019도17102). 22. 법원행시
2. 보도의 대상이 되는 자가 언론사 소속 기자에게 소위 '유료 기사'게재를 청탁하는 행위는 **사실상 '광고'를 '언론 보도'인 것처럼 가장하여 달라는 것으로서 언론 보도의 공정성 및 객관성에 대한 공공의 신뢰를 저버리는 것이므로,** 배임수재죄의 부정한 청탁에 해당한다. 설령 '유료 기사'의 내용이 객관적 사실과 부합하더라도, **언론 보도를 금전적 거래의 대상으로 삼은 이상 그 자체로** 부정한 청탁에 해당한다(**대판 2021.9.30, 2019도17102**).

**Answer** 5. ①

## 제8절 장물에 관한 죄

### 관련조문

**제362조 【장물의 취득, 알선 등】** ① 장물을 취득, 양도, 운반 또는 보관한 자는 7년 이하의 징역 또는 1천 500만원 이하의 벌금에 처한다.

② 전항의 행위를 알선한 자도 전항의 형과 같다.

**제364조 【업무상 과실, 중과실】** 업무상 과실 또는 중대한 과실로 인하여 제362조의 죄를 범한 자는 1년 이하의 금고 또는 500만원 이하의 벌금에 처한다.

**제365조 【친족간의 범행】** ① 전 3조의 죄를 범한 자(장물범)와 피해자 간에 제328조 제1항, 제2항의 신분관계가 있는 때에는 동조의 규정을 준용한다.

② 전 3조의 죄를 범한 자(장물범)와 본범 간에 제328조 제1항의 신분관계가 있는 때에는 그 형을 감경 또는 면제한다. 단, 신분관계가 없는 공범에 대하여는 예외로 한다.

1. 형법상 재산범죄 중에서 과실범을 처벌하는 유일한 규정이다〔단, 일반과실범은 처벌 ×, 업무상 과실 또는 중과실만 처벌 ∴ 업무상 과실장물죄와 중과실장물죄는 가중적 구성요건이 아니다(부진정신분범 ×, 진정신분범 ○)〕. 15. 사시, 17. 순경 1차, 19. 변호사시험, 21. 경찰간부
2. 미수범 처벌규정 ×, 상습범 가중처벌(제363조)

THEMA 04

**장물죄에 관한 설명 중 옳은 것은 모두 몇 개인가?**(다툼이 있는 경우 판례에 의함)

㉠ 장물죄는 타인(본범)이 불법하게 영득한 재물의 처분에 관여하는 범죄이므로 자기의 범죄에 의하여 영득한 물건에 대하여는 성립되지 아니하고 이는 불가벌적 사후행위에 해당한다고 할 것이지만, 여기에서 자기의 범죄라 함은 정범자(공동정범과 합동범을 포함한다.)에 한정된다.
㉡ 자동차 소유권의 득실변경은 등록을 하여야 그 효력이 생기므로, 수입자동차가 장물이라 하더라도 이를 신규등록한 경우 그 최초 등록명의인이 해당 수입자동차를 원시취득하게 되고, 따라서 이를 양도하는 행위는 장물양도죄가 성립하지 않는다.
㉢ 장물인 현금 또는 수표를 금융기관에 예금의 형태로 보관하였다가 이를 반환받기 위하여 동일한 액수의 현금 또는 수표를 인출한 경우에 예금계약의 성질상 그 인출된 현금 또는 수표는 당초의 현금 또는 수표와 물리적인 동일성이 상실되었으므로 장물에 해당하지 아니한다.
㉣ 甲이 권한 없이 인터넷뱅킹으로 타인의 예금계좌에서 자신의 예금계좌로 돈을 이체한 후 그중 일부를 인출하여 그 정을 아는 乙에게 교부한 경우 인출한 돈은 절도로 취득한 물건이기 때문에 乙에게는 장물취득죄가 성립한다.
㉤ 대표이사 甲이 회사 자금으로 乙에게 주식매각 대금조로 금원을 지급한 경우 그 금원은 단순히 횡령행위에 제공된 물건으로 장물에 해당하지 않는다.
㉥ 장물은 재산범죄에 의하여 영득하게 된 재물자체를 의미하므로 이중매매로 인하여 배임죄가 성립된 대상 부동산을 매수한 경우에는 장물취득죄가 성립하지 않는다.

① 1개　　② 2개　　③ 3개　　④ 없 음

**| 해설**

㉠ ○ : 대판 1986.9.9, 86도1273 14. 경찰간부, 17. 경찰승진, 22. 해경간부

㉡ × : 장물인 수입자동차를 신규등록하였다고 하여 그 최초 등록명의인이 해당 수입자동차를 원시취득하게 된다거나 그 장물양도행위가 범죄가 되지 않는다고 볼 수는 없다(대판 2011.5.13, 2009도3552). 17. 순경 1차, 19. 경찰승진, 21. 해경간부

㉢ × : 물리적인 동일성은 상실되었지만 금전적 가치에는 아무런 변동이 없으므로 장물로서의 성질은 그대로 유지된다(대판 2004.4.16, 2004도353). 19. 순경 1차, 20. 7급 검찰, 21. 경찰승진, 22. 경찰간부, 23. 법원직 · 경력채용

㉣ × : 장물취득죄 ×(대판 2004.4.16, 2004도353 ∵ 재산범죄를 저지른 이후에 별도의 재산범죄의 구성요건에 해당하는 사후행위가 있었다면 비록 그 행위가 불가벌적 사후행위로서 처벌의 대상이 되지 않는다 할지라도 그 사후행위로 인하여 취득한 물건은 재산범죄로 인하여 취득한 물건으로서 장물이 될 수 있다. 16. 사시, 22 · 24. 경찰승진 · 해경승진 그러나 ㉣의 경우는 별도로 절도죄나 사기죄의 구성요건에 해당하지 않는다 할 것이고, 그 결과 그 인출된 현금은 재산범죄에 의하여 취득한 재물이 아니므로 장물이 될 수 없다.)

㉤ × : 甲이 회사 자금으로 乙에게 주식매각 대금조로 금원을 지급한 경우, 그 금원은 단순히 횡령행위에 제공된 물건이 아니라 횡령행위에 의하여 영득된 장물에 해당한다(대판 2004.12.9, 2004도5904). 18. 법원직, 19. 순경 2차, 20. 7급 검찰, 21. 경찰간부 · 경찰승진, 23. 9급 검찰 · 마약수사, 24. 변호사시험

㉥ ○ : 대판 1975.12.9, 74도2804 14. 변호사시험, 15. 경찰간부

» ②

THEMA 05

**장물죄에 관한 설명 중 옳은 것은 모두 모은 것은?**(다툼이 있는 경우 판례에 의함)

㉠ 단순히 보수를 받고 본범을 위하여 장물을 일시 사용하거나 그와 같이 사용할 목적으로 장물을 건네받은 경우도 장물을 취득한 것에 해당된다.
㉡ 甲이 사기 범행에 이용되리라는 사정을 알고서도 자신의 명의로 새마을금고 예금계좌를 개설하여 乙에게 이를 인계한 후 乙이 제3자인 A를 속여 A로 하여금 1,000만원을 위 계좌로 송금하게 한 것을 甲이 인출한 경우, 甲은 장물취득죄가 성립한다.
㉢ 장물취득죄는 취득 당시 장물인 정을 알면서 재물을 취득하여야 성립하는 것이므로 피고인이 재물을 인도받은 후에 비로소 장물이 아닌가 하는 의구심을 가졌다고 하여 장물취득죄를 구성한다고 할 수 없으나, 장물인 정을 모르고 보관하였다가 그 후에 장물인 정을 알게 된 경우 그 정을 알고서도 계속 보관하는 행위는 장물보관죄를 구성한다. 이 경우 보관자가 점유할 권한이 있는지 여부는 장물보관죄의 성부에 영향을 미치지 못한다.
㉣ 장물인 귀금속의 매도를 부탁받은 피고인이 그 귀금속이 장물임을 알면서도 매매를 중개하고 매수인에게 이를 전달하려다가 매수인을 만나기 전에 체포되었다면 장물알선죄가 성립하지 아니한다.
㉤ 장물취득죄에 있어서 장물의 인식은 확정적 인식임을 요하지 않으며 장물일지도 모른다는 의심을 가지는 정도의 미필적 인식으로서도 충분하다.

① 1개　② 2개　③ 3개　④ 없 음

**| 해설**

㉠ × : 장물취득죄에서 '취득'이라고 함은 점유를 이전받음으로써 그 장물에 대하여 사실상의 처분권을 획득하는 것을 의미하는 것이므로, 단순히 보수를 받고 본범을 위하여 장물을 일시 사용하거나 그와 같이 사용할 목적으로 장물을 건네받은 것만으로는 장물을 취득한 것으로 볼 수 없다(대판 2003.5.13, 2003도1366). 19. 순경 2차, 21. 경찰간부, 22. 수사경과, 23. 법원행시, 24. 경찰승진 · 해경승진

㉡ × : 장물취득죄 ×(대판 2010.12.9, 2010도6256 ∵ 송금된 돈은 '장물'(재물 ○, 재산상 이익 ×)에 해당하나, 예금인출행위는 예금명의자로서 은행에 예금반환을 청구한 결과일 뿐 본범으로부터 위 돈에 대한 점유를 이전받아 사실상 처분권을 획득한 것이 아니므로 '취득'이 아님) 16. 사시, 17. 9급 검찰 · 마약수사, 19. 변호사시험

㉢ × : ~ 구성한다. 이 경우에도 점유할 권한이 있는 때에는 장물보관죄가 성립하지 않는다(대판 2006.10.13, 2004도6084). 19. 순경 1차, 21. 경찰승진, 23. 경찰간부, 24. 해경승진

㉣ × : 장물인 정을 알면서, 장물을 취득 · 양도 · 운반 · 보관하려는 당사자 사이에서 양측을 연결하여 장물의 취득 · 양도 등의 행위를 중개하거나 편의를 도모하였다면, 그 알선에 의하여 당사자 사이에 실제로 장물의 취득 · 양도 · 운반 · 보관에 관한 계약이 성립하지 아니하였거나 장물의 점유가 현실적으로 이전되지 아니한 경우라도 장물알선죄가 성립한다(대판 2009.4.23, 2009도1203). 17. 법원행시, 22. 변호사시험 · 수사경과 · 7급 검찰, 23. 법원직, 24. 경찰승진 · 해경승진

㉤ ○ : 대판 1995.1.20, 94도1968 15. 경찰승진 · 순경 3차, 21. 법원직 · 해경승진, 22. 수사경과 » ①

**01** **장물죄에 관한 설명 중 가장 적절한 것은?**(다툼이 있는 경우 판례에 의함) 17. 경찰승진, 22. 해경간부

① 장물인 귀금속의 매도를 부탁받은 피고인이 그 귀금속이 장물임을 알면서도 매매를 중개하고 매수인에게 이를 전달하려다가 매수인을 만나기 전에 체포되었다면 장물알선죄가 성립하지 아니한다.

② 장물범이 본범과 직계혈족일 경우, 장물범에 대하여 그 형을 감경 또는 면제할 수 있다.

③ 甲이 권한 없이 인터넷 뱅킹으로 타인의 예금계좌에서 자신의 예금계좌로 돈을 이체한 후 그중 일부를 인출하여 그 정을 아는 乙에게 교부한 경우, 乙은 장물취득죄가 성립한다.

④ 장물죄는 타인(본범)이 불법하게 영득한 재물의 처분에 관여하는 범죄이므로 자기의 범죄에 의하여 영득한 물건에 대하여는 성립되지 아니하고 이는 불가벌적 사후행위에 해당한다고 할 것이지만, 여기에서 자기의 범죄라 함은 정범자(공동정범과 합동범을 포함한다.)에 한정된다.

**| 해설** ① ×: 장물알선죄 ○(대판 2009.4.23, 2009도1203)
② ×: 필요적 감면 ○(임의적 감면 ×: 제365조 제2항)
③ ×: 장물취득죄 ×(대판 2004.4.16, 2004도353)
④ ○: 대판 1986.9.9, 86도1273

**02** **장물의 죄에 관한 설명 중 가장 적절한 것은?**(다툼이 있으면 판례에 의함) 16. 경찰승진

① 장물죄는 재산범인 본범이 영득한 재물에 사후적으로 관여하는 사후종범적 성격을 가지고 있으므로 절도죄보다 법정형을 가볍게 규정하고 있다.

② 장물인 정을 모르고 보관하던 중 장물인 정을 알게 되었고, 위 장물을 반환하는 것이 불가능하지 않음에도 불구하고 계속 보관한 경우 장물보관죄에 해당하지 않는다.

③ 단순히 보수를 받고 본범을 위하여 장물을 일시 사용하거나 그와 같이 사용할 목적으로 장물을 건네받은 경우도 장물을 취득한 것에 해당된다.

④ 장물인 귀금속의 매도를 부탁받은 피고인이 그 귀금속이 장물임을 알면서도 매매를 중개하고 매수인에게 이를 전달하려다가 매수인을 만나기 전에 체포되었다면 장물알선죄가 성립한다.

**| 해설** ① ×: 장물죄(7년 이하의 징역 또는 1천 500만원 이하의 벌금: 제362조 제1항), 절도죄(6년 이하의 징역 또는 1천만원 이하의 벌금: 제329조)
② ×: 장물보관죄 ○(대판 1987.10.13, 87도1633)
③ ×: 장물취득 ×(대판 2003.5.13, 2003도1366)
④ ○: 대판 2009.4.23, 2009도1203

Answer 1.④ 2.④

**03** **장물죄에 관한 설명 중 옳지 않은 것은?**(다툼이 있는 경우 판례에 의함) 16. 경찰간부, 21. 해경간부

① 전화가입권의 실체는 가입권자가 전화관서로부터 전화역무를 제공받을 하나의 채권적 권리이며, 이는 하나의 재산상의 이익은 될지언정 위에 말한 장물의 범주에 속하지 아니한다.

② 장물을 팔아서 얻은 돈인 줄을 피고인이 알고 취득하였더라도 장물취득죄가 성립하는 것은 아니다.

③ 명의신탁부동산의 신탁행위에 있어서는 수탁자가 외부관계에 대하여 소유자로 간주되므로 이를 취득한 제3자는 수탁자가 신탁자의 승낙 없이 매각되는 정을 알고 있는 여부에 불구하고 장물취득죄가 성립하지 아니한다.

④ 피고인이 도난차량인 미등록 수입자동차를 취득하여 신규등록을 마친 후 위 자동차가 장물일지도 모른다고 생각하면서 이를 양도한 경우, 피고인에게 장물양도죄가 인정되지 않는다.

| 해설 ① 대판 1971.2.23, 70도2589
② 대판 1972.6.13, 72도971
③ 대판 1999.11.27, 79도2410
④ × : 장물양도죄 ○(대판 2011.5.13, 2009도3552 ∵ 장물인 수입자동차를 신규등록하였다고 하여 그 최초 등록명의인이 해당 수입자동차를 원시취득하게 된다거나 그 장물양도행위가 범죄가 되지 않는다고 볼 수는 없다.)

**04** **장물의 죄에 대한 다음 설명 중 가장 적절하지 않은 것은?**(다툼이 있는 경우 판례에 의함) 19. 순경 1차

① 장물인 현금 또는 수표를 금융기관에 예금의 형태로 보관하였다가 이를 반환받기 위하여 동일한 액수의 현금 또는 수표를 인출한 경우 그 인출된 현금 또는 수표는 장물로서의 성질이 상실된다.

② 단순히 보수를 받고 본범을 위하여 장물을 일시 사용하거나 그와 같이 사용할 목적으로 장물을 건네받은 것만으로는 장물을 취득한 것으로 볼 수 없다.

③ 장물취득죄는 취득 당시 장물인 정을 알면서 재물을 취득하여야 성립하는 것이므로 피고인이 재물을 인도받은 후에 비로소 장물이 아닌가 하는 의구심을 가졌다고 하여 그 재물수수행위가 장물취득죄를 구성한다고 할 수 없다.

④ 장물인 정을 모르고 보관하던 중 장물인 정을 알게 되었으면서도 계속 보관함으로써 피해자의 정당한 반환청구권 행사를 어렵게 하고 위법한 재산상태를 유지시키는 때에는 장물보관죄가 성립한다.

| 해설 ① × : ~ 성질이 그대로 유지된다(대판 2004.3.12, 2004도134).
② 대판 2003.5.13, 2003도1366 ③ 대판 1971.4.20, 71도468 ④ 대판 1987.10.13, 87도1633

Answer 3.④ 4.①

**05** **장물죄에 관한 설명으로 가장 적절하지 않은 것은?**(다툼이 있는 경우 판례에 의함) 19. 순경 2차

① 전당포영업자가 보석들을 전당잡으면서 인도받을 당시 장물인 정을 몰랐다가 그 후 장물일지도 모른다고 의심하면서 소유권 포기각서를 받은 경우, 장물취득죄가 성립하지 않는다.

② 피고인이 업무상 과실로 장물을 보관하고 있다가 이를 처분한 경우, 업무상 과실장물보관죄와 별도로 횡령죄가 성립한다.

③ 甲이 권한 없이 인터넷뱅킹으로 타인의 예금계좌에서 자신의 예금계좌로 돈을 이체한 후 그중 일부를 인출하여 그 정을 아는 乙에게 교부한 경우, 乙에게는 장물취득죄가 성립하지 않는다.

④ 장물인 현금과 자기앞수표를 금융기관에 예치하였다가 현금으로 인출한 경우에도 장물성은 그대로 유지된다.

**| 해설** ① 대판 2006.10.13, 2004도6084
② ×: 업무상 과실장물보관죄 ○, 횡령죄 ×(대판 2004.4.9, 2003도8219 ∵ 불가벌적 사후행위 ○)
③ 대판 2004.4.16, 2004도353
④ 대판 2004.3.12, 2004도134

**06** **장물죄에 대한 설명 중 옳은 것만을 모두 고르면?**(다툼이 있는 경우 판례에 의함) 20. 7급 검찰

㉠ 절도범인으로부터 장물보관 의뢰를 받은 자가 그 정을 알면서 이를 인도받아 보관하고 있다가 임의로 처분한 경우, 장물보관죄와 횡령죄가 성립하고 양자는 상상적 경합관계에 있다.
㉡ 甲이 권한 없이 인터넷뱅킹으로 타인의 예금계좌에서 자신의 예금계좌로 돈을 이체한 후 그중 일부를 인출하여 그 정을 아는 乙에게 교부한 경우, 乙에게는 장물취득죄가 성립한다.
㉢ 장물인 현금을 금융기관에 예금의 형태로 보관하였다가 이를 반환받기 위하여 동일한 액수의 현금을 인출한 경우 장물로서의 성질은 그대로 유지된다.
㉣ 본범 이외의 자가 본범이 절취한 차량이라는 정을 알면서 본범이 강도행위를 하려 함에 있어 차량을 운전해 달라는 부탁을 받고 그 차량을 운전해 준 경우, 강도예비죄 외에 장물운반죄가 따로 성립한다.
㉤ 장물죄를 범한 자가 본범과 직계혈족 관계에 있는 경우, 본범의 피해자의 고소가 있어야 공소를 제기할 수 있다.

① ㉠, ㉡ ② ㉠, ㉢ ③ ㉢, ㉣ ④ ㉢, ㉣, ㉤

**| 해설** ㉠ ×: 장물보관죄 ○, 횡령죄 ×(대판 2004.4.9, 2003도8219)
㉡ ×: 장물취득죄 ×(대판 2004.4.16, 2004도353)
㉢ ○: 대판 2004.3.12, 2004도134
㉣ ○: 대판 1999.3.26, 98도3030
㉤ ×: ~ 경우, 형을 감경 또는 면제한다(제365조 제2항).

Answer 5. ② 6. ③

**07** **장물죄에 대한 설명으로 옳지 않은 것은?**(다툼이 있는 경우 판례에 의함) 21. 경찰간부

① 단순히 보수를 받고 본범을 위하여 장물을 일시 사용하거나 그와 같이 사용할 목적으로 장물을 건네받은 것만으로는 장물을 취득한 것으로 볼 수 없다.

② 컴퓨터 등 사용사기죄의 범행으로 예금채권을 취득한 다음 자기의 현금카드를 사용하여 현금자동지급기에서 현금을 인출한 경우, 그 인출된 현금은 장물이 될 수 없다.

③ 권한 없이 인터넷뱅킹으로 타인의 계좌에서 자신의 계좌로 돈을 이체한 후 그중 일부를 인출하여 그 정을 아는 제3자에게 교부한 경우, 제3자에게는 장물취득죄가 성립하지 않는다.

④ 장물죄의 본범의 행위에 관한 법적 평가는 그 행위에 대하여 우리 형법이 적용되지 아니하는 경우에는 다른 특별한 사정이 없는 한 국제사법의 규정에 좇아 정하여지는 준거법을 기준으로 하여야 한다.

| 해설 ① 대판 2003.5.13, 2003도1366
②③ 대판 2004.4.16, 2004도353
④ ×: ~ (2줄) 하는 경우에도 우리 형법을 기준으로 하여야 한다(대판 2011.4.28, 2010도15350).

**08** **장물죄에 관한 다음 설명 중 옳은 것의 개수는?**(다툼이 있는 경우 판례에 의함) 21. 법원직

> ㉠ 장물이라 함은 재산죄인 범죄행위에 의하여 영득된 물건을 말하는 것으로서 절도, 강도, 사기, 공갈, 횡령 등 영득죄에 의하여 취득된 물건이어야 한다.
> ㉡ 장물취득죄에 있어서 장물의 인식은 확정적 인식임을 요하지 않으며 장물일지도 모른다는 의심을 가지는 정도의 미필적 인식으로서도 충분하다.
> ㉢ 장물인 귀금속의 매도를 부탁받은 피고인이 그 귀금속이 장물임을 알면서도 매매를 중개하고 매수인에게 이를 전달하려다가 매수인을 만나기도 전에 체포되었다면 장물알선죄가 성립한다고 보기 어렵다.
> ㉣ 장물취득죄에서 '취득'이라고 함은 점유를 이전받음으로써 그 장물에 대하여 사실상의 처분권을 획득하는 것을 의미하는 것이므로, 단순히 보수를 받고 본범을 위하여 장물을 일시 사용하거나 그와 같이 사용할 목적으로 장물을 건네받은 것만으로는 장물을 취득한 것으로 볼 수 없다.

① 없 음 ② 1개 ③ 2개 ④ 3개

| 해설 ㉠ ○: 대판 2000.3.24, 99도5275
㉡ ○: 대판 1995.1.20, 94도1968
㉢ ×: ~ 체포되었다 하더라도, 위 귀금속의 매매를 중개함으로써 장물알선죄가 성립한다(대판 2009.4.23, 2009도1203).
㉣ ○: 대판 2003.5.13, 2003도1366

Answer 7.④ 8.④

**09** **장물죄에 대한 설명 중 옳은 것은 모두 몇 개인가?**(다툼이 있는 경우 판례에 의함) **22. 경찰간부**

㉠ 장물인 현금을 금융기관에 예금의 형태로 보관하였다가 이를 반환받기 위하여 동일한 액수의 현금을 인출한 경우, 예금계약의 성질상 인출된 현금은 당초의 현금과 물리적인 동일성은 상실되므로 장물로서의 성질을 상실한다.
㉡ 절도범인으로부터 장물보관 의뢰를 받은 자가 그 정을 알면서 이를 인도받아 보관하고 있다가 임의 처분한 경우, 장물보관죄만 성립하고 횡령죄는 성립하지 않는다.
㉢ 장물인 정을 모르고 장물을 보관하였다가 그 후에 장물인 정을 알게 된 경우, 그 정을 알고서도 계속하여 보관하였다면 그것을 점유할 권한이 있더라도 장물보관죄가 성립한다.
㉣ 본범과 공동하여 장물을 운반한 경우, 본범은 장물죄에 해당하고 본범 이외의 자의 행위는 장물운반죄를 구성한다.
㉤ 甲이 회사 자금으로 乙에게 주식매각 대금조로 금원을 지급하는 사실을 乙이 알면서 받은 경우, 그 금원은 횡령행위에 제공된 물건일 뿐 장물로 취급될 수는 없다.

① 없 음 ② 1개 ③ 2개 ④ 3개

**| 해설** ㉠ × : ~ (2줄) 물리적인 동일성은 상실되었지만 액수에 의하여 표시되는 금전적 가치에는 아무런 변동이 없으므로 장물로서의 성질은 그대로 유지된다(대판 2004.3.12, 2004도134).
㉡ ○ : 대판 2004.4.9, 2003도8219
㉢ × : ~ 점유할 권한이 있는 때에는 장물보관죄가 성립하지 않는다(대판 1986.1.21, 85도2472).
㉣ × : ~ 경우, 본범은 장물죄에 해당하지 않으나 본범 이외의 자의 ~ 구성한다(대판 1999.3.26, 98도3030).
㉤ × : ~ 제공된 물건이 아니라 횡령행위에 의하여 영득된 장물에 해당한다(대판 2004.12.9, 2004도5904).

**10** **장물의 죄에 대한 설명으로 적절한 것을 모두 고른 것은?**(다툼이 있는 경우 판례에 의함) **22. 경찰승진**

㉠ 재산범죄를 저지른 이후에 별도의 재산범죄의 구성요건에 해당하는 사후행위가 있었다면 비록 그 행위가 불가벌적 사후행위로서 처벌의 대상이 되지 않는다 할지라도 그 사후행위로 인하여 취득한 물건은 재산범죄로 인하여 취득한 물건으로서 장물이 될 수 있다.
㉡ 횡령 교사를 한 후 그 횡령한 물건을 취득한 경우에는 횡령교사죄 이외에 장물취득죄는 별도로 성립하지 아니한다.
㉢ 본범 이외의 자가 본범이 절취한 차량이라는 정을 알면서 강도예비의 고의를 가지고 강도행위를 위해 그 차량을 운전해 준 경우에는 강도예비죄와 아울러 장물운반죄가 성립할 수 있다.
㉣ 재물을 인도받은 후에 비로소 장물이 아닌가 하는 의구심을 가졌다면 그 재물수수행위는 장물취득죄를 구성한다.

① ㉠, ㉢ ② ㉠, ㉣ ③ ㉡, ㉢ ④ ㉢, ㉣

**| 해설** ㉠ ○ : 대판 2004.4.16, 2004도353
㉡ × : ~ 횡령교사죄와 장물취득죄의 경합범이 성립한다(대판 1969.6.24, 69도692).
㉢ ○ : 대판 1999.3.26, 98도3030
㉣ × : ~ 구성한다고는 할 수 없다(대판 1971.4.20, 71도468).

**Answer** 9. ② 10. ①

01

**11** **장물에 관한 죄에 관한 설명 중 옳은 것을 모두 고른 것은?**(다툼이 있는 경우 판례에 의함)

22. 법원행시

㉠ 장물인 정을 모르고 보관하던 중 장물임을 알게 되었고, 이를 반환하는 것이 불가능하지 않음에도 장물을 반환하지 않고 계속 보관하였다면 장물보관죄에 해당한다.
㉡ 甲이 권한 없이 인터넷뱅킹으로 타인의 예금계좌에서 자신의 예금계좌로 돈을 이체한 후 그중 일부를 인출하여 그 정을 아는 乙에게 교부한 경우 乙에게 장물취득죄가 성립한다.
㉢ 절도범인으로부터 장물보관 의뢰를 받은 자가 그 정을 알면서 이를 인도받아 보관하고 있다가 임의 처분하였다면 장물보관죄와 횡령죄의 실체적 경합범에 해당한다.
㉣ 금은방을 운영하는 자가 귀금속류를 매수함에 있어 매도자의 신원확인절차를 거쳤다고 하여도 장물인지의 여부를 의심할 만한 특별한 사정이 있거나 매수물품의 성질과 종류 및 매도자의 신원 등에 좀 더 세심한 주의를 기울였다면 그 물건이 장물임을 알 수 있었음에도 불구하고 이를 게을리하여 장물인 정을 모르고 매수하여 취득한 경우에는 업무상 과실장물취득죄가 성립한다.
㉤ 甲이 지입회사와 지입계약을 체결하고 지입회사 명의로 등록된 차량에 대하여 운행관리권을 위임받아 보관하던 중 지입회사의 승낙 없이 보관 중인 차량을 그 정을 아는 乙에게 처분하였더라도 횡령죄가 성립하지 아니하고, 乙에게도 장물취득죄가 성립하지 아니한다.
㉥ 甲이 사기 범행에 이용되리라는 사정을 알고서도 자신의 명의로 새마을금고 예금계좌를 개설하여 乙에게 이를 인계한 후 乙이 제3자인 A를 속여 A로 하여금 1,000만원을 위 계좌로 송금하게 한 것을 甲이 인출한 경우, 甲은 장물취득죄가 성립한다.

① ㉠, ㉤ ② ㉠, ㉡, ㉥ ③ ㉡, ㉢
④ ㉠, ㉣ ⑤ ㉠, ㉡, ㉣

**| 해설** ㉠ ○ : 대판 1987.10.13, 87도1633
㉡ × : 장물취득죄 ×(대판 2004.4.16, 2004도353)
㉢ × : 장물보관죄 ○, 횡령죄 ×(대판 2004.4.9, 2003도8219)
㉣ ○ : 대판 2003.4.25, 2003도348
㉤ × : 甲 ⇨ 횡령죄 ○, 乙 ⇨ 장물취득죄 ○(대판 2015.6.25, 2015도1944 전원합의체)
㉥ × : 장물취득죄 ×(대판 2010.12.9, 2010도6256 ∵ 甲의 예금인출행위는 예금명의자로서 은행에 예금반환을 청구한 결과일 뿐 본범으로부터 위 돈에 대한 점유를 이전받아 사실상 처분권을 획득한 것이 아님)

Answer 11. ④

**12** **다음 사례에 대한 설명으로 옳은 것만을 모두 고르면?**(다툼이 있는 경우 판례에 의함)

23. 9급 검찰 · 마약수사

> 甲은 ㉠ 권한 없이 A회사의 아이디와 패스워드를 입력하여 인터넷뱅킹에 접속한 다음 A회사의 예금계좌로부터 자신의 예금계좌로 합계 180,500,000원을 이체하는 내용의 정보를 입력하여 자신의 예금액을 증액시켰고, ㉡ 이후 자신의 해당 계좌에 연결된 자신의 현금카드를 사용하여 현금자동지급기에서 현금을 인출하였다.

> ㉠ 甲의 ㉠행위는 컴퓨터 등 사용사기죄를 구성한다.
> ㉡ 甲의 ㉡행위는 현금카드 사용권한 있는 자의 정당한 사용에 의한 것으로서 현금자동지급기 관리자의 의사에 반하거나 기망행위 및 그에 따른 처분행위가 없었으므로 별도로 절도죄나 사기죄의 구성요건에 해당하지 않는다.
> ㉢ 甲이 ㉡행위로 인출한 현금은 ㉠행위로 취득한 예금채권에 기초한 것으로서 당초의 현금과 물리적인 동일성은 상실되었지만 액수에 의하여 표시되는 금전적 가치에는 아무런 변동이 없으므로 장물로서의 성질이 그대로 유지된다.
> ㉣ 甲이 ㉡행위로 돈을 인출하였다면 장물을 금융기관에 예치하였다가 인출한 것으로 볼 수 있어 장물취득죄가 성립한다.

① ㉠, ㉡ ② ㉠, ㉣ ③ ㉠, ㉡, ㉢ ④ ㉡, ㉢, ㉣

**| 해설** ㉠ ○ : 대판 2004.4.16, 2004도353
㉡ ○ : 대판 2004.4.16, 2004도353
㉢ × : 인출한 현금은 재산범죄(절도죄나 사기죄)에 의하여 취득한 재물이 아니므로 장물이 될 수 없다(대판 2004.4.16, 2004도353).
㉣ × : 장물취득죄 ×(대판 2004.4.16, 2004도353 ∵ 컴퓨터 등 사용사기죄로 취득한 예금채권은 재물이 아니라 재산상 이익이므로, 예금계좌에서 돈을 인출하였더라도 장물을 금융기관에 예치하였다가 인출한 것으로 볼 수 없음)

**13** **장물죄에 대한 설명으로 옳지 않은 것은?**(다툼이 있는 경우 판례에 의함) 24. 9급 검찰 · 마약수사

① 횡령죄의 교사범이 피교사자가 횡령한 물건을 그 사정을 알면서 취득하면 별도로 장물취득죄가 성립한다.
② 보수를 받고 본범을 위하여 일시 사용할 목적으로 장물을 건네받은 경우에는 장물을 취득한 것으로 볼 수 없다.
③ 재산범죄를 저지른 이후에 별도의 재산범죄의 구성요건에 해당하는 사후행위가 있었다면, 비록 그 행위가 불가벌적 사후행위로서 처벌의 대상이 되지 않는다 할지라도 그 사후행위로 인하여 취득한 물건은 장물이 될 수 있다.
④ 장물죄에 있어서 본범의 국적 · 주소, 물건 소재지, 행위지 등이 외국과 관련되어 있어 그 행위에 대하여 우리 형법이 적용되지 아니하는 경우, 본범의 행위에 관한 법적 평가는 국제사법에 따른 준거법을 기준으로 하여야 한다.

Answer 12. ① 13. ④

**| 해설** ① 대판 1969.6.24, 69도692
② 대판 2003.5.13, 2003도1366
③ 대판 2004.4.16, 2004도353
④ ×: ~ (2줄) 아니하는 경우에도, 본범의 행위에 관한 법적 평가는 우리 형법을 기준으로 하여야 한다(대판 2011.4.28, 2010도15350).

**14** **장물죄에 관한 설명으로 옳은 것을 모두 고른 것은?**(다툼이 있는 경우 판례에 의함) 24. 경찰승진

㉠ 재산범죄를 저지른 이후에 별도의 재산범죄의 구성요건에 해당하는 사후행위가 있었다면 비록 그 행위가 불가벌적 사후행위로서 처벌의 대상이 되지 않는다 할지라도 그 사후행위로 인하여 취득한 물건은 재산범죄로 인하여 취득한 물건으로서 장물이 될 수 있다.
㉡ 단순히 보수를 받고 본범을 위하여 장물을 일시 사용하거나 그와 같이 사용할 목적으로 장물을 건네받은 것만으로도 장물을 '취득'한 것으로 볼 수 있다.
㉢ 장물인 정을 알면서 장물을 매매하는 계약을 중개하였더라도 실제로 매매계약이 성립하지 아니하였거나 장물의 점유가 현실적으로 이전되지 아니하였다면, 장물알선죄는 성립하지 않는다.
㉣ 장물죄에 있어서 장물범과 피해자 간에 동거친족의 신분관계가 있는 때에는 형이 감경 또는 면제되지만, 장물범과 본범 간에 동거친족의 신분관계가 있는 때에는 형이 면제된다.

① ㉠ ② ㉠, ㉣ ③ ㉡, ㉢ ④ ㉡, ㉢, ㉣

**| 해설** ㉠ ○: 대판 2004.4.16, 2004도353
㉡ ×: ~ 볼 수 없다(대판 2003.5.13, 2003도1366).
㉢ ×: 장물알선죄 ○(대판 2009.4.23, 2009도1203).
㉣ ×: ~ (2줄) 면제되지만, 장물범과 본범 간에 동거친족의 신분관계가 있는 때에는 형이 감경 또는 면제된다(제365조 제2항).

Answer 14. ①

# 제9절 손괴의 죄

## 관련조문

**제366조【재물손괴 등】** 타인의 재물, 문서 또는 전자기록 등 특수매체기록을 손괴 또는 은닉 기타 방법으로 그 효용을 해한 자는 3년 이하의 징역 또는 700만원 이하의 벌금에 처한다.

**제367조【공익건조물파괴】** 공익에 공하는 건조물을 파괴한 자는 10년 이하의 징역 또는 2천만원 이하의 벌금에 처한다.

**제368조【중손괴】** ① 전 2조의 죄를 범하여 사람의 생명 또는 신체에 대하여 위험을 발생하게 한 때에는 1년 이상 10년 이하의 징역에 처한다.

② 제366조 또는 제367조의 죄를 범하여 사람을 상해에 이르게 한 때에는 1년 이상의 유기징역에 처한다. 사망에 이르게 한 때에는 3년 이상의 유기징역에 처한다.

**제369조【특수손괴】** ① 단체 또는 다중의 위력을 보이거나 위험한 물건을 휴대하여 제366조의 죄를 범한 때에는 5년 이하의 징역 또는 1천만원 이하의 벌금에 처한다.

② 제1항의 방법으로 제367조의 죄를 범한 때에는 1년 이상의 유기징역 또는 2천만원 이하의 벌금에 처한다.

**제370조【경계침범】** 경계표를 손괴, 이동 또는 제거하거나 기타 방법으로 토지의 경계를 인식 불능하게 한 자는 3년 이하의 징역 또는 500만원 이하의 벌금에 처한다.

▶ 친족상도례규정 준용 ×, 중손괴죄·경계침범죄 ⇨ 미수범 처벌 ×(나머지 모두 미수 처벌 ○)

THEMA 06

**손괴죄에 관한 설명 중 옳지 않은 것은 모두 몇 개인가?**(다툼이 있는 경우 판례에 의함)

㉠ 밭에서 재배하였으나 미처 수확되지 않은 농작물의 소유권을 이전받기 위해서는 명인방법을 실시하여야 하므로, 그러한 농작물을 매도한 사람이 매수인의 명인방법이 실시되기 전에 농작물을 파헤쳐 훼손하였다면 재물손괴죄가 성립한다.
㉡ 자기 명의의 문서라 할지라도 이미 타인에 접수되어 있는 문서에 대하여 함부로 이를 무효화시켜 그 용도에 사용하지 못하게 했다면 문서손괴죄가 성립한다.
㉢ 약속어음의 수취인이 차용금의 지급담보를 위하여 은행에 보관시킨 약속어음을 은행지점장이 발행인의 부탁을 받고 그 지급기일란의 일자를 지움으로써 그 효용을 해한 경우에는 문서손괴죄가 성립한다.
㉣ 재건축 사업으로 철거할 예정이고, 그 입주자들이 모두 이사하여 아무도 거주하지 않는 채 비어 있는 아파트는 본래 사용목적인 주거용으로 쓰일 수 없는 상태라거나 재물로서의 이용가치가 없는 물건이라고 할 수 있어 재물손괴죄의 객체에 해당하지 않는다.
㉤ 자동문을 자동으로 작동하지 않고 수동으로만 개폐가 가능하게 하여 자동잠금장치로서 역할을 할 수 없도록 한 경우에도 재물손괴죄가 성립한다.
㉥ 해고노동자 등이 복직을 요구하는 집회를 개최하던 중 래커 스프레이를 이용하여 회사건물 외벽과 1층 벽면 등에 낙서한 행위와 이와 별도로 계란 30여 개를 건물에 투척한 행위 모두 건물의 효용을 해하는 것으로 볼 수 있어 각각 재물손괴죄가 성립한다.
㉦ 재물손괴죄에서 재물의 효용을 해한다고 함은 그 물건의 본래의 사용목적에 공할 수 없게 하는 상태로 만드는 것은 물론 일시 그것을 이용할 수 없는 상태로 만드는 것도 이에 해당한다.

① 2개　　② 3개　　③ 4개　　④ 5개

**| 해설**

㉠ × : ~ 훼손하였다고 하더라도 재물손괴죄가 성립되지 않는다(대판 1996.2.23, 95도2754). 13. 법원행시, 21. 경찰승진, 22. 7급 검찰
㉡ ○ : 대판 1987.4.14, 87도177 16. 경찰승진, 18. 경찰간부, 22. 해경간부 · 수사경과
㉢ ○ : 대판 1982.7.27, 82도223 13. 법원행시, 14. 경찰승진
㉣ × : ~ 물건이라고 할 수 없어 재물손괴죄의 객체가 된다(대판 2007.9.20, 2007도5207). 18. 법원행시 · 경찰간부, 21. 법원직, 22. 변호사시험, 23. 해경승진, 24. 경찰승진
㉤ ○ : 대판 2016.11.25, 2016도9219(∵ 재물손괴죄에서 손괴 또는 은닉 기타 방법으로 그 효용을 해하는 경우에는 물질적인 파괴행위로 물건 등을 본래의 목적에 사용할 수 없는 상태로 만드는 경우뿐만 아니라 일시적으로 물건 등의 구체적 역할을 할 수 없는 상태로 만들어 효용을 떨어뜨리는 경우도 포함된다.) 17. 7급 검찰, 18. 경찰간부, 20. 9급 검찰 · 마약수사, 23. 경찰승진 · 법원직
㉥ × : 해고노동자 등이 복직을 요구하는 집회를 개최하던 중 래커 스프레이를 이용하여 회사건물 외벽과 1층 벽면 등에 낙서한 행위는 건물의 효용을 해한 것으로 볼 수 있어 재물손괴죄가 성립하나, 이와 별도로 계란 30여 개를 건물에 투척한 행위는 건물의 효용을 해하는 정도의 것에 해당하지 않아 재물손괴죄에 해당하지 않는다(대판 2007.6.28, 2007도2590). 18. 법원행시, 20. 9급 검찰 · 마약수사, 22. 수사경과, 23. 경찰승진 ㉦ ○ : 대판 1993.12.7, 93도2701 23. 경찰승진

» ②

## THEMA 07 '손괴죄' 최신판례

1. 피고인이 피해자 甲의 상가건물에 대한 임대차계약 당시 甲의 모(母) 乙에게서 인테리어 공사 승낙을 받았는데, 이후 乙이 임대차보증금 잔금 미지급을 이유로 즉시 공사를 중단하고 퇴거할 것을 요구하자 도끼를 집어 던져 상가 유리창을 손괴한 경우 ⇨ 재물손괴죄 ○(대판 2011.5.13, 2010도9962 ∵ 乙이 위 의사표시로써 시설물 철거에 대한 동의를 철회한 것임) 19. 경력채용
2. 형법 제366조의 재물손괴죄는 타인의 재물을 손괴 또는 은닉하거나 기타의 방법으로 그 효용을 해하는 경우에 성립한다. 여기에서 재물의 효용을 해한다고 함은 사실상으로나 감정상으로 그 재물을 본래의 사용목적에 제공할 수 없는 상태로 만드는 것을 말하고, 일시적으로 그 재물을 이용할 수 없는 상태로 만드는 것도 포함한다〔대판 2018.7.24, 2017도18807 ⓔ 甲이 홍보를 위해 광고판(홍보용 배너와 거치대)을 1층 로비에 설치해 두었는데, 피고인이 乙에게 지시하여 乙이 위 광고판을 그 장소에서 제거하여 컨테이너로 된 창고로 옮겨 놓아 甲이 사용할 수 없도록 한 경우 ⇨ 재물손괴죄 ○〕 20. 9급 검찰·마약수사, 22. 법원직·수사경과, 23·24. 경찰승진
3. 甲주식회사의 직원인 피고인들이 유색 페인트와 래커 스프레이를 이용하여 甲회사 소유의 도로 바닥에 직접 문구를 기재하거나 도로 위에 놓인 현수막 천에 문구를 기재하여 페인트가 바닥으로 배어 나와 도로에 배게 한 경우 ⇨ 특수재물손괴죄 ×(대판 2020.3.27, 2017도20455 ∵ 피고인들이 위와 같은 방법으로 도로 바닥에 여러 문구를 써놓은 행위가 위 도로의 효용을 해하는 정도에 이른 것이라고 보기 어렵다.) 22. 순경 2차
4. 甲이 A의 차량 앞에는 철근콘크리트 구조물을, 뒤에는 굴삭기 크러셔를 바짝 붙여 놓아 A의 차량을 17~18시간 동안 운행할 수 없게 한 행위 ⇨ 재물손괴죄 ○(대판 2021.5.7, 2019도13764 ∵ 차량 앞뒤에 쉽게 제거하기 어려운 구조물 등을 붙여 놓은 행위는 차량에 대한 유형력 행사로 보기에 충분하고, 차량 자체에 물리적 훼손이나 기능적 효용의 멸실 내지 감소가 발생하지 않았더라도 甲이 위 구조물로 인해 차량을 운행할 수 없게 됨으로써 일시적으로 본래의 사용목적에 이용할 수 없게 된 이상 차량 본래의 효용을 해한 경우임.) 22. 법원직·순경 2차, 24. 경찰승진
5. 甲아파트 입주자대표회의 회장인 피고인이 자신의 승인 없이 동대표들이 관리소장과 함께 게시한 입주자대표회의 소집공고문을 뜯어내 제거한 경우 ⇨ 재물손괴죄 ×(대판 2021.12.30, 2021도9680 ∵ 그에 선행하는 위법한 공고문 작성 및 게시에 따른 위법상태의 구체적 실현이 임박한 상황하에서 그 위법성을 바로잡기 위한 것으로 사회통념상 허용되는 범위를 크게 넘어서지 않는 행위로 볼 수 있다. ∴ 정당행위 ○)
6. 다른 사람의 소유물을 본래의 용법에 따라 무단으로 사용·수익하는 행위는 소유자를 배제한 채 물건의 이용가치를 영득하는 것이고, 그 때문에 소유자가 물건의 효용을 누리지 못하게 되었더라도 효용 자체가 침해된 것이 아니므로 재물손괴죄에 해당하지 않는다(대판 2022.11.30, 2022도1410 ⓔ 피고인이 타인 소유 토지에 권원 없이 건물을 신축한 경우, 피고인의 행위는 이미 대지화된 토지에 건물을 새로 지어 부지로서 사용·수익함으로써 그 소유자로 하여금 효용을 누리지 못하게 한 것일 뿐 토지의 효용을 해하지 않았으므로, 재물손괴죄가 성립하지 않는다). 23. 법원직·순경 1차·2차
7. 피고인은 피해자 甲이 乙로부터 매수한 토지의 경계 부분에 매수 전 자신이 식재하였던 수목(옹아나무) 5그루를 전기톱을 이용하여 절단한 경우 ⇨ 특수재물손괴죄 ×〔대판 2023.11.16, 2023도11885 ∵ 제반 사정에 비추어 피고인이 수목을 식재할 당시 토지의 전 소유자 乙로부터 명시적 또는 묵시적으로 승낙·동의를 받았거나 적어도 토지 중 수목이 식재된 부분에 관하여는 무상으로 사용할 것을 허락받았을 가능성을 배제하기 어렵고, 이는 민법 제256조에서 부동산에의 부합의 예외사유로 정한 '권원'(지상권, 전세권, 임차권 등과 같이 타인의 부동산에 자기의 동산을 부속시켜서 그 부동산을 이용할 수 있는 권리)에 해당한다고 볼 수 있어 수목은 토지에 부합하지 않고 이를 식재한 피고인에게 소유권이 귀속된다.〕

**01** **손괴의 죄에 관한 설명 중 가장 적절하지 않은 것은?**(다툼이 있으면 판례에 의함) 16. 경찰승진

① 재물손괴의 범의를 인정함에 있어서는 반드시 계획적인 손괴의 의도가 있거나 물건의 손괴를 적극적으로 희망하여야 하는 것은 아니고, 소유자의 의사에 반하여 재물의 효용을 상실케 하는 데 대한 인식이 있으면 된다.

② 밭에서 재배하였으나 미처 수확되지 않은 농작물의 소유권을 이전받기 위해서는 명인방법을 실시하여야 하므로, 그러한 농작물을 매도한 사람이 매수인의 명인방법이 실시되기 전에 농작물을 파헤쳐 훼손하였다면 재물손괴죄가 성립한다.

③ 우물에 연결하고 땅속에 묻어서 수도관적 역할을 하고 있는 고무호스 중 약 1.5m를 발굴하여 우물가에 제쳐 놓음으로써 물이 통하지 못하게 한 경우 손괴죄가 성립한다.

④ 자기 명의의 문서라 할지라도 이미 타인에 접수되어 있는 문서에 대하여 함부로 이를 무효화시켜 그 용도에 사용하지 못하게 했다면 문서손괴죄가 성립한다.

| 해설 | ① 대판 1990.5.22, 90도700
② ×：재물손괴죄 ×(대판 1996.2.23, 95도2754)
③ 대판 1971.1.26, 70도2378
④ 대판 1987.4.14, 87도177

**02** **손괴죄에 관한 설명 중 가장 옳지 않은 것은?**(다툼이 있는 경우 판례에 의함) 17. 법원행시

① 이미 작성되어 있던 장부의 기재를 새로운 장부로 이기하는 과정에서 누계 등을 잘못 기재하여 그 부분을 찢어버리고 계속하여 종전 장부의 기재내용을 모두 이기한 경우 특별한 사정이 없는 한 찢어버린 용지는 재물손괴죄의 객체가 되지 아니한다.

② 재물손괴죄의 객체인 "전자기록 등 특수매체기록"은 기록으로서의 성질상 어느 정도의 영속성이 있어야 하므로 전송 중이거나 처리 중인 자료는 여기에 해당하지 않는다.

③ 타인 소유의 재물이라면 비록 자신의 점유하에 있다고 하더라도 이를 손괴할 경우 재물손괴죄에 해당한다.

④ 자동문을 자동으로 작동하지 않고 수동으로만 개폐가 가능하게 하여 자동잠금장치로서 역할을 할 수 없도록 한 경우는 일시적으로 자동문의 역할을 할 수 없게 한 것에 불과하여 재물손괴죄가 성립하지 아니한다.

⑤ 허위의 내용이 기재된 확인서를 소유자의 의사에 반하여 작성명의인이 손괴한 경우 문서손괴죄가 성립한다.

| 해설 | ① 대판 1989.10.24, 88도1296
② 옳다.
③ 대판 1984.12.26, 84도2290
④ ×：재물손괴죄 ○(대판 2016.11.25, 2016도9219)
⑤ 대판 1982.12.28, 82도1807

Answer 1.② 2.④

## 03 손괴죄에 대한 설명 중 옳지 않은 것으로 짝지은 것은?(다툼이 있는 경우 판례에 의함)

18. 경찰간부

㉠ 문서에 대한 종래의 사용상태가 문서 소유자의 의사에 반하여 또는 문서 소유자의 의사와 무관하게 이루어진 경우에 단순히 종래의 사용상태를 제거하거나 변경시키는 것에 불과하고 문서 소유자의 문서 사용에 지장을 초래하지 않은 경우에는 문서손괴죄가 성립하지 아니한다.
㉡ 甲은 A건물 1층 출입구 자동문의 설치공사를 맡았던 자로서, 설치자가 아니면 해제할 수 없는 자동문의 자동작동중지 예약기능을 이용하여 특정시점부터 자동문이 수동으로만 여닫히게 하였으나, 자동문이 자동잠금장치로서 일시적으로 역할을 할 수 없게 된 것에 그쳤다면 재물손괴죄가 성립하지 않는다.
㉢ 재건축사업으로 철거예정이고 그 입주자들이 모두 이사하여 아무도 거주하지 않은 채 비어 있는 아파트라 하더라도, 그 객관적 성상이 본래 사용목적인 주거용으로 쓰일 수 없는 상태라거나 재물로서의 이용가치나 효용이 없는 물건이 되었다고 할 수 없다면 이 아파트는 재물손괴죄의 객체가 된다.
㉣ 이미 타인(타기관)에 접수되어 있는 문서에 대하여 이를 무효화시켜 그 용도에 사용하지 못하게 하였더라도 그 문서가 자기명의의 문서인 경우에는 문서손괴죄가 성립하지 않는다.
㉤ 본래의 용도에 사용할 수 없으나 다른 용도에 사용할 수 있다면 이는 재물손괴죄의 객체가 된다.

① ㉠, ㉡　② ㉠, ㉢　③ ㉡, ㉣　④ ㉢, ㉣

**| 해설** ㉠ ○ : 대판 2015.11.27, 2014도13083(그러나 소유자의 의사에 따라 어느 장소에 게시 중인 문서를 소유자의 의사에 반하여 떼어내는 것과 같이 소유자의 의사에 따라 형성된 종래의 이용상태를 변경시켜 종래의 상태에 따른 이용을 일시적으로 불가능하게 하는 경우에도 문서손괴죄가 성립할 수 있다.)
㉡ × : 재물손괴죄 ○(대판 2016.11.25, 2016도9219)
㉢ ○ : 대판 2007.9.20, 2007도5207
㉣ × : 문서손괴죄 ○(대판 1987.4.14, 87도177)
㉤ ○ : 대판 1979.7.24, 78도2138(예 포도주 원액이 부패하여 포도주 원료로 사용할 수 없어도 식초의 제조 등 다른 용도로 사용할 수 있으면 손괴죄의 객체로 될 수 있다.)

## 04 다음 사례 중 재물손괴죄 또는 재물은닉죄에 해당하는 것은 모두 몇 개인가?(다툼이 있는 경우 판례에 의함)

18. 법원행시

㉠ 경락받은 농수산물 저온저장 공장건물 중 공냉식 저온창고를 수냉식으로 개조함에 있어 그 공장에 시설된 피해자 소유의 자재에 관하여 피해자에게 철거를 최고하는 등 적법한 조치를 취함이 없이 이를 일방적으로 철거하게 한 경우
㉡ 재건축사업으로 철거예정이고 그 입주자들이 모두 이사하여 아무도 거주하지 않은 채 비어있는 아파트를 포클레인 등을 이용하여 무단으로 철거한 경우
㉢ 해고노동자 등이 복직을 요구하는 집회를 개최하던 중 회사 건물 외벽과 1층 벽면 등에 계란 30여 개를 투척한 경우

Answer 3. ③ 4. ③

ⓔ 타인 소유의 광고용 간판을 백색페인트로 도색하여 광고문안을 지워버린 경우
ⓜ 甲소유였다가 약정에 따라 乙명의로 이전되었으나 권리관계에 다툼이 생긴 토지상에서 甲이 버스공용터미널을 운영하고 있는데, 乙이 甲의 영업을 방해하기 위하여 철조망을 설치하려 하자 甲이 위 철조망을 가까운 곳에 마땅한 장소가 없어 터미널로부터 약 200 내지 300m 가량 떨어진 甲소유의 다른 토지 위에 옮겨 놓은 경우

① 1개 ② 2개 ③ 3개
④ 4개 ⑤ 5개

해설 • **재물손괴(은닉)죄** ○ : ㉠ 대판 1990.5.22, 90도700 ㉡ 대판 2010.2.25, 2009도8473 ㉣ 대판 1991.10.22, 91도2090
• **재물손괴(은닉)죄** × : ㉢ 대판 2007.6.28, 2007도2590(∵ 건물의 효용을 해하는 정도 ×) ㉤ 대판 1990.9.25, 90도1591(∵ 재물은닉의 범의 ×)

## 05 손괴의 죄에 대한 설명으로 가장 적절하지 않은 것은?(다툼이 있는 경우 판례에 의함)

21. 경찰승진 · 법원직

① 해고노동자 등이 복직을 요구하는 집회를 개최하던 중 래커 스프레이를 이용하여 회사 건물 외벽과 1층 벽면 등에 낙서한 행위는 건물의 효용을 해한 것으로 볼 수 있으나, 이와 별도로 계란 30여 개를 건물에 투척한 행위는 건물의 효용을 해하는 정도의 것에 해당하지 않는다.
② 재건축사업으로 철거예정이고 그 입주자들이 모두 이사하여 아무도 거주하지 않은 채 비어 있는 아파트라 하더라도, 그 객관적 성상이 본래 사용목적인 주거용으로 쓰일 수 없는 상태라거나 재물로서의 이용가치나 효용이 없는 물건이라고도 할 수 없다면 재물손괴죄의 객체가 된다.
③ 수확되지 아니한 쪽파의 매수인이 명인방법을 갖추지 않은 경우, 그 쪽파의 소유권은 여전히 매도인에게 있고 매도인과 제3자 사이에 일정 기간 후 임의처분의 약정이 있었다면 그 기간 후에 그 제3자가 쪽파를 손괴하였더라도 재물손괴죄가 성립하지 않는다.
④ 자동문을 자동으로 작동하지 않고 수동으로만 개폐가 가능하게 하여 자동잠금장치로서 역할을 할 수 없도록 한 것만으로는 재물손괴죄가 성립하지 않는다.
⑤ 판결에 의하여 명도받은 토지의 경계에 설치해 놓은 철조망과 경고판을 치워 버림으로써 울타리로서의 역할을 해한 때에는 재물손괴죄가 성립한다.

해설 ① 대판 2007.6.28, 2007도2590
② 대판 2007.9.20, 2007도5207
③ 대판 1996.2.23, 95도2754
④ × : 재물손괴죄 ○(대판 2016.11.25, 2016도9219)
⑤ 대판 1982.7.13, 82도1057

Answer 5. ④

## 06 재물손괴죄에 관한 설명 중 가장 옳지 않은 것은?(다툼이 있는 경우 판례에 의함) 22. 법원직

① 형법 제366조는 "타인의 재물, 문서 또는 전자기록 등 특수매체기록을 손괴 또는 은닉 기타 방법으로 그 효용을 해한 자는 3년 이하의 징역 또는 700만원 이하의 벌금에 처한다."라고 규정하고 있다. 여기에서 '기타 방법'이란 형법 제366조의 규정내용 및 형벌법규의 엄격해석원칙 등에 비추어 손괴 또는 은닉에 준하는 정도의 유형력을 행사하여 재물 등의 효용을 해하는 행위를 의미하고, '재물의 효용을 해한다'고 함은 사실상으로나 감정상으로 그 재물을 본래의 사용목적에 제공할 수 없게 하는 상태로 만드는 것을 말하며, 일시적으로 그 재물을 이용할 수 없거나 구체적 역할을 할 수 없는 상태로 만드는 것도 포함한다.

② 피고인이 피해자가 홍보를 위해 설치한 광고판을 그 장소에서 제거하여 컨테이너로 된 창고로 옮겨 놓았다면 비록 물질적인 형태의 변경이나 멸실, 감손을 초래하지 않은 채 그대로 옮겼더라도 그 광고판은 본래적 역할을 할 수 없는 상태로 되었다고 보아야 하므로 재물손괴죄가 성립한다.

③ 피고인이 피해 차량의 앞뒤에 쉽게 제거하기 어려운 철근콘크리트구조물 등을 바짝 붙여 놓아 차량을 운행할 수 없게 하였더라도 피해 차량 자체에 물리적 훼손이나 기능적 효용의 멸실 내지 감소가 발생하지 않았으므로 재물 본래의 효용을 해한 것이라고 볼 수 없다.

④ 자동문 설치공사를 한 피고인이 대금을 지급받지 못하자 자동문의 자동작동중지 예약기능을 이용하여 자동문이 자동으로 여닫히지 않도록 설정하여 수동으로만 개폐가 가능하도록 한 경우 재물손괴죄가 성립한다.

**| 해설** ① 대판 2021.5.7, 2019도13764 ② 대판 2018.7.24, 2017도18807

③ ×: 피고인이 평소 자신이 굴삭기를 주차하던 장소에 甲의 차량이 주차되어 있는 것을 발견하고 甲의 차량 앞에 철근콘크리트 구조물을, 뒤에 굴삭기 크러셔를 바짝 붙여 놓아 甲이 17~18시간 동안 차량을 운행할 수 없게 된 경우 ⇨ 재물손괴죄 ○(대판 2021.5.7, 2019도13764 ∵ 차량 앞뒤에 쉽게 제거하기 어려운 구조물 등을 붙여 놓은 행위는 차량에 대한 유형력 행사로 보기에 충분하고, 차량 자체에 물리적 훼손이나 기능적 효용의 멸실 내지 감소가 발생하지 않았더라도 갑이 위 구조물로 인해 차량을 운행할 수 없게 됨으로써 일시적으로 본래의 사용목적에 이용할 수 없게 된 이상 차량 본래의 효용을 해한 경우임)

④ 대판 2016.11.25, 2016도9219

## 07 다음 사례 중 재물손괴죄가 성립하지 않는 것은?(다툼이 있는 경우 판례에 의함) 22. 순경 2차

① 타인 소유의 광고용 간판을 백색페인트로 도색하여 광고문안을 지워버린 행위

② 자동문을 수동으로만 개폐가 가능하게 하여 자동잠금장치로서 역할을 할 수 없도록 한 행위

③ 甲이 A의 차량 앞에는 철근콘크리트 구조물을, 뒤에는 굴삭기 크러셔를 바짝 붙여 놓아 A의 차량을 17~18시간 동안 운행할 수 없게 한 행위

④ A주식회사 직원인 甲과 乙이 유색 페인트와 래커 스프레이를 이용하여 A회사 소유의 도로바닥에 직접 문구를 기재하거나 도로 위에 놓인 현수막 천에 문구를 기재하여 페인트가 바닥으로 배어나와 도로에 배게 한 행위

**Answer** 6.③ 7.④

| 해설 | • **재물손괴죄** ○ : ① 대판 1991.10.22, 91도2090 ② 대판 2016.11.25, 2016도9219 ③ 대판 2021.5.7, 2019도13764(∵ 차량 앞뒤에 쉽게 제거하기 어려운 구조물 등을 붙여 놓은 행위는 차량에 대한 유형력 행사로 보기에 충분하고, 차량 자체에 물리적 훼손이나 기능적 효용의 멸실 내지 감소가 발생하지 않았더라도 甲이 위 구조물로 인해 차량을 운행할 수 없게 됨으로써 일시적으로 본래의 사용목적에 이용할 수 없게 된 이상 차량 본래의 효용을 해한 경우임.)
• **재물손괴죄** × : ④ 대판 2020.3.27, 2017도20455(∵ 피고인들이 위와 같은 방법으로 도로 바닥에 여러 문구를 써놓은 행위가 위 도로의 효용을 해하는 정도에 이른 것이라고 보기 어렵다.)

## 08 손괴의 죄에 관한 설명으로 가장 적절하지 않은 것은?(다툼이 있는 경우 판례에 의함)

24. 경찰승진

① 피고인이 피해 차량의 앞뒤에 쉽게 제거하기 어려운 철근콘크리트 구조물 등을 바짝 붙여 놓아 차량을 운행할 수 없게 하였더라도 피해 차량 자체에 물리적 훼손이나 기능적 효용의 멸실 내지 감소가 발생하지 않았으므로 재물 본래의 효용을 해한 것이라고 볼 수 없다.

② 재건축사업으로 철거예정이고 그 입주자들이 모두 이사하여 아무도 거주하지 않은 채 비어 있는 아파트라 하더라도, 그 객관적 성상이 본래 사용 목적인 주거용으로 쓰일 수 없는 상태가 아니었고 그 소유자들이 신탁등기 등의 방법으로 계속 소유권을 행사하고 있다면, 재물로서의 이용가치나 효용이 없는 물건이라고도 할 수 없어 재물손괴죄의 객체가 된다.

③ 홍보를 위해 1층 로비에 설치해 둔 홍보용 배너와 거치대를 훼손 없이 그 장소에서 제거하여 컨테이너로 된 창고로 옮겨 놓아 사용할 수 없게 한 행위는 재물의 효용을 해하는 행위에 해당한다.

④ 포도주 원액이 부패하여 포도주 원료로서의 효용가치는 상실되었으나, 그 산도가 1.8도 내지 6.2도에 이르고 있어서 식초의 제조 등 다른 용도에 사용할 수 있다면, 이 포도주 원액은 재물손괴죄의 객체가 될 수 있다.

| 해설 | ① × : ~ (2줄) 운행할 수 없게 한 경우, 피해 차량 자체에 물리적 훼손이나 기능적 효용의 멸실 내지 감소가 발생하지 않았더라도 일시적으로 본래의 사용목적에 이용할 수 없게 된 이상 재물 본래의 효용을 해한 것이라고 볼 수 있다(대판 2021.5.7, 2019도13764).
② 대판 2010.2.25, 2009도8473 ③ 대판 2018.7.24, 2017도18807 ④ 대판 1979.7.24, 78도2138

## 09 손괴에 대한 설명으로 옳은 것만을 모두 고르면?(다툼이 있는 경우 판례에 의함)

24. 9급 검찰 · 마약수사

㉠ 재물을 절취하기 위해 야간에 피해자들이 운영하는 식당의 창문과 방충망을 물리적 훼손 없이 창틀에서 분리하여 놓고 침입한 행위는 특수절도죄의 손괴에 해당한다.

㉡ 다른 기관에 접수되어 있는 자기명의의 문서에 대하여 함부로 이를 무효화시켜 그 용도에 사용하지 못하게 하였다면 문서손괴죄의 손괴에 해당한다.

Answer 8. ① 9. ④

㉢ 자동문을 자동으로 작동하지 않고 수동으로만 개폐가 가능하게 하여 일시적으로 자동잠금장치로서 역할을 할 수 없게 한 경우에는 재물손괴죄의 손괴에 해당한다.
㉣ 주차되어 있는 차량의 앞에 철근콘크리트 구조물을, 뒤에 굴삭기 크러셔를 바짝 붙여 놓아 해당 차량의 차주가 17~18시간 동안 차량을 운행할 수 없게 한 행위는 재물손괴죄의 '재물의 효용을 해한 경우'에 해당한다.

① ㉠, ㉡ ② ㉡, ㉢ ③ ㉢, ㉣ ④ ㉡, ㉢, ㉣

| 해설 | ㉠ × : ~ 손괴에 해당하지 않는다(대판 2015.10.29, 2015도7559 ∵ 창문과 방충망을 창틀에서 분리하였을 뿐 물리적으로 훼손하여 효용을 상실하게 한 것은 아님). ㉡ ○ : 대판 1987.4.14, 87도177 ㉢ ○ : 대판 2016.11.25, 2016도9219 ㉣ ○ : 대판 2021.5.7, 2019도13764

**10 손괴의 죄에 관한 설명 중 가장 옳지 않은 것은?**(다툼이 있는 경우 판례에 의함) 24. 법원행시

① 재건축조합이 조합원들을 상대로 재건축사업 대상 아파트에 관한 소유권이전등기 및 인도 청구소송을 제기하여 제1심에서 가집행선고부 승소판결이 선고되었고, 위 조합의 조합장 등이 제1심판결에 기하여 위 아파트에 관한 부동산인도집행을 완료한 후 이를 철거한 경우 그 철거 전에 관할구청장에게 신고를 하지 않았다고 하더라도 이는 형법 제20조에서 정한 정당행위로서 재물손괴의 공소사실은 범죄로 되지 아니하는 경우에 해당한다.

② 甲이 乙로부터 전세금을 받고 영수증을 작성·교부한 다음 乙에게 위 전세금을 반환하겠다고 말하여 乙로부터 위 영수증을 교부받고 나서 전세금을 반환하기 전에 이를 찢어버렸다고 하더라도 위 영수증은 甲의 점유하에 있었으므로, 문서손괴죄가 성립하지 않는다.

③ 재건축사업으로 철거 예정이고 입주자들이 모두 이사하여 아무도 거주하지 않은 채 비어 있는 아파트라고 하더라도, 그 객관적 성상이 본래 사용 목적인 주거용으로 쓰일 수 없는 상태라거나 재물로서의 이용가치나 효용이 없는 물건이라고 할 수 없는 이상 재물손괴죄의 객체가 될 수 있다.

④ 형법 제370조에서 말하는 경계는 반드시 법률상의 정당한 경계를 말하는 것이 아니고 비록 법률상의 정당한 경계에 부합되지 아니하는 경계라고 하더라도 이해관계인들의 명시적 또는 묵시적 합의에 의하여 정하여진 것이면 이는 이 법조에서 말하는 경계라고 할 것이다.

⑤ 자동문을 자동으로 작동하지 않고 수동으로만 개폐가 가능하게 하여 자동잠금장치로서 역할을 할 수 없도록 한 경우에도 재물손괴죄가 성립한다.

| 해설 | ① 대판 2010.2.25, 2009도8473
② × : ~ (2줄) 전에 이를 찢어버린 경우, 문서손괴죄의 객체는 타인(乙)소유의 문서이며 피고인(甲) 자신이 점유하에 있는 문서라 할지라도 타인소유인 이상 이를 손괴하는 행위는 문서손괴죄에 해당한다(대판 1984.12.26, 84도2290).
③ 대판 2007.9.20, 2007도5207 ④ 대판 2003.6.13, 2003도1691 ⑤ 대판 2016.11.25, 2016도9219

Answer 10. ②

# 제10절 권리행사를 방해하는 죄

**관련조문**

**제323조【권리행사방해】** 타인의 점유 또는 권리의 목적이 된 자기의 물건 또는 전자기록 등 특수매체기록을 취거, 은닉 또는 손괴하여 타인의 권리행사를 방해한 자는 5년 이하의 징역 또는 700만원 이하의 벌금에 처한다.

**제325조【점유강취, 준점유강취】** ① 폭행 또는 협박으로 타인의 점유에 속하는 자기의 물건을 강취한 자는 7년 이하의 징역 또는 10년 이하의 자격정지에 처한다.

② 타인의 점유에 속하는 자기의 물건을 취거하는 과정에서 그 물건의 탈환에 항거하거나 체포를 면탈하거나 범죄의 흔적을 인멸할 목적으로 폭행 또는 협박한 때에도 제1항의 형에 처한다.

③ 제1항과 제2항의 미수범은 처벌한다.

**제326조【중권리행사방해】** 제324조 또는 제325조의 죄를 범하여 사람의 생명(신체 ×)에 대한 위험을 발생하게 한 자는 10년 이하의 징역에 처한다.

**제327조【강제집행면탈】** 강제집행을 면할 목적으로 재산을 은닉, 손괴, 허위양도 또는 허위의 채무를 부담하여 채권자를 해한 자는 3년 이하의 징역 또는 1천만원 이하의 벌금에 처한다.

1. 점유강취 · 준점유강취 ⇨ 미수 처벌 ○, 권리행사방해 · 중권리행사방해 · 강제집행면탈 ⇨ 미수 처벌 × 06. 법원행시, 10. 경찰승진
2. 권리행사방해죄만 친족상도례 적용(제328조) 17. 경찰승진, 20. 수사경과, 21. 해경승진, 22. 법원직
3. 강제집행면탈죄 ⇨ 목적범 ○, 미수범 처벌규정 ×, 친족상도례 적용 ×

## THEMA 08

1. **권리행사방해죄의 객체** : 타인의 점유 또는 권리의 목적이 된 자기의 물건

① 권리행사방해죄에서의 보호대상인 타인의 점유는 반드시 점유할 권원에 기한 점유만을 의미하는 것은 아니고, 일단 적법한 권원에 기하여 점유를 개시하였으나 사후에 점유 권원을 상실한 경우의 점유, 점유 권원의 존부가 외관상 명백하지 아니하여 법정절차를 통하여 권원의 존부가 밝혀질 때까지의 점유, 권원에 기하여 점유를 개시한 것은 아니나 동시이행항변권 등으로 대항할 수 있는 점유 등과 같이 법정절차를 통한 분쟁 해결시까지 잠정적으로 보호할 가치 있는 점유는 모두 포함된다고 볼 것이나, 절도범인의 점유와 같이 점유할 권리 없는 자의 점유임이 외관상 명백한 경우에는 이에 포함되지 아니한다(대판 2006.3.23, 2005도4455). 13. 사시, 19. 경찰간부, 23. 해경승진 · 법원직, 19 · 24. 경찰승진

**관련판례**

1. 본죄의 타인의 점유는 본권에 의한 점유(∴ 절도범인의 점유 ⇨ 본죄의 점유 ×)만에 한하지 아니하고 적법한 점유(예 동시이행항변권 등에 의한 점유)도 해당하므로, 무효인 경매절차에서 경매목적물을 경락받아 점유하고 있는 낙찰자의 점유도 포함된다(대판 2003.11.28, 2003도4257). 16. 경찰간부, 19. 법원행시, 20. 법원직 · 경찰승진, 21. 순경 2차, 22. 변호사시험, 23. 해경승진

2. 렌트카회사의 공동대표이사 중 1인이 회사보유 차량을 자신의 개인적인 채무담보 명목으로 피해자에게 넘겨주었는데 다른 공동대표이사가 위 차량을 몰래 회수하도록 한 경우, 위 피해자의 점유는 권리행사방해죄의 보호대상인 점유에 해당한다(대판 2006.3.23, 2005도4455). 13. 변호사시험, 16. 경찰간부, 17. 경찰승진, 19. 수사경과

② 권리행사방해죄의 구성요건 중 타인의 '권리'란 반드시 제한물권만을 의미하는 것이 아니라 물건에 대하여 점유를 수반하지 아니하는 채권도 이에 포함된다(대판 1991.4.26, 90도1958). 17. 법원행시, 20. 법원직·해경승진, 24. 경찰승진

③ 형법 제323조의 권리행사방해죄는 타인의 점유 또는 권리의 목적이 된 자기의 물건을 취거, 은닉 또는 손괴하여 타인의 권리행사를 방해함으로써 성립하는 것이므로, 그 취거, 은닉 또는 손괴한 물건이 자기의 물건이 아니라면 권리행사방해죄가 성립할 여지가 없다(대판 2005.11.10, 2005도6604). 10. 경찰승진, 17. 법원행시, 18·19. 수사경과, 20. 해경승진, 23. 법원직

**관련판례**

1. 피고인이 이른바 중간생략등기형 명의신탁 또는 계약명의신탁의 방식으로 자신의 처에게 등기명의를 신탁해 놓은 점포에 자물쇠를 채워 점포의 임차인을 출입하지 못하게 한 경우, 그 점포가 권리행사방해죄의 객체인 '자기의 물건'에 해당하지 않는다(대판 2005.9.9, 2005도626 ∴ 권리행사방해죄 ×, 업무방해죄 ○). 16. 경찰간부, 20. 법원직, 23. 9급 검찰·마약수사, 24. 법원행시
2. 甲이 자동차등록원부상 A명의로 등록되어 있는 차량을 B에게 담보로 제공하였음에도 불구하고, B의 승낙 없이 미리 소지하고 있던 위 차량의 보조키를 이용하여 이를 운전하여 간 경우 권리행사방해죄가 성립하지 않는다(대판 2005.11.10, 2005도6604 ∵ 그 차량은 피고인의 소유가 아님). 13. 사시, 16. 경찰간부, 17. 변호사시험, 20·22. 수사경과, 21·23. 해경승진, 17·23. 경찰승진
3. 렌트카회사의 공동대표이사 중 1인이 회사보유 차량(회사나 피고인 명의로 신규등록 ×)을 자신의 개인적인 채무담보 명목으로 피해자에게 넘겨주었는데, 다른 공동대표이사가 위 차량을 몰래 회수하도록 한 경우 ⇨ 피해자의 점유는 권리행사방해죄의 보호대상인 점유에 해당하나, 동 차량이 미등록상태라면 렌트카 회사 소유라 할 수 없어 이를 전제로 하는 권리행사방해죄는 성립하지 않는다(대판 2006.3.23, 2005도4455). 17. 법원직, 20. 법원행시, 14. 경찰승진, 21·23. 해경승진
   ▶ **참고판례** : 乙이 甲의 명의를 빌려 식품접객업 영업허가를 받기로 서로 합의하고, 甲의 신청에 의하여 甲명의로 발급된 영업허가증과 사업자등록증을 乙이 인도받았는데, 甲이 乙의 손가방에서 위 영업허가증과 사업자등록증을 몰래 꺼내어 간 경우 ⇨ 절도죄 ○, 권리행사방해죄 ×(대판 2004.3.12, 2002도5090 ∵ 甲의 소유 ×, 乙의 소유 ○) 10. 법원행시, 11. 경찰승진
4. 택시를 회사에 지입하여 운행하다가 회사의 요구로 위 택시를 회사 차고지에 입고한 후 회사의 승낙 없이 이를 가져간 경우 ⇨ 본죄 ×〔대판 2003.5.30, 2000도5767 ∵ 회사에 지입한 자동차 ⇨ 등록명의자인 회사의 소유(자기소유 ×, 타인소유 ○)〕, 회사에 지입한 굴삭기를 취거한 경우 ⇨ 본죄 ×(대판 1985.9.10, 85도899 ∵ 회사 명의로 중기등록원부에 소유권이 등록되어 있음 ⇨ 회사소유 ○) 10. 법원행시
   ▶ **비교판례** : 주식회사의 대표이사 甲이 직무집행행위로서 지입차주인 乙이 점유하는 위 회사 소유 버스를 강제로 취거하였다면, 甲의 행위는 권리행사방해죄를 구성한다(대판 1992.1.21, 91도1170). 10. 법원행시, 13. 사시
5. 회사의 과점주주이자 부사장이 타인이 점유 중인 회사명의로 등기된 선박을 취거한 경우 ⇨ 권리행사방해죄 ×(대판 1984.6.26, 83도2413 ∵ 선박은 회사소유, 부사장 개인을 위한 행위임) 10. 법원행시

6. ① 차량대여회사가 대여차량을 실력으로 회수해 간 경우(대판 1989.7.25, 88도410) ② 공장근저당권이 설정된 선반기계 등을 이중담보로 제공하기 위해 다른 장소로 옮긴 경우(대판 1994.9.27, 94도1439) 17. 법원직 ③ 주식회사 대표이사가 그 지위에 기하여 직무집행행위로서 타인이 점유하는 회사의 물건을 취거한 경우(대판 1992.1.21, 91도1170)에는 권리행사방해죄가 성립한다(∵ 타인의 점유 또는 권리의 목적이 된 자기물건). 19. 경찰간부, 21. 7급 검찰·순경 2차, 22. 수사경과, 23. 변호사시험

▶ **비교판례** : 회사의 전직 대표이사가 회사가 타인에게 담보로 제공한 회사소유의 물건을 다른 회사에 매도한 경우 ⇨ 권리행사방해죄 ×(대판 1985.5.28, 85도494 ∵ 자기의 물건 ×) 17. 법원직

7. 물건의 소유자가 아닌 사람은 형법 제33조 본문에 따라 소유자의 권리행사방해 범행에 가담한 경우에 한하여 그의 공범이 될 수 있을 뿐이나, 권리행사방해죄의 공범으로 기소된 물건의 소유자에게 고의가 없는 등으로 범죄가 성립하지 않는다면 공동정범이 성립할 여지가 없다〔대판 2017.5.30, 2017도4578 예 甲은 사실혼 배우자 乙의 명의를 빌려 승용차를 매수하면서 丙회사로부터 대출을 받고 승용차에 저당권을 설정한 후 乙(고의 ×)과 丙(저당권자)의 동의 없이 승용차를 제3자에게 담보로 제공한 경우 ⇨ 甲 : 권리행사방해죄 ×〕. 19. 법원행시·7급 검찰, 20. 법원직, 21. 변호사시험, 22·23. 경찰승진·순경 1차, 24. 해경승진

8. 타인의 명의로 강제경매를 통해 부동산을 매수한 피고인이 당해 부동산에 대한 피해자(유치권자)의 점유를 침탈하였다고 하더라도 피고인의 물건에 대한 타인의 권리행사를 방해한 것으로 볼 수는 없다(대판 2019.12.27, 2019도14623 ∵ 자기의 물건이 아니라면 권리행사방해죄가 성립할 수 없다. 예 피고인이, 甲주식회사가 유치권을 행사 중인 건물을 강제경매를 통하여 자신의 아들 乙명의로 매수한 후 그 잠금장치를 변경하여 점유를 침탈함으로써 甲회사의 유치권 행사를 방해한 경우 ⇨ 권리행사방해죄 ×). 20. 법원행시

**2. 행위** : 취거·은닉 또는 손괴하여 타인의 권리행사를 방해하는 것

① '취거'라 함은 타인의 점유 또는 권리의 목적이 된 자기의 물건을 그 점유자의 의사에 반하여 그 점유자의 점유로부터 자기 또는 제3자의 점유로 옮기는 것을 말하므로 점유자의 의사나 그의 하자 있는 의사에 기하여 점유가 이전된 경우에는 여기에서 말하는 취거로 볼 수는 없다(대판 1988.2.23, 87도1952). 10. 법원행시, 18·19. 경찰승진, 22. 수사경과

② '은닉'이란 타인의 점유 또는 권리의 목적이 된 자기 물건 등의 소재를 발견하기 불가능하게 하거나 또는 현저히 곤란한 상태에 두는 것을 말하고, 그로 인하여 권리행사가 방해될 우려가 있는 상태에 이르면 권리행사방해죄가 성립하고 현실로 권리행사가 방해되었을 것까지 필요로 하는 것은 아니다(대판 2016.11.10, 2016도13734). 17·19·20. 법원행시, 19·23. 경찰승진

**관련판례**

1. 피고인이 차량을 구입하면서 피해자로부터 차량 매수대금을 차용하고 담보로 차량에 피해자 명의의 저당권을 설정해 주었는데, 그 후 대부업자로부터 돈을 차용하면서 차량을 대부업자에게 담보로 제공하여 이른바 '대포차'로 유통되게 한 경우 ⇨ 권리행사방해죄 ○〔대판 2016.11.10, 2016도13734 ∵ 자동차의 소재를 파악하는 것을 현저하게 곤란하게 하거나 불가능하게 하는 행위(은닉)에 해당함〕 20. 법원행시, 21. 7급 검찰

2. 피고인들이 공모하여 렌트카 회사인 甲주식회사를 설립한 다음 乙주식회사 등의 명의로 저당권등록이 되어 있는 다수의 차량들을 사들여 甲회사 소유의 영업용 차량으로 등록한 후 자동차대여사업자등록 취소처분을 받아 차량등록을 직권말소시켜 저당권 등이 소멸되게 한 경우 ⇨ 권리행사방해죄 ○〔대판 2017.5.17, 2017도2230 ∵ 자동차의 소재를 파악하는 것을 현저하게 곤란하게 하거나 불가능하게 하는 행위(은닉)에 해당함〕 18. 경찰간부·수사경과, 21. 7급 검찰, 20·24. 법원행시

**01** **권리행사방해죄에 관한 설명 중 가장 적절하지 않은 것은?**(다툼이 있는 경우 판례에 의함)

16. 경찰간부, 17. 경찰승진

① 甲이 자동차등록원부상 A명의로 등록되어 있는 차량을 B에게 담보로 제공하였음에도 불구하고, B의 승낙 없이 미리 소지하고 있던 위 차량의 보조키를 이용하여 이를 운전하여 간 경우 권리행사방해죄가 성립하지 않는다.

② 무효인 경매절차에서 경매목적물을 경락받아 이를 점유하고 있는 낙찰자의 점유는 동시이행항변권이 있더라도 적법한 점유가 아니므로 그 점유자는 권리행사방해죄에 있어서의 타인의 물건을 점유하고 있는 자라고 할 수 없다.

③ 렌트카회사의 공동대표이사 중 1인이 회사 보유 차량을 자신의 개인적인 채무담보 명목으로 피해자에게 넘겨 주었는데 다른 공동대표이사인 피고인이 위 차량을 몰래 회수하도록 한 경우, 위 피해자의 점유는 권리행사방해죄의 보호대상인 점유에 해당한다.

④ 권리행사방해죄에는 친족상도례에 관한 규정이 적용된다.

⑤ 甲이 명의신탁의 방법으로 乙에게 등기명의를 신탁하여 놓은 점포에 자물쇠를 채워 점포의 임차인을 출입하지 못하게 한 경우에는 권리행사방해죄가 성립하지 아니한다.

**해설** ① 대판 2005.11.10, 2005도6604
② ×：무효인 경매절차에서 경매목적물을 경락받아 이를 점유하고 있는 낙찰자의 점유는 적법한 점유로서 그 점유자는 권리행사방해죄에 있어서의 타인의 물건을 점유하고 있는 자이다(대판 2003.11.28, 2003도4257). ③ 대판 2006.3.23, 2005도4455 ④ 제328조 ⑤ 대판 2005.9.9, 2005도626

**02** **형법 제323조의 권리행사방해죄에 관한 설명 중 가장 옳지 않은 것은?**(다툼이 있는 경우 판례에 의함)

17. 법원행시

① 취거, 은닉 또는 손괴한 물건이 자기 소유의 물건이 아니라면 권리행사방해죄가 성립할 여지가 없다.

② 무효인 부동산경매절차에서 목적부동산을 매수하여 점유하고 있는 사람은 권리행사방해죄에서 타인의 물건을 점유하고 있는 자이다.

③ 본권을 갖지 아니하는 절도범인의 점유는 권리행사방해죄에 있어서 타인의 점유에 해당하지 아니한다.

④ 물건에 대하여 점유를 수반하지 아니하는 채권은 권리행사방해죄의 구성요건 중 타인의 권리에 포함되지 아니한다.

⑤ 권리행사방해죄에서 은닉이란 타인의 점유 또는 권리의 목적이 된 자기 물건 등의 소재를 발견하기 불가능하게 하거나 또는 현저히 곤란한 상태에 두는 것을 말하고, 그로 인하여 권리행사가 방해될 우려가 있는 상태에 이르면 권리행사방해죄가 성립하며 현실로 권리행사가 방해되었을 것까지 필요로 하는 것은 아니다.

**해설** ① 대판 2005.11.10, 2005도6604
② 대판 2003.11.28, 2003도4257 ③ 대판 2003.11.28, 2003도4257
④ ×：~ 권리에 포함된다(대판 1991.4.26, 90도1958). ⑤ 대판 2017.5.17, 2017도2230

**Answer** 1.② 2.④

## 03 권리행사방해죄에 관한 설명 중 가장 옳은 것은?(다툼이 있는 경우 판례에 의함) 20. 법원직

① 물건의 소유자가 아닌 사람은, 권리행사방해죄의 주체가 될 수 없을 뿐만 아니라, 물건 소유자의 권리행사방해 범행에 가담한 경우 그의 공범도 될 수 없다.

② 권리행사방해죄에 있어서의 타인의 점유는 정당한 원인에 기하여 그 물건을 점유하는 권리 있는 점유를 의미하는 것으로, 무효인 경매절차에서 경매목적물을 경락받아 이를 점유하고 있는 낙찰자는 권리행사방해죄에 있어서의 타인의 물건을 점유하고 있는 자에 해당하지 않는다.

③ 중간생략등기형 명의신탁 또는 계약명의신탁의 방식으로 자신의 처에게 등기명의를 신탁하여 놓은 점포에 자물쇠를 채워 점포의 임차인을 출입하지 못하게 한 경우, 그 점포는 권리행사방해죄의 객체인 자기의 물건에 해당하지 않는다.

④ 권리행사방해죄의 구성요건 중 타인의 '권리'에는 물건에 대하여 점유를 수반하지 아니하는 채권은 포함되지 않는다.

**| 해설** ① ×: ~ (1줄) 될 수 없으나, 형법 제33조 본문에 따라 물건의 소유자의 권리행사방해 범행에 가담한 경우에 한하여 그의 공범이 될 수 있다(대판 2017.5.30, 2017도4578).
② ×: ~ 해당한다(대판 2003.11.28, 2003도4257).
③ ○: 대판 2005.9.9, 2005도626
④ ×: ~ 채권도 포함된다(대판 1991.4.26, 90도1958).

## 04 권리행사방해죄에 관한 설명 중 가장 적절하지 않은 것은?(다툼이 있는 경우 판례에 의함) 18. 수사경과

① 피해자와 피고인 사이에 피해자가 피고인 소유의 입목을 벌채하는 등의 공사를 완료하면, 피고인은 피해자에게 대금지급에 갈음하여 그 벌채된 원목을 인도한다는 내용의 계약에 따라 피해자가 위 계약상의 의무를 이행하였지만, 피고인은 위 계약을 이행하지 아니한 채 피해자의 의사에 반하여 벌채된 원목을 타인에게 매도하고 반출하였다면 권리행사방해죄를 구성한다.

② 취거, 은닉 또는 손괴한 물건이 자기의 물건이 아니라면 권리행사방해죄가 성립할 여지가 없다.

③ 피고인이 주식회사의 대표이사로 재직하면서 그 대표이사의 지위에 기한 직무집행행위로서 타인이 점유하고 있는 위 회사 소유의 자동차를 취거하여 간 경우 권리행사방해죄에 해당한다.

④ 피고인들이 공모하여 렌트카 회사인 甲주식회사를 설립한 다음 乙주식회사 등의 명의로 저당권등록이 되어 있는 다수의 차량들을 사들여 甲회사 소유의 영업용 차량으로 등록한 후 자동차대여사업자등록 취소처분을 받아 차량등록을 직권말소시켜 저당권 등이 소멸되게 한 경우 권리행사방해죄가 성립하지 아니한다.

**| 해설** ① 대판 1991.4.26, 90도1958 ② 대판 2005.11.10, 2005도6604 ③ 대판 1992.1.21, 91도1170
④ ×: 권리행사방해죄 ○(대판 2017.5.17, 2017도2230 ∵ 저당권등록 직권말소 ⇨ 은닉 ○)

**Answer** 3. ③ 4. ④

THEMA 09

**다음 중 강제집행면탈죄에 관한 판례의 태도와 일치하는 것은?**

㉠ 채무자가 가압류채권자의 지위에 있으면서 가압류집행해제를 신청함으로써 그 지위를 상실하는 행위는 형법 제327조에서 정한 강제집행면탈행위의 유형에 포함된다.
㉡ 강제집행면탈죄에 있어서 재산에는 동산·부동산뿐만 아니라 재산적 가치가 있어 민사소송법에 의한 강제집행 또는 보전처분이 가능한 특허 내지 실용신안 등을 받을 수 있는 권리도 포함된다.
㉢ 재산의 허위양도 또는 은닉 등의 행위로 인하여 채권자를 해할 위험이 있으면 강제집행면탈죄가 성립하고 반드시 현실적으로 채권자를 해하는 결과가 야기되어야만 강제집행면탈죄가 성립하는 것은 아니다.
㉣ 가압류 후에 목적물의 소유권을 취득한 제3취득자가 다른 사람에 대한 허위의 채무에 기하여 근저당권설정등기 등을 경료하였다면 강제집행면탈죄를 구성한다.
㉤ 타인의 재물을 보관하는 자가 보관하고 있는 재물을 영득할 의사로 '은닉'하였다면 이는 횡령죄를 구성하는 것이고, 이로 인하여 채권자들의 강제집행을 면탈하는 결과를 가져온다면 강제집행면탈죄도 구성한다.
㉥ 채권자가 지급명령의 신청을 한 사실이 없더라도 채권확보를 위하여 소송을 제기할 기세를 보이는 이상 강제집행면탈죄의 객관적 상태요건은 갖추어졌다고 본다.

① ㉠, ㉡, ㉢, ㉥
② ㉡, ㉢, ㉣, ㉥
③ ㉢, ㉣, ㉤, ㉥
④ ㉡, ㉢, ㉥

**| 해설**

㉠ ×: '보전처분 단계에서의 가압류채권자의 지위' 자체는 원칙적으로 민사집행법상 강제집행 또는 보전처분의 대상이 될 수 없어 강제집행면탈죄의 객체에 해당한다고 볼 수 없고, 이는 가압류채무자가 가압류해방금을 공탁한 경우에도 마찬가지이다(대판 2008.9.11, 2006도8721). 17. 순경 1차, 18. 법원직, 20. 변호사시험·경찰승진, 22. 해경간부

㉡ ○: 대판 2001.11.27, 2001도4759 17. 경찰승진, 18. 법원직, 21. 해경승진

㉢ ○: 대판 2009.5.28, 2009도875 17. 순경 1차, 23. 경찰간부·법원직, 24. 경찰승진·해경승진

㉣ ×: 가압류에는 처분금지적 효력이 있으므로 가압류 후에 목적물의 소유권을 취득한 제3취득자가 다른 사람에 대한 허위의 채무에 기하여 근저당권설정등기 등을 경료하더라도 이로써 가압류채권자의 법률상 지위에 어떤 영향을 미치지 않으므로, 강제집행면탈죄에 해당하지 아니한다(대판 2008.5.29, 2008도2476). 15. 사시, 23. 순경 1차

㉤ ×: 타인의 재물을 보관하는 자가 보관하고 있는 재물을 영득할 의사로 은닉하였다면 이는 횡령죄를 구성하는 것이고 채권자들의 강제집행을 면탈하는 결과를 가져온다 하여 이와 별도로 강제집행면탈죄를 구성하는 것은 아니다(대판 2000.9.8, 2000도1447). 15. 사시, 19. 경찰승진, 21. 법원행시

㉥ ○: 대판 1986.10.28, 86도1553 17·20. 변호사시험

» ④

**01** **강제집행면탈죄에 관한 설명 중 가장 옳은 것은?**(다툼이 있는 경우 판례에 의함) 19. 법원직

① 국가의 적정한 강제집행권의 행사를 보호법익으로 한다.

② 강제집행면탈죄가 적용되는 강제집행에는 민사집행의 적용대상인 강제집행 또는 가압류·가처분 등의 집행에 한하지 않고 담보권 실행 등을 위한 경매도 포함된다.

③ 강제집행면탈죄에서 말하는 강제집행에는 금전채권의 강제집행뿐만 아니라 소유권이전등기의 강제집행도 포함된다.

④ 강제집행면탈죄가 성립하기 위해서는 주관적 구성요건으로 채권자를 해한다는 고의가 있으면 족하고, 강제집행을 면할 목적이 있어야 하는 것은 아니다.

| 해설 ① ×: 강제집행면탈죄는 채권자의 권리보호를 주된 보호법익으로 하므로, 채권의 존재가 인정되지 않을 때에는 강제집행면탈죄는 성립하지 않는다(대판 1988.4.12, 88도48).
② ×: ~ 집행에 한하고 ~ 경매는 포함되지 않는다(대판 2015.3.26, 2014도14909).
③ ○: 대판 1983.10.25, 82도808
④ ×: ~ 해한다는 고의 이외에 강제집행을 면할 목적이 있어야 한다(대판 1970.5.12, 70도643).

**02** **강제집행면탈죄에 관한 설명 중 가장 적절하지 않은 것은?**(다툼이 있는 경우 판례에 의함) 17. 경찰승진

① 강제집행면탈죄에 있어서 재산에는 재산적 가치가 있어 민사소송법에 의한 강제집행 또는 보전처분이 가능한 특허 내지 실용신안 등을 받을 수 있는 권리도 포함된다.

② 채무자가 채권자의 가압류집행을 면탈할 목적으로 제3채무자에 대한 채권을 타인에게 허위양도한 경우, 가압류결정 정본이 제3채무자에게 송달되기 전에 채권을 허위로 양도하였다면 강제집행면탈죄가 성립한다.

③ 허위의 채무를 부담하는 내용의 채무변제계약 공정증서를 작성한 후 이에 기하여 채권압류 및 추심명령을 받은 다음 3개월 후에 실제로 위 강제집행에 따른 추심금을 수령한 경우, 강제집행면탈죄는 위 추심금을 수령한 때에 범죄행위가 종료한다고 보아야 하고 그때부터 공소시효가 진행한다.

④ 사업장의 유체동산에 대한 강제집행을 면탈할 목적으로 사업자 등록의 사업자 명의를 변경함이 없이 사업장에서 사용하는 금전등록기의 사업자 이름만을 변경한 경우도 강제집행면탈죄에 있어서 재산의 '은닉'에 해당한다.

| 해설 ① 대판 2001.11.27, 2001도4759
② 대판 2012.6.28, 2012도3999
③ ×: 허위의 채무를 부담하는 내용의 채무변제계약 공정증서를 작성한 후 이에 기하여 채권압류 및 추심명령을 받은 때에, 강제집행면탈죄가 성립함과 동시에 그 범죄행위가 종료되어 공소시효가 진행한다(대판 2009.5.28, 2009도875).
④ 대판 2003.10.9, 2003도3387

Answer 1.③ 2.③

**03** **강제집행면탈죄에 대한 설명 중 가장 적절한 것은?**(다툼이 있는 경우 판례에 의함)

17. 순경 1차, 22. 해경간부

① 이혼을 요구하는 처로부터 재산분할청구권에 근거한 가압류 등 강제집행을 받을 우려가 있는 상태에서 남편이 이를 면탈할 목적으로 허위의 채무를 부담하고 소유권이전청구권 보전가등기를 경료한 경우 강제집행면탈죄가 성립하지 않는다.

② 피고인이 자신의 채권담보의 목적으로 채무자 소유의 선박들에 관하여 가등기를 경료하여 두었다가 채무자와 공모하여 위 선박들을 가압류한 다른 채권자들의 강제집행을 불가능하게 할 목적으로 정확한 청산절차도 거치지 않은 채 의제자백판결을 통하여 선순위 가등기권자인 피고인 앞으로 본등기를 경료함과 동시에 가등기 이후에 경료된 가압류등기 등을 모두 직권말소하게 한 경우 '재산상 은닉'에 해당한다.

③ '보전처분 단계에서의 가압류채권자의 지위' 자체는 원칙적으로 민사집행법상 강제집행 또는 보전처분의 대상이 될 수 없어 강제집행면탈죄의 객체에 해당한다고 볼 수 없으나 가압류채무자가 가압류해방금을 공탁한 경우에는 그렇지 아니하다.

④ 강제집행면탈죄는 반드시 채권자를 해하는 결과가 야기되거나 이로 인하여 행위자가 어떤 이득을 취하여야 성립하므로 허위양도한 부동산의 시가액보다 그 부동산에 의하여 담보된 채무액이 더 많다면 그 허위양도로 인하여 채권자를 해할 위험이 없다.

**| 해설** ① ×: ~ 강제집행면탈죄가 성립한다(대판 2008.6.26, 2008도3184).
② ○: 대판 2000.7.28, 98도4568
③ ×: ~ 공탁한 경우에도 마찬가지이다(대판 2008.9.11, 2006도8721).
④ ×: ~ (2줄) 이득을 취하여야 성립하는 것이 아니므로 ~ 위험이 있다(대판 1999.2.12, 98도2474 ∴ 강제집행면탈죄 ○).

**04** **강제집행면탈죄에 대한 설명으로 옳은 것(○)과 옳지 않은 것(×)을 바르게 연결한 것은?**(다툼이 있는 경우 판례에 의함)

18. 7급 검찰

㉠ 사업장의 유체동산에 대한 강제집행을 면탈할 목적으로 사업자 등록의 사업자 명의를 변경함이 없이 사업장에서 사용하는 금전등록기의 사업자 이름만을 변경한 경우 강제집행면탈죄에 있어서 재산의 '은닉'에 해당한다.

㉡ 민사집행법 제3편의 적용대상인 '담보권 실행 등을 위한 경매'를 면탈할 목적으로 재산을 은닉하는 등의 행위뿐만 아니라 국세징수법에 의한 체납처분을 면탈할 목적으로 재산을 은닉하는 등의 행위도 강제집행면탈죄의 규율대상에 포함되지 않는다.

㉢ 피고인이 회사의 어음 채권자들의 가압류 등을 피할 목적으로 회사의 예금계좌에 입금된 회사 자금을 인출하여 제3자 명의의 다른 계좌로 송금하였으나, 부도처분 방지 차원에서 회사의 어음 채권자들과의 합의하에 채권금액 중 일부만 변제하고 나머지에 대하여는 새로운 어음을 발행하는 등 이른바 어음 되막기 용도의 자금 조성을 위한 경우에 피고인의 강제집행면탈 행위는 정당행위에 해당한다고 볼 수 있다.

Answer 3. ② 4. ①

ⓔ 상계로 인하여 소멸한 것으로 보게 되는 채권에 관하여는 상계의 효력이 발생하는 시점 이후에는 채권의 존재가 인정되지 않으므로 강제집행면탈죄가 성립하지 않는다.
ⓜ 강제집행면탈죄에 있어서 진의에 의하여 재산을 양도하였다면 설령 그것이 강제집행을 면탈할 목적으로 이루어진 것으로 채권자의 불이익을 초래하는 결과가 되었다고 하더라도 강제집행면탈죄의 허위양도 또는 은닉에는 해당하지 아니한다.

| | ㉠ | ㉡ | ㉢ | ㉣ | ㉤ | | ㉠ | ㉡ | ㉢ | ㉣ | ㉤ |
|---|---|---|---|---|---|---|---|---|---|---|---|
| ① | ○ | ○ | × | ○ | ○ | ② | ○ | ○ | ○ | × | × |
| ③ | ○ | × | ○ | ○ | ○ | ④ | × | × | × | ○ | × |

**| 해설** ㉠ ○ : 대판 2003.10.9, 2003도3387
㉡ ○ : 대판 2015.3.26, 2014도14909
㉢ × : 정당행위 ×(대판 2005.10.13, 2005도4522 ∴ 강제집행면탈죄 ○)
㉣ ○ : 대판 2012.8.30, 2011도2252
㉤ ○ : 대판 1983.7.26, 82도1524

## 05 다음 설명 중 가장 옳은 것은? 18. 법원직

① 휴업급여를 받을 권리는 압류금지채권이나 이를 계좌로 수령하면 더는 압류금지의 효력이 미치지 않아 강제집행의 객체가 되므로, 휴업급여를 기존의 압류된 예금계좌에서 압류되지 않은 다른 계좌로 바꾸어 수령하면 강제집행면탈죄가 성립한다.
② 근저당권의 목적물인 기계에 대하여 경매개시결정이 내려진 후 이를 원래 있던 곳에서 가지고 나가 숨겨 두면, 강제집행을 면할 목적으로 재산을 은닉한 것이므로 강제집행면탈죄가 성립한다.
③ '보전처분 단계에서의 가압류채권자의 지위'는 강제집행면탈죄의 객체가 될 수 없다.
④ 특허권이나 실용신안권은 민사집행법에 의한 강제집행이 불가능하므로 강제집행면탈죄의 객체가 될 수 없다.

**| 해설** ① × : ~ (2줄) 객체가 되나, 압류금지채권의 목적물이 채무자의 예금계좌에 입금되기 전까지는 여전히 강제집행 또는 보전처분의 대상이 될 수 없으므로 휴업급여를 ~ 바꾸어 수령하면 강제집행면탈죄가 성립하지 않는다(대판 2017.8.18, 2017도6229).
② × : 형법 제327조의 강제집행면탈죄가 적용되는 강제집행은 민사집행법 제2편의 적용 대상인 '강제집행' 또는 가압류 · 가처분 등의 집행을 가리키는 것이고, 민사집행법 제3편의 적용 대상인 '담보권 실행 등을 위한 경매'를 면탈할 목적으로 재산을 은닉하는 등의 행위는 위 죄의 규율 대상에 포함되지 않는다(대판 2015.3.26, 2014도14909).
③ ○ : 대판 2008.9.11, 2006도8721
④ × : 재산적 가치가 있어 민사집행법에 의한 강제집행 또는 보전처분이 가능한 특허 내지 실용신안 등을 받을 수 있는 권리도 강제집행면탈죄에 있어서의 재산에 포함된다(대판 2001.11.27, 2001도4759).

Answer 5. ③

**06 강제집행면탈죄에 관한 다음 설명 중 옳지 않은 것은 모두 몇 개인가?**(다툼이 있는 경우 판례에 의함) 21. 법원행시

㉠ 산업재해보상보험법 제52조의 휴업급여를 받을 권리는 강제집행면탈죄의 객체에 해당하지 않는다.
㉡ 채권자의 채권이 토지 소유자로서 그 지상 건물의 소유자에 대하여 가지는 건물철거 및 토지 인도청구권인 경우라면, 채무자인 건물 소유자가 제3자에게 허위의 금전채무를 부담하면서 이를 피담보채무로 하여 건물에 관하여 근저당권설정등기를 경료하였다는 것만으로는 건물 소유자에게 강제집행면탈죄가 성립한다고 할 수 없다.
㉢ 이혼을 요구하는 처로부터 재산분할청구권에 근거한 가압류 등 강제집행을 받을 우려가 있는 상태에서 남편이 이를 면탈할 목적으로 허위의 채무를 부담하고 소유권이전청구권보전가등기를 경료한 경우, 강제집행면탈죄가 성립한다.
㉣ 가압류채권자의 지위에 있었던 채무자가 가압류집행해제를 신청함으로써 그 지위를 상실하였다고 하더라도, 강제집행면탈죄가 성립한다고 볼 수 없다.
㉤ 甲이 자신을 상대로 사실혼관계해소 청구소송을 제기한 乙에 대한 채무를 면탈하려고 甲명의 아파트를 담보로 대출을 받아 그중 대부분을 타인 명의 계좌로 입금하여 은닉하였다고 하더라도, 乙의 채권액을 훨씬 상회하는 다른 재산이 甲에게 있었던 이상 강제집행면탈죄는 성립하지 않는다고 봄이 상당하다.
㉥ 채권자들에 의한 복수의 강제집행이 예상되는 경우 재산을 은닉 또는 허위양도함으로써 채권자들을 해하였다면 채권자별로 각각 강제집행면탈죄가 성립하고, 상호 상상적 경합범의 관계에 있다.
㉦ 타인의 재물을 보관하는 자가 보관하고 있는 재물을 영득할 의사로 은닉하였다면 횡령죄를 구성하는 것이고, 채권자들의 강제집행을 면탈하는 결과를 가져온다 하여 이와 별도로 강제집행면탈죄를 구성하는 것은 아니다.

① 없 음 ② 1개 ③ 2개
④ 3개 ⑤ 4개

**해설** ㉠ ○ : 대판 2017.8.18, 2017도6229
㉡ ○ : 대판 2008.6.12, 2008도2279
㉢ ○ : 대판 2008.6.26, 2008도3184
㉣ ○ : 대판 2008.9.11, 2006도8721
㉤ ○ : 대판 2011.9.8, 2011도5165
㉥ ○ : 대판 2011.12.8, 2010도4129
㉦ ○ : 대판 2000.9.8, 2000도1447

Answer 6. ①

**07** **甲은 乙에게 3억원의 금전채무를 지고 있다. 변제기가 지났는데도 甲이 위 채무를 변제하지 못하자 乙은 甲에게 2주 내로 돈을 갚지 않으면 민사소송을 제기하겠다는 취지의 내용증명우편을 발송하였고, 이를 받은 甲은 유일한 재산인 자기 명의의 아파트를 丙에게 매도하였다. 그러나 사실 甲은 丙과 통모하여 실제 매매대금을 주고 받은 사실 없이 丙의 명의로 소유권이전등기만 마쳤다. 이에 관한 설명 중 옳은 것을 모두 고른 것은?**(다툼이 있는 경우 판례에 의함) 20. 변호사시험

> ㉠ 강제집행면탈죄는 채권자가 민사소송을 제기하거나 가압류, 가처분의 신청을 할 기세를 보이고 있는 상태인 경우에도 성립하므로, 위 사례에서 甲은 강제집행면탈의 죄책을 진다.
> ㉡ 만약 丙이 위와 같은 사정을 전혀 모르는 상태에서 甲에게 정당한 매매대금을 지급하고 아파트를 매수한 경우라면 甲에게 강제집행을 면탈할 의도가 있었다고 하더라도 강제집행면탈죄가 성립하지 아니한다.
> ㉢ 만약 甲이 강제집행을 면할 목적으로 丙에게 허위채무를 부담하고 아파트에 근저당권설정등기를 마쳐 주었다면 강제집행면탈죄가 성립하지 않는다.
> ㉣ 만약 위 사례에서 甲이 丙에게 아파트를 양도한 시점에 甲에게 乙의 집행을 확보하기에 충분한 다른 재산이 있다고 하더라도 강제집행면탈죄가 성립한다.

① ㉠, ㉡　② ㉡, ㉢　③ ㉠, ㉡, ㉢
④ ㉠, ㉢, ㉣　⑤ ㉠, ㉡, ㉢, ㉣

**| 해설** ㉠ ○ : 대판 1986.10.28, 86도1191
㉡ ○ : 대판 1983.7.26, 82도1524(∵ 진의에 의한 재산양도 ⇨ 허위양도 ×)
㉢ × : 강제집행면탈죄 ○(대판 1990.3.23, 89도2506)
㉣ × : 채권이 존재하는 경우에도 채무자의 재산은닉 등 행위시를 기준으로 채무자에게 채권자의 집행을 확보하기에 충분한 다른 재산이 있었다면 채권자를 해하였거나 해할 우려가 있다고 쉽사리 단정할 것이 아니다(대판 2011.9.8, 2011도5165 ∴ 강제집행면탈죄 ×).

**08** **강제집행면탈죄에 관한 다음 설명 중 가장 옳지 않은 것은?**(다툼이 있는 경우 판례에 의함) 23. 법원행시

① 甲이 A와 공모하여, A의 B에 대한 채무를 면탈하기 위하여 A 소유의 부동산에 대하여 甲 앞으로 근저당권설정등기를 하였다고 하더라도, A의 B에 대한 채무가 존재하지 아니한다는 판결이 확정된 경우에는 강제집행면탈죄가 성립하지 않는다.
② 허위양도한 부동산의 시가액보다 그 부동산에 의하여 담보된 채무액이 더 많은 경우에도 강제집행면탈죄가 성립할 수 있다.
③ '보전처분 단계에서의 가압류채권자의 지위' 자체는 원칙적으로 민사집행법상 강제집행 또는 보전처분의 대상이 될 수 없어 강제집행면탈죄의 객체에 해당한다고 볼 수 없다.
④ 甲이 타인에게 채무를 부담하고 있는 양 가장하는 방편으로 甲 소유의 부동산들에 관하여 소유권이전청구권보전을 위한 가등기를 경료하여 준 경우, 그와 같이 가등기를 경료

Answer 7.① 8.④

한 사실만으로도 甲이 강제집행을 면탈할 목적으로 허위채무를 부담하여 채권자를 해한 것이라고 할 수 있다.

⑤ 진의에 의하여 재산을 양도하였다면 설령 그것이 강제집행을 면탈할 목적으로 이루어진 것으로서 채권자의 불이익을 초래하는 결과가 되었다고 하더라도 강제집행면탈죄의 허위양도 또는 은닉에는 해당하지 아니한다.

| 해설 ① 대판 1988.4.12, 88도343
② 대판 1999.2.12, 98도2474
③ 대판 2008.9.11, 2006도8721
④ ×: 피고인이 타인에게 채무를 부담하고 있는 양 가장하는 방편으로 피고인 소유의 부동산들에 관하여 소유권이전청구권보전을 위한 가등기를 경료하여 주었다 하더라도 그와 같은 가등기는 원래 순위보전의 효력밖에 없는 것이므로 그와 같이 각 가등기를 경료한 사실만으로는 피고인이 강제집행을 면탈할 목적으로 허위채무를 부담하여 채권자를 해한 것이라고 할 수 없다(대판 1987.8.18, 87도1260).
⑤ 대판 1983.7.26, 82도1524

## 09 강제집행면탈죄에 관한 설명 중 옳은 것은 모두 몇 개인가?(판례에 의함) 기출지문 종합

㉠ 채무자와 제3채무자 사이에 채무자의 장래청구권이 충분하게 표시되었거나 결정된 법률관계가 존재한다면 동산·부동산뿐만 아니라 장래의 권리도 강제집행면탈죄의 객체에 해당한다.
㉡ 약 18억원 정도의 채무초과 상태에 있는 자가 자신이 발행한 약속어음이 부도가 난 경우, 강제집행을 당할 구체적인 위험을 인정할 수 있다.
㉢ 허위채무 등을 공제한 후 채무자의 적극재산이 남는다고 예측되는 경우에는 그 허위채무 부담행위로 채권자를 해할 위험이 있더라도 강제집행면탈죄가 성립하지 않는다.
㉣ 채무자에게 채권자의 집행을 확보하기에 충분한 다른 재산이 있다고 하더라도 채무자가 재산은닉 등의 행위를 하면 강제집행면탈죄는 성립한다.
㉤ 채권자에 의하여 압류된 채무자 소유의 유체동산을 채무자의 모(母)소유인 것으로 사칭하면서 모(母)의 명의로 제3자이의의 소를 제기하고 집행정지결정을 받아 그 집행을 저지하였다면 이는 재산을 은닉한 경우에 해당하여 강제집행면탈죄가 성립한다.

① 2개 ② 3개 ③ 4개 ④ 5개

| 해설 ㉠ ○: 대판 2011.7.28, 2011도6115
㉡ ○: 대판 1999.2.9, 96도3141
㉢ ×: 강제집행면탈죄 ○(대판 2008.4.24, 2007도4585 ∵ 위태범)
㉣ ×: 채권이 존재하는 경우에도 채무자의 재산은닉 등 행위시를 기준으로 채무자에게 채권자의 집행을 확보하기에 충분한 다른 재산이 있었다면 채권자를 해하였거나 해할 우려가 있다고 쉽사리 단정할 것이 아니다(대판 2011.9.8, 2011도5165).
㉤ ○: 대판 1992.12.8, 92도1653

Answer 9. ②

**10** 다음 중 강제집행면탈죄에 관한 판례의 태도와 일치하지 않는 것은 모두 몇 개인가?

기출지문 종합

㉠ 집행할 채권이 조건부채권이라 하여도 보전처분을 면할 목적으로 면탈행위를 한 이상 강제집행면탈죄는 성립되며, 그 후 그 조건의 불성취로 채권의 소멸되었다 하여도 일단 성립한 범죄에는 영향을 미칠 수 없다.

㉡ 장래 발생할 특정의 조건부채권을 담보하기 위하여 부동산에 근저당권을 설정한 경우 강제집행면탈죄가 성립한다.

㉢ 감사원 감사과정에서 등록세 횡령사실이 적발되어 횡령사실에 대한 확인서를 작성하여 제출하고 상급자로부터 빨리 변상조치를 하라는 권유 겸 독촉을 받은 구청직원 甲이 가압류조치에 대비하여 자기소유 부동산을 다른 사람 앞으로 가등기를 마친 경우 甲에게는 강제집행면탈죄가 성립한다.

㉣ 강제집행 면탈의 목적으로 채무자가 그의 제3채무자에 대한 채권을 허위로 양도한 경우에는 제3채무자에게 채권 양도의 통지가 있는 때에 그 범죄행위가 종료하여 그때부터 공소시효가 진행된다.

㉤ 甲주식회사 대표이사 등인 피고인들이 공모하여 회사 채권자들의 강제집행을 면탈할 목적으로 甲회사가 시공 중인 건물에 관한 건축주 명의를 甲회사에서 乙주식회사로 변경하였더라도 위 건물은 지하 4층, 지상 12층으로 건축허가를 받았으나 피고인들이 건축주 명의를 변경한 당시에는 지상 8층까지 골조공사가 완료된 채 공사가 중단되었던 사정에 비추어 민사집행법상 강제집행이나 보전처분의 대상이 될 수 없다.

① 1개　　② 2개　　③ 3개　　④ 4개

**| 해설** ㉠ ○ : 대판 1984.6.12, 82도1544

㉡ × : 피고인이 장래에 발생할 특정의 조건부채권을 담보하기 위한 방편으로 부동산에 대하여 근저당권을 설정한 것이라면, 특별한 사정이 없는 한 이는 장래 발생할 진실한 채무를 담보하기 위한 것으로서, 피고인의 위 행위를 가리켜 강제집행면탈죄 소정의 '허위의 채무를 부담'하는 경우에 해당한다고 할 수 없다(대판 1996.10.25, 96도1531).

㉢ ○ : 대판 1996.1.26, 95도2526

㉣ ○ : 대판 2011.10.13, 2011도6855

㉤ ○ : 대판 2014.10.27, 2014도9442(∴ 강제집행면탈죄 ×)

Answer 10. ①

## 종합문제 권리행사방해죄

**01 다음 설명 중 가장 옳지 않은 것은?**(다툼이 있는 경우 판례에 의함) 17. 법원직

① 렌트카 회사의 공동대표이사 1인으로부터 개인적인 채무담보 명목으로 넘겨받은 회사보유 차량에 대한 점유도 권리행사방해죄의 보호대상인 점유에 해당한다.

② 회사의 전직 대표이사가 회사가 타인에게 담보로 제공한 회사 소유의 물건을 타에 매도한 경우 권리행사방해죄를 구성하지 않는다.

③ 공장근저당권이 설정된 선반기계 등을 이중담보로 제공하기 위하여 이를 다른 장소로 옮긴 경우에도 권리행사방해죄가 성립한다.

④ 채권자에 대한 채무변제로 자기 소유의 건물을 대물변제하기로 하였으나 이를 이행하지 아니하여 채권자가 강제집행을 하려 하자 이를 면하기 위하여 또 다른 채권자와 위 건물에 대하여 대물변제계약을 체결한 경우 강제집행면탈죄가 성립된다.

**해설** ① 대판 2006.3.23, 2005도4455 ② 대판 1985.5.28, 85도494 ③ 대판 1994.9.27, 94도1439 ④ ×: 강제집행면탈죄 ×(대판 1983.9.27, 83도1869 ∵ 또 다른 기존의 채권자와 대물변제계약 체결 ⇨ 진실한 양도 ○, 허위양도 ×)

**02 권리행사를 방해하는 죄에 대한 설명으로 가장 적절한 것은?**(다툼이 있는 경우 판례에 의함) 19. 경찰승진

① 권리행사방해죄에서 '은닉'이란 타인의 점유 또는 권리의 목적이 된 자기 물건 등의 소재를 발견하기 불가능하게 하거나 또는 현저히 곤란한 상태에 두는 것을 말하고, 그로 인하여 권리행사가 방해될 우려가 있는 상태만으로는 부족하고, 현실로 권리행사가 방해되었을 것을 요한다.

② 권리행사방해죄에 있어서의 '취거'란 타인의 점유 또는 권리의 목적이 된 자기의 물건을 그 점유자의 의사에 반하여 그 점유자의 점유로부터 자기 또는 제3자의 점유로 옮기는 것을 말하므로, 점유자의 하자있는 의사에 기하여 점유가 이전된 경우에도 여기에서 말하는 취거로 볼 수 있다.

③ 타인의 재물을 보관하는 자가 보관하고 있는 재물을 영득할 의사로 은닉하였다면 횡령죄를 구성하고 채권자들의 강제집행을 면탈하는 결과를 가져온다면 별도로 강제집행면탈죄를 구성하며 양 죄는 상상적 경합관계에 있다.

④ 권리행사방해죄에서의 보호대상인 '타인의 점유'에는 일단 적법한 권원에 기하여 점유를 개시하였으나 사후에 점유권원을 상실한 경우의 점유, 점유권원의 존부가 외관상 명백하지 아니하여 법정절차를 통하여 권원의 존부가 밝혀질 때까지의 점유, 권원에 기하여 점유를 개시한 것은 아니나 동시이행항변권 등으로 대항할 수 있는 점유 등이 포함된다.

**Answer** 1.④ 2.④

**해설** ① ×：~ (3줄) 상태만으로 족하고, 현실로 ~ 것을 요하지 아니한다(대판 2016.11.10, 2016도13734). ② ×：~ (3줄) 이전된 경우에는 ~ 볼 수는 없다(대판 1988.2.23, 87도1952). ③ ×：~ 구성하는 것은 아니다(대판 1988.2.23, 87도1952). ④ ○：대판 2006.3.23, 2005도4455

## 03 권리행사를 방해하는 죄에 대한 설명 중 가장 적절한 것은?(다툼이 있는 경우 판례에 의함)

**20. 경찰승진**

① '보전처분 단계에서의 가압류채권자의 지위'는 강제집행면탈죄의 객체가 될 수 없다.

② 강제집행면탈죄가 적용되는 강제집행에는 '담보권 실행 등을 위한 경매'를 면탈할 목적으로 재산을 은닉하는 경우도 포함된다.

③ 채권자들이 피고인을 상대로 법적 절차를 취하기 위한 준비를 하고 있지 않았지만, 피고인이 어음의 부도가 있기 전에 강제집행을 면탈하기 위해 자기의 형에게 허위채무를 부담하고 가등기하여 주었다면 강제집행면탈죄가 성립한다.

④ 무효인 경매절차에서 경매목적물을 경락받아 이를 점유하고 있는 낙찰자의 점유는 동시이행항변권이 있더라도 적법한 점유가 아니므로 그 점유자는 권리행사방해죄에 있어서 타인의 물건을 점유하고 있는 자라고 할 수 없다.

**해설** ① ○：대판 2008.9.11, 2006도8721 ② ×：~ 경우는 포함되지 않는다(대판 2015.3.26, 2014도14909). ③ ×：강제집행면탈죄 ×(대판 1987.8.18, 87도1260 ∵ 강제집행을 받을 우려가 있는 상태 ×) ④ ×：동시이행항변권에 의한 점유 ⇨ 적법한 점유 ⇨ 낙찰자의 점유 ⇨ 타인의 물건 점유자 ○(대판 2003.11.28, 2003도4257)

## 04 권리행사를 방해하는 죄에 대한 설명 중 가장 적절하지 않은 것은?(다툼이 있는 경우 판례에 의함)

**21. 순경 2차**

① 무효인 경매절차에서 경매목적물을 경락받아 이를 점유하고 있는 낙찰자의 점유는 적법한 점유로서 그 점유자는 권리행사방해죄에 있어서 타인의 물건을 점유하고 있는 자라고 보아야 한다.

② 주식회사의 대표이사가 그의 지위에 기하여 그 직무집행 행위로서 타인이 점유하는 회사의 물건을 취거한 경우에 그 행위는 회사의 대표기관으로서의 행위라고 평가되므로, 그 회사의 물건은 권리행사방해죄에 있어서의 '자기의 물건'이라고 보아야 한다.

③ 개설자격이 없는 자가 의료기관을 개설하여 의료법을 위반한 병원의 요양급여비용채권은 해당 의료기관의 채권자가 이를 대상으로 하여 강제집행 또는 보전처분의 방법으로 채권의 만족을 얻을 수 있으므로, 강제집행면탈죄의 객체가 된다.

④ 명의신탁자와 명의수탁자가 계약명의신탁 약정을 맺고 명의수탁자가 당사자가 되어 소유자와 부동산에 관한 매매계약을 체결한 후 그 매매계약에 따라 당해 부동산의 소유권이전등기를 명의수탁자 명의로 마친 경우, 명의신탁자는 그 매매계약에 의해서 당해 부동산의 소유권을 취득하지 못하게 되어, 결국 그 부동산은 명의신탁자에 대한 강제집행이나 보전처분의 대상이 될 수 없다.

**Answer** 3.① 4.③

**| 해설** ① 대판 2003.11.28, 2003도4257 ② 대판 1992.1.21, 91도1170
③ ×: 의료법에 의하여 적법하게 개설되지 아니한 의료기관에서 요양급여가 행하여진 경우, 해당 의료기관은 요양급여비용 전부를 청구할 수 없고, 해당 의료기관의 채권자로서도 위 요양급여비용 채권을 대상으로 하여 강제집행 또는 보전처분의 방법으로 채권의 만족을 얻을 수 없는 것이므로, 결국 위와 같은 채권은 강제집행면탈죄의 객체가 되지 아니한다(대판 2017.4.26, 2016도19982). ④ 대판 2011.12.8, 2010도4129

**05** **권리행사를 방해하는 죄에 대한 설명으로 옳지 않은 것은?**(다툼이 있는 경우 판례에 의함)

21. 7급 검찰

① 甲이 차량을 구입하면서 피해자로부터 차량 매수대금을 차용하고 담보로 차량에 피해자 명의의 저당권을 설정해 주었는데, 그 후 대부업자로부터 돈을 차용하면서 차량을 대부업자에게 담보로 제공하여 이른바 '대포차'로 유통되게 한 경우, 甲이 피해자의 권리의 목적이 된 자기의 물건을 은닉하여 권리행사를 방해한 것이다.

② 甲 등이 공모하여 렌트카 회사인 A주식회사를 설립한 다음 B주식회사 등의 명의로 저당권 등록이 되어 있는 다수의 차량들을 사들여 A회사 소유의 영업용 차량으로 등록한 후 자동차대여사업자등록취소처분을 받아 차량등록을 직권말소시켜 저당권 등이 소멸되게 한 경우, B회사 등의 저당권의 목적인 차량들을 은닉하는 방법으로 권리행사를 방해한 것이다.

③ 甲이 A회사의 대표이사의 지위에 기하여 그 직무집행 행위로서 타인이 점유하는 A회사의 물건을 취거한 경우에는, 甲의 행위는 A회사의 대표기관으로서의 행위라고 평가되므로, A회사의 물건도 권리행사방해죄에 있어서의 '자기의 물건'이라고 보아야 할 것이다.

④ 甲이 사업장의 유체동산에 대한 강제집행을 면탈할 목적으로 사업자등록의 사업자 명의를 변경하지 않고, 단순히 사업장에서 사용하는 금전등록기의 사업자 이름만을 변경한 경우, 강제집행면탈죄에 있어서 재산의 '은닉'에 해당하지 않는다.

**| 해설** ① 대판 2016.11.10, 2016도13734 ② 대판 2017.5.17, 2017도2230 ③ 대판 1992.1.21, 91도1170
④ ×: ~'은닉'에 해당한다(대판 2003.10.9, 2003도3387 ∵ 소유관계를 불명확하게 하는 방법에 의한 재산 은닉임).

**06** **권리행사를 방해하는 죄에 대한 설명 중 가장 적절한 것은?**(다툼이 있는 경우 판례에 의함)

23. 경찰승진

① 권리행사방해죄에서 '은닉'이란 타인의 점유 또는 권리의 목적이 된 자기 물건 등의 소재를 발견하기 불가능하게 하거나 또는 현저히 곤란한 상태에 두는 것을 말하고, 그로 인하여 현실적으로 권리행사가 방해되었을 것을 요한다.

② 피고인이 피해자에게 담보로 제공한 차량이 그 자동차등록원부에 타인 명의로 등록되어 있는 경우 피고인이 피해자의 승낙 없이 미리 소지하고 있던 위 차량의 보조키를 이용해서 운전하여 간 행위는 권리행사방해죄를 구성하지 않는다.

③ 물건의 소유자가 아닌 甲이 소유자 乙의 권리행사방해 범행에 가담한 경우, 乙에게 고의가 없어 범죄가 성립하지 않더라도 甲은 권리행사방해죄의 공범으로 처벌될 수 있다.

**Answer** 5.④ 6.②

④ 채권자들이 피고인을 상대로 법적 절차를 취하기 위한 준비를 하고 있지 않았으나, 피고인이 어음의 지급기일 도래 전에 강제집행을 면탈하기 위해 자신의 형에게 허위채무를 부담하고 가등기를 해주었다면 강제집행면탈죄가 성립한다.

| 해설 | ① × : ~ 방해되었을 것까지 요하지 않는다(대판 2016.11.10, 2016도13734).
② ○ : 대판 2005.11.10, 2005도6604
③ × : ~ (2줄) 성립하지 않는다면 공범으로 처벌될 수 없다(대판 2017.5.30, 2017도4578).
④ × : 강제집행면탈죄 ×(대판 1987.8.18, 87도1260 ∵ 강제집행을 받을 우려가 있는 상태 ×)

**07** **손괴의 죄 및 권리행사방해의 죄에 대한 설명으로 가장 적절한 것은?**(다툼이 있는 경우 판례에 의함) 22. 경찰승진

① 계란 30여 개를 건물에 투척한 행위는 건물의 효용을 해한 것으로 볼 수 있으므로 재물손괴죄를 구성한다.
② 소유자의 의사에 따라 어느 장소에 게시 중인 문서를 소유자의 의사에 반하여 떼어내는 것과 같이 소유자의 의사에 따라 형성된 종래의 이용상태를 변경시켜 종래의 상태에 따른 이용을 일시적으로 불가능하게 하는 경우에도 문서손괴죄가 성립할 수 있다.
③ 물건의 소유자가 아닌 甲이 소유자 乙의 권리행사방해 범행에 가담한 경우, 乙에게 고의가 없어 범죄가 성립하지 않더라도 甲은 권리행사방해죄의 공범으로 처벌될 수 있다.
④ 강제집행면탈죄가 성립하기 위해서는 재산의 은닉, 손괴, 허위 양도 또는 허위의 채무를 부담하여 현실적으로 채권자를 해하는 결과가 야기되어야 하고, 채권자를 해할 위험만으로는 강제집행면탈죄가 성립하지 않는다.

| 해설 | ① × : 재물손괴죄 ×(대판 2007.6.28, 2007도2590)
② ○ : 대판 2015.11.27, 2014도13083
③ × : ~ (2줄) 범죄가 성립하지 않는다면 甲은 ~ 처벌될 수 없다(대판 2017.5.30, 2017도4578).
④ × : 형법 제327조의 강제집행면탈죄는 채권자가 본안 또는 보전소송을 제기하거나 제기할 태세를 보이고 있는 상태에서 주관적으로 강제집행을 면탈하려는 목적으로 재산을 은닉, 손괴, 허위양도하거나 허위의 채무를 부담하여 채권자를 해할 위험이 있으면 성립하는 것이고, 반드시 채권자를 해하는 결과가 야기되거나 행위자가 어떤 이득을 취하여야 범죄가 성립하는 것은 아니다(대판 2008.5.8, 2008도198).

**08** **손괴 및 권리행사방해의 죄에 관한 설명 중 가장 적절하지 않은 것은?**(다툼이 있는 경우 판례에 의함) 23. 순경 1차

① 소유자의 의사에 따라 어느 장소에 게시 중인 문서를 소유자의 의사에 반하여 떼어내는 것과 같이 소유자의 의사에 따라 형성된 종래의 이용상태를 변경시켜 종래의 상태에 따른 이용을 일시적으로 불가능하게 하는 경우에도 문서손괴죄가 성립할 수 있다.
② 다른 사람의 소유물을 본래의 용법에 따라 무단으로 사용 수익하는 행위는 소유자를 배제한 채 물건의 이용가치를 영득하는 것이고, 그 때문에 소유자가 물건의 효용을 누리지 못하게 되었다면 그 효용 자체가 침해된 것으로 볼 수 있어 재물손괴죄를 구성한다.

Answer 7. ② 8. ②

③ 물건의 소유자가 아닌 甲은 형법 제33조 본문에 따라 권리행사방해 범행에 가담한 경우에 한하여 권리행사방해죄의 공범이 될 수 있을 뿐이며, 甲과 함께 권리행사방해죄의 공동정범으로 기소된 물건의 소유자 乙에게 고의가 없어 범죄가 성립하지 않는다면 甲에게 공동정범이 성립할 여지가 없다.

④ 가압류 후에 목적물의 소유권을 취득한 제3취득자가 다른 사람에 대한 허위의 채무에 기하여 근저당권설정등기를 경료하더라도 강제집행면탈죄를 구성하지 않는다.

**해설** ① 대판 2015.11.27, 2014도13083
② ×: 다른 사람의 소유물을 본래의 용법에 따라 무단으로 사용·수익하는 행위는 소유자를 배제한 채 물건의 이용가치를 영득하는 것이고, 그 때문에 소유자가 물건의 효용을 누리지 못하게 되었더라도 효용 자체가 침해된 것이 아니므로 재물손괴죄에 해당하지 않는다(대판 2022.11.30, 2022도1410).
③ 대판 2017.5.30, 2017도4578 ④ 대판 2008.5.29, 2008도2476

## 09 **권리행사를 방해하는 죄에 관한 다음 설명 중 옳지 않은 것은 모두 몇 개인가?**(다툼이 있는 경우 판례에 의함)

**24. 법원행시**

㉠ 피고인들이 공모하여 렌트카 회사인 甲주식회사를 설립한 다음 乙주식회사 등의 명의로 저당권등록이 되어 있는 다수의 차량들을 사들여 甲 회사 소유의 영업용 차량으로 등록한 후 자동차대여사업자등록 취소처분을 받아 차량등록을 직권말소시켜 저당권 등이 소멸되게 하였다는 사정만으로는 위 각 차량을 은닉하였다고 단정할 수 없으므로 위 각 차량에 대한 권리행사방해가 성립하지 않는다.
㉡ 배우자 명의로 부동산에 관한 물권을 등기한 경우 만일 명의신탁자가 조세포탈, 강제집행의 면탈 또는 법령상 제한의 회피를 목적으로 명의신탁을 함으로써 명의신탁이 무효로 되는 경우에는 말할 것도 없고, 그러한 목적이 없어서 유효한 명의신탁이 되는 경우에도 제3자인 부동산의 임차인에 대한 관계에서는 명의신탁자는 소유자가 될 수 없으므로, 어느 모로 보나 신탁한 부동산이 권리행사방해죄에서 말하는 '자기의 물건'이라고 할 수 없다.
㉢ 국세징수법에 의한 체납처분을 면탈할 목적으로 재산을 은닉하는 등의 행위는 형법 제327조에서 정한 강제집행면탈죄의 규율 대상에 포함되지 않는다.
㉣ 민사집행법 제3편의 적용 대상인 '담보권 실행 등을 위한 경매'를 면탈할 목적으로 재산을 은닉하는 등의 행위는 형법 제327조에서 정한 강제집행면탈죄의 규율 대상에 포함되지 않는다.
㉤ 압류금지채권의 목적물을 수령하는 데 사용하던 기존 예금계좌가 채권자에 의해 압류된 채무자가 압류되지 않은 다른 예금계좌를 통하여 그 목적물을 수령하더라도 강제집행이 임박한 채권자의 권리를 침해할 위험이 있는 행위라고 볼 수 없으므로 강제집행면탈죄가 성립하지 않는다.

① 없 음 ② 1개 ③ 2개 ④ 3개 ⑤ 4개

**해설** ㉠ ×: 권리행사방해죄 ○〔대판 2017.5.17, 2017도2230 ∵ 자동차의 소재를 파악하는 것을 현저하게 곤란하게 하거나 불가능하게 하는 행위(은닉)에 해당함〕
㉡ ○: 대판 2005.9.9, 2005도626 ㉢ ○: 대판 2012.4.26, 2010도5693
㉣ ○: 대판 2015.3.26, 2014도14909 ㉤ ○: 대판 2017.8.18, 2017도6229

**Answer** 9. ②

## 종합문제 재산죄 및 개인적 법익에 관한 죄

**01** **'재산에 대한 죄'에 대한 설명으로 가장 적절한 것은?**(다툼이 있는 경우 판례에 의함)

18. 경찰승진

① 甲이 A자동차를 절취한 후 자동차등록번호판을 떼어내는 행위는 새로운 법익의 침해로 볼 수 없으므로, 절취한 A자동차의 자동차등록번호판을 떼어내는 행위는 절도범행의 불가벌적 사후행위에 해당한다.

② 甲이 점유자 또는 소유자의 승낙 없이 물건을 갖고 나오다 경비원에게 발각되어 경비원이 절도범인 체포사실을 파출소에 신고 전화하려는데 甲이 경비원에게 대들면서 폭행을 가한 경우 준강도가 성립하지 않는다.

③ 특정 권원에 기하여 민사소송을 진행하던 중 법원에 조작된 증거를 제출하면서 종전에 주장하던 특정 권원과 별개의 허위의 권원을 추가로 주장하는 경우 소송사기의 실행의 착수로 볼 수 있다.

④ 피고인이 타인의 권리의 목적이 된 자기의 물건을 그 점유자의 점유로부터 자기의 점유로 옮긴 경우, 그것이 피고인의 기망에 의한 하자 있는 의사에 기한 것이었다면 권리행사방해죄가 성립한다.

| 해설 ① × : 불가벌적 사후행위 ×(대판 2007.9.6, 2007도4739 ∵ 새로운 법익의 침해 ○)
② × : 준강도죄 ○(대판 1984.7.24, 84도1167)
③ ○ : 대판 2004.6.25, 2003도7124
④ × : 형법 제323조 소정의 권리행사방해죄에 있어서의 취거라 함은 타인의 점유 또는 권리의 목적이 된 자기의 물건을 그 점유자의 의사에 반하여 그 점유자의 점유로부터 자기 또는 제3자의 점유로 옮기는 것을 말하므로 점유자의 의사나 그의 하자 있는 의사에 기하여 점유가 이전된 경우에는 여기에서 말하는 취거로 볼 수는 없다(대판 1988.2.23, 87도1952).

**02** **다음 설명 중 가장 옳은 것은?**(다툼이 있는 경우 판례에 의함) 18. 법원직

① 이른바 '보이스피싱' 범죄에 사용될 것임을 알고 자기 계좌의 통장을 양도한 다음, 그 계좌에 입금된 '보이스피싱' 피해금원을 인출한 경우 그 피해자에 대한 횡령죄가 성립한다.

② 사기죄에서 말하는 처분행위가 인정되려면 피기망자에게 처분결과에 대한 인식이 있어야 하므로, 토지거래허가에 필요한 서류라고 믿고 근저당권설정등기신청서에 날인한 경우 사기죄에서의 처분행위라고 할 수 없다.

③ 변제능력이 없는데도 돈을 빌려주면 갚겠다고 거짓말하여 차용금을 편취한 사기죄가 성립하면, 그 돈을 빌리면서 담보로 제공한 채권을 추심하여 임의로 소비하였더라도 횡령죄는 별도로 성립할 수 없다.

④ 자기 계좌에 타인이 착오로 송금한 돈을 인출한 경우 은행에 대한 사기죄가 성립한다.

Answer 1. ③ 2. ③

| 해설 ① ×：사기죄의 종범 ○, 별도의 횡령죄 ×(대판 2017.5.31, 2017도3894 ∵ 새로운 법익침해 ×, 위탁관계나 신임관계 ×)
② ×：사기죄에서 피기망자의 처분의사는 착오에 빠진 피기망자가 어떤 행위를 한다는 인식이 있으면 충분하고, 그 행위가 가져오는 결과에 대한 인식까지 필요하다고 볼 것은 아니므로, 토지거래허가에 필요한 서류라고 믿고 근저당권설정등기신청서에 날인한 경우 사기죄에서의 처분행위라고 할 수 있다(대판 2017.2.16, 2016도13362 전원합의체).
③ ○：대판 2011.5.13, 2011도1442〔∵ 비양립적 관계(일방의 범죄가 성립되는 때에는 타방의 범죄는 성립할 수 없는 관계)에 있는 사기죄와 횡령죄〕
④ ×：사기죄 ×, 횡령죄 ○(대판 1987.10.13, 87도1778)

**03 다음 설명 중 옳지 않은 것은 모두 몇 개인가?**(다툼이 있는 경우 판례에 의함) 20. 경찰간부

㉠ 사기죄에서 외관상 재물의 교부에 해당하는 행위가 있었으나, 재물이 범인의 사실상의 지배 아래에 들어가 그의 자유로운 처분이 가능한 상태에 놓이지 않고 여전히 피해자의 지배 아래에 있는 것으로 평가되는 경우라면 그 재물에 대한 처분행위가 있었다고 볼 수 없다.
㉡ 재정악화로 어려움을 겪는 회사라 할지라도 합법적인 방법으로 피해자 회사들과 갈등을 해결하려 하지 않고 유예기간 안에 돈을 지급하지 않으면 자동차 부품 생산라인을 중단하여 큰 손실을 입게 만들겠다는 태도를 보였다면 공갈죄가 성립한다.
㉢ 甲이 보이스피싱 조직원 乙에게 자기 명의 계좌의 통장을 양도한 후 乙의 보이스피싱 범행으로 그 계좌에 송금된 사기피해금을 임의로 인출한 경우 乙에 대하여 횡령죄를 구성한다.
㉣ 공무원이 그 임무에 위배되는 행위로써 제3자로 하여금 재산상의 이익을 취득하게 하여 국가에 손해를 가한 경우에도 업무상 배임죄는 성립한다.

① 1개 ② 2개 ③ 3개 ④ 4개

| 해설 ㉠ ○：대판 2018.8.1, 2018도7030
㉡ ○：대판 2019.2.14, 2018도19493
㉢ ×：사기피해자에 대한 횡령죄 ○, 乙에 대한 횡령죄 ×(대판 2018.7.19, 2017도17494 전원합의체)
㉣ ○：대판 2013.9.27, 2013도6835

**04 재산범죄와 관련한 다음 문장에서 괄호 안 어느 곳에도 들어갈 수 없는 죄명은?**(다툼이 있는 경우 판례에 의함) 20. 9급 검찰·마약수사

㉠ 피해자를 살해한 방에서 사망한 피해자 곁에 4시간 30분쯤 있다가 그곳 피해자의 자취방 벽에 걸려 있던 피해자가 소지하는 물건들을 영득의 의사로 가지고 나온 행위는 ( )를 구성한다.
㉡ 점원에게 금고 열쇠와 오토바이 열쇠를 맡기고 금고 안의 돈을 배달될 가스대금으로 지급할 것을 지시한 후 외출하자 점원이 금고 안에서 현금을 꺼내 도주한 행위는 ( )를 구성한다.
㉢ 다른 사람이 PC방에 두고 간 핸드폰을 PC방 주인 등 관리자가 아닌 제3자가 취거해 간 행위는 ( )를 구성한다.

Answer 3.① 4.③

ㄹ 계주가 계원들로부터 월불입금을 모두 징수하였음에도 불구하고 정당한 사유 없이 이를 지정된 계원에게 지급하지 아니한 행위는 다른 특별한 사정이 없는 한 (　　)를 구성한다.
ㅁ 자기 명의의 은행 계좌에 착오로 송금된 돈을 다른 계좌로 이체하는 등 임의로 사용한 행위는 (　　)를 구성한다.

① 절도죄　② 횡령죄
③ 점유이탈물횡령죄　④ 배임죄

**| 해설** ㄱ 절도죄(대판 1993.9.28, 93도2143)
ㄴ 횡령죄(대판 1982.3.9, 81도3396) ㄷ 절도죄(대판 2007.3.14, 2006도9338)
ㄹ 배임죄(대판 1987.2.24, 86도1744) ㅁ 횡령죄(대판 2005.10.28, 2005도5975)

**05** **다음 설명 중 옳은 것을 모두 고른 것은?**(다툼이 있는 경우 판례에 의함) 17. 순경 1차

ㄱ 신용카드를 절취한 사람이 대금을 결제하기 위해 신용카드를 제시하고 카드회사의 승인까지 받았다면 매출전표에 서명한 사실이 없고 도난카드임이 밝혀져 최종적으로 매출취소로 거래가 종결되었더라도 신용카드 부정사용의 기수행위에 해당한다.
ㄴ 배임죄에 있어서 '재산상의 손해를 가한 때'라 함은, 재산상의 현실적인 손해를 발생하게 한 경우뿐만 아니라 현실적인 손해발생의 위험을 생기게 한 경우도 포함하므로, 일반경쟁입찰에 의해 체결하여야 할 공사도급계약을 수의계약에 의하여 체결하였다면 수의계약에 의한 공사대금이 적정한 공사대금의 수준을 벗어나 부당하게 과대하여 일반경쟁입찰에 의해 공사도급계약을 체결할 경우 예상되는 공사대금의 범위를 벗어난 것이 아닐지라도 재산상 손해를 가한 때에 해당한다.
ㄷ 채무자가 채권자에게 동산을 양도담보로 제공하고 점유개정 방법으로 점유하고 있는 상태에서 채무자가 양도담보 목적물을 제3자에게 처분하거나 담보로 제공하였더라도 횡령죄를 구성하지 아니한다.
ㄹ 배임수재죄가 성립되기 위해서는 타인의 사무를 처리하는 자가 그 임무에 관하여 부정한 청탁을 받고 재물 또는 재산상 이익을 취득하는 것만으로는 부족하고 그 부정한 청탁에 상응하는 부정행위 내지 배임행위에 나아갈 것이 요구된다.
ㅁ 피고인이 도난차량인 미등록 수입자동차를 취득하여 신규등록을 마친 후 위 자동차가 장물일지도 모른다고 생각하면서 이를 양도한 경우, 피고인에게 장물양도죄가 인정되지 않는다.

① ㄱ, ㄹ, ㅁ　② ㄴ, ㄷ　③ ㄷ, ㅁ　④ ㄷ

**| 해설** ㄱ ×：~ 미수(기수 ×)행위에 해당한다(대판 2008.2.14, 2007도8767).
ㄴ ×：~ (3줄) 수의계약에 의하여 체결하였지만 ~ (5줄) 공사대금의 범위를 벗어난 것이 아니라면 ~ 해당한다고 할 수 없다(대판 2005.3.25, 2004도5731).
ㄷ ○：대판 2009.2.12, 2008도10971(∵ 동산의 소유권은 채무자에게 유보되어 있음)
ㄹ ×：~ (2줄) 이익을 취득하는 것으로 족하고 그 부정한 ~ 나아갈 것이 요구되지 아니한다(대판 2010.9.9, 2009도10681).
ㅁ ×：장물양도죄 ○(대판 2011.5.13, 2009도3552)

**Answer** 5. ④

**06 재산죄에 대한 다음 설명 중 적절한 것만을 모두 고른 것은?**(다툼이 있는 경우 판례에 의함)

21. 순경 1차

㉠ 절도죄의 성립에 필요한 '불법영득의 의사'는 그것이 물건 자체를 영득할 의사인지 물건의 가치만을 영득할 의사인지를 불문한다.
㉡ 형법 제332조에 규정된 상습절도죄를 범한 범인이 범행의 수단으로 주간에 주거침입을 한 경우, 주거침입행위는 다른 상습절도죄에 흡수되어 1죄만을 구성하고 상습절도죄와 별개로 주거침입죄를 구성하지 않는다.
㉢ 공갈죄의 수단인 협박에 있어서의 해악의 고지가 비록 정당한 권리의 실현 수단으로 사용된 경우라도 그 권리실현의 수단방법이 사회통념상 허용되는 정도나 범위를 넘는다면 공갈죄의 실행에 착수한 것으로 보아야 한다.
㉣ 당사자 사이에 혼인신고가 있었다면, 그 혼인신고가 단지 다른 목적을 달성하기 위한 방편에 불과한 것으로 그들 사이에 참다운 부부관계의 설정을 바라는 효과의사가 없다 하더라도 친족상도례를 적용할 수 있다.

① ㉠, ㉢ ② ㉠, ㉣ ③ ㉡, ㉢ ④ ㉡, ㉣

**해설** ㉠ ○ : 대판 2006.3.24, 2005도8081
㉡ × : 형법 제332조에 규정된 상습절도죄를 범한 범인이 그 범행의 수단으로 주간에 주거침입을 한 경우 그 주간 주거침입행위는 상습절도죄와 별개로 주거침입죄를 구성한다(대판 2015.10.15, 2015도8169).
㉢ ○ : 대판 2019.2.14, 2018도19493
㉣ × : ~ 혼인신고가 있었더라도, ~ 효과의사가 없을 때에는 그 혼인은 무효이므로 친족상도례를 적용할 수 없다(대판 2015.12.10, 2014도11533).

**07 재산범죄에 대한 아래 ㉠부터 ㉤까지의 설명 중 옳고 그름의 표시(○, ×)가 모두 바르게 된 것은?**
(다툼이 있는 경우 판례에 의함)

20. 순경 2차

㉠ 피고인이 자신의 명의로 등록된 자동차를 사실혼 관계에 있던 甲에게 증여하여 甲만이 이를 운행·관리하여 오다가 서로 별거하면서 재산분할 내지 위자료 명목으로 甲이 소유하기로 하였는데, 피고인이 이를 임의로 운전해 간 경우 자동차등록명의와 관계없이 피고인의 행위는 절도죄가 성립한다.
㉡ 절도범인이 일단 체포되었으나 아직 신병확보가 확실하지 않은 단계에서 체포 상태를 면하기 위해 폭행하여 상해를 가한 경우, 그 행위는 절도의 기회에 체포를 면탈할 목적으로 폭행하여 상해를 가한 것으로서 강도상해죄가 성립한다.
㉢ 피고인이 부동산에 대해 甲과 신탁금지약정을 체결한 사실을 A은행에 알리지 아니한 채 위 부동산을 담보신탁하고 A은행에서 대출을 받은 경우 A은행에 대한 사기죄가 성립한다.
㉣ A회사의 경영자인 피고인이, A회사와 B회사 사이에 허위로 작성된 물품공급계약서에 따른 공급을 한 사실이 없음에도 완료하였음을 전제로 B회사를 상대로 물품대금 청구소송을 제기하면서 증거자료로 위 물품공급 계약서를 제출하였다가 그 후 소송을 취하하였다면 사기미수죄가 성립한다.

Answer 6.① 7.②

ⓜ 甲, 乙이 공모하여 甲명의로 개설된 예금계좌의 접근매체를 보이스피싱 조직원 丙에게 양도하고, 丁이 丙에게 속아 위 계좌로 송금한 사기피해금 중 일부를 甲, 乙이 임의로 인출한 경우, 甲, 乙에게 사기죄가 성립하지 않는 이상 丙에 대한 횡령죄를 구성한다.

① ㉠(○), ㉡(○), ㉢(○), ㉣(×), ㉤(×)
② ㉠(○), ㉡(○), ㉢(×), ㉣(○), ㉤(×)
③ ㉠(×), ㉡(×), ㉢(×), ㉣(○), ㉤(○)
④ ㉠(○), ㉡(○), ㉢(×), ㉣(○), ㉤(○)

| 해설 ㉠ ○ : 대판 2013.2.28, 2012도15303
㉡ ○ : 대판 2001.10.23, 2001도4142
㉢ × : 사기죄 ×(대판 2012.4.13, 2011도2989 ∵ 상대방의 법률상 지위에 아무런 영향을 미칠 수 없는 사유까지 상대방에게 고지할 의무 × ⇨ 부작위에 의한 사기죄 ×)
㉣ ○ : 대판 2011.9.8, 2011도7262
㉤ × : 丁(사기피해자)에 대한 횡령죄 ○, 丙(전기통신금융사기범)에 대한 횡령죄 ×(대판 2018.7.19, 2017도17494 전원합의체)

**08** **재산죄의 객체에 관한 설명 중 옳은 것은?**(다툼이 있는 경우 판례에 의함) 20. 변호사시험

① 회사에서 회사컴퓨터에 저장된 정보를 몰래 자신의 저장장치로 복사한 경우, 컴퓨터에 저장된 정보는 절도죄의 객체인 재물이 될 수 있다.
② 협박으로 금전채무 지불각서 1매를 쓰게 하고 이를 강취한 경우, 사법상 유효하지 못한 위 지불각서는 강도죄의 객체인 재산상 이익이 될 수 없다.
③ 대가를 지급하기로 하고 성관계를 가진 뒤 대금을 지급하지 않은 경우, 성행위의 대가는 사기죄의 객체인 재산상 이익이 될 수 없다.
④ 권한 없이 인터넷뱅킹으로 타인의 예금계좌에서 자신의 예금계좌로 돈을 이체한 후 그중 일부를 인출한 돈은 장물죄의 객체가 된다.
⑤ 민사집행법상 보전처분 단계에서 가압류 채권자의 지위는 원칙적으로 강제집행면탈죄의 객체가 될 수 없다.

| 해설 ① × : ~ 될 수 없다(대판 2002.7.12, 2002도745).
② × : ~ 될 수 있다(대판 1994.2.22, 93도428).
③ × : ~ 될 수 있다(대판 2001.10.23, 2001도2991).
④ × : ~ 객체가 될 수 없다(대판 2004.4.16, 2004도353).
⑤ ○ : 대판 2008.9.11, 2006도8721

Answer 8. ⑤

**09 재산범죄에 대한 설명으로 옳은 것(○)과 옳지 않은 것(×)을 바르게 연결한 것은?**(다툼이 있는 경우 판례에 의함)

19. 7급 검찰

㉠ 甲이 자신의 명의로 개설된 예금계좌가 보이스피싱 범행에 이용될 것임을 인식하지 못하고 그 접근매체를 보이스피싱 조직원 乙에게 양도한 후, 사기피해자 A가 乙에게 속아 甲의 계좌로 송금하였는데, 甲이 송금된 피해금의 일부를 별도로 마련된 접근매체를 이용하여 임의로 인출하였다면, 甲에게 사기방조죄는 성립하지 않지만 乙에 대한 횡령죄는 성립한다.
㉡ 甲이 사실혼 관계에 있는 乙 명의로 자동차를 구입하여 피해자 A에게 근저당권을 설정한 후 그 자동차를 성명불상자에게 대포차로 매각한 경우, 乙에게 고의가 없어 권리행사방해죄가 성립하지 않더라도 甲에게는 권리행사방해죄가 성립한다.
㉢ 예금계좌가 압류된 근로자 甲은 장차 지급받게 될 급여가 기존의 압류된 예금계좌로 입금될 경우 그 급여를 사용할 수 없게 되기에, 새로운 예금계좌를 개설하여 그 새로운 예금계좌로 급여를 지급받았다면, 甲에게는 강제집행면탈죄가 성립한다.
㉣ 지입차주인 乙이 지입회사 A와 지입계약을 체결한 후 운행관리권을 위임받아 보관하다가 甲에게 차량의 보관을 위임하였는데, 甲이 지입차량을 乙의 허락없이 임의처분한 경우 甲에게는 횡령죄가 성립하지 않는다.

① ㉠(○), ㉡(×), ㉢(○), ㉣(○)
② ㉠(○), ㉡(○), ㉢(×), ㉣(×)
③ ㉠(×), ㉡(○), ㉢(○), ㉣(×)
④ ㉠(×), ㉡(×), ㉢(×), ㉣(×)

**해설** ㉠ × : A(사기피해자)에 대한 횡령죄 ○, 乙(전기통신금융사기범)에 대한 횡령죄 ×(대판 2018.7.19, 2017도17494 전원합의체)
㉡ × : ~ (3줄) 성립하지 않는다면 甲에게 ~ 성립하지 않는다(대판 2017.5.30, 2017도4578).
㉢ × : 강제집행면탈죄 ×(대판 2017.8.18, 2017도6229 ∵ 기존의 압류된 예금계좌로 입금되기 전까지는 강제집행의 객체 ×)
㉣ × : 횡령죄 ○(대판 2015.6.25, 2015도1944 전원합의체 ∵ 지입차량은 지입회사 A의 소유임 ⇨ 자기가 보관하는 타인의 재물 ○)

**10 재산죄에 관한 설명으로 옳지 않은 것은 모두 몇 개인가?**(다툼이 있는 경우 판례에 의함)

22. 순경 1차

㉠ 채무자가 채권자에 대하여 소비대차 등으로 인한 채무를 부담하고 이를 담보하기 위하여 장래에 부동산의 소유권을 이전하기로 하는 내용의 대물변제예약에서, 약정의 내용에 좇은 이행을 하여야 할 채무는 특별한 사정이 없는 한 '타인의 사무'에 해당하는 것이 원칙이다.
㉡ 횡령죄의 본질이 신임관계에 기초하여 위탁된 타인의 물건을 위법하게 영득하는 데 있음에 비추어 볼 때 위탁신임관계는 횡령죄로 보호할 만한 가치 있는 신임에 의한 것으로 한정함이 타당하다.
㉢ 강제집행절차를 통한 소송사기는 집행절차의 개시신청을 한 때 또는 진행 중인 집행절차에 배당신청을 한 때에 실행에 착수하였다고 볼 것이다.

Answer 9. ④ 10. ①

㉣ 횡령죄는 타인의 재물에 대한 재산범죄로서 재물의 소유권 등 본권을 보호법익으로 하는 범죄이다. 따라서 횡령죄의 객체가 타인의 재물에 속하는 이상 구체적으로 누구의 소유인지는 횡령죄의 성립 여부에 영향이 없다.

㉤ 침해행정 영역에서 일반 국민이 담당 공무원을 기망하여 권력작용에 의한 재산권 제한을 면하는 경우에는 부과권자의 직접적인 권력작용을 사기죄의 보호법익인 재산권과 동일하게 평가할 수 없는 것이므로 사기죄는 성립할 수 없다.

① 1개 ② 2개 ③ 3개 ④ 4개

| 해설 ㉠ ×: ~'타인의 사무'에 해당하지 않는다(대판 2014.8.21, 2014도3363 전원합의체 ∵ 대물변제 예약의 내용에 좇은 이행을 하여야 할 채무는 '자기의 사무'에 해당).
㉡ ○: 대판 2021.2.18, 2016도18761 전원합의체
㉢ ○: 대판 2015.2.12, 2014도10086
㉣ ○: 대판 2019.12.24, 2019도9773
㉤ ○: 대판 2019.12.24, 2019도2003

**11** **재산죄에 관한 설명으로 가장 적절하지 않은 것은?**(다툼이 있는 경우 판례에 의함) 22. 순경 1차

① 형법 제331조(특수절도) 제2항에서 규정한 흉기는 본래 살상용 파괴용으로 만들어진 것이거나 이에 준할 정도의 위험성을 가진 것으로 봄이 상당하다.

② 형법 제330조에 규정된 야간주거침입절도죄 및 형법 제331조 제1항에 규정된 특수절도(야간손괴침입절도)죄를 제외하고 일반적으로 주거침입은 절도죄의 구성요건이 아니므로 절도범인이 범행수단으로 주거침입을 한 경우에 주거침입행위는 절도죄에 흡수되지 아니하고 별개로 주거침입죄를 구성하여 절도죄와는 상상적 경합의 관계에 있다.

③ 甲이 술집 운영자 A로부터 술값의 지급을 요구받자 A를 유인·폭행하고 도주함으로써 술값의 지급을 면하여 재산상 이익을 취득하였다면, 형법 제335조에서 규정하는 준강도죄에는 해당하지 않는다.

④ 횡령죄에서 보관자가 자기 또는 제3자의 이익을 위한 것이 아니라 소유자의 이익을 위하여 이를 처분한 경우에는 특별한 사정이 없는 한 불법영득의 의사를 인정할 수 없다.

| 해설 ① 대판 2012.6.14, 2012도4175
② ×: ~ 실체적 경합(상상적 경합 ×)의 관계에 있다(대판 2015.10.15, 2015도8169).
③ 대판 2014.5.16, 2014도2521
④ 대판 2017.2.15, 2013도14777

Answer 11. ②

**12 재물과 재산상의 이익에 관한 설명으로 가장 적절하지 않은 것은?**(다툼이 있는 경우 판례에 의함)

22. 순경 1차

① 비트코인은 경제적인 가치를 디지털로 표상하여 전자적으로 이전, 저장과 거래가 가능하도록 한 가상자산의 일종으로 사기죄의 객체인 재산상 이익에 해당한다.

② 甲이 乙의 돈을 절취한 다음 다른 금전과 섞거나 교환하지 않고 쇼핑백 등에 넣어 자신의 집에 숨겨두었는데, 丙이 乙의 지시로 甲에게 겁을 주어 쇼핑백 등에 들어 있던 절취된 돈을 교부받아 갈취하였다면, 위 돈은 타인인 甲의 재물이라고 볼 수 없다.

③ 형법 제333조(강도)에서의 '재산상 이익'은 반드시 사법상 유효한 재산상의 이득만을 의미하는 것은 아니나, 단지 외견상 재산상의 이득을 얻을 것이라고 인정할 수 있는 사실관계만으로는 재산상의 이익을 인정할 수 없다.

④ 배임죄에 있어서 재산상의 손해를 가한 때라 함은 현실적인 손해를 가한 경우뿐만 아니라 재산상 실해발생의 위험을 초래한 경우도 포함된다.

**| 해설** ① 대판 2021.11.11, 2021도9855 ② 대판 2012.8.30, 2012도6157
③ ×: ~ (2줄) 의미하는 것이 아니고, 단지 ~ 사실관계만 있으면 재산상의 이익을 인정할 수 있다(대판 1997.2.25, 96도3411).
④ 대판 2006.6.2, 2004도7112

**13 재산범죄에 대한 설명으로 옳지 않은 것은?**(다툼이 있는 경우 판례에 의함) **23. 9급 검찰·마약수사**

① 본범 이외의 자인 피고인이 본범이 절취한 차량이라는 정을 알면서도 본범의 강도행위를 위하여 그 차량을 운전해 준 경우, 강도예비죄의 고의는 별론으로 장물운반의 고의는 인정되지 않는다고 봄이 상당하다.

② 채권 담보를 위하여 장래에 부동산의 소유권을 이전하기로 하는 내용의 대물변제예약에서, 채무자가 약정의 내용에 좇은 이행을 하여야 할 채무는 특별한 사정이 없는 한 자기의 사무에 해당하는 것이 원칙이다.

③ 피고인이 중간생략등기형 명의신탁의 방식으로 자신의 처에게 등기명의를 신탁하여 놓은 점포에 자물쇠를 채워 점포의 임차인을 출입하지 못하게 한 경우, 그 점포는 권리행사방해죄의 객체인 자기의 물건에 해당하지 아니한다.

④ 경리직원이 회사의 기존 장부를 새로운 장부로 이기하는 과정에서 누계 등을 잘못 기재하자 그 부분을 찢어버리고 계속하여 종전장부의 기재내용을 모두 이기한 경우, 특별한 사정이 없는 한 그 찢어버린 부분은 손괴죄의 객체인 재물로 볼 수 없다.

**| 해설** ① ×: ~ 운전해 준 경우, 강도예비와 아울러 장물운반의 고의를 가지고 위와 같은 행위를 하였다고 봄이 상당하다(대판 1999.3.26, 98도3030 ∴ 강도예비죄와 장물운반죄의 상상적 경합).
② 대판 2014.8.21, 2014도3363 전원합의체
③ 대판 2005.9.9, 2005도625 ④ 대판 1989.10.24, 88도1296

**Answer** 12. ③ 13. ①

**14** **다음 설명 중 옳은 것은?**(다툼이 있는 경우 판례에 의함) 20. 9급 검찰 · 마약수사

① 강제추행죄는 정범 자신이 직접 범죄를 실행하여야 성립하는 자수범이지만, 피해자를 도구로 삼아 피해자의 신체를 이용하여 추행행위를 한 경우에도 강제추행죄의 간접정범에 해당할 수 있다.

② 피해자가 심신상실 또는 항거불능의 상태에 있다고 인식하고 그러한 상태를 이용하여 간음할 의사로 피해자를 간음하였으나 피해자가 실제로는 심신상실 또는 항거불능의 상태에 있지 않았던 경우, 준강간죄의 미수범이 성립한다.

③ 계좌명의인이 개설한 예금계좌가 사기 범행에 이용되어 그 계좌에 피해자가 사기피해금을 송금 · 이체한 경우, 해당 계좌의 명의인은 피해자를 위하여 사기피해금을 보관하는 지위에 있다고 볼 수 없다.

④ 손자가 할아버지 소유 예금통장을 절취하여 이를 현금자동지급기에 넣고 조작하는 방법으로 예금 잔고를 자신의 거래은행 계좌로 이체한 경우, 손자에게 형법상 친족상도례를 적용할 수 있다.

| 해설 ① × : ~ 성립하는 자수범이라고 볼 수 없으므로, ~ 수 있다(대판 2018.2.8, 2016도17733).
② ○ : 대판 2019.3.28, 2018도16002 전원합의체(준강간죄의 불능미수 ○)
③ × : ~ 볼 수 있다(대판 2018.7.19, 2017도17494 전원합의체 ∴ 계좌명의인이 영득할 의사로 인출하면 횡령죄가 성립한다). ④ × : 친족상도례 적용 ×(대판 2007.3.15, 2006도2704 ∵ 은행이 피해자임)

**15** **재산죄에 관한 설명 중 가장 적절한 것은?**(다툼이 있는 경우 판례에 의함) 23. 순경 1차

① 甲과 乙이 공동으로 생강밭을 경작하여 그 이익을 분배하기로 약정하고 생강농사를 시작하였으나, 곧바로 동업관계에 불화가 생겨 乙이 묵시적으로 동업 탈퇴의 의사표시를 한 채 생강밭에 나오지 않자, 그때부터 甲이 혼자 생강밭을 경작하고 수확하여 생강을 반출한 경우, 甲의 행위는 절도죄를 구성한다.

② 절도죄의 성립에 필요한 불법영득의 의사는 물건의 가치만을 영득할 의사만으로는 부족하고, 재물의 소유권 또는 이에 준하는 본권을 영구적으로 보유할 의사를 필요로 한다.

③ 횡령범인이 위탁자가 소유자를 위해 보관하고 있는 물건을 위탁자로부터 보관받아 이를 횡령한 경우, 범인과 피해물건의 소유자 사이에 친족관계가 있으면 범인과 위탁자 사이에 친족관계가 없더라도 친족상도례가 적용된다.

④ 재산범죄를 저지른 이후에 별도의 재산범죄의 구성요건에 해당하는 사후행위가 있었다면 비록 그 행위가 불가벌적 사후 행위로서 처벌의 대상이 되지 않는다 할지라도 그 사후행위로 인하여 취득한 물건은 재산범죄로 인하여 취득한 물건으로서 장물이 될 수 있다.

| 해설 ① × : 절도죄 ×〔대판 2009.2.12, 2008도11804 ∵ 두 사람의 동업관계(조합관계)에 있어 그중 1인이 탈퇴하면 조합관계는 해산됨이 없이 종료되어 청산이 뒤따르지 아니하며 조합원의 합유에 속한 조합재산은 남은 조합원의 단독소유에 속하고, 탈퇴자와 남은 자 사이에 탈퇴로 인한 계산을 하여야 함.〕

Answer 14. ② 15. ④

② × : 반드시 영구적으로 보유할 의사가 아니더라도 재물의 소유권 또는 이에 준하는 본권을 침해하는 의사가 있으면 절도죄의 성립에 필요한 불법영득의 의사를 인정할 수 있고, 그것이 물건 자체를 영득할 의사인지 물건의 가치만을 영득할 의사인지는 불문한다(대판 2014.2.21, 2013도14139).
③ × : 친족상도례 적용 ×(대판 2008.7.24, 2008도3438 ∵ 피해물건의 소유자 및 위탁자 모두와의 친족관계가 있어야만 친족상도례가 적용됨.)
④ ○ : 대판 2004.4.16, 2004도353

## 16 형법상 구성요건에 대한 설명으로 옳은 것은?(다툼이 있는 경우 판례에 의함) 21. 경찰간부

① 특수상해죄(형법 제258조의 2)는 흉기를 휴대하거나 2인 이상이 합동하여 상해 또는 존속상해의 죄를 범한 경우를 처벌하는 규정이다.
② 중체포・감금죄(형법 제277조)는 사람을 체포 또는 감금하여 생명에 대한 위험을 발생하게 한 경우를 처벌하는 규정으로, 결과적 가중범이자 구체적 위험범이다.
③ 준사기죄(형법 제348조)는 미성년자의 심신상실 또는 항거 불능 상태를 이용하여 재물의 교부를 받거나 재산상의 이익을 취득한 경우를 처벌하는 규정이다.
④ 업무상 과실장물취득죄(형법 제364조)는 '업무'가 신분요소로 작용하는 경우로서, 업무자의 신분이 있는 경우에만 범죄가 성립하는 진정신분범이다.

**해설** ① × : ~ ( )는 단체 또는 다중의 위력을 보이거나 위험한 물건을 휴대하여 상해 ~ 규정이다.
② × : 중체포・감금죄 ⇨ 결과적 가중범 ×, 구체적 위험범 ×
③ × : ~ ( )는 미성년자의 지려천박 또는 사람의 심신장애를 이용하여 재물의 ~ 규정이다.
④ ○ : 옳다.

## 17 개인적 법익에 대한 죄에 관한 설명 중 옳지 않은 것은?(다툼이 있는 경우 판례에 의함) 23. 변호사시험

① 주식회사의 대표이사 甲이 대표이사의 지위에 기하여 그 직무집행행위로서 타인이 적법하게 점유하는 위 회사의 물건을 취거하였다 하더라도, 그 물건은 甲의 소유가 아니므로 甲에게 권리행사방해죄가 성립하지 않는다.
② 甲이 자신의 차를 가로막는 A를 부딪친 것은 아니라고 하더라도, A를 부딪칠 듯이 차를 조금씩 전진시키는 것을 반복하는 행위는 특수폭행죄를 구성한다.
③ 강간치상의 범행을 저지른 甲이 그 범행으로 인하여 실신상태에 있는 피해자를 구호하지 아니하고 방치하였다 하더라도, 유기죄는 성립하지 아니하고 포괄적으로 단일의 강간치상죄만 성립한다.
④ 형법은 유사강간죄의 예비・음모행위를 처벌하는 규정을 두고 있다.
⑤ 인신매매죄에 대해서는 세계주의가 적용된다.

**해설** ① × : ~ (2줄) 그 회사의 물건을 취거한 경우 甲의 행위는 주식회사의 대표기관으로서의 행위라고 평가되므로, 그 물건은 甲의 물건이라고 보아 甲에게 권리행사방해죄가 성립한다(대판 1992.1.21, 91도1170).
② 대판 2016.10.27, 2016도9302 ③ 대판 1980.6.24, 80도726 ④ 제305조의 3 ⑤ 제296조의 2

**Answer** 16. ④ 17. ①

**18** **재산범죄에 대한 설명 중 옳은 것은 모두 몇 개인가?**(다툼이 있는 경우 판례에 의함)
23. 경찰간부

㉠ 甲이 야외 결혼식장에서 신부 측 축의금 접수인인 것처럼 행세하면서 하객이 신부 측 접수대에 축의금을 교부하자 이를 가져간 경우, 사기죄가 성립하지 아니하고 절도죄가 성립한다.
㉡ 甲이 노상에 주차된 차 안의 현금을 절취하기로 마음먹고 물색하다가 A의 승합차 안에 있는 지갑을 발견하고 차 문이 잠겨 있는지 확인하기 위해 양손으로 운전석 문의 손잡이를 잡아당겼다면, 절도죄의 실행에 착수한 것이다.
㉢ 甲과 乙이 수회에 걸쳐서 "총을 훔쳐 전역 후 은행이나 현금수송차량을 털어 한탕하자"는 말만 나눈 경우, 강도음모죄가 성립하지 아니한다.
㉣ 장물취득죄에서 '취득'이라 함은 점유를 이전받음으로써 그 장물에 대하여 사실상의 처분권을 획득하는 것을 의미하고, 취득 당시 장물인 정을 알면서 이를 취득하여야 장물취득죄가 성립한다.
㉤ 강제집행면탈죄는 채권자를 해하는 결과가 야기되거나 이로 인하여 행위자가 일정한 이득을 취하여야 성립한다.

① 2개 ② 3개 ③ 4개 ④ 5개

**| 해설** ㉠ ○ : 대판 1996.12.20, 96도2227
㉡ ○ : 대판 2009.9.24, 2009도5595
㉢ ○ : 대판 1999.11.12, 99도3801
㉣ ○ : 대판 2003.5.13, 2003도1366
㉤ × : ~ 이득을 취하여야 성립하는 것은 아니다(대판 1999.2.12, 98도2474 ∵ 강제집행면탈죄는 위험범임).

**19** **재산죄에 관한 설명으로 가장 적절하지 않은 것은?**(다툼이 있는 경우 판례에 의함) 23. 순경 2차

① 사기죄의 보호법익은 재산권이므로 도급계약이나 물품구매 조달 계약 체결 당시 관련 영업 또는 업무를 규제하는 행정법규나 입찰 참가자격, 계약절차 등에 관한 규정을 위반한 사정이 있더라도 그러한 사정만으로 도급계약을 체결한 행위가 기망행위에 해당한다고 단정해서는 안 된다.
② 예금주인 현금카드 소유자를 협박하여 그 카드를 갈취한 다음 피해자의 승낙에 의하여 현금카드를 사용할 권한을 부여받아 이를 이용하여 현금자동지급기에서 현금을 인출한 행위는 현금카드 갈취행위와 분리하여 따로 절도죄로 처단할 수는 없다.
③ 자동차를 절취한 후 자동차등록번호판을 떼어내는 행위는 새로운 법익의 침해로 보아야 하므로 이와 같은 번호판을 떼어내는 행위가 절도범행의 불가벌적 사후행위가 되는 것은 아니다.
④ 절도범인으로부터 장물보관 의뢰를 받은 자가 그 정을 알면서 이를 인도받아 보관하고 있다가 그 보관 장물을 임의로 처분하였다면 장물보관죄 외에 별도로 횡령죄가 성립한다.

Answer 18. ③ 19. ④

**해설** ① 대판 2023.1.12, 2017도14104
② 대판 1996.9.20, 95도1728
③ 대판 2007.9.6, 2007도4739
④ ×: ~ 별도로 횡령죄가 성립하지 않는다(대판 2004.4.9, 2003도8219).

## 20 재산죄에 관한 설명으로 옳지 않은 것은 모두 몇 개인가?(다툼이 있는 경우 판례에 의함)

23. 순경 2차

㉠ 회사직원이 퇴사한 후에는 특별한 사정이 없는 한 더 이상 업무상 배임죄에서 타인의 사무를 처리하는 자의 지위에 있다고 볼 수 없어, 퇴사한 회사직원이 반환하거나 폐기하지 아니한 영업비밀 등을 경쟁업체에 유출하거나 스스로의 이익을 위하여 이용하더라도 그 유출 내지 이용행위에 대하여는 따로 업무상 배임죄를 구성할 여지는 없다.
㉡ A는 드라이버를 구매하기 위해 특정 매장에 방문하였다가 자신의 지갑을 떨어뜨렸는데, 10분쯤 후 甲이 같은 매장에서 우산을 구매하고 계산을 마친 뒤, 그 지갑을 발견하여 습득한 매장주인 B로부터 "이 지갑이 선생님 지갑이 맞느냐?"라는 질문을 받자 "내 것이 맞다."라고 대답한 후 이를 교부받아 가지고 갔다면 甲에게는 절도죄가 아니라 사기죄가 성립한다.
㉢ 업무상 배임죄에 있어 '재산상 이익취득'과 '재산상 손해발생'은 대등한 범죄성립요건이고, 따라서 임무위배행위로 인하여 여러 재산상 이익과 손해가 발생하더라도 재산상 이익과 손해 사이에 서로 대응하는 관계에 있는 등 일정한 관련성이 인정되어야 업무상 배임죄가 성립한다.
㉣ 주류회사 이사인 甲은 A를 상대로 주류대금 청구소송을 제기한 민사분쟁 중에 A의 착오로 위 주류회사 명의계좌로 송금된 4,700,000원을 보관하게 되었고, 이후 A로부터 해당 금원이 착오송금된 것이라는 사정을 문자메시지를 통해 고지받았음에도 불구하고, 甲 본인이 주장하는 채권액인 1,108,310원을 임의로 상계 정산하여 반환을 거부하였다면, 설령 나머지 금액을 반환하고 상계권 행사의 의사를 충분히 밝혔다 하더라도 甲에게는 횡령죄가 성립한다.

① 0개　② 1개　③ 2개　④ 3개

**해설** ㉠ ○: 대판 2017.6.29, 2017도3808
㉡ ○: 대판 2022.12.29, 2022도12494(∵ B는 지갑을 습득하여 진정한 소유자에게 돌려주어야 하는 지위에 있으므로 甲을 위하여 이를 처분할 수 있는 권능을 갖거나 그 지위에 있었으며, 이러한 처분 권능과 지위에 기초하여 지갑의 소유자라고 주장하는 피고인에게 지갑을 교부하였고 이를 통해 피고인이 지갑을 취득하여 자유로운 처분이 가능한 상태가 되었으므로, 乙의 행위는 사기죄에서 말하는 처분행위에 해당하고 피고인의 행위를 절취행위로 평가할 수 없다.)
㉢ ○: 대판 2021.11.25, 2016도3452
㉣ ×: ~ (4줄) 반환을 거부한 행위는 정당한 상계권의 행사로 볼 여지가 있으므로, 피고인의 반환거부행위가 횡령행위와 같다고 볼 수 없어 불법영득의사를 인정할 수 없다(대판 2022.12.29, 2021도2088 ∴ 횡령죄 ×).

Answer 20. ②

**21** **다음 중 가장 적절한 것은?**(다툼이 있는 경우 판례에 의함) 23. 순경 2차

① 甲은 건물의 소유자로, 해당 건물을 매입하기 위한 소요자금을 대납하는 조건으로 해당 건물에서 약 2개월 동안 거주하고 있던 A가 위 금액을 입금하지 않자, A를 내쫓을 목적으로 아들인 乙에게 A가 거주하는 곳의 현관문에 설치된 디지털 도어락의 비밀번호를 변경할 것을 지시하고, 이에 따라 乙이 그 도어락의 비밀번호를 변경하였다면 甲에게는 권리행사방해교사죄가 성립한다.

② 甲이 타인소유 토지의 이용을 방해할 목적으로 권한 없이 건물을 신축하였다면, 이는 다른 사람의 소유물을 본래의 용법에 따라 무단으로 사용·수익하는 행위로 소유자를 배제한 채 물건의 이용가치를 영득하는 것이고 그 결과 소유자가 물건의 효용을 누리지 못하게 된 것으로 볼 수 있어 이와 같은 甲의 행위는 재물손괴죄에 해당한다.

③ 건물의 임차인인 甲이 임대인 A에 대한 임대차보증금반환채권을 B에게 양도하였는데도 A에게 채권양도 통지를 하지 않고 A로부터 남아 있던 임대차보증금을 반환받아 보관하던 중 개인적인 용도로 사용하였다면 甲에게는 횡령죄가 성립한다.

④ 甲은 PC방에 게임을 하러 온 A로부터 20,000원을 인출해 오라는 부탁과 함께 현금카드를 건네받게 되자, 위법하게 이득할 의사로 권한 없이 그 위임받은 금액을 초과한 50,000원을 인출한 후 그중 20,000원만 A에게 건네주고 30,000원을 취득하였다면, 甲의 행위는 그 차액 상당액에 관하여 컴퓨터 등 사용사기죄에 해당한다.

**| 해설** ① ×: 대판 2022.9.15, 2022도5827〔甲(정범): 권리행사방해죄 ×(∵ 도어락은 乙소유의 물건 ○, 甲소유의 물건 ×), 乙: 권리행사방해죄의 교사범 ×(∵ 교사범이 성립하려면 정범의 범죄행위가 인정되어야 한다.)〕

② ×: ~ (3줄) 영득하는 것이고, 그 때문에 소유자가 물건의 효용을 누리지 못하게 되었더라도 효용 자체가 침해된 것이 아니므로 재물손괴죄에 해당하지 않는다(대판 2022.11.30, 2022도1410).

③ ×: 횡령죄 ×(대판 2022.6.23, 2017도3829 전원합의체 ∵ 특별한 사정이 없는 한 금전의 소유권은 채권양수인이 아니라 채권양도인에게 귀속하고 채권양도인이 채권양수인을 위하여 양도 채권의 보전에 관한 사무를 처리하는 신임관계가 존재한다고 볼 수 없다.)

④ ○: 대판 2006.3.24, 2005도3516

Answer 21. ④

## 22 재산죄에 관한 설명 중 옳지 않은 것을 모두 고른 것은?(다툼이 있는 경우 판례에 의함)

24. 변호사시험

㉠ 지입회사에 소유권이 있는 차량에 대하여 지입회사로부터 운행관리권을 위임받은 지입차주 甲이 지입회사의 승낙 없이 보관 중인 차량을 사실상 처분하더라도 법률상 처분권한이 없기 때문에 횡령죄가 성립하지 않는다.
㉡ 甲이 피해자 경영의 금은방에서 마치 귀금속을 구입할 것처럼 가장하여 피해자로부터 금목걸이를 건네받은 다음 화장실에 갔다 오겠다는 핑계를 대고 도주한 행위는 절도죄에 해당한다.
㉢ 甲이 토지의 소유자이자 매도인 A에게 토지거래허가 등에 필요한 서류라고 속여 근저당권설정계약서 등에 서명·날인하게 하고 인감증명서를 교부받은 다음, 이를 이용하여 A 소유 토지에 甲을 채무자로 한 근저당권을 B에게 설정하여 주고 돈을 차용한 경우에도 A의 처분의사가 인정되므로 사기죄에 해당한다.
㉣ 甲이 A에게 자신의 자동차를 양도담보로 제공하기로 약정한 후 B에게 임의로 매도하고 B 명의로 이전등록을 해 준 경우, 등록을 요하는 재산인 자동차 등에 관하여 양도담보설정계약을 체결한 채무자는 채권자에 대하여 그의 사무를 처리하는 지위가 인정되어 그 임무에 위배하여 이를 타에 처분하였다면 배임죄가 성립한다.
㉤ 甲이 권리자의 착오나 가상자산 운영 시스템의 오류 등으로 법률상 원인관계 없이 자신의 전자지갑에 이체된 가상자산을 반환하지 않고 자신의 또 다른 전자지갑에 이체하였다면 착오송금의 법리가 적용되어 배임죄가 성립한다.

① ㉠, ㉡, ㉢ ② ㉠, ㉡, ㉣ ③ ㉠, ㉣, ㉤
④ ㉡, ㉣, ㉤ ⑤ ㉢, ㉣, ㉤

**해설** ㉠ ×: ~ (2줄) 차량을 사실상 처분한 경우, 법률상 처분권한이 없어도 횡령죄가 성립한다(대판 2015.6.25, 2015도1944 전원합의체).
㉡ ○: 대판 1994.8.12, 94도1487
㉢ ○: 대판 2017.2.16, 2016도13362 전원합의체
㉣ ×: 권리이전에 등기·등록을 요하는 동산(자동차 등)에 관하여 양도담보설정계약을 체결한 채무자는 채권자에 대하여 그의 사무를 처리하는 지위에 있지 아니하므로, 채무자가 채권자에게 양도담보설정계약에 따른 의무를 다하지 아니하고 이를 타에 처분하였다고 하더라도 배임죄가 성립하지 아니한다(대판 2022.12.22, 2020도8682 전원합의체).
㉤ ×: ~ (2줄) 다른 지갑에 이체한 경우, 착오송금의 법리가 적용되지 않아 배임죄가 성립하지 않는다(대판 2021.12.16, 2020도9789).

Answer 22. ③

PART

# 02

# 사회적 법익에 대한 죄

# CHAPTER 01 공공의 안전과 평온에 대한 죄

## 제1절 공안을 해하는 죄

### 관련조문

**제114조 【범죄단체 등의 조직】** 사형, 무기 또는 장기 4년 이상의 징역에 해당하는 범죄를 목적으로 하는 단체 또는 집단을 조직하거나, 이에 가입 또는 그 구성원으로 활동한 사람은 그 목적한 죄에 정한 형으로 처벌한다. 다만, 형을 감경할 수 있다.

**제115조 【소요】** 다중이 집합하여 폭행, 협박 또는 손괴의 행위를 한 자는 1년 이상 10년 이하의 징역이나 금고 또는 1천 500만원 이하의 벌금에 처한다.

▶ 목적범 ×, 미수범 처벌규정 ×

**제116조 【다중불해산】** 폭행, 협박 또는 손괴의 행위를 할 목적으로 다중이 집합하여 그를 단속할 권한이 있는 공무원으로부터 3회(2회 ×) 이상의 해산명령을 받고 해산하지 아니한 자는 2년 이하의 징역이나 금고 또는 300만원 이하의 벌금에 처한다.

▶ 목적범 ○, 미수범 처벌규정 ×, 진정부작위범 ○

**제117조 【전시공수계약불이행】** ① 전쟁, 천재 기타 사변에 있어서 국가 또는 공공단체와 체결한 식량 기타 생활필수품의 공급계약을 정당한 이유 없이 이행하지 아니한 자는 3년 이하의 징역 또는 500만원 이하의 벌금에 처한다.

② 전항의 계약이행을 방해한 자도 전항의 형과 같다.

▶ 진정부작위범 ○, 미수범 처벌규정 ×

**제118조 【공무원자격의 사칭】** 공무원의 자격을 사칭하여 그 직권을 행사한 자는 3년 이하의 징역 또는 700만원 이하의 벌금에 처한다.

▶ 목적범 ×, 미수범 처벌규정 ×

### 관련판례

형법 제114조에서 정한 '범죄를 목적으로 하는 단체'란 특정 다수인이 일정한 범죄를 수행한다는 공동목적 아래 구성한 계속적인 결합체로서 그 단체를 주도하거나 내부의 질서를 유지하는 최소한의 통솔체계를 갖춘 것을 의미한다(대판 2020.8.20, 2019도16263). 17. 경찰간부, 20. 순경 1차, 22. 법원행시 · 해경간부 · 수사경과, 21 · 23. 경찰승진 형법 제114조에서 정한 '범죄를 목적으로 하는 집단'이란 특정 다수인이 사형, 무기 또는 장기 4년 이상의 범죄를 수행한다는 공동목적 아래 구성원들이 정해진 역할분담에 따라 행동함으로써 범죄를 반복적으로 실행할 수 있는 조직체계를 갖춘 계속적인 결합체를 의미한다. '범죄단체'에서 요구되는 '최소한의 통솔체계'를 갖출 필요는 없지만, 범죄의 계획과 실행을 용이하게 할 정도의 조직적 구조를 갖추어야 한다(대판 2020.8.20, 2019도16263). 21. 법원직, 22. 법원행시, 23. 경찰간부 · 경찰승진

**01** **형법상 범죄단체조직죄에 대한 설명으로 가장 적절하지 않은 것은?**(다툼이 있는 경우 판례에 의함)

21. 경찰승진, 22. 수사경과

① 사형, 무기 또는 장기 4년 이상의 징역에 해당하는 범죄를 목적으로 하는 단체 또는 집단을 조직하거나 이에 가입 또는 그 구성원으로 활동한 사람은 그 목적한 죄에 정한 형으로 처벌한다. 다만, 그 형을 감경할 수 있다.

② 범죄를 목적으로 하는 단체라 함은 특정 다수인이 일정한 범죄를 수행한다는 공동목적 아래 구성한 계속적인 결합체로서 그 단체를 주도하거나 내부의 질서를 유지하는 최소한의 통솔체계를 갖추고 있음을 요한다.

③ 사기범죄를 목적으로 구성된 다수인의 계속적인 결합체로서 총책을 중심으로 간부급 조직원들과 상담원들, 현금인출책 등으로 구성되어 내부의 위계질서가 유지되고 조직원의 역할 분담이 이루어지는 최소한의 통솔체계를 갖추고 있는 보이스피싱 사기조직은 형법상의 범죄단체에 해당한다.

④ 사기범죄를 목적으로 구성된 범죄단체에 가입하는 행위 또는 그 범죄단체 구성원으로서 활동하는 행위와 목적된 범죄인 사기행위는 법조경합관계로 사기죄만 성립한다.

**| 해설** ① 제114조 ② 대판 2020.8.20, 2019도16263

③ 대판 2017.10.26, 2017도8600

④ × : 피고인이 보이스피싱 사기 범죄단체에 가입한 후 범죄단체 구성원으로서 활동하는 행위와 사기행위는 각각 별개의 범죄구성요건을 충족하는 독립된 행위이고 서로 보호법익도 달라 법조경합관계로 목적된 범죄인 사기죄만 성립하는 것은 아니다(대판 2017.10.26, 2017도8600).

**02** **다음 설명 중 가장 옳지 않은 것은?**(다툼이 있는 경우 판례에 의함) 21. 법원직

① 형법 제114조에서 정한 '범죄를 목적으로 하는 집단'이란 특정 다수인이 사형, 무기 또는 장기 4년 이상의 징역에 해당하는 범죄를 수행한다는 공동목적 아래 구성원들이 정해진 역할분담에 따라 행동함으로써 범죄를 반복적으로 실행할 수 있는 조직체계를 갖춘 계속적인 결합체를 의미하므로, 위 '범죄를 목적으로 하는 집단'의 경우 '범죄단체'에서 요구되는 '최소한의 통솔체계'를 갖출 필요가 있다.

② 다중이 집합하여 손괴의 행위를 한 자는 형법 제115조의 소요죄로 처벌된다.

③ 폭행, 협박의 행위를 할 목적으로 다중이 집합하여 그를 단속할 권한이 있는 공무원으로부터 2회의 해산명령만을 받은 경우에는 해산하지 아니하더라도 형법 제116조의 다중불해산죄로 처벌되지 않는다.

④ 공무원의 자격을 사칭하여 그 직권을 행사한 자는 형법 제118조의 공무원자격사칭죄로 처벌되지만, 형법상 그 미수범 처벌규정을 두고 있지는 않다.

⑤ 범죄단체를 구성하거나 이에 가입한 자가 더 나아가 구성원으로 활동하는 경우, 이는 포괄일죄의 관계에 있다.

Answer 1.④ 2.①

| 해설 ① × : ~ 갖출 필요는 없지만, 범죄의 계획과 실행을 용이하게 할 정도의 조직적 구조를 갖추어야 한다(대판 2020.8.20, 2019도16263).
② ○ : 제115조
③ ○ : ~ 공무원으로부터 3회 이상(2회 ×)의 해산명령을 받고 해산하지 아니한 경우에 다중불해산죄는 처벌된다.
④ ○ ⑤ ○ : 대판 2015.9.10, 2015도7081

**03** **범죄단체 등 조직죄에 대한 설명 중 가장 적절하지 않은 것은?**(다툼이 있는 경우 판례에 의함) 23. 경찰승진

① 사형, 무기 또는 장기 4년 이상의 징역에 해당하는 범죄를 목적으로 하는 단체 또는 집단을 조직하거나 이에 가입 또는 그 구성원으로 활동한 사람은 그 목적한 죄에 정한 형으로만 처벌하고, 그 형을 감경할 수 없다.
② 피고인들이 소매치기를 범할 목적으로 그 실행행위를 분담하기로 약정한 경우에 형법 제114조에서 정한 '범죄를 목적으로 하는 단체'로 인정되기 위해서는 계속적인 결합체로서 그 단체를 주도하거나 내부의 질서를 유지하는 최소한의 통솔체계를 갖추어야 한다.
③ 형법 제114조에서 정한 '범죄를 목적으로 하는 집단'으로 인정되기 위해서는 최소한의 통솔체계를 갖출 필요는 없으나, 범죄의 계획과 실행을 용이하게 할 정도의 조직적 구조를 갖추어야 한다.
④ 사기범죄를 목적으로 구성된 다수인의 계속적인 결합체로서 총책을 중심으로 간부급 조직원들과 상담원들, 현금 인출책 등으로 구성되어 내부의 위계질서가 유지되고 조직원의 역할 분담이 이루어지는 최소한의 통솔체계를 갖추고 있는 보이스피싱 사기조직은 형법상 범죄단체에 해당한다.

| 해설 ① × : ~ 감경할 수 있다(제114조).
②③ 대판 2020.8.20, 2019도16263 ④ 대판 2017.10.26, 2017도8600

**최신판례**

피고인 甲은 무등록 중고차 매매상사(이하 '외부사무실'이라 한다)를 운영하면서 피해자들을 기망하여 중고차량을 불법으로 판매해 금원을 편취할 목적으로 외부사무실 등에서 범죄집단을 조직·활동하고, 피고인 甲, 乙을 제외한 나머지 피고인들은 범죄집단에 가입·활동한 경우 ⇨ 범죄집단(단체 ×) 조직·가입·활동죄 ○〔대판 2020.8.20, 2019도16263 ∵ 외부사무실은 특정 다수인이 사기범행을 수행한다는 공동목적 아래 구성원들이 대표, 팀장, 출동조, 전화상담원 등 정해진 역할분담에 따라 행동함으로써 사기범행을 반복적으로 실행하는 체계를 갖춘 결합체, 즉 형법 제114조의 '범죄를 목적으로 하는 집단(단체 ×)'에 해당한다〕. 22. 법원행시

Answer 3. ①

## 제2절 폭발물에 관한 죄

**관련조문**

**제119조 【폭발물사용】** ① 폭발물을 사용하여 사람의 생명, 신체 또는 재산을 해하거나 그 밖에 공공의 안전을 문란하게 한 자는 사형, 무기 또는 7년 이상의 징역에 처한다.
② 전쟁, 천재지변 그 밖의 사변에 있어서 제1항의 죄를 지은 자는 사형이나 무기징역에 처한다.
③ 제1항과 제2항의 미수범은 처벌한다.

**제120조 【예비, 음모, 선동】** ① 전조 제1항, 제2항의 죄를 범할 목적으로 예비 또는 음모한 자는 2년 이상의 유기징역에 처한다. 단, 그 목적한 죄의 실행에 이르기 전에 자수한 때에는 그 형을 감경 또는 면제한다.
② 전조 제1항, 제2항의 죄를 범할 것을 선동한 자도 전항의 형과 같다.

**제121조 【전시폭발물제조 등】** 전시 또는 사변에 있어서 정당한 이유 없이 폭발물을 제조, 수입, 수출, 수수 또는 소지한 자는 10년 이하의 징역에 처한다.
▶ 본죄는 예비 · 음모 · 선동(선전 ×)을 벌하는 범죄이다(자수의 경우 ⇨ 필요적 감면).

**01** **형법상 폭발물에 관한 죄에 관한 설명으로 옳은 것은 모두 몇 개인가?**(다툼이 있는 경우 판례에 의함) 13. 법원행시

㉠ 평시에 폭발물을 사용하여 사람을 다치게 한 자도 사형에 처해질 수 있다.
㉡ 대법원은 화염병은 형법 제119조 소정의 폭발물에 해당하지 않는다고 판시한 바 있다.
㉢ 형법상의 폭발물사용죄는 예비와 음모한 자뿐만 아니라 선동한 자도 처벌한다.
㉣ 피해자의 동의가 있더라도 폭발물사용죄의 성립에는 아무런 영향이 없다.
㉤ 피고인이 자신이 제작한 폭발물을 배낭에 담아 고속버스터미널 등의 물품보관함 안에 넣어 두고 폭발하게 하였는데, 피고인이 제작한 물건의 구조, 그것이 설치된 장소 및 폭발 당시의 상황 등에 비추어, 위 물건이 사람의 신체 또는 재산을 경미하게 손상시킬 수 있는 정도에 그쳤다고 하더라도 그 잠재적 위험성에 비추어 형법 제119조 제1항에 규정된 '폭발물'에 해당한다고 보아야 한다.

① 1개 ② 2개 ③ 3개 ④ 4개 ⑤ 5개

**해설** ㉠ ○ : 제119조 제1항
㉡ ○ : 대판 1968.3.5, 66도1056
㉢ ○ : 제120조
㉣ ○ : 본 죄는 공공위험범죄로 사회적 법익에 대한 죄여서 피해자의 동의는 공공의 위험과 아무런 관계가 없기 때문에 위법성을 조각할 수 없다.
㉤ × : 형법 제172조 제1항에 규정된 '폭발성 있는 물건'에는 해당될 여지가 있으나 이를 형법 제119조 제1항에 규정된 '폭발물'에 해당한다고 볼 수는 없다(대판 2012.4.26, 2011도17254 ∴ 폭발물사용죄 ×).

**Answer** 1. ④

**02** **다음 중 옳지 않은 것은 모두 몇 개인가?**(다툼이 있는 경우 판례에 의함) 17. 경찰간부, 22. 해경간부

㉠ 구 폭력행위 등 처벌에 관한 법률 제4조 소정의 단체 등의 조직죄는 같은 법에 규정된 범죄를 목적으로 한 단체 또는 집단을 구성함으로써 즉시 성립하고 그와 동시에 완성되는 즉시범이지 계속범이 아니다.
㉡ 피고인이 유리꽃병 내부에 휴대용 부탄가스통을 넣고 그 사이에 화약을 채운 물건을 배낭에 담아 고속버스터미널 등의 물품보관함 안에 넣어 두고 폭발하게 하였다면 그 파괴력과 상관없이 폭발물사용죄에 해당한다.
㉢ 형법 제114조 제1항 소정의 '범죄를 목적으로 하는 단체'라 함은 특정 다수인이 일정한 범죄를 수행한다는 공동목적 아래 이루어진 계속적인 결합체로서 단순한 다중의 집합과는 달리 단체를 주도하는 최소한의 통솔체제를 갖추고 있어야 함을 요한다.
㉣ 피고인들이 그들이 위임받은 채권을 용이하게 추심하는 방편으로 합동수사반원임을 사칭하고 협박한 경우, 채권의 추심행위는 개인적인 업무이지 합동수사반의 수사업무의 범위에는 속하지 아니한다.
㉤ 甲이 乙, 丙, 丁과 함께 어음을 발행한 뒤 부도시키는 방법으로 타인의 재물을 편취하기로 모의한 뒤, 이를 위해 A실업이라는 상호로 사무실을 개설하여 전자제품 도매상을 경영하는 것처럼 위장하고는, 乙의 이름으로 은행에 당좌계정을 개설하여 그 은행으로부터 다량의 어음용지를 교부받아 이를 확보하는 한편, 甲은 A실업의 실질적인 대표자로서 지급의 입출, 어음용지와 도장 등의 보관책임을 맡고, 乙과 丙은 대외적인 업무를, 丁은 감사로서의 임무를 수행하기로 한 경우 甲에게는 범죄단체조직죄가 성립한다.
㉥ 소요죄에서는 자수의 특례가 인정된다.

① 없 음 ② 1개 ③ 2개 ④ 3개

**해설** ㉠ ○ : 대판 1997.10.10, 97도1829
㉡ × : 사람의 생명·신체 또는 재산을 해할 정도의 성능이 없거나, 사람의 신체 또는 재산을 경미하게 손상시킬 수 있는 정도에 그쳐 사회의 안전과 평온에 직접적이고 구체적인 위험을 초래하여 공공의 안전을 문란하게 하기에 현저히 부족한 파괴력과 위험성 정도만 가진 물건은 폭발물사용죄에서의 '폭발물'에 해당하지 않는다(대판 2012.4.26, 2011도17254). ㉢ ○ : 대판 2020.8.20, 2019도16263
㉣ ○ : 1981.9.8, 81도1955(∴ 공무원자격사칭죄 ×) ㉤ × : 대판 1985.10.8, 85도1515(∵ 어음사기를 목적으로 범죄단체로서의 통솔체제를 갖춘 계속적인 결합체 ×) ㉥ × : 자수의 특례규정 ×

**최신판례**

① 범죄단체 구성원으로서의 '활동'이란 범죄단체의 내부 규율 및 통솔 체계에 따른 조직적·집단적 의사결정에 기초하여 행하는 범죄단체의 존속·유지를 지향하는 적극적인 행위를 의미한다. ② 범죄단체 등에 소속된 조직원이 저지른 폭력행위 등 처벌에 관한 법률 위반(단체 등의 공동강요)죄 등의 개별적 범행과 폭력행위처벌법 위반(단체 등의 활동)죄는 구성요건을 달리하는 별개의 범죄로서 그 보호법익이 일치한다고 볼 수 없다. 또한 폭력행위처벌법 위반(단체 등의 구성·활동)죄와 위 개별적 범행은 특별한 사정이 없는 한 법률상 1개의 행위로 평가되는 경우로 보기 어려워 상상적 경합이 아닌 실체적 경합관계에 있다고 보아야 한다(대판 2022.9.7, 2022도6993).

Answer 2. ④

## 제3절 방화와 실화의 죄

1. 현주건조물방화죄, 공용건조물방화죄, 타인소유 일반건조물방화죄, 폭발성물건파열죄, 가스·전기 등 방류죄, 가스·전기 등 공급방해죄 ⇨ 미수범, 예비·음모처벌 ○(자수 : 필감면)

   ▶ 나머지 ⇨ 미수범, 예비·음모처벌 ×

2. • 추상적 위험범 ⇨ 현주건조물방화죄, 공용건조물방화죄, 타인소유 일반건조물방화죄, 이들에 대한 실화죄, 공공용의 가스·전기 등 공급방해죄, 진화방해죄
   • 구체적 위험범 ⇨ 자기소유 일반건조물방화죄('공공의 위험'), 일반물건방화죄('공공의 위험'), 이들에 대한 실화죄, 폭발성물건파열죄('사람의 생명, 신체 또는 재산'에 대하여 위험발생), 가스·전기 등 방류죄('사람의 생명, 신체 또는 재산'에 대하여 위험발생), 가스·전기 등 공급방해죄('공공의 위험')

**01** **방화와 실화의 죄에 대한 설명 중 옳은 것은 모두 몇 개인가?**(다툼이 있는 경우 판례에 의함)

21. 경찰간부, 23. 해경승진

㉠ 형법은 방화죄의 객체를 소유권 귀속에 따라 자기소유물과 타인소유물 및 무주물로 구분하고 법정형에 차등을 두고 있다.

㉡ 방화와 실화의 죄 중에는 구체적 위험범을 규정하고 있고, 구체적 위험의 내용으로는 '공공의 위험'만을 규정하고 있다.

㉢ 자기소유물에 대한 방화죄는 모두 구체적 위험범의 형태로 규정되어 있으며, 구체적 위험의 발생은 구성요건요소로서 고의의 인식대상이 된다.

㉣ 구체적 위험범으로 규정된 구성요건에서 구체적 위험이 발생하지 않은 경우 미수가 되며, 형법 제13장에 규정된 구체적 위험범들은 모두 미수범 규정을 두고 있다.

㉤ 연소죄는 자기소유물에 대한 방화가 확대되어 타인소유물 또는 현주건조물 등의 소훼라는 중한 결과를 야기한 경우를 처벌하기 위한 결과적 가중범이다.

㉥ 실화죄에 있어서 공동의 과실이 경합되어 화재가 발생한 경우 적어도 각 과실이 화재의 발생에 대하여 하나의 조건이 된 이상은 그 공동적 원인을 제공한 사람들은 각자 실화죄의 책임을 면할 수 없다.

① 1개 ② 2개 ③ 3개 ④ 4개

**| 해설** ㉠ × : 일반건조물이나 일반물건에 대한 방화죄에서 자기소유물과 타인소유물로 구분하고 법정형에 차등을 두고 있으나(제166조, 제167조), '무주물'은 '자기소유의 물건'에 준하는 것으로 보아 자기소유 일반물건방화죄로 처벌한다(대판 2009.10.15, 2009도7421).

㉡ ○ : 자기소유 일반건조물방화죄(제166조 제2항), 일반물건방화죄(제167조) 및 이들에 대한 실화죄(제170조 제2항)

㉢ × : 자기소유물에 대한 현주건조물방화죄나 공용건조물방화죄 ⇨ 추상적 위험범, 자기소유물에 대한 일반건조물방화죄나 일반물건방화죄 ⇨ 구체적 위험범

Answer 1. ③

㉣ × : 제13장에 규정된 구체적 위험범 중 자기소유 일반건조물방화죄와 일반물건방화죄는 미수범 규정이 없고, 폭발성물건파열죄와 가스·전기 등 방류죄 및 가스·전기 등 공급방해죄는 미수범 규정이 있다(제174조).
㉤ ○ : 옳다(제168조).
㉥ ○ : 대판 2023.3.9, 2022도16120(예 피고인들이 분리수거장 방향으로 담배꽁초를 던져 버리고 현장을 떠난 후 화재가 발생한 경우 ⇨ 피고인들 각자의 실화죄 ○)

## 02 방화와 실화의 죄에 관한 설명 중 가장 적절하지 않은 것은?(다툼이 있는 경우 판례에 의함)

17. 경찰승진

① 장롱 안에 있는 옷가지에 불을 놓아 건물을 소훼하려 하였으나 불길이 치솟는 것을 보고 겁이 나서 물을 부어 불을 끈 경우에는 중지미수로 볼 수 없다.

② 성냥불로 담배를 붙인 다음 그 성냥불이 꺼진 것을 확인하지 아니한 채 휴지가 들어있는 플라스틱 휴지통에 던졌다면 중실화죄에 있어 중대한 과실에 해당한다.

③ 불을 놓아 무주물의 일반물건을 소훼하여 공공의 위험을 발생하게 한 경우에는 형법 제167조 제2항의 자기소유 일반물건방화죄가 성립한다.

④ 방화의 의사로 뿌린 휘발유가 인화성이 강한 상태로 주택 주변과 피해자의 몸에 적지 않게 살포되어 있는 사정을 알면서 라이터를 켜 불꽃을 일으킴으로써 피해자의 몸에 불이 붙었더라도 방화 목적물인 주택 자체에는 옮겨 붙지 아니하였다면 현존건조물방화죄의 실행의 착수가 인정되지 않는다.

**해설** ① 대판 1997.6.13, 97도957
② 대판 1993.7.27, 93도135 ③ 대판 2009.10.15, 2009도7421
④ × : 현존건조물방화죄의 실행의 착수 ○(대판 2002.3.26, 2001도6641)

## 03 다음 설명 중 가장 옳지 않은 것은?(다툼이 있는 경우 판례에 의함)

18. 경찰간부

① 불을 놓아 노상에서 전봇대 주변에 놓은 재활용품과 쓰레기 등 '무주물'을 소훼하여 공공의 위험을 발생하게 한 경우에는 '무주물'을 '타인소유의 물건'에 준하는 것으로 보아 형법 제167조 제1항을 적용하여 처벌하여야 한다.

② 사람을 살해할 목적으로 현주건조물에 방화하여 사망에 이르게 한 경우에는 현주건조물방화치사죄로 의율하여야 하지만, 존속살인죄와 현주건조물방화치사죄는 상상적 경합범 관계에 있으므로 존속살인죄로 의율하는 것이 타당하다.

③ 방화 등 예비·음모죄에 있어 실행에 이르기 전에 자수한 경우 형을 감경 또는 면제한다.

④ 과실로 인하여 현주건조물이나 공용건조물을 소훼한 경우에는 공공의 위험의 발생을 요구하지 않는 추상적 위험범으로 본다.

**해설** ① × : 불을 놓아 무주물의 일반물건을 소훼하여 공공의 위험을 발생하게 한 경우에는 형법 제167조 제2항의 자기소유 일반물건방화죄가 성립한다(대판 2009.10.15, 2009도7421).
② 대판 1996.4.26, 96도485 ③ 제175조 단서 ④ 옳다.

Answer 2. ④ 3. ①

**04** **방화의 죄에 대한 설명으로 옳지 않은 것은?**(다툼이 있는 경우 판례에 의함) 17. 7급 검찰

① 노상에서 전봇대 주변에 놓인 재활용품과 쓰레기 등을 발견하고 자신의 라이터를 이용하여 불을 붙인 후, 가연물을 집어넣어 그 화염을 키움으로써 전선을 비롯한 주변의 가연물에 손상을 입히거나 바람에 의하여 다른 곳으로 불이 옮아 붙을 수 있는 공공의 위험을 발생하게 하였다면 형법 제167조 제1항의 타인소유 일반물건방화죄가 성립한다.

② 공무집행을 방해하는 집단행위의 과정에서 일부 집단원이 고의로 현주건조물에 방화행위를 하여 공무원에게 사상의 결과를 초래한 경우, 그 방화행위 자체에 공모가담하지 않은 다른 집단원은 현주건조물방화치사상죄로 의율할 수 없다.

③ 방화범이 불을 놓은 집에서 빠져나오려는 피해자를 막아 소사케 하였다면 현주건조물방화죄와 살인죄의 실체적 경합범이 성립한다.

④ 모텔 방에 투숙한 자가 과실로 담뱃불이 휴지와 침대시트에 옮겨 붙게 함으로써 화재를 발생하게 한 후, 화재 발생 사실을 안 상태에서 모텔을 빠져나오면서 모텔 주인이나 다른 투숙객들에게 이를 알리지 아니하여 사상에 이르게 하였더라도 그 사정만으로는 부작위에 의한 현주건조물방화치사상죄가 성립하지 아니한다.

| 해설 ① ×: 자기소유(타인소유 ×) 일반물건방화죄(대판 2009.10.15, 2009도7421)
② 대판 1990.6.26, 90도765
③ 대판 1983.1.18, 82도2341
④ 대판 2010.1.14, 2009도12109

**05** **다음 설명 중 가장 옳지 않은 것은?**(다툼이 있는 경우 판례에 의함) 19. 경찰간부

① 피해자의 사체 위에 옷가지 등을 올려놓고 불을 붙인 천 조각을 던져서 그 불길이 방안을 태우면서 천정에까지 옮겨 붙었다면, 도중에 진화되었다 하더라도 일단 천정에 옮겨 붙은 때에 이미 현주건조물방화죄의 기수에 이른 것이다.

② 피고인들이 피해자들의 재물을 강취한 후 그들을 살해할 목적으로 현주건조물에 방화하여 사망에 이르게 한 경우, 피고인들의 행위는 강도살인죄와 현주건조물방화치사죄에 모두 해당하고 그 두 죄는 상상적 경합범관계에 있다.

③ 타인소유 현주건조물에 방화하자 불이 옆에 있는 자기소유의 일반건조물에 옮겨붙은 경우 연소죄가 성립한다.

④ 형법 제119조(폭발물사용죄)를 적용하려면 사람의 생명, 신체 또는 재산을 해하거나 기타 공안을 문란케 한다는 고의가 있어야 한다.

| 해설 ① 대판 2007.3.16, 2006도9164 ② 대판 1998.12.8, 98도3416
③ ×: 연소죄는 자기소유물(일반건조물 등 또는 물건)에 대한 방화죄의 결과적 가중범이므로, ③의 경우 연소죄는 성립하지 않는다(제168조).
④ 대판 1969.7.8, 69도832

Answer 4. ① 5. ③

## 06 다음 중 판례에 따를 때 현주건조물방화죄의 기수가 인정되는 경우는 모두 몇 개인가?

17. 경찰간부

㉠ 甲이 동거녀와의 불화를 이유로 헤어지기로 작정하고는 홧김에 죽은 동생의 유품으로 보관 중이던 서적 등을 뒷마당에 내어 놓고 불태우는 과정에서 동거녀의 가옥에까지 불이 옮겨 붙은 경우
㉡ 甲이 아버지와 말다툼을 하고는 홧김에 라이터로 휴지에 불을 붙여 장롱 안에 있는 옷가지에 불을 놓아 건물을 소훼하려 하였지만, 불길이 치솟는 것을 보고 겁이 나서 물을 부어 불을 끈 경우
㉢ 甲이 지붕과 문짝, 창문이 없고 담장과 일부 벽체가 붕괴된 철거 대상 건물로서 사실상 기거·취침에 사용할 수 없는 상태인 폐가의 내부와 외부에 쓰레기를 모아 놓고 태워, 폐가 주변 수목 4~5그루를 태우고 폐가의 벽을 일부 그을리게 한 경우
㉣ 부모에게 용돈을 요구하였다가 거절당한 甲이 홧김에 부모와 함께 살고 있는 자기 집 헛간 지붕 위에 올라가 라이터로 불을 놓고, 이어서 몸채, 사랑채 지붕 위에 차례로 올라가 불을 놓아, 헛간 지붕 $60cm^2$, 몸채 지붕 $1m^2$, 사랑채 지붕 $1m^2$ 가량을 태운 경우

① 없 음 ② 1개 ③ 2개 ④ 3개

| 해설 | • **현주건조물방화죄의 기수** ○ : ㉣ 방화죄는 화력이 매개물을 떠나 스스로 연소할 수 있는 상태에 이르렀을 때 기수가 되고, 반드시 목적물의 중요부분이 소실하여 그 본래의 효용을 상실한 때에 기수가 되는 것은 아니다(대판 1970.3.24, 70도330).
• **현주건조물방화죄의 기수** × : ㉠ 대판 1984.7.24, 84도1245(∵ 현주건조물방화죄의 범의 ×) ㉡ 현주건조물방화죄의 (장애)미수 ○(대판 1997.6.13, 97도957) ㉢ 이 사건 폐가 ⇨ 건조물 ×, 일반물건방화죄의 기수 ×(∵ 폐가의 벽을 일부 그을리게 하는 정도 ⇨ 스스로 연소할 수 있는 상태 ×), 일반물건방화죄의 미수범 처벌규정 × ∴ 무죄(대판 2013.12.12, 2013도3950)

## 07 방화죄에 대한 설명으로 옳은 것은?(다툼이 있는 경우 판례에 의함)

20. 7급 검찰, 24. 경찰승진

① 방화의 의사로 뿌린 휘발유가 사람이 현존하는 주택 주변과 피해자의 몸에 적지 않게 살포되어 있는 사정을 알면서도 라이터를 켜 불꽃을 일으킴으로써 피해자의 몸에 불이 붙은 경우, 비록 불이 방화 목적물인 주택 자체에 옮겨 붙지는 아니하였다 하더라도 현존건조물방화죄의 실행의 착수가 인정된다.
② 피해자의 사체 위에 옷가지 등을 올려놓고 불을 붙인 천 조각을 던져 그 불길이 방안을 태우면서 천장에까지 옮겨 붙었으나, 그 불이 도중에 진화되었다면 현주건조물방화죄의 미수에 그친다.
③ 강도가 피해자로부터 재물을 강취한 후 그를 살해할 목적으로 주거에 방화하여 사망에 이르게 한 때에는 강도살인죄와 현주건조물방화치사죄가 성립하고 양 죄는 실체적 경합관계에 있다.
④ 주택에 불을 놓고 빠져 나오려는 피해자들을 막아 소사케 한 경우, 현주건조물방화죄와 살인죄가 성립하고 양 죄는 상상적 경합관계에 있다.

Answer 6. ② 7. ①

⑤ 지붕과 문짝, 창문이 없고 담장과 일부 벽체가 붕괴된 철거 대상 건물로서 사실상 기거 · 취침에 사용할 수 없는 상태인 폐가의 외부에 쓰레기를 모아놓고 태워 그 불길로 폐가의 벽을 일부 그을리게 한 정도인 경우, 타인소유 일반건조물방화죄 미수가 성립한다.

| 해설 ① ○ : 대판 2002.3.26, 2001도6641
② × : ~ 기수(미수 ×)가 성립한다(대판 2007.3.16, 2006도9164).
③ × : ~ 상상적(실체적 ×) 경합관계에 있다(대판 1998.12.8, 98도3416).
④ × : ~ 실체적(상상적 ×) 경합관계에 있다(대판 1983.1.18, 82도2341).
⑤ × : 타인소유 일반건조물방화죄의 미수 ×(이 사건 폐가는 건조물 ×, 일반물건 ○), 일반물건방화죄의 기수 ×(∵ 폐가의 벽을 일부 그을리게 하는 정도), 일반물건방화죄의 미수범의 처벌규정 × ∴ 무죄(대판 2013.12.12, 2013도3950)

02

**08 방화와 실화의 죄에 대한 설명으로 가장 적절한 것은?**(다툼이 있는 경우 판례에 의함)

20. 순경 2차

① 전기 석유난로를 켜 놓은 채 귀가하여 전기 석유난로 과열로 화재가 발생하였다면 화재 원인을 살펴볼 필요 없이 피고인에게 중실화죄를 인정할 수 있다.
② 사람이 현존하는 자동차에 방화한 경우 일반건조물 등 방화죄가 성립한다.
③ 지붕과 문짝, 창문이 없고 담장과 일부 벽체가 붕괴된 철거대상 건물로서 사실상 기거 · 취침에 사용할 수 없는 상태의 타인의 폐가에 대해 방화한 경우 타인소유 일반건조물방화죄가 성립한다.
④ 유조차운전사가 석유구판점의 위험물취급주임의 지시를 받아 유조차의 석유를 구판점 탱크로 급유하다가 탱크주입구에서 급유호스가 빠지는 바람에 화기에 인화되어 화재가 발생한 경우 유조차운전사의 업무상 과실이 인정되지 않는다.

| 해설 ① × : ~ 과열로 화재가 발생하였다 하여 화재 원인을 ~ 인정할 수 없다(대판 1994.3.11, 93도3001).
② × : ~ 현주건조물(일반건조물 ×) 등 방화죄가 성립한다(제164조 제1항).
③ × : 타인소유 일반건조물방화죄 ×(대판 2013.12.12, 2013도3950 ∵ 이 사건 폐가 ⇨ 건조물 ×, 일반물건 ○)
④ ○ : 대판 1990.11.13, 90도2011

**09 방화와 실화의 죄에 대한 설명으로 가장 적절하지 않은 것은?**(다툼이 있는 경우 판례에 의함)

22. 경찰승진 · 해경간부 · 해경 2차

① 현주건조물방화예비죄를 저지른 사람이 그 목적한 죄의 실행에 이르기 전에 자수한 때에는 형을 감경 또는 면제한다.
② 현주건조물방화치사죄는 사망의 결과발생에 대한 과실이 있는 경우뿐만 아니라 고의가 있는 경우를 포함한다.

Answer 8. ④ 9. ④

③ 불을 놓아 무주물을 불태워 공공의 위험을 발생하게 한 경우에는 '무주물'을 '자기소유의 물건'에 준하는 것으로 보아 형법 제167조 제2항(자기소유 일반물건방화죄)을 적용하여야 한다.

④ 지붕과 문짝, 창문이 없고 담장과 일부 벽체가 붕괴된 철거 대상건물로서 사실상 기거 · 취침에 사용할 수 없는 상태의 폐가에 쓰레기를 모아놓고 태워 폐가의 벽을 일부 그을리게 한 경우에는 일반물건방화죄의 미수범으로 처벌된다.

| 해설 ① 제175조

② 대판 1996.4.26, 96도485(∴ 부진정결과적 가중범임)

③ 대판 2009.10.15, 2009도7421

④ ×: ~ 미수범으로 처벌되지 않는다(대판 2013.12.12, 2013도3950 ∵ 일반물건방화죄의 미수범의 처벌 규정 ×).

**10** **방화죄 사례와 그에 대한 설명의 연결이 옳지 않은 것은?**(다툼이 있는 경우 판례에 의함)

22. 9급 검찰 · 마약수사

① 甲과 乙은 공동으로 집에 방화를 하였는데 불길이 예상 외로 크게 번지자, 乙은 도망하였고 甲은 후회하며 진화활동을 한 결과 그 집은 반소(半燒)에 그쳤다. – 甲과 乙 모두 방화죄의 기수범

② 甲은 자신의 아버지(A)와 형(B)을 살해할 목적으로 A와 B가 자고 있는 방에 불을 놓았고, 그 결과 A와 B 모두 사망하였다. – 甲은 살인죄, 존속살해죄, 현주건조물방화치사죄의 실체적 경합범

③ 甲은 지붕과 문짝, 창문이 없고 담장과 일부 벽체가 붕괴된 철거 대상 건물로서 사실상 기거 · 취침에 사용할 수 없는 상태인 폐가의 내부와 외부에 쓰레기를 모아놓고 태워 그 불길이 폐가의 벽을 일부 그을리게 하였다. – 甲은 일반물건방화죄의 미수범에 해당하나 미수범 처벌 규정이 없으므로 불가벌

④ 甲은 보험금을 편취할 목적으로 자신이 거주하는 건물에 방화를 하였으나 아직 보험금 청구를 하지 않았다. – 甲은 현주건조물방화죄의 기수범

| 해설 ① ○: 방화죄는 불을 놓아 목적물이 스스로 연소할 수 있는 상태(독립연소설)에 이르렀을 때 기수가 되므로(대판 1970.3.24, 70도330) 반소에 그쳤다면 방화죄의 기수범이 되고, 행위자가 진지한 노력을 다했음에도 불구하고 결과가 발생하면 중지미수는 성립되지 않고 기수책임을 진다.

② ×: A에 대해서는 존속살해죄와 현주건조물방화치사죄의 상상적 경합범, B에 대한 현주건조물방화치사죄(대판 1996.4.26, 96도485).

③ ○: 대판 2013.12.12, 2013도3950

④ ○: 아직 보험금을 청구하기 전이라면 사기죄의 실행의 착수가 인정되지 않으므로(대판 2007.4.12, 2007도967) ④는 옳다.

Answer 10. ②

**11** **방화와 실화에 관한 죄에 대한 설명 중 가장 적절하지 않은 것은?**(다툼이 있는 경우 판례에 의함)

23. 경찰승진

① 방화죄의 객체인 건조물은 반드시 사람의 주거용이어야 하는 것은 아니지만 사람이 사실상 기거·취침에 사용할 수 있는 정도는 되어야 한다.

② 노상에서 전봇대 주변에 놓인 재활용품과 쓰레기 등 무주물에 불을 놓아 공공의 위험을 발생하게 한 경우 형법 제167조 제2항의 자기소유 일반물건방화죄가 성립할 수 있다.

③ 사람이 현존하는 자동차에 방화한 경우에는 일반건조물 등 방화죄가 성립한다.

④ 성냥불이 꺼진 것을 확인하지 아니한 채 휴지가 들어 있는 플라스틱 쓰레기통에 던진 것은 중대한 과실에 해당한다.

| 해설 ① 대판 2013.12.12, 2013도3950

② 대판 2009.10.15, 2009도7421

③ ×: ~ 현주건조물(일반건조물 ×) 등 방화죄가 성립한다(제164조 제1항).

④ 대판 1993.7.27, 93도135

**12** **방화의 죄에 관한 설명 중 가장 적절한 것은?**(다툼이 있는 경우 판례에 의함) 23. 순경 1차

① 공용건조물방화죄를 범할 목적으로 예비·음모한 후 목적한 죄의 실행에 이른 후에 수사기관에 자수한 경우 형을 감경하거나 면제할 수 있다.

② 주거로 사용하지 않고 사람이 현존하지도 않는 타인소유의 자동차를 불태웠으나 공공의 위험이 발생하지 않았다면 방화죄를 구성하지 않는다.

③ 甲이 A의 재물을 강취한 후 A를 살해할 의사로 현주건조물에 방화하여 A가 사망한 경우, 甲의 행위는 강도살인죄와 현주건조물방화치사죄에 모두 해당하고 그 두 죄는 실체적 경합범관계에 있다.

④ 甲이 A를 살해할 의사로 A가 혼자 있는 건조물에 방화하였으나 A가 사망하지 않은 경우 현존건조물방화치사미수죄를 구성한다.

| 해설 ① ○: ~ 실행에 이르기 전에 자수한 때에는 형을 감경 또는 면제한다(제175조). 그러나 ①의 경우(~ 실행에 이른 후에 수사기관에 자수한 경우)에는 형을 감경하거나 면제할 수 있다(제52조 제1항).

② ×: ~ (2줄) 발생하지 않았더라도 방화죄를 구성한다(제166조 제1항 ∵ ②의 타인소유의 자동차방화죄는 공공의 위험의 발생을 요구하지 않는 추상적 위험범임).

③ ×: ~ 두 죄는 상상적(실체적 ×) 경합범관계에 있다(대판 1998.12.8, 98도3416).

④ ×: ~ 않은 경우에는 현존건조물방화죄의 기수와 살인미수죄의 상상적 경합이 된다(∵ 현존건조물방화치사상죄의 미수범처벌규정이 없음).

Answer 11. ③ 12. ①

## 13 다음 설명 중 옳지 않은 것은?(다툼이 있는 경우 판례에 의함) 23. 경찰간부

① 형법 제114조(범죄단체 등의 조직)에서 정한 '범죄를 목적으로 하는 집단'이란 특정 다수인이 일정한 범죄를 수행한다는 공동목적 아래 구성한 계속적인 결합체로서 그것을 주도하거나 내부의 질서를 유지하는 최소한의 통솔체계를 갖춘 것을 의미한다.

② 노상에서 전봇대 주변에 놓인 재활용품과 쓰레기 등 무주물에 불을 놓아 태워버린 경우 그 무주물은 형법 제167조 제2항에 정한 '자기소유의 물건'에 준하는 것으로 보아야 하므로 자기소유 일반물건방화죄가 성립한다.

③ 현주건조물방화죄의 주된 보호법익은 공공의 안전이고, 부차적인 보호법익은 개인의 재산권이다.

④ 甲이 국가정보원 직원임을 사칭하면서 위임받은 채권추심을 한 경우 형법상 공무원자격사칭죄가 성립하지 아니한다.

**| 해설** ① × : ~ (2줄) 통솔체계를 갖출 필요가 없다(대판 2020.8.20, 2019도16263).
② 대판 2009.10.15, 2009도7421 ③ 대판 1983.1.18, 82도2341 ④ 대판 1981.9.8, 81도1955

## 14 방화죄에 관한 설명으로 가장 적절한 것은?(다툼이 있는 경우 판례에 의함) 24. 순경 1차

① 甲이 지붕과 문짝, 창문이 없고 담장과 일부 벽체가 붕괴된 철거 대상 건물로서 사실상 기거·취침에 사용할 수 없는 폐가의 내부와 외부에 쓰레기를 모아놓고 태워 그 불길이 폐가 주변 수목 4~5그루를 태우고 폐가의 벽을 일부 그을리게 한 경우, 甲은 일반물건방화죄의 미수범으로 처벌된다.

② 甲이 A의 집에 불을 놓은 후 불이 붙은 집에서 탈출하려는 A를 막아 탈출하지 못하게 함으로써 A가 결국 불에 타 사망한 경우, 甲에게는 현주건조물방화죄와 살인죄의 상상적 경합범이 성립한다.

③ 노상에서 전봇대 주변에 놓인 쓰레기에 불을 놓아 태움으로써 공공의 위험을 발생케 한 경우 자기소유 일반물건방화죄가 성립한다.

④ 형법 제167조의 일반물건방화죄는 형법 제166조의 일반건조물 등 방화죄에 대한 관계에서 법조경합 중 특별관계에 있으므로, 형법 제166조의 일반건조물 등 방화죄가 성립하는 경우에는 형법 제167조의 일반물건방화죄는 성립하지 않는다.

**| 해설** ① × : 일반건조물방화죄 ×(이 사건 폐가는 건조물 ×, 일반물건 ○), 일반물건방화죄의 기수 ×(∵ 폐가의 벽을 일부 그을리게 하는 정도), 일반물건방화죄의 미수범의 처벌규정 × ∴ 무죄(대판 2013.12.12, 2013도3950)
② × : ~ (2줄) 살인죄의 실체적 경합범(상상적 경합범 ×)이 성립한다(대판 1983.1.18, 82도2341).
③ ○ : 대판 2009.10.15, 2009도7421
④ × : ~ (2줄) 법조경합 중 보충관계(특별관계 ×)에 있으므로, 형법 제166조의 일반건조물 등 방화죄가 성립하는 경우에는 형법 제167조의 일반물건방화죄는 성립하지 않고, 일반건조물 등 방화죄(제166조)가 성립하지 않는 경우에 일반물건방화죄(제167조)가 보충적으로 성립한다.

Answer 13. ① 14. ③

02

## 제4절 교통방해의 죄

**01** **다음 설명 중 가장 옳지 않은 것은?**(다툼이 있는 경우 판례에 의함) 16. 법원행시

① 피고인이 고속도로 2차로를 따라 자동차를 운전하다가 1차로를 진행하던 甲의 차량 앞에 급하게 끼어든 후 곧바로 정차하여, 甲의 차량 및 이를 뒤따르던 차량 두 대는 연이어 급제동하여 정차하였으나, 그 뒤를 따라오던 乙의 차량이 앞의 차량들을 연쇄적으로 추돌케 하여 乙을 사망에 이르게 하였다면, 일반교통방해치사죄가 성립할 수 있다.

② 도로가 농가의 영농을 위한 경운기나 리어카 등의 통행을 위한 농로로 개설되었다 하더라도 그 도로가 사실상 일반 공중의 왕래에 공용되는 도로로 된 이상 다른 차량도 통행할 수 있는 것이므로 이러한 차량의 통행을 방해한다면 이는 일반교통방해죄에 해당한다.

③ 공항 여객터미널 버스정류장 앞 도로 중 공항리무진 버스 외의 다른 차의 주차가 금지된 구역에서 밴 차량을 40분간 불법주차하고 호객행위를 한 것만으로는 일반교통방해죄가 성립하지 않는다.

④ 건설 당시의 부실제작 및 부실시공행위 등에 의하여 나중에 트러스가 붕괴된 것을 일반교통방해에서의 손괴라고 볼 수는 없으므로, 이로 인해 교량이 붕괴되어 교통이 방해되었다 하더라도, 교량 건설회사의 트러스 제작 책임자나 교량공사 현장감독에게 업무상 과실일반교통방해죄가 성립한다고 볼 수 없다.

⑤ 서울 중구 소공동의 왕복 4차로의 도로 중 편도 3개 차로 쪽에 차량 2, 3대와 간이테이블 수십 개를 이용하여 길가쪽 2개 차로를 차지하는 포장마차를 설치하고 영업행위를 한 것은, 비록 행위가 교통량이 상대적으로 적은 야간에 이루어졌다 하더라도 일반교통방해죄를 구성한다.

**| 해설** ① 대판 2014.7.24, 2014도6206 ② 대판 1995.9.15, 95도1475
③ 대판 2009.7.9, 2009도4266(∵ 옆 차로를 통해 다른 차량들이 통행가능하고 공항리무진버스의 통행이 불가능하거나 현전하게 곤란 ×)
④ ×: 업무상 과실일반교통방해죄 ○(대판 1997.11.28, 97도1740 ∵ 트러스붕괴 ⇨ 손괴 ○)
⑤ 대판 2007.12.14, 2006도4662

**02** **일반교통방해죄에 관한 설명 중 가장 적절하지 않은 것은?**(다툼이 있으면 판례에 의함)
13. 경찰승진, 15. 순경 2차, 21. 해경승진

① 소유자가 토지인도소송의 승소판결을 받아 그 집행을 하여 그 토지를 공터로 두었는데 인근주민들이 일시 지름길로 이용하자 그 통행을 방해한 경우 일반교통방해죄가 성립한다.

② 법률에 따라 옥외집회신고를 마쳤어도, 신고의 범위와 법률상의 제한을 현저히 일탈하여 주요도로 전차선을 점거하여 행진 등을 함으로써 교통소통에 현저한 장해를 일으켰다면 일반교통방해죄가 성립한다.

Answer 1. ④ 2. ①⑤

③ 불특정 다수인의 통행로로 이용되어 오던 도로의 토지 일부의 소유자라 하더라도 그 도로의 중간에 바위를 놓아두거나 이를 파헤침으로써 차량의 통행을 못하게 한 행위는 일반교통방해죄가 성립한다.

④ 우리 형법에는 업무상 과실, 중과실에 의한 일반교통방해를 처벌하는 조항이 있다.

⑤ 사람이 현존하는 선박에 대해 매몰행위의 실행을 개시하고 그로 인하여 선박을 매몰시켰더라도 매몰의 결과 발생시 사람이 현존하지 않았거나 범인이 선박에 있는 사람을 안전하게 대피시켰다면 선박매몰죄의 미수가 성립한다.

| 해설 ① ×: 일반교통방해죄 ×(대판 1984.11.13, 84도2192 ∵ 일반공중의 내왕에 공용되는 도로 × ⇨ 제185조의 육로 ×)

② 대판 2008.11.13, 2006도755

③ 대판 2002.4.26, 2001도6903

④ 제189조 제2항

⑤ ×: 선박매몰죄의 기수 ○, 선박매몰죄의 미수 ×(대판 2000.6.23, 99도4688)

## 03 교통방해의 죄에 대한 설명으로 가장 적절하지 않은 것은?(다툼이 있는 경우 판례에 의함)

19. 경찰간부 · 경찰승진

① 주민들에 의하여 공로로 통하는 유일한 통행로로 오랫동안 이용되어 온 폭 2m의 골목길을 자신의 소유라는 이유로 폭 50 내지 75cm 가량만 남겨두고 담장을 설치하여 주민들의 통행을 현저히 곤란하게 하였다면 일반교통방해죄를 구성한다.

② 서울 중구 소공동의 왕복 4차로의 도로 중 편도 3개 차로 쪽에 차량 2, 3대와 간이테이블 수십 개를 이용하여 길가쪽 2개 차로를 차지하는 포장마차를 설치하고 영업행위를 한 경우 교통량이 상대적으로 적은 야간에 이루어졌다면 일반교통방해죄를 구성하지 않는다.

③ 교통방해를 유발한 집회에 참가한 경우 참가 당시 이미 다른 참가자들에 의해 교통흐름이 차단된 상태였더라도 교통방해를 유발한 다른 참가자들과 암묵적 · 순차적으로 공모하여 교통방해의 위법상태를 지속시켰다고 평가할 수 있다면 일반교통방해죄가 성립한다.

④ 공항 여객터미널 버스정류장 앞 도로 중 공항리무진 버스 외의 다른 차의 주차가 금지된 구역에서 밴 차량을 40분간 불법주차하고 호객행위를 한 것은 다른 차량들의 통행을 현저히 곤란하게 한 것으로 볼 수 없어 일반교통방해죄를 구성하지 않는다.

⑤ 일반교통방해죄는 일반공중의 교통의 안전을 보호법익으로 하는 범죄로서 여기서의 '육로'라 함은 사실상 일반공중의 왕래에 공용되는 육상의 통로를 널리 일컫는 것으로서 그 부지의 소유관계나 통행권리관계 또는 통행인의 많고 적음 등을 가리지 않는다.

| 해설 ① 대판 1994.11.14, 94도2112

② ×: 일반교통방해죄 ○(대판 2007.12.14, 2006도4662)

③ 대판 2018.5.11, 2017도9146(∵ 일반교통방해죄에서 교통방해행위는 계속범의 성질을 가지는 것이어서 교통방해의 상태가 계속되는 한 위법상태는 계속 존재한다.)

Answer 3. ②

甲은 집회 및 시위에 관한 법률에 따른 신고범위를 현저히 벗어나 교통방해를 유발한 집회에 참가하였는데, 참가할 당시 이미 다른 참가자들에 의해 교통의 흐름이 차단된 상태였고 교통방해를 유발한 다른 참가자들과 암묵적 · 순차적 공모는 없었던 경우 ⇨ 일반교통방해죄(공모공동정범) ×(대판 2018.1.24, 2017도11408
예 적법한 신고를 마친 사전집회에는 참가하지 못하였고, 다른 집회참가자들이 도로점거를 한 이후 시위에 합류하여 도로에 걸어 나갔는데, 합류하기 이전에 이미 경찰이 도로에 차벽을 설치하여 그 부근의 교통이 완전히 차단된 경우 ⇨ 일반교통방해죄 ×)
④ 대판 2009.7.9, 2009도4266
⑤ 대판 2002.4.26, 2001도6903



## 04 교통방해죄에 관한 설명 중 가장 옳지 않은 것은?(다툼이 있는 경우 판례에 의함) 22. 법원행시

① 신고 범위를 현저히 벗어나거나 집회 및 시위에 관한 법률 제12조에 따른 조건을 중대하게 위반함으로써 교통방해를 유발한 집회에 참가한 경우 참가 당시 이미 다른 참가자들에 의해 교통의 흐름이 차단된 상태였다고 하더라도 교통방해를 유발한 다른 참가자들과 암묵적 · 순차적으로 공모하여 교통방해의 위법상태를 지속시켰다고 평가할 수 있다면 일반교통방해죄가 성립한다.
② 형법 제187조에서 정한 '파괴'란 교통기관으로서의 기능 · 용법의 전부나 일부를 불가능하게 할 정도의 파손에 이르지 아니하는 단순한 손괴도 포함된다.
③ 일반교통방해죄는 이른바 추상적 위험범으로서 교통이 불가능하거나 또는 현저히 곤란한 상태가 발생하면 바로 기수가 되고 교통방해의 결과가 현실적으로 발생하여야 하는 것은 아니다.
④ 공로에 출입할 수 있는 다른 도로가 있는 상태에서 토지소유자로부터 일시적인 사용승낙을 받아 통행하거나 토지소유자가 개인적으로 사용하면서 부수적으로 타인의 통행을 묵인한 장소에 불과한 도로는 형법 제185조에서 말하는 육로에 해당하지 않는다.
⑤ 교통방해 행위가 피해자의 사상이라는 결과를 발생하게 한 유일하거나 직접적인 원인이 된 경우만이 아니라, 그 행위와 결과 사이에 피해자나 제3자의 과실 등 다른 사실이 개재된 때에도 그와 같은 사실이 통상 예견될 수 있는 것이라면 상당인과관계를 인정할 수 있다.

**| 해설** ① 대판 2018.5.11, 2017도9146
② × : ~ 단순한 손괴는 포함되지 않는다(대판 2009.4.23, 2008도11921).
③ 대판 2018.5.11, 2017도9146
④ 대판 2017.4.7, 2016도12563
⑤ 대판 2014.7.24, 2014도6206

## 05 교통방해의 죄에 대한 설명으로 옳지 않은 것은?(다툼이 있는 경우 판례에 의함) 22. 7급 검찰

① 목장 소유자가 자신의 목장운영을 위해 개인 비용으로 목장용지 내에 임도를 개설한 후 차량 출입을 통제하면서 인근 주민들의 통행을 부수적으로 묵인한 경우, 이 임도는 일반교통방해죄의 '육로'에 해당하지 않는다.

Answer 4.② 5.②

② 업무상 과실일반교통방해죄에서 '손괴'란 교통을 방해할 수 있는 정도의 물리력을 행사한 결과 야기된 물질적 훼손을 말하므로, 교량 건설 당시의 부실제작 및 부실시공행위 등에 의하여 십수 년 후 교량이 붕괴되는 것은 '손괴'에 해당하지 않는다.

③ 집회참가자가 참가 당시 이미 다른 참가자들에 의해 교통의 흐름이 차단된 상태였더라도 교통방해를 유발한 다른 참가자들과 암묵적 · 순차적으로 공모하여 교통방해의 위법상태를 지속시켰다고 평가할 수 있다면 일반교통방해죄가 성립한다.

④ 예인선 정기용선자의 현장소장 甲은 예인선 선장 乙의 출항연기 건의를 묵살한 채 사고 위험성이 높은 해상에 예인선의 출항을 강행할 것을 지시하였고, 乙은 甲의 지시에 따라 사고의 위험성이 높은 시점에 무리하게 예인선을 운항한 결과 예인되던 선박에 적재된 물건이 해상에 추락하여 선박 교통을 방해하였다면 甲과 乙은 업무상 과실 일반교통방해죄의 공동정범이 성립한다.

**| 해설** ① 대판 2007.10.11, 2005도7573
② × : ~ '손괴'에 해당한다(대판 1997.11.28, 97도1740).
③ 대판 2018.5.11, 2017도9146 ④ 대판 2009.6.11, 2008도11784

## 06 교통방해의 죄에 대한 설명으로 옳지 않은 것은?(다툼이 있는 경우 판례에 의함)

23. 9급 검찰 · 마약수사

① 일반교통방해죄는 추상적 위험범으로서 교통이 불가능하거나 또는 현저히 곤란한 상태가 발생하면 바로 기수가 되고 교통방해의 결과가 현실적으로 발생하여야 하는 것은 아니다.

② 집회 또는 시위가 신고된 내용과 다소 다르게 행해졌으나 신고된 범위를 현저히 일탈하지 않는 경우, 그로 인하여 도로의 교통이 방해를 받았다고 하더라도 특별한 사정이 없는 한 일반교통방해죄가 성립하지 않는다.

③ 일반교통방해죄는 즉시범이므로 일단 동 죄의 기수에 이르렀다면 기수 이후 그러한 교통방해의 위법상태가 제거되기 전에 교통방해행위에 가담한 자는 일반교통방해죄의 공동정범이 될 수 없다.

④ 업무상 과실로 인하여 교량을 손괴하여 자동차의 교통을 방해하고 그 결과 자동차를 추락시킨 경우, 업무상 과실일반교통방해죄와 업무상 과실자동차추락죄가 각각 성립하고 양 죄는 상상적 경합관계에 있다.

**| 해설** ① 대판 2018.5.11, 2017도9146
② 대판 2008.11.13, 2006도755
③ × : 일반교통방해죄에서 교통방해행위는 계속범의 성질을 가지는 것이어서 교통방해의 상태가 계속되는 한 위법상태는 계속 존재한다. 따라서 교통방해를 유발한 집회에 참가한 경우 참가 당시 이미 다른 참가자들에 의해 교통의 흐름이 차단된 상태였더라도 교통방해를 유발한 다른 참가자들과 암묵적 · 순차적으로 공모하여 교통방해의 위법상태를 지속시켰다고 평가할 수 있다면 일반교통방해죄(공모공동정범)가 성립한다(대판 2018.5.11, 2017도9146).
④ 대판 1997.11.28, 97도1740

Answer 6. ③

02

**07** **다음 중 선박파괴 · 매몰죄에 관한 설명으로 옳은 것은 모두 몇 개인가?**(다툼이 있는 경우 판례에 의함)

21. 해경간부 · 해경 1차

㉠ 선박매몰죄의 고의가 성립하기 위하여는 행위시에 사람이 현존하는 것이라는 점에 대한 인식과 함께 이를 매몰한다는 결과발생에 대한 인식이 필요하며, 현존하는 사람을 사상에 이르게 한다는 등 공공의 위험에 대한 인식까지는 필요하지 않다.
㉡ 사람이 현존하는 선박에 대해 매몰행위의 실행을 개시하고 그로 인하여 선박을 매몰시켰다면 매몰의 결과발생시 사람이 현존하지 않았거나 범인이 선박에 있는 사람을 안전하게 대피시켰다면 선박매몰죄의 미수가 성립한다.
㉢ 도선사가 강제도선구역 내에서 조기하선함으로 인하여 적기에 충돌회피동작을 취하지 못하여 결국 선박 충돌사고가 발생한 경우, 도선사가 하선 후 발생한 충돌사고이므로 도선사의 업무상 과실과 사고 발생 사이의 상당인과관계가 인정되지 않는다.
㉣ 총 길이 338M, 갑판 높이 28.9M, 총 톤수 146,848톤, 유류탱크 13개, 평형수탱크 4개인 대형 유조선의 유류탱크 일부에 구멍이 생기고 선수마스트, 위성통신 안테나, 항해등 등이 파손된 경우 형법 제187조에 정한 선박의 '파괴'에 해당하지 않는다.

① 0개 ② 1개 ③ 2개 ④ 3개

**| 해설** ㉠ ○ : 대판 2000.6.23, 99도4688
㉡ × : 선박매몰죄의 기수(미수 × : 대판 2000.6.23, 99도4688 ∵ '사람이 현존'하느냐의 판단은 결과발생시가 아니라 실행에 착수한 시기를 기준으로 함)
㉢ × : ~ 상당인과관계가 인정된다(대판 2007.9.21, 2006도6949 ∴ 업무상 과실 선박파괴죄 ○).
㉣ ○ : 대판 2009.4.23, 2008도11921(∵ 형법 제187조에서 정한 '파괴'란 교통기관으로서의 기능 · 용법의 전부나 일부를 불가능하게 할 정도의 파손을 의미하고, 그 정도에 이르지 아니하는 단순한 손괴는 포함되지 않는다.)

**08** **다음 설명 중 옳지 않은 것은 모두 몇 개인가?**(다툼이 있는 경우 판례에 의함)

18. 경찰승진, 22. 해경간부

㉠ 목장 소유자가 목장운영을 위해 목장용지 내에 임도를 개설하고 차량 출입을 통제하면서 인근 주민들의 일부 통행을 부수적으로 묵인한 경우, 위 임도는 공공성을 지닌 장소로 일반교통방해죄의 '육로'에 해당한다.
㉡ 농촌주택에서 배출되는 생활하수의 배수관(소형 PVC관)을 토사로 막아 하수가 내려가지 못하게 한 경우, 수리방해죄에 해당하지 아니한다.
㉢ 피해자의 사체 위에 옷가지 등을 올려놓고 불을 붙인 천 조각을 던져서 그 불길이 방안을 태우면서 천정에까지 옮겨 붙었다면 도중에 진화되었다고 하더라도 일단 천 조각을 던진 때에 이미 현주건조물방화죄의 기수에 이른 것이다.
㉣ 도선사가 강제도선구역 내에서 조기 하선함에 따라 적기에 충돌회피동작을 취하지 못하여 선박충돌사고가 일어난 경우 도선사에게 업무상 과실 선박파괴죄가 성립한다.
㉤ 피고인들이 위임받은 채권을 용이하게 추심하는 방편으로 합동수사반원임을 사칭하고 협박한 경우, 위 채권의 추심행위는 공무원자격사칭죄로 처벌할 수 있다.

Answer 7.③ 8.④

ⓑ 형법에는 업무상 과실 또는 중대한 과실로 인하여 과실일수죄를 범한 자를 가중하여 처벌하는 규정이 있다.

① 1개 ② 2개 ③ 3개 ④ 4개

| 해설 ㉠ × : ~ '육로'에 해당하지 않는다(대판 2007.10.11, 2005도7573).
㉡ ○ : 대판 2001.6.26, 2001도404
㉢ × : 천장에 옮겨 붙은 때(천 조각을 던진 때 ×)에 현주건조물방화죄의 기수에 이른 것이다(대판 2007.3.16, 2006도9164).
㉣ ○ : 대판 2007.9.21, 2006도6949
㉤ × : 공무원자격사칭죄 ×(대판 1981.9.8, 81도1955)
㉥ × : 형법에는 업무상 과실 또는 중대한 과실로 인하여 과실일수죄(형법 제181조)를 범한 자를 가중하여 처벌하는 규정이 없다.

**09** **수도불통죄**(형법 제195조)**에 관련한 다음 설명 중 가장 옳지 않은 것은?**(다툼이 있는 경우 판례에 의함) 14. 경찰간부

① 적법한 절차를 밟지 아니한 수도라 할지라도 그것이 현실로 공중생활에 필요한 음용수를 공급하고 있는 시설로 되어 있는 이상 이를 불법하게 손괴하여 수도를 불통케 하였을 때에는 수도불통죄에 해당한다.
② 수도불통죄를 범할 목적으로 예비 또는 음모한 자는 처벌한다.
③ 사설수도를 설치한 시장 번영회가 수도요금을 체납한 회원에 대하여 사전경고까지 하고 한 단수행위에는 위법성이 있다고 볼 수 없다.
④ 시설자가 관계당국으로부터 설치허가를 받아 사재로써 시의 상수도관에다가 특수가압간선을 시설한 경우, 그 시설에 의한 급수를 받고자 하는 자는 시설자와의 계약에 의하여 시설운영위원회에 가입한 후 시의 급수승인을 받아야 하는데 이러한 절차를 거치지 않은 불법이용자라 하더라도 그에 대한 단수조치로써 시설자가 급수관을 발굴 절단하였다면 수도불통죄에 해당한다.
⑤ 수도불통죄의 대상이 되는 '수도 기타 시설'이란 공중의 음용수 공급을 주된 목적으로 설치된 것에 한정되는 것은 아니고, 설령 다른 목적으로 설치된 것이더라도 불특정 또는 다수인에게 현실적으로 음용수를 공급하고 있는 것이면 충분하며 소유관계에 따라 달리 볼 것도 아니다.

| 해설 ① 대판 1957.2.1, 4289형상317 ② 제197조 ③ 대판 1977.11.22, 77도103
④ × : 시설자가 관계당국으로부터 설치허가를 받아 사재로써 시의 상수도관에다가 특수가압간선을 시설한 경우, 그 시설에 의한 급수를 받고자 하는 자는 시설자와의 계약에 의하여 시설운영위원회에 가입한 후 시의 급수승인을 받아야 하고 그러한 절차를 거치지 않은 자에 대하여는 시설자가 마음대로 단수조치를 할 수 있는 것이므로 그에 대한 단수조치로써 시설자가 급수관을 발굴 절단하였더라도 수도불통죄에 해당하지 않는다(대판 1971.1.26, 70도2654).
⑤ 대판 2022.6.9, 2022도2817

Answer 9. ④

**10 다음 설명 중 가장 옳지 않은 것은?**(다툼이 있는 경우 판례에 의함) 24. 법원행시

① 일반교통방해죄는 일반 공중의 교통안전을 보호법익으로 하는 범죄로서 육로 등을 손괴 또는 불통하게 하는 경우뿐만 아니라 그 밖의 방법으로 교통을 방해하여 통행을 불가능하게 하거나 현저하게 곤란하게 하는 일체의 행위를 처벌하는 것을 목적으로 하는데, 여기에서 '육로'라 함은 일반 공중의 왕래에 공용된 장소, 즉 특정인에 한하지 않고 불특정 다수인 또는 차마가 자유롭게 통행할 수 있는 공공성을 지닌 장소를 말한다.

② 집회와 시위의 자유는 헌법상 보장된 국민의 기본권이므로 형법상 일반교통방해죄를 집회와 시위의 참석자에게 적용할 경우에는 집회와 시위의 자유를 부당하게 제한하는 결과가 발생할 우려가 있으므로, 도로에서 집회와 시위를 하는 과정에서 일반 공중의 교통안전을 침해하는 등 교통방해행위를 수반하였더라도 일반교통방해죄는 성립할 수 없다.

③ 일반교통방해죄는 이른바 추상적 위험범으로서 교통이 불가능하거나 또는 현저히 곤란한 상태가 발생하면 바로 기수가 되고 교통방해의 결과가 현실적으로 발생하여야 하는 것은 아니다.

④ 현주건조물방화죄는 화력이 매개물을 떠나 목적물인 건조물 스스로 연소할 수 있는 상태에 이름으로써 기수가 된다.

⑤ 피고인들이 피해자들의 재물을 강취한 후 그들을 살해할 목적으로 현주건조물에 방화하여 사망에 이르게 한 경우 피고인들의 위 행위는 강도살인죄와 현주건조물방화치사죄에 모두 해당하고 그 두 죄는 상상적 경합범관계에 있다.

**| 해설** ① 대판 2017.4.7, 2016도12563

② ×: 집회와 시위의 자유는 헌법상 보장된 국민의 기본권이므로 형법상 일반교통방해죄를 집회와 시위의 참석자에게 적용할 경우에는 집회와 시위의 자유를 부당하게 제한하는 결과가 발생할 우려가 있다. 그러나 일반교통방해죄에서 교통을 방해하는 방법을 위와 같이 포괄적으로 정하고 있는 데다가 도로에서 집회와 시위를 하는 경우 일반 공중의 교통안전을 직접적으로 침해할 위험이 있는 점을 고려하면 집회나 시위의 경우에도 교통방해행위를 수반한다면 특별한 사정이 없는 한 일반교통방해죄가 성립할 수 있다(대판 2019.4.23, 2017도1056).

③ 대판 2018.5.11, 2017도9146

④ 대판 2007.3.16, 2006도9164

⑤ 대판 1998.12.8, 98도3416

Answer 10. ②

CHAPTER 02

# 공공의 신용에 대한 죄

## 제1절 통화에 관한 죄

1. 미수범
   - 처벌 ○ : 위조통화취득 후 지정행사죄만 빼고 모두 미수범규정 존재
   - 처벌 × : 위조통화취득 후 지정행사죄
2. 예비·음모
   - 처벌 ○ : 내국통화위조·변조죄(제207조 제1항), 내국유통외국통화위조·변조죄(제207조 제2항), 외국통용외국통화위조·변조죄(제207조 제3항)
     ⇨ 실행에 이르기 전에 자수 : 필요적 감면 ○(제213조)
   - 처벌 × : 위조·변조통화행사죄(제207조 제4항), 위조·변조통화취득죄(제208조), 위조통화취득 후의 지정행사죄(제210조), 통화유사물제조죄(제211조)
3. 목적범
   - × : 위조·변조통화행사죄(제207조 제4항 전단), 위조통화취득 후 지정행사죄(제210조), 통화유사물판매죄(제211조 제2항)
   - ○ : 나머지는 모두 목적범

### THEMA 10

**통화에 관한 죄에 대한 설명으로 가장 적절한 것은?**(다툼이 있으면 판례에 의함)

① 위조통화행사죄의 객체인 위조통화는 객관적으로 보아 일반인으로 하여금 진정통화로 오신케 할 정도에 이른 것이면 족하고, 그 위조의 정도가 반드시 진정한 통화에 흡사하여야 한다거나 누구든지 쉽게 그 진부를 식별하기가 불가능한 정도의 것일 필요는 없다.

② 일본국의 자동판매기 등에 투입하여 일본국의 500￥(엔)짜리 주화처럼 사용하기 위해 한국은행 발행 500원짜리 주화의 표면 일부를 깎아내어 손상을 가한 경우 통화변조에 해당한다.

③ 스위스 화폐로써 1998년까지 통용되었으나 현재는 통용되지 않고, 다만 스위스 은행에서 신권과의 교환이 가능한 진폐(眞幣)는 형법 제207조 제2항 소정의 내국에서 유통하는 외국의 화폐에 해당한다.

④ 강제통용력을 가지지는 아니하나 일반인의 관점에서 외국에서 강제통용력을 가졌다고 오인할 수 있다면 형법 제207조 제3항의 외국에서 통용하는 지폐에 포함된다.

⑤ 위조통화임을 알고 있는 자에게 그 위조통화를 교부한 경우에 피교부자가 이를 유통시키리라는 것을 예상 내지 인식하면서 교부하였다 하더라도 위조통화행사죄가 성립하지 아니한다.

⑥ 위조통화를 행사하여 재물을 불법영득한 경우에 위조통화행사죄 이외에 사기죄는 불가벌적 사후행위에 불과하다.

**| 해설**

① ○ : **대판 1985.4.23, 85도570** 17. 경찰간부, 18. 경찰승진, 20. 수사경과 · 해경승진, 21. 해경 2차

② × : **통화변조죄 ×(대판 2002.1.11, 2000도3950 ∵ 진정한 통화에 대한 가공행위로 인하여 기존 통화의 명목가치나 실질가치가 변경되었다거나 객관적으로 보아 일반인으로 하여금 기존 통화와 다른 진정한 화폐로 오신하게 할 정도의 새로운 물건을 만들어 낸 것으로 볼 수 없다면 통화변조죄가 성립하지 않는다.)** 16. 순경 1차, 17. 경찰간부, 21. 경찰승진 · 해경 2차

③ × : **내국유통외국통화 ×(대판 2003.1.10, 2002도3340 ∵ 지급수단이 아니라 외국환거래의 대상임 ⇨ 내국유통 ×)** 12. 경찰간부, 13. 수사경과

④ × : 이러한 해석은 죄형법정주의의 원칙(유추해석 내지 확장해석 금지의 원칙)에 위배된다(대판 2004.5.14, 2003도3487 ∴ **외국에서 통용하는 지폐 ×**). 16. 순경 1차, 18. 경찰승진 · 수사경과, 21. 해경 2차

⑤ × : 그 교부행위 자체가 통화에 대한 공공의 신용 또는 거래의 안전을 해할 위험이 있으므로 위조통화행사죄가 성립한다(대판 2003.1.10, 2002도3340). 16. 순경 1차, 17. 경찰간부, 20. 수사경과

⑥ × : 위조통화행사죄와 사기죄의 실체적 경합(대판 1979.7.10, 79도840) 19. 법원행시, 20. 수사경과, 21. 경찰간부, 22. 경찰승진

» ①

**01** **통화위조죄에 대한 설명으로 옳은 것은?**(다툼이 있는 경우 판례에 의함) 21. 경찰간부, 24. 해경승진

① 위조통화를 행사하여 재물을 불법영득한 때에는 위조통화행사죄와 사기죄가 성립하며, 양 죄는 상상적 경합관계에 있다.

② 통화위조죄를 범할 목적으로 예비 · 음모한 자가 목적한 죄의 실행에 이르기 전에 자수한 때에는 그 형을 감경 또는 면제할 수 있다.

③ 형법은 행사할 목적으로 외국에서 유통하는 외국의 화폐, 지폐 또는 은행권을 위조 또는 변조한 자에 대한 처벌규정을 두고 있다.

④ 행사할 목적으로 통용하는 대한민국의 화폐, 지폐 또는 은행권을 위조 또는 변조한 행위에 대해서는 외국인의 국외범에 대해서도 대한민국 형법이 적용된다.

**| 해설** ① × : 실체적(상상적 ×) 경합관계 ○(대판 1979.7.10, 79도840)

② × : ~ 면제한다(필요적 감면 ○, 임의적 감면 × : 제213조 단서).

③ × : ~ 외국에서 통용(유통 ×)하는 ~ 있다(제207조 제3항).

④ ○ : 제5조 제4호

**02** **통화에 관한 죄에 대한 설명으로 가장 적절한 것은?**(다툼이 있는 경우 판례에 의함)

18. 경찰승진, 21. 해경 2차

① 통화의 위조는 통화발행권이 없는 자가 외견상 진정한 통화와 유사한 것을 제조하는 행위로 누구든지 쉽게 그 진부를 식별하기 불가능할 정도의 것임을 요한다.

② 통화의 변조는 권한 없이 진정한 통화에 가공하여 그 진실한 가치를 변경시키는 행위를 말하며 항상 진정한 통화를 그 재료로 삼는다.

**Answer** 1.④ 2.②

③ 외국에서 통용하지 아니하는 지폐, 즉 강제통용력을 가지지 아니하는 지폐라도 일반인의 관점에서 통용할 것이라고 오인할 가능성이 있으므로 '외국에서 통용하는 외국의 지폐'에 해당한다.

④ 자신의 신용력을 증명하기 위하여 타인에게 보일 목적으로 통화를 위조한 경우에는 행사할 목적이 있다고 할 수 있다.

| 해설 ① × : 위조통화행사죄의 객체인 위조통화는 객관적으로 보아 일반인으로 하여금 진정통화로 오신케 할 정도에 이른 것이면 족하고, 그 위조의 정도가 반드시 진정한 통화에 흡사하여야 한다거나 누구든지 쉽게 그 진부를 식별하기가 불가능한 정도의 것일 필요는 없다(대판 1985.4.23, 85도570).

② ○ : 타당하다.

③ × : 강제통용력을 가지지 아니하나 일반인의 관점에서 통용할 것이라고 오인할 가능성이 있는 지폐까지 '외국에서 통용하는 외국의 지폐'에 포함시킨다면 죄형법정주의의 원칙(유추해석 내지 확장해석금지원칙)에 어긋난다(대판 2004.5.14, 2003도3487).

④ × : 형법 제207조에서 정한 '행사할 목적'이란 유가증권위조의 경우와 달리 위조, 변조한 통화를 진정한 통화로서 유통에 놓겠다는 목적을 말하므로, 자신의 신용력을 증명하기 위하여 타인에게 보일 목적으로 통화를 위조한 경우에는 행사할 목적이 있다고 할 수 없다(대판 2012.3.29, 2011도7704).

## 03 다음 설명 중 옳은 것은 모두 몇 개인가?(다툼이 있으면 판례에 의함)

12. 경찰간부 · 경찰승진, 16. 순경 1차

㉠ 위조통화임을 알고 있는 자에게 그 위조통화를 교부한 경우에 피교부자가 이를 유통시키리라는 것을 예상 내지 인식하면서 교부하였다면, 그 교부행위 자체가 통화에 대한 공공의 신용 또는 거래의 안전을 해할 위험이 있으므로 위조통화행사죄가 성립한다.

㉡ 통화에 관한 죄는 외국인의 국내범은 처벌하지만 외국인의 국외범은 처벌하지 아니한다.

㉢ 형법 제207조 제3항의 외국에서 통용하는 지폐에 일반인의 관점에서 통용할 것이라고 오인할 가능성이 있는 지폐까지 포함시킨다면 이는 유추해석 내지 확장해석하여 적용하는 것이 되어 죄형법정주의의 원칙에 어긋나는 것으로 허용되지 않는다.

㉣ 일본국의 자동판매기 등에 투입하여 일본국의 500￥(엔)짜리 주화처럼 사용하기 위해 한국은행 발행 500원짜리 주화의 표면 일부를 깎아내어 손상을 가한 경우 통화변조에 해당한다.

㉤ 진정한 통화에 대한 가공행위로 인하여 기존 통화의 명목가치나 실질가치가 변경되었다거나 객관적으로 보아 일반인으로 하여금 기존 통화와 다른 진정한 화폐로 오신하게 할 정도의 새로운 물건을 만들어 낸 것으로 볼 수 없다면 통화변조죄가 성립하지 않는다.

㉥ 스위스 화폐로써 1998년까지 통용되었으나 현재는 통용되지 않고, 다만 스위스 은행에서 신권과의 교환이 가능한 진폐(眞幣)는 형법 제207조 제2항 소정의 내국에서 유통하는 외국의 화폐에 해당한다.

㉦ 피고인이 행사할 목적으로 미리 준비한 물건들과 옵세트인쇄기를 사용하여 한국은행원 지폐를 사진 찍어 그 필름 원판과 이를 확대하여 현상한 인화지를 만들었음에 그쳤다면 통화위조의 착수에 이르렀다고 볼 수 없다.

① 1개 ② 2개 ③ 3개 ④ 4개

Answer 3. ④

| 해설 | ㉠ ○ : 대판 2003.1.10, 2002도3340
㉡ × : 외국인의 국외범도 처벌(제5조 제4호)
㉢ ○ : 대판 2004.5.14, 2003도3487
㉣ × : 통화변조죄 ×(대판 2002.1.11, 2000도3950)
㉤ ○ : 대판 2004.3.26, 2003도5640
㉥ × : 내국유통외국통화 ×(대판 2003.1.10, 2002도3340 ∵ 지급수단이 아니라 외국환거래의 대상임 ⇨ 내국유통 ×)
㉦ ○ : 1966.12.6, 66도1317

**04 통화에 관한 죄 등에 대한 설명으로 틀린 것은?**(판례에 의함) 기출지문 종합

① 형법 제207조 제2항 소정의 내국에서 '유통하는'이란 같은 조 제1항・제3항 소정의 '통용하는'과 달리, 강제통용력이 없이 사실상 거래대가의 지급수단이 되는 상태를 가리킨다.
② 통화위조를 예비・음모한 자가 실행 전에 자수한 때에는 그 형을 감면할 수 있다.
③ 진정한 통화에 대한 가공행위로 인하여 기존 통화의 명목가치나 실질가치가 변경되었다거나 객관적으로 보아 일반인으로 하여금 기존 통화와 다른 진정한 화폐로 오신하게 할 정도의 새로운 물건을 만들어 낸 것으로 볼 수 없다면 통화변조죄가 성립하지 않는다.
④ 한국은행권 10원짜리 주화의 표면에 하얀 약칠을 하여 100원짜리 주화와 유사한 색채를 갖도록 색채의 변경만을 한 경우에는 통화위조죄가 성립하지 않는다.
⑤ 형법상 통화에 관한 죄는 문서에 관한 죄에 대하여 특별관계에 있으므로 통화에 관한 죄가 성립하는 때에는 문서에 관한 죄는 별도로 성립하지 않으므로 형법 제207조 제3항에서 정한 '외국에서 통용하는 외국의 화폐 등'에 해당하지 않고, 형법 제207조 제2항에서 정한 '내국에서 유통하는 외국의 화폐 등'에도 해당하지 않는 화폐 등을 행사하더라도 형법 제207조 제4항에서 정한 위조통화행사죄를 구성하지 않는다고 할 것이고, 따라서 이러한 경우에는 형법 제234조에서 정한 위조사문서행사죄 또는 위조사도화행사죄로 의율할 수 있다고 보아야 한다.

| 해설 | ① 대판 2003.1.10, 2002도3340
② × : 그 형을 감경 또는 면제한다(필요적 감면 : 제213조).
③ 대판 2004.3.26, 2003도5640
④ 대판 1979.8.28, 79도639
⑤ 대판 2013.12.12, 2012도2249

Answer 4. ②

## THEMA 11 '공공의 신용에 대한 죄' 총정리

1. **위조**(유형위조)

권한(통화 : 발행권, 유가증권 · 문서 : 작성권한) 없는 자가 일반인으로 하여금 진정한 것(진화, 진정하게 작성된 유가증권 · 문서)으로 오신하게 하는 정도의 형식과 외관을 갖춘 타인 명의의 유가증권 · 문서(부정한 것)를 작성하는 것

2. **변 조**

권한 없는 자가 진정한 것(진정한 통화, 진정하게 성립된 타인 명의의 유가증권 · 문서)에 동일성을 해하지 않는 범위 내에서 변경을 가하는 것

▶ 본질적 부분을 변경하거나 동일성을 해한 경우, 전혀 새로운 것을 만든 경우 ⇨ 변조(×) 위조(○)

3. **허위**(유가증권 · 공문서)**작성죄**(무형위조)

작성권한 있는 자가 자기 명의로 허위내용을 기재하는 것

▶ 사문서 무형위조(허위사문서작성죄) ⇨ 불벌(원칙), 허위진단서작성죄 ⇨ 예외적 처벌

▶ 공정증서원본부실기재죄 ⇨ 간접적 무형위조(간접정범 형태에 의한 허위공문서작성죄)

4. **자격모용에 의한 유가증권 · 사문서 · 공문서작성죄**

| | |
|---|---|
| **대리권, 대표권 없는 자가 그 자격을 사칭하여 자기 명의의 유가증권 · 문서를 작성한 경우** | 자격모용에 의한 유가증권 · 사문서 · 공문서작성죄 |
| **대리권, 대표권 없는 자가 그 명의까지 모용하여 타인**(대리권자나 대표권자) **명의의 유가증권 · 문서를 작성한 경우** | 유가증권 · 사문서 · 공문서위조죄 |
| **대리권, 대표권 있는 자가**(그 권한의 범위 내에서) **권한을 남용하여 자기 명의의 유가증권 · 사문서 · 공문서를 작성한 경우** | 사문서 : 문서에 관한 죄(×), 배임죄 가능 |
| | 유가증권 : 허위유가증권작성죄나 배임죄 가능 |
| | 공문서 : 허위공문서작성죄나 배임죄 가능 |
| **대리권, 대표권 있는 자가 그 권한의 범위 외의 사항**(명백히 권한을 초월한 사항)**에 관하여 자기 명의의 유가증권 · 사문서 · 공문서를 작성한 경우** | 자격모용에 의한 유가증권 · 사문서 · 공문서작성죄 |

5.

| | |
|---|---|
| **위조통화 · 유가증권 · 사문서 · 공문서행사죄** | 위조한 것을 진정한 것으로 사용하는 것 |
| **사문서 · 공문서부정행사죄** | 진정한 것(진정하게 성립한 문서)을 사용권한 없는 자가 그 문서의 용도에 따라 사용하거나 사용권한 있는 자가 용도 이외에 사용한 것 |

# 제2절 유가증권 · 우표와 인지에 관한 죄

1. 미수범 ┌ 처벌 ○ : 소인말소죄만 빼고 모두 미수처벌
   └ 처벌 × : 소인말소죄
2. 예비 · 음모 ┌ 처벌 ○ : 유가증권위조 · 변조죄, 자격모용에 의한 유가증권작성죄, 인지 · 우표위조 · 변조죄 ⇨ 실행 전의 자수 : 필요적 감면 ×
   └ 처벌 × : 나머지 모두
3. 목적범 ┌ × : 위조 · 변조유가증권행사죄, 위조 · 변조인지 · 우표행사죄, 인지 · 우표유사물판매죄
   └ ○ : 나머지 모두

## THEMA 12 '유가증권의 개념' 총정리

1. 유가증권이란 증권상에 표시된 재산상의 권리의 행사와 처분에 그 증권의 점유를 필요로 하는 것을 총칭하는 것으로서 재산권이 증권에 화체된다는 것과 그 권리의 행사와 처분에 증권의 점유를 필요로 한다는 두 가지 요소를 갖추면 족하지 반드시 유통성을 가질 필요는 없다(대판 2001.8.24, 2001도2832). 14. 경찰간부, 15. 순경 2차, 18. 순경 1차, 19. 수사경과, 20. 해경 3차, 23. 해경승진 · 경찰승진

| 유가증권에 해당하는 경우 | 유가증권에 해당하지 않는 경우 |
|---|---|
| 할부구매전표(대판 1995.3.14, 95도20), 공중전화카드(대판 1998.2.27, 97도2483), 스키장리프트탑승권(대판 1998.11.24, 98도2967). 직장소비조합이 소속 조합원에게 발행한 신용카드(대판 1984.11.27, 84도1862)<br>▶ 후불식 공중전화카드(KT카드) ⇨ 사문서 ○(대판 2002.6.25, 2002도461)<br>▶ 카드일련번호식 국제전화카드 ⇨ 유가증권 ×(대판 2011.11.10, 2011도9620 ∵ 재산권이 증권에 화체 ×, 권리의 행사와 처분에 증권의 점유 ×) | 〈재산권이 표시되어 있지 않는 것(증거증권)〉<br>물품구입증(대판 1972.12.26, 72도1688)<br>〈증서의 점유가 권리행사의 요건이 아닌 것(면책증권)〉<br>정기예탁금증서(대판 1984.11.27, 84도2147)<br>▶ 신용카드업자가 발행한 신용카드(대판 1999.7.9, 99도857 ∵ 경제적 가치가 화체되어 있거나 특정의 재산권을 표창하는 유가증권 ×, 증표로서의 가치 ○) 13. 경찰간부, 22. 수사경과 |

2. 수표의 외관이 일반인으로 하여금 진정한 수표라고 신용하게 할 정도의 것이라면 동 수표가 수표요건을 결하여 실체법상 무효의 것이라 해도 위조죄는 성립한다 할 것이다(대판 1973.6.12, 72도1796). 13. 경찰승진, 21. 수사경과

   ㉮ 발행일자의 기재가 없는 수표(대판 1973.6.12, 72도1796), 설립이 실질적으로 무효인 주식회사의 주권, 상법상 무효인 대표자의 날인이 없는 주권(대판 1974.12.24, 74도294), 위조된 유가증권 · 약속어음(∴ 이를 구입하여 완성한 경우 ⇨ 유가증권위조죄 : 대판 1982.6.22, 82도677), 증권이 비록 문방구 약속어음 용지를 이용하여 작성되었다고 하더라도 그 전체적인 형식 · 내용에 비추어 일반인이 진정한 것으로 오신할 정도의 약속어음 요건을 갖추고 있으면 형법상 유가증권에 해당한다(대판 2001.8.24, 2001도2832). 13. 법원직 · 법원행시 · 경찰승진, 18. 수사경과

3. 유가증권은 위조된 유가증권의 원본을 말하는 것이므로, 전자복사기 등을 사용하여 기계적으로 복사한 사본은 유가증권이 아니다(대판 1998.2.13, 97도2922). 13. 변호사시험, 17. 경찰간부 · 순경 1차, 20. 법원직 · 해경 3차
4. 약속어음의 위조는 적어도 행사할 목적으로 외형상 일반인으로 하여금 진정하게 작성된 유가증권이라고 오신케 할 수 있을 정도로 작성된 것이라면 그 발행명의인이 가령 실재하지 않은 사자 또는 허무인이라 하더라도 그 위조죄가 성립된다(대판 2011.7.14, 2010도1025). 17. 법원행시, 20. 해경 3차, 22. 경찰승진

**01** **유가증권이라고 볼 수 있는 것은 모두 몇 개인가?**(다툼이 있는 경우 판례에 의함) 15. 경찰간부

| | |
|---|---|
| ㉠ 신용카드업자가 발행한 신용카드 | ㉡ 전자복사기를 사용해 복사한 유가증권 사본 |
| ㉢ 문방구 약속어음 용지로 작성된 주권 | ㉣ 스키장 리프트 탑승권 |
| ㉤ 정기예탁금 증서 | ㉥ 대표이사의 날인이 없는 상법상 무효인 주권 |

① 2개 ② 3개 ③ 4개 ④ 5개

| 해설 | • **유가증권** ○ : ㉢ 대판 2001.8.24, 2001도2832 ㉣ 대판 1998.11.24, 98도2967 ㉥ 대판 1974.12.24, 74도294
• **유가증권** × : ㉠ 대판 1999.7.9, 99도857 ㉡ 대판 1998.2.13, 97도2922 ㉤ 대판 1984.11.27, 84도2147

**02** **다음 중 유가증권위조죄의 객체가 되는 유가증권에 해당하지 않는 것은 모두 몇 개인가?**(다툼이 있는 경우 판례에 의함) 20. 해경 3차

| | |
|---|---|
| ㉠ 공중전화카드 | ㉡ 할부구매전표 |
| ㉢ 신용카드업자가 발행한 신용카드 | ㉣ 한국외환은행조합신용카드 |
| ㉤ 허무인명의 유가증권 | ㉥ 복사한 약속어음 |
| ㉦ 발행인의 날인 대신 발행인 아닌 타인의 무인만이 있는 약속어음 | |

① 1개 ② 2개 ③ 3개 ④ 4개

| 해설 | • **유가증권** ○ : ㉠ 대판 1998.2.27, 97도2483 ㉡ 대판 1995.3.14, 95도28 ㉣ 대판 1984.11.27, 84도1862 ㉤ 대판 2011.7.14, 2010도1025
• **유가증권** × : ㉢ 대판 1999.7.9, 99도857 ㉥ 대판 1998.2.13, 97도2922 ㉦ 대판 1992.6.23, 92도976

Answer 1.② 2.③

02

## THEMA 13 '유가증권의 위조와 변조' 총정리

목적범 ○, 수표를 위조·변조한 때 ⇨ 부정수표단속법 제5조(수표의 위·변조행위에 관하여는 범죄 성립요건을 완화하여 초과주관적 구성요건인 '행사할 목적'을 요구하지 아니함 : 대판 2008.2.14, 2007도10100)가 우선 적용된다. 02. 사시, 05. 순경, 13. 법원행시·법원직

| 구분 | 위 조 | 변 조 |
|---|---|---|
| 의의 | 유가증권위조란 작성권한 없는 자가 타인 명의의 유가증권을 작성하는 것으로 일반인이 진정하게 작성된 유가증권으로 오신하게 할 정도임을 요한다. 유가증권이 사법상 유효하거나 명의인이 실재함을 요하지 아니하며, 명칭은 본명에 한하지 않고 거래상 본인을 가리키는 것으로 인식되는 칭호(상호나 별명 등)라면 다 가능하다(대판 1982.9.28, 82도296). | 유가증권 변조란 이미 진정하게 성립된 타인 명의의 유가증권의 내용에 동일성을 해하지 않는 범위 안에서 변경을 가한 경우를 말한다.<br>▶ 타인에 속한 자기 명의 유가증권에 변경을 가한 경우 ⇨ 유가증권변조죄 ×(허위유가증권작성죄·문서손괴죄 ○) |
| 사례 | ① 찢어서 폐지로 된 타인의 약속어음을 짜맞추어 어음의 외형을 갖춘 경우(대판 1976.1.27, 74도3442)<br>② 백지어음에 대하여 취득자가 발행자와의 합의에 의해 정해진 보충권의 한도를 넘어 보충을 한 경우(대판 1989.12.12, 89도1264) 14. 경찰간부, 17. 법원행시<br>③ 타인이 위조한 백지의 약속어음을 완성한 경우(대판 1982.6.22, 82도677) 13. 경찰승진·순경 3차, 18. 순경 1차, 20. 법원직<br>④ 다쓴 공중전화카드의 자기기록 부분에 전자정보를 기록하여 사용가능한 공중전화카드를 만든 경우(대판 1998.2.27, 97도2483) 10. 경찰승진, 15. 순경 2차<br>⑤ 약속어음의 위조는 적어도 행사할 목적으로 외형상 일반인으로 하여금 진정하게 작성된 유가증권이라고 오신케 할 수 있을 정도로 작성된 것이라면 그 발행명의인이 가령 실재하지 않는 사자 또는 허무인이라 하더라도 그 위조죄가 성립된다(대판 2011.7.14, 2010도1025). 17. 법원행시, 22. 수사경과<br>⑥ 리프트탑승권 발매기를 전산조작하여 위조한 탑승권을 발매기에서 뜯어간 후 타인에게 매도한 경우 ⇨ 유가증권위조죄+절도죄+위조유가증권행사죄(대판 1998.11.24, 98도2967) 17. 7급 검찰 | ① 직장소비조합이 그 소속조합원에게 직번·구입상품명 등을 기재하여 교부한 신용카드의 소지인이 자신이 카드의 금액란을 정정기재할 수 있는 권리가 있는 것처럼 상점점원을 기망하여 그 점원으로 하여금 그 금액란을 정정기재하게 한 경우(대판 1984.11.27, 84도1862) ⇨ 간접정범의 방법에 의한 변조<br>② 이미 타인에 의하여 위조된 약속어음의 기재사항을 권한 없이 변경하였다고 하더라도 유가증권변조죄는 성립하지 아니한다. 그리고 위조된 약속어음의 액면금액을 권한 없이 변경하는 것이 당초의 위조와는 별개의 새로운 유가증권위조로 된다고 할 수도 없다(대판 2008.12.24, 2008도9494). 15. 순경 2차, 18. 순경 1차, 19. 경찰승진, 20. 법원직, 22. 수사경과, 23. 해경승진<br>③ 설사 진실에 합치하도록 변경한 것이라 하더라도 권한 없이 변경한 경우 ⇨ 변조 ○(대판 1984.11.27, 84도1862) 19. 법원행시 |

### 관련판례

- **유가증권위조·변조죄가 성립하지 않는 경우**

1. 유가증권의 내용 중 권한 없는 자에 의하여 이미 변조된 부분을 다시 권한 없이 변경하였다고 하더라도 유가증권변조죄는 성립하지 않는다(대판 2012.9.27, 2010도15206). 13. 법원직, 15. 법원행시, 21. 경찰승진·수사경과, 23. 순경 1차

2. 어음금액이 백지인 약속어음의 할인을 위임받은 자가 위임 범위 내에서 어음금액을 기재한 후 어음할인을 받으려고 하다가 여의치 아니하자, 어음금액의 기재를 삭제한 것은 유가증권변조죄에 해당하지 아니한다(대판 2006.1.13, 2005도6267 ∵ 그 권한 범위 내에 속함). 08. 사시, 10. 경찰승진
3. 타인에게 속한 자기 명의의 유가증권에 무단히 변경한 경우 ⇨ 문서손괴죄나 허위유가증권작성죄에 해당되는 경우가 있음을 별론으로 하고 유가증권변조죄를 구성하는 것은 아니다(대판 1978.11.14, 78도1904 ∵ 진정하게 성립한 타인 명의의 유가증권에 변경을 가하는 경우 ⇨ 유가증권변조죄). 10. 순경, 14. 경찰간부
4. 발행인의 날인 대신 발행인 아닌 타인의 무인만이 있는 약속어음(대판 1992.6.23, 92도976), 발행인의 날인 없는 가계수표 발행(대판 1985.9.10, 85도1501) ⇨ ∵ 진정한 것으로 오신하게 할 정도 × 08. 사시, 20. 해경 3차
5. 회사의 대표이사로서 주권작성권한을 가지고 있는 자가 대표권을 남용하여 자기나 제3자의 이익도모 목적으로 그들 명의의 주권의 기재사항에 변경을 가한 경우(대판 1980.4.22, 79도3034), 백지어음 보충권의 한도가 특정되어 있지 않고 행사방법에도 특별한 정함이 없는 경우 결과적으로 범위를 벗어난 보충권의 행사(대판 1989.12.12, 89도1264) ⇨ ∵ 작성권한 있는 경우임

**01** **다음 설명 중 가장 옳지 않은 것은?**(다툼이 있는 경우 판례에 의함) 20. 법원직

① 강제집행면탈죄는 강제집행을 당할 구체적인 위험이 있는 상태에서 재산을 은닉, 손괴, 허위양도 또는 허위의 채무를 부담함으로써 채권자를 해하는 결과가 야기되어야 한다. 따라서 채무자가 그 소유의 부동산을 허위로 양도하였더라도 그 부동산의 시가액보다 그 부동산에 의하여 담보된 채무액이 더 많아 실질적으로 담보가치가 없었다면 그 허위양도로 인해 채권자를 해할 위험이 없다고 보아야 한다.

② 이미 타인에 의하여 위조된 약속어음의 기재사항을 권한 없이 변경하더라도 유가증권변조죄는 성립하지 않는다.

③ 타인이 위조한 액면과 지급기일이 백지로 된 약속어음을 구입하여 행사의 목적으로 백지인 액면란에 금액을 기입하여 그 위조어음을 완성하였다면, 백지어음 형태의 위조행위와는 별개로 유가증권위조죄가 성립한다.

④ 위조유가증권행사죄에서의 유가증권이라 함은 위조된 유가증권의 원본을 말하는 것이지 전자복사기 등을 사용하여 기계적으로 복사한 사본은 이에 해당하지 않는다.

**해설** ① × : ~ (2줄) 허위의 채무를 부담하면 바로 성립하는 것이고 채권자를 해하는 결과가 야기되어야 하는 것은 아니다. 따라서 ~ 채권자를 해할 위험이 있다고 보아야 한다(대판 2008.5.8, 2008도198).
② 대판 2008.12.24, 2008도9494
③ 대판 1982.6.22, 82도677
④ 대판 1998.2.13, 97도2922

**Answer** 1. ①

THEMA 14

**자격모용에 의한 유가증권작성죄에 관한 다음의 기술 중 부당한 것은?**

① 대리권 또는 대표권 있는 자가 권한을 남용하여 본인 또는 회사 명의로 유가증권을 발행한 경우에는 자격모용에 의한 유가증권작성죄는 성립하지 않는다.

② 대리권 또는 대표권 있는 자라 할지라도 그 권한범위 외의 사항 또는 명백히 권한을 초월한 사항에 관하여 본인 또는 회사 명의의 유가증권을 발행한 경우에는 권한 없는 자와 마찬가지로 자격모용에 대한 유가증권작성죄가 성립한다.

③ 직무집행정지가처분결정을 받은 대표이사가 대표이사 명의의 유가증권을 작성한 경우에는 자격모용유가증권작성 등에 해당한다.

④ 전직 대표이사가 타인으로 대표이사가 변경되었음에도 불구하고 후임 대표이사의 승낙을 얻어 이전부터 사용하여 오던 회사 대표이사의 명판을 이용하여 약속어음을 발행·행사한 경우에는 자격모용에 의한 유가증권작성죄에 해당하지 않는다.

⑤ 회사의 대표이사가 은행과 당좌거래약정이 되어 있는 전 대표이사 명의로 수표를 발행한 경우에는 자격모용에 의한 유가증권작성죄가 성립하지 않는다.

**| 도움말 자격모용에 의한 유가증권작성죄(제215조)**

행사할 목적으로 타인의 자격을 모용하여 유가증권을 작성함으로써 성립하는 범죄이다.

- 대리권이나 대표권 없는 자가 타인의 대리·대표자격을 사칭하여 자기 명의의 유가증권을 작성한 경우 ⇨ 자격모용에 의한 유가증권작성죄
- 대리권이나 대표권 없는 자가 그 자격뿐만 아니라 타인의 명의까지 모용한 경우 ⇨ 유가증권위조죄
- 대리권이나 대표권 있는 자가 권한범위 밖의 사항이나 명백히 권한을 초월하여 자기 또는 회사명의의 유가증권을 발행한 경우 ⇨ 자격모용에 의한 유가증권작성죄(② 대판 1987.8.18, 87도145)
- 대리권이나 대표권 있는 자가 그 권한을 남용하여 자기 또는 회사 명의의 유가증권을 작성한 경우 ⇨ 유가증권위조죄나 자격모용에 의한 유가증권작성죄 ×(∵ 작성권한 있는 자), 배임죄나 허위유가증권작성죄는 성립 가능 ⇨ ①

**관련판례**

**• 본죄에 해당하는 경우**

1. 직무집행정지가처분을 받은 대표이사가 그 권한 밖의 일일 대표이사 명의의 유가증권을 작성(대판 1987.8.18, 87도145) ⇨ ③
2. 대표이사가 타인(乙)으로 변경되었는데도 전임대표이사(甲)가 명판을 이용하여 후임대표이사의 승낙을 얻어 회사의 약속어음을 발행(대판 1991.2.26, 90도577 ∵ '甲'명의로 발행한 경우 ▶ 만일 대표이사 '乙'명의로 발행하면 ⇨ 유가증권위조죄 ○) ⇨ ④ 17. 경찰간부, 19. 경찰승진, 23. 해경승진

**• 본죄에 해당하지 않는 경우**

1. 회사의 대표이사가 은행과 당좌거래약정이 되어 있는 전 대표이사 명의로 수표를 발행(대판 1975.9.23, 74도1684) ⇨ 유가증권위조죄 ×, 본죄 × ⇨ 무죄(∵ 회사 명의의 수표를 발행할 권한이 있음) ⇨ ⑤
2. 거래상 자기를 표시하는 명칭으로 사용해 온 망부 명의로 어음을 발행(대판 1982.9.28, 82도296) ⇨ 유가증권위조죄 ×, 본죄 × ⇨ 무죄(∵ 피고인 자신의 어음행위임)

» ④

THEMA 15

**다음 중 허위유가증권작성죄가 성립하지 않는 것은 모두 몇 개인가?**(판례에 따름)

㉠ 약속어음작성권자의 승낙 내지 위임을 받아 약속어음을 발행함에 있어서 발행인의 명의 아래 피고인의 인장을 날인하여 약속어음을 발행 교부한 경우
㉡ 선하증권 기재의 화물을 인수하거나 확인하지도 아니하고 또한 선적할 선편조차 예약하거나 확보하지도 않은 상태에서 수출면장만을 확인한 채 실제로 선적한 사실이 없는 화물을 선적하였다는 내용의 선하증권을 발행한 경우
㉢ 유가증권의 허위작성행위 자체에는 직접 관여한 바 없이 타인에게 그 작성을 부탁하여 그 타인으로 하여금 범행을 하게 한 경우
㉣ 자기앞수표의 발행인이 수표의뢰인으로부터 수표자금을 입금받지 아니한 채 자기앞수표를 발행한 경우
㉤ 은행을 통하여 지급이 이루어지는 약속어음의 발행인이 그 발행을 위하여 은행에 신고된 것이 아닌 발행인의 다른 인장을 날인한 경우

① 1개 ② 2개 ③ 3개 ④ 4개

**| 도움말 허위유가증권작성죄(제216조)**

작성권한 있는 자가 작성명의를 모용하지 않고 유가증권에 허위내용을 기재함으로써 성립하는 범죄이다(일종의 무형위조).

**관련판례**

**• 허위유가증권작성죄에 해당하는 경우**

1. 주권발행의 권한을 위임받았더라도 주권의 발행일자를 실제보다 소급기재하여 발행(대판 1974.1.15, 73도2041)
2. 발행인 명의 아래 약속어음의 작성을 위임받은 자가 진실에 반하는 자기의 인장을 날인하여 약속어음을 발행한 경우(대판 1975.6.10, 74도2594) 13. 경찰간부
3. 지급은행과 당좌거래실적이 없거나 거래정지를 당하였음에도 불구하고 수표를 발행한 경우(대판 1956.6.26, 56도128)
4. 화물을 인수하거나 확인하지도 아니하고 수출면장만을 확인한 채 실제로 선적하지 않은 화물을 선적하였다는 내용의 선하증권을 발행한 경우(대판 1995.9.29, 95도803) 13. 경찰간부
5. 유가증권의 허위작성행위 자체에는 직접 관여한 바 없다 하더라도 타인에게 그 작성을 부탁하여 의사연락이 되고 그 타인으로 하여금 범행을 하게 하였다면 공모공동정범에 의한 허위작성죄가 성립한다(대판 1985.8.20, 83도2575). 10. 순경, 13 · 18. 경찰간부

**• 허위유가증권작성죄에 해당하지 않는 경우**〔권리의 실질관계와 부합하거나(아래의 4, 5) 권리관계에 아무런 영향을 미치지 못한 경우(아래의 1, 2, 3)〕

1. 약속어음의 발행인이 그 발행을 위하여 은행에 신고된 것이 아닌 발행인의 다른 인장을 날인한 경우(대판 2000.5.30, 2000도883) 11. 경찰승진, 13. 순경 3차, 16. 사시, 18 · 19. 수사경과
2. 약속어음 배서인의 주소를 허위로 기재한 경우(대판 1986.6.24, 84도547) 11. 법원행시, 12. 순경
3. 자기앞수표의 발행인이 수표의뢰인으로부터 수표자금을 입금받지 아니한 채 자기앞수표를 발행한 경우(대판 2005.10.27, 2005도4528) 08. 사시, 10. 순경, 17 · 18. 순경 1차

4. 해당 은행과의 거래가 계속되는 동안 당좌거래은행에 잔고가 없음을 알면서도 수표를 발행한 경우(대판 1960.11.30, 4293형상787)
5. 주권발행 전에 주식을 양도받은 자에게 주식을 발행한 경우(대판 1982.6.22, 81도1935)

**| 해설**

- 허위유가증권작성죄 ○ : ㉠ 대판 1975.6.10, 74도2594 ㉡ 대판 1995.9.29, 95도803 ㉢ 대판 1985.8.20, 83도2575(공모공동정범에 의한 허위유가증권작성죄 ○)
- 허위유가증권작성죄 × : ㉣ 대판 2005.10.27, 2005도4528(∵ 그 수표의 효력에는 아무런 영향이 없음) ㉤ 대판 2000.5.30, 2000도883(∵ 그 어음의 효력에는 아무런 영향이 없음) » ②



**01 다음 설명 중 가장 옳지 않은 것은?**(다툼이 있는 경우 판례에 의함) 17. 법원행시

① 약속어음의 위조는 적어도 행사할 목적으로 외형상 일반인으로 하여금 진정하게 작성된 유가증권이라고 오신케 할 수 있을 정도로 작성된 것이라면 그 발행명의인이 가령 실재하지 않은 사자 또는 허무인이라 하더라도 그 위조죄가 성립된다.

② 백지어음에 대하여 취득자가 발행자와의 합의에 의하여 정하여진 보충권의 한도를 넘어 보충권을 남용하여 행사한 경우에는 유가증권위조죄가 성립한다.

③ 명의인을 기망하여 문서를 작성케 하는 경우는 서명·날인이 정당히 성립된 경우에도 기망자는 명의인을 이용하여 서명·날인자의 의사에 반하는 문서를 작성케 하는 것이므로 사문서위조죄가 성립한다.

④ 은행을 통하여 지급이 이루어지는 약속어음의 발행인이 그 발행을 위하여 은행에 신고된 것이 아닌 발행인의 다른 인장을 날인하였더라도 허위유가증권작성죄는 성립하지 아니한다.

⑤ 위조유가증권행사죄는 위조사문서행사죄와 달리 위조유가증권임을 알고 있는 자에게 교부하였더라도 위조유가증권 행사죄가 성립하므로, 위조유가증권의 교부자와 피교부자가 유가증권위조를 공모한 공범관계에 있다고 하여도 위조유가증권행사죄는 성립한다.

**| 해설** ① 대판 2011.7.14, 2010도1025 ② 대판 1989.12.12, 89도1264 ③ 대판 2000.6.13, 2000도778
④ 대판 2000.5.30, 2000도883(∵ 어음의 효력에 아무런 영향 ×)
⑤ × : ~ 공범관계에 있다면 위조유가증권행사죄가 성립하지 않는다(대판 2010.12.9, 2010도12553).

**02 유가증권에 관한 죄에 대한 설명 중 가장 적절하지 않은 것은?**(다툼이 있는 경우 판례에 의함)
18. 순경 1차

① 자기앞수표의 발행인이 수표의뢰인으로부터 수표자금을 입금받지 아니한 채 자기앞수표를 발행한 경우에는 허위유가증권작성죄가 성립한다.

**Answer** 1. ⑤ 2. ①

② 형법 제214조의 유가증권이 되기 위해서는 재산권이 증권에 화체된다는 것과 그 권리의 행사와 처분에 증권의 점유를 필요로 한다는 두 가지 요소를 갖추면 족하지 반드시 유통성을 가질 필요는 없다.
③ 이미 타인에 의하여 위조된 약속어음의 기재사항을 권한 없이 변경하였다고 하더라도 유가증권변조죄는 성립하지 않는다.
④ 타인이 위조한 액면과 지급기일이 백지로 된 약속어음을 구입하여 행사의 목적으로 백지인 액면란에 금액을 기입하여 그 위조어음을 완성하는 행위는 백지어음 형태의 위조행위와 별개의 유가증권위조죄를 구성한다.

해설 ① ×: 허위유가증권작성죄 ×(대판 2005.10.27, 2005도4528 ∵ 수표의 효력에 아무런 영향 ×)
② 대판 2001.8.24, 2001도2832
③ 대판 2008.12.24, 2008도9494
④ 대판 1982.6.22, 82도677

**03 유가증권에 관한 죄에 대한 설명이다. 아래 ㉠부터 ㉣까지의 설명 중 옳고 그름의 표시(○, ×)가 바르게 된 것은?**(다툼이 있는 경우 판례에 의함) 19. 경찰승진, 23. 해경승진

㉠ 유가증권이란 증권상에 표시된 재산상의 권리의 행사와 처분에 그 증권의 점유를 필요로 하는 것을 총칭하는 것으로서 재산권이 증권에 화체된다는 것, 그 권리의 행사와 처분에 증권의 점유를 필요로 한다는 것과 반드시 유통성을 가질 것을 필요로 한다.
㉡ 甲이 백지 약속어음의 액면란을 부당 보충하여 위조한 후 乙이 甲과 공모하여 금액란을 임의로 변경한 경우 乙의 행위는 유가증권위조나 변조에 해당하지 않는다.
㉢ A회사의 대표이사로 재직한 바 있는 甲이 A회사의 대표이사가 이미 乙로 변경된 이후임에도 불구하고, 이전부터 사용하여 오던 자기 명의로 된 A회사 대표이사 명판을 이용하여 여전히 자신을 A회사 대표이사로 표시하여 약속어음을 발행하고 행사한 경우 유가증권위조죄 및 동행사죄가 성립한다.
㉣ 위조유가증권의 교부자와 피교부자가 서로 유가증권위조를 공모한 경우 그들 사이의 위조유가증권교부행위는 유가증권의 유통질서를 해할 우려가 있어 위조유가증권행사죄가 성립한다.

① ㉠(○), ㉡(×), ㉢(○), ㉣(×)
② ㉠(×), ㉡(○), ㉢(×), ㉣(○)
③ ㉠(×), ㉡(○), ㉢(×), ㉣(×)
④ ㉠(×), ㉡(×), ㉢(×), ㉣(○)

해설 ㉠ ×: ~ 유통성을 가질 필요는 없다(대판 2001.8.24, 2001도2832).
㉡ ○: 대판 2008.12.24, 2008도9494(∵ 이미 타인에 의하여 위조된 약속어음의 기재사항을 권한 없이 변경하였다고 하더라도 유가증권변조죄는 성립하지 아니한다. 그리고 위조된 약속어음의 액면금액을 권한 없이 변경하는 것이 당초의 위조와는 별개의 새로운 유가증권위조로 된다고 할 수도 없다.)
㉢ ×: 자격모용에 의한 유가증권작성죄 및 동행사죄 ○, 유가증권위조죄 및 동행사죄 ×(대판 1991.2.26, 90도577)
㉣ ×: 위조유가증권행사죄 ×(대판 2010.12.9, 2010도12553 ∵ 아직 범인들의 수중에 있는 것이지 그들 이외의 자에게 행사되었다고 볼 수 없음)

Answer 3. ③

**04 유가증권에 관한 죄에 대한 설명 중 가장 적절하지 않은 것은?**(다툼이 있는 경우 판례에 의함)

17. 순경 1차

① 자기앞수표의 발행인이 수표의뢰인으로부터 수표자금을 입금받지 아니한 채 자기앞수표를 발행하더라도 허위유가증권작성죄가 성립하지 아니한다.

② 위조유가증권행사죄에 있어서의 유가증권이라 함은 위조된 유가증권의 원본을 말하는 것이지 전자복사기 등을 사용하여 기계적으로 복사한 사본은 이에 해당하지 않는다.

③ 유가증권의 내용 중 권한 없는 자에 의하여 이미 변조된 부분을 다시 권한 없이 변경한 경우 유가증권변조죄는 성립하지 않는다.

④ 타인이 위조한 액면과 지급기일이 백지로 된 약속어음을 구입하여 행사의 목적으로 백지인 액면란에 금액을 기입하여 그 위조어음을 완성하는 행위는 백지어음 형태의 위조행위와 별개의 유가증권위조죄를 구성하지 않는다.

⑤ 판매하려는 의도를 가지고 폐공중전화카드의 자기기록 부분에 전자정보를 조작하여 사용가능한 공중전화카드로 만든 경우 유가증권위조죄가 성립한다.

**| 해설** ① 대판 2005.10.27, 2005도4528
② 대판 1998.2.13, 97도2922 ③ 대판 2012.9.27, 2010도15206
④ × : ~ 별개의 유가증권위조죄를 구성한다(대판 1982.6.22, 82도677).
⑤ 대판 1998.2.27, 97도2483

**05 다음의 설명 중 가장 적절한 것은?**(다툼이 있는 경우 판례에 의함)

21. 경찰승진

① 일본국의 자동판매기 등에 투입하여 일본국의 500￥(엔)짜리 주화처럼 사용하기 위하여 한국은행발행 500원짜리 주화의 표면 일부를 깎아내어 손상을 가한 경우, 그 크기와 모양 및 대부분의 문양이 그대로 남아 있더라도 형법 제207조 통화변조죄가 성립한다.

② 형법 제207조 통화위조죄에서 정한 '행사할 목적'은 자신의 신용력을 증명하기 위하여 타인에게 보일 목적으로 통화를 위조한 경우에도 인정할 수 있다.

③ 유가증권의 내용 중 권한 없는 자에 의하여 이미 변조된 부분을 다시 권한 없이 변경하였다고 하더라도 형법 제214조 유가증권변조죄는 성립하지 않는다.

④ 위조우표취득죄 및 위조우표행사죄에 관한 형법 제219조 및 제218조 제2항 소정의 "행사"라 함은 위조된 대한민국 또는 외국의 우표를 진정한 우표로서 사용하는 것으로 우편요금의 납부용으로 사용하는 것에 한정되고 우표수집의 대상으로서 매매하는 경우는 이에 해당하지 않는다.

**| 해설** ① × : 통화변조죄 ×〔대판 2002.1.11, 2000도3950 ∵ 명목가치나 실질가치의 변경 ×, 객관적으로 보아 일반인으로 하여금 일본국의 500￥(엔)짜리 주화로 오신하게 할 정도 ×〕
② × : 형법 제207조 통화위조죄 등에서 정한 '행사할 목적'이란 유가증권위조의 경우와 달리 위조·변조한 통화를 진정한 통화로서 유통에 놓겠다는 목적을 말하므로, 자신의 신용력을 증명하기 위하여 타인에게 보일 목적으로 통화를 위조한 경우에는 행사할 목적이 있다고 할 수 없다(대판 2012.3.29, 2011도7704).

Answer 4. ④ 5. ③

③ ○ : 대판 2012.9.27, 2010도15206
④ × : ~ (3줄) 사용하는 것에 한정되지 않고 우표수집의 대상으로서 매매하는 경우도 이에 해당한다(대판 1989.4.11, 88도1105).

## 06 공공신용에 관한 죄에 대한 설명 중 가장 적절하지 않은 것은?(다툼이 있는 경우 판례에 의함)

23. 경찰승진

① 통화의 변조는 권한 없이 진정한 통화에 가공하여 그 진실한 가치를 변경시키는 행위를 말하며, 진정한 통화를 그 재료로 삼는다.
② 자신의 신용력을 증명하기 위하여 타인에게 보일 목적으로 통화를 위조한 경우에는 행사할 목적을 인정할 수 없다.
③ 유가증권이란 증권상에 표시된 재산상의 권리의 행사와 처분에 그 증권의 점유를 필요로 하는 것을 총칭하고, 반드시 유통성을 가져야 한다.
④ 위조유가증권의 교부자와 피교부자가 서로 유가증권위조를 공모한 경우 그들 간의 위조유가증권교부행위는 위조유가증권행사죄에 해당하지 않는다.

**해설** ① 타당하다.
② 대판 2012.3.29, 2011도7704
③ × : ~, 반드시 유통성을 가질 필요는 없다(대판 2001.8.24, 2001도2832).
④ 대판 2010.12.9, 2010도12553

## 07 통화 및 유가증권의 죄에 관한 설명 중 가장 적절한 것은?(다툼이 있는 경우 판례에 의함)

23. 순경 1차

① 위조통화를 행사하여 재물을 취득한 경우 위조통화행사죄와 사기죄가 성립하고 양죄는 상상적 경합관계에 있다.
② 위조유가증권행사죄에 있어서의 유가증권에는 원본뿐만 아니라 사본도 포함된다.
③ 통화위조죄에서의 '행사할 목적'이란 위조한 통화를 진정한 통화로서 유통에 놓겠다는 목적을 말하므로, 자신의 신용력을 증명하기 위하여 타인에게 보일 목적으로 통화를 위조한 경우에는 행사할 목적이 있다고 할 수 없다.
④ 유가증권의 내용 중 권한 없는 자에 의하여 이미 변조된 부분을 다시 권한 없이 변경한 경우 유가증권변조죄를 구성한다.

**해설** ① × : 상상적 경합관계 ×, 실체적 경합관계 ○(대판 1979.7.10, 79도840)
② × : ~ 원본만을 의미하고 사본은 제외된다(대판 1998.2.13, 97도2922).
③ ○ : 대판 2012.3.29, 2011도7704
④ × : 유가증권변조죄 ×(대판 2012.9.27, 2010도15206)

Answer 6.③ 7.③

**08** **유가증권, 우표와 인지에 관한 죄에 관한 다음 설명 중 옳지 않은 것은 모두 몇 개인가?**(다툼이 있는 경우 판례에 의함) 24. 법원행시

> ㉠ 구 부정수표 단속법(2010. 3. 24. 법률 제10185호로 개정되기 전의 것, 이하 '구 부정수표 단속법'이라 한다) 제5조에서 처벌하는 행위는 수표의 발행에 관한 위조·변조를 말하고, 수표의 배서를 위조·변조한 경우에는 수표의 권리의무에 관한 기재를 위조·변조한 것으로서, 형법 제214조 제2항에 해당하는지 여부는 별론으로 하고 구 부정수표 단속법 제5조에는 해당하지 않는다.
>
> ㉡ 유가증권변조죄에서 '변조'는 진정하게 성립된 유가증권의 내용에 권한 없는 자가 유가증권의 동일성을 해하지 않는 한도에서 변경을 가하는 것을 의미하므로, 유가증권의 내용 중 권한 없는 자에 의하여 이미 변조된 부분을 다시 권한 없이 변경하였다고 하더라도 유가증권변조죄는 성립하지 않는다.
>
> ㉢ 자기앞수표의 발행인이 수표의뢰인으로부터 수표자금을 입금받지 아니한 채 자기앞수표를 발행하더라도 그 수표의 효력에는 아무런 영향이 없으므로 허위유가증권작성죄가 성립하지 아니한다.
>
> ㉣ 주식회사 대표이사로 재직하던 피고인이 대표이사가 타인으로 변경되었음에도 불구하고 이전부터 사용하여 오던 피고인 명의로 된 위 회사 대표이사의 명판을 이용하여 여전히 피고인을 위 회사의 대표이사로 표시하여 약속어음을 발행, 행사한 경우 만일 약속어음을 작성, 행사함에 있어 후임 대표이사의 승낙을 얻었다거나 위 회사의 실질적인 대표이사로서의 권한을 행사하는 피고인이 은행과의 당좌계약을 변경하는 데에 시일이 걸려 잠정적으로 전임 대표이사인 그의 명판을 사용한 것이라는 사정이 인정된다면 자격모용유가증권작성 및 동행사죄는 성립하지 않는다.
>
> ㉤ 위조우표취득죄 및 위조우표행사죄에 관한 형법 제219조 및 제218조 제2항 소정의 "행사"라 함은 위조된 대한민국 또는 외국의 우표를 진정한 우표로서 사용하는 것으로 반드시 우편요금의 납부용으로 사용하는 것에 한정되지 않고 우표수집의 대상으로서 매매하는 경우도 이에 해당된다.

① 없 음　　② 1개　　③ 2개
④ 3개　　⑤ 4개

**| 해설** ㉠ ○ : 대판 2019.11.28, 2019도12022
㉡ ○ : 대판 2012.9.27, 2010도15206
㉢ ○ : 대판 2005.10.27, 2005도4528
㉣ × : ~ (3줄) 약속어음을 발행, 행사한 경우 설사 약속어음을 작성, 행사함에 있어 후임 대표이사의 승낙을 얻었다거나 위 회사의 실질적인 대표이사로서의 권한을 행사하는 피고인이 은행과의 당좌계약을 변경하는 데에 시일이 걸려 잠정적으로 전임 대표이사인 그의 명판을 사용한 것이라 하더라도, 이는 합법적인 대표이사로서의 권한행사라 할 수 없어 자격모용유가증권작성 및 동행사죄에 해당한다(대판 1991.2.26, 90도577).
㉤ ○ : 대판 1989.4.11, 88도1105

Answer 8. ②

## 제3절 문서에 관한 죄

### 관련조문

**제225조【공문서 등의 위조 · 변조】** 행사할 목적으로 공무원 또는 공무소의 문서 또는 도화를 위조 또는 변조한 자는 10년 이하의 징역에 처한다.

**제226조【자격모용에 의한 공문서 등의 작성】** 행사할 목적으로 공무원 또는 공무소의 자격을 모용하여 문서 또는 도화를 작성한 자는 10년 이하의 징역에 처한다.

**제227조【허위공문서작성 등】** 공무원이 행사할 목적으로 그 직무에 관하여 문서 또는 도화를 허위로 작성하거나 변개한 때에는 7년 이하의 징역 또는 2천만원 이하의 벌금에 처한다.

**제227조의 2【공전자기록 위작 · 변작】** 사무처리를 그르치게 할 목적으로 공무원 또는 공무소의 전자기록 등 특수매체기록을 위작 또는 변작한 자는 10년 이하의 징역에 처한다.

**제228조【공정증서원본 등의 부실기재】** ① 공무원에 대하여 허위신고를 하여 공정증서원본 또는 이와 동일한 전자기록 등 특수매체기록에 부실의 사실을 기재 또는 기록하게 한 자는 5년 이하의 징역 또는 1천만원 이하의 벌금에 처한다.

② 공무원에 대하여 허위신고를 하여 면허증, 허가증, 등록증 또는 여권에 부실의 사실을 기재하게 한 자는 3년 이하의 징역 또는 700만원 이하의 벌금에 처한다.

**제229조【위조 등 공문서의 행사】** 제225조 내지 제228조의 죄에 의하여 만들어진 문서, 도화, 전자기록 등 특수매체기록, 공정증서원본, 면허증, 허가증, 등록증 또는 여권을 행사한 자는 그 각 죄에 정한 형에 처한다.

**제230조【공문서 등의 부정행사】** 공무원 또는 공무소의 문서 또는 도화를 부정행사한 자는 2년 이하의 징역이나 금고 또는 500만원 이하의 벌금에 처한다.

**제231조【사문서 등의 위조 · 변조】** 행사할 목적으로 권리 · 의무 또는 사실증명에 관한 타인의 문서 또는 도화를 위조 또는 변조한 자는 5년 이하의 징역 또는 1천만원 이하의 벌금에 처한다.

**제232조【자격모용에 의한 사문서의 작성】** 행사할 목적으로 타인의 자격을 모용하여 권리 · 의무 또는 사실증명에 관한 문서 또는 도화를 작성한 자는 5년 이하의 징역 또는 1천만원 이하의 벌금에 처한다.

**제232조의 2【사전자기록 위작 · 변작】** 사무처리를 그르치게 할 목적으로 권리 · 의무 또는 사실증명에 관한 타인의 전자기록 등 특수매체기록을 위작 또는 변작한 자는 5년 이하의 징역 또는 1천만원 이하의 벌금에 처한다.

**제233조【허위진단서 등의 작성】** 의사, 한의사, 치과의사 또는 조산사가 진단서, 검안서 또는 생사에 관한 증명서를 허위로 작성한 때에는 3년 이하의 징역이나 금고, 7년 이하의 자격정지 또는 3천만원 이하의 벌금에 처한다.

**제234조【위조사문서 등의 행사】** 제231조 내지 제233조의 죄에 의하여 만들어진 문서, 도화 또는 전자기록 등 특수매체기록을 행사한 자는 그 각 죄에 정한 형에 처한다.

**제236조【사문서의 부정행사】** 권리 · 의무 또는 사실증명에 관한 타인의 문서 또는 도화를 부정행사한 자는 1년 이하의 징역이나 금고 또는 300만원 이하의 벌금에 처한다.

**제237조의 2【복사문서 등】** 이 장의 죄에 있어서 전자복사기, 모사전송기 기타 이와 유사한 기기를 사용하여 복사한 문서 또는 도화의 사본도 문서 또는 도화로 본다.

1. 사문서부정행사죄만 미수처벌 ×, 나머지는 모두 다 미수처벌 ○(제235조)
2. 목적범
   - × : 공정증서원본부실기재죄, 위조공・사문서행사죄, 공・사문서부정행사죄, 허위진단서 작성죄
   - ○ : 나머지 모두

02

## THEMA 16 '문서에 관한 죄의 객체' 총정리

### 1. 문서의 개념

형법상 문서에 관한 죄에 있어서 문서라 함은, 문자 또는 이에 대신할 수 있는 가독적 부호로 계속적으로 물체상에 기재된 의사 또는 관념의 표시인 원본 또는 이와 사회적 기능, 신용성 등을 동일시할 수 있는 기계적 방법에 의한 복사본으로서 그 내용이 법률상, 사회생활상 주요 사항에 관한 증거로 될 수 있는 것을 말한다(대판 2008.4.10, 2008도1013). 21. 경찰간부, 22. 법원직

**관련판례**

• 문서에 해당하는 경우

1. 복사문서의 문서성 : 전자복사기, 모사전송기(소위 팩시밀리), 기타 이와 유사한 기기를 사용하여 복사한 문서 또는 도화의 사본도 문서 또는 도화로 본다(제237조의 2). 예 원본을 복사한 복사문서(대판 1995.12.26, 95도2389), 복사한 문서의 재사본(대판 2000.9.5, 2000도2855) 16. 변호사시험・7급 검찰・철도경찰, 17. 순경 2차, 18. 경찰간부, 21. 해경간부, 22. 법원행시・경력채용
2. 작성명의자의 인장이 압날되지 아니하고 혹은 주민등록번호의 기재가 없더라도 일반인으로 하여금 작성명의자가 진정하게 작성한 사문서로 믿기에 충분할 정도의 형식과 외관을 갖추었으면 사문서위조죄의 객체가 된다고 보아야 한다(대판 1989.8.8, 88도2209). 18. 경찰승진, 19. 변호사시험・순경 1차
3. 담뱃갑의 표면에 그 담배의 제조회사와 담배의 종류를 구별・확인할 수 있는 특유의 도안이 표시되어 있는 경우 그 담뱃갑은 문서 등 위조의 대상인 도화에 해당한다(대판 2010.7.29, 2010도2705). 12. 변호사시험, 14. 법원행시, 15. 9급 검찰・마약수사, 18. 경찰간부, 22. 해경간부
4. 후불식 공중전화카드(KT카드) : 사용자에 관한 각종 정보가 전자기록되어 있는 자기띠 부분은 카드의 나머지 부분과 불가분적으로 결합되어 전체가 하나의 문서를 구성한다[대판 2002.6.25, 2002도461 : 절취한 후불식 공중전화카드(KT카드)를 전화기에 넣어 사용한 것 ⇨ 사문서부정행사죄]. 12. 법원행시, 13. 9급 검찰・마약수사
   ▶ 일반공중전화카드 ⇨ 유가증권 ○(대판 1998.2.27, 97도2483)
5. 생략문서의 문서성 : 표시가 생략되어 있는 생략문서도 그 내용이 법률상・사회생활상 주요사항을 증명・표시하는 한 문서에 해당된다(대판 1995.9.5, 95도1269). 예 신용장에 날인된 은행의 접수일부인(대판 1979.10.30, 77도1879), 11. 법원행시, 13. 순경 1차 세금 영수필 통지서에 날인된 구청 세무계장 명의의 소인(대판 1995.9.5, 95도1269)
6. 사문서의 작성명의자의 인장이 찍히지 아니하였더라도 그 사람의 상호와 성명이 기재되어 그 명의자의 문서로 믿을 만한 형식과 외관을 갖춘 경우에는 사문서위조죄에 있어서의 사문서에 해당한다고 볼 수 있다(대판 2000.2.11, 99도4819). 14. 사시

• **문서에 해당하지 않는 경우**

컴퓨터 모니터 화면에 나타나는 이미지는 이미지 파일을 보기 위한 프로그램을 실행할 경우에 그때마다 전자적 반응을 일으켜 화면에 나타나는 것에 지나지 않아서 계속적으로 화면에 고정된 것으로는 볼 수 없으므로, 형법상 문서에 관한 죄에 있어서의 '문서'에는 해당되지 않는다고 할 것이다(대판 2008.4.10, 2008도1013). 19. 순경 1차, 21. 경찰간부 · 변호사시험, 22. 법원직, 24. 법원행시

1. 자신의 이름과 나이를 속이는 용도로 사용할 목적으로 주민등록증의 이름 · 주민등록번호란에 글자를 오려붙인 후 이를 컴퓨터 스캔 장치를 이용하여 이미지 파일로 만들어 컴퓨터 모니터로 출력하는 한편 타인에게 이메일로 전송한 경우 ⇨ 공문서위조 및 위조공문서행사죄 ×(대판 2007.11.29, 2007도7480) 20. 법원행시, 21. 경찰간부
2. 컴퓨터 스캔 및 이미지 편집 프로그램을 이용하여 공인중개사 자격증의 이미지 파일을 만들어 낸 후 이를 이메일에 첨부하여 전송함으로써 다른 사람으로 하여금 모니터 화면을 통해 그 이미지 파일을 열어보도록 한 경우 ⇨ 공문서위조 및 위조공문서행사죄 ×(대판 2008.4.10, 2008도1013 ∵ 공인중개사 자격증의 이미지 파일 ⇨ 문서 ×) 10. 사시 · 법원직, 17. 순경 2차, 18. 변호사시험, 20. 해경 1차, 21. 해경간부, 23. 경찰간부
3. 국립대학교 교무처장 명의의 '졸업증명서파일'을 위조한 경우 ⇨ 공문서위조죄 ×(대판 2010.7.15, 2010도6068 ∵ '파일' ⇨ 형법상의 문서 ×) 18. 경찰승진, 21. 해경승진, 22. 수사경과 · 7급 검찰
4. 甲이 HWP 프로그램을 이용하여 대한승마협회장 명의 공문 1부를 임의로 작성한 후 그 문서 파일을 이메일과 모바일 메신저를 이용하여 타인에게 송부한 경우 ⇨ 사문서위조죄와 동행사죄 ×(대판 2018.5.15, 2017도19499 ∵ 문서의 내용을 저장한 전자 파일 ⇨ 문서 ×)

▶ **비교판례**

① 휴대전화 신규 가입신청서를 위조한 후 이를 스캔한 이미지 파일을 제3자에게 이메일로 전송한 경우, 이미지 파일 자체는 문서에 관한 죄의 '문서'에 해당하지 않으나, 이를 전송하여 컴퓨터 화면상으로 보게 한 행위는 이미 위조한 가입신청서를 행사한 것에 해당하므로 위조사문서행사죄가 성립한다(대판 2008.10.23, 2008도5200). 14. 사시 · 법원행시, 15. 9급 검찰 · 마약수사, 17. 순경 2차, 18. 경찰승진, 21. 해경간부, 21 · 23. 경찰간부 · 법원직

② 피고인이 사무실전세계약서 원본을 스캐너로 복사하여 컴퓨터 화면에 띄운 후 포토샵을 이용하여 보증금액 '일천만원'을 지워 보증금액란을 공란으로 만든 다음 이를 프린터로 출력하여 검정색 볼펜으로 보증금액을 '삼천만원'으로 변조하고, 변조된 사무실전세계약서를 팩스로 송부한 경우 ⇨ 사문서변조죄와 동행사죄 ○(대판 2011.11.10, 2011도10468 ∵ 적시된 범죄사실은 '컴퓨터 모니터 화면상의 이미지'를 변조하고 이를 행사한 행위가 아니라 '프린터로 출력된 문서'인 사무실전세계약서를 변조하고 이를 행사한 행위임) 18. 경찰간부, 22. 경찰승진, 23. 변호사시험

### 2. 명의인의 실재성 여부(사자와 허무인 명의의 문서)

**관련판례**

1. 타인 명의의 문서를 위조하여 행사한 경우 요건(행사할 목적으로 작성된 문서가 일반인으로 하여금 당해 명의인의 권한 내에서 작성된 문서라고 믿게 할 수 있는 정도의 형식과 외관을 갖춘 경우)을 구비한 이상 그 명의인이 실재하지 않는 허무인이나 또는 문서의 작성일자 전에 이미 사망하였더라도 사문서위조죄 및 동행사죄가 성립한다(대판 2005.2.24, 2002도18 전원합의체). 동일한 법리로 해산등기를 마쳐 그 법인격이 소멸한 법인 명의의 사문서를 위조한 경우 사문서위조죄를 구성한다(대판 2005.3.25, 2003도4943). 15. 사시, 17. 순경 2차, 18. 순경 1차, 20. 9급 검찰 · 마약수사, 22. 해경간부 · 법원행시, 23. 경찰승진 · 경력채용

2. 자연인 아닌 법인이나 단체 명의의 문서에 있어서 요건이 구비된 이상 그 문서작성자로 표시된 사람의 실존 여부는 위조죄의 성립에 아무런 지장이 없다(대판 2003.9.26, 2003도3729). 16. 경찰승진
   ▶ **유사판례** : 작성명의인이 허무인이라고 하더라도 일반인으로 하여금 공무원 또는 공무소의 권한 내에서 작성된 문서라고 믿을 수 있는 형식과 외관을 구비한 문서라면 공문서위조죄의 공문서가 된다(대판 1976.9.14, 76도1767). 18. 변호사시험, 23. 경력채용 · 7급 검찰, 24. 해경간부

**3. 공문서와 사문서의 구별** : 작성명의인으로 구분

① 공문서 : 우리나라의 공무소 또는 공무원이 직무와 관련하여 그 명의로서 작성한 문서
사회일반인으로 하여금 공무원 또는 공무소의 권한 내에서 작성된 것이라고 오신할 만한 형식 · 외관을 구비하면 충분하고, 공무원 · 공무소의 직인이 없더라도 공문서가 될 수 있다(통설 · 판례). 공문서(전자공문서 포함)는 결재권자가 서명 등의 방법으로 결재함으로써 성립된다고 할 수 있다(대판 2020.12.10, 2015도19296).

② 사문서 : 사인의 명의(내국인 · 외국인 불문, 법인이나 법인격 없는 단체 등 불문)로 작성된 문서 중에서 권리 · 의무 또는 사실증명에 관한 것에 한정된다. 권리 · 의무에 관한 문서라 함은 권리의무의 발생 · 변경 · 소멸에 관한 사항이 기재된 것을 말하며, 사실증명에 관한 문서는 권리 · 의무에 관한 문서 이외의 문서로서 거래상 중요한 사실을 증명하는 문서를 의미한다(대판 2012.5.9, 2010도2690). 그리고 거래상 중요한 사실을 증명하는 문서는, 직접적인 법률관계에 단지 간접적으로 연관된 의사표시 내지 권리 · 의무의 변동에 사실상으로 영향을 줄 수 있는 의사표시를 내용으로 하는 문서도 사문서위조죄의 객체가 될 수 있지만(대판 2009.4.23, 2008도8527), 17. 변호사시험, 19. 경찰승진, 23. 해경 3차, 24. 해경승진 문서의 주된 취지가 단순히 개인적 · 집단적 의견의 표현에 불과한 것이어서는 아니 되고, 적어도 실체법 또는 절차법에서 정한 구체적인 권리 · 의무와의 관련성이 인정되는 경우이어야 한다(대판 2024.1.4, 2023도1178).

**관련판례**

1. 지방세의 수납업무를 관장하는 시중은행의 직원이나 은행이 작성 · 교부한 세금수납영수증 ⇨ 공문서 ×(대판 1996.3.25, 95도3073 ∵ 공무원 또는 공무소가 아님) 14. 법원행시, 16. 9급 검찰 · 마약수사
   ▶ **유사판례** : 공단이 해양수산부장관을 대행하여 이사장 명의로 발급하는 선박검사증서는 공무원 또는 공무소가 작성하는 문서라고 볼 수 없으므로 공문서위조죄나 허위공문서작성죄에서의 공문서에 해당하지 아니한다(대판 2016.1.14, 2015도9133). 20. 해경 1차
2. 십지지문 지문대조표는 수사기관이 피의자의 신원을 특정하고 지문대조조회를 하기 위하여 직무상 작성하는 서류로서 비록 자서란에 피의자로 하여금 스스로 성명 등의 인적사항을 기재하도록 하고 있다 하더라도 이를 사문서로 볼 수는 없다(대판 2000.8.22, 2000도2393). 14. 경찰승진, 24. 법원행시
3. 외부 전문기관이 작성 · 보고하고 지방자치단체의 장 또는 계약담당자가 결재 · 승인한 검사조서는 허위공문서작성죄의 객체인 공문서에 해당한다(대판 2010.4.29, 2010도875). 17. 법원행시, 22. 해경간부
4. 공증인합동사무소에서 온천수개발에 관한 합의서를 작성하여 인증을 받은 후 합의서의 내용을 일부 고친 경우(인증받은 사서증서의 기재내용을 일부 변조한 경우) ⇨ 공문서변조죄 ×, 사문서변조죄 ○(대판 2005.3.24, 2003도2144 ∵ 사서증서 ⇨ 사문서 ○) 11. 7급 검찰
   ▶ **비교판례** : 간이절차에 의한 민사분쟁사건처리특례법에 의하여 합동법률사무소 명의로 작성된 공증에 관한 문서는 형법상의 공문서에 해당된다(대판 1977.8.23, 74도2715 전원합의체).
5. 공사를 발주한 관서의 장을 대리하여 현장에 주재하며 공사 전반에 관한 감독업무에 종사한 감독관의 공사감독일지 ⇨ 공문서 ○(대판 1989.12.12, 89도1253)

6. 금융위원회의 설치 등에 관한 법률(금융위원회법) 제29조, 제69조 제1항에서 정한 금융감독원 집행간부인 금융감독원장 명의의 문서(공문서 ○, 사문서 ×)를 위조, 행사한 행위는 사문서위조죄, 위조사문서행사죄에 해당하는 것이 아니라 공문서위조죄, 위조공문서행사죄에 해당한다(대판 2021.3.11, 2020도14666). 21. 법원행시, 22. 경찰간부, 23. 해경승진
7. 공문서(전자공문서 포함)는 결재권자가 서명 등의 방법으로 결재함으로써 성립된다고 할 수 있다. 따라서 대통령기록물법상 대통령기록물은 대통령기록물생산기관이 '생산'한 것이어야 하는데, 해당 대통령기록물이 공문서(전자공문서 포함)의 성격을 띠는 경우에는 결재권자의 결재가 이루어짐으로써 공문서로 성립된 이후에 비로소 대통령기록물로도 생산되었다고 봄이 타당하다(대판 2020.12.10, 2015도19296).

**01** **문서에 관한 죄에 대한 설명 중 옳고 그름의 표시(○, ×)가 바르게 된 것은?**(다툼이 있는 경우 판례에 의함) 17. 순경 2차

㉠ 컴퓨터 모니터 화면에 나타나는 이미지는 이미지 파일을 보기 위한 프로그램을 실행할 경우에 그때마다 계속적으로 화면에 고정된 것으로 볼 수 있으므로, 형법상 문서에 관한 죄에 있어서의 문서에 해당한다.
㉡ 형법상 문서에 관한 죄에 있어서 전자복사기를 사용하여 복사한 문서의 사본도 문서로 본다.
㉢ 문서위조죄의 요건을 구비한 이상 그 문서의 명의인이 실재하지 않는 허무인이거나 또는 문서의 작성일자 전에 이미 사망하였다고 하더라도 문서위조죄가 성립한다.
㉣ 컴퓨터 스캔 작업을 통하여 만들어낸 공인중개사 자격증의 이미지 파일은 전자기록으로서 전자기록 장치에 전자적 형태로서 고정되어 계속성이 있다고 볼 수는 있으나, 그러한 형태는 그 자체로서 시각적 방법에 의해 이해할 수 있는 것이 아니어서 이를 형법상 문서에 관한 죄에 있어서의 '문서'로 보기 어렵다.
㉤ 휴대전화 신규 가입신청서를 위조한 후, 이를 스캔한 이미지 파일을 제3자에게 이메일로 전송하여 컴퓨터 화면상으로 보게 한 행위는 위조사문서행사죄가 성립하지 않는다.

① ㉠(○), ㉡(○), ㉢(×), ㉣(×), ㉤(○)
② ㉠(×), ㉡(○), ㉢(○), ㉣(○), ㉤(×)
③ ㉠(×), ㉡(×), ㉢(○), ㉣(×), ㉤(○)
④ ㉠(○), ㉡(×), ㉢(×), ㉣(○), ㉤(×)

**해설** ㉠ × : 컴퓨터 모니터 화면에 나타나는 이미지는 이미지 파일을 보기 위한 프로그램을 실행할 경우에 그때마다 전자적 반응을 일으켜 화면에 나타나는 것에 지나지 않아서 계속적으로 화면에 고정된 것으로는 볼 수 없으므로, 형법상 문서에 관한 죄에 있어서의 '문서'에는 해당되지 않는다고 할 것이다(대판 2007.11.29, 2007도7480).
㉡ ○ : 제237조의 2
㉢ ○ : 대판 2005.2.24, 2002도18 전원합의체
㉣ ○ : 대판 2008.4.10, 2008도1013
㉤ × : 위조사문서행사죄 ○(대판 2008.10.23, 2008도5200 ∵ 이미 위조한 가입신청서를 행사한 것임)

Answer 1. ②

02

**02 문서에 관한 죄에 관한 설명으로 옳지 않은 것은?**(다툼이 있는 경우 판례에 의함) 18. 경찰간부

① 복사문서가 문서위조죄에 있어서의 문서가 될 수 있는지에 대하여 판례가 문서성을 인정하던 것을 형법 제237조의 2의 입법을 통하여 복사문서의 문서성을 명문화하였다.

② 자신의 이름과 나이를 속이는 용도로 사용할 목적으로 주민등록증의 이름 · 주민등록번호란에 글자를 오려붙인 후 이를 컴퓨터 스캔 장치를 이용하여 이미지 파일로 만들어 컴퓨터 모니터 화면에 이미지가 나타나도록 하는 한편 타인에게 그 이미지가 저장되어 있는 파일을 이메일로 전송한 행위는 공문서위조 및 위조공문서행사죄를 구성하지 않는다.

③ 甲이 운영하는 A회사 사무실에서 행사할 목적으로 권한 없이 임대인 乙과 甲이 작성한 사무실전세계약서 원본을 스캐너로 복사하여 컴퓨터 화면에 띄운 후 포토샵을 이용하여 보증금액 "일천만원, 10,000,000원"을 지워 보증금액을 공란으로 만든 후 그 자리에서 사무실전세계약서를 프린터로 출력하고, 검정색 볼펜으로 보증금액 공란에 "삼천만원, 30,000,000원"으로 기재하여 丙에게 출력한 사무실전세계약서를 팩스로 송부한 것에 불과하다면 변조사문서행사죄가 성립하지 아니한다.

④ 중국산 가짜 담배를 밀수입하여 판매하면서 그 담뱃갑을 위조한 경우 담뱃갑은 문서 등 위조의 대상인 도화에 해당한다.

| 해설 ① 옳다. ② 대판 2007.11.29, 2007도7480
③ × : 사문서변조죄와 동행사죄 ○(대판 2011.11.10, 2011도10468 ∵ 적시된 범죄사실은 '컴퓨터 모니터 화면상의 이미지'를 변조하고 이를 행사한 행위가 아니라 '프린터로 출력된 문서'인 사무실전세계약서를 변조하고 이를 행사한 행위임) ④ 대판 2010.7.29, 2010도2705

**03 문서에 대한 설명으로 옳지 않은 것은?**(다툼이 있는 경우 판례에 의함) 21. 경찰간부

① 문서라 함은 문자 또는 이에 대신할 수 있는 가독적 부호로 계속적으로 물체상에 기재된 의사 또는 관념의 표시인 원본 또는 이와 사회적 기능, 신용성 등을 동일시할 수 있는 기계적 방법에 의한 복사본으로서 그 내용이 법률상, 사회생활상 주요 사항에 관한 증거로 될 수 있는 것을 말한다.

② 컴퓨터 화면에 나타나는 이미지 파일은 프로그램을 실행할 때마다 전자적 반응을 일으켜 화면에 나타나는 것에 지나지 않아서 계속적으로 화면에 고정된 것으로는 볼 수 없으므로, 형법상 문서에 관한 죄에 있어서 '문서'에 해당되지 않는다.

③ 주민등록증의 이름 · 주민등록번호란에 글자를 오려붙인 후 이를 컴퓨터 스캔 장치를 이용하여 이미지 파일로 만들어 컴퓨터 모니터로 출력하는 한편 타인에게 이메일로 전송한 경우, 공문서위조 및 위조공문서행사죄를 구성하지 않는다.

④ 이미지 파일은 '문서'에 해당하지 않으므로, 휴대전화 가입신청서를 위조한 후 이를 스캔한 이미지 파일을 제3자에게 이메일로 전송하여 컴퓨터 화면상으로 보게 한 행위는 위조사문서행사죄를 구성하지 않는다.

| 해설 ① 대판 2006.1.26, 2004도788 ② 대판 2008.4.10, 2008도1013 ③ 대판 2007.11.29, 2007도7480
④ × : 위조사문서행사죄 ○(대판 2008.10.23, 2008도5200)

Answer 2. ③ 3. ④

## THEMA 17 '사문서위조죄' 관련판례 총정리

문서의 위조라고 하는 것은 작성권한 없는 자가 타인 명의를 모용하여 문서를 작성하는 것을 말하는 것이므로 사문서를 작성함에 있어 그 명의자의 명시적이거나 묵시적인 승낙 내지 위임이 있었다면 이는 사문서위조에 해당한다고 할 수 없을 것이지만, 문서 작성권한의 위임이 있는 경우라고 하더라도 그 위임을 받은 자가 그 위임받은 권한을 초월하여 문서를 작성한 경우는 사문서위조죄가 성립하고, 단지 위임받은 권한의 범위 내에서 이를 남용하여 문서를 작성한 것에 불과하다면 사문서위조죄가 성립하지 아니한다고 할 것이다(대판 2012.6.28, 2010도690). 15. 경찰간부, 16. 변호사시험, 24. 9급 검찰·마약수사

- **사문서위조죄가 성립되는 경우**

1. 사후 동의·추인이 있거나, 위임의 취지에 반하거나 위임된 권한(범위)을 초과하여 사문서를 작성한 경우 ⇨ 사문서위조죄 ○

① 사문서위조죄나 공정증서원본부실기재죄가 성립한 후 사후에 피해자의 동의 또는 추인 등의 사정으로 문서에 기재된 대로 효과의 승인을 받거나, 등기가 실체적 권리관계에 부합하게 되었다 하더라도, 이미 성립한 범죄에는 아무런 영향이 없다(대판 1999.5.14, 99도202). 15. 9급 검찰·마약수사, 16. 경찰승진·수사경과, 22. 해경간부, 23. 변호사시험

② 명의인을 기망하여 문서를 작성하게 하는 경우는 서명·날인이 정당히 성립된 경우에도 기망자는 명의인을 이용하여 서명날인자의 의사에 반하는 문서를 작성하게 하는 것이므로 사문서위조죄가 성립한다(대판 2000.6.13, 2000도778). 17. 경찰승진·법원직, 18. 순경 3차, 23. 순경 2차, 24. 9급 검찰·마약수사

예 甲이 권리의무에 관한 사문서인 乙명의의 신탁증서 1통을 작성한 후 마치 다른 내용의 문서인 것처럼 乙에게 제시하여 날인을 받고, 이를 법원에 증거로 제출한 경우 ⇨ 사문서위조죄 및 동행사죄(대판 1983.6.28, 83도1036) 17. 경찰간부

③ 내용을 기재할 정당한 권한이 없는 자나 내용을 기재하거나 권한을 위임받은 자가 권한을 초과하여 내용을 기재함으로써 날인자의 의사에 반하는 사문서를 작성한 경우 ⇨ 사문서위조죄(대판 1992.12.22, 92도2047 ; 대판 1997.3.28, 96도3191) 11. 경찰승진, 18. 순경 3차, 21. 수사경과

④ 甲이 乙과의 동업계약에 따라 甲의 명의로 변경하기 위하여 乙의 인장이 날인된 백지의 건축주 명의변경신청서를 받아 보관하고 있던 중 그 위임의 취지에 반하여 丙 앞으로 건축주 명의를 변경하는 건축주명의변경신청서를 작성하여 구청에 제출하였다면 사문서위조 및 그 행사죄가 성립한다(대판 1984.6.12, 83도2408). 11. 경찰승진, 14. 경찰간부

⑤ 타인으로부터 약속어음 작성에 사용하라고 인장을 교부받았음에도 그 인장을 사용하여 그 타인 명의의 지급명령이의신청취하서를 작성한 경우 사문서위조죄가 성립한다(대판 1970.9.22, 70도1623). 13. 법원직, 20. 해경 3차

⑥ 사망한 사람 명의의 사문서를 위조한 경우 문서명의인이 생존하고 있다는 점이 문서의 중요한 내용을 이루거나 그 점을 전제로 문서가 작성되었다면, 사망한 명의자의 승낙이 추정된다는 이유로 사문서위조죄의 성립을 부정할 수는 없다(대판 2011.9.29, 2011도6223). 23. 법원행시, 24. 9급 검찰·마약수사

⑦ 명의자의 명시적인 승낙이나 동의가 없다는 것을 알고 있었더라도 명의자가 문서작성 사실을 알았다면 승낙하였을 것이라고 기대하거나 예측한 것만으로는 그 승낙이 추정된다고 단정할 수 없다(대판 2008.4.10, 2007도9987 ∴ 문서위조죄가 성립 ○) 18. 법원직, 20. 해경승진, 22. 경찰간부

⑧ 문서를 작성할 권한을 위임받지 아니한 문서기안자가 문서작성 권한을 가진 사람의 결재를 받은 바 없이 권한을 초과하여 문서를 작성한 경우(대판 1997.2.14, 96도2234) 14. 순경 2차

⑨ 甲교회 목사가 자신을 지지하는 일부 교인들과 甲교회를 탈퇴함으로써 대표자의 지위를 상실하였으나, 甲교회 명의로 甲교회 소유 부동산을 자신에게 매도하는 내용의 매매계약서를 작성하고 이를 행사한 경우 ⇨ 사문서위조죄 및 위조사문서행사죄(대판 2011.1.13, 2010도9725) 20. 해경 3차

⑩ 공동대표이사로 법인등기를 하기로 하여 이사회의사록 작성 등 그 등기절차를 위임받았음에도 단독대표이사 선임의 이사회의사록을 작성하여 단독대표이사로 법인등기한 행위는 사문서위조, 동행사, 공정증서원본부실기재, 동행사의 죄에 해당한다(대판 1994.7.29, 93도1091).

⑪ 주식회사의 적법한 대표이사로부터 포괄적으로 권한 행사를 위임받은 사람이 주식회사 명의로 문서를 작성하는 행위는 원칙적으로 권한 없는 사람의 문서 작성행위로서 자격모용사문서작성 또는 위조에 해당하고, 대표이사로부터 개별적·구체적으로 주식회사 명의 문서 작성에 관하여 위임 또는 승낙을 받은 경우에만 예외적으로 적법하게 주식회사 명의로 문서를 작성할 수 있을 뿐이다(대판 2008.11.27, 2006도2016). 19. 법원직·법원행시, 22·23. 순경 1차

2. 기 타

① 사문서위조죄는 그 명의자가 진정으로 작성한 문서로 볼 수 있을 정도의 형식과 외관을 갖추어 일반인이 명의자의 진정한 문서로 오신하기에 충분한 정도이면 성립하는 것이고, 반드시 그 작성 명의자의 서명이나 날인이 있어야 하는 것은 아니다(대판 2008.3.27, 2008도443). 14. 사시, 15. 경찰승진, 17. 법원직, 19. 수사경과, 21. 해경 1차, 22. 법원행시, 23. 해경승진

② '문서의 원본인지 여부'가 중요한 거래에서 문서의 사본을 진정한 원본인 것처럼 행사할 목적으로, 다른 조작을 가함이 없이 문서의 원본을 그대로 컬러복사기로 복사한 후 복사한 문서의 사본을 원본인 것처럼 행사한 행위는 사문서위조죄 및 동행사죄에 해당한다(대판 2016.7.14, 2016도2081 예 변호사인 피고인이 대량의 저작권법 위반 형사고소 사건을 수임하여 피고소인 30명을 각 형사고소하기 위하여 20건 또는 10건의 고소장을 개별적으로 수사관서에 제출하면서 각 하나의 고소위임장에만 소속 변호사회에서 발급받은 진정한 경유증표 원본을 첨부한 후 이를 일체로 하여 컬러복사기로 20장 또는 10장의 고소위임장을 각 복사한 다음 고소위임장과 일체로 복사한 경유증표를 고소장에 첨부하여 접수한 경우 ⇨ 사문서위조죄 및 동행사죄 ○). 18. 법원직·순경 1차·순경 3차, 21. 순경 2차·수사경과·해경 1차, 22. 법원행시, 23. 경찰승진·경력채용

③ 음주운전자가 주취운전자적발보고서 및 주취운전자정황진술보고서의 각 운전자란에 타인의 서명을 한 다음 이를 경찰관에게 제출한 경우 ⇨ 사문서위조 및 동행사죄에 해당한다(대판 2004.12.23, 2004도6483). 16. 법원직, 20. 수사경과

④ 피고인이 다른 서류에 찍혀 있던 甲의 직인을 칼로 오려내어 풀로 붙인 후 이를 복사하는 방법으로 甲명의의 추천서와 경력증명서를 위조하고 이를 행사한 경우 ⇨ 사문서위조죄 및 동행사죄(대판 2011.2.10, 2010도8361) 16. 변호사시험

⑤ 위탁자의 서명만 있고 날인이 누락된 위탁자의 출금청구서라 하여도 출금이 가능하였을 경우 권한 없이 위탁자 본인의 의사에 의한 것처럼 가장하여 위탁자의 서명만 있고 날인이 없는 위탁자 출금청구서를 작성한 경우 사문서위조죄가 성립한다(대판 1982.10.12, 81도3176). 06. 법원행시

⑥ 수탁자가 신탁받은 채권을 자신이 신탁자로부터 증여받았을 뿐 명의신탁받은 것이 아니라고 주장하는 상황에서, 신탁자의 상속인이 수탁자의 동의를 받지 아니하고 그 명의의 채권이전등록청구서를 작성·행사한 행위는 사문서위조 및 위조사문서행사죄에 해당한다(대판 2007.3.29, 2006도9425). 09. 법원행시, 11. 경찰승진

⑦ 실제의 본명 대신 가명이나 위명을 사용하여 사문서를 작성한 경우, 그 문서의 작성명의인과 실제 작성자의 인격이 상이할 때에는 위조죄가 성립할 수 있다(대판 2010.11.11, 2010도1835 단, 인격의 동일성이 그대로 유지되는 때에는 위조가 되지 않는다). 21. 순경 1차

• **사문서위조죄가 성립되지 않는 경우**

1. 명의자가 사전승낙(명시적 · 묵시적 · 추정적 승낙)이 있거나 포괄적 위임을 받아 위임의 취지에 따르거나 위임받은 권한 내에서 이를 남용하여 사문서를 작성한 경우 ⇨ 사문서위조죄 ×
   ① 매수인으로부터 매도인과의 토지매매계약 체결에 관하여 포괄적 권한을 위임받은 사람이 실제 매수가격보다 높은 가격을 매매대금으로 기재하여 매수인 명의의 매매계약서를 작성한 경우(대판 1984.7.10, 84도1146) 08. 사시, 11. 경찰승진, 14. 순경 2차, 18. 변호사시험
   ② 일정 한도액에 관하여 연대보증인이 될 것을 허락한 甲으로부터 그에 필요한 문서를 작성하는 데 쓰일 인감도장과 인감증명서를 교부받아 甲을 직접 차주로 하는 동액 상당의 차용금 증서를 작성한 경우 ⇨ 사문서위조죄 ×(대판 1984.10.10, 84도1566 ∵ 정당한 권한에 기하여 그 권한의 범위 안에서 적법하게 작성된 것) 18. 변호사시험 · 법원직, 20. 해경승진
   ③ 이사들이 이사회참석과 의결권행사에 관한 권한을 위임하면서 맡겨 둔 인장으로 불출석한 이사들이 출석하여 의결권을 행사한 것처럼 이사회의록을 작성하거나(대판 1984.3.27, 83도3260), 출석 · 의결권을 위임받은 피고인이 불출석한 이사들이 출석하여 의결권을 행사한 것처럼 이사회 회의록을 작성한 경우(대판 1985.10.22, 85도1732 ∵ 사문서의 무형위조 ⇨ 불벌) 18. 순경 3차, 23. 법원행시
   ④ 대금수령에 관하여 포괄적 위임을 받은 자가 대금을 지급받는 방법으로 본인 명의의 차용증서를 작성해 준 경우(대판 1984.3.27, 84도115) 11. 7급 검찰

2. 기 타
   ① 원래 주식회사의 적법한 대표이사나 지배인은 회사의 영업에 관하여 재판상 또는 재판 외의 모든 행위를 할 권한이 있으므로, 대표이사나 지배인이 직접 주식회사 명의 문서를 작성하는 행위는 자격모용사문서작성 또는 위조에 해당하지 않는 것이 원칙이다. 이는 그 문서의 내용이 진실에 반하는 허위이거나 대표권을 남용하여 자기 또는 제3자의 이익을 도모할 목적으로 작성된 경우에도 마찬가지이다(대판 2008.12.24, 2008도7836 ; 대판 2010.5.13, 2010도1040 예 주식회사의 지배인이 그 권한을 남용하여 자신을 그 회사의 대표이사로 표시하여 연대보증채무를 부담한다는 취지의 회사 명의의 차용증을 작성한 경우에 사문서위조죄가 성립하지 않는다). 13. 사시, 17. 변호사시험, 18. 경찰승진 · 순경 1차, 20. 해경 1차, 22. 경찰간부, 23. 법원직 · 법원행시 · 해경 3차

      **비교판례** : 회사 내부규정 등에 의하여 각 지배인이 회사를 대리할 수 있는 행위의 종류, 내용, 상대방 등을 한정하여 권한을 제한한 경우에 제한된 권한 범위를 벗어나서 회사 명의의 문서를 작성하였다면, 이는 자기 권한 범위 내에서 권한 행사의 절차와 방식 등을 어긴 경우와 달리 문서위조죄에 해당한다(대판 2012.9.27, 2012도7467 예 A은행의 지배인으로 등기되어 있는 甲은 지급보증의 성질이 있는 A은행 명의로 된 대출채권양수도약정서와 사용인감계를 작성하였는데, A은행의 내부규정은 지급보증 등의 의사결정권한을 상위 결재권자에게 부여하고 있었다면, 사문서위조죄에 해당한다). 21. 7급 검찰, 22. 경찰간부

   ② 작성명의자의 승낙이나 위임이 없이 그 명의를 모용하여 토지사용에 관한 책임각서 등을 작성하면서 작성명의자의 서명이나 날인은 하지 않고, 다만 피고인이 자신의 이름으로 보증인란에 서명 · 날인한 경우, 그와 같은 정도만으로는 명의자가 작성한 진정한 각서로 오신하기에 충분한 정도의 외관과 형식을 갖춘 완성된 문서라고 보기에 부족하므로 사문서위조죄가 성립되기 어렵다(대판 1997.12.26, 95도2221).
   ③ 신탁자에게 아무런 부담이 지워지지 않은 채 재산이 수탁자에게 명의신탁된 경우에는 특별한 사정이 없는 한 재산의 처분 기타 권한행사에 관해서 수탁자가 자신의 명의사용을 포괄적으로 신탁자에게 허용하였다고 보아야 하므로, 신탁자가 수탁자 명의로 신탁재산의 처분에 필요한 서류를

작성할 때에 수탁자로부터 개별적인 승낙을 받지 않았더라도 사문서위조·동행사죄가 성립하지 않는다 23. 법원직(원칙 예 주식을 명의신탁한 피고인이 명의수탁자를 변경하기 위해 제3자에게 주식을 양도한 후 수탁자 명의의 증권거래세 과세표준신고서를 작성하여 관할세무서에 제출한 경우 ⇨ 사문서위조죄 및 위조사문서행사죄 ×). 이에 비하여 수탁자가 명의신탁 받은 사실을 부인하여 신탁자와 수탁자 사이에 신탁재산의 소유권에 관하여 다툼이 있는 경우 또는 수탁자가 명의신탁 받은 사실 자체를 부인하지 않더라도 신탁자의 신탁재산 처분권한을 다투는 경우에는 신탁재산에 관한 처분 기타 권한행사에 관해서 신탁자에게 부여하였던 수탁자 명의사용에 대한 포괄적 허용을 철회한 것으로 볼 수 있어 명의사용이 허용되지 않는다(대판 2022.3.31, 2021도17197).

④ A주식회사의 대표이사 甲은 실질적 운영자인 1인 주주 B의 구체적인 위임이나 승낙 없이 이미 퇴임한 전 대표이사 C를 대표이사로 표시하여 A회사 명의의 문서를 작성한 경우 ⇨ 사문서위조죄 ×(대판 2008.11.27, 2006도9194 ∵ 단순히 1인 주주의 위임 또는 승낙을 받지 않았다고 하여 그 대표권 행사가 권한을 넘어서는 행위가 되는 것은 아님) 15. 사시, 16. 9급 검찰·마약수사, 20. 경찰승진, 22. 순경 1차

⑤ 피고인이 甲 등과 공모한 후 법무사를 기망하여 등기의무자가 본인인지 여부를 확인하고 작성하는 확인서면의 등기의무자란에 등기의무자 乙 대신 甲이 우무인을 날인하는 방법으로 확인서면을 작성한 후 교부받은 경우 ⇨ 사문서위조죄 ×, 사문서위조죄의 간접정범 ×(대판 2010.11.25, 2010도11509 ∵ 확인서면은 법무사 명의의 문서일 뿐이고, 법무사가 피고인들로부터 속아 확인서면을 작성하였다고 하더라도 작성명의인이 문서를 작성한 이상 이를 피고인이 위조한 것으로 볼 수 없다.) 12. 순경 2차

⑥ 세금계산서상의 공급받는 자는 그 문서 내용의 일부에 불과할 뿐 세금계산서의 작성명의인은 아니라 할 것이니, 공급받는 자란에 임의로 다른 사람을 기재하였다 하여 그 사람에 대한 관계에서 사문서위조죄가 성립된다고 할 수 없다(대판 2007.3.15, 2007도169 ∵ 세금계산서 작성권자는 공급자임). 20. 순경 1차, 22. 7급 검찰

⑦ 乙은 丙에게 민사소송의 처리상 필요한 일체의 권한을 위임하였고 이에 따라 丙이 乙의 양해하에 乙의 도장을 甲에게 주자, 甲이 작성한 회의록에다 참석한 바 없는 乙이 참석하여 사회까지 한 것으로 기재한 부분은 사문서의 무형위조에 해당할 뿐이어서 사문서의 유형위조만을 처벌하는 현행 형법하에서는 죄가 되지 아니한다(대판 1984.4.24, 83도2645). 19. 7급 검찰, 22. 순경 1차

**'사문서변조죄' 관련판례 총정리**

**사문서변조죄는 권한 없는 자가 이미 진정하게 성립된 타인 명의의 문서 내용에 대하여 동일성을 해하지 않을 정도로 변경을 가하여 새로운 증명력을 작출케 함으로써 공공적 신용을 해할 위험성이 있을 때 성립한다. 따라서 이미 진정하게 성립된 타인 명의의 문서가 존재하지 않는다면 사문서변조죄가 성립할 수 없다(대판 2017.12.5, 2014도14924 예 甲주식회사의 직원 A가 업무용 컴퓨터에 저장된 진정하게 성립되지 않은 '경영정상화 이행계획서 파일'을 모니터에 띄워 권한 없이 그 내용을 수정한 경우 ⇨ 사문서변조죄 × ∵ 이미 진정하게 성립된 타인 명의의 문서가 존재하지 않는다면 사문서변조죄가 성립할 수 없다).** 20. 순경 1차

1. 사문서변조에 있어서 그 변조 당시 명의인의 명시적·묵시적 승낙 없이 한 것이면 변조된 문서가 명의인에게 유리하여 결과적으로 그 의사에 합치한다 하더라도 사문서변조죄가 성립한다(대판 1985.1.22, 84도2422). 14. 순경 1차·2차, 22. 해경간부, 23. 변호사시험·해경 3차

2. 피고인이 행사할 목적으로 권한 없이 甲은행 발행의 피고인 명의 예금통장 기장내용 중 특정일자에 乙주식회사로부터 지급받은 월급여의 입금자 부분을 화이트테이프로 지우고 복사하여 통장 1매를 변조한 후 그 통장사본을 법원에 증거로 제출한 경우 ⇨ 사문서변조죄 및 동행사죄(대판 2011.9.29, 2010도14587 ∵ 통장 명의자인 甲은행장의 추정적 승낙 ×) 20. 경찰간부
3. 사문서에 2인 이상의 작성명의인이 있는 때에는 그 명의자 가운데 1인이 나머지 명의자와 합의 없이 행사할 목적으로 그 문서의 내용을 변경하였을 때에는 사문서변조죄가 성립한다(대판 1977.7.12, 77도1736). 17. 변호사시험·법원직, 18. 경찰승진, 22. 7급 검찰·경력채용, 23. 해경 3차
4. 사문서를 수정할 때 명의자가 명시적이거나 묵시적으로 승낙을 하였다면 사문서변조죄가 성립하지 않고, 행위 당시 명의자가 현실적으로 승낙하지는 않았지만 명의자가 그 사실을 알았다면 당연히 승낙했을 것이라고 추정되는 경우에도 사문서변조죄가 성립하지 않는다(대판 2015.11.26, 2014도781).
5. 이사가 이사회 회의록에 서명 대신 서명거부사유를 기재하고 그에 대한 서명을 하였는데 이사회 회의록의 작성권한자인 이사장이 임의로 이를 삭제한 경우 ⇨ 사문서변조죄 ○(대판 2018.9.13, 2016도20954 ㉠ 甲학교법인 이사장인 피고인이 甲법인의 이사회 회의록 중 '이사장의 이사회 내용 사전 유출로 인한 책임을 물어 회의록 서명을 거부합니다. 乙'이라고 기재된 부분 및 그 옆에 있던 이사 乙의 서명 부분을 삭제한 후 회의록을 甲법인 홈페이지에 게시한 경우 ⇨ 사문서변조죄 및 동행사죄 ○). 21. 순경 1차·경력채용
6. 사문서를 수정할 때 명의자가 명시적이거나 묵시적으로 승낙을 하였다면 사문서변조죄가 성립하지 않고, 행위 당시 명의자가 현실적으로 승낙하지는 않았지만 명의자가 그 사실을 알았다면 당연히 승낙했을 것이라고 추정되는 경우에도 사문서변조죄가 성립하지 않는다(대판 2015.11.26, 2014도781).

**01** **문서에 관한 죄에 대한 설명 중 가장 옳지 않은 것은?**(다툼이 있는 경우 판례에 의함) 17. 법원직

① 사문서위조죄는 명의자가 진정으로 작성한 문서로 볼 수 있을 정도의 형식과 외관을 갖추어 일반인이 명의자의 진정한 사문서로 오신하기에 충분한 정도이면 성립한다.

② 사문서위조죄는 명의자가 진정으로 작성한 문서가 아님을 전제로 하므로 '문서가 원본인지 여부'가 중요한 거래에서 문서의 사본을 진정한 원본인 것처럼 행사하였다 하더라도 다른 조작을 가함이 없이 문서의 원본을 그대로 컬러복사기로 복사한 경우 사문서위조죄 및 동행사죄는 성립하지 아니한다.

③ 문서에 2인 이상의 작성명의인이 있는 때에 그 명의자 중 한 명이 타명의자와 합의 없이 행사할 목적으로 그 문서의 내용을 변경하였을 때는 사문서변조죄가 성립된다.

④ 소유자의 의사에 따라 특정 장소에 게시 중인 문서를 소유자의 의사에 반하여 떼어내는 경우에도 문서손괴죄가 성립할 수 있다.

**해설** ① 대판 2008.3.27, 2008도443
② ×: 사문서위조죄 및 동행사죄 ○(대판 2016.7.14, 2016도2081)
③ 대판 1977.7.12, 77도1736 ④ 대판 2015.11.27, 2014도13083

Answer 1. ②

**02** **사문서위·변조죄에 관한 설명 중 옳은 것은?** 17. 변호사시험, 23. 해경 3차

① 사문서를 변조할 당시 그 명의인의 명시적·묵시적 승낙이 없었더라도 변조된 문서가 그 명의인에게 유리하여 결과적으로 그 의사에 합치되는 때에는 사문서변조죄를 구성하지 않는다.

② 사문서에 2인 이상의 작성명의인이 있는 때에는 그 명의자 가운데 1인이 나머지 명의자와 합의 없이 행사할 목적으로 그 문서의 내용을 변경하더라도 사문서변조죄를 구성하지 않는다.

③ 주식회사의 지배인이 자신을 그 회사의 대표이사로 표시하여 연대보증채무를 부담하는 취지의 회사 명의의 차용증을 작성한 경우에 그 문서에 허위의 내용이 포함되어 있더라도 사문서위조죄를 구성하지 않는다.

④ 사문서의 작성명의자의 인장이 압날되지 않고 주민등록번호가 기재되지 않았다면 일반인이 그 작성명의자에 의해 작성된 사문서라고 믿을 만한 정도의 형식과 외관을 갖추었더라도 사문서위조죄의 객체가 되지 않는다.

⑤ 직접적인 법률관계에 단지 간접적으로 연관된 의사표시 내지 권리·의무의 변동에 사실상으로 영향을 줄 수 있는 의사표시를 내용으로 하는 문서는 사문서위조죄의 객체가 되지 않는다.

| 해설 ① ×: 사문서변조죄 ○(대판 1985.1.22, 84도2422)
② ×: 사문서변조죄 ○(대판 1977.7.12, 77도1736)
③ ○: 대판 2010.5.13, 2010도1040
④ ×: 사문서변조죄 객체 ○(대판 1989.8.8, 88도2209)
⑤ ×: 사문서변조죄 객체 ○(대판 2012.5.9, 2010도2690)

**03** **형법상 문서에 관한 죄에 관한 설명 중 옳은 것은?**(다툼이 있는 경우 판례에 의함) 18. 변호사시험

① 공무원인 의사가 공무소의 명의로 허위진단서를 작성한 경우에는 허위공문서작성죄와 허위진단서작성죄가 성립하고 두 죄는 상상적 경합관계에 있다.

② 컴퓨터 스캔 작업을 통하여 만들어낸 공인중개사 자격증의 이미지 파일은 전자기록장치에 전자적 형태로서 고정되어 있어 계속성을 인정할 수 있으므로 형법상 문서에 관한 죄에 있어서의 문서로 보아야 한다.

③ 매수인으로부터 토지매매계약체결에 관하여 포괄적 권한을 위임받은 자가 실제 매수가격보다 높은 가격을 매매대금으로 기재하여 매수인 명의의 매매계약서를 작성하였다 하더라도 그것은 작성권한 있는 자가 허위내용의 문서를 작성한 것에 불과하여 사문서위조죄가 성립할 수 없다.

Answer 2.③ 3.③

④ 일정 한도액에 관하여 연대보증인이 될 것을 허락한 甲으로부터 그에 필요한 문서를 작성하는 데 쓰일 인감도장과 인감증명서를 교부받아 甲을 직접 차주로 하는 동액 상당의 차용금 증서를 작성한 경우에는 본래의 정당한 권한 범위를 벗어난 것이므로 사문서위조죄가 성립한다.

⑤ 사문서의 경우에는 그 명의인이 실재하지 않는 허무인이거나 문서의 작성일자 전에 이미 사망하였다 하더라도 문서위조죄가 성립하나, 공문서의 경우에는 문서위조죄가 성립하기 위하여 명의인이 실재함을 필요로 한다.

| 해설 ① × : 허위공문서작성죄만 성립(대판 2004.4.9, 2003도7762)
② × : 이미지 파일 ⇨ 문서 ×(대판 2008.4.10, 2008도1013)
③ ○ : 대판 1984.7.10, 84도1146
④ × : 사문서위조죄 ×(대판 1984.10.10, 84도1566 ∵ 정당한 권한에 기하여 그 권한의 범위 안에서 적법하게 작성된 것)
⑤ × : 공문서의 경우도 명의인이 실재함을 요하지 않는다(대판 1976.9.14, 76도1767).

## 04 사문서위조죄에 대한 설명으로 가장 적절한 것은?(다툼이 있는 경우 판례에 의함) 18. 순경 3차

① 피고인이 이사들의 참석 및 의결권 행사에 관한 권한을 위임받았다 하더라도 그 이사들이 이사회에 불참했음에도 마치 참석하여 의결권을 행사한 것처럼 이사회 회의록을 작성하였다면 사문서위조죄가 성립한다.

② 피고인이 대량의 사건을 수임하기 위하여 소속변호사회에서 발급받은 진정한 경유증표 원본을 컬러복사하여 법원에 제출하였더라도, 복사기 등을 사용하여 기계적인 방법에 의하여 원본을 복사한 문서인 복사문서는 문서죄의 객체에 해당하지 않으므로 사문서위조죄가 성립하지 않는다.

③ 피고인이 명의인인 회사대표이사로부터 문서작성권한의 위임을 받았다면, 그 위임받은 권한을 초월하여 사문서를 작성하였다 하더라도 사문서위조죄는 성립하지 않는다.

④ 피고인이 문서명의인인 문중원들을 기망하여 정기문중총회 회의록을 작성하였다면, 비록 문중원들의 서명, 날인이 정당하게 성립된 경우라 하더라도 사문서위조죄가 성립한다.

| 해설 ① × : 사문서위조죄 ×(대판 1984.3.27, 83도3260)
② × : 사문서위조죄 ○(대판 2016.7.14, 2016도2081 ∵ 문서의 원본을 컬러복사기로 복사한 문서인 복사문서 ⇨ 문서죄의 객체 ○)
③ × : 사문서위조죄 ○(대판 2005.10.28, 2005도6088)
④ ○ : 대판 2000.6.13, 2000도778

Answer 4.④

## THEMA 18 '공문서위조죄' 관련판례 총정리

**• 공문서위조죄에 해당하는 경우**

1. 행사의 목적으로 타인의 주민등록증의 사진을 떼고 자신의 사진을 붙이는 경우(대판 1991.9.10, 91도1610 ∵ 기존 공문서의 본질적 또는 중요부분에 변경을 가하여 새로운 증명력을 가진 별개의 공문서 작성) 11. 경찰승진, 20. 수사경과, 22. 경찰간부
2. 타인의 주민등록증사본의 사진란에 피고인의 사진을 붙여 복사하여 행사한 경우 ⇨ 공문서위조죄 및 동행사죄(대판 2000.9.5, 2000도2855 ∵ 진정한 문서의 사본을 복사하면서 그 사본 내용과 전혀 다른 별개의 문서사본을 창출하는 행위 ⇨ 문서위조행위 ○) 15. 경찰간부 · 9급 검찰 · 마약수사, 16. 경찰승진 · 법원직, 20. 순경 1차 · 수사경과 · 해경승진, 22. 해경간부

   **유사판례** : 甲이 D의 주민등록증을 이용하여 주민등록증상 이름과 사진을 하얀 종이로 가린 후 복사기로 복사를 하고, 다시 컴퓨터를 이용하여 E의 인적사항과 주소, 발급일자를 기재한 후 덮어쓰기를 하여 이를 다시 복사하는 방식으로 별개의 주민등록증사본을 창출시킨 경우 ⇨ 공문서위조죄 ○, 공문서변조죄 ×(대판 2004.10.28, 2004도5183) 22 · 23. 경찰간부
3. 작성권한 있는 공무원을 보조하는 기안담당자나 보충기재권한만을 위임받은 공무원이 작성권한자의 결재 없이 임의로 허위내용의 공문서를 작성한 경우(대판 1981.7.28, 81도898 ; 대판 1995.3.24, 94도1112) 22. 순경 1차

   **유사판례** : 공문서 작성권자로부터 '일정한 요건이 구비되었는지의 여부를 심사하여 그 요건이 구비되었음이 확인될 경우에 한하여 작성권자의 직인을 사용하여 작성권자 명의의 공문서를 작성하라.'는 포괄적인 권한을 수여받은 업무보조자인 공무원 甲이, 그 위임의 취지에 반하여 공문서 용지에 허위내용을 기재하고 그 위에 보관하고 있던 작성권자의 직인을 날인하여 작성한 경우(대판 1996.4.23, 96도424) 14. 사시
4. 공문서의 작성권한 없는 사람이 허위공문서를 기안하여 작성권자의 결재를 받지 않았는데도 결재를 받은 것처럼 직인을 보관하는 담당자를 기망하여 작성권자의 직인을 날인하도록 하여 공문서를 완성한 때에도 공문서위조죄가 성립한다(대판 2017.5.17, 2016도13912). 18. 순경 1차, 23. 법원직

**• 공문서위조죄에 해당하지 않는 경우**

1. 식당의 주 · 부식 구입 업무를 담당하는 공무원이 계약 등에 의하여 공무소의 주 · 부식 구입 · 검수 업무 등을 담당하는 조리장 · 영양사 등의 명의를 위조하여 검수결과보고서를 작성한 경우 ⇨ 공문서위조죄 ×(대판 2008.1.17, 2007도6987 ∵ 그 행위주체가 공무원과 공무소가 아닌 경우에는 형법 또는 기타 특별법에 의하여 공무원 등으로 의제되는 경우를 제외하고는 계약 등에 의하여 공무와 관련되는 업무를 일부 대행하는 경우가 있다 하더라도 공무원 또는 공무소가 될 수는 없음). 15. 경찰간부, 16. 순경 2차, 20. 순경 1차, 22. 7급 검찰
2. 기안문서(공문서)의 작성권한자가 직접 이에 서명하지 않고 甲에게 지시하여 자기서명을 흉내내어 결재란에 대신 서명하게 한 경우 ⇨ 甲의 행위는 작성권자의 지시 · 승낙에 의한 것(공문서위조죄의 구성요건해당성 ×) ⇨ 공문서위조죄 ×(대판 1983.5.24, 82도1426) 15. 경찰간부, 18. 경찰승진
3. 건설업자인 甲은 공무원인 乙에게 실적이 과장되어 내용이 허위인 수주실적증명원을 제출하였다. 그리고 이 사실을 모르는 乙로부터 이 문서를 기초로 증명원 내용과 같은 공사실적증명서를 발급받은 경우 ⇨ 공문서위조죄의 간접정범 ×(대판 2001.3.9, 2000도938 ∵ 작성권한 있는 공무원이 타인의 기망으로 기재사항이 허위임을 알지 못하고 기재사항을 인식하고 그 문서를 작성할 의사로써 이에 서명날인한 경우 ⇨ 그 문서의 성립은 진정하며 작성명의를 모용한 사실 ×) 13. 법원직 · 7급 검찰, 15. 경찰간부, 18. 법원직, 20. 해경승진, 21. 순경 2차, 22. 해경간부

4. 종량제 쓰레기봉투에 인쇄할 시장 명의의 문안이 새겨진 필름을 제조하는 행위에 그친 경우에는 아직 위 시장 명의의 공문서인 종량제 쓰레기봉투를 위조하는 범행의 실행의 착수에 이르지 아니한 것으로서 공문서위조죄가 성립하지 아니한다(대판 2007.2.23, 2005도7430). 14. 사시, 17. 7급 검찰, 20. 해경 3차
5. 공립학교 교사가 작성하는 교원의 인적사항과 전출희망사항 등을 기재하는 부분과 학교장이 작성하는 학교장의견란 등으로 구성되어 있는 교원실태조사카드의 교사 명의 부분을 명의자의 의사에 반하여 작성한 경우 ⇨ 공문서위조죄 ×(대판 1991.9.24, 91도1733 ∵ 학교장의 작성명의 부분 ⇨ 공문서 ○, 교사 명의의 작성부분 ⇨ 공문서 ×) 13. 순경 2차, 16. 순경 1차, 17. 경찰승진, 23. 해경승진
6. 甲이 콘도미니엄 입주민들의 모임인 A시설운영위원회의 대표로 선출된 후 A위원회가 대표성을 갖춘 단체라는 외양을 작출할 목적으로, 행정용 봉투에 A위원회의 한자와 한글 직인을 날인한 다음 자신의 인감증명서 중앙에 있는 '용도'란 부분에 이를 오려 붙이는 방법으로 인감증명서 1매를 작성하고, 이를 휴대전화로 촬영한 사진 파일을 입주민들이 참여하는 메신저 단체대화방에 게재한 경우에는 공문서위조 및 동행사죄가 성립하지 아니한다(대판 2020.12.24, 2019도8443 ∵ 진정한 문서로 오신할 만한 외관과 형식을 갖추었다고 인정 ×). 21. 법원행시 · 순경 2차

**'공문서변조죄' 관련판례 총정리**

공문서변조죄에 있어서 행사할 목적이란 변조된 공문서를 진정한 문서인 것처럼 사용할 목적, 즉 행사의 상대방이 누구이든지간에 그 상대방에게 문서의 진정에 대한 착오를 일으킬 목적이면 충분한 것이지 반드시 변조 전의 그 문서의 본래의 용도에 사용할 목적에 한정되는 것은 아니다(대판 1995.3.24, 94도1112). 09. 법원행시

**• 공문서변조죄가 성립하는 경우**

1. 최종 결재권자를 보조하여 문서의 기안업무를 담당한 공무원이 이미 결재를 받아 완성된 공문서에 대하여 적법한 절차를 밟지 않고 그 내용을 변경한 경우에도 특별한 사정이 없는 한 공문서변조죄가 성립한다(대판 2017.6.8, 2016도5218). 12. 경찰간부, 21. 변호사시험
2. 피고인들이 자동차등록증 '비고'란을 임의로 변경하고 이를 행사한 행위를 공문서변조죄 및 변조공문서행사죄에 해당한다(대판 2016.3.24, 2014도6287).
3. 피고인이 인터넷을 통하여 열람 · 출력한 등기사항전부증명서 하단의 열람 일시 부분을 수정 테이프로 지우고 복사해 두었다가 이를 타인에게 교부한 경우 ⇨ 공문서변조죄 및 변조공문서행사죄 ○(대판 2021.2.25, 2018도19043 ∵ 피고인이 등기사항전부증명서의 열람 일시를 삭제하여 복사한 행위는 등기사항전부증명서가 나타내는 권리 · 사실관계와 다른 새로운 증명력을 가진 문서를 만든 것에 해당하고 그로 인하여 공공적 신용을 해할 위험성도 발생하였다). 21. 법원행시, 22. 법원직, 23. 변호사시험, 22 · 24. 순경 1차

**• 공문서변조죄가 성립하지 않는 경우**

1. 자신의 주민등록증 비닐커버 위에 검은색 볼펜으로 주민등록번호 전부를 덧기재하고 투명 테이프를 붙이는 방법으로 출생연도를 나타내는 '71'을 '70'으로 고친 경우(대판 1997.3.28, 97도30 ∵ 공문서 자체에 변경을 가한 것 ×, 변조방법이 조잡하여 공공의 위험을 초래할 정도 ×)
2. 권한 없는 자가 임의로 인감증명서의 사용용도란의 기재를 고쳐 써서 사용한 경우 ⇨ 공문서변조죄 ×, 변조공문서행사죄 ×(대판 2004.8.20, 2004도2767) 10. 경찰승진, 16. 순경 1차 · 2차, 22. 경찰간부
3. 당사자가 이혼의사확인서등본과 간인으로 연결된 이혼신고서를 떼어내고 원래 이혼신고서의 내용과는 다른 이혼신고서를 작성하여 이혼의사확인서등본과 함께 호적관서에 제출하였다고 하더라도, 공문서인 이혼의사확인서등본을 변조하였다거나 변조된 이혼의사확인서등본을 행사하였다고 할 수

없다(대판 2009.1.30, 2006도7777 ∵ 이혼신고서를 확인서등본 뒤에 첨부하여 그 직인을 간인하였다고 하더라도, 이혼신고서가 공문서인 이혼의사확인서등본의 일부가 되었다고 볼 수 없다). 14. 경찰승진, 16. 7급 검찰·철도경찰, 20. 수사경과, 18·21. 순경 1차, 22. 해경간부, 24. 법원행시

4. 이미 허위로 작성된 공문서 ⇨ 공문서변조죄의 객체 ×(대판 1986.11.11, 86도1984 ⓔ 공무원이 허위로 작성한 폐품반납증을 행사목적으로 권한 없이 변경한 경우 ⇨ 공문서변조죄 ×, 무죄) 10. 법원행시, 18. 경찰간부

5. 공문서변조죄는 변조한 공문서 자체를 진정한 것으로 '행사할 목적' 아래 그 기재내용을 변개한 경우에 성립하는 것이므로 사본을 행사할 목적으로 면허증사진 위에 다른 사진을 떨어지지 않을 정도로 풀을 약간 칠해 붙여 이를 전자복사기에 넣어 면허증 사본을 복사한 행위는 면허증 원본을 행사할 목적이 없는 것이어서 공문서변조죄에 해당하지 않는다(대판 1986.2.25, 85도2835). 09. 법원행시

02

## 01 문서위조(변조)죄에 관한 설명 중 가장 적절한 것은?(다툼이 있는 경우 판례에 의함) 17. 경찰승진

① 문서위조죄가 성립하기 위해서는 공문서와 달리 사문서는 작성명의인이 실재해야 한다.
② 문서의 작성에는 작성자가 자필로 작성할 필요는 없고 명의인의 착각을 이용하여 명의인으로 하여금 진의에 반하는 문서를 작성·서명하도록 하는 것과 같이 간접정범에 의한 위조도 가능하다.
③ 공립학교 교사가 작성하는 교원의 인적사항과 전출희망사항 등을 기재하는 부분과 학교장이 작성하는 학교장의견란 등으로 구성되어 있는 교원실태조사카드의 교사 명의 부분을 명의자의 의사에 반하여 작성한 행위는 공문서위조죄를 구성한다.
④ 문서위조죄의 죄수는 침해된 보호법익의 수를 기준으로 결정해야 한다.

**| 해설** ① × : 실재하지 않은 허무인·사자 명의의 사문서위조죄 성립 ○(대판 2005.2.24, 2002도18 전원합의체)
② ○ : 대판 2000.6.13, 2000도778
③ × : 공문서위조죄 ×(대판 1991.9.24, 91도1733 ∵ 교사 명의의 작성 부분 ⇨ 공문서 ×)
④ × : 문서명의인의 수(보호법익의 수 ×)를 기준으로 결정(대판 1987.7.21, 87도564)

## 02 문서에 관한 죄에 대한 설명으로 옳은 것은?(다툼이 있는 경우 판례에 의함) 16. 9급 검찰·마약수사

① 甲이 지방세 수납업무를 일부 대행하는 A은행의 세금수납 영수증의 금액을 고치고 이를 관계서류에 첨부한 경우 공문서변조 및 동행사죄가 성립한다.
② 甲이 외국에서 발행되고 유효기관이 경과한 국제운전면허증에 붙어 있던 A의 사진을 떼어내고 그 자리에 자신의 사진을 붙인 후 이를 소지하고 우리나라 도로에서 운전을 한 경우 공문서위조 및 동행사죄가 성립한다.

Answer 1. ② 2. ③

③ 甲이 경력증명서 양식에 실재하지 않는 A한의원의 이름을 적고 임의로 만든 A한의원의 직인을 날인하여 작성한 경우 마치 명의인의 권한 내에서 작성된 문서라고 믿게 할 만한 형식과 외관의 경력증명서를 작성하였다면 사문서위조죄가 성립한다.

④ A주식회사의 대표이사 甲은 실질적 운영자인 1인 주주 B의 구체적인 위임이나 승낙 없이 이미 퇴임한 전 대표이사 C를 대표이사로 표시하여 A회사 명의의 문서를 작성한 경우 사문서위조죄가 성립한다.

해설 ① ×：대판 1996.3.25, 95도3073(∵ 세금수납 영수증 ⇨ 공문서 ×)
② ×：사문서위조 및 동행사죄 ○(대판 1998.4.10, 98도164)
③ ○：대판 2005.2.24, 2002도18 전원합의체(∵ 허무인 명의의 문서 ⇨ 사문서 ○)
④ ×：사문서위조죄 ×(대판 2008.11.27, 2006도9194)

## 03 문서에 관한 죄의 설명으로 가장 적절하지 않은 것은?(다툼이 있는 경우 판례에 의함)

20. 순경 1차

① 타인의 주민등록증사본의 사진란에 자신의 사진을 붙여 복사한 행위와 타인의 주민등록증을 복사기와 컴퓨터를 이용하여 전혀 별개의 주민등록증사본을 창출시킨 행위는 공문서위조에 해당한다.

② 식당의 주·부식 구입 업무를 담당하는 공무원 甲이 계약 등에 의하여 공무소의 주·부식의 구입·검수 업무 등을 담당하는 조리장 영양사 등의 명의를 위조하여 검수결과보고서를 작성한 경우 공문서위조죄에 해당한다.

③ 세금계산서상의 공급받는 자는 그 문서 내용의 일부에 불과할 뿐 세금계산서의 작성명의인은 아니라 할 것이니, 공급받는 자란에 임의로 다른 사람을 기재하였다 하여 그 사람에 대한 관계에서 사문서위조죄가 성립된다고 할 수 없다.

④ 사문서변조죄는 권한 없는 자가 이미 진정하게 성립된 타인 명의의 문서 내용에 대하여 동일성을 해하지 않을 정도로 변경을 가하여 새로운 증명력을 작출케 함으로써 공공적 신용을 해할 위험성이 있을 때 성립한다. 따라서 이미 진정하게 성립된 타인 명의의 문서가 존재하지 않는다면 사문서변조죄가 성립할 수 없다.

해설 ① 대판 2000.9.5, 2000도2855
② ×：공문서위조죄 ×(대판 2008.1.17, 2007도6987 ∵ 그 행위주체가 공무원과 공무소가 아닌 경우에는 형법 또는 기타 특별법에 의하여 공무원 등으로 의제되는 경우를 제외하고는 계약 등에 의하여 공무와 관련되는 업무를 일부 대행하는 경우가 있다 하더라도 공무원 또는 공무소가 될 수는 없음)
③ 대판 2007.3.15, 2007도169(∵ 세금계산서 작성권자는 재화나 용역을 공급하는 공급자이므로)
④ 대판 2017.12.5, 2014도1492

Answer 3. ②

**04** **문서에 관한 죄에 대한 설명 중 옳고 그름의 표시(○, ×)가 바르게 된 것은?**(다툼이 있는 경우 판례에 의함)

18. 순경 1차

| |
|---|
| ㉠ 타인 명의의 문서를 위조하여 행사하였다고 하더라도 그 명의인이 실재하지 않는 허무인이거나 또는 문서의 작성일자 전에 이미 사망한 경우에는 사문서위조죄 및 동행사죄가 성립하지 않는다.<br>㉡ 법원이 이혼의사확인서등본 뒤에 이혼신고서를 첨부하고 간인하여 교부하였는데 당사자가 이혼의사확인서등본과 간인으로 연결된 이혼신고서를 떼어내고 원래 이혼신고서의 내용과는 다른 이혼신고서를 작성하여 이혼의사확인서등본과 함께 호적관서에 제출한 경우, 공문서변조 및 변조공문서행사죄가 성립하지 않는다.<br>㉢ 다른 공무원 등이 작성권자의 결재를 받지 않고 직인 등을 보관하는 담당자를 기망하여 작성권자의 직인을 날인하도록 하여 공문서를 완성한 때에는 공문서위조죄가 성립한다.<br>㉣ 주식회사의 지배인이 자신을 그 회사의 대표이사로 표시하여 연대보증채무를 부담하는 취지의 회사 명의의 차용증을 작성·교부한 경우, 그 문서에 일부 허위 내용이 포함되거나 위 연대보증행위가 회사의 이익에 반하는 것이더라도 사문서위조 및 위조사문서행사에 해당하지 않는다. |

① ㉠(○), ㉡(○), ㉢(○), ㉣(○)
② ㉠(○), ㉡(×), ㉢(○), ㉣(×)
③ ㉠(×), ㉡(○), ㉢(×), ㉣(○)
④ ㉠(×), ㉡(○), ㉢(○), ㉣(○)

**해설** ㉠ ×: 사문서위조죄 및 동행사죄 ○(대판 2005.2.24, 2002도18 전원합의체)
㉡ ○: 대판 2009.1.30, 2006도7777
㉢ ○: 대판 2017.5.17, 2016도13912
㉣ ○: 대판 2010.5.13, 2010도1040

**05** **문서에 관한 죄에 대한 설명으로 가장 적절하지 않은 것은?**(다툼이 있는 경우 판례에 의함)

21. 순경 1차

① 허위공문서작성죄의 객체가 되는 문서는 문서상 작성명의인이 명시된 경우뿐 아니라 작성명의인이 명시되어 있지 않더라도 문서의 형식, 내용 등 문서 자체에 의하여 누가 작성하였는지를 추지할 수 있을 정도의 것이면 된다.

② 실제의 본명 대신 가명이나 위명을 사용하여 사문서를 작성한 경우, 그 문서의 작성명의인과 실제 작성자의 인격이 상이할 때에는 위조죄가 성립할 수 있다.

③ 가정법원의 서기관이 이혼의사확인서등본을 작성한 후 그 뒤에 이혼신고서를 첨부하고 직인을 간인하여 교부한 경우, 당사자가 이를 떼어내고 다른 내용의 이혼신고서를 붙여 관련 행정관서에 제출하였다면 공문서변조 및 변조공문서행사죄가 성립한다.

④ 사립학교 법인 이사가 이사회 회의록에 서명 대신 서명거부사유를 기재하고 그에 대한 서명을 한 경우, 이사회 회의록의 작성권한자인 이사장이라 하더라도 임의로 이를 삭제하면 특별한 사정이 없는 한 사문서변조에 해당한다.

Answer 4. ④ 5. ③

**| 해설** ① 대판 2019.3.14, 2018도18646
② 대판 2010.11.11, 2010도1835(단, 인격의 동일성이 그대로 유지되는 때에는 위조가 되지 않는다.)
③ ×: ~ 성립하지 않는다(대판 2009.1.30, 2006도7777 ∵ 이혼신고서가 공문서인 이혼의사확인서등본의 일부가 되지 않음).
④ 대판 2018.9.13, 2016도20954

**06** **문서에 관한 죄에 대한 설명으로 가장 적절하지 않은 것은?**(다툼이 있는 경우 판례에 의함)

21. 순경 2차

① 甲이 콘도미니엄 입주민들의 모임인 A시설운영위원회의 대표로 선출된 후 A위원회가 대표성을 갖춘 단체라는 외양을 작출할 목적으로, 행정용 봉투에 A위원회의 한자와 한글 직인을 날인한 다음 자신의 인감증명서 중앙에 있는 '용도'란 부분에 이를 오려 붙이는 방법으로 인감증명서 1매를 작성하고, 이를 휴대전화로 촬영한 사진 파일을 입주민들이 참여하는 메신저 단체대화방에 게재한 경우에는 공문서위조 및 동행사죄가 성립하지 아니한다.

② 변호사 甲이 대량의 저작권법 위반 형사고소사건을 수임하여 피고소인 30명을 각각 형사고소하기 위하여 20건 또는 10건의 고소장을 개별적으로 수사관서에 제출하면서 하나의 고소위임장에만 소속 변호사회에서 발급받은 진정한 경유증표 원본을 첨부한 후 이를 일체로 하여 컬러복사기로 20장 또는 10장의 고소위임장을 각 복사한 다음 고소위임장과 일체로 복사한 경유증표를 고소장에 첨부하여 접수한 경우에는 사문서위조 및 동행사죄가 성립한다.

③ 법무사 甲이 위임인 A가 문서명의자로부터 문서작성 권한을 위임받지 않았음을 알면서도 법무사법 제25조에 따른 확인절차를 거치지 아니하고 권리의무에 중대한 영향을 미칠 수 있는 문서를 작성한 경우에는 사문서위조죄가 성립한다.

④ 공무원 아닌 甲이 관공서에 허위 내용의 증명원을 제출하여 그 내용이 허위인 정을 모르는 담당공무원 A로부터 그 증명원 내용과 같은 증명서를 발급받은 경우에는 공문서위조죄의 간접정범으로 처벌된다.

**| 해설** ① 대판 2020.12.24, 2019도8443
② 대판 2016.7.14, 2016도2081
③ 대판 2008.4.10, 2007도9987(∵ 사문서의 위조 및 동행사죄의 고의를 인정함)
④ ×: 공문서위조죄의 간접정범 ×(대판 2001.3.9, 2000도938)

Answer 6. ④

**07** **다음 중 ( ) 안에 甲의 죄책이 가장 적절한 것은?**(다툼이 있는 경우 판례에 의함) 22. 경찰간부

① 甲과 乙은 공모하여 행사할 목적으로 금융감독원장 명의의 '금융감독원 대출정보내역'이라는 사실증명에 관한 문서 1장을 위조하고, 공범 乙에게 기망당하여 위조사실을 모르는 A에게 위 문서를 교부함으로써 위조된 문서를 행사하였다. (사문서위조죄, 위조사문서행사죄)

② B주식회사의 지배인 甲이 그 권한을 남용하여 자신을 B회사의 대표이사로 표시하여 연대보증채무를 부담한다는 취지로 회사명의의 차용증을 작성하여 채권자에게 교부하였다. (사문서위조죄, 위조사문서행사죄)

③ C은행의 지배인으로 등기되어 있는 甲이, 회사의 내부규정 등에 의하여 각 지배인이 회사를 대리할 수 있는 행위의 종류, 내용, 상대방 등을 한정하여 그 권한을 제한한 경우에 그 제한된 권한 범위를 벗어나서, 신용이나 담보가 부족한 차주 회사가 저축은행 등 대출기관에서 대출을 받는 데 사용하도록 지급보증의 성질이 있는 C은행 명의의 대출채권양수도약정서와 사용인감계를 작성하였다. (사문서위조죄)

④ 甲이 D의 주민등록증을 이용하여 주민등록증상 이름과 사진을 하얀 종이로 가린 후 복사기로 복사를 하고, 다시 컴퓨터를 이용하여 E의 인적사항과 주소, 발급일자를 기재한 후 덮어쓰기를 하여 이를 다시 복사하는 방식으로 별개의 주민등록증사본을 창출시켰다. (공문서변조죄)

**| 해설** ① ×: 금융위원회의 설치 등에 관한 법률(금융위원회법) 제29조, 제69조 제1항에서 정한 금융감독원 집행간부인 금융감독원장 명의의 문서(공문서 ○, 사문서 ×)를 위조, 행사한 행위는 사문서위조죄, 위조사문서행사죄에 해당하는 것이 아니라 공문서위조죄, 위조공문서행사죄에 해당한다(대판 2021.3.11, 2020도14666).
② ×: 사문서위조죄 ×, 위조사문서행사죄 ×(대판 2010.5.13, 2010도1040)
③ ○: 사문서위조죄 ○(대판 2012.9.27, 2012도7467)
④ ×: 공문서위조죄 ○, 공문서변조죄 ×(대판 2004.10.28, 2004도5183 ∵ 진정한 문서의 사본을 전자복사기를 이용하여 복사하면서 일부 조작을 가하여 그 사본 내용과 전혀 다르게 만들어 별개의 주민등록사본을 창출시킨 것은 문서위조 행위에 해당함.)

**08** **다음 설명 중 가장 옳지 않은 것은?**(다툼이 있는 경우 판례에 의함) 22. 법원행시

① 문서위조 및 동행사죄의 보호법익은 문서에 대한 공공의 신용이므로 '문서가 원본인지 여부'가 중요한 거래에 있어서 문서의 사본을 진정한 원본인 것처럼 행사할 목적으로 다른 조작을 가함이 없이 문서의 원본을 그대로 컬러복사기로 복사한 후 위와 같이 복사한 문서의 사본을 원본인 것처럼 행사한 행위는 사문서위조죄 및 동행사죄에 해당한다.

② 사문서위조죄는 그 명의자가 진정으로 작성한 문서로 볼 수 있을 정도의 형식과 외관을 갖추어 일반인이 명의자의 진정한 사문서로 오신하기에 충분한 정도이면 성립한다.

③ 복사문서는 현재 판례에 의해 사문서위조죄에서의 문서로 인정되고 있다.

Answer 7.③ 8.③

④ 문서위조는 작성권한이 없는 자가 타인의 명의로 문서를 작성함을 말하는 것이므로 작성명의인이 없는 문서는 문서위조죄의 객체가 될 수 없음은 물론이나, 일반인이 명의자에 의하여 작성된 문서라고 오신할 만한 형식과 외관을 갖춘 이상 작성명의인이 있는 문서라고 보아야 한다.

⑤ 문서위조죄는 명의인이 실재하지 않는 허무인이거나 또는 문서의 작성일자 전에 이미 사망하였다고 하더라도 그러한 문서 역시 공공의 신용을 해할 위험성이 있으므로 공문서와 사문서를 가리지 아니하고 문서위조죄가 성립하고, 이는 법률적, 사회적으로 자연인과 같이 활동하는 법인 또는 단체에 대해서도 마찬가지이다.

**| 해설** ① 대판 2016.7.14, 2016도2081
② 대판 2008.3.27, 2008도443
③ × : 복사문서는 종래 판례(87도506)에 의해 문서에 관한 죄에 있어서 문서로 보았으나, 현재는 형법(제237조의 2 ; 1995. 12. 29. 신설)에 의해 사문서위조죄에서의 문서로 인정되고 있다.
④ 대판 2008.3.27, 2008도443
⑤ 대판 2005.3.25, 2003도4943

**09** **문서에 관한 죄에 대한 설명으로 옳지 않은 것은?**(다툼이 있는 경우 판례에 의함) 22. 7급 검찰

① 컴퓨터 모니터 화면상의 이미지로 생성된 국립대학교 교무처장 명의의 졸업증명서 파일은 형법상 문서에 관한 죄에서의 '문서'에 해당하지 않는다.

② 소속 공무소 식당의 주·부식 구입 업무를 담당하는 공무원이 그 공무소와의 계약에 의하여 주·부식의 구입·검수 업무 등을 담당하는 비공무원인 영양사의 명의를 위조하여 검수결과보고서를 작성하였더라도 공문서위조죄가 성립하지 않는다.

③ 부동산 매수인(乙)이 매도인(甲)과 부동산계약서 2통을 작성하고 그중 1통을 가지고 있는 기회를 이용하여 행사할 목적으로 그 부동산계약서의 좌단 난외에 '전기 부동산에 대한 제3자에 대여한 전세계약은 乙이 승계하고 전세금반환의무를 부하기로 함'이라고 권한 없이 가필(加筆)하고 그 밑에 자신의 인장을 날인하였다면 사문서위조죄가 성립한다.

④ 세금계산서상의 공급받는 자는 그 문서 내용의 일부에 불과할 뿐이므로 임의적 기재사항인 '공급받는 자'란에 임의로 다른 사람을 기재하였더라도 그 사람에 대한 관계에서 사문서위조죄가 성립하지 않는다.

**| 해설** ① 대판 2010.7.15, 2010도6068
② 대판 2008.1.17, 2007도6987
③ × : ~ 사문서변조(위조 ×)죄가 성립한다(1977.7.12, 77도1736 ∵ 사문서에 2인 이상의 작성명의인이 있는 때에는 그 명의자 가운데 1인이 나머지 명의자와 합의 없이 행사할 목적으로 그 문서의 내용을 변경하였을 때에는 사문서변조죄가 성립한다).
④ 대판 2007.3.15, 2007도169(∵ 세금계산서상의 공급받는 자는 세금계산서의 작성명의인이 아니고, 세금계산서 작성권자는 공급자임.)

**Answer** 9. ③

**10 다음 설명 중 가장 옳지 않은 것은?**(다툼이 있는 경우 판례에 의함) 23. 법원직

① 신탁자에게 아무런 부담이 지워지지 않은 채 재산이 수탁자에게 명의신탁된 경우에는 특별한 사정이 없는 한 재산의 처분 기타 권한행사에 관해서 수탁자가 자신의 명의사용을 포괄적으로 신탁자에게 허용하였다고 보아야 하므로, 신탁자가 수탁자 명의로 신탁재산의 처분에 필요한 서류를 작성할 때에 수탁자로부터 개별적인 승낙을 받지 않았더라도 사문서위조・동행사죄가 성립하지 않는다.

② 주식회사의 지배인이 진실에 반하는 허위의 내용이거나 권한을 남용하여 자기 또는 제3자의 이익을 도모할 목적으로 직접 주식회사 명의 문서를 작성하는 행위는 원칙적으로 문서위조 또는 자격모용사문서작성에 해당한다.

③ 작성권자의 직인 등을 보관하는 담당자는 일반적으로 작성권자의 결재가 있는 때에 한하여 보관 중인 직인 등을 날인할 수 있을 뿐이므로, 이러한 경우 공무원인 피고인이 작성권자의 결재를 받지 않고 직인 등을 보관하는 담당자를 기망하여 작성권자의 직인을 날인하도록 하여 공문서를 완성한 때에는 공문서위조죄가 성립한다.

④ 휴대전화 신규 가입신청서를 위조한 후 이를 스캔한 이미지 파일을 제3자에게 이메일로 전송하여 컴퓨터 화면상으로 보게 한 경우 위조사문서행사죄가 성립한다.

**| 해설** ① 대판 2022.3.31, 2021도17197
② ×：~ 해당하지 않는다(대판 2008.12.24, 2008도7836).
③ 대판 2017.5.17, 2016도13912
④ 대판 2008.10.23, 2008도5200

## THEMA 19 '자격모용에 의한 사문서작성죄' 관련판례 총정리

대리권이나 대표권 있는 자가 그 권한의 범위 내에서 문서의 내용이 허위이거나 그 권한을 남용하여 자기 또는 제3자의 이익을 도모할 목적으로 사문서를 작성한 경우 ⇨ 사문서에 관한 죄 ×〔∵ 허위사문서작성죄(사문서의 무형위조) 처벌 ×, 사문서위조죄 ×, 자격모용에 의한 사문서작성죄 ×〕(통설 · 판례)

1. 종중의 신임 대표자 등이 선임되고 전임 대표자에 대한 직무집행정지가처분결정이 있은 후 전임 대표자가 위 가처분결정을 알면서 대표자 자격으로 작성한 이사회 의사록 등을 작성한 경우 ⇨ 자격모용에 의한 사문서작성죄 ○(대판 2007.7.26, 2005도4072) 09. 순경, 14. 사시
2. 재건축조합의 조합장이 아닌 사람이 재건축조합 조합장의 직함을 사용하여 재건축사업에 관한 계약서를 작성한 경우 ⇨ 자격모용에 의한 사문서작성죄 ○(대판 2007.7.27, 2006도2330). 09. 법원행시 · 순경
3. 자격모용에 의한 사문서작성죄에서의 '타인'에는 자연인뿐만 아니라 법인, 법인격 없는 단체를 비롯하여 거래관계에서 독립한 사회적 지위를 갖고 활동하고 있는 존재로 취급될 수 있으면 여기에 해당된다(대판 2008.2.14, 2007도9606 예 부동산중개사무소를 대표하거나 대리할 권한이 없는 甲이 부동산매매계약서를 작성함에 있어 공인중개사란에 'A 부동산 대표 甲'이라고 기재하고 乙에게 교부한 경우 ⇨ 자격모용에 의한 사문서작성 및 동행사죄 ○). 10. 법원행시, 11. 순경
4. 주주총회 의장의 선임에 관한 법령 및 정관의 규정을 준수하지 않고 대주주가 임시의장이 되어 임시주주총회 의사록을 작성한 경우, 해당 주주총회 결의가 유효함(이사회 결의 및 소집절차가 없었더라도 주주 전원이 임시주주총회에 참석하여 이의 없이 만장일치로 결의한 경우)을 전제로 의장의 지위에 관한 자격모용사문서작성죄 및 동행사죄의 성립을 부정한다(대판 2008.6.26, 2008도1044).
5. 대표자 또는 대리인의 자격으로 임대차 등 계약을 하는 경우 그 자격을 표시하는 방법에는 특별한 규정이 없다. 피고인 자신을 위한 행위가 아니고 작성명의인을 위하여 법률행위를 한다는 것을 인식할 수 있을 정도의 표시가 있으면 대표 또는 대리관계의 표시로서 충분하다(대판 2017.12.22, 2017도14560).
6. 작성자가 '행사할 목적'으로 자격을 모용하여 문서를 작성한 이상 문서행사의 상대방이 자격모용 사실을 알았다거나, 작성자가 그 문서에 모용한 자격과 무관한 직인을 날인하였다는 등의 사정이 있었다고 하더라도 자격모용에 의한 사문서작성죄의 범의와 행사의 목적은 인정된다(대판 2022.6.30, 2021도17712). 23. 순경 2차

### '자격모용에 의한 공문서작성죄' 관련판례 총정리

1. 甲구청장이 乙구청장으로 전보된 후 甲구청장의 권한에 속하는 건축허가에 관한 기안용지의 결재란에 서명을 한 경우 ⇨ 자격모용에 의한 공문서작성죄 ○(대판 1993.4.27, 92도2688) 14. 사시, 16. 순경 2차, 17. 경찰간부
2. 식당의 주 · 부식 구입 업무를 담당하는 공무원이 주 · 부식구입요구서의 과장결재란에 권한 없이 자신의 서명을 한 경우, 자격모용공문서작성죄가 성립하고 공문서위조죄는 문제되지 않는다(대판 2008.1.17, 2007도6987). 16. 7급 검찰 · 철도경찰, 22. 수사경과

02

**01** **다음 설명 중 옳은 것은 모두 몇 개인가?**(다툼이 있는 경우 판례에 의함) 기출지문 종합

㉠ 甲은 A구청장에서 B구청장으로 전보되었다는 내용의 인사발령을 전화로 통보받은 후에 A구청장의 권한에 속하는 건축허가에 관한 기안용지의 결재란에 서명을 한 경우, 甲에게는 허위공문서작성죄가 성립한다.
㉡ 식당의 주·부식 구입 업무를 담당하는 공무원이 주·부식구입요구서의 과장결재란에 권한 없이 자신의 서명을 하였다면 공문서위조죄가 성립한다.
㉢ 주식회사의 적법한 대표이사는 회사의 영업에 관하여 재판상 또는 재판외의 모든 행위를 할 권한이 있으므로, 대표이사가 직접 주식회사명의 문서를 작성하는 행위는 자격모용사문서작성 또는 위조에 해당하지 않는 것이 원칙이며, 설령 그 문서의 내용이 진실에 반하는 허위이거나 대표권을 남용하여 자기 또는 제3자의 이익을 도모할 목적으로 작성된 경우에도 마찬가지이다.
㉣ 대리인이 대리권을 단순히 남용하여 사문서를 작성한 경우에도 자격모용에 의한 사문서작성죄가 성립한다.
㉤ 자격모용에 의한 사문서작성죄는 행사할 목적으로 타인의 자격을 모용하여 작성된 문서가 일반인으로 하여금 당해 명의인의 권한 내에서 작성된 문서라고 믿게 할 수 있는 정도의 형식과 외관을 갖추고 있으면 성립하는 것이고, 자격모용에 의한 사문서작성죄에서의 '타인'에는 자연인뿐만 아니라 법인, 법인격 없는 단체를 비롯하여 거래관계에서의 독립한 사회적 지위를 갖고 활동하고 있는 존재로 취급될 수 있으면 여기에 해당한다.

① 1개 ② 2개 ③ 3개 ④ 4개

**해설** ㉠ ×: 허위공문서작성죄 ×, 자격모용에 의한 공문서작성죄 ○(대판 1993.4.27, 92도2688)
㉡ ×: 공문서위조죄 ×(대판 2008.1.17, 2007도6987 ∵ 그 행위주체가 공무원과 공무소가 아닌 경우에는 형법 또는 기타 특별법에 의하여 공무원 등으로 의제되는 경우를 제외하고는 계약 등에 의하여 공무와 관련되는 업무를 일부 대행하는 경우가 있다 하더라도 공무원 또는 공무소가 될 수는 없음)
㉢ ○: 대판 2008.11.27, 2006도2016(예 주식회사의 지배인이 그 권한을 남용하여 자신을 그 회사의 대표이사로 표시하여 연대보증채무를 부담한다는 취지의 회사 명의의 차용증을 작성한 경우에 사문서위조죄가 성립하지 않는다.)
㉣ ×: 자격모용에 의한 사문서작성죄 ×(대판 2007.10.11, 2007도5838)
㉤ ○: 대판 2008.2.14, 2007도9606(예 부동산중개사무소를 대표하거나 대리할 권한이 없는 甲이 부동산매매계약서를 작성함에 있어 공인중개사란에 'A 부동산 대표 甲'이라고 기재하고 乙에게 교부한 경우, 자격모용에 의한 사문서작성 및 동행사죄가 성립한다.)

Answer 1.②

## THEMA 20 '사전자기록위작 · 변작죄' 관련판례 총정리

1. 컴퓨터의 기억장치 중 하나인 램(RAM)에 올려진 전자기록 ⇨ 전자기록 등 특수매체기록 ○(대판 2003.10.9, 2000도4993) 08. 법원행시, 10. 순경, 22. 순경 2차
2. 원본파일에 변경까지 초래하지 아니하였더라도 램에 전자기록에 허구의 내용을 권한 없이 수정 · 입력한 경우 ⇨ 사전자기록변작죄의 기수 ○(대판 2003.10.9, 2000도4993) 10. 사시, 18. 경찰승진, 21. 해경승진
3. 사전자기록위작 · 변작죄에서 사무처리를 그르치게 할 목적이란 위작 또는 변작된 전자기록이 사용됨으로써 전자적 방식에 의한 정보의 생성 · 처리 · 저장 · 출력을 목적으로 구축한 시스템을 설치 · 운영하는 주체(개인 또는 법인)의 사무처리를 잘못되게 하는 것을 말한다(대판 2008.6.12, 2008도938). 22. 법원행시

   예 ① 새마을금고 직원이 금고의 전 이사장에 대한 채권확보를 위해 금고의 예금관련 컴퓨터 프로그램에 전 이사장 명의의 예금계좌 비밀번호를 동의 없이 입력하여 위 예금계좌에 입금된 상조금을 위 금고의 가수금계정으로 이체한 경우 ⇨ 사전자기록위작 · 변작죄 ×(대판 2008.6.12, 2008도938 ∵ '사무처리를 그르치게 할 목적' ×) 16. 경찰간부

   ② 인터넷 포털사이트에 개설한 카페의 설치 · 운영 주체로부터 글쓰기 권한을 부여받은 사람이 위 카페에 접속하여 자신의 아이디로 허위내용의 글을 작성 · 게시한 경우 ⇨ 사전자기록위작죄 ×(대판 2008.4.24, 2008도294 ∵ '사무처리를 그르치게 할 목적' ×) 16. 경찰간부
4. 법인이 설치 · 운영하는 전산망 시스템에 제공되어 정보의 생성 · 처리 · 저장 · 출력이 이루어지는 전자기록 등 특수매체기록은 그 법인의 임직원과의 관계에서 '타인'의 전자기록 등 특수매체기록에 해당한다(대판 2020.8.27, 2019도11294 전원합의체 ∵ 위 시스템을 설치 · 운영하는 주체는 법인이고, 법인의 임직원은 법인으로부터 정보의 생성 · 처리 · 저장 · 출력의 권한을 위임받아 그 업무를 실행하는 사람에 불과하다). 21. 법원직, 22. 경찰간부
5. ① 유형위조만을 처벌하는 사문서위조와 달리 제232조의 2(사전자기록위작 · 변작)에서 정한 '위작'에 무형위조(권한 있는 사람이 그 권한을 남용하여 허위의 정보를 입력)도 포함하는 것으로 보더라도 피고인에게 불리한 유추해석 또는 확장해석을 한 것이라고 볼 수 없다(대판 2020.8.27, 2019도11294 전원합의체). 21. 7급 검찰, 22. 경찰간부 · 법원행시

   ② 사전자기록위작죄에서 정한 '위작'이란 전자기록의 생성에 관여할 권한이 없는 사람이 전자기록을 작성하거나 전자기록의 생성에 필요한 단위정보를 입력하는 경우는 물론 시스템의 설치 · 운영 주체로부터 각자의 직무 범위에서 개개의 단위정보의 입력 권한을 부여받은 사람이 그 권한을 남용하여 허위의 정보를 입력함으로써 시스템 설치 · 운영 주체의 의사에 반하는 전자기록을 생성하는 경우에도 사전자기록 등 위작죄에서 말하는 전자기록의 '위작'에 포함된다〔대판 2020.8.27, 2019도11294 전원합의체 예 입력할 권한을 가진 주식회사의 대표이사가 당해 회사가 설치 · 운영하는 시스템(가상화폐거래시스템)의 전자기록에 허위의 정보를 입력한 경우 ⇨ 사전자기록위작죄 ○〕. 21. 법원직 · 법원행시, 22. 순경 1차, 23. 변호사시험

### '공전자기록위작 · 변작죄' 관련판례 총정리

1. ① 경찰범죄정보시스템에 접근하여 당해 사건의 처리정보를 입력할 수 있는 권한이 있는 담당 경찰관이 그 권한을 일탈 · 남용하여 경찰범죄정보시스템에 허위의 정보를 입력한 행위는 공전자기록위작죄에 해당한다(대판 2005.6.9, 2004도6132). 08. 법원행시 ② 甲이 시청 공무원으로 시청 청사신축공사 현장에 출장을 나간 적이 없는 동료 공무원이 마치 현장출장을 간 것처럼 시청 행정지식관리시스

템에 허위의 정보를 입력하여 출장복명서를 생성한 후 그 사실을 모르는 결재권자에게 이를 전송한 경우 ⇨ 공전자기록위작 및 위작공전자기록 행사죄 ○ : 대판 2007.7.27, 2007도3798). 10. 사시, 11. 경찰승진, 20. 해경 1차 ③ 공군 복지근무지원단 예하 부대의 매점 및 창고관리 부사관으로 근무하던 甲이 이미 자신이 횡령한 바 있는 면세주류를 마치 정상적으로 판매한 것처럼 위 지원단 업무관리 전산시스템에 입력한 행위는 공전자기록 등 위작죄가 성립한다(대판 2010.7.8, 2010도3545). 16. 사시

2. 자동차등록 담당공무원인 피고인이 여객자동차 운수사업법상 차량충당연한 규정에 위배되어 영업용으로 변경 및 이전등록을 할 수 없는 차량인 것을 알면서 자동차등록정보 처리시스템의 자동차등록원부 용도란에 '영업용'이라고 입력하였으나, 변경 및 이전등록에 관한 구체적 등록내용인 최초등록일 등은 사실대로 입력한 경우 ⇨ 공전자기록 등 위작죄 ×(대판 2011.5.13, 2011도1415 ∵ 최초등록일 등 등록과 관련된 사실관계에 대한 내용에 거짓이 없음 ⇨ '위작' ×) 16. 경찰간부

3. 한국환경공단법 등이 한국환경공단 임직원을 형법 제129조 내지 제132조(수뢰죄)의 적용에 있어 공무원으로 본다고 규정한다고 하여 그들 또는 그들이 직무를 행하는 한국환경공단을 형법 제227조의2(공전자기록 위작·변작죄)에 정한 공무원 또는 공무소에 해당한다고 보는 것은 형벌법규를 피고인에게 불리하게 확장해석하거나 유추해석하는 것이어서 죄형법정주의 원칙에 반한다. 이는 한국환경공단 또는 그 임직원이 환경부장관으로부터 위탁받은 업무와 관련하여 직무상 작성한 문서를 공문서로 볼 수 없는 것과 마찬가지이다(대판 2020.3.12, 2016도19170). 21. 법원행시·7급 검찰

**01** **다음 중 사전자기록 위작·변작죄 또는 공전자기록 위작·변작죄가 성립하는 것은 모두 몇 개인가?**(다툼이 있는 경우 판례에 의함) 16. 경찰간부

㉠ 인터넷 포털사이트에 개설한 카페의 설치·운영 주체로부터 글쓰기 권한을 부여받은 사람이 위 카페에 접속하여 자신의 아이디로 허위내용의 글을 작성·게시한 경우
㉡ 새마을금고 직원이 금고의 전 이사장에 대한 채권확보를 위해 금고의 예금관련 컴퓨터 프로그램에 전 이사장 명의의 예금계좌 비밀번호를 동의 없이 입력하여 위 예금계좌에 입금된 상조금을 위 금고의 가수금계정으로 이체한 경우
㉢ 자동차등록 담당공무원이 여객자동차운수사업법상 차량 충당연한 규정에 위배되어 영업용으로 변경 및 이전등록을 할 수 없는 차량인 것을 알면서 자동차등록정보 처리시스템의 자동차등록원부 용도란에 영업용이라고 입력하고 최초등록일 등은 사실대로 기재한 경우
㉣ 경찰관이 고소사건을 처리하지 아니하였음에도 경찰범죄정보시스템에 그 사건을 검찰에 송치한 것으로 입력한 경우
㉤ 시청 공무원이 시청 청사신축공사 현장에 출장을 나간 적이 없는 동료 공무원이 마치 현장출장을 간 것처럼 시청 행정지식관리시스템에 허위의 정보를 입력하여 출장복명서를 생성한 후 그 사실을 모르는 결재권자에게 이를 전송한 경우

① 1개 ② 2개 ③ 3개 ④ 4개

| 해설 | ㉠ 사전자기록위작죄 ×(대판 2008.4.24, 2008도294 ∵ '사무처리를 그르치게 할 목적' ×)
㉡ 사전자기록위작·변작죄 ×(대판 2008.6.12, 2008도938 ∵ '사무처리를 그르치게 할 목적' ×)

Answer 1. ②

ⓒ 공전자기록위작죄 ×(대판 2011.5.13, 2011도1415 ∵ 최초등록일 등 등록과 관련된 사실관계에 대한 내용에 거짓이 없음 ⇨ '위작' ×)
ⓓ 공전자기록위작죄 ○(대판 2005.6.9, 2004도6132)
ⓔ 공전자기록 등 위작 및 위작공전자기록 등 행사죄 ○(대판 2007.7.27, 2007도3798)

## 02 다음 설명 중 옳은 것은 모두 몇 개인가?(다툼이 있는 경우 판례에 의함) 22. 법원행시

㉠ 전자기록에 관한 시스템에 '허위'의 정보를 입력한다는 것은 입력된 내용과 진실이 부합하지 아니하여 그 전자기록에 대한 공공의 신용을 위태롭게 하는 경우를 말한다.
㉡ 형법 제232조의 2에서 말하는 '사무처리를 그르치게 할 목적'이란 위작 또는 변작된 전자기록이 사용됨으로써 전자적 방식에 의한 정보의 생성·처리·저장·출력을 목적으로 구축·설치한 시스템을 운영하는 주체인 개인 또는 법인의 사무처리를 잘못되게 하는 것을 말한다.
㉢ 시스템의 설치·운영 주체로부터 각자의 직무 범위에서 개개의 단위정보의 입력 권한을 부여받은 사람이 단지 그 권한을 남용하여 허위의 정보를 입력함으로써 시스템 설치·운영 주체의 의사에 반하는 전자기록을 생성하는 경우는 형법 제227조의 2에서 말하는 전자기록의 '위작'에 포함된다고 볼 수는 없다.
㉣ 형법 제232조의 2에서 정한 '위작'의 포섭 범위에 권한 있는 사람이 그 권한을 남용하여 허위의 정보를 입력함으로써 시스템 설치·운영 주체의 의사에 반하는 전자기록을 생성하는 행위를 포함하는 것으로 보는 것이라면, 그 해석은 '위작'이란 낱말이 가지는 문언의 가능한 의미를 벗어나 피고인에게 불리한 유추해석 또는 확장해석을 한 것이라고 볼 수 있다.
㉤ 사전자기록 등 특수매체기록 작성 등에 관하여 권한 있는 사람이 단지 그 권한을 남용하여 허위의 정보를 입력함으로써 시스템 설치·운영 주체의 의사에 반하는 전자기록을 생성하는 행위를 '위작'의 범위에서 제외하여 해석하는 것은 입법자의 의사에 부합할 뿐만 아니라 과학기술의 발전과 시대적·사회적 변화에도 맞는 법 해석으로 볼 수 있다.
㉥ 사전자기록 등 위작죄가 성립하기 위해서는 '위작' 이외에도 '사무처리를 그르치게 할 목적'과 '권리·의무 또는 사실증명에 관한 타인의 전자기록 등 특수매체기록'이란 구성요건을 충족해야 한다.

① 1개 ② 2개 ③ 3개
④ 4개 ⑤ 5개

해설 대판 2020.8.27, 2019도11294 전원합의체 판결에 따르면 ㉠㉡㉥은 옳고, ㉢(~ 볼 수 있다) ㉣(~ 볼 수 없다) ㉤(~ 입법자의 의사에 반할 뿐만 아니라 과학기술의 ~ 변화에도 맞지 않는 법 해석으로 볼 수 있다)은 옳지 않다.

Answer 2. ③

02

## THEMA 21 '허위공문서작성죄' 총정리

- 허위공문서작성죄의 객체가 되는 문서는 문서상 작성명의인이 명시된 경우뿐 아니라 작성명의인이 명시되어 있지 않더라도 문서의 형식, 내용 등 문서 자체에 의하여 누가 작성하였는지를 추지할 수 있을 정도의 것이면 된다(대판 2019.3.14, 2018도18646). 20. 법원직, 21. 변호사시험 · 9급 검찰 · 순경 1차, 22. 경찰간부 · 해경 2차
- 허위공문서작성죄에 있어서 직무에 관한 문서라 함은 공무원이 직무권한 내에서 작성하는 문서를 말하고, 그 문서는 대외적인 것이거나 내부적인 것을 구별하지 아니하며, 그 직무권한이 반드시 법률상 근거가 있음을 필요로 하는 것이 아니고 명령, 내규 또는 관례에 의한 직무집행의 권한으로 작성하는 경우라도 포함되는 것이다(대판 2015.10.29, 2015도9010). 21. 9급 검찰 · 마약수사 · 해경 2차
- 문서에 관한 죄의 보호법익은 문서의 증명력과 문서에 들어 있는 의사표시의 안정 · 신용으로, 일정한 법률관계 또는 거래상 중요한 사실에 관한 관계를 표시함으로써 증거가 될 만한 가치가 있는 문서를 그 대상으로 한다. 그중 공무소 또는 공무원이 그 직무에 관하여 진실에 반하는 허위 내용의 문서를 작성할 경우 허위공문서작성죄가 성립하고, 이는 공문서에 특별한 증명력과 신용력이 인정되기 때문에 성립의 진정뿐만 아니라 내용의 진실까지 보호하기 위함이다. 따라서 허위공문서작성죄의 허위는 표시된 내용과 진실이 부합하지 아니하여 그 문서에 대한 공공의 신용을 위태롭게 하는 경우여야 하고, 그 내용이 허위라는 사실에 관한 피고인의 인식이 있어야 한다(대판 2022.8.19, 2020도9714).

1. **주체** : 직무에 관하여 공문서 또는 공도화를 작성할 권한이 있는 공무원(진정신분범)
2. **문서의 허위작성** : 작성권한 있는 공문서에 허위내용을 기재하는 것

**관련판례**

**• 허위공문서작성죄에 해당하는 경우**

1. ① 피의자신문에 참여하지 않은 사법경찰리를 참여한 것 같이 기재한 경우(대판 1966.9.6, 66도874) ② 가옥대장에 무허가건물을 허가받은 건물로 기재(대판 1983.12.13, 83도1458) ③ 가옥대장의 기재와 다른 내용을 기재한 가옥증명서 발행(대판 1973.10.23, 73도395) ④ 원본과 대조하지 않고 원본대조필을 날인(대판 1981.9.22, 80도3180) ⑤ 준공검사 없이 준공검사를 하였다고 기재(대판 1990.10.16, 90도1798) ⑥ 미완성공사에 준공검사조서를 작성(대판 1995.6.13, 95도491) ⑦ 세대주가 아닌 자를 세대주인 것으로 해서 주민등록표를 작성(대판 1990.10.16, 90도1199) ⑧ 폐기물처리사업계획이 관계 법령의 규정에 적합하지 않음을 알았음에도 불구하고 적합하다는 내용의 통보서를 작성한 경우(대판 2003.2.11, 2002도4293) 14. 경찰간부, 18. 9급 검찰, 22. 법원직
2. 인감증명서 발급업무를 담당하는 공무원이 발급을 신청한 본인이 직접 출두한 바 없음에도 불구하고 본인이 직접 신청하여 발급받은 것처럼 인감증명서에 기재한 경우(대판 1997.7.11, 97도1082), 14. 사시, 17. 순경 1차, 22. 경찰간부 · 경력채용 인감증명서 발행시 대리인에 의한 것을 본인의 신청에 의한 것으로 기재한 경우(대판 1985.6.25, 85도758) 18. 법원직, 23. 법원행시
3. 소유권이전등기와 근저당권설정등기가 동시에 신청되고 등본교부신청이 함께 있는 경우에 소유권이전등기만 기입한 등기부등본을 발급한 경우(대판 1996.10.15, 96도1669) 22. 법원직
4. 경찰관이 범행사실을 발견하지 못한 것처럼 근무일지를 허위로 작성한 경우(대판 1999.12.24, 99도2240)
5. 군직원이 농지전용허가를 하여 주어서는 안 됨을 알면서도 허가하여 줌이 타당하다는 취지의 현장출장복명서 및 심사의견서를 작성한 경우(대판 1993.12.24, 92도3334)

6. 공증담당 변호사가 법무사의 직원으로부터 인증촉탁서류를 제출받았을 뿐 법무사가 공증사무실에 출석하여 사서증서의 날인이 당사자 본인의 것임을 확인한 바 없음에도 마치 그러한 확인을 한 것처럼 인증서에 기재한 경우(대판 2007.1.25, 2006도3844) 15. 법원행시, 21. 9급 검찰·마약수사
7. 신청인에게 농업경영능력이나 영농의사가 없음을 알거나 이를 제대로 알지 못하면서도 농지취득자격에 아무런 문제가 없다는 내용으로 농지취득자격증명통보서를 작성한 경우 허위공문서작성죄가 성립한다(대판 2007.1.25, 2006도3996). 17. 순경 1차
8. 경찰관이 피의자들을 현행범으로 체포하거나 현행범인체포서를 작성할 때 체포사유 및 변호인 선임권을 고지하였다는 내용의 허위의 현행범인체포서와 확인서를 작성한 경우(대판 2010.6.24, 2008도11226) 18. 경력채용
9. 불법건축물 단속 업무를 담당하고 있는 청원경찰 甲이 실제로 현장확인을 하지 않고 자신이 직접 현장확인을 하여 보니 원상복구가 완료되었다는 내용의 출장복명서에 자신의 서명을 함으로써 출장복명서를 완성하여 그 정을 모르는 담당공무원에게 제출하였다면 이는 허위공문서작성죄 및 허위작성공문서행사죄에 해당한다(대판 2013.10.24, 2013도5752). 16. 법원행시
10. 사법경찰관인 피고인이 검사로부터 '교통사고 피해자들로부터 사고 경위에 대해 구체적인 진술을 청취하여 운전자 甲의 도주 여부에 대해 재수사할 것'을 요청받고, 재수사 결과서의 '재수사 결과' 란에 피해자들로부터 진술을 청취하지 않았음에도 진술을 듣고 그 진술내용을 적은 것처럼 기재한 경우 ⇨ 허위공문서작성죄 ○(대판 2023.3.30, 2022도6886) 23. 경력채용, 24. 순경 1차

• **허위공문서작성죄에 해당하지 않는 경우**(고의로 법령적용을 잘못하여 공문서를 작성한 경우라도 그 법령적용의 전제가 된 사실관계에 대한 내용에 거짓이 없는 때 ∵ 공문서 작성과정에서 법령 등의 적용에 잘못이 있다는 것과 기재된 공문서 내용이 허위인지 여부는 구별되어야 한다 : 대판 2021.9.16, 2019도18394) 19. 경찰승진, 21. 9급 검찰·마약수사, 22. 해경 2차·순경 2차, 23. 법원행시, 24. 해경승진

1. 당사자로부터 뇌물을 받고 고의로 적용해서는 안 될 조항을 적용하여 과세표준을 결정하고 그에 기해 세액을 산출하였으나 그 세액계산서에 허위내용의 기재가 없는 경우(대판 1996.5.14, 96도554) 09. 사시·법원직, 10. 경찰승진, 24. 법원행시
2. 건축담당공무원이 건축허가신청서를 수리·접수함에 있어 건축법상의 요건을 갖추지 못하고 설계된 사실을 알면서도 기안서(건축허가통보서)를 작성하여 작성명의인인 군수의 결재를 받아 건축허가서를 작성한 경우(대판 2000.6.27, 2000도1858 ∵ 건축허가서에 표현된 허가의 의사표시 내용 자체에 허위가 없음) 13. 7급 검찰, 15. 사시, 18. 법원직·9급 검찰·마약수사·경찰승진
3. 교통사고 가해자 및 피해자의 관련자 진술서만 첨부하고 사고도주표시란에는 아무런 표시를 하지 않은 경우(대판 1997.3.11, 96도2329 ∵ 기재 누락된 문서는 허위내용 ×)
4. 공무원이 출장반복의 번거로움을 피하고 민원사무신속처리방침에 따라 사전에 출장조사한 다음 조사내용이 변동 없다는 확신하에 출장복명서를 작성하고 출장일자를 작성일자로 기재한 경우(대판 2001.1.5, 99도4101 ∵ 범의 ×) 05. 사시, 16. 순경 1차, 17. 순경 2차

▶ **허위신고임을 알면서 허위문서를 작성한 경우**

• 공무원이 실질적 심사권을 가진 경우(예 토지대장, 가옥대장) ⇨ 본죄 ○
• 공무원이 형식적 심사권만 가진 경우(예 호적부, 등기부) ⇨ 본죄 ○(대판 1977.12.27, 77도2155 : 호적공무원이 신고사항이 허위인 줄 알면서도 고의로 이를 호적부에 기재한 때 ∵ 그 기재를 거부할 수 있음), 학설은 대립(부정설 : 다수설) 03. 입시, 09. 법원직

### 3. 간접정범 성부

**관련판례**

1. 일반인이 허위신고를 하여 이를 믿는 공무원이 허위내용의 공문서를 작성 ⇨ 일반인에게 허위공문서작성죄 간접정범 불인정〔대판 1961.12.14, 4292형상645 ∵ 공무원이 아닌 자는 형법 제228조(공정증서원본부실기재죄)의 경우를 제외하고는 허위공문서작성죄의 간접정범으로 처벌할 수 없다 : 대판 2006.5.11, 2006도1663〕 13. 7급 검찰, 20. 경찰승진, 24. 해경승진
2. 보조 공무원이 허위공문서를 기안하여 그 정을 모르는 작성권자의 결재를 받아 공문서를 완성한 때에는 허위공문서작성죄의 간접정범이 되고, 이러한 결재를 거치지 않고 임의로 허위내용의 공문서를 완성한 때에는 공문서위조죄가 성립한다(대판 1981.7.28, 81도898). 13. 순경 2차, 14. 사시 · 순경 1차, 17. 법원행시, 18. 경찰간부 · 7급 검찰, 21. 법원직 · 경찰승진, 24. 해경승진

   예 ① 면의 호적계장이 정을 모른 면장의 결재를 받아 허위내용의 호적부를 작성한 경우 허위공문서작성, 동행사죄의 간접정범이 성립된다(대판 1990.10.30, 90도1912). 17. 경찰간부, 19. 법원직

   ② 면사무소 호적계장이 면장의 결재 없이 호적의 출생년란, 주민등록번호란에 허위내용의 호적정정 기재를 한 경우에는 공문서위조 및 동행사죄를 구성하는 것은 별론으로 하고 형법 제227조가 규정한 허위공문서작성죄에 해당할 수는 없다(대판 1990.10.12, 90도1790). 14. 경찰간부, 18. 경력채용

   ③ 공문서의 작성권한 없는 사람이 허위공문서를 기안하여 작성권자의 결재를 받지 않았는데도 결재를 받은 것처럼 직인을 보관하는 담당자를 기망하여 작성권자의 직인을 날인하도록 하여 공문서를 완성한 때에도 공문서위조죄가 성립한다(대판 2017.5.17, 2016도13912). 18. 순경 1차, 22. 경찰간부, 23. 법원직
3. 경찰관 甲이 乙에 대한 음주운전자 적발보고서를 찢어버리고 그 사정을 모르는 작성권자 丙으로 하여금 가짜 음주운전자 적발보고서를 기재하도록 하였다면 허위공문서작성죄(간접정범)가 성립한다(대판 1996.10.11, 95도1706). 18. 경력채용, 24. 경찰승진 · 해경승진
4. 출원에 대한 심사업무를 담당하는 공무원이 출원인의 출원사유가 허위라는 사실을 알면서도 결재권자로 하여금 오인, 착각, 부지를 일으키게 하고 그 오인, 착각, 부지를 이용하여 인 · 허가처분에 대한 결재를 받아낸 경우에는 위계에 의한 공무집행방해죄가 성립한다(대판 1997.2.28, 96도2825 ▶ 주의 : 허위공문서작성죄의 간접정범 ×). 09. 사시, 20. 해경 3차
5. 비공무원이 관공서에 허위내용의 증명원을 제출하여 그 내용이 허위인 정을 모르는 공무원으로부터 그 증명원과 같은 내용의 증명서를 발급받은 경우 ⇨ 공문서위조죄의 간접정범 ×(대판 2001.3.9, 2000도938) 16. 7급 검찰 · 경찰승진, 18. 법원직 · 경찰간부, 21. 변호사시험 · 순경 2차, 22. 경찰간부
6. 자생식물원 조성공사의 책임감리원(甲)이 감독공무원(乙)과 공모하여 허위내용의 준공검사조서를 작성한 다음 준공검사결과보고서에 첨부하여 乙에게 제출하여 공무원들의 결재를 받아 사무실에 비치한 경우 ⇨ 乙 : 허위공문서작성죄의 간접정범, 甲 : 허위공문서작성죄의 간접정범의 공범(대판 2010.4.29, 2010도875)
7. 군청 산림과 소속 공무원인 甲이 허위의 '산지 이용구분 내역 통보'를 군청 민원봉사과에 보내어, 그 정을 모르는 민원봉사과 소속 공무원 乙로 하여금 군수 명의의 위 각 임야에 대한 토지이용계획확인서를 작성 · 발급하게 한 경우 ⇨ 허위공문서작성죄의 간접정범 ×(대판 2010.1.14, 2009도9963 ∵ 甲이 乙의 업무를 보조하는 직무나 해당 문서의 작성을 기안하는 업무에 종사하는 지위 × ∴ 무죄) 24. 해경승진

### 4. 공범 및 타죄와의 관계

**관련판례**

1. 작성권한 있는 공무원의 직무를 보좌하는 자가 허위공문서작성죄의 간접정범이 될 경우 이와 공모한 자도 허위공문서작성죄의 간접정범의 공범이 된다[대판 1992.1.17, 91도2837 예 자생식물원 조성공사의 책임감리원(甲)이 감독공무원(乙)과 공모하여 허위내용의 준공검사조서를 작성한 다음 준공검사결과보고서에 첨부하여 乙에게 제출하여 공무원들의 결재를 받아 사무실에 비치한 경우 ⇨ 乙 : 허위공문서작성죄의 간접정범, 甲 : 허위공문서작성죄의 간접정범의 공범 ; 대판 2010.4.29, 2010도875]. 15. 수사경과, 23. 순경 1차, 24. 경찰간부
2. 공무원이 아닌 자가 공무원과 공동하여 허위공문서작성죄를 범한 때에는 공무원이 아닌 자도 형법 제33조, 제30조에 의하여 허위공문서작성죄의 공동정범이 된다(대판 2006.5.11, 2006도1663). 17·18. 7급 검찰
3. 피고인이 건축물조사 및 가옥대장 정리업무를 담당하는 지방행정서기를 교사하여 무허가 건물을 허가받은 건축물인 것처럼 가옥대장 등에 등재케 하여 허위공문서 등을 작성케 한 사실이 인정된다면, 허위공문서작성죄의 교사범으로 처단한 것은 정당하다(대판 1983.12.13, 83도1458). 22. 법원직
4. 공무원이 위법사실을 발견하고 이를 적극적으로 은폐할 목적으로 허위공문서를 작성한 경우에는 원칙적으로 직무유기죄는 허위공문서작성죄에 흡수되어(법조경합) 허위공문서작성죄만 성립하나(대판 1982.12.28, 82도2210 예 예비군 중대장이 소속 예비군대원의 훈련불참사실을 고의로 은폐할 목적으로 당해 예비군대원이 훈련에 참석한 양 허위내용의 학급편성명부를 작성, 행사한 경우), 위법사실을 적극적으로 은폐할 목적이 아니라 다른 권리를 노려 허위공문서를 작성한 경우에는 직무유기죄와 허위공문서작성죄의 실체적 경합이다(대판 1993.12.24, 92도3334 예 군직원이 농지전용허가를 하여 주어서는 안 됨을 알면서도 허가하여 줌이 타당하다는 취지의 현장출장복명서 및 심사의견서를 작성한 경우). 15. 법원행시, 24. 경찰간부·변호사시험

### '허위진단서작성죄' 관련판례 총정리

1. 허위진단서작성죄의 대상은 공무원이 아닌 의사가 사문서로서 진단서를 작성한 경우에 한정되고, 공무원인 의사가 공무소의 명의로 허위진단서를 작성한 경우에는 허위공문서작성죄만 성립하고 허위진단서작성죄는 별도로 성립하지 않는다[대판 2004.4.9, 2003도7762 : 공무원(보건복지부의무서기관)인 의사(국립병원근무)가 부탁을 받고 허위진단서를 작성한 후 그 사례명목으로 금품을 수수한 경우 ⇨ 허위공문서작성죄와 부정처사 후 수뢰죄의 실체적 경합] 14. 사시·9급 검찰·마약수사, 18. 변호사시험, 19. 법원직, 20. 수사경과, 22. 순경 1차, 24. 법원행시
2. 의사인 피고인이 환자의 인적사항, 병명, 입원기간 및 그러한 입원사실을 확인하는 내용이 기재된 '입퇴원 확인서'를 허위로 작성한 경우 ⇨ 허위진단서작성죄 ×(대판 2013.12.12, 2012도3173 ∵ '입퇴원 확인서'는 허위진단서작성죄에서 규율하는 진단서로 보기 어렵다.) 16. 경찰간부·법원행시
3. 허위진단서 작성에 해당하는 허위의 기재는 사실에 관한 것이건 판단에 관한 것이건 불문하므로, 현재의 진단명과 증상에 관한 기재뿐만 아니라 현재까지의 진찰 결과로서 발생 가능한 합병증과 향후 치료에 대한 소견을 기재한 경우에도 그로써 환자의 건강상태를 나타내고 있는 이상 허위진단서 작성의 대상이 될 수 있다(대판 2017.11.9, 2014도15129). 20. 법원행시, 22. 경찰승진

**01** **허위공문서작성죄에 관한 설명 중 옳지 않은 것은?**(판례에 의함) 09. 법원직

① 소유권이전등기와 근저당권설정등기의 신청이 동시에 이루어지고 그와 함께 등본의 교부신청이 있었는데, 등기공무원이 소유권이전등기만 기입하고 근저당권설정등기는 기입하지 아니한 채 등기부등본을 발급하였다면, 비록 그 등기부등본의 기재가 등기부의 기재와 일치한다 하더라도, 그러한 등기부등본 발급행위는 허위공문서작성죄에 해당한다.

② 인감증명서를 발행하는 공무원이 인감증명서를 발행함에 있어 인감증명서의 인적 사항과 인감 및 그 용도를 일치하게 기재하였어도 대리인에 의한 것을 본인의 신청에 의한 것으로 기재하였다면 허위공문서작성죄가 성립한다.

③ 당사자로부터 뇌물을 받고 고의로 적용하여서는 안 될 조항을 적용하여 과세표준을 결정하고 그 과세표준에 기하여 세액을 산출하였다면, 비록 그 세액계산서에 허위내용의 기재가 없다고 하더라도 허위공문서작성죄에 해당한다.

④ 호적공무원이 신고사항이 허위인 것을 알면서 이를 수리하여 호적부에 기재한 경우 허위공문서작성죄가 성립한다.

**| 해설** ① 대판 1996.10.15, 96도1669
② 대판 1985.6.25, 85도758
③ × : 허위공문서작성죄 ×(대판 1996.5.14, 96도554 ∵ 고의로 법령을 잘못 적용하여 공문서를 작성했더라도 그 법령적용의 전제가 된 사실관계에 대한 내용에 거짓이 없다면 허위공문서작성죄 ×)
④ 신고사항이 허위인 것이 명백한 경우에는 호적공무원은 그 기재를 거부할 수 있다고 해석할 것이므로 허위임을 알고 있으면서 이를 호적부에 기재하였다면 허위공문서작성죄가 성립한다(대판 1977.12.27, 77도2155).

**02** **허위공문서작성죄 등에 관한 설명 중 옳지 않은 것은 모두 몇 개인가?**(다툼이 있는 경우 판례에 의함) 15. 법원행시

㉠ 공증담당 변호사가 법무사의 직원으로부터 인증촉탁서류를 제출받았을 뿐, 법무사가 공증사무실에 출석하여 사서증서의 날인이 당사자 본인의 것임을 확인한 바 없음에도 마치 그러한 확인을 한 것처럼 인증서에 기재한 경우, 허위공문서작성죄가 성립한다.
㉡ 공무원이 어떠한 위법사실을 발견하고도 직무상 의무에 따른 적절한 조치를 취하지 아니하고 위법사실을 적극적으로 은폐할 목적으로 허위공문서를 작성, 행사한 경우에는 허위공문서작성, 동행사죄 외에 직무유기죄가 성립한다.
㉢ 공무원인 의사가 공무소의 명의로 허위진단서를 작성한 경우에는 허위공문서작성죄만이 성립하고 허위진단서작성죄는 별도로 성립하지 않는다.
㉣ 허위공문서작성죄란 공문서에 진실에 반하는 기재를 하는 때에 성립하는 범죄이므로, 고의로 법령을 잘못 적용하여 공문서를 작성하였다고 하더라도 그 법령적용의 전제가 된 사실관계에 대한 내용에 거짓이 없다면 허위공문서작성죄가 성립될 수 없다.

Answer 1.③ 2.②

> ⓜ 담당 공무원이 대리인의 신청에 의한 인감증명을 본인 신청에 의한 것으로 기재 발급한 경우에도 허위공문서작성죄가 성립한다.
> ⓗ 공무원이 여러 차례의 출장반복의 번거로움을 회피하고 민원사무를 신속히 처리한다는 방침에 따라 사전에 출장조사한 다음 출장조사 내용이 변동 없다는 확신하에 출장복명서를 작성하고, 다만 그 출장일자를 작성일자로 기재한 경우 허위공문서작성죄가 성립한다.

① 1개 ② 2개 ③ 3개
④ 4개 ⑤ 없 음

| 해설 | ㉠ ○ : 대판 2007.1.25, 2006도3844
㉡ × : 공무원이 어떠한 위법사실을 발견하고 직무상 의무에 따른 적절한 조치를 취하지 아니하고 위법사실을 적극적으로 은폐할 목적으로 허위공문서를 작성・행사한 경우에는 직무위배의 위법상태는 허위공문서작성 당시부터 그 속에 포함되는 것으로 작위범인 허위공문서작성죄와 동행사죄만이 성립하고 부작위범인 직무유기죄는 따로 성립하지 아니한다(대판 1982.12.28, 82도2210).
㉢ ○ : 대판 2004.4.9, 2003도7762
㉣ ○ : 대판 1996.5.14, 96도554
ⓜ ○ : 대판 1985.6.25, 85도758
ⓗ × : 허위공문서작성죄 ×(대판 2001.1.5, 99도4101 ∵ 범의 ×)

## 03 甲에게 허위공문서작성죄가 성립하지 않는 경우는?(다툼이 있는 경우 판례에 의함)

18. 9급 검찰・마약수사

① 준공검사관 공무원 甲이 정산설계서에 의하여 준공검사를 하지 않고도 준공검사를 하였다고 준공검사조서에 기재하였지만, 준공검사조서의 내용이 객관적으로 정산설계서 초안이나 그 후에 작성된 정산설계서 원본의 내용과 일치한 경우
② 건축담당 공무원 甲이 건축허가신청서를 접수・처리함에 있어 건축법상의 요건을 갖추지 못하고 설계된 사실을 알면서도 기안서인 건축허가통보서를 작성하여 건축허가서의 작성명의인인 군수의 결재를 받아 건축허가서를 작성한 경우
③ 공무원 甲이 폐기물처리사업계획이 관계 법령의 규정에 적합하지 않음을 알았음에도 불구하고 적합하다는 내용의 통보서를 작성한 경우
④ 공무원 甲이 A의 부탁을 받아 A가 세대주임에도 불구하고 A의 동거가족 B를 세대주인 것처럼 된 주민등록표를 작성한 경우

| 해설 | • **허위공문서작성죄** ○ : ① 대판 1990.10.16, 90도1798 ③ 대판 2003.2.11, 2002도4293 ④ 대판 1990.10.16, 90도1199
• **허위공문서작성죄** × : ② 대판 2000.6.27, 2000도1858(∵ 건축허가서에 표현된 허가의 의사표시 내용 자체에 허위가 없음)

Answer 3. ②

## 04 허위공문서작성죄에 대한 설명으로 옳은 것을 모두 고른 것은?(다툼이 있는 경우 판례에 의함)

18. 경력채용

㉠ 면사무소 호적계장이 면장의 결재 없이 호적의 출생년도, 주민등록번호란에 허위 내용의 호적 정정기재를 한 경우 허위공문서작성죄가 성립한다.
㉡ 경찰관이 피의자들을 현행범으로 체포하거나 현행범인체포서를 작성할 때 체포사유 및 변호인선임권을 고지하였다는 내용의 허위의 현행범인체포서와 확인서를 작성한 경우 허위공문서작성에 대한 범의가 인정된다.
㉢ 공무원이 준공검사 조서를 작성함에 있어서 정산설계서를 확인하고 준공검사를 한 것이 아님에도 마치 한 것처럼 준공검사용지에 '정산설계서에 의하여 준공검사를 하였다.'는 내용을 기입하였다면 허위공문서작성죄가 성립한다.
㉣ 공무원인 의사가 공무소의 명의로 허위진단서를 작성한 경우 허위공문서작성죄 외에 허위진단서작성죄가 별도로 성립한다.
㉤ 경찰관 甲이 乙에 대한 음주운전자 적발보고서를 찢어버리고 그 사정을 모르는 작성권자 丙으로 하여금 가짜 음주운전자 적발보고서를 기재하도록 하였다면 허위공문서작성죄가 성립한다.

① ㉠, ㉡, ㉣ ② ㉠, ㉢, ㉤
③ ㉡, ㉢, ㉤ ④ ㉡, ㉣, ㉤

**| 해설** ㉠ × : 공문서위조죄 ○, 허위공문서작성죄 ×(대판 1990.10.12, 90도1790)
㉡ ○ : 대판 2010.6.24, 2008도11226
㉢ ○ : 대판 1990.10.16, 90도1798
㉣ × : 허위공문서작성죄 ○, 허위진단서작성죄 ×(대판 2004.4.9, 2003도7762)
㉤ ○ : 대판 1996.10.11, 95도1706

## 05 문서에 관한 죄에 대한 설명이다. 아래 설명 중 옳은 것은 모두 몇 개인가?(다툼이 있는 경우 판례에 의함)

22. 경찰간부

㉠ 허위공문서작성죄의 객체가 되는 문서에는 문서에 작성명 의인이 명시된 것뿐 아니라 작성명의인이 명시되어 있지 않더라도 그 문서 자체에 의하여 작성명의인을 알 수 있는 경우도 포함한다.
㉡ 명의자의 명시적인 승낙이나 동의가 없다는 것을 알고 있었더라도 명의자가 문서작성 사실을 알았다면 승낙하였을 것이라고 기대하거나 예측한 경우에는 문서위조죄가 성립하지 않는다.
㉢ 권한 없는 자가 임의로 인감증명서의 사용용도란의 기재를 고쳐 쓴 경우 공무원 또는 공무소의 문서 내용에 대하여 변경을 가한 것으로 공문서변조죄가 성립한다.
㉣ 기존의 진정문서를 이용하여 문서를 변개하는 경우에도 문서의 중요 부분에 변경을 가하여 새로운 증명력을 가지는 별개의 문서를 작성하는 것은 문서의 변조가 아닌 위조에 해당한다.
㉤ 인감증명서 발급업무를 담당하는 공무원이 발급을 신청한 본인이 직접 출두한 바 없음에도 불구하고 본인이 직접 신청하여 발급받은 것처럼 인감증명서에 기재하였다면, 이는 공문서위조죄를 구성한다.

Answer 4.③ 5.②

① 1개 ② 2개 ③ 3개 ④ 4개

| 해설 ㉠ ○ : 대판 2019.3.14, 2018도18646
㉡ × : ~ 성립한다(대판 2008.4.10, 2007도9987 ∵ 추정적 승낙 ×).
㉢ × : 공문서변조죄 ×(대판 2004.8.20, 2004도2767 ∵ 인감증명서의 사용용도란의 기재를 고쳐 쓴 것은 공문서 내용에 대하여 변경을 가하여 새로운 증명력을 작출한 경우 ×)
㉣ ○ : 대판 1991.9.10, 91도1610
㉤ × : 공문서위조죄 ×, 허위공문서작성죄 ○(대판 1997.7.11, 97도1082)

## 06 허위공문서작성죄에 대한 설명으로 옳지 않은 것은?(다툼이 있는 경우 판례에 의함)

21. 9급 검찰 · 마약수사, 22. 해경 2차

① 객체가 되는 문서는 문서상 작성명의인이 명시되어 있지 않더라도 문서의 형식, 내용 등 문서 자체에 의하여 누가 작성하였는지를 추지할 수 있을 정도의 것이면 된다.
② '직무에 관한 문서'라 함은 공무원이 직무권한 내에서 작성하는 문서를 말하며, 법률뿐 아니라 명령, 내규 또는 관례에 의한 직무집행의 권한으로 작성하는 경우도 포함된다.
③ 공증담당 변호사가 법무사의 직원으로부터 인증촉탁서류를 제출받은 후, 법무사가 공증사무실에 출석하여 사서증서의 날인이 당사자 본인의 것임을 확인한 바 없지만, 업계의 관행에 따라 그러한 확인을 한 것처럼 인증서에 기재한 경우에는 허위공문서작성죄가 성립하지 아니한다.
④ 공무원이 고의로 법령을 잘못 적용하여 공문서를 작성한 경우에도 그 법령적용의 전제가 된 사실관계에 대한 내용에 거짓이 없다면 허위공문서작성죄가 성립하지 않는다.

| 해설 ① 대판 2019.3.14, 2018도18646
② 대판 2015.10.29, 2015도9010(허위공문서작성죄에 있어서 직무에 관한 문서라 함은 공무원이 직무권한 내에서 작성하는 문서를 말하고, 그 문서는 대외적인 것이거나 내부적인 것을 구별하지 아니하며, 그 직무권한이 반드시 법률상 근거가 있음을 필요로 하는 것이 아니고 명령, 내규 또는 관례에 의한 직무집행의 권한으로 작성하는 경우라도 포함되는 것이다.)
③ × : ~ 기재한 경우에도 허위공문서작성죄가 성립한다(대판 2007.1.25, 2006도3844 ∵ 업계의 관행이 정당하다고 볼 수 없음).
④ 대판 1996.5.14, 96도554

Answer 6. ③

**07** **허위공문서작성죄에 관한 설명 중 가장 옳지 않은 것은?**(다툼이 있는 경우 판례에 의함)

22. 법원직

① 피의자신문조서 말미에 작성자의 서명·날인이 없으나, 첫머리에 작성 사법경찰리와 참여 사법경찰리의 직위와 성명을 적어 넣은 것이 있다면 그 문서 자체에 의하여 작성자를 추지할 수 있으므로, 그러한 피의자신문조서는 허위공문서작성죄의 객체가 되는 공문서로 볼 수 있다.

② 공무원이 아닌 피고인이 건축물조사 및 가옥대장 정리업무를 담당하는 공무원을 교사하여 무허가건물을 허가받은 건축물인 것처럼 가옥대장 등에 등재케 하여 허위공문서 등을 작성케 한 사실이 인정된다면, 허위공문서작성죄의 교사범으로 처벌할 수 있다.

③ 등기공무원이 소유권이전등기와 근저당권설정등기의 신청이 동시에 이루어지고 그와 함께 등본의 교부신청이 있었음에도 고의로 일부를 누락하여 소유권이전등기만 기입하고 근저당권설정등기는 기입하지 않은채 등기부등본을 발급한 경우 본죄가 성립한다.

④ 공무원인 甲이 문서작성자에게 전화로 문의하여 원본과 상이 없다는 사실을 확인하였고, 실제 그 사본이 원본과 다른 점이 없다면, 실제 원본과 대조함이 없이 공무원 甲이 그 직무에 관하여 사문서 사본에 "원본 대조필 토목 기사 甲"이라 기재하고 甲의 도장을 날인한 행위만으로는 허위공문서작성죄가 성립한다고 단정할 수 없다.

| 해설 ① 대판 2019.3.14, 2018도18646(∵ 허위공문서작성죄의 객체가 되는 문서는 문서상 작성명의인이 명시된 경우뿐 아니라 작성명의인이 명시되어 있지 않더라도 문서의 형식, 내용 등 문서 자체에 의하여 누가 작성하였는지를 추지할 수 있을 정도의 것이면 된다.)

② 대판 1983.12.13, 83도1458

③ 대판 1996.10.15, 96도1669

④ ×: ~ (2줄) 원본과 다른 점이 없다고 하더라도, 실제 원본과 ~ (4줄) 도장을 날인한 행위만으로도 허위공문서작성죄가 성립한다(대판 1981.9.22, 80도3180).

Answer 7. ④

## THEMA 22 '공정증서원본 등 부실기재죄' 총정리

공무원에 대하여 허위신고를 하여 공정증서원본 또는 이와 동일한 전자기록 등 특수매체기록, 면허증, 허가증, 등록증 또는 여권에 부실의 사실을 기록 또는 기재하게 함으로써 성립되는 범죄이다.

1. **주체 및 성격** : 허위공문서작성죄는 진정신분범이므로 공무원 아닌 자가 선의의 공무원에 대하여 허위신고를 하여 허위공문서를 작성하게 한 경우에 허위공문서작성죄의 간접정범으로 처벌할 수 없다(통설 · 판례). 이 경우에 그 공문서가 공정증서원본인 경우에는 처벌할 수 있도록 간접정범 형태로 규정된 범죄가 본죄이다.

2. **객체** : 공정증서원본 또는 이와 동일한 전자기록 등 특수매체기록(제1항), 면허증, 허가증, 등록증, 여권(제2항)

① 공정증서원본 : 공정증서원본이란 공무원이 직무상 작성한 공문서로서 권리 · 의무에 관한 사실을 증명하는 공문서에 한정되고 사실증명에 관한 것은 포함되지 아니하며, 공정증서원본은 그 성질상 허위신고에 의해 부실한 사실이 그대로 기재될 수 있는 공문서이어야 한다(통설 · 판례).

㉠ 권리 · 의무에 관한 사실을 증명하는 공문서 ⇨ 공정증서원본 ○

**예** 가족관계등록부, 부동산 · 상업 · 선박등기부, 자동차등록부, 화해조서, 공증사무 취급이 인가된 합동법률사무소 명의로 작성된 공증에 관한 문서(대판 1977.8.23, 74도2715 전원합의체) 10. 경찰승진, 15. 법원직, 19. 경찰간부, 21 · 23. 해경승진

㉡ 권리 · 의무관계를 증명하는 공문서 ×, 사실증명에 관한 것 ○ ⇨ 공정증서원본 ×

**예** 주민등록부(대판 1969.3.25, 69도163), 인감대장(대판 1968.11.19, 68도1231), 토지대장(대판 1988.5.24, 87도2696), 15. 법원직 · 순경 3차, 17. 경찰승진, 18. 수사경과, 21. 해경승진 가옥대장(대판 1971.4.20, 71도359), 임야대장, 자동차운전면허대장(대판 2010.6.10, 2010도1125), 11. 법원행시 · 경찰승진, 12. 법원직 시민증(대판 1962.1.11, 4294형상193), 공증인이 인정한 사서증서(대판 1984.10.23, 84도1217) 15. 법원직, 23. 해경승진

㉢ 허위신고에 의해 부실한 사실이 그대로 기재될 수 없는 공문서 ⇨ 공정증서원본 ×

**예** 감정인의 감정서, 수사기관이 작성하는 진술조서, 민사조정법상 조정절차에서 작성되는 조성조서(대판 2010.6.10, 2010도3232) 11. 법원행시, 12. 경찰간부 · 법원직, 22. 순경 1차

㉣ 증명을 직접적인 목적으로 하지 않고 주로 처분문서의 성격을 갖는 경우 ⇨ 공정증서원본 ×

**예** 법원의 판결원본 · 지급명령원본

**관련판례** : '공정증서원본'에는 공정증서의 '정본'이 포함될 수 없으므로 부실의 사실이 기재된 공정증서의 정본을 그 정을 모르는 법원직원에게 교부한 경우 ⇨ 부실기재공정증서원본행사죄 ×(대판 2002.3.26, 2001도6503) 18. 수사경과, 20. 변호사시험 · 9급 검찰 · 마약수사, 21. 해경승진, 23. 법원행시

② 등록증(**예** 변호사 · 공인회계사 · 법무사 · 감정평가사 등의 등록증)

▶ 사업자등록증 ⇨ 본죄의 등록증 ×(대판 2005.7.15, 2003도6934 ∵ 단순한 사업사실의 등록을 증명하는 증서 ○, 사업할 수 있는 자격이나 요건을 갖추었음을 인정 ×) 15. 경찰간부 · 법원직 · 순경 3차, 21. 해경승진, 22. 순경 1차, 23. 법원행시

③ 여권(**예** 허위사실을 기재한 여권신청서에 의하여 여권을 발급받은 경우 ⇨ 공정증서원본 등 부실기재죄와 여권법 위반죄의 상상적 경합(대판 1974.4.9, 73도2334))

**3. 행위** : 공무원에 허위신고를 하여 부실의 사실을 기재 또는 기록하게 하는 것

형법 제228조 제1항이 규정하는 공정증서원본 부실기재죄나 공전자기록 등 부실기재죄는 공무원에 대하여 진실에 반하는 허위신고(진실에 반하는 사실을 신고하는 것)를 하여 공정증서원본 또는 이와 동일한 전자기록 등 특수매체기록에 그 증명하는 사항에 관하여 실체관계에 부합하지 아니하는 '부실의 사실'을 기재 또는 기록하게 함으로써 성립하고, 여기서 '부실의 사실'이라 함은 권리의무관계에 중요한 의미를 갖는 사항이 객관적인 진실에 반하는 것을 말한다(대판 2020.11.5, 2019도12042). 22. 순경 2차, 23. 경찰간부



**관련판례**

**•본죄가 성립하는 경우**

공정증서원본 등에 기재된 사항이 존재하지 아니하거나(부존재) 외관상 존재한다고 하더라도 무효에 해당하는 하자(흠)가 있다면 그 기재는 부실기재에 해당하여 공정증서원본부실기재죄가 성립한다(대판 2007.5.31, 2006도8488). 12. 법원직

1. 등기경료 당시를 기준으로 그 등기가 실체권리관계에 부합하여 유효한 경우에 한하여 동죄가 성립되지 않는 것이고, 등기경료 당시에는 실체권리관계에 부합하지 아니한 등기인 경우에는 사후에 이해관계인들의 동의 또는 추인 등의 사정으로 실체권리관계에 부합하게 된다 하더라도 공정증서원본부실기재 및 동행사죄의 성립에는 아무런 영향이 없다(대판 2001.11.9, 2001도3959). 12. 경찰승진, 13. 변호사시험, 14. 9급 검찰·마약수사
2. 종중의 적법한 대표 권한이 없는 자가 종중 소유의 토지에 보존등기를 신청하면서 자신이 대표자인 것처럼 허위신고를 함으로써 부동산등기부에 종중의 대표자로 기재된 경우 ⇨ 공정증서원본부실기재죄 ○(대판 2006.1.13, 2005도4790 ∵ 종중 대표자의 기재는 당해 부동산의 처분권한과 관련된 중요한 부분의 기재로서 이에 대한 공공의 신용을 보호할 필요가 있음) 15. 사시·순경 3차, 17. 법원행시, 24. 순경 1차

   ▶ **유사판례** : 종중 규약에 따르면 종중재산의 취득 및 처분은 종중총회의 결의사항으로 되어 있는 종중의 대표자가 종중총회의 결의 없이 종중재산인 부동산에 근저당권설정등기를 마친 경우(대판 2005.8.25, 2005도4910)
3. 토지거래 허가구역 안의 토지에 관하여 실제로는 매매계약을 체결하고서도 처음부터 토지거래허가를 잠탈하려는 목적으로 등기원인을 '증여'로 하여 소유권이전등기를 경료한 경우 공정증서원본부실기재죄가 성립한다(대판 2007.11.30, 2005도9922). 15. 경찰간부, 17. 법원행시·경찰승진, 22. 수사경과, 23. 해경승진
4. 참다운 부부관계의 설정을 바라는 효과의사가 없는 경우에는 그 혼인은 무효라고 할 것이어서 해외이주의 목적으로 위장결혼을 하고 혼인신고를 하여 그 사실이 호적부에 기재되었다면 공정증서원본부실기재죄를 구성한다(대판 1985.9.10, 85도1481). 10. 경찰승진, 12. 순경 1차, 15. 경찰간부

   ▶ **유사판례**

   ① 甲이 중국인 乙과 참다운 부부관계를 설정할 의사가 아니라 단지 乙의 국내 취업을 위한 입국을 가능하게 할 목적으로 형식상 혼인하기로 하고 甲의 본적지 면사무소에 혼인신고를 한 경우(대판 1996.11.22, 96도2049) 10. 법원행시, 17. 경찰간부, 19. 변호사시험

   ② 외국인 여자가 대한민국에 입국하여 취업 등을 하기 위한 방편으로 대한민국 국민인 남자와 혼인신고를 하였더라도 위와 같은 혼인의 합의가 없다면 구 국적법 제3조 제1호에서 정한 '대한민국 국민의 처가 된 자'에 해당하지 않으므로 대한민국 국적을 취득할 수 없어, 대한민국 국적

을 취득하지 않았는데도 대한민국 국적을 취득한 것처럼 인적 사항을 기재하여 대한민국 여권을 발급받은 다음 이를 출입국심사 담당공무원에게 제출하였다면 위계로써 출입국심사업무에 관한 정당한 직무를 방해함과 동시에 부실의 사실이 기재된 여권을 행사한 것으로 볼 수 있다(대판 2022.4.28, 2020도12239 ∴ 위계에 의한 공무집행방해죄 및 부실기재 여권행사죄 ○).

5. 발행인과 수취인이 통모하여 진정한 어음채무 부담이나 어음채권 취득 의사 없이 단지 발행인의 채권자에게서 채권추심이나 강제집행을 받는 것을 회피하기 위하여 형식적으로만 약속어음의 발행을 가장한 후 공증인에게 마치 진정한 어음발행행위가 있는 것처럼 허위로 신고하여 어음공정증서원본을 작성·비치하게 한 경우에 공정증서원본부실기재 및 동행사죄가 성립한다(대판 2012.4.26, 2009도5786). 17. 법원행시·경찰승진, 23. 해경승진·법원직
6. 실제로는 채권·채무관계가 존재하지 아니함에도 공증인에게 허위신고를 하여 가장된 금전채권에 대하여 집행력이 있는 공정증서원본을 작성하고 이를 비치하게 한 것이라면 공정증서원본부실기재죄 및 부실기재공정증서원본행사죄가 성립한다(대판 2008.12.24, 2008도7836). 15. 사시, 19. 경찰승진·법원행시, 21. 해경간부
   ▶ **유사판례** : 실제로는 채권·채무관계가 존재하지 않는데도 허위의 채무를 가장하고 이를 담보한다는 명목으로 허위의 근저당권설정등기를 마친 것이라면 공정증서원본 등의 부실기재죄 및 동행사죄가 성립한다(대판 2017.2.15, 2014도2415).
7. 주금을 가장납입하고 마치 주식인수인이 납입완료한 것처럼 등기공무원에게 증자등기를 신청한 경우(대판 1987.11.10, 87도2072) 11. 사시
   ▶ **유사판례**
   ① 유상증자 등기의 신청시 발행주식 총수 및 자본의 총액이 증가한 사실이 허위임을 알면서 증자등기를 신청하여 상업등기부 원본에 그 기재를 하게 한 경우, 등기신청서류로 제출된 주금납입금보관증명서가 위조된 것임을 몰랐다고 하더라도 공정증서원본부실기재죄가 성립한다(대판 2006.10.26, 2006도5147). 15. 사시, 17. 법원행시, 21. 해경간부, 22. 경력채용
   ② 타인으로부터 금원을 차용하여 주금을 납입하고 설립등기나 증자등기 후 바로 인출하여 차용금 변제에 사용하는 경우에는 상법상 납입가장죄가 성립하는 외에 공정증서원본부실기재·동행사죄가 성립하지만, 업무상 횡령죄는 성립하지 않는다(대판 2004.6.17, 2003도7645 전원합의체). 09. 순경, 17. 경찰간부
8. 강제집행을 면탈할 목적으로 허위채권을 만들어 합동법률사무소 명의의 공정증서를 작성한 행위(대판 1977.8.23, 74도2715 ∵ 합동법률사무소 명의의 공정증서도 공정증서원본임) 05. 사시, 10. 경찰승진, 19. 경찰간부
9. 법원을 기망하여 확정판결을 받아 그 내용이 허위임을 알면서 이를 제출하여 등기신청을 한 경우(대판 1996.5.31, 96도2049 ∴ 사기죄와 공정증서원본부실기재죄의 실체적 경합관계) 07. 법원직
10. 공동대표이사로 법인등기를 하기로 하여 위임받은 자가 독립대표이사로 법인등기를 한 경우(대판 1994.7.29, 93도1091) 09. 법원행시
11. 총 주식을 한 사람이 소유한 이른바 1인 회사와 달리, 주식의 소유가 실질적으로 분산되어 있는 주식회사의 경우, 실제의 소집절차와 결의절차를 거치지 아니한 채 주주총회의 결의가 있었던 것처럼 주주총회 의사록을 허위로 작성한 후 변경등기를 한 경우 그 주주총회의 결의는 부존재하다고 보아야 하므로 공정증서원본부실기재죄가 성립한다(대판 2018.6.19, 2017도21783).

• **본죄가 성립하지 않는 경우**

1. **공정증서원본에 기재된 사항이나 그 원인된 법률행위가 객관적으로 존재하고, 다만 거기에 취소사유에 해당되는 하자(흠)가 있을 뿐인 경우에는 그 취소 전에 공정증서원본에 기재된 이상, 그 기재가 공정증서원본부실기재죄를 구성하지 않는다(대판 2009.2.12, 2008도10248).** 12. 법원직, 13. 순경 1차, 18. 7급 검찰

① 협의상 이혼의 의사표시가 기망에 의하여 이루어진 것일지라도 그것이 취소되기까지는 유효하게 존재하는 것이므로, 협의상 이혼의사의 합치에 따라 이혼신고를 하여 호적에 그 협의상 이혼사실이 기재되었다면, 이는 공정증서원본부실기재죄에 해당하지 않는다(대판 1997.1.24, 95도448). 10. 법원행시 · 경찰승진, 14. 법원직, 21. 해경승진

② 주주총회의 소집절차 등에 관한 하자가 주주총회결의의 취소사유에 불과하여 그 취소 전에 주주총회의 결의에 따른 감사변경등기를 한 것은 공정증서원본부실기재죄를 구성하지 않는다(대판 2009.2.12, 2008도10248). 10. 경찰승진, 12. 법원직, 17. 법원행시

③ 부동산의 소유자로 하여금 근저당권자를 자금주라고 믿도록 속여서 근저당권설정등기를 경료케 한 경우 ⇨ 당사자 사이에 근저당설정의 합의성립 ⇨ 적법한 취소 × ⇨ 근저당설정등기는 유효한 등기 ⇨ 공정증서원본부실기재죄 ×(대판 1982.7.13, 82도39) 05. 법원행시, 20. 경찰승진

2. **당사자의 의사와 합치되는 경우**

① 부동산에 관하여 가장매매를 원인으로 소유권이전등기를 경료한 사실이 인정된다고 하더라도, 그 당사자 사이에는 소유권이전등기를 경료시킬 의사는 있었다고 할 것이므로 공정증서원본부실기재죄는 성립하지 않는다(대판 1972.3.28, 71도2417 전원합의체). 07. 사시, 12. 순경 1차, 16. 법원행시

▶ **유사판례** : 부동산을 관리보존하는 방법으로 이를 타에 신탁하는 의사로서 그 소유권이전등기를 한 경우에는 그 원인을 매매로 가장한 경우 ⇨ 공정증서원본부실기재죄 ×(대판 2011.7.14, 2010도1025 ㉠ 사망한 乙의 단독상속인인 피고인이 사망자 명의로 된 아파트에 대한 채권자의 강제집행을 면하기 위하여 乙이 증여한 사실이 없음에도 불구하고 증여를 원인으로 丙명의의 소유권이전등기를 경료한 경우 ⇨ 공정증서원본부실기재죄 및 동행사죄 ×). 15. 법원행시, 19. 경찰간부

② 당사자의 합의에 의하여 진정한 채무자 아닌 제3자를 채무자로 기재한 근저당설정등기를 한 경우(대판 1985.10.8, 84도2461) 05. 법원행시, 06. 경찰승진, 16. 경찰간부

▶ **비교판례** : 근저당권은 근저당물의 소유자가 아니면 설정할 수 없으므로 타인의 부동산을 자기 또는 제3자의 소유라고 허위의 사실을 신고하여 소유권이전등기를 경료한 후 자기 또는 당해 제3자 명의로 채권자와의 사이에 근저당권설정등기를 경료한 경우에는 공정증서원본부실기재 및 동행사죄가 성립한다(대판 1997.7.25, 97도605). 14. 법원직, 16. 경찰간부, 24. 경찰승진

③ 1인 주주회사에 있어서 1인 주주가 특정인과의 합의 없이 주주총회의 소집 등 상법 소정의 형식적인 절차도 거치지 않고 그를 이사의 지위에서 해임하였다는 내용을 법인등기부에 기재한 경우(대판 1996.6.11, 95도2817 ∵ 1인 주주의 의사가 바로 주주총회 및 이사회의 결의임) 11. 사시, 12. 순경 1차

▶ **비교판례** : 1인 회사라 하더라도 임원의 의사에 기하지 아니하고 사임서를 작성하여 이에 기한 등기부의 기재를 한 경우, 사문서위조죄 외에 공정증서원본부실기재죄가 성립한다(대판 1992.9.14, 92도1564). 07. 법원직

④ 피고인과 매도인 사이에 매매계약이 성립한 후 계약금과 대부분의 중도금이 지급되었고, 매도인이 법무사에게 소유권이전등기에 필요한 서류 일체를 맡기고 나중에 잔금지급이 되면 그 등기신청을 하도록 위임하였는데, 피고인이 법무사를 기망하여 법무사가 잔금이 모두 지급된 것으로 잘못 알고 등기신청을 하여 그 소유권이전등기를 경료한 경우(대판 1996.6.11, 96도233 ∵ 소유권이전등기의 원인이 되는 매매 내지는 물권적 합의가 있음) 06. 사시, 07. 법원행시

▶ **비교판례** : 부동산 매수인이 매도인과 사이에 부동산의 소유권이전에 관한 물권적 합의가 없는 상태에서, 단지 소유권이전등기에 필요한 서류를 보관하고 있는 법무사를 기망하여 매수인 명의로 소유권이전등기를 신청하게 하여 소유권이전등기를 마치게 한 경우 ⇨ 본죄 ○ (대판 2006.3.10, 2005도9402) 15. 사시, 17. 경찰간부, 23. 해경승진, 24. 법원행시

3. 실체권리관계에 부합하는 경우

① 소유권보존등기나 소유권이전등기에 절차상 하자가 있거나 등기원인이 실제와 다르다 하더라도 등기 경료 당시를 기준으로 실체적 권리관계에 부합하는 유효한 등기인 경우 공정증서원본부실기재 및 동행사죄가 성립되지 않는다(대판 1998.4.14, 98도16). 12. 순경 1차, 15. 경찰간부, 17. 법원행시, 20. 해경승진

▶ **유사판례** : 피고인 소유의 자동차를 타인에게 명의신탁하기 위한 것이거나 이른바 권리이전 과정이 생략된 중간생략의 소유권 이전등록이라도 그러한 소유권 이전등록이 실체적 권리관계에 부합하는 유효한 등록이라면 이를 부실의 사실을 기록하게 하였다고 할 수 없다(대판 2020.11.5, 2019도12042).

② 재건축조합 임시총회의 소집절차 · 결의방법이 법령 · 정관에 위반되어 임원개임결의가 사법상 무효일지라도 실제로 조합총회에서 임원개임결의가 이루어졌고 그 결의에 따라 임원변경등기를 마친 경우(대판 2004.10.15, 2004도3584) 15. 사시, 17. 순경 1차, 18. 경찰간부, 21. 해경간부, 24. 법원행시

▶ **유사판례**

1. 총 발행주식의 과반수를 소유한 대주주가 적법한 소집절차나 임시주주총회의 개최 없이 나머지 주주들의 의결권을 위임받아 자신이 임시의장이 되어 임시주주총회 의사록을 작성하여 법인등기를 마친 경우(대판 2008.6.26, 2008도1044) 10. 경찰승진, 16. 경찰간부
2. 주식회사의 임시주주총회가 법령 및 정관상 요구되는 이사회의 결의나 소집절차 없이 이루어졌다고 하더라도, 주주 전원이 참석하여 총회를 개최하는 데 동의하고 아무런 이의 없이 만장일치로 결의가 되었고 그 결의에 따라 등기가 이루어진 경우(대판 2014.5.16, 2013도15895). 16. 경찰간부

③ 양도인이 허위의 채권에 관하여 그 정을 모르는 양수인과 실제로 채권양도의 법률행위를 한 이상, 공증인에게 그러한 채권양도의 법률행위에 관한 공정증서를 작성하게 하였다고 하더라도 그 공정증서가 증명하는 사항에 관하여는 부실의 사실을 기재하게 하였다고 볼 것은 아니고, 따라서 공정증서원본부실기재죄가 성립한다고 볼 수 없다(대판 2004.1.27, 2001도5414). 11. 사시 · 경찰승진, 12. 순경 3차, 23. 법원직

④ 피고인이 사망한 부동산등기 명의인을 상대로 매매를 원인으로 하는 소유권이전등기절차이행청구의 소를 제기하여 의제자백에 의한 승소판결을 받고 이에 기하여 그 명의로 소유권이전등기를 경료하였더라도 위 등기가 실체적 권리관계에 부합하는 유효한 등기인 경우(대판 1987.3.10, 86도864) 11. 사시, 17. 경찰간부, 22. 법원직

⑤ 공동상속인 중의 1인의 다른 공동상속인들과 합의 없이 법정상속분에 따른 공동상속등기를 마친 경우(대판 1995.11.7, 95도898) 11. 경찰승진

⑥ 원래 자신의 소유인 부동산에 대하여 허위의 보증서를 작성, 등기소에 제출하여 자기 명의로 소유권 이전등기를 받은 경우(대판 1984.12.11, 84도2285 ∵ 권리의 실체관계에 부합하는 등기) 12. 경찰간부, 15. 순경 3차

⑦ 어떤 부동산에 관하여 피상속인에게 실체상의 권리가 없었음에도 피상속인 명의의 소유권이전등기가 경료되어 있었고, 이에 따라 재산상속인이 상속을 원인으로 한 소유권이전등기를 경료한 경우(대판 1987.7.14, 85도2661) 20. 해경승진, 23. 법원행시, 24. 경찰승진



4. 기 타

① 법원에 허위 내용의 조정신청서를 제출하여 판사로 하여금 조정조서에 부실의 사실을 기재하게 한 경우(대판 2010.6.10, 2010도3232 ∵ 조정절차에서 작성되는 조정조서는 그 성질상 허위신고에 의해 부실한 사실이 그대로 기재될 수 없는 공문서 ⇨ 공정증서원본 ×) 15. 경찰간부·순경 3차, 17. 법원행시, 20. 해경승진, 22. 순경 1차, 23. 법원직, 24. 경찰승진

② 자동차운전면허증 재교부신청서의 사진란에 본인의 사진이 아닌 다른 사람의 사진을 붙여 제출함으로써 담당공무원으로 하여금 자동차운전면허대장에 부실의 사실을 기재하여 이를 비치하게 한 경우(대판 2010.6.10, 2010도1125 ∵ 자동차운전면허대장은 사실증명에 관한 것에 불과 ⇨ 공정증서원본 ×) 15. 순경 3차, 17. 법원행시·순경 1차, 21. 변호사시험·해경승진, 22. 해경간부·해경 2차

③ 종중 소유의 토지를 자신의 개인 소유로 신고하여 토지대장에 올린 경우(대판 1988.5.24, 87도2696 ∵ 토지대장 ⇨ 공정증서원본 ×) 15. 법원직·순경 3차, 18. 수사경과, 23. 해경승진, 24. 경찰승진

④ 부동산 거래당사자가 거래가액을 시장 등에게 거짓으로 신고하여 받은 신고필증을 기초로 사실과 다른 내용의 거래가액이 부동산등기부에 등재되도록 한 경우 공전자기록등부실기재죄 및 부실기재공전자기록 등 행사죄가 성립하지 않는다(대판 2013.1.24, 2012도12363 ∵ 부동산등기부에 기재되는 거래가액은 당해 부동산의 권리의무관계에 중요한 의미를 갖는 사항에 해당 ×). 16. 사시·경찰간부·순경 2차, 18. 7급 검찰, 20. 경찰승진·수사경과, 24. 법원행시

⑤ 신주발행이 판결로써 무효로 확정되기 이전에 그 신주발행사실을 담당공무원에게 신고하여 법인등기부에 기재하게 한 경우, 공정증서원본부실기재죄에 해당하지 않는다(대판 2007.5.31, 2006도8488 ∵ 상법상 신주발행의 무효는 신주발행무효의 소에 의해서만 주장할 수 있고, 신주발행무효 확정판결은 장래에 대해서만 효력 ○). 16. 경찰간부, 18. 경찰승진, 23. 법원직

⑥ 공전자기록 등 부실기재죄(형법 제228조 제1항)의 구성요건인 '부실의 사실기재'는 당사자의 허위신고에 의하여 이루어져야 하므로, 법원의 촉탁에 의하여 등기를 마친 경우에는 그 전제절차에 허위적 요소가 있더라도 위 죄가 성립하지 않는다(대판 2022.1.13, 2021도11257). 23. 법원행시·순경 2차

예 1. 실제로는 채권 채무관계가 존재하지 아니함에도 허위의 주장입증으로 확정판결을 받아 법원의 촉탁에 의한 부실의 등기가 이루어진 경우(대판 1983.12.27, 83도2442) 19. 경찰간부

2. 甲이 허위의 공정증서에 기해 乙의 부동산에 대한 강제경매신청을 하였고, 이에 의해 동 부동산에 대해 법원의 강제경매 개시결정을 원인으로 하는 경매신청등기가 경료된 경우(대판 1976.5.25, 74도568) 17. 경찰간부, 18. 수사경과, 19. 변호사시험

3. 甲은 乙로부터 돈을 빌린 적이 없고 丙이 그 채무를 연대보증한 사실도 없는데, 乙과 공모하여 허위 내용이 적힌 차용증을 작성하고 甲소유 토지에 관하여 가압류신청을 하여 등기소 직원으로 하여금 乙을 채권자, 丙을 채무자로 한 가압류등기를 마치게 한 경우(대판 2022.1.13, 2021도11257)

⑦ 자신의 부친이 적법하게 취득한 토지인 것으로 알고 실체관계에 부합하게 하기 위해 소유권보존등기를 경료한 경우(대판 1996.4.26, 95도2468 ∵ 고의 ×), 사망한 남편과 동명이인인 자의 소유부동산에 관해 자기앞으로 상속을 원인으로 한 소유권이전등기를 경료한 경우(대판 1995.4.28, 94도2679 ∵ 고의 ×) 12. 순경 1차·3차

⑧ 권리·의무와 관계없는 예고등기를 말소신청한 경우(대판 1972.10.31, 72도1966) 10. 경찰승진

⑨ 후임 이사가 유효히 선임되었는데 그 효력에 다툼이 있는 중에 후임이사가 이사자격으로 계약서를 작성하고 등기 등을 한 경우 ⇨ 사문서위조죄 및 공정증서부실기재죄 등은 성립 ×(대판 2006.4.27, 2005도8875)

⑩ 발기인 등이 회사를 설립할 당시 회사를 실제로 운영할 의사 없이 회사를 이용한 범죄 의도나 목적이 있었다거나, 회사로서의 인적·물적 조직 등 영업의 실질을 갖추지 않았다는 이유만으로는 부실의 사실을 법인등기부에 기록하게 한 것으로 볼 수 없다(대판 2020.2.27, 2019도9293 ; 대판 2020.3.26, 2019도7729 예 피고인 등이 공모하여, 주식회사(유한회사)를 설립한 후 회사 명의로 통장을 개설하여 이른바 대포통장을 유통시킬 목적으로 회사로서의 인적·물적 조직 등 영업의 실질도 갖추지 않고, 회사설립등기 신청서를 법원 등기관에게 제출하여 등기관으로 하여금 상업등기 전산정보처리시스템의 법인등기부에 위 신청서의 기재 내용을 입력하고 이를 비치하게 하여 행사한 경우 ⇨ 공전자기록 등 부실기재죄 및 동행사죄 × ∵ 甲회사에 대한 회사설립등기는 공전자기록 등 부실기재죄에서 말하는 '부실의 사실'에 해당하지 않는다). 21. 해경간부, 23. 순경 1차, 24. 법원행시·경찰간부

**01** **다음 중 형법 제228조의 공정증서원본 등 부실기재죄의 객체인 '공정증서 원본 또는 이와 동일한 전자기록 등 특수매체기록', '면허증', '허가증', '등록증', '여권'에 해당하는 것은 모두 몇 개인가?**(다툼이 있는 경우 판례에 의함) 15. 법원직

| | |
|---|---|
| ㉠ 토지대장 | ㉡ 상업등기부 |
| ㉢ 공증인이 인증한 사서증서 | ㉣ 사업자등록증 |
| ㉤ 조정조서 | ㉥ 자동차운전면허대장 |

① 1개 ② 2개 ③ 3개 ④ 4개

해설
- **공정증서원본** ○ : ㉡ 대판 1986.9.9, 85도2297
- **공정증서원본** × : ㉠ 대판 1988.5.24, 87도2696 ㉢ 대판 1984.10.23, 84도1217 ㉣ 대판 2005.7.15, 2003도6934 ㉤ 대판 2010.6.10, 2010도3232 ㉥ 대판 2010.6.10, 2010도1125

Answer 1.①

**02** **공정증서원본 등 부실기재죄에 관한 설명이다. 다음 중 옳은 것은 모두 몇 개인가?**(다툼이 있으면 판례에 의함) 15. 순경 3차

> ㉠ 사업자등록증은 공정증서원본 등 부실기재죄의 대상인 등록증에 해당하지 않는다.
> ㉡ 자동차운전면허증 재교부신청서의 사진란에 본인의 사진이 아닌 다른 사람의 사진을 붙여 제출함으로써 담당 공무원으로 하여금 자동차운전면허대장에 부실의 사실을 기재하게 한 경우 공정증서원본 등 부실기재죄가 성립한다.
> ㉢ 민사조정법상의 조정절차에서 작성되는 조정조서는 형법 제228조 제1항에서 말하는 공정증서원본에 해당한다.
> ㉣ 종중 소유의 토지를 자신의 개인 소유로 신고하여 토지대장에 올린 경우 공정증서원본 등 부실기재죄가 성립하지 않는다.
> ㉤ 원래 자신소유인 부동산에 대하여 허위의 보증서를 작성한 후 등기소에 제출하여 자기 명의로 소유권을 이전받은 경우 공정증서원본 등 부실기재죄가 성립한다.
> ㉥ 종중의 적법한 대표 권한이 없는 자가 종중 소유의 토지에 보존등기를 신청하면서 자신이 대표자인 것처럼 허위신고를 함으로써 부동산등기부에 종중의 대표자로 기재된 경우에는 공정증서원본 등 부실기재죄가 성립하지 않는다.

① 1개 ② 2개 ③ 3개 ④ 4개

**| 해설** ㉠ ○ : 대판 2005.7.15, 2003도6934
㉡ × : 공정증서원본부실기재죄 ×(대판 2010.6.10, 2010도1125 ∵ 자동차운전면허대장은 사실증명에 관한 것에 불과 ⇨ 공정증서원본 ×)
㉢ × : 조정조서 ⇨ 공정증서원본 ×(대판 2010.6.10, 2010도3232)
㉣ ○ : 대판 1988.5.24, 87도2696(∵ 토지대장 ⇨ 공정증서원본 ×)
㉤ × : 공정증서원본부실기재죄 ×(대판 1984.12.11, 84도2285 ∵ 권리의 실체관계에 부합하는 등기)
㉥ × : 공정증서원본부실기재죄 ○(대판 2006.1.13, 2005도4790)

**03** **다음 중 공정증서원본부실기재죄가 성립하는 경우는 모두 몇 개인가?**(다툼이 있는 경우 판례에 의함) 16. 경찰간부

> ㉠ 등기부에 거래가액을 부풀려서 기재하게 한 경우
> ㉡ 허위의 소유권이전등기를 경료한 자가 자신의 채권자와 합의에 의하여 그 부동산에 근저당설정등기를 경료한 경우
> ㉢ 총 발행주식의 과반수를 소유한 대주주가 적법한 소집절차나 임시주주총회의 개최 없이 자신이 임시의장이 되어 임시주주총회 의사록을 작성하여 법인등기를 마친 경우
> ㉣ 당사자의 합의에 의하여 진정한 채무자가 아닌 제3자를 채무자로 기재한 근저당설정등기를 한 경우
> ㉤ 주식회사의 임시주주총회가 법령 및 정관상 요구되는 이사회의 결의나 소집절차 없이 이루어졌다고 하더라도, 주주 전원이 참석하여 총회를 개최하는 데 동의하고 아무런 이의 없이 만장일치로 결의가 되었고 그 결의에 따라 등기가 이루어진 경우

Answer 2. ② 3. ②

ⓗ 신주발행이 무효로 확정되기 이전에 그 신주발행의 사실을 담당 공무원에게 신고하여 법인등기부에 기재하게 한 경우

① 0개 ② 1개 ③ 2개 ④ 3개

| 해설 | • **공정증서원본 등 부실기재죄** ○ : ⓛ 대판 1997.7.25, 97도605(∵ 근저당권은 근저당물의 소유자가 아니면 설정할 수 없음)

• **공정증서원본 등 부실기재죄** × : ㉠ 대판 2013.1.24, 2012도12363(∵ 부동산등기부에 기재되는 거래가액은 당해 부동산의 권리의무관계에 중요한 의미를 갖는 사항에 해당 ×) ⓒ 대판 2008.6.26, 2008도1044(∵ 실체권리관계에 부합하는 등기임) ⓔ 대판 1985.10.8, 85도2197(∵ 당사자의 의사와 합치되는 경우임) ⓜ 대판 2014.5.16, 2013도15895(∵ 실체권리관계에 부합하는 등기임) ⓗ 대판 2007.5.31, 2006도8488(∵ 상법상 신주발행의 무효는 신주발행무효의 소에 의해서만 주장할 수 있고, 신주발행무효 확정판결은 장래에 대해서만 효력 ○)

## 04 공정증서원본 등 부실기재죄가 성립하는 경우는 모두 몇 개인가?(다툼이 있는 경우 판례에 의함)

17. 경찰간부

㉠ 부동산에 대해 점유로 인한 소유권취득시효를 완성한 甲이 이미 사망한 그 부동산의 등기명의자를 상대로 매매를 원인으로 하는 소유권이전등기절차이행청구의 소를 제기하여, 의제 자백에 의한 승소판결을 받고 이와 같은 확정판결에 기해 甲자신의 명의로 그 부동산에 대한 소유권이전등기를 경료한 경우

ⓛ 처음부터 진실한 주금납입으로 회사의 자금을 확보할 의사 없이, 형식상 또는 일시적으로 주금을 납입하고 이 돈을 은행에 예치하여 납입의 외형을 갖추고 주금납입증명서를 교부받아 설립등기나 증자등기의 절차를 마친 다음 바로 그 납입한 돈을 인출하고는, 그 인출한 돈을 특별히 회사를 위해 사용하지도 않은 경우

ⓒ 甲이 중국인 乙과 참다운 부부관계를 설정할 의사가 아니라 단지 乙의 국내 취업을 위한 입국을 가능하게 할 목적으로 형식상 혼인하기로 하고 甲의 본적지 면사무소에 혼인신고를 한 경우

ⓔ 甲이 허위의 공정증서에 기해 乙의 부동산에 대한 강제경매신청을 하였고, 이에 의해 동 부동산에 대해 법원의 강제경매 개시결정을 원인으로 하는 경매신청등기가 경료된 경우

① 1개 ② 2개 ③ 3개 ④ 4개

| 해설 | • **공정증서원본 등 부실기재죄** ○ : ⓛ 대판 2004.6.17, 2003도7645 전원합의체 ⓒ 대판 1996.11.22, 96도2049

• **공정증서원본 등 부실기재죄** × : ㉠ 대판 1987.3.10, 86도864(∵ 등기가 실체적 권리관계에 부합하는 유효한 등기) ⓔ 대판 1976.5.25, 74도568(∵ 법원의 촉탁에 의한 경우 ○, 당사자의 허위신고 ×)

Answer 4. ②

**05** **공정증서원본부실기재죄에 관한 설명 중 적절한 것을 모두 고른 것은?**(다툼이 있는 경우 판례에 의함) 17. 경찰승진, 23. 해경승진

> ㉠ 부동산 매수인이 매도인과 사이에 부동산의 소유권이전에 관한 물권적 합의가 없는 상태에서, 소유권이전등기신청에 관한 대리권이 없이 단지 소유권이전등기에 필요한 서류를 보관하고 있을 뿐인 법무사를 기망하여 매수인 명의의 소유권이전등기를 신청하게 하여 그 등기가 완료된 경우, 이는 단지 소유권이전등기신청절차에 하자가 있는 것에 불과하여 공정증서원본부실기재죄가 성립하지 않는다.
> ㉡ 토지거래 허가구역 안의 토지에 관하여 실제로는 매매계약을 체결하고서도 처음부터 토지거래허가를 잠탈하려는 목적으로 등기원인을 '증여'로 하여 소유권이전등기를 경료한 경우 공정증서원본부실기재죄가 성립한다.
> ㉢ 종중 소유의 토지를 자신의 개인 소유로 신고하여 토지대장에 올린 경우 공정증서원본부실기재죄가 성립한다.
> ㉣ 발행인과 수취인이 통모하여 진정한 어음채무 부담이나 어음채권 취득 의사 없이 단지 발행인의 채권자에게서 채권추심이나 강제집행을 받는 것을 회피하기 위하여 형식적으로만 약속어음의 발행을 가장한 후 공증인에게 마치 진정한 어음발행행위가 있는 것처럼 허위로 신고하여 어음공정증서원본을 작성·비치하게 한 경우에 공정증서원본부실기재 및 동행사죄가 성립한다.

① ㉠, ㉡ ② ㉠, ㉣ ③ ㉡, ㉢ ④ ㉡, ㉣

**해설** ㉠ × : 공정증서원본부실기재죄 ○(대판 2006.3.10, 2005도9402 ∵ 소유권이전등기의 원인이 되는 매매 내지는 물권적 합의가 없음)
㉡ ○ : 대판 2007.11.30, 2005도9922
㉢ × : 토지대장 ⇨ 공정증서원본 ×(대판 1988.5.24, 87도2696 ∵ 권리·의무관계를 증명하는 공문서 ×, 사실증명에 관한 것 ○)
㉣ ○ : 대판 2012.4.26, 2009도5786

**06** **다음 설명 중 가장 옳지 않은 것은?**(다툼이 있는 경우 판례에 의함) 17. 법원행시

① 소유권보존등기나 소유권이전등기에 절차상 하자가 있거나 등기원인이 실제와 다르다 하더라도 등기 경료 당시를 기준으로 실체적 권리관계에 부합하는 유효한 등기인 경우 공정증서원본부실기재 및 동행사죄가 성립되지 않는다.
② 어떤 부동산에 관하여 피상속인에게 실체상의 권리가 없었음에도 피상속인 명의의 소유권이전등기가 경료되어 있었고, 이에 따라 재산상속인이 상속을 원인으로 한 소유권이전등기를 경료한 경우, 재산상속인에게 공정증서원본부실기재 및 동행사죄가 성립한다.
③ 주주총회의 소집절차 등에 관한 하자가 주주총회결의의 취소사유에 불과하고 그 취소 전에 주주총회결의에 따른 감사변경등기를 한 것은 공정증서원본부실기재죄를 구성하지 않는다.
④ 자동차운전면허대장은 공정증서원본부실기재죄에서의 공정증서원본이라고 볼 수 없다.
⑤ 민사조정법상의 조정절차에서 작성되는 조정조서는 공정증서원본부실기재죄에서의 공정증서원본이라고 볼 수 없다.

**Answer** 5. ④ 6. ②

**| 해설** ① 대판 1998.4.14, 98도16
② ×: 공정증서원본부실기재 및 동행사죄 ×(대판 1987.7.14, 85도2661 ∵ 실체권리관계에 부합한 유효한 등기)
③ 대판 2009.2.12, 2008도10248 ④ 대판 2010.6.10, 2010도1125 ⑤ 대판 2010.6.10, 2010도3232

**07** **공정증서원본부실기재죄**(또는 공전자기록 등 부실기재죄)**에 관한 설명 중 가장 옳지 않은 것은?** (다툼이 있는 경우 판례에 의함) 17. 법원행시

① 부동산의 거래당사자가 거래가액을 시장 등에게 거짓으로 신고하여 신고필증을 받은 뒤 이를 기초로 사실과 다른 내용의 거래가액이 부동산등기부에 등재되도록 한 경우, 공전자기록 등 부실기재죄가 성립하지 않는다.

② 발행인과 수취인이 통모하여 진정한 어음채무 부담이나 어음채권 취득에 관한 의사 없이 단지 발행인의 채권자에게서 채권 추심이나 강제집행을 받는 것을 회피하기 위하여 약속어음을 발행한 후, 공증인에게는 마치 진정한 어음발행행위가 있는 것처럼 허위로 신고하여 어음공정증서원본을 작성하게 한 경우, 공정증서원본부실기재죄가 성립한다.

③ 토지거래허가구역 안의 토지에 관하여 실제로는 매매계약을 체결하고서도 처음부터 토지거래허가를 잠탈하려는 목적으로 등기원인을 '증여'로 하여 소유권이전등기를 경료한 경우, 공전자기록 등 부실기재죄가 성립한다.

④ 유상증자 등기의 신청시 발행주식 총수 및 자본의 총액이 증가한 사실이 허위임을 알면서 증자등기를 신청하여 상업등기부원본에 그 기재를 하게 한 경우, 공전자기록 등 부실기재죄가 성립한다.

⑤ 부동산에 관한 종중 명의의 등기에 있어서 허위의 종중 대표자 기재는 공전자기록 등 부실기재죄의 대상이 되는 '부실의 기재'에 해당하지 않는다.

**| 해설** ① 대판 2013.1.24, 2012도12363 ② 대판 2012.4.26, 2009도5786
③ 대판 2007.11.30, 2005도9922 ④ 대판 2006.10.26, 2006도5147
⑤ ×: ~ 해당한다(대판 2006.1.13, 2005도4790).

**08** **다음 설명 중 옳은 것은 모두 몇 개인가?**(다툼이 있는 경우 판례에 의함) 19. 경찰간부

| |
|---|
| ㉠ 사망한 乙의 단독상속인인 甲이 사망자 명의로 된 아파트에 대한 채권자의 강제집행을 면하기 위하여 乙이 증여한 사실이 없음에도 불구하고 증여를 원인으로 丙명의의 소유권이전등기를 한 경우 공정증서원본부실기재죄 및 동행사죄가 성립한다.<br>㉡ 실제로는 채권 채무관계가 존재하지 아니함에도 허위의 주장입증으로 확정판결을 받아 법원의 촉탁에 의한 부실의 등기가 이루어진 경우 공정증서원본부실기재죄 및 동행사죄가 성립한다.<br>㉢ 강제집행을 면탈할 목적으로 허위채권을 만들어 합동법률사무소 명의의 공정증서를 작성한 경우, 공정증서원본부실기재죄가 성립한다.<br>㉣ 상업등기부는 공정증서원본에 해당한다. |

Answer 7.⑤ 8.②

① 1개 ② 2개 ③ 3개 ④ 4개

**해설** ㉠ × : 공정증서원본부실기재죄 및 동행사죄 ×(대판 2011.7.14, 2010도1025 ∵ 가장매매를 원인으로 소유권이전등기 경료 ⇨ 당사자 간에 소유권이전등기를 경료시킬 의사 ○)
㉡ × : 공정증서원본부실기재죄 및 동행사죄 ×(대판 1983.12.27, 83도2442 ∵ 법원의 촉탁 ○, 허위신고 ×)
㉢ ○ : 대판 1977.8.23, 74도2715
㉣ ○ : 대판 1986.9.9, 85도2297

02

**09** **공정증서원본부실기재죄에 관한 다음 설명 중 옳은 것은 모두 몇 개인가?**(다툼이 있는 경우 판례에 의함)
23. 법원행시

㉠ 공정증서의 원본이 아닌 등본・사본・초본은 공정증서원본부실기재죄의 대상이 되지 아니하나, 원본과 동일한 효력을 갖는 정본은 공정증서원본부실기재죄의 대상이 된다.
㉡ 공정증서원본부실기재죄의 대상이 되는 등록증은 일정한 권리관계나 신분관계를 공부에 기록한 것을 말하며, 자동차등록증, 선박등록증이나 사업자등록증이 이에 해당한다.
㉢ '부실의 사실기재'는 당사자의 허위신고에 의하여 이루어져야 하므로, 법원의 촉탁에 의하여 등기를 마친 경우에는 그 전제절차에 허위적 요소가 있더라도 공정증서원본부실기재죄가 성립하지 않는다.
㉣ 어떤 부동산에 관하여 피상속인에게 실체상의 권리가 없었음에도 불구하고, 재산상속인이 상속을 원인으로 한 소유권이전등기를 마친 경우, 실체관계에 부합하지 않는 등기절차를 밟은 것에 해당하여 공정증서원본부실기재죄가 성립한다.

① 없 음 ② 1개 ③ 2개
④ 3개 ⑤ 4개

**해설** ㉠ × : '공정증서원본'에는 공정증서의 '정본'이 포함될 수 없으므로 정본은 공정증서원본부실기재죄의 대상이 되지 아니한다(대판 2002.3.26, 2001도6503).
㉡ × : 사업자등록증 ⇨ 공정증서원본 ×, 자동차등록증이나 선박등록증 ⇨ 공정증서원본 ○(대판 2005.7.15, 2003도6934) ㉢ ○ : 대판 2022.1.13, 2021도11257
㉣ × : 공정증서원본부실기재 및 동행사죄 ×(대판 1987.7.14, 85도2661 ∵ 실체권리관계에 부합한 유효한 등기)

**10** **공정증서원본부실기재죄에 관한 다음 설명 중 가장 옳은 것은?**(다툼이 있는 경우 판례에 의함)
23. 법원직

① 양도인이 허위의 채권에 관하여 그 정을 모르는 양수인과 실제로 채권양도의 법률행위를 하면서 공증인에게 위 법률행위에 관한 공정증서를 작성하게 하였다면 공정증서원본부실기재죄가 성립한다.
② 법원에 허위 내용의 조정신청서를 제출하여 판사로 하여금 조정조서에 불실의 사실을 기재하게 하였다면, 공정증서원본부실기재죄가 성립한다.

Answer 9. ② 10. ④

③ 주식회사의 신주발행에 법률상 무효사유가 존재함에도 신주발행이 판결로써 무효로 확정되기 이전에 그 신주발행사실을 담당 공무원에게 신고하여 공정증서인 법인등기부에 기재하게 하였다면 공정증서원본부실기재죄가 성립한다.

④ 발행인과 수취인이 통모하여 진정한 어음채무 부담이나 어음채권 취득 의사 없이 단지 발행인의 채권자에게서 채권 추심이나 강제집행을 받는 것을 회피하기 위하여 형식적으로만 약속어음의 발행을 가장한 후 공증인에게 마치 진정한 어음발행행위가 있는 것처럼 허위로 신고하여 어음공정증서원본을 작성·비치하게 한 경우 공정증서원본부실기재죄가 성립한다.

**| 해설** ① ×: ~ (2줄) 작성하게 하였다고 하더라도 그 공정증서가 증명하는 사항에 관하여는 부실의 사실을 기재하게 하였다고 볼 것은 아니고, 따라서 공정증서원본부실기재죄가 성립한다고 볼 수 없다(대판 2004.1.27, 2001도5414).
② ×: 공정증서원본부실기재죄 ×(대판 2010.6.10, 2010도3232 ∵ 조정조서 ⇨ 공정증서원본 ×)
③ ×: 공정증서원본부실기재죄 ×(대판 2007.5.31, 2006도8488 ∵ 상법상 신주발행의 무효는 신주발행무효의 소에 의해서만 주장할 수 있고, 신주발행무효 확정판결은 장래에 대해서만 효력 ○)
④ ○: 대판 2012.4.26, 2009도5786

**11** **공정증서원본 등 부실기재죄에 관한 설명 중 옳은 것은 모두 몇 개인가?**(다툼이 있는 경우 판례에 의함) **기출지문 종합**

㉠ 공동상속인 중의 1인이 다른 공동상속인들과의 합의 없이 법정상속분에 따른 공동상속등기를 마쳤다고 하더라도 그것이 실체적 권리관계에 부합되는 것이라면 이를 부실의 등기라고는 할 수 없다.
㉡ 협의상 이혼의 의사표시가 기망에 의하여 이루어져 호적에 그 협의상 이혼사실이 기재되었다면 공정증서원본부실기재죄가 성립한다.
㉢ 공정증서원본 등에 기재된 사항이 존재하지 아니하거나 외관상 존재한다고 하더라도 무효에 해당하는 하자가 있다면 그 기재는 공정증서원본부실기재죄를 구성한다.
㉣ 적법하게 취득된 토지인 것으로 알고 실체관계에 부합하게 하기 위하여 소유권보존등기를 경료한 경우 공정증서원본 등 부실기재죄가 성립한다.
㉤ 등기명의인이 부동산의 진실한 소유자가 아니어서 그 명의의 등기가 원인무효임을 알면서 그로부터 가장매수하고 이를 원인으로 소유권이전등기를 경료한 경우 공정증서원본 등 부실기재죄가 성립한다.

① 2개 ② 3개 ③ 4개 ④ 5개

**| 해설** ㉠ ○: 대판 1995.11.7, 95도898
㉡ ×: 공정증서원본부실기재죄 ×(대판 1997.1.24, 95도448 ∵ 이혼의사표시가 취소되기까지는 유효함)
㉢ ○: 대판 2007.5.31, 2006도8488
㉣ ×: 대판 1996.4.26, 95도2468(∵ 고의 ×)
㉤ ×: 대판 1991.9.24, 91도1164(∵ 당사자 간에는 소유권이전의 합의가 있었음)

**Answer** 11. ①

**12** **공정증서원본부실기재죄에 관한 설명으로 가장 적절한 것은?**(다툼이 있는 경우 판례에 의함)

24. 경찰승진

① 허위의 소유권이전등기를 경료한 자가 그 부동산에 관하여 자신의 채권자와의 합의로 근저당권설정등기를 경료한 경우 공정증서원본부실기재죄 및 동행사죄가 성립한다.

② 종중 소유의 토지를 자신의 개인 소유로 신고하여 토지대장에 올린 경우 공정증서원본부실기재죄가 성립한다.

③ 법원에 허위 내용의 조정신청서를 제출하여 판사로 하여금 조정조서에 부실의 사실을 기재하게 한 경우 공정증서원본부실기재죄가 성립한다.

④ 어떤 부동산에 관하여 피상속인에게 실체상의 권리가 없었음에도 불구하고 재산상속인이 상속을 원인으로 한 소유권이전등기를 경료한 경우 공정증서원본부실기재죄가 성립한다.

**| 해설** ① ○ : 대판 1997.7.25, 97도605 ② × : 토지대장 ⇨ 공정증서원본 ×(대판 1988.5.24, 87도2696)
③ × : 조정조서 ⇨ 공정증서원본 ×(대판 2010.6.10, 2010도3232)
④ × : 공정증서원본부실기재죄 ×(대판 1987.7.14, 85도2661 ∵ 실체권리관계에 부합한 유효한 등기)

**13** **공정증서원본부실기재죄 또는 공전자기록 등 부실기재죄에 관한 설명 중 가장 옳지 않은 것은?** (다툼이 있는 경우 판례에 의함)

24. 법원행시

① 주식회사의 발기인 등이 상법 등 법령에 정한 회사설립의 요건과 절차에 따라 회사설립등기를 함으로써 회사가 성립하였다고 볼 수 있는 경우 회사설립등기와 그 기재 내용은 특별한 사정이 없는 한 공정증서원본부실기재죄나 공전자기록 등 부실기재죄에서 말하는 부실의 사실에 해당하지 않는다.

② 공전자기록 등 부실기재죄(형법 제228조 제1항)의 구성요건인 '부실의 사실기재'는 당사자의 허위신고에 의하여 이루어져야 하므로, 법원의 촉탁에 의하여 등기를 마친 경우에는 그 전제 절차에 허위적 요소가 있더라도 위 죄가 성립하지 않는다.

③ 재건축조합 임시총회의 소집절차나 결의방법이 법령이나 정관에 위반되어 임원개임결의가 사법상 무효라고 하더라도, 실제로 재건축조합의 조합총회에서 그와 같은 내용의 임원개임결의가 이루어졌고 그 결의에 따라 임원변경등기를 마쳤다면 공정증서원본부실기재죄 또는 공전자기록 등 부실기재죄가 성립하지 않는다.

④ 부동산의 거래당사자가 거래가액을 시장 등에게 거짓으로 신고하여 신고필증을 받은 뒤 이를 기초로 사실과 다른 내용의 거래가액이 부동산등기부에 등재되도록 한 경우 공정증서원본부실기재죄 또는 공전자기록 등 부실기재죄가 성립한다.

⑤ 부동산 매수인이 매도인과 사이에 부동산의 소유권이전에 관한 물권적 합의가 없는 상태에서, 소유권이전등기신청에 관한 대리권이 없이 단지 소유권이전등기에 필요한 서류를 보관하고 있을 뿐인 법무사를 기망하여 매수인 명의의 소유권이전등기를 신청하게 하여 그 등기를 마친 경우 공정증서원본부실기재죄 또는 공전자기록 등 부실기재죄가 성립한다.

**| 해설** ① 대판 2020.2.27, 2019도9293 ② 대판 2022.1.13, 2021도11257 ③ 대판 2004.10.15, 2004도3584
④ × : ~ (3줄) 공전자기록 등 부실기재죄가 성립하지 않는다(대판 2013.1.24, 2012도12363).
⑤ 대판 2006.3.10, 2005도9402

**Answer** 12. ① 13. ④

## THEMA 23 '위조문서행사죄' 관련판례 총정리

위조문서행사죄에 있어서 행사라 함은 위조된 문서를 진정한 문서인 것처럼 그 문서의 효용방법에 따라 이를 사용하는 것을 말하고, 위조된 문서를 제시 또는 교부하거나 비치하여 열람할 수 있게 두거나 우편물로 발송하여 도달하게 하는 등 위조된 문서를 진정한 문서인 것처럼 사용하는 한 그 행사의 방법에 제한이 없다. 또한, 위조된 문서 그 자체를 직접 상대방에게 제시하거나 이를 기계적인 방법으로 복사하여 그 복사본을 제시하는 경우는 물론, 이를 모사전송의 방법으로 제시하거나 컴퓨터에 연결된 스캐너(scanner)로 읽어 들여 이미지화한 다음 이를 전송하여 컴퓨터 화면상에서 보게 하는 경우도 행사에 해당하여 위조문서행사죄가 성립한다(대판 2008.10.23, 2008도5200). 이는 문서의 형태로 위조가 완성된 것을 전제로 하는 것이므로, 문서로서의 형식과 외관을 갖춘 문서에 해당하지 않아 문서위조죄가 성립하지 않는 경우에는 위조문서행사죄도 성립할 수 없다(대판 2020.12.24, 2019도8443). 22. 법원직

1. 휴대전화 신규 가입신청서를 위조한 후 이를 스캔한 이미지 파일을 제3자에게 이메일로 전송한 경우, 이미지 파일 자체는 문서에 관한 죄의 '문서'에 해당하지 않으나, 이를 전송하여 컴퓨터 화면상으로 보게 한 행위는 이미 위조한 가입신청서를 행사한 것에 해당하므로 위조사문서행사죄가 성립한다(대판 2008.10.23, 2008도5200). 12. 변호사시험 · 순경 1차, 14. 법원행시 · 사시, 15. 9급 검찰 · 마약수사, 16. 순경 2차, 18. 경찰승진, 21. 경찰간부 · 7급 검찰, 23. 법원직
2. 행사의 상대방은 문서나 기록이 위조 · 변조 · 허위작성된 사실을 알지 못한 자임을 요한다. 따라서 문서가 위조된 것임을 이미 알고 있는 공범자 등에게 행사하는 경우에는 위조문서행사죄가 성립할 수 없으나(대판 2005.1.28, 2004도4663 참조), 14. 9급 검찰 · 마약수사, 18. 순경 2차 간접정범을 통한 위조문서행사 범행에 있어 도구로 이용된 자라고 하더라도 문서가 위조된 것임을 알지 못하는 자에게 행사한 경우에는 위조문서행사죄가 성립한다[대판 2012.2.23, 2011도14441 예 피고인이 위조 · 변조한 공문서(전문건설업등록증)의 이미지 파일을 甲 등에게 이메일로 송부하여 프린터로 출력하게 하였는데, 甲 등은 출력 당시 위 파일이 위조된 것임을 알지 못한 경우 ⇨ 위조 · 변조공문서행사죄 ○]. 15. 사시, 19. 법원행시, 20. 변호사시험 · 경찰간부, 21. 경찰승진 · 7급 검찰, 22. 순경 1차
3. 위조문서행사죄에 있어서 위조된 문서의 작성 명의인이라고 하여 행사의 상대방이 될 수 없는 것은 아니고, 12. 순경 1차, 14. 사시, 16. 경찰간부, 20. 법원직, 21. 해경승진 위조된 문서를 우송한 경우에는 그 문서가 상대방에게 도달한 때에 기수가 되고 상대방이 실제로 그 문서를 보아야 하는 것은 아니다(대판 2005.1.28, 2004도4663). 15. 법원행시, 23. 순경 1차

   그러나 가짜 군인으로 행세할 목적으로 육군 특무상사의 복장을 하고 또한 위조한 신분증을 휴대하고 각처를 배회하였다면 위조공문서행사죄가 성립하지 않는다(대판 1956.11.2, 56도240).

### '사문서부정행사죄' 관련판례 총정리

1. 절취한 KT카드(한국전기통신공사가 발행한 후불식 통신카드)를 공중전화기에 넣어 사용한 것 ⇨ 본죄 ○(대판 2002.6.25, 2002도461) 08. 법원행시, 11. 경찰승진, 13. 9급 검찰 · 마약수사
2. 사문서부정행사죄에 있어서의 부정사용이란 사문서를 사용할 권원 없는 자가 그 문서명의자로 가장 행세하여 이를 사용하거나 또는 사용할 권원이 있다 하더라도 문서를 본래의 작성 목적 이외의 다른 사실을 직접 증명하는 용도에 이를 사용하는 것을 말하는 것이므로 현금보관증이 자기 수중에 있다는 사실 자체를 증명키 위하여 증거로서 법원에 제출하는 행위는 사문서의 부정행사에 해당되지 아니한다(대판 1985.5.28, 84도2999).

3. 실질적인 채권·채무관계 없이 당사자 간의 합의로 작성한 '차용증 및 이행각서'는 그 작성명의인들이 자유의사로 작성한 문서로 그 사용권한자가 특정되어 있다고 할 수 없고 또 그 용도도 다양하므로, 위 '차용증 및 이행각서'를 이용하여 대여금청구소송을 제기하면서 이를 법원에 제출한 경우, 사문서부정행사죄에 해당하지 않는다(대판 2007.3.30, 2007도629). 20. 변호사시험

**'공문서부정행사죄' 관련판례 총정리**

- 형법 제230조의 공문서부정행사죄는 공문서의 사용에 대한 공공의 신용을 보호법익으로 하는 범죄로서 추상적 위험범이다(대판 2022.9.29, 2021도14514).
- 본죄는 사용권한자와 용도가 특정되어 작성된 공문서 또는 공도화를 ① 그 사용권한이 없는 자가 사용권한이 있는 것처럼 가장하여 그 문서의 용도에 따라 사용하거나, ② 권한 있는 자라도 정당한 용법에 반하여 부정하게 행사하는 경우에 성립한다(대판 2019.12.12, 2018도2560). 따라서 ①의 경우에 그 공문서의 본래의 용도 이외 사용일 때에는 본죄에 해당하지 않는다(대판 2022.9.29, 2021도14514). ②의 경우 사용권한 있는 자의 용도 이외의 사용이 부정행사에 해당하는가에 관해 긍정설(판례)과 부정설이 대립한다. 15. 경찰간부, 22. 순경 1차, 23. 순경 2차

1. 운전면허증의 자격증명기능 외에 동일인증명기능을 인정하여, 신분확인을 위해 신분증제출을 요구받은 사람이 타인의 운전면허증을 제시한 경우에는 그 사용목적에 따른 행위로서 공문서부정행사죄가 성립한다고 본다(대판 2001.4.19, 2000도1985 전원합의체). 15. 경찰간부·순경 1차, 16. 법원직, 23. 9급 검찰·마약수사·법원행시, 24. 변호사시험·해경승진
2. 피고인이 기왕에 습득한 타인의 주민등록증을 피고인 가족의 것이라고 제시하면서 그 주민등록증상의 명의·가명으로 이동전화 가입신청을 한 경우 ⇨ 본죄 ×(대판 2003.2.26, 2002도4935 ∵ 주민등록증 본래의 사용용도인 신분확인용으로 사용 ×) 14. 사시·변호사시험, 15. 순경 1차, 16. 법원직, 20. 수사경과, 22. 순경 2차, 23. 9급 검찰·마약수사·법원행시, 24. 해경간부·경찰간부·해경승진
3. 어떤 선박이 사고를 낸 것처럼 허위로 사고신고를 하면서 그 선박의 선박국적증서와 선박검사증서를 함께 제출하였다고 하더라도, 선박국적증서와 선박검사증서는 위 선박의 국적과 항행할 수 있는 자격을 증명하기 위한 용도로 사용된 것일 뿐 그 본래의 용도를 벗어나 행사된 것으로 보기는 어려우므로, 이와 같은 행위는 공문서부정행사죄에 해당하지 않는다(대판 2009.2.26, 2008도10851). 12. 9급 검찰·마약수사, 15. 순경 1차, 19. 경찰간부, 20. 변호사시험·수사경과·해경승진, 24. 해경간부
4. 인감증명서(대판 1983.6.28, 82도1985), 신원증명서(대판 1993.5.11, 93도127), 주민등록표등본(대판 1999.5.14, 99도206), 등기필증(대판 1981.12.8, 81도1130) 등과 같이 사용권한자가 특정되어 있지 않고 용도도 다양한 공문서를 본래의 취지에 따라 행사한 경우 ⇨ 본죄 × 14. 변호사시험, 15. 순경 1차, 23. 법원행시·9급 검찰·마약수사, 24. 해경승진
5. 타인인 양 허위신고하여 자신의 사진과 지문이 찍힌 타인명의의 주민등록증을 발급받아 소지하다가 이를 검문경찰관에게 제시한 경우 ⇨ 본죄 ○(대판 1982.9.28, 82도1297) 10. 7급 검찰, 11. 경찰승진, 21. 변호사시험, 23. 법원행시
6. 자동차대여업체의 직원으로부터 운전면허증의 제시요구를 받고 타인의 운전면허증을 제시한 경우 ⇨ 본죄 ○(대판 1998.8.21, 98도1701) 10. 7급 검찰, 11. 경찰승진, 20. 해경승진
7. 화해조서경정결정신청 기각결정문을 화해조서정본인 것처럼 등기서류로 제출·행사한 경우 ⇨ 본죄 ×(대판 1984.2.28, 82도2851 ∵ 정당한 용법에 반하여 부정행사 ×) 08. 순경

8. 자동차 등의 운전자가 경찰공무원에게 다른 사람의 운전면허증 자체가 아니라 이를 촬영한 이미지 파일을 휴대전화 화면 등을 통하여 보여주는 행위는 운전면허증의 특정된 용법에 따른 행사(운전면허증 자체를 제시하는 것)라고 볼 수 없는 것이어서 그로 인하여 경찰공무원이 그릇된 신용을 형성할 위험이 있다고 할 수 없으므로, 이러한 행위는 결국 공문서부정행사죄를 구성하지 아니한다(대판 2019.12.12, 2018도2560). 20. 법원행시, 21. 법원직 · 경력채용, 22. 변호사시험, 23. 경찰간부 · 9급 검찰 · 마약수사
9. 장애인사용자동차표지를 사용할 권한이 없는 사람이 장애인 전용주차구역에 주차하는 등 장애인사용자동차에 대한 지원을 받을 것으로 합리적으로 기대되는 상황이 아니라면 단순히 이를 자동차에 비치하였더라도 장애인사용자동차표지를 본래의 용도에 따라 사용했다고 볼 수 없어 공문서부정행사죄가 성립하지 않는다(대판 2022.9.29, 2021도14514). 23. 경찰승진 · 법원행시

**01** **다음 설명 중 옳은 것은?**(다툼이 있는 경우 판례에 의함) **13. 9급 검찰 · 마약수사, 20. 해경승진**

① 경찰공무원으로부터 신분증의 제시를 요구받고 자신의 인적사항을 속이기 위하여 다른 사람의 운전면허증을 제시하는 경우에는 공문서부정행사죄가 성립하지 않는다.
② 타인의 주민등록증의 사진란에 자신의 사진을 붙이고 이를 복사하여 행사한 경우에는 공문서위조죄 및 동행사죄가 성립한다.
③ 타인의 주민등록등본을 그와 아무런 관련 없는 사람이 마치 자신의 것인 양 행사한 경우에는 공문서부정행사죄가 성립한다.
④ 절취한 후불식 전화카드를 사용하여 공중전화를 건 경우에는 편의시설부정이용죄가 성립하는 것은 별문제로 하고 사문서부정행사죄는 성립하지 않는다.
⑤ 甲선박에 의해 발생한 사고를 마치 乙선박에 의해 발생한 것처럼 허위신고를 하면서 그에 대한 검정용 자료로서 乙선박의 선박국적증서와 선박검사증서를 제출한 경우에는 공문서부정행사죄가 성립한다.

| 해설 ① ×: 공문서부정행사죄 ○(대판 2001.4.19, 2000도1985 전원합의체)
② ○: 대판 2000.9.5, 2000도2855
③ ×: 공문서부정행사죄 ×(대판 1999.5.14, 99도206)
④ ×: 편의시설부정이용죄 ×, 사문서부정행사죄 ○(대판 2002.6.25, 2002도461)
⑤ ×: 공문서부정행사죄 ×(대판 2009.2.26, 2008도10851 ∵ 선박국적증서와 선박검사증서는 위 선박의 국적과 항행할 수 있는 자격을 증명하기 위한 용도로 사용된 것일 뿐 그 본래의 용도를 벗어나 행사된 것으로 보기는 어려움.)

**02** **공문서부정행사죄에 대한 설명으로 옳지 않은 것은?**(다툼이 있는 경우 판례에 의함)
**23. 9급 검찰 · 마약수사**

① 타인의 주민등록표등본을 그와 아무런 관련 없는 사람이 마치 자신의 것인 것처럼 행사하는 행위는 공문서부정행사죄를 구성하지 아니한다.

Answer 1. ② 2. ④

② 자동차 등의 운전자가 경찰공무원에게 다른 사람의 운전면허증 자체가 아니라 이를 촬영한 이미지 파일을 휴대전화 화면 등을 통하여 보여주는 행위는 공문서부정행사죄를 구성하지 아니한다.

③ 경찰공무원으로부터 신분증의 제시를 요구받고 자신의 인적사항을 속이기 위하여 다른 사람의 운전면허증을 제시한 경우, 운전면허증의 사용목적에 따른 행사로서 공문서부정행사죄가 성립한다.

④ 습득한 타인의 주민등록증을 자기 가족의 것이라고 제시하면서 그 주민등록증상의 명의로 이동전화 가입신청을 한 경우, 타인의 주민등록증을 본래의 사용용도인 신분확인용으로 사용한 것으로서 공문서부정행사죄가 성립한다.

**| 해설** ① 대판 1999.5.14, 99도206
② 대판 2019.12.12, 2018도2560
③ 대판 2001.4.19, 2000도1985 전원합의체
④ ×: 공문서부정행사죄 ×(대판 2003.2.26, 2002도4935 ∵ 신분확인용으로 확인 ×)

02

**03 문서부정행사죄에 관한 다음 설명 중 옳지 않은 것은 모두 몇 개인가?**(다툼이 있는 경우 판례에 의함)

23. 법원행시

> ㉠ 장애인사용자동차표지를 사용할 권한이 없는 사람이 장애인사용자동차에 대한 지원을 받을 것으로 합리적으로 기대되는 상황이 아니라 하더라도, 이를 자동차에 비치하여 마치 장애인이 사용하는 자동차인 것처럼 외부적으로 표시한 경우에는 공문서인 장애인사용자동차표지를 부정행사한 것으로 보아야 할 것이다.
> ㉡ 인감증명서를 그 명의자 아닌 자가 그 명의자의 의사에 반하여 함부로 행사하더라도 문서 본래의 취지에 따른 용도에 합치된다면 공문서등 부정행사죄는 성립되지 않는다.
> ㉢ 甲이 기왕에 습득한 타인의 주민등록증을 甲가족의 것이라고 제시하면서 그 주민등록증상의 명의로 이동전화 가입신청을 한 경우에는 공문서부정행사죄가 성립하지 않는다.
> ㉣ 경찰관으로부터 신분확인을 위하여 신분증명서의 제시를 요구받고 다른 사람의 운전면허증을 제시한 경우에는 공문서부정행사죄가 성립한다.
> ㉤ 甲이 주민등록 담당공무원에게 행방불명된 A인 것처럼 허위신고하여 甲의 사진과 지문이 찍힌 A명의의 주민등록증을 발급받은 후, 이를 검문경찰관에게 제시한 경우에는 공문서부정행사죄를 구성한다.

① 1개 ② 2개 ③ 3개 ④ 4개 ⑤ 5개

**| 해설** ㉠ ×: 장애인사용자동차표지를 사용할 권한이 없는 사람이 장애인 전용주차구역에 주차하는 등 장애인사용자동차에 대한 지원을 받을 것으로 합리적으로 기대되는 상황이 아니라면 단순히 이를 자동차에 비치하였더라도 장애인사용자동차표지를 본래의 용도에 따라 사용했다고 볼 수 없어 공문서부정행사죄가 성립하지 않는다(대판 2022.9.29, 2021도14514).
㉡ ○: 대판 1983.6.28, 82도1985 ㉢ ○: 대판 2003.2.26, 2002도4935
㉣ ○: 대판 2001.4.19, 2000도1985 전원합의체 ㉤ ○: 대판 1982.9.28, 82도1297

Answer 3. ①

## 종합문제 문서에 관한 죄

**01** **甲의 죄책에 관한 설명 중 옳은 것(○)과 옳지 않은 것(×)을 올바르게 조합한 것은?**(다툼이 있는 경우 판례에 의함) 16. 변호사시험

> ㉠ 甲이 사문서를 작성함에 있어 문서 작성권한을 위임받았고 위임받은 권한의 범위 내에서 이를 남용하여 문서를 작성하였다면, 사문서위조죄가 성립하지 않는다.
> ㉡ 甲이 위조한 전문건설업등록증의 컴퓨터 이미지 파일을 그 위조사실을 모르는 乙에게 이메일로 송부하여 프린터로 출력하게 하였다면, 甲에게 위조공문서행사죄가 성립하지 않는다.
> ㉢ 복사한 문서의 사본도 문서원본과 동일한 의미를 가지는 문서로서 이를 다시 복사한 문서의 재사본도 문서위조죄의 객체인 문서에 해당한다.
> ㉣ 문서의 작성 권한이 없는 甲이 문서에 타인의 서명을 기재한 경우, 일단 서명 등이 완성되었더라도 문서가 완성되지 않았다면 甲에게 서명 등의 위조죄는 성립하지 않는다.
> ㉤ 甲이 다른 서류에 찍혀 있던 乙의 직인을 칼로 오려내어 풀로 붙인 후 이를 복사하여 수상후보자추천서와 경력증명서 각 1통을 만들고 이를 수상자를 선정하는 협회에 발송한 경우, 동 서류 2통을 주의 깊게 관찰하지 아니하면 그 외관에 비정상적인 부분이 있음을 알아차리기가 어렵다면, 甲에게 사문서위조죄 및 위조사문서행사죄가 성립한다.

① ㉠(×), ㉡(○), ㉢(×), ㉣(○), ㉤(×)
② ㉠(×), ㉡(×), ㉢(○), ㉣(○), ㉤(○)
③ ㉠(○), ㉡(×), ㉢(×), ㉣(○), ㉤(×)
④ ㉠(○), ㉡(×), ㉢(○), ㉣(×), ㉤(○)
⑤ ㉠(○), ㉡(○), ㉢(×), ㉣(×), ㉤(×)

해설 ㉠ ○ : 대판 2012.6.28, 2010도690
㉡ × : 간접정범을 통한 위조문서행사범행에 있어 도구로 이용된 자라고 하더라도 문서가 위조된 것임을 알지 못하는 자에게 행사한 경우에는 위조문서행사죄가 성립한다(대판 2012.2.23, 2011도14441).
㉢ ○ : 대판 2000.9.5, 2000도2855
㉣ × : 서명의 위조죄 성립 ○(대판 2005.12.23, 2005도4478)
㉤ ○ : 대판 2011.2.10, 2010도8361

**02** **다음 설명 중 가장 옳지 않은 것은?**(다툼이 있는 경우 판례에 의함) 18. 경찰간부

① 타인의 인장을 조각할 당시에 그 명의자로부터 명시적이거나 묵시적인 승낙 내지 위임을 받았다면 인장위조죄가 성립하지 않는다.
② 재건축조합 임시총회의 소집절차나 결의방법이 법령이나 정관에 위반되어 임원개임결의가 사법상 무효라고 하더라도, 실제로 재건축조합의 조합총회에서 그와 같은 내용의 임원개임결의가 이루어졌고 그 결의에 따라 임원변경등기를 마쳤다면 공정증서원본부실기재죄가 성립하지 아니한다.

Answer 1. ④ 2. ④

③ 유가증권의 허위작성행위 자체에는 직접 관여한 바 없다 하더라도 타인에게 그 작성을 부탁하여 의사연락이 되고 그 타인으로 하여금 범행을 하게 하였다면 공모공동정범에 의한 허위작성죄가 성립한다.

④ 공무원 아닌 자가 관공서에 허위 내용의 증명원을 제출하여 그 내용이 허위인 정을 모르는 담당공무원으로부터 그 증명원 내용과 같은 증명서를 발급받은 경우 공문서위조죄의 간접정범으로 의율할 수 있다.

| 해설 ① 대판 2014.9.26, 2014도9213 ② 대판 2004.10.15, 2004도3584 ③ 대판 1985.8.20, 83도2575
④ × : 공문서위조죄의 간접정범 ×(대판 2001.3.9, 2000도938)

**03** **'문서에 관한 죄'에 대한 설명으로 가장 적절한 것은?**(다툼이 있는 경우 판례에 의함)

18. 경찰승진

① 국립대학교 교무처장 명의의 '졸업증명서 파일'을 위조한 경우, 위 파일은 형법상의 문서에 해당한다.

② 공문서인 기안문서의 작성권한자가 직접 이에 서명하지 않고 피고인에게 지시하여 자기의 서명을 흉내내어 기안문서의 결재란에 대신 서명케 한 경우라면 작성권자의 지시 또는 승낙에 의한 것으로서 공문서위조죄의 위법성이 조각된다.

③ 원본파일의 변경까지 초래하지는 아니하였더라도 램에 올려진 전자기록에 허구의 내용을 권한 없이 수정입력한 경우, 사전자기록변작죄의 기수에 이르렀다.

④ 신주발행이 판결로써 무효로 확정되기 이전에 그 신주발행사실을 담당 공무원에게 신고하여 공정증서인 법인등기부에 기재하게 한 경우에는 그 행위가 공무원에 대하여 허위신고를 한 것이고, 그 기재 또한 부실기재에 해당한다.

| 해설 ① × : ~ 해당하지 않는다(대판 2010.7.15, 2010도6068).
② × : ~ 공문서위조죄의 구성요건해당성(위법성 ×)이 조각된다(대판 1983.5.24, 82도1426).
③ ○ : 수정입력의 시점에서 사전자기록변작죄의 기수에 이르렀다〔대판 2003.10.9, 2000도4993 예 주식회사에서 사용하는 컴퓨터 임시 기억장치 중 하나인 램(RAM)에 올려진 전자기록에 허구의 내용을 권한 없이 수정 입력하였으나 원본파일의 변경까지는 초래하지 아니한 경우〕.
④ × : ~ 해당하지 않는다(대판 2007.5.31, 2006도8488).

**04** **문서에 관한 죄에 대한 다음 설명 중 가장 옳지 않은 것은?**(다툼이 있는 경우 판례에 의함)

19. 법원직

① 2인 이상의 연명문서를 위조한 때에는 수개의 문서위조죄의 상상적 경합범에 해당한다.

② 주식회사의 적법한 대표이사는 회사의 영업에 관하여 재판상 또는 재판 외의 모든 행위를 할 권한이 있으므로, 대표이사로부터 포괄적으로 권한 행사를 위임받은 사람이 주식회사 명의로 문서를 작성하는 행위는 권한 있는 사람의 문서 작성행위로서 자격모용사문서작성 또는 위조에 해당하지 않는다.

Answer 3.③ 4.②

③ 공무원인 의사가 공무소의 명의로 허위진단서를 작성한 경우에는 허위공문서작성죄만이 성립하고 허위진단서작성죄는 별도로 성립하지 않는다.

④ 공문서의 작성권자를 보조하는 직무에 종사하는 공무원이 허위공문서를 기안하여 허위인 정을 모르는 작성권자에게 제출하고 그로 하여금 그 내용이 진실한 것으로 오신케 하여 서명 또는 기명날인케 함으로써 공문서를 완성한 때에는 허위공문서작성죄의 간접정범이 성립된다.

**| 해설** ① 대판 1987.7.21, 87도564

② ×：주식회사의 적법한 대표이사로부터 포괄적으로 권한 행사를 위임받은 사람이 주식회사 명의로 문서를 작성하는 행위는 원칙적으로 권한 없는(있는 ×) 사람의 문서 작성행위로서 자격모용사문서작성 또는 위조에 해당하고, 대표이사로부터 개별적·구체적으로 주식회사 명의 문서 작성에 관하여 위임 또는 승낙을 받은 경우에만 예외적으로 적법하게 주식회사 명의로 문서를 작성할 수 있을 뿐이다(대판 2008.11.27, 2006도2016).

③ 대판 2004.4.9, 2003도7762 ④ 대판 1990.10.30, 90도1912

## 05 문서에 관한 죄에 대한 설명 중 가장 적절하지 않은 것은?(다툼이 있는 경우 판례에 의함)

19. 수사경과

① 위조된 문서의 작성명의인은 위조문서행사죄의 상대방이 될 수 없다.

② 행사할 목적으로 공증인이 인증한 사서증서의 기재 내용을 일부 변조한 행위는 공문서변조죄가 아니라 사문서변조죄에 해당한다.

③ 사문서위조죄는 그 명의자가 진정으로 작성한 문서로 볼 수 있을 정도의 형식과 외관을 갖추어 일반인이 명의자의 진정한 문서로 오신하기에 충분한 정도이면 성립하는 것이고, 반드시 그 작성명의자의 서명이나 날인이 있어야 하는 것은 아니다.

④ 국립병원의 의사로서 보건복지부 소속 의무서기관이 타인의 부탁을 받고 허위의 진단서를 작성한 후 그 사례 명목으로 금품을 수수하였다면 허위공문서작성죄와 부정처사 후수뢰죄의 실체적 경합의 죄책을 진다.

**| 해설** ① ×：~ 될 수 있다(대판 2005.1.28, 2004도4663).

② 대판 2005.3.24, 2003도2144 ③ 대판 2008.3.27, 2008도443 ④ 대판 2004.4.9, 2003도7762

## 06 문서에 관한 죄에 대한 설명 중 가장 적절한 것은?(다툼이 있는 경우 판례에 의함) 20. 경찰승진

① A주식회사의 대표이사 甲이 실질적 운영자인 1인 주주 B의 구체적인 위임이나 승낙 없이 이미 퇴임한 전(前) 대표이사 C를 대표이사로 표시하여 A회사 명의의 문서를 작성한 경우 사문서위조죄가 성립한다.

② 공무원이 아닌 자가 공무원에게 허위사실을 기재한 증명원을 제출하여 그것을 알지 못하는 공무원으로부터 증명서를 받아 낸 경우 허위공문서작성죄의 간접정범이 성립한다.

Answer 5.① 6.③

③ 부동산의 소유자로 하여금 근저당권자를 자금주라고 믿도록 속여서 근저당권설정등기를 경료케 한 경우라도 정당한 권한 있는 자에 의하여 작성된 문서를 제출하여 그 등기가 이루어진 것이라면 공정증서원본부실기재죄가 성립하지 않는다.

④ 부동산 거래 당사자가 '거래가액'을 시장 등에게 거짓으로 신고하여 받은 신고필증을 기초로 사실과 다른 내용의 거래가액이 부동산 등기부에 등재되도록 한 경우 공전자기록 등 부실기재죄 및 부실기재공전자기록 등 행사죄가 성립한다.



| 해설 | ① × : 사문서위조죄 ×(대판 2008.11.27, 2006도9194 ∵ 대표권행사가 권한을 넘어서는 행위가 아님)

② × : 허위공문서작성죄의 간접정범 ×(대판 2006.5.11, 2006도1663)

③ ○ : 대판 1982.7.13, 82도39(∵ 당사자 사이에 근저당설정의 합의 ○ ⇨ 적법한 취소 × ⇨ 근저당설정등기는 유효한 등기임)

④ × : ~ 성립하지 않는다(대판 2013.1.24, 2012도12363 ∵ 부동산등기부에 기재되는 거래가액은 부동산의 권리의무관계에 중요한 의미를 갖는 사항에 해당 ×)

**07** **문서죄에 관한 설명 중 옳은 것은?**(다툼이 있는 경우 판례에 의함) 20. 변호사시험

① 어떤 선박이 사고를 낸 것처럼 허위로 사고신고를 하면서 그 선박의 선박국적증서와 선박검사증서를 함께 제출한 경우에는 공문서부정행사죄가 성립한다.

② 간접정범을 통한 위조공문서행사범행에 있어 도구로 이용된 자라고 하더라도 그 공문서가 위조된 것임을 알지 못하는 자에게 행사한 경우에는 위조공문서행사죄가 성립한다.

③ 불실의 사실이 기재된 공정증서의 정본을 그 정을 모르는 법원 직원에게 교부한 경우에는 부실기재공정증서원본행사죄가 성립한다.

④ 자신의 이름과 나이를 속이는 용도로 사용할 목적으로 주민등록증의 이름・주민등록번호란에 글자를 오려 붙인 후 이를 컴퓨터 스캔 장치를 이용하여 이미지 파일로 만들어 컴퓨터 모니터로 출력하는 한편 타인에게 이메일로 전송한 경우에는 공문서위조 및 위조공문서행사죄가 성립한다.

⑤ 실질적인 채권채무관계 없이 작성명의인과의 합의로 작성한 차용증을 그 작성명의인의 의사에 의하지 아니하고 차용증상의 채권이 실제로 존재하는 것처럼 그 지급을 구하는 민사소송을 제기하면서 법원에 제출한 경우에는 사문서부정행사죄가 성립한다.

| 해설 | ① × : 공문서부정행사죄 ×(대판 2009.2.26, 2008도10851 ∵ 본래의 용도를 벗어난 행사 ×)

② ○ : 대판 2012.2.23, 2011도14441

③ × : 부실기재공정증서원본행사죄 ×(대판 2002.3.26, 2001도6503 ∵ 공정증서원본에 정본이 포함되지 않음)

④ × : 공문서위조죄 및 위조공문서행사죄 ×(대판 2007.11.29, 2007도7480 ∵ 이미지 파일 ⇨ 문서 ×)

⑤ × : 실질적인 채권・채무관계 없이 당사자 간의 합의로 작성한 '차용증 및 이행각서'는 그 작성명의인들이 자유의사로 작성한 문서로 그 사용권한자가 특정되어 있다고 할 수 없고 또 그 용도도 다양하므로, 위 '차용증 및 이행각서'를 이용하여 대여금청구소송을 제기하면서 이를 법원에 제출한 경우, 사문서부정행사죄에 해당하지 않는다(대판 2007.3.30, 2007도629).

Answer 7. ②

**08** **다음 설명 중 옳은 것과 옳지 않은 것이 바르게 표시된 것은?**(다툼이 있는 경우 판례에 의함)

20. 경찰간부

㉠ 甲이 타인 행세를 하며 피의자로서 조사를 받은 다음 경찰관에 의하여 작성된 피의자신문조서의 말미에 타인의 서명 및 무인을 하고 타인의 이름이 기재된 수사과정확인서에 무인을 한 경우 甲에게는 사서명 등 위조죄 및 동행사죄가 인정된다.
㉡ 위조인장행사죄에 있어서 행사라 함은 위조된 인장을 진정한 것처럼 용법에 따라 사용하는 행위를 말한다 할 것이므로 위조된 인영을 타인에게 열람할 수 있는 상태에 두거나 위조된 인과 그 자체를 타인에게 교부하는 경우에 성립한다.
㉢ 사인위조죄는 그 명의인의 의사에 반하여 위법하게 행사할 목적으로 권한 없이 타인의 인장을 위조한 경우에 성립하므로, 타인의 인장을 조각할 당시에 그 명의자로부터 명시적이거나 묵시적인 승낙 내지 위임을 받았다면 인장위조죄는 성립하지 않는다.
㉣ 어떤 문서에 권한 없는 자가 타인의 서명 등을 기재하는 경우에는 그 문서가 완성되기 전이라도 일반인으로서는 그 문서에 기재된 타인의 서명 등을 그 명의인의 진정한 서명으로 오신할 수 있으므로, 일단 서명 등이 완성된 이상 문서가 완성되지 아니한 경우에도 서명 등의 위조죄는 성립한다.
㉤ 아파트 동대표로 당선된 甲이 사실은 대학을 졸업하지 않았음이 사립대학 교무처장 명의로 된 학력조회 회보서를 통해 확인되자 아파트 주민대표회 간부들이 甲의 허위학력 사실을 아파트 주민들에게 공고문 형식으로 알리면서 그 공고문의 신뢰성 제고를 위해 공고문 안에 대학 교무처장 명의의 직인을 함께 나타낸 경우에는 사인위조죄가 성립한다.

① ㉠(○) ㉡(○) ㉢(×) ㉣(×) ㉤(○)
② ㉠(×) ㉡(○) ㉢(×) ㉣(○) ㉤(×)
③ ㉠(×) ㉡(○) ㉢(○) ㉣(×) ㉤(○)
④ ㉠(○) ㉡(×) ㉢(○) ㉣(○) ㉤(○)

**| 해설** ㉠ ○ : 대판 2011.3.10, 2011도503
㉡ × : 위조인장행사죄는 위조 또는 부정사용한 타인의 인장, 서명, 기명 또는 기호를 진정한 것처럼 그 용법에 따라 사용하는 것을 말한다. 위조된 인영이나 인과의 경우에는 날인하여 일반인이 인식·열람할 수 있는 상태에 두면 족하고, 위조된 인과 그 자체를 타인에게 교부하는 것만으로는 위조인장행사죄에 해당하지 않는다(대판 1984.2.28, 84도90).
㉢ ○ : 대판 2014.9.26, 2014도9213 ㉣ ○ : 대판 2005.12.23, 2005도4478
㉤ ○ : 대판 2010.1.14, 2009도5929

**09** **문서에 관한 죄, 인장에 관한 죄에 대한 다음 설명 중 가장 옳은 것은?**(다툼이 있는 경우 판례에 의함)

20. 법원직

① 형법 제239조 제1항에 규정된 사인(私印)위조죄를 범한 사람에 대하여 벌금형으로 처벌할 수 있다.
② 허위공문서작성죄의 객체가 되는 문서는 문서상 작성명의인이 명시된 경우여야 하므로, 작성명의인이 명시되어 있지 않은 문서는 허위공문서작성죄의 객체가 될 수 없다.

Answer 8.④ 9.④

③ 위조사문서행사죄에 있어서의 행사는 위조된 사문서를 진정한 것으로 사용함으로써 사문서에 대한 공공의 신용을 해칠 우려가 있는 행위를 말하므로, 위조된 사문서의 작성명의인은 행사의 상대방이 절대로 될 수 없고, 사문서가 위조된 것임을 이미 알고 있는 공범자 등에게 행사하는 경우에도 위조사문서행사죄가 성립될 수 없다.

④ 휴대전화 신규 가입신청서를 위조한 후 이를 스캔한 이미지 파일을 제3자에게 이메일로 전송한 경우, 그 이미지 파일을 전송하여 컴퓨터 화면상으로 보게 한 행위는 이미 위조한 가입신청서를 행사한 것에 해당하므로 위조사문서행사죄가 성립한다.



| 해설 ① × : ~ 3년 이하의 징역에 처한다(제239조 제1항 ∴ 벌금형으로 처벌 ×).
② × : 허위공문서작성죄의 객체가 되는 문서는 문서상 작성명의인이 명시된 경우뿐 아니라 작성명의인이 명시되어 있지 않더라도 문서의 형식, 내용 등 문서 자체에 의하여 누가 작성하였는지를 추지할 수 있을 정도의 것이면 된다(대판 2019.3.14, 2018도18646).
③ × : 위조된 사문서의 작성명의인 ⇨ 행사의 상대방 ○, 위조된 것임을 알고 있는 공범자 등에게 행사 ⇨ 위조사문서행사죄 ×(대판 2005.1.28, 2004도4663)
④ ○ : 대판 2008.10.23, 2008도5200

**10** **문서에 관한 죄에 대한 설명으로 가장 적절하지 않은 것은?**(다툼이 있는 경우 판례에 의함)

21. 경찰승진

① 명의인이 실재하지 않는 허무인이거나 또는 문서의 작성일자 전에 이미 사망하였다고 하더라도 그러한 문서 역시 공공의 신용을 해할 위험성이 있으므로 문서위조죄의 객체가 되며, 이는 공문서뿐만 아니라 사문서의 경우에도 마찬가지이다.

② 문서가 원본인지 여부가 중요한 거래에서 문서의 사본을 진정한 원본인 것처럼 행사할 목적으로 다른 조작을 가함이 없이 문서의 원본을 그대로 컬러복사기로 복사한 후 복사한 문서의 사본을 원본인 것처럼 행사한 행위는 문서위조죄 및 동행사죄에 해당한다.

③ 간접정범을 통한 위조문서행사범행에 있어 도구로 이용된 자라고 하더라도 문서가 위조된 것임을 알지 못하는 자에게 행사한 경우에는 위조문서행사죄가 성립한다.

④ 허위공문서작성의 주체는 직무상 그 문서를 작성할 권한이 있는 공무원에 한하므로 작성권한이 없는 기안담당 공무원 甲이 그 직위를 이용하여 행사할 목적으로 허위의 내용이 기재된 문서 초안을 그 정을 모르는 작성권한이 있는 상사에게 제출하여 결재하도록 하는 등의 방법으로 허위의 공문서를 작성하게 한 경우에는 甲에게 허위공문서작성죄의 간접정범이 성립하지 않는다.

| 해설 ① 대판 2005.2.24, 2002도18 전원합의체
② 대판 2016.7.14, 2016도2081
③ 대판 2012.2.23, 2011도1441
④ × : ~ 간접정범이 성립한다(대판 1981.7.28, 81도898).

Answer 10.④

**11** **다음 설명 중 가장 옳지 않은 것은?**(다툼이 있는 경우 판례에 의함) 21. 법원직

① 법인이 설치·운영하는 전산망 시스템에 제공되어 정보의 생성·처리·저장·출력이 이루어지는 전자기록 등 특수매체기록은 그 법인의 임직원과의 관계에서 '타인'의 전자기록 등 특수매체기록에 해당한다.

② 시스템의 설치·운영 주체로부터 각자의 직무 범위에서 개개의 단위정보의 입력 권한을 부여받은 사람이 그 권한을 남용하여 허위의 정보를 입력함으로써 시스템 설치·운영 주체의 의사에 반하는 전자기록을 생성하는 경우에는 사전자기록 등 위작죄에서 말하는 전자기록의 '위작'에 포함되지 않는다.

③ 공문서의 작성권한 없는 사람이 허위공문서를 기안하여 작성권자의 결재를 받지 않고 공문서를 완성한 경우, 공문서위조죄가 성립한다.

④ 자동차 등의 운전자가 경찰공무원에게 다른 사람의 운전면허증 자체가 아니라 이를 촬영한 이미지 파일을 휴대전화 화면 등을 통하여 보여주는 행위는 공문서부정행사죄를 구성하지 아니한다.

⑤ 피고인이 음주운전으로 단속되자 동생 甲의 이름을 대며 조사를 받다가 휴대용정보단말기(PDA)에 표시된 음주운전단속결과통보 중 운전자 甲의 서명란에 甲의 이름 대신 의미를 알 수 없는 부호를 기재한 행위는 甲의 서명을 위조한 것에 해당한다.

**| 해설** ① 대판 2020.8.27, 2019도11294 전원합의체(∵ 위 시스템을 설치·운영하는 주체는 법인이고, 법인의 임직원은 법인으로부터 정보의 생성·처리·저장·출력의 권한을 위임받아 그 업무를 실행하는 사람에 불과하다.)

② ×: ~'위작'에 포함된다(대판 2020.8.27, 2019도11294 전원합의체).

③ 대판 1981.7.28, 81도898

④ 대판 2019.12.12, 2018도2560〔∵ 운전면허증의 특정된 용법에 따른 행사(운전면허증 자체를 제시하는 것)라고 볼 수 없는 것이어서 그로 인하여 경찰공무원이 그릇된 신용을 형성할 위험이 있다고 할 수 없다.〕

⑤ 대판 2020.12.30, 2020도14045

**12** **문서에 관한 죄에 대한 설명으로 옳은 것은?**(다툼이 있는 경우 판례에 의함) 21. 7급 검찰

① 甲이 위조·변조한 공문서의 컴퓨터 이미지 파일을 A에게 이메일로 송부하여 프린터로 출력하게 한 경우, A가 그 위조된 사실을 알지 못하였다면 甲에게는 위조·변조공문서행사죄가 성립하지 않는다.

② A은행의 지배인으로 등기되어 있는 甲은 지급보증의 성질이 있는 A은행 명의로 된 대출채권양수도약정서와 사용인감계를 작성하였는데, A은행의 내부규정은 지급보증 등의 의사결정권한을 상위 결재권자에게 부여하고 있었다면, 사문서위조죄에 해당한다.

③ 휴대전화 신규 가입신청서를 위조한 후 이를 스캔한 이미지 파일을 제3자에게 이메일로 전송하여 컴퓨터 화면으로 보게 한 경우, 이미지 파일 자체는 문서에 해당하지 않으므로 위조사문서행사죄가 성립하지 않는다.

**Answer** 11. ② 12. ②

④ 형법 제231조(사문서 위조 · 변조)의 경우 유형위조만을 처벌하므로 형법 제232조의 2(사전자기록위작 · 변작)에서의 '위작'은 유형위조만을 의미하는 것으로 해석하여야 하며, 이에 무형위조도 포함한다고 해석하는 것은 문언의 의미를 확장하여 처벌범위를 지나치게 넓히는 것으로 죄형법정주의에 반한다.



| 해설 ① ×：~ 알지 못한 경우에도 ~ 행사죄가 성립한다(대판 2012.2.23, 2011도14441).
② ○：대판 2012.9.27, 2012도7467
③ ×：위조사문서행사죄 ○(대판 2008.10.23, 2008도5200)
④ ×：유형위조만을 처벌하는 사문서위조와 달리 제232조의 2(사전자기록위작 · 변작)에서 정한 '위작'에 무형위조(권한 있는 사람이 그 권한을 남용하여 허위의 정보를 입력)도 포함하는 것으로 보더라도 피고인에게 불리한 유추해석 또는 확장해석을 한 것이라고 볼 수 없다(대판 2020.8.27, 2019도11294 전원합의체 ▶ 참고 ④의 지문은 반대의견임).

**13** **甲은 야산에서 한 달 전 사망한 A의 지갑을 주웠는데, 그 지갑 속에는 B은행이 발행한 10만원권 자기앞수표 10장과 A의 운전면허증이 들어 있었다. 甲은 위 자기앞수표 10장을 유흥비로 사용하였다. 甲은 A의 운전면허증을 재발급받아 자신이 사용하기로 마음먹고, 운전면허시험장에 가서 운전면허증 재발급신청서에 자신의 사진을 붙이되 A의 이름과 인적사항을 기재하여 운전면허증 재발급 신청을 하였고, 이에 속은 담당공무원으로부터 甲의 사진이 부착된 A의 이름으로 된 운전면허증을 발급받았다. 그 후 甲은 운전 중 검문경찰관으로부터 신분증제시 요구를 받고 A의 이름으로 된 운전면허증을 제시하였다. 甲의 죄책에 관한 설명 중 옳지 않은 것을 모두 고른 것은?**(다툼이 있는 경우 판례에 의함) 21. 변호사시험, 22. 해경간부 · 해경 2차

㉠ 甲이 자기앞수표를 사용한 행위는 불가벌적 사후행위에 해당한다.
㉡ 甲이 권한 없이 A 명의의 운전면허증 재발급신청서를 작성하였으므로 사문서위조죄가 성립한다.
㉢ 甲이 그 정을 모르는 담당공무원을 이용하여 운전면허증을 재발급받았으므로 공문서위조죄의 간접정범이 성립한다.
㉣ 甲이 검문경찰관에게 제시한 A 명의의 운전면허증은 진정하게 성립된 문서가 아니기 때문에 공문서부정행사죄는 성립하지 않는다.
㉤ 甲이 공무원에 대하여 허위신고를 하여 자동차운전면허대장에 부실의 사실을 기재하게 하였다면, 공정증서원본부실기재죄(형법 제228조 제1항)가 성립한다.

① ㉠, ㉡ ② ㉠, ㉤ ③ ㉢, ㉣
④ ㉡, ㉢, ㉤ ⑤ ㉢, ㉣, ㉤

| 해설 ㉠ ○：대판 1993.11.23, 93도213
㉡ ○：대판 2008.10.23, 2008도5200 참조
㉢ ×：공문서위조죄의 간접정범 ×(대판 2001.3.9, 2000도938)
㉣ ×：공문서부정행사죄 ○(대판 1982.9.28, 82도1297)
㉤ ×：공정증서원본부실기재죄 ×(대판 2010.6.10, 2010도1125)

Answer 13. ⑤

**14** **문서에 관한 죄에 대한 설명으로 가장 적절한 것은?**(다툼이 있는 경우 판례에 의함) 22. 순경 1차

① 형법은 사문서의 경우 무형위조만을 처벌하면서 예외적으로 유형위조를 처벌하는 태도를 취하고 있다.

② 공무원인 의사가 공무소의 명의로 허위의 진단서를 작성한 경우 허위공문서작성죄와 허위진단서작성죄가 성립하고 두 죄는 상상적 경합관계에 있다.

③ 공문서와 달리 사문서에 있어서는 권한 있는 사람의 허위작성을 예외적으로만 처벌하는 형법의 태도를 고려할 때, 형법 제232조의 2에서 정하는 사전자기록 등 위작죄에서의 '위작'에 시스템의 설치·운영주체로부터 각자의 직무범위에서 개개의 단위정보의 입력권한을 부여받은 사람이 그 권한을 남용하여 허위의 정보를 입력함으로써 시스템 설치·운영주체의 의사에 반하는 전자기록을 생성하는 경우는 포함되지 않는다고 보아야 한다.

④ A회사의 대표이사 甲이 B회사의 대표이사 乙로부터 포괄적 위임을 받아 두 회사의 대표이사 업무를 처리하면서 두 회사 명의로 허위내용의 영수증과 세금계산서를 작성한 사안에서, B회사 명의부분은 乙의 개별적 구체적 위임 또는 승낙 없는 행위로서 사문서위조 및 위조사문서행사죄가 성립하지만, A회사 명의부분은 이미 퇴직한 종전의 대표이사를 승낙 없이 대표이사로 표시하였더라도 이에 해당하지 않는다.

**해설** ① ×: ~ 유형위조만을 처벌하면서 예외적으로 무형위조(예 허위진단서작성죄)를 처벌하는 ~ 있다.

② ×: 허위공문서작성죄 ○, 허위진단서작성죄 ×(대판 2004.4.9, 2003도7762)

③ ×: 시스템의 설치·운영주체로부터 각자의 직무 범위에서 개개의 단위정보의 입력권한을 부여받은 사람이 그 권한을 남용하여 허위의 정보를 입력함으로써 시스템 설치·운영주체의 의사에 반하는 전자기록을 생성하는 경우에는 사전자기록 등 위작죄에서 말하는 전자기록의 '위작'에 포함된다(대판 2020.8.27, 2019도11294 전원합의체 ▶ 참고: ③의 지문은 반대의견임).

④ ○: 대판 2008.11.27, 2006도9194; 대판 2008.11.27, 2006도2016

**15** **문서의 죄에 관한 설명 중 옳지 않은 것은?**(다툼이 있는 경우 판례에 의함) 23. 변호사시험

① 사진을 바꾸어 붙이는 방법으로 위조한, 외국 공무원이 발행한 국제운전면허증이 유효기간을 경과하여 본래의 용법에 따라 사용할 수 없더라도, 면허증 행사시 상대방이 유효기간을 쉽게 알 수 없는 등의 사정으로 발급 권한 있는 자로부터 국제운전면허를 받은 것으로 오신하기에 충분한 정도의 형식과 외관을 갖추고 있다면, 문서위조죄의 위조문서에 해당한다.

② 변조 당시 명의인의 명시적, 묵시적 승낙이 없었다면 변조된 문서가 명의인에게 유리하여 결과적으로 그 의사에 합치한다 하더라도 사문서변조죄의 구성요건을 충족한다.

③ 사법인(私法人)이 구축한 전산망 시스템의 설치·운영 주체로부터 각자의 직무 범위에서 개개의 단위정보의 입력 권한을 부여받은 사람이 그 권한을 남용하여 허위의 정보를 입력함으로써 시스템 설치·운영 주체의 의사에 반하는 전자기록을 생성한 경우, 이는 사전자기록 등 위작죄에서 말하는 전자기록의 '위작'에 포함되지 않는다.

Answer 14. ④ 15. ③

④ 권한 없이 행사할 목적으로 전세계약서 원본을 스캐너로 복사하여 컴퓨터 화면에 띄운 후 그 보증금액란을 포토샵 프로그램을 이용하여 공란으로 만든 다음 이를 프린터로 출력하여 그 공란에 볼펜으로 보증금액을 사실과 달리 기재하여 그 정을 모르는 자에게 교부하였다면, 사문서변조죄 및 변조사문서행사죄가 성립한다.

⑤ 사문서위조죄나 공정증서원본불실기재죄가 성립한 후, 사후에 피해자의 동의 또는 추인 등의 사정으로 문서에 기재된 대로 효과의 승인을 받거나 등기가 실체적 권리관계에 부합하게 되었다 하더라도 이미 성립한 위 범죄에는 아무런 영향이 없다.

02

| 해설 ① 대판 1998.4.10, 98도164
② 대판 1985.1.22, 84도2422
③ ×: ~ '위작'에 포함된다(대판 2020.8.27, 2019도11294 전원합의체).
④ 대판 2011.11.10, 2011도10468
⑤ 대판 1999.5.14, 99도202

**16** **문서의 죄에 대한 설명으로 옳지 않은 것은?**(다툼이 있는 경우 판례에 의함) 23. 경찰간부

① 甲이 A의 주민등록증을 이용하여 주민등록증상 이름과 사진을 종이로 가리고서 복사기로 복사하고, 컴퓨터를 이용하여 위조하려는 乙의 인적사항과 주소, 발급일자를 기재하여 덮어쓰기 하고 다시 복사하여 전혀 별개의 주민등록증사본을 창출한 경우, 그 사본은 공문서위조죄의 객체가 되는 '공문서'에 해당한다.

② 甲이 이미 자신이 위조한 휴대전화 신규가입신청서를 스캐너로 읽어 들여 이미지화한 다음 그 이미지 파일을 乙에게 이메일로 전송하여 컴퓨터 화면상에서 보게 한 경우, 스캐너로 읽어들여 이미지화한 파일은 문서에 관한 죄에 있어서 '문서'에 해당하지 않으므로 위조사문서행사죄가 성립하지 아니한다.

③ 공정증서원본 등의 부실기재죄에서 '부실의 기재'라고 함은 권리의무관계에서 중요한 의미를 갖는 사항이 객관적인 진실에 반하는 것을 말한다.

④ 甲이 컴퓨터 스캔 작업을 통하여 만들어낸 공인중개사 자격증의 이미지 파일은 전자기록으로서 전자기록장치에 전자적 형태로서 고정되어 계속성이 있다고 볼 수는 있으나, 그러한 형태는 그 자체로서 시각적 방법에 의해 이해할 수 있는 것이 아니어서 이는 '문서'에 해당하지 아니한다.

| 해설 ① 대판 2004.10.28, 2004도5183
② ×: 휴대전화 신규 가입신청서를 위조한 후 이를 스캔한 이미지 파일을 제3자에게 이메일로 전송한 경우, 이미지 파일 자체는 문서에 관한 죄의 '문서'에 해당하지 않으나, 이를 전송하여 컴퓨터 화면상으로 보게 한 행위는 이미 위조한 가입신청서를 행사한 것에 해당하므로 위조사문서행사죄가 성립한다(대판 2008.10.23, 2008도5200).
③ 대판 2020.11.5, 2019도12042
④ 대판 2008.4.10, 2008도1013

Answer 16. ②

**17 문서에 관한 죄에 대한 설명 중 가장 적절하지 않은 것은?**(다툼이 있는 경우 판례에 의함)

23. 경찰승진

① 행사할 목적으로 작성된 문서가 일반인으로 하여금 당해 명의인의 권한 내에서 작성된 문서라고 믿게 할 수 있는 정도의 형식과 외관을 갖추고 있다면 그 명의인이 실재하지 않는 허무인이거나 또는 문서의 작성일자 전에 이미 사망하였더라도 문서위조죄가 성립한다.

② '변호사회 명의의 경유증표'와 같이 '문서가 원본인지 여부'가 중요한 거래에서 문서의 사본을 진정한 원본인 것처럼 행사할 목적으로 다른 조작을 가함이 없이 문서의 원본을 그대로 컬러복사기로 복사한 후 복사한 문서의 사본을 원본인 것처럼 행사한 행위는 사문서위조죄 및 동행사죄에 해당한다.

③ 장애인사용자동차표지를 사용할 권한이 없는 사람이 실효된 '장애인전용주차구역 주차표지가 있는 장애인사용자동차표지'를 자신의 자동차에 단순히 비치하였으나 장애인전용주차구역이 아닌 장소에 주차한 경우 장애인사용자동차표지를 본래의 용도에 따라 사용했다고 볼 수 없으므로 공문서부정행사죄가 성립하지 않는다.

④ 공무원이 아닌 자가 관공서에 허위사실을 기재한 증명원을 제출하여 그 내용이 허위인 정을 모르는 담당 공무원으로부터 증명서를 발급받은 경우 공문서위조죄의 간접정범이 성립한다.

| 해설 ① 대판 2005.2.24, 2002도18 전원합의체 ② 대판 2016.7.14, 2016도2081
③ 대판 2022.9.29, 2021도14514 ④ × : 공문서위조죄의 간접정범 ×(대판 2001.3.9, 2000도938)

**18 문서의 죄에 관한 설명 중 옳은 것을 모두 고른 것은?**(다툼이 있는 경우 판례에 의함)

23. 순경 1차

㉠ 주식회사의 대표이사로부터 포괄적인 권한 행사를 위임받은 사람은 주식회사 명의의 문서 작성에 관하여 개별적 구체적으로 위임 또는 승낙을 받지 않더라도 주식회사 명의로 문서를 작성할 수 있으므로, 이를 두고 자격모용사문서작성 또는 위조에 해당하는 것으로 볼 수는 없다.

㉡ 위조사문서의 행사는 상대방으로 하여금 위조된 문서를 인식할 수 있는 상태에 둠으로써 기수가 되고 상대방이 실제로 그 내용을 인식하여야 하는 것은 아니므로, 위조된 문서를 우송한 경우에는 그 문서가 상대방에게 도달한 때에 기수가 되고 상대방이 실제로 그 문서를 보아야 하는 것은 아니다.

㉢ 공문서의 작성권한이 있는 A의 직무를 보좌하는 공무원 甲이 비공무원 乙과 공모하여 행사할 목적으로 허위의 내용이 기재된 문서 초안을 그 정을 모르는 A에게 제출하여 결재하도록 하는 방법으로 허위의 공문서를 작성하게 한 경우 甲은 허위공문서작성죄의 간접정범이 될 수 있지만 공무원의 신분이 없는 乙은 간접정범의 공범이 될 수 없다.

㉣ 주식회사의 발기인 등이 법령에 정한 회사설립의 요건과 절차에 따라 회사설립등기를 함으로써 회사가 성립하였다고 볼 수 있는 경우, 회사를 설립할 당시 회사를 실제로 운영할 의사 없이 회사를 이용한 범죄 의도나 목적이 있었다는 이유만으로는 공정증서원본부실기재죄에서 말하는 불실의 사실을 법인등기부에 기록하게 한 것으로 볼 수 없다.

Answer 17. ④ 18. ③

① ㉠, ㉡ ② ㉠, ㉢ ③ ㉡, ㉣ ④ ㉢, ㉣

| 해설 ㉠ × : 주식회사의 적법한 대표이사로부터 포괄적으로 권한 행사를 위임받은 사람이 주식회사 명의로 문서를 작성하는 행위는 원칙적으로 권한 없는 사람의 문서 작성행위로서 자격모용사문서작성 또는 위조에 해당하고, 대표이사로부터 개별적·구체적으로 주식회사 명의 문서 작성에 관하여 위임 또는 승낙을 받은 경우에만 예외적으로 적법하게 주식회사 명의로 문서를 작성할 수 있을 뿐이다(대판 2008.11.27, 2006도2016).
㉡ ○ : 대판 2005.1.28, 2004도4663
㉢ × : ~ 간접정범의 공범이 될 수 있다(대판 1992.1.17, 91도2837).
㉣ ○ : 대판 2020.3.26, 2019도7729

**19 문서에 관한 죄에 대한 설명으로 가장 적절하지 않은 것은?**(다툼이 있는 경우 판례에 의함)

23. 순경 2차

① 형법 제228조 제1항 공전자기록 등 부실기재죄의 구성요건인 '부실의 사실기재'는 당사자의 허위신고에 의하여 이루어져야 하므로, 법원의 촉탁에 의하여 등기를 마친 경우에는 그 전제 절차에 허위적 요소가 있더라도 위 죄가 성립하지 않는다.
② 작성자가 '행사할 목적'으로 타인의 자격을 모용하여 문서를 작성하였다 하더라도, 문서행사의 상대방이 자격모용 사실을 알았다거나, 작성자가 그 문서에 모용한 자격과 무관한 직인을 날인하였다는 등의 사정이 있었다면 자격모용에 의한 사문서작성죄의 범의와 행사의 목적은 인정되지 않는다.
③ 명의인을 기망하여 문서를 작성케 하는 경우에는, 서명·날인이 정당히 성립된 경우라도 기망자는 명의인을 이용하여 서명 날인자의 의사에 반하는 문서를 작성케 하는 것이므로 사문서위조죄가 성립한다.
④ 사용권한자와 용도가 특정되어 있는 공문서를 사용권한 없는 자가 사용한 경우에도 그 공문서 본래의 용도에 따른 사용이 아닌 경우에는 공문서부정행사죄가 성립하지 않는다.

| 해설 ① 대판 2022.1.13, 2021도11257
② × : ~ (1줄) 문서를 작성한 이상 문서행사의 상대방이 자격모용 사실을 알았다거나, 작성자가 그 문서에 모용한 자격과 무관한 직인을 날인하였다는 등의 사정이 있었다고 하더라도 자격모용에 의한 사문서작성죄의 범의와 행사의 목적은 인정된다(대판 2022.6.30, 2021도17712).
③ 대판 2000.6.13, 2000도778
④ 대판 2022.9.29, 2021도14514

Answer 19. ②

**20 문서에 관한 죄에 대한 설명으로 옳지 않은 것은?**(다툼이 있는 경우 판례에 의함) 23. 7급 검찰

① 작성명의인이 허무인이라고 하더라도 일반인으로 하여금 공무원 또는 공무소의 권한 내에서 작성된 문서라고 믿을 수 있는 형식과 외관을 구비한 문서라면 공문서위조죄의 공문서가 된다.

② 자동차운전자가 운전 중에 경찰관으로부터 도로교통법 제92조 제2항에 따라 운전면허증의 제시를 요구받아 다른 사람의 운전면허증을 촬영한 이미지 파일을 휴대전화 화면을 통하여 보여 주는 경우, 자동차운전자에게 공문서부정행사죄가 성립하지 않는다.

③ 인터넷을 통하여 열람·출력한 등기사항전부증명서 하단의 열람 일시 부분을 수정 테이프로 지우고 복사한 행위는 등기사항전부증명서가 나타내는 권리·사실관계와 다른 새로운 증명력을 가진 문서를 만든 것에 해당하므로 공문서위조죄가 성립한다.

④ 위조된 공문서를 스캐너 등을 통해 이미지화한 다음 이를 전송하여 컴퓨터 화면상에서 보게 하는 경우에는 위조공문서행사죄가 성립한다.

**해설** ① 대판 1976.9.14, 76도1767 ② 대판 2019.12.12, 2018도2560
③ ×: ~ (3줄) 해당하므로 공문서변조죄(공문서위조죄 ×)가 성립한다(대판 2021.2.25, 2018도19043).
④ 대판 2020.12.24, 2019도8443

**최신판례**

1. 형법 제229조, 제228조 제2항에 정한 부실기재 여권행사죄에서 '허위신고'는 진실에 반하는 사실을 신고하는 것이고, '부실(不實)의 사실'은 '권리의무관계에 중요한 의미를 갖는 사항이 객관적인 진실에 반하는 것'을 말한다. 여권 등 공정증서원본에 기재된 사항이 존재하지 않거나 외관상 존재하더라도 무효사유에 해당하는 흠이 있다면 부실기재에 해당한다. 그러나 기재된 사항이나 원인된 법률행위가 객관적으로 존재하고 취소사유에 해당하는 흠이 있을 뿐이라면 취소되기 전에 공정증서원본에 기재된 사항은 부실기재에 해당하지 않는다(대판 2022.4.28, 2020도12239 예 외국인 여자가 대한민국에 입국하여 취업 등을 하기 위한 방편으로 대한민국 국민인 남자와 혼인신고를 하였더라도 위와 같은 혼인의 합의가 없다면 구 국적법 제3조 제1호에서 정한 '대한민국 국민의 처가 된 자'에 해당하지 않으므로 대한민국 국적을 취득할 수 없어, 대한민국 국적을 취득하지 않았는데도 대한민국 국적을 취득한 것처럼 인적 사항을 기재하여 대한민국 여권을 발급받은 다음 이를 출입국심사 담당공무원에게 제출하였다면 위계로써 출입국심사업무에 관한 정당한 직무를 방해함과 동시에 부실의 사실이 기재된 여권을 행사한 것으로 볼 수 있다. ∴ 위계에 의한 공무집행방해죄 및 부실기재 여권행사죄 ○).
2. 형법상 인장에 관한 죄에서 인장은 사람의 동일성을 표시하기 위하여 사용하는 일정한 상형을 의미하고, 기호는 물건에 압날하여 사람의 인격상 동일성 이외의 일정한 사항을 증명하는 부호를 의미한다. 그리고 형법 제238조의 공기호는 해당 부호를 공무원 또는 공무소가 사용하는 것만으로는 부족하고, 그 부호를 통하여 증명을 하는 사항이 구체적으로 특정되어 있고 해당 사항은 그 부호에 의하여 증명이 이루어질 것이 요구된다(대판 2024.1.4, 2023도11313).

Answer 20. ③

## 종합문제 공공의 신용에 대한 죄



**01** **다음 중 옳은 것만을 모두 고른 것은?**(다툼이 있는 경우 판례에 의함) 16. 9급 검찰 · 마약수사

㉠ 농촌주택에서 배출되는 생활하수의 배수관(소형 PVC관)을 토사로 막아 하수가 내려가지 못하게 한 경우 수리방해죄가 성립한다.
㉡ 단순히 자신의 신용력을 증명하기 위하여 타인에게 보일 목적으로 통화를 위조한 경우 통화위조죄는 성립하지 않는다.
㉢ 기재사항이 누락되어 사법상 무효인 유가증권을 행사할 목적으로 위조하여 일반인으로 하여금 유효한 주권으로 오신시킬 정도의 외관을 갖춘 경우 유가증권위조죄가 성립한다.
㉣ 타인에 의하여 이미 위조된 약속어음의 기재사항을 권한 없이 변경한 경우 유가증권변조죄가 성립한다.

① ㉠, ㉢ ② ㉡, ㉢ ③ ㉠, ㉡, ㉣ ④ ㉡, ㉢, ㉣

| 해설 ㉠ × : 수리방해죄 ×(대판 2001.6.26, 2001도404)
㉡ ○ : 대판 2012.3.29, 2011도7704 ㉢ ○ : 대판 1974.12.24, 74도294
㉣ × : 유가증권변조죄 ×(대판 2006.1.26, 2005도4764)

**02** **다음 중 甲의 행위와 그 행위에 대해 인정되는 죄명의 짝으로 옳지 않은 것을 모두 고르면?**(다툼이 있는 경우 판례에 의함) 17. 경찰간부

㉠ 면사무소 호적계장인 甲이 호적정정사유가 없음을 알면서도 행사할 목적으로 乙의 호적부편제 중 乙의 딸의 호적기재출생란, 주민등록번호란에 허위내용의 호적정정 기재를 한 후, 자신이 소지하고 있던 면장 丙의 실인을 찍고는 그 호적부가 정당하게 작성된 것처럼 비치한 경우 – 허위공문서작성죄 및 동행사죄
㉡ 甲이 권리의무에 관한 사문서인 乙명의의 신탁증서 1통을 작성한 후 마치 다른 내용의 문서인 것처럼 乙에게 제시하여 날인을 받고, 이를 법원에 증거로 제출한 경우 – 사문서위조죄 및 동행사죄
㉢ 甲이 미리 서명날인만 받아 놓은 乙명의의 백지어음에 자기 마음대로 발행일, 금액, 수취인을 기재한 후, 乙을 상대로 약속어음금반환청구의 소를 제기하고, 그 청구를 대여금 청구로 변경하면서 위 백지어음의 복사본을 증거로 제출한 경우 – 유가증권위조죄 및 동행사죄
㉣ A구청장 甲은 자신이 B구청장으로 전보되었다는 내용의 인사발령을 전화로 통보받은 후, A구청장의 권한에 속하는 건축허가에 관한 결재용지의 결재란에 서명한 경우 – 자격모용에 의한 공문서작성죄
㉤ A회사의 대표이사로 재직한 바 있는 甲이 A회사의 대표이사가 이미 乙로 변경된 이후임에도 불구하고, 이전부터 사용하여 오던 자기 명의로 된 A회사 대표이사의 명판을 이용하여 여전히 자신을 A회사의 대표이사로 표시하여 약속어음을 발행하고 행사한 경우 – 유가증권위조죄 및 동행사죄

Answer 1.② 2.②

① ㉠, ㉡, ㉢ ② ㉠, ㉢, ㉤
③ ㉡, ㉣, ㉤ ④ ㉢, ㉣, ㉤

해설 ㉠ × : 허위공문서작성죄 ×, 공문서위조죄 ○(대판 1990.10.12, 90도1790)
㉡ ○ : 대판 1983.6.28, 83도1036
㉢ × : 유가증권위조죄 ○, 위조유가증권행사죄 ×(대판 1998.2.13, 97도2922)
㉣ ○ : 대판 1993.4.27, 92도2688
㉤ × : 유가증권위조죄 ×, 자격모용에 의한 유가증권작성죄 ○(대판 1991.2.26, 90도577)

**03** **다음은 통화 · 유가증권 · 문서에 관한 죄에서 '행사'와 관련한 설명이다. 이 중 옳지 않은 것은 모두 몇 개인가?**(다툼이 있는 경우 판례에 의함) 19. 경찰간부

㉠ 甲이 자신의 신용력을 증명하기 위하여 타인에게 보일 목적으로 통화를 위조한 경우에는 행사할 목적이 있다고 할 수 없어 통화위조죄가 성립하지 않는다.
㉡ 유가증권을 위조한 甲이 그 위조의 정을 알고 있는 乙에게 위조유가증권을 교부하였더라도 乙이 이를 유통시킬 것임을 甲이 인식하고 교부하였다면 甲에게는 위조유가증권행사죄가 성립한다.
㉢ 甲이 유가증권을 위조하여 乙에게 교부하면 乙이 위조유가 증권을 A에게 행사하여 그 이익을 나누어 가지기로 甲과 乙 사이에 공모가 이루어진 경우, 甲이 공범 乙에게 위조 유가증권을 교부하는 행위는 그 자체로서 위조유가증권행사죄를 구성한다.
㉣ 허위로 선박 사고신고를 하면서 그 선박의 국적증명서와 선박검사증서를 함께 제출한 경우 공문서부정행사죄를 구성한다.

① 1개 ② 2개 ③ 3개 ④ 4개

해설 ㉠ ○ : 대판 2012.3.29, 2011도7704
㉡ ○ : 대판 1983.6.14, 81도2492
㉢ × : 위조유가증권행사죄 ×(대판 2010.12.9, 2010도12553 ∵ 아직 범인들의 수중에 있는 것이지 행사 ×)
㉣ × : 공문서부정행사죄 ×(대판 2009.2.26, 2008도10851 ∵ 용도를 벗어난 행사 ×)

**04** **공공의 신용에 관한 죄에 대한 설명으로 가장 적절한 것은?**(다툼이 있는 경우 판례에 의함) 22. 경찰승진

① 컴퓨터 모니터에 나타나는 이미지는 문서에 해당하지 않으므로, 전세계약서 원본을 스캔하여 컴퓨터 화면에 띄운 후 그 보증금액란을 공란으로 만든 다음 이를 프린터로 출력하여 보증금액을 변조하고 변조된 전세계약서를 팩스로 송부하였더라도 사문서변조 및 동행사죄는 성립하지 않는다.
② 위조통화를 행사하여 재물을 불법영득한 때에는 위조통화행사죄와 사기죄가 성립하고 양죄는 상상적 경합관계에 있다.

Answer 3.② 4.③

③ 허위진단서작성죄에 있어서 허위의 기재는 사실에 관한 것이건 판단에 관한 것이건 불문하나, 본죄는 원래 허위의 증명을 금지하려는 것이므로 그 내용이 허위라는 주관적 인식이 필요함은 물론 실질상 진실에 반하는 기재일 것이 필요하다.

④ 행사할 목적으로 허무인 명의의 유가증권을 작성한 경우, 외형상 일반인으로 하여금 진정하게 작성된 유가증권이라고 오신하게 할 수 있을 정도라고 하더라도, 유가증권위조죄는 성립하지 않는다.



**| 해설** ① ×: 사문서변조죄와 동행사죄 ○(대판 2011.11.10, 2011도10468 ∵ 적시된 범죄사실은 '컴퓨터 모니터 화면상의 이미지'를 변조하고 이를 행사한 행위가 아니라 '프린터로 출력된 문서'인 사무실전세계약서를 변조하고 이를 행사한 행위임)
② ×: ~ 실체적(상상적 ×) 경합관계에 있다(대판 1979.7.10, 79도840).
③ ○: 대판 2017.11.9, 2014도15129
④ ×: 유가증권위조죄 ○(대판 1979.9.25, 79도1980)

**05** **공공의 신용에 대한 죄에 관한 설명으로 가장 적절하지 않은 것은?**(다툼이 있는 경우 판례에 의함)

22. 순경 1차

① 사용권한자와 용도가 특정되어 있는 공문서를 사용권한 없는 자가 사용한 경우 그 공문서 본래의 용도에 따른 사용이 아니라 하더라도 형법 제230조의 공문서부정행사죄가 성립된다.

② 문서가 위조된 것임을 이미 알고 있는 공범자 등에게 행사하는 경우에는 위조문서행사죄가 성립할 수 없으나, 간접정범을 통한 위조문서행사범행에 있어 도구로 이용된 자라고 하더라도 문서가 위조된 것임을 알지 못하는 자에게 행사한 경우에는 위조문서행사죄가 성립한다.

③ 인터넷을 통하여 열람 출력한 등기사항 전부 증명서 하단의 열람 일시 부분을 수정테이프로 지우고 복사한 행위는 공문서변조에 해당한다.

④ 위조된 외국의 화폐, 지폐 또는 은행권이 강제통용력을 가지지 않고, 그 화폐 등이 국내에서 사실상 거래대가의 지급수단이 되고 있지 않는 경우에는 그 화폐 등을 행사하더라도 위조통화행사죄를 구성하지 않는다고 할 것이므로, 형법 제234조에서 정한 위조사문서행사죄 또는 위조사도화행사죄로 의율할 수 있다.

**| 해설** ① ×: 공문서부정행사죄는 사용권한자와 용도가 특정되어 작성된 공문서 또는 공도화를 ㉠ 그 사용권한이 없는 자가 사용권한이 있는 것처럼 가장하여 그 문서의 용도에 따라 사용하거나, ㉡ 권한 있는 자라도 정당한 용법에 반하여 부정하게 행사하는 경우에 성립한다(대판 2019.12.12, 2018도2560). 따라서 ㉠의 경우에 문서의 용도 이외 사용일 때에는 본죄에 해당하지 않는다. ㉡의 경우 사용권한 있는 자의 용도 이외의 사용이 부정행사에 해당하는가에 관해 긍정설(판례)과 부정설이 대립한다.
② 대판 2012.2.23, 2011도14441
③ 대판 2021.2.25, 2018도19043
④ 대판 2013.12.12, 2012도2249

**Answer** 5. ①

**06** **다음 중 甲에게 괄호 안의 범죄가 성립되지 않는 경우는 모두 몇 개인가?**(다툼이 있는 경우 판례에 의함) **24. 순경 1차**

> ㉠ 甲이 인터넷을 통해 등기사항전부증명서를 열람 출력한 후 행사할 목적으로 그 증명서 하단의 열람 일시 부분을 수정 테이프로 지우고 복사해 둔 경우 (공문서변조죄)
> ㉡ 甲과 乙은 乙이 甲으로부터 1,000만원을 차용하는 것처럼 가장하여 乙의 연인 A로 하여금 이를 변제하도록 협박하기로 공모한 후, A를 보증인으로 하는 차용증을 작성하는 자리에서 甲이 위조된 100만원권 자기앞수표 10장이 들어 있는 봉투를 乙에게 교부하면서 그 자기앞수표 자체를 봉투에서 꺼내거나 그 자기앞수표의 위조 사실을 모르는 A에게 보여주지 않은 경우 (위조유가증권행사죄)
> ㉢ 甲이 1995년에 미국에서 진정하게 발행된 미화 1달러권 지폐와 2달러권 지폐를 화폐수집가들이 수집하는 희귀화폐인 것처럼 만들어 행사할 목적으로 발행연도 '1995'를 빨간색으로 '1928'로 고치고, 발행번호와 미국 재무부를 상징하는 문양 및 재무부장관의 사인 부분을 지운 후 빨간색으로 다시 가공한 경우 (외국통용외국통화변조죄)
> ㉣ 甲은 A종중의 적법한 대표자가 아님에도 A종중 소유의 토지가 소유권보존등기가 되어 있지 않은 점을 이용하여 자신이 A종중의 대표자인 것처럼 종중규약과 회의록을 허위로 작성한 후 이를 근거로 그 토지에 대하여 A종중을 소유자로 甲을 A종중의 대표자로 소유권보존등기를 경료하여, 부동산 등기부상 자신을 A종중의 대표자로 등재되도록 한 경우 (공정증서원본부실기재죄)
> ㉤ 사법경찰관 甲은 검사로부터 '교통사고 피해자들로부터 사고 경위에 대해 구체적 진술을 청취하여 운전자의 도주 여부에 대해 재수사할 것'을 요청받고는, 행사할 목적으로 재수사결과서를 작성하면서 피해자들로부터 실제 진술을 청취하지 않고도 그 재수사 결과서의 '재수사 결과'란에 자신의 독자적인 의견이나 추측에 불과한 것을 마치 피해자들로부터 직접 들은 진술인 것처럼 기재한 경우 (허위공문서작성죄)

① 1개 ② 2개 ③ 3개 ④ 4개

**해설**
- **괄호 안의 범죄가 성립되는 경우** : ㉠ 대판 2021.2.25, 2018도19043 ㉣ 대판 2006.1.13, 2005도4790 ㉤ 대판 2023.3.30, 2022도6886
- **괄호 안의 범죄가 성립되지 않는 경우** : ㉡ 대판 2010.12.9, 2010도12553(∵ 공범의 관계에 있는 甲이 乙에게 위 봉투를 A의 면전에서 교부한 행위는 위조된 자기앞수표가 아직 범인들의 수중에 있다고 볼 것이지 위조된 자기앞수표가 행사되었다고 볼 수 없음.) ㉢ 대판 2004.3.26, 2003도5640(∵ 진정한 통화인 미화 1달러 및 2달러 지폐의 발행연도, 발행번호, 미국 재무부를 상징하는 문양, 재무부장관의 사인, 일부 색상을 고친 것만으로는 통화가 변조되었다고 볼 수 없다.)

Answer 6. ②

CHAPTER 03

# 사회의 도덕에 대한 죄

## 제1절 성풍속에 관한 죄

**01** **다음 설명 중 가장 옳지 않은 것은?**(다툼이 있는 경우 판례에 의함) 18. 법원행시

① 음화제조 내지 판매죄의 고의는 음화에 해당하는 그림이 존재한다는 것과 이를 제조나 판매하고 있다는 것을 인식하고 있으면 되고, 그 이상 더 나아가 그 그림이 음란한 것인가 아닌가를 인식할 필요는 없다.

② 음란한 부호 등이 전시된 웹페이지에 대하여 링크행위를 하여 불특정 다수인이 별다른 제한 없이 음란한 부호 등에 바로 접할 수 있는 상태가 실제 조성되었다면 음란한 부호 등의 전시행위로 인한 구 전기통신기본법위반죄의 방조범이 성립한다.

③ 공연음란죄에서 공연성은 불특정 또는 다수인이 음란행위를 인식할 수 있는 가능성만 있으면 충분하고, 현실적으로 불특정 또는 다수인이 음란행위를 인식할 필요는 없다.

④ 음행의 상습이 없는 남자를 영리의 목적으로 매개하여 간음하게 한 경우에도 음행매개죄가 성립할 수 있다.

⑤ 문학성 내지 예술성과 음란성은 차원을 달리하는 관념이므로 어느 문학작품이나 예술작품에 문학성 내지 예술성이 있다고 하여 그 작품의 음란성이 당연히 부정될 수 없고, 다만 그 음란성이 완화되어 결국은 형법이 처벌대상으로 삼을 수 없게 되는 경우가 있을 수 있다.

| 해설 ① 대판 1970.10.30, 70도1879
② × : 대판 2003.7.8, 2001도1335(∵ 음란한 부호 등을 공연히 전시한 것에 해당 ○ ⇨ 정범 ○, 방조범 ×)
③ 옳다. ④ 제242조 ⑤ 대판 2005.7.22, 2003도2911

**02** **성풍속에 관한 죄에 대한 설명 중 가장 옳지 않은 것은?**(다툼이 있는 경우 판례에 의함) 19. 법원행시

① 표현물의 음란 여부를 판단함에 있어서는 표현물 제작자의 주관적 의도가 아니라 그 사회의 평균인의 입장에서 그 시대의 건전한 사회통념에 따라 객관적이고 규범적으로 평가하여야 한다.

② '음란'이란 개념은 일정한 가치판단에 기초하여 정립할 수 있는 규범적인 개념이므로, '음란'이라는 개념을 정립하는 것은 물론 구체적인 표현물의 음란성 여부도 종국적으로는 법원이 이를 판단하여야 한다.

Answer 1.② 2.④

③ 컴퓨터 프로그램파일은 형법 제243조의 문서, 도화, 필름 기타 물건에 해당하지 않으므로 음란한 영상화면을 수록한 컴퓨터 프로그램파일을 판매한 행위는 형법 제243조의 음화판매죄에 해당하지 않는다.

④ 음란물이 그에 관한 논의의 형성·발전을 위해 문학적·예술적·사상적·과학적·의학적·교육적 표현 등과 결합되는 경우가 있고, 이 경우 음란 표현의 해악이 그와 결합된 위와 같은 표현 등을 통해 상당한 방법으로 해소되거나 다양한 의견과 사상의 경쟁메커니즘에 의해 해소될 수 있는 정도라는 등의 특별한 사정이 있다면, 더 이상 음란물에 해당한다고 볼 수 없다.

⑤ 성기·엉덩이 등 신체의 주요한 부위를 노출한 행위가 있었을 경우 그 일시와 장소, 노출부위, 노출 방법·정도, 노출 동기·경위 등 구체적 사정에 비추어, 그것이 단순히 다른 사람에게 부끄러운 느낌이나 불쾌감을 주는 정도에 불과하다면 경범죄 처벌법 제3조 제1항 제33호에 해당할 뿐이지만, 그와 같은 정도가 아니라 일반 보통인의 성욕을 자극하여 성적 흥분을 유발하고 정상적인 성적 수치심을 해하는 것이라면 형법 제245조의 '음란한 행위'에 해당한다고 할 수 있다.

**해설** ① 대판 2014.6.12, 2013도6345 ② 대판 2008.3.13, 2006도3558 ③ 대판 1999.2.24, 98도3140
④ × : ~ (4줄) 특별한 사정이 있다면, 음란물에 해당하나 '사회상규에 위배되지 아니하는 행위(제20조)'에 해당한다(대판 2017.10.26, 2012도13352 **예** 방송통신심의위원회 심의위원인 피고인이 자신의 인터넷 블로그에 위원회에서 음란정보로 의결한 '남성의 발기된 성기 사진'을 게시한 경우, 피고인의 게시물은 사진과 학술적, 사상적 표현 등이 결합된 결합 표현물로서, 사진은 음란물에 해당하나 결합 표현물인 게시물을 통한 사진의 게시는 형법 제20조에 정하여진 '사회상규에 위배되지 아니하는 행위'에 해당한다).
⑤ 대판 2020.1.16, 2019도14056

## 03 다음 사례 중 공연음란죄의 성립이 인정된 것만을 모두 고른 것은?(다툼이 있는 경우 판례에 의함)

21. 경찰간부

㉠ 말다툼을 한 후 항의의 표시로 엉덩이가 드러날 만큼 바지와 팬티를 내린 다음 엉덩이를 들이밀며 "똥구멍에 술을 부어 보아라."라고 말한 경우
㉡ 다수인이 통행하는 참전비 앞길에서 바지와 팬티를 내리고 성기와 엉덩이를 노출한 채 한 쪽 방향으로 걸어가다가 돌아서서 걷기도 하는 등 주위를 서성인 경우
㉢ 요구르트 제품의 홍보를 위하여 전라의 여성 누드모델들이 관람객 수십 명이 있는 자리에서 알몸을 완전히 드러낸 채 관람객들을 향하여 요구르트를 던진 경우
㉣ 아파트 엘리베이터 내에 피해자(여, 11세)와 단둘이 탄 다음 신체접촉 없이 피해자를 향하여 성기를 노출하고 이를 보고 놀란 피해자에게 다가간 경우
㉤ 고속도로에서 승용차를 손괴하는 등의 행패를 부리던 자가 이를 제지하려는 경찰관에 대항하여 공중 앞에서 알몸이 되어 성기를 노출한 경우

① ㉠, ㉡, ㉤ ② ㉠, ㉢, ㉣ ③ ㉡, ㉢, ㉤ ④ ㉡, ㉢, ㉣

Answer 3. ③

**| 해설** • **공연음란죄** ○ : ⓛ 대판 2020.1.16, 2019도14056 ⓒ 대판 2006.1.13, 2005도1264 ⓜ 대판 2000.12.22, 2000도4372
• **공연음란죄** × : ㉠ 대판 2004.3.12, 2003도6514 ⓔ 성폭력특례법상 위력에 의한 추행죄 ○(대판 2013.1.16, 2011도7164)

## 04 공연음란죄에 관한 설명 중 옳은 것은 모두 몇 개인가?(다툼이 있는 경우 판례에 의함)

22. 순경 2차

| |
|---|
| ㉠ 말다툼 후 항의하는 과정에서 바지와 팬티를 내리고 엉덩이를 노출시킨 행위는 사람에게 부끄러운 느낌이나 불쾌감을 주는 정도에 불과하고, 정상적인 성적 수치심을 해할 정도에 해당하지 않아 공연음란죄가 성립하지 않는다.<br>㉡ 음란성을 구체적으로 판단함에 있어서는 행위자의 주관적 의도가 아니라 사회 평균인의 입장에서 그 전체적인 내용을 관찰하여 건전한 사회통념에 따라 객관적이고 규범적으로 평가하여야 한다.<br>㉢ 공연음란죄에서 정하는 '음란한 행위'는 일반인의 성욕을 자극하여 성적 흥분을 유발하고 정상적인 성적 수치심을 해하여 성적 도의관념에 반하는 것을 의미하고, 그 행위의 음란성에 대한 의미의 인식뿐만 아니라 성욕의 흥분, 만족 등의 성적인 목적이 있어야 공연음란죄가 성립한다.<br>㉣ 공연음란죄에서 정하는 '음란한 행위'를 특정한 사람을 상대로 한다고 해서 반드시 강제추행죄가 성립하는 것은 아니다. |

① 1개 ② 2개 ③ 3개 ④ 4개

**| 해설** ㉠ ○ : 대판 2004.3.12, 2003도6514
ⓛ ○ : 대판 2020.1.16, 2019도14056
ⓒ × : ~ (3줄) 대한 의미의 인식이 있으면 족하지 성욕의 흥분, 만족 등의 목적이 있어야 공연음란죄가 성립하는 것은 아니다(대판 2004.3.12, 2003도6514).
ⓔ ○ : 대판 2012.7.26, 2011도8805〔∵ 강제추행죄(제298조)에서의 '추행'이란 일반인에게 성적 수치심이나 혐오감을 일으키고 선량한 성적 도덕관념에 반하는 행위인 것만으로는 부족하고 그 행위의 상대방인 피해자의 성적 자기결정의 자유를 침해하는 것이어야 한다.〕

Answer 4. ③

**최신판례**

1. 풍속영업의 규제에 관한 법률에서 금지하고 있는 음란행위를 '알선'하였다고 함은 풍속영업을 하는 자가 음란행위를 하려는 당사자 사이에 서서 이를 중개하거나 편의를 도모하는 것을 의미한다. 따라서 음란행위의 '알선'이 되기 위하여 반드시 그 알선에 의하여 음란행위를 하려는 당사자가 실제로 음란행위를 하여야만 하는 것은 아니고, 음란행위를 하려는 당사자들의 의사를 연결하여 더 이상 알선자의 개입이 없더라도 당사자 사이에 음란행위에 이를 수 있을 정도의 주선행위만 있으면 족하다〔대판 2020.4.29, 2017도16995 예 유흥주점의 업주인 피고인 甲과 종업원인 피고인 乙이 공모하여, 위 주점에 여성용 원피스를 비치해 두고 여성종업원들로 하여금 그곳을 찾아온 남자 손님 3명에게 이를 제공하여 갈아입게 한 다음 접객행위를 하도록 하는 방법으로 음란행위를 알선한 경우 ⇨ 풍속영업의 규제에 관한 법률위반죄(음란행위알선죄) ○〕.
2. 성매매알선 등 행위의 처벌에 관한 법률(성매매처벌법) 제2조 제1항 제2호가 규정하는 '성매매알선'은 성매매를 하려는 당사자 사이에 서서 이를 중개하거나 편의를 도모하는 것을 의미하므로, 성매매의 알선이 되기 위하여는 반드시 그 알선에 의하여 성매매를 하려는 당사자가 실제로 성매매를 하거나 서로 대면하는 정도에 이르러야만 하는 것은 아니고, 성매매를 하려는 당사자들의 의사를 연결하여 더 이상 알선자의 개입이 없더라도 당사자 사이에 성매매에 이를 수 있을 정도의 주선행위만 있으면 족하다. 그리고 성매매처벌법 제19조에서 정한 성매매알선죄는 성매매죄 정범에 종속되는 종범이 아니라 성매매죄 정범의 존재와 관계없이 그 자체로 독자적인 정범을 구성하므로, 알선자가 위와 같은 주선행위를 하였다면 성매수자에게 실제로는 성매매에 나아가려는 의사가 없었다고 하더라도 위법에서 정한 성매매알선죄가 성립한다(대판 2023.6.29, 2020도3626).
3. 형법 제243조(음화반포 등)는 음란한 문서, 도화, 필름 기타 물건을 반포, 판매 또는 임대하거나 공연히 전시 또는 상영한 자에 대한 처벌 규정으로서 컴퓨터 프로그램파일은 위 규정에서 규정하고 있는 문서, 도화, 필름 기타 물건에 해당한다고 할 수 없다. 이는 형법 제243조의 행위에 공할 목적으로 음란한 물건을 제조, 소지, 수입 또는 수출한 자를 처벌하는 규정인 형법 제244조(음화제조 등)의 '음란한 물건'의 해석에도 그대로 적용된다(대판 2023.12.14, 2020도1669 ∴ 컴퓨터 프로그램파일 ⇨ 음화제조죄의 객체 ×).

## 제2절 도박과 복표에 관한 죄



**01 도박개장죄에 대한 설명 중 옳은 것은?**(다툼이 있는 경우 판례에 의함) 15. 경찰간부

① 영리의 목적을 필요로 하는 목적범이다.

② 도박개장죄는 현실적으로 그 이익을 얻었을 것을 요한다.

③ 피씨방 업주들이 가맹점을 모집하여 인터넷 도박게임이 가능하도록 시설 등을 설치하고 도박게임 프로그램을 가동하던 중 문제가 발생하여 더 이상의 영업으로 나아가지 못한 경우 도박개장죄는 미수에 그친 것이다.

④ 인터넷 게임사이트의 온라인 게임에서 통용되는 사이버머니를 구입하고자 하는 사람을 유인하여 돈을 받고 위 게임사이트에 접속하여 일부러 패하는 방법으로 사이버머니를 판매한 사람에 대하여, 정범인 위 게임사이트 개설자의 도박개장행위를 인정할 수 없다고 하더라도 종범인 도박개장방조죄는 성립한다.

**| 해설** ① ○ : 제247조

② × : 반드시 도박개장의 직접적 대가가 아니라 도박개장을 통하여 간접적으로 얻게 될 이익을 위한 경우에도 영리의 목적이 인정되고, 또한 현실적으로 그 이익을 얻었을 것을 요하지는 않는다(대판 2002.4.12, 2001도5802).

③ × : 도박개장죄는 이미 '기수'에 이르렀다고 볼 수 있고, 이용자들에게 피고인이 개설한 도박게임 사이트에 접속하여 도박을 하게 한 사실이 없다고 하여 도박개장죄의 성립이 부정된다고 할 수 없다(대판 2009.12.10, 2008도5282).

④ × : ~ 인정할 수 없는 이상 종범인 도박개장방조죄도 성립하지 않는다(대판 2007.11.29, 2007도8050).

**02 도박죄에 관한 설명 중 가장 적절하지 않은 것은?**(다툼이 있으면 판례에 의함)

16. 경찰승진, 22. 해경간부

① 사기도박과 같이 도박당사자의 일방이 사기의 수단으로써 승패의 수를 지배하는 경우에는 도박에서의 우연성이 결여되어 사기죄만 성립하고 도박죄는 별도로 성립하지 않는다.

② 도박개장죄는 영리의 목적으로 스스로 주재자가 되어 그 지배하에 도박 장소를 개설함으로써 성립하는 것이며, 영리를 목적으로 도박을 개장하면 기수에 이르고, 현실로 도박이 행하여졌음을 묻지 않는다.

③ 도박행위를 처벌하지 않는 외국 카지노에서의 내국인의 도박에 대해서는, 내국인의 폐광지역 카지노출입을 허용하는 국내법을 유추적용하여 위법성이 조각되는 것으로 보아야 한다.

④ 도박의 습벽이 있는 자가 타인의 도박을 방조하면 상습도박방조의 죄가 성립한다.

**| 해설** ① 대판 2011.1.13, 2010도9330 ② 대판 2009.12.10, 2008도5282

③ × : 위법성이 조각되지 않는다(대판 2004.4.23, 2002도2518).

④ 대판 1984.4.24, 84도195

Answer 1. ① 2. ③

## 03 다음 설명 중 옳은 것은 모두 몇 개인가?(다툼이 있는 경우 판례에 의함)

18. 법원행시

㉠ 가맹점을 모집하여 인터넷 도박게임이 가능하도록 시설 등을 설치하고 도박게임 프로그램을 가동하던 중 문제가 발생하여 더 이상의 영업으로 나아가지 못하였다면 도박개장죄가 기수에 이르렀다고 볼 수 없다.

㉡ 도박자금을 빌려주고 변제받지 못하자 '자동차구입대금을 빌려주었으나 변제하지 않고 자동차도 구입하지 않았다.'라고 고소하였다면 금전의 용도에 대하여 허위 신고한 것에 불과하여 무고죄가 성립하지 않는다.

㉢ 광고복권을 광고주들에게 발행하여 광고주들로 하여금 제품판매시 판촉 등의 목적으로 무료로 배부하게 하였다면, 광고주들에게 영업 판촉, 광고효과를 가져오고 소비자들은 낙첨에 따른 아무런 손실을 입지 않으므로, 이를 복표에 해당한다고 볼 수 없다.

㉣ 인터넷 고스톱게임 사이트를 유료화하는 과정에서 사이트를 홍보하기 위해 고스톱대회를 개최하면서 참가비를 받고 입상자들에게 상금을 지급하였는데, 개최결과 이득을 보지 못하고 오히려 손해를 보았다면 도박개장죄에 해당하지 않는다.

㉤ 무허가 카지노영업을 하여 관광진흥법위반죄를 저지를 경우 관광진흥법위반죄의 법정형이 도박개장죄보다 높은 점, 규제대상과 취지 등을 고려하면, 관광진흥법위반죄만 성립하고 도박개장죄는 별도로 성립하지 않는다.

① 0개　② 1개　③ 2개
④ 3개　⑤ 4개

**해설** ㉠ ×: 도박개장죄의 기수 ○(대판 2009.12.10, 2008도5282)
㉡ ×: 무고죄 ○(대판 2004.1.16, 2003도7178 ∵ 금전의 용도에 대하여 허위신고 ⇨ 허위사실 신고 ○)
㉢ ×: 복표발매죄 ○(대판 2003.12.26, 2003도5433 ∵ 복표로서의 성질을 상실하지 아니함)
㉣ ×: 도박개장죄 ○(대판 2002.4.12, 2001도5802)
㉤ ×: 관광진흥법위반죄와 도박개장죄의 상상적 경합범(대판 2009.12.10, 2009도11151)

## 04 도박의 죄에 관한 설명 중 옳은 것은 모두 몇 개인가?(다툼이 있는 경우 판례에 의함)

22. 순경 2차

㉠ 영리의 목적으로 속칭 포커나 고스톱 등의 인터넷 도박게임사이트를 개설하여 운영하는 경우, 게임이용자들이 그 도박게임사이트에 접속하여 실제로 도박이 행하여진 때에 도박개장죄는 기수에 이른다.

㉡ 사기도박의 경우 도박에서의 우연성이 결여되어 사기죄만 성립하고, 사기도박에 필요한 준비를 갖추고 그러한 의도로 피해자들에게 도박에 참가하도록 권유한 때 또는 늦어도 그 정을 알지 못하는 피해자들이 도박에 참가한 때 실행의 착수가 인정된다.

㉢ 상습도박죄에 있어서의 상습성이란 반복하여 도박행위를 하는 습벽으로서 행위자의 속성을 말하는데, 이러한 습벽의 유무를 판단함에 있어서는 도박의 전과나 도박횟수 등이 중요한 판단자료가 되나, 도박전과가 없다 하더라도 도박의 성질과 방법, 도금의 규모, 도박에 가담하게 된 태양 등의 제반 사정을 참작하여 도박의 습벽이 인정되는 경우에는 상습성을 인정할 수 있다.

Answer 3. ① 4. ③

> ㉣ 도박행위가 공갈죄의 수단이 된 경우, 공갈죄와 도박죄는 그 구성요건과 보호법익을 달리하고 있고, 공갈죄의 성립에 일반적・전형적으로 도박행위를 수반하는 것은 아니기에 공갈죄와 별도로 도박죄가 성립한다.

① 1개 ② 2개 ③ 3개 ④ 4개

| 해설 ㉠ × : 인터넷 도박게임 사이트를 개설하여 운영하는 경우, 현실적으로 게임이용자들과 게임회사 사이에 있어서 재물이 오고갈 수 있는 상태에 있으면, 게임이용자가 위 도박게임 사이트에 접속하여 실제 게임을 하였는지 여부와 관계없이 도박개장죄는 '기수'에 이른다(대판 2009.12.10, 2008도5282).
㉡ ○ : 대판 2011.1.13, 2010도9330
㉢ ○ : 대판 2017.4.13, 2017도953
㉣ ○ : 대판 2014.3.13, 2014도212

**05** **'성풍속 및 도박에 관한 죄'에 대한 설명으로 가장 적절하지 않은 것은?**(다툼이 있는 경우 판례에 의함) 18. 경찰승진

① 고속도로에서 앞서가던 차량이 진로를 비켜주지 않는다는 이유로 그 차를 추월하여 정차하게 한 다음, 주위에 사람이 많은 가운데 옷을 모두 벗고 성기를 노출시킨 상태로 바닥에 드러눕거나 돌아다녔다면 공연음란죄가 성립한다.
② 인터넷사이트에 집단 성행위 목적의 비공개카페를 개설, 운영한 자가 남녀 회원을 모집한 후 특별모임을 빙자하여 집단으로 성행위를 하고 그 촬영물이나 사진 등을 카페에 게시한 경우, 음란물을 공연히 전시한 것에 해당하지 않는다.
③ 피고인들은 서로 친숙하게 지내온 사이로서 이 사건 당일 우연히 다방에서 만나게 되어 약 3,000원 상당의 음식내기 화투놀이를 약 30분 동안 한 사실은 도박죄를 구성하지 않는다.
④ 인터넷 고스톱게임 사이트를 유료화하는 과정에서 사이트를 홍보하기 위하여 고스톱대회를 개최하면서 참가자들로부터 참가비를 받고 입상자들에게 상금을 지급한 행위는 도박장소 등 개설죄를 구성한다.

| 해설 ① 대판 2000.12.22, 2000도4372
② × : ~ 공연히 전시한 것에 해당한다(대판 2009.5.14, 2008도10914).
③ 대판 2004.4.9, 2003도6351
④ 대판 2002.4.12, 2001도5802

Answer 5. ②

**06** **도박과 복표에 관한 죄에 대한 설명으로 옳고 그름의 표시(○, ×)가 바르게 된 것은?**(다툼이 있는 경우 판례에 의함) 24. 경찰승진

> ㉠ 도박은 '재물을 걸고 우연에 의하여 재물의 득실을 결정하는 것'을 의미하는바, 당사자의 능력이 승패의 결과에 영향을 미친다면 다소간 우연성의 영향을 받는다고 하여도 도박죄는 성립하지 않는다.
> ㉡ 유료낚시터에서 입장료 명목으로 요금을 받은 후 낚인 물고기에 부착된 시상번호에 따라 경품을 지급한 경우 도박개장죄가 성립한다.
> ㉢ 국가 정책적 견지에서 도박죄의 보호법익보다 좀 더 높은 국가이익을 위하여 예외적으로 내국인의 출입을 허용하는 폐광지역 개발 지원에 관한 특별법 등에 따라 카지노에 출입하는 것은 법령에 의한 행위로 위법성이 조각되는 것처럼 도박죄를 처벌하지 않는 외국 카지노에서 도박을 하였다면 그 위법성이 조각된다.
> ㉣ 피고인 등이 피해자들을 유인하여 사기도박을 하여 도금을 편취한 행위는 사회관념상 1개의 행위로 평가함이 상당하므로 피해자들에 대한 각 사기죄는 상상적 경합의 관계에 있다.

① ㉠(×), ㉡(○), ㉢(×), ㉣(○)
② ㉠(×), ㉡(×), ㉢(○), ㉣(×)
③ ㉠(○), ㉡(×), ㉢(×), ㉣(○)
④ ㉠(×), ㉡(○), ㉢(×), ㉣(×)

**| 해설** ㉠ ×: 당사자의 능력이 승패의 결과에 영향을 미친다고 하더라도 다소라도 우연성의 사정에 의하여 영향을 받게 되는 때에는 도박죄가 성립할 수 있다(대판 2008.10.23, 2006도736).
㉡ ○: 대판 2009.2.26, 2008도10582
㉢ ×: ~ (3줄) 위법성이 조각되지만, 도박죄를 처벌하지 않는 외국 카지노에서 도박을 하였다면 그 위법성이 조각되지 아니한다(대판 2004.4.23, 2002도2518).
㉣ ○: 대판 2011.1.13, 2010도9330

**최신판례**

대한민국 영역 내에서 해외 스포츠 도박 사이트에 접속하여 **베팅을 하는 방법으로 체육진흥투표권과 비슷한 것을 정보통신망을 이용하여 발행받은 다음 결과를 적중시킨 자가 재산상 이익을 얻는 내용의** 도박을 한 경우, **국민체육진흥법 제26조 제1항에서 금지하고 있는 유사행위를 이용한 도박 행위에 해당하여 같은 법 제48조 제3호에 따라 처벌할 수 있다. 이는 스포츠 도박사이트의** 운영이 외국인에 의하여 대한민국 영역 외에서 이루어진 것**이더라도 마찬가지이다(대판 2022.11.30, 2022도6462).**

Answer 6. ①

# 제3절 신앙에 관한 죄

**01 다음 설명 중 옳지 않은 것은 몇 개인가?**(다툼이 있는 경우 판례에 의함) 18. 경찰간부

> ㉠ 도박죄의 객체에는 재물뿐만 아니라 재산상의 이익도 포함된다.
> ㉡ 편면적 도박, 즉 사기도박의 경우에 사기행위자에게는 사기죄가, 그 상대방에게는 도박죄가 성립한다.
> ㉢ 인터넷 고스톱게임 사이트를 유료화하는 과정에서 사이트를 홍보하기 위하여 고스톱대회를 개최하면서 참가자들로부터 참가비를 받고 입상자들에게 상금을 지급한 행위만으로는 도박개장죄가 성립하지 않는다.
> ㉣ 예배방해죄는 예배 중이거나 예배와 시간적으로 밀접불가분의 관계에 있는 준비단계에서 이를 방해하는 경우에만 성립한다.
> ㉤ 범죄로 인하여 사망한 것이 명백한 자의 사체는 변사체검시방해죄의 객체가 된다.

① 1개 ② 2개 ③ 3개 ④ 4개

**해설** ㉠ ○ : 옳다.
㉡ × : 사기죄 ○, 상대방은 도박죄 ×(대판 2011.1.13, 2010도9330)
㉢ × : 도박개장죄 ○(대판 2002.4.12, 2001도5802)
㉣ ○ : 대판 2008.2.1, 2007도5296
㉤ × : 변사체검시방해죄의 객체 ×(대판 2003.6.27, 2003도1331)

**02 다음 설명 중 옳고 그름의 표시(○, ×)가 바르게 된 것은?**(다툼이 있는 경우 판례에 의함) 18. 순경 2차

> ㉠ 범행을 은폐할 목적으로 피해자의 시신을 화장하였더라도 일반 화장절차에 따라 장제의 의례를 갖추었다면 사체유기죄가 성립하지 아니한다.
> ㉡ 법률, 계약 또는 조리상 사체에 대한 장제 또는 감호의 의무가 없는 자도 장소적 이전을 함이 없이 소극적으로 단순히 사체를 방치함으로써 사체유기죄를 범할 수 있다.
> ㉢ 살인 등의 목적으로 사람을 살해한 자가 살해의 목적을 수행할 때 사후 사체의 발견을 심히 곤란하게 하려는 의도로 인적이 드문 장소로 피해자를 유인하여 그곳에서 살해하고 사체를 그대로 두고 도주한 경우에는 살인죄 외에 별도로 사체은닉죄가 성립한다.
> ㉣ 질병으로 의사의 치료를 받아 오다가 약효가 없어 사망하여 그 사인이 명백한 자라도 그 사체에 대한 검시를 방해하는 것은 변사체검시방해죄를 구성한다.

① ㉠(○), ㉡(○), ㉢(×), ㉣(×)
② ㉠(○), ㉡(×), ㉢(×), ㉣(×)
③ ㉠(×), ㉡(×), ㉢(○), ㉣(○)
④ ㉠(○), ㉡(×), ㉢(×), ㉣(○)

Answer 1.③ 2.②

**| 해설** ㉠ ○ : 대판 1998.3.10, 98도51
㉡ × : 사체유기죄는 법률, 계약 또는 조리상 사체에 대한 장제 또는 감호의 의무가 있는 자가 이를 방치하거나(부작위의 경우) 그 의무 없는 자가 그 장소적 이전을 하면서 종교적·사회적 풍습에 따른 의례에 의하지 아니하고 이를 방치하는 경우에 성립(작위의 경우)한다(대판 1998.3.10, 98도51).
㉢ × : 살인죄 ○, 사체은닉죄 ×(대판 1986.6.24, 86도891)
㉣ × : 변사체검사방해죄 ×(대판 2003.6.27, 2003도1331 ∵ 변사자란 그 사인이 분명하지 않은 자를 의미함)

## 03 다음 설명 중 옳지 않은 것은 모두 몇 개인가?(다툼이 있는 경우 판례에 의함) 22. 법원행시

㉠ 법률상 그 분묘를 수호, 봉사하며 관리하고 처분할 권한이 있는 자 또는 그로부터 정당하게 승낙을 얻은 자가 사체에 대한 종교적·관습적 양속에 따른 존숭의 예를 갖추어 이를 발굴하는 경우에는 그 행위의 위법성은 조각된다.
㉡ 형법 제163조(변사체 검시 방해)의 변사자에는 부자연한 사망으로서 그 사인이 분명하지 않은 자뿐만 아니라 범죄로 인하여 사망한 것이 명백한 자의 사체도 포함된다.
㉢ 형법 제158조에 규정된 예배방해죄는 예배 중이거나 예배와 시간적으로 밀접불가분의 관계에 있는 준비단계에서 이를 방해하는 경우에만 성립한다.
㉣ 분묘발굴죄의 객체인 분묘는 사람의 사체, 유골, 유발 등을 매장하여 제사나 예배 또는 기념의 대상으로 하는 장소를 말하는 것이고, 사체나 유골이 토괴화하였을 때에도 분묘인 것이며 그 사자가 누구인지 불명하다고 할지라도 현재 제사 숭경하고 종교적 예의의 대상으로 되어 있고 이를 수호봉사하는 자가 있으면 여기에 해당한다.
㉤ 예배방해죄(형법 제158조)의 미수범은 처벌된다.

① 1개 ② 2개 ③ 3개
④ 4개 ⑤ 5개

**| 해설** ㉠ ○ : 대판 1995.2.10, 94도1190
㉡ × : 제163조의 변사자란 부자연한 사망으로서 그 사인이 분명하지 않은 자를 의미하고 그 사인이 명백한 경우는 변사자라 할 수 없으므로, 범죄로 인하여 사망한 것이 명백한 자의 사체는 변사자검시방해죄의 객체가 될 수 없다(대판 2003.6.27, 2003도1331).
㉢ ○ : 대판 2008.2.1, 2007도5296(교회의 교인이었던 사람이 예배당 건물을 점유·관리하고 있는 자의 의사에 반하여 교인들의 총유인 교회 현판, 나무십자가 등을 떼어 내고 예배당 건물에 들어가 출입문 자물쇠를 교체하여 7개월 동안 교인들의 출입을 막은 경우 ⇨ 재물손괴죄와 건조물침입죄의 실체적 경합 ○, 예배방해죄 ×(대판 2008.2.1, 2007도5296 ∵ 장기간 예배당 건물의 출입을 통제한 위 행위는 교인들의 예배 내지 그와 밀접불가분의 관계에 있는 준비단계를 계속하여 방해한 것으로 볼 수 없음.)
㉣ ○ : 대판 1990.2.13, 89도2061
㉤ × ┌ 장례식·제사·예배·설교방해죄(제58조), 사체·유골·유발오욕죄(제159조), 변사체검시방해죄(제163조) ⇨ 미수범 처벌 ×
└ 분묘발굴죄(제160조), 사체 등 손괴·유기·은닉·영득죄(제161조) ⇨ 미수범 처벌 ○(제162조)

Answer 3. ②

# PART 03

# 국가적 법익에 대한 죄

제1장 국가의 존립과 권위에 대한 죄

제2장 국가의 기능에 대한 죄

CHAPTER

# 01 국가의 존립과 권위에 대한 죄

## 제1절 내란의 죄

**관련조문**

**제87조 【내란】** 대한민국 영토의 전부 또는 일부에서 국가권력을 배제하거나 국헌을 문란하게 할 목적으로 폭동을 일으킨 자는 다음 각 호의 구분에 따라 처벌한다.

1. 우두머리는 사형, 무기징역 또는 무기금고에 처한다.
2. 모의에 참여하거나 지휘하거나 그 밖의 중요한 임무에 종사한 자는 사형, 무기 또는 5년 이상의 징역이나 금고에 처한다. 살상, 파괴 또는 약탈 행위를 실행한 자도 같다.
3. 부화수행하거나 단순히 폭동에만 관여한 자는 5년 이하의 징역이나 금고에 처한다.

**제88조 【내란목적의 살인】** 대한민국 영토의 전부 또는 일부에서 국가권력을 배제하거나 국헌을 문란하게 할 목적으로 사람을 살해한 자는 사형, 무기징역 또는 무기금고에 처한다.

1. 예비·음모·선동·선전 처벌(제90조) ⇨ 실행 전의 자수 : 필요적 감면(제90조 단서)
2. 미수범 처벌(제89조) 목적범 ○

**01** **내란음모죄, 내란선동죄에 관한 다음 설명 중 가장 옳지 않은 것은?**(다툼이 있는 경우 판례에 따르고 전원합의체 판결의 경우 다수의견에 의함) 17. 법원직

① 내란음모죄에 해당하는 합의를 인정하기 위하여는 객관적으로 내란범죄의 실행을 위한 합의라는 것이 명백히 인정될 뿐만 아니라 그 합의에 실질적인 위험성이 인정되어야 한다.

② 내란을 실행시킬 목표가 있더라도 특정한 정치적 사상을 옹호·교시하는 것만으로는 내란선동이 될 수 없고 피선동자에게 내란 결의를 유발하거나 증대시킬 위험성이 인정되어야만 내란선동으로 볼 수 있다.

③ 내란선동에 있어서는 시기와 장소, 대상과 방식 등 내란 실행행위의 주요 내용이 선동단계에서 구체적으로 제시되어야 할 것은 아니나 선동에 따라 피선동자가 내란의 실행행위로 나아갈 개연성은 인정되어야 한다.

④ 내란음모를 인정하기 위하여 개별 범죄행위에 관한 세부적 합의가 있을 필요는 없으나, 공격의 대상과 목표가 설정되어 있고 그 밖의 실행계획에 있어서 주요 사항의 윤곽을 공통적으로 인식할 정도의 합의가 있어야 한다.

**해설** ①②④ 대판 2015.1.22, 2014도10978 전원합의체

③ ×: ~ 할 것은 아니고, 또 선동에 따라 ~ 개연성이 있다고 인정되어야만 내란선동의 위험성이 있는 것으로 볼 수도 없다(대판 2015.1.22, 2014도10978 전원합의체).

**Answer** 1. ③

**02 내란의 죄에 관한 설명 중 가장 옳지 않은 것은?**(다툼이 있는 경우 판례에 의함) 16. 법원행시

① 내란의 실행과정에서 폭동행위에 수반하여 개별적으로 발생한 살인행위는 내란행위의 한 구성요소를 이루는 것이므로 내란행위에 흡수되어 내란목적살인의 별죄를 구성하지 아니하나, 특정인 또는 일정한 범위 내의 한정된 집단에 대한 살해가 내란의 와중에 폭동에 수반하여 일어난 것이 아니라 그것 자체가 의도적으로 실행된 경우에는 이러한 살인행위는 내란에 흡수될 수 없고 내란목적살인의 별죄를 구성한다.

② 내란죄는 국토를 참절하거나 국헌을 문란할 목적으로 폭동한 행위로서, 다수인이 결합하여 위와 같은 목적으로 한 지방의 평온을 해할 정도의 폭행·협박행위를 하면 기수가 되고, 그 목적의 달성 여부는 이와 무관한 것으로 해석되므로, 다수인이 한 지방의 평온을 해할 정도의 폭동을 하였을 때 이미 내란의 구성요건은 완전히 충족된다고 할 것이어서 상태범으로 봄이 상당하다.

③ 범죄는 '어느 행위로 인하여 처벌되지 아니하는 자'를 이용하여서도 이를 실행할 수 있으므로, 내란죄의 경우에도 '국헌문란의 목적'을 가진 자가 그러한 목적이 없는 자를 이용하여 이를 실행할 수 있다.

④ 내란선동죄는 내란이 실행되는 것을 목표로 선동함으로써 성립하는 독립한 범죄이고, 선동으로 말미암아 피선동자들에게 범죄의 결의가 발생할 것을 요건으로 하며, 선동에 따라 피선동자가 내란으로 나아갈 실질적인 위험성이 인정되는 경우에 한하여 범죄가 성립한다.

⑤ 내란음모가 성립하였다고 하기 위해서는 개별 범죄행위에 관한 세부적인 합의가 있을 필요는 없으나, 공격의 대상과 목표가 설정되어 있고, 그 밖의 실행계획에 있어서 주요 사항의 윤곽을 공통적으로 인식할 정도의 합의가 있어야 한다.

**| 해설** ①②③ 대판 1997.4.17, 96도3376 전원합의체

④ ×: ~ 피선동자들에게 반드시 범죄의 결의가 발생할 것을 요건으로 하지 않으며, 선동에 따라 피선동자가 내란의 실행행위로 나아갈 개연성이 있다고 인정되어야만 내란선동의 위험성이 있는 것으로 볼 수도 없다(대판 2015.1.22, 2014도10978 전원합의체).

⑤ 대판 2015.1.22, 2014도10978 전원합의체

Answer 2. ④

# 제2절 외환의 죄

관련조문

**제98조 【간첩】** ① 적국을 위하여 간첩하거나 적국의 간첩을 방조한 자는 사형, 무기 또는 7년 이상의 징역에 처한다.
② 군사상의 기밀을 적국에 누설한 자도 전항의 형과 같다.

예비 · 음모 · 선동 · 선전 처벌(제90조) ⇨ 실행 전의 자수 : 필요적 감면(제90조 단서)

**01** **다음은 간첩죄에 대한 설명이다. 가장 적절하지 않은 것은?**(다툼이 있는 경우 판례에 의함)

13. 순경 2차

① 형법 제98조 제1항의 간첩이라 함은 적국을 위하여 적국의 지령, 사주, 기타 의사의 연락하에 군사상 기밀사항 또는 도서 물건을 탐지 · 수집하는 것을 의미하는 것이므로 북괴의 지령, 사주, 기타의 의사의 연락 없이 편면적으로 지득하였던 군사상의 기밀사항을 북괴에 납북된 상태하에서 제보한 행위는 위 법조 소정의 간첩죄에 해당하지 아니한다.

② 간첩으로서 군사기밀을 탐지 · 수집하면 그로써 간첩행위는 기수가 되고 그 수집한 자료가 지령자에게 도달됨으로써 범죄의 기수가 되는 것은 아니다.

③ 직무에 관하여 군사상 기밀을 지득한 자가 이를 적국에 누설한 경우에는 형법 제98조 제2항(군사상의 기밀누설죄)에, 직무와 관계없이 지득한 군사상 기밀을 적국에 누설한 경우에는 형법 제99조(일반이적죄)에 각 해당한다.

④ 간첩행위는 적국에 알리기 위하여 기밀에 속한 사항 또는 도서, 물건을 탐지 · 수집하는 것이므로 간첩이 이미 탐지 · 수집하여 지득하고 있는 사항을 타인에게 보고 · 누설하는 행위도 간첩행위 자체라고 보아야 한다.

해설 ① ○ : 대판 1975.9.23, 75도1773
② ○ : 대판 2011.1.20, 2008도11 전원합의체
③ ○ : 대판 1982.11.23, 82도2201
④ × : 간첩행위는 기밀에 속한 사항 또는 도서, 물건을 탐지 · 수집한 때에 기수가 되므로 간첩이 이미 탐지 · 수집하여 지득하고 있는 사항을 타인에게 보고 · 누설하는 행위는 간첩의 사후행위로서 위 조항에 의하여 처단의 대상이 되는 간첩행위 자체라고 할 수 없다(대판 2011.1.20, 2008도11 전원합의체).

Answer 1. ④

**02 다음 중 가장 옳지 않은 것은?**(다툼이 있는 경우 판례에 의함)

① 간첩죄에 있어서의 국가(군사)기밀이란 순전한 의미에서의 국가(군사)기밀에만 국한할 것이 아니고 정치, 경제, 사회, 문화 등 각 방면에 걸쳐 북한괴뢰집단의 지, 부지에 불구하고 국방정책상 위 집단에 알리지 아니하거나 확인되지 아니함을 우리나라의 이익으로 하는 모든 기밀사항을 포함한다.

② 일간신문에 보도되는 사항이라 하더라도 북한괴뢰집단에 대하여 비밀로 하는 것이 대한민국의 이익을 위하여 필요하다고 생각되는, 군사에 관계되는 정보라면 그것을 수집, 탐지하는 것도 간첩행위가 된다.

③ 간첩이 무전기를 비닐에 싸서 땅에 매몰할 때 그 망을 보아주는 행위는 간첩방조행위가 된다.

④ 간첩행위에 의하여 탐지, 모집한 기밀을 적국에 제보하여 누설하였다고 하더라도 이는 따로 별개의 죄가 성립되는 것이 아니다.

| 해설 ① 대판 1988.11.8, 88도1630
② 대판 1987.5.26, 87도432
③ × : 간첩방조죄 ×(대판 1983.4.26, 83도416)
④ 대판 1982.11.23, 82도2201(∴ 간첩죄 ○, 군사상 기밀누설죄 ×)

03

**03 간첩죄 등에 대한 설명 중 가장 옳은 것은?**(다툼이 있는 경우 판례에 의함) 18 · 19. 경찰간부

① 간첩방조죄는 간첩죄에 비하여 형을 감경한다.

② 간첩행위를 할 목적으로 외국 또는 북한에서 국내에 침투 · 상륙한 때에 간첩죄의 실행의 착수가 있다.

③ 편면적으로 지득하였던 군사상의 기밀사항을 제보한 행위도 간첩죄에 해당한다.

④ 국가기밀과 관련해 국내에서 공지에 속하거나 국민에게 널리 알려진 사실도 국가기밀이 될 수 있다.

⑤ 내란선동죄는 내란이 실행되는 것을 목표로 선동함으로써 성립하는 독립한 범죄이고, 선동으로 말미암아 피선동자들에게 반드시 범죄의 결의가 발생할 것을 요건으로 한다.

| 해설 ① × : 간첩방조죄는 정범인 간첩죄와 대등한 독립적 범죄로서 간첩죄와 동일한 법정형으로 처단한다(대판 1959.6.12, 4292형상131).
② ○ : 대판 1984.9.11, 84도1381
③ × : 편면적 간첩 ×(대판 1975.9.23, 75도1773 ∵ 적국과의 의사연락이 있어야 함)
④ × : 국가기밀 ×(대판 1997.7.16, 97도985)
⑤ × : ~ 요건으로 하지 않는다(대판 2015.1.22, 2014도10978 전원합의체).

Answer 2. ③ 3. ②

## 제3절 국기와 국교에 관한 죄

1. ┌ 목적범 ○ : 국기・국장모독죄, 국기・국장비방죄, 외국국기・국장모독죄, 외교상 기밀탐지・수집죄
   └ 목적범 × : 나머지 범죄
2. 외국원수・사절에 대한 폭행・협박・모욕・명예훼손죄 ⇨ 반의사불벌죄 ○, 친고죄 ×(일반인에 대한 모욕죄 : 친고죄 ○)
3. 외국에 대한 사전죄만 유일하게 미수범 처벌, 예비・음모도 처벌(실행 전의 자수 : 필요적 감면)

**01** **다음 설명 중 옳지 않은 것은 모두 몇 개인가?**(다툼이 있는 경우 판례에 의함) 18. 법원행시

㉠ 국기모독죄는 '대한민국을 모욕할 목적'을 필요로 하는 목적범이다.
㉡ 외국사절의 숙소 앞에서 시위를 벌이다가 숙소에서 나오던 외국사절을 태운 승용차를 발견하고 5m가 되지 않는 거리에서 승용차를 향하여 계란을 던져 운전석 유리부분과 본네트부분에 맞혔다고 하더라도, 외국사절폭행죄에 해당하지 않는다.
㉢ 외국언론에 이미 보도된 바 있는 우리나라의 외교정책이나 활동에 관련된 사항들에 관하여 정부가 이른바 보도지침의 형식으로 국내언론기관의 보도 여부 등을 통제하고 있다는 사실을 알리는 것은, 외교상의 기밀을 누설한 경우에 해당하지 않는다.
㉣ 제3자로부터 북한의 지령을 전달받고 그로부터 금품 등을 수수하고 그에게 이미 지득한 남한의 정세 등에 관한 문건을 전달하여 북한에 제공하였다면, 형법 제98조 제1항에 정한 적국을 위하여 간첩하는 행위에 해당한다.
㉤ 내란이나 내란목적살인을 예비, 음모, 선동, 선전한 자가 내란이나 내란목적살인에 이르기 전에 자수한 때에는 그 형을 감경 또는 면제한다.

① 0개　② 1개　③ 2개
④ 3개　⑤ 4개

**| 해설** ㉠ ○ : 제105조
㉡ × : 외국사절폭행죄 ○(대판 2003도1800)
㉢ ○ : 대판 1995.12.5, 94도2379
㉣ × : 간첩행위는 기밀에 속한 사항 또는 도서, 물건을 탐지・수집한 때에 기수가 되므로 간첩이 이미 탐지・수집하여 지득하고 있는 사항을 타인에게 보고・누설하는 행위는 간첩의 사후행위로서 위 조항에 의하여 처단의 대상이 되는 간첩행위 자체라고 할 수 없다(대판 2011.1.20, 2008도11 전원합의체).
㉤ × : ~ 선전한 자가 그 목적한 죄의 실행에(내란이나 내란목적살인에 ×) 이르기 전에 ~ 면제한다(제90조 제1・2항).

Answer 1.④

CHAPTER

# 02 국가의 기능에 대한 죄

## 제1절 공무원의 직무에 관한 죄

관련조문

**제122조 【직무유기】** 공무원이 정당한 이유없이 그 직무수행을 거부하거나 그 직무를 유기한 때에는 1년 이하의 징역이나 금고 또는 3년 이하의 자격정지에 처한다.

**제123조 【직권남용】** 공무원이 직권을 남용하여 사람으로 하여금 의무 없는 일을 하게 하거나 사람의 권리행사를 방해한 때에는 5년 이하의 징역, 10년 이하의 자격정지 또는 1천만원 이하의 벌금에 처한다.

**제124조 【불법체포, 불법감금】** ① 재판, 검찰, 경찰 기타 인신구속에 관한 직무를 행하는 자 또는 이를 보조하는 자가 그 직권을 남용하여 사람을 체포 또는 감금한 때에는 7년 이하의 징역과 10년 이하의 자격정지에 처한다.

② 전항의 미수범은 처벌한다.

**제125조 【폭행, 가혹행위】** 재판, 검찰, 경찰 그 밖에 인신구속에 관한 직무를 수행하는 자 또는 이를 보조하는 자가 그 직무를 수행하면서 형사피의자나 그 밖의 사람에 대하여 폭행 또는 가혹행위를 한 경우에는 5년 이하의 징역과 10년 이하의 자격정지에 처한다.

**제126조 【피의사실공표】** 검찰, 경찰 그 밖에 범죄수사에 관한 직무를 수행하는 자 또는 이를 감독하거나 보조하는 자가 그 직무를 수행하면서 알게 된 피의사실을 공소제기 전에 공표한 경우에는 3년 이하의 징역 또는 5년 이하의 자격정지에 처한다.

**제127조 【공무상 비밀의 누설】** 공무원 또는 공무원이었던 자가 법령에 의한 직무상 비밀을 누설한 때에는 2년 이하의 징역이나 금고 또는 5년 이하의 자격정지에 처한다.

**제128조 【선거방해】** 검찰, 경찰 또는 군의 직에 있는 공무원이 법령에 의한 선거에 관하여 선거인, 입후보자 또는 입후보자되려는 자에게 협박을 가하거나 기타 방법으로 선거의 자유를 방해한 때에는 10년 이하의 징역과 5년 이상의 자격정지에 처한다.

1. 불법체포 · 감금죄(직권남용체포 · 감금죄)만 유일하게 미수범처벌 ○(직무유기죄, 직권남용죄, 폭행 · 가혹행위죄, 피의사실공표죄, 공무상 비밀누설죄, 선거방해죄 ⇨ 미수범처벌 ×) 15. 경찰간부 · 경찰승진, 17. 순경 1차, 21. 해경 2차, 22. 법원직
2. 선거방해죄 : 목적범 ×

## THEMA 24 '직무유기죄' 총정리

1. 직무유기죄는 유기행위의 계속으로 위법상태도 계속 존재하고 있으므로 즉시범이 아니라 계속범이다(대판 1997.8.29, 97도675). 20. 해경 3차, 21. 경찰간부, 22. 변호사시험, 23. 법원행시
2. 직무유기죄는 이른바 부진정부작위범으로서 직무유기는 구체적으로 그 직무를 수행하여야 할 작위의무가 있는데도 불구하고 이러한 직무를 버린다는 인식하에 그 작위의무를 수행하지 아니하면 성립하는 것이다(대판 1983.3.22, 82도3065). 14. 경찰승진 · 9급 검찰, 16. 수사경과, 23. 법원행시
3. 병가 중인 공무원의 경우 구체적인 작위의무 내지 국가기능의 저해에 대한 구체적인 위험성이 있다고 할 수 없어 직무유기죄의 주체로 될 수는 없다(대판 1997.4.22, 95도748). 16. 법원직, 19. 법원행시, 22. 수사경과 · 경력채용, 23. 법원행시, 24. 경찰승진
4. '직무를 유기한 때'란 공무원이 법령, 내규 등에 의한 추상적 성실의무(충근의무)를 태만히 하는 일체의 경우에 성립하는 것이 아니라, 직장의 무단이탈, 직무의 의식적인 포기 등과 같이 국가의 기능을 저해하고 국민에게 피해를 야기시킬 구체적 위험성이 있고 불법과 책임비난의 정도가 높은 법익침해의 경우에 한한다(대판 2014.4.10, 2013도229). 16. 법원직, 17. 9급 검찰 · 마약수사, 20. 순경 1차, 21. 경찰간부 · 해경 2차, 23. 법원행시, 24. 경찰승진
5. 교육기관 등의 장이 징계의결을 집행하지 못할 법률상 · 사실상의 장애가 없는데도 징계의결서를 통보받은 날로부터 법정 시한이 지나도록 집행을 유보하는 모든 경우에 직무유기죄가 성립하는 것은 아니고, 그러한 유보가 직무에 관한 의식적인 방임이나 포기에 해당한다고 볼 수 있는 경우에 한하여 직무유기죄가 성립한다(대판 2014.4.10, 2013도229). 15. 9급 검찰 · 마약수사 · 순경 3차, 19. 법원행시, 21. 해경 2차, 23. 해경승진, 21 · 23. 경찰승진
6. 무단이탈로 인한 직무유기죄 성립 여부는 결근 사유와 기간, 담당하는 직무의 내용과 적시 수행 필요성, 결근으로 직무수행이 불가능한지, 결근 기간에 국가기능의 저해에 대한 구체적인 위험이 발생하였는지 등을 종합적으로 고려하여 신중하게 판단해야 한다. 23. 법원행시 특히 근무기간을 정하여 임용된 공무원의 경우에는 근무기간 안에 특정 직무를 마쳐야 하는 특별한 사정이 있는지 등을 고려할 필요가 있다(대판 2022.6.30, 2021도8361).

### 관련판례

**• 직무유기죄가 성립하지 않는 경우**

직무유기죄가 성립하려면 주관적으로 직무를 버린다는 인식과 객관적으로는 직무 또는 직장을 벗어나는 행위가 있어야 하므로 어떠한 형태로든 직무집행의 의사로 직무를 수행한 이상 태만, 분망, 착각 등으로 직무를 성실히 수행하지 아니하거나 형식적으로 또는 소홀히 한 경우(대판 1997.8.29, 97도675) 나 일신상 또는 객관적 사유로 인하여 어떤 부당한 결과를 초래한 경우(대판 1982.9.28, 82도1633) 및 그 직무집행의 내용이 위법한 것으로 평가된다는 점만으로(대판 2007.7.12, 2006도1390) 직무유기죄는 성립하지 않는다. 19. 경찰간부, 20. 법원행시, 21. 수사경과, 22. 순경 2차, 24. 순경 1차

1. 경찰관이 경미한 범죄혐의사실을 조사하여 혐의자를 훈방조치하고 검사의 수사지휘를 받지 않은 경우(대판 1982.6.8, 82도117) 13. 수사경과
   - ▶ **비교판례** : 경찰관이 불법체류자의 신병을 출입국관리사무소에 인계하지 않고 훈방하면서 이들의 인적 사항조차 기재해 두지 아니한 경우 직무유기죄가 성립한다(대판 2008.2.14, 2005도4202). 15. 9급 검찰 · 마약수사 · 법원행시 · 순경 3차, 19. 경찰간부, 21. 해경승진 · 해경 1차, 21 · 23. 경찰승진

2. 통고처분이나 고발할 권한이 없는 세무공무원이 그 권한자에게 범칙사건 조사결과에 따른 통고처분이나 고발조치를 건의하지 않은 경우(대판 1997.4.11, 96도2753 ∵ 의식적인 방임 · 포기 ×) 10. 경찰승진, 12. 법원직, 23. 법원행시 · 순경 2차
   - ▶ **유사판례** : 약사감시원이 무허가약국개설자를 적발하고 상사에게 보고하여 약국을 폐쇄토록 하였으나 수사기관에 고발하지 아니한 경우(대판 1969.2.4, 67도184)
3. 교도소의 보안과 출정계장과 감독교사가 호송교도관의 감독을 소홀히 하여 재소자의 집단도주 사고가 발생한 경우(대판 1991.6.11, 91도96) 12. 경찰간부, 18. 경찰승진, 21. 수사경과
4. 전매공무원이 외제담배를 긴급압수한 후 도주한 범칙자를 찾는 데 급급하여 미쳐 압수물에 대한 압수 · 수색영장을 신청하지 못한 경우(대판 1982.9.28, 82도1633) 07. 사시, 10. 경찰승진
5. 지방자치단체장이 전국공무원노동조합이 주도한 파업에 참가한 소속 공무원들에 대하여 관할 인사위원회에 징계의결요구를 하지 아니하고, 가담 정도의 경중을 가려 자체 인사위원회에 징계의결요구를 하거나 훈계처분을 하도록 지시한 경우(대판 2007.7.12, 2006도1390) 22. 변호사시험
6. 지방자치단체의 교육기관의 장이 수사기관으로부터 징계사유를 통보받고도 징계요구를 하지 아니하여 주무부장관으로부터 징계요구를 하라는 직무이행명령을 받았다 하더라도 그에 대한 이의의 소를 제기한 경우, 수사기관으로부터 통보받은 자료 등으로 보아 징계사유에 해당함이 객관적으로 명백한 경우 등 특별한 사정이 없는 한 징계사유를 통보받은 날로부터 1개월 내에 징계요구를 하지 않았다는 것만으로 곧바로 직무를 유기한 것에 해당하지 않는다(대판 2013.6.27, 2011도797). 24. 순경 1차

**• 직무유기죄가 성립하는 경우**

1. 경찰관이 방치된 오토바이가 있다는 신고를 받거나 순찰 중 이를 발견하고 오토바이상회 운영자에게 연락하여 오토바이를 수거해 가도록 하고 그 대가를 받은 경우(대판 2002.5.17, 2001도6170 ∵ 직무유기죄와 수뢰죄의 경합범) 12. 7급 검찰, 15. 순경 3차, 16. 경찰승진, 18. 경력채용, 21. 해경승진 · 수사경과
2. 당직사관이 술을 마시고 내무반에서 화투놀이를 한 후 애인과 함께 자고 나서 당직근무의 인수 · 인계 없이 퇴근한 경우(대판 1990.12.21, 90도2425) 07. 사시, 18. 수사경과, 21. 경찰승진 · 해경승진
3. 피고인들을 비롯한 경찰관들이 현행범으로 체포한 도박혐의자들에게 현행범인체포서 대신에 임의동행동의서를 작성하게 하거나 압수한 일부 도박자금에 관하여 검사의 지휘도 받지 않고 반환하는 등 제대로 조사하지 않은 채 이들을 석방한 경우(대판 2010.6.24, 2008도11226) 12. 경찰간부 · 사시, 15. 법원행시, 22. 순경 2차
4. 경찰관인 피고인이 벌금미납자에 대한 노역장유치 집행을 위하여 검사의 지휘를 받아 형집행장을 집행하는 경우(벌금미납자 검거는 사법경찰관리의 직무범위에 속함)에 벌금미납자로 지명수배되어 있던 甲을 세 차례에 걸쳐 만나고도 그를 검거하여 검찰청에 신병을 인계하는 등 필요한 조치를 취하지 않는 경우(대판 2011.9.8, 2009도13371) 14. 경찰승진, 15. 순경 3차, 16. 수사경과, 20. 해경승진 · 해경 3차
5. 병가 중인 자(직무유기죄의 주체 ×)가 불법파업에 참여한 경우에도 본죄의 주체가 되는 다른 조합원들과 공범관계(제33조)가 되어 본죄의 공동정범이 된다(대판 1997.4.22, 95도748). 17. 7급 검찰, 23. 법원행시 · 해경승진
6. 수송관 겸 출납관이 신병치료를 이유로 계원에게 일체의 업무를 맡겨두고 확인감독마저 하지 않은 경우(대판 1986.2.11, 85도2471) 09. 경찰승진, 13. 수사경과

**• 죄수론**

1. 사법경찰관이 검사의 검거지시를 받고도 오히려 범인에게 전화로 도피하라고 권유하여 도피하게 한 경우 ⇨ 범인도피죄 ○, 직무유기죄 ×(대판 1997.4.22, 95도748) 11. 순경 · 경찰승진, 18. 수사경과

▶ **유사판례** : 경찰공무원이 지명수배 중인 범인을 발견하고도 직무상 의무에 따른 적절한 조치를 취하지 아니하고 오히려 범인을 도피하게 하는 행위를 하였다면, 그 직무위배의 위법상태는 범인도피행위 속에 포함되어 있다고 보아야 할 것이므로, 이와 같은 경우에는 작위범인 범인도피죄만이 성립하고 부작위범인 직무유기죄는 따로 성립하지 아니한다(대판 2017.3.15, 2015도1456). 22. 변호사시험, 21 · 23. 순경 2차

2. 경찰관 甲이 압수물을 범죄 혐의의 입증에 사용하도록 하는 등의 적절한 조치를 취하지 아니하고 피압수자 乙에게 돌려준 경우 甲에게는 작위범인 증거인멸죄만이 성립하고 부작위범인 직무유기죄는 성립하지 않는다(대판 2006.10.19, 2005도3909 전원합의체). 15. 법원행시, 17. 수사경과, 18. 경력채용, 19. 7급 검찰 · 경찰간부, 20. 법원직, 21. 해경 2차, 22. 변호사시험 · 경력채용, 24. 경찰승진
3. 공무원이 위법사실을 발견하고도 위법사실을 적극적으로 은폐할 목적으로 허위공문서를 작성 · 행사한 경우 ⇨ 허위공문서작성 및 동행사죄 ○, 직무유기죄 ×〔① 예비군중대장이 대원의 훈련불참사실을 은폐하기 위해 훈련에 참석하는 양 허위내용의 학급구성명부를 작성 · 행사(대판 1982.12.28, 82도2210) 16. 법원직, 18. 수사경과, 16 · 22. 경찰승진 ② 경찰관이 도박범행사실을 적발하고도 발견하지 못한 것처럼 근무일지를 허위로 작성하고 소장에게 허위보고한 경우(대판 1999.12.24, 99도2240) 07. 사시, 20. 해경 1차 ③ 공무원이 신축건물에 대한 착공 및 준공검사를 마치고 관계서류를 작성함에 있어 그 허가조건 위배사실을 숨기기 위하여 허위의 복명서를 작성 · 행사하였을 경우(대판 1972.5.9, 72도722) 11. 경찰승진 ④ 세무서 주세계장이 양조장 주인의 비밀스런 주정사용과 탈세사실을 은폐하기 위해 허위의 공문서를 작성한 경우(대판 1971.8.31, 71도1176) 11. 경찰승진 ⑤ 공무원이 어느 회사의 폐수배출시설 폐쇄명령 불이행 사실을 은폐하는 데 행사할 목적으로 자신의 출장복명서의 폐쇄명령 이행사항 확인란을 허위로 작성한 경우(대판 2004.3.26, 2002도5004) 12. 사시〕

▶ **비교판례** : 그러나 공무원이 직무를 유기한 후 다른 목적을 위하여 허위공문서를 작성 · 행사한 경우 ⇨ 직무유기죄와 허위공문서작성 및 동행사죄의 실체적 경합(대판 1993.12.24, 92도3334 : 농지일시전용허가를 내주기 위해 현장출장복명서와 심사의견서를 허위로 작성하여 제출한 경우) 19. 경찰간부, 24. 경찰승진

▶ **참고판례** : 하나의 행위가 부작위범인 직무유기죄와 작위범인 범인도피죄나 허위공문서작성 · 행사죄의 구성요건을 동시에 충족하는 경우, 공소제기권자는 재량에 의하여 작위범인 범인도피죄나 허위공문서작성 · 행사죄로 공소를 제기하지 않고 부작위범인 직무유기죄로만 공소를 제기할 수 있다(대판 1999.11.26, 99도1904 ; 대판 2008.2.14, 2005도4202). 19. 법원행시, 22. 변호사시험, 23. 해경승진

4. 공무원(중간결재자)이 어업허가를 받을 수 없는 사실을 알면서도 오히려 부하직원으로 하여금 어업허가 처리기안문서를 작성하게 한 다음 중간 결재를 한 후 정을 모르는 농수산국장의 최종결재를 받은 경우 ⇨ 위계에 의한 공무집행방해죄 ○, 직무유기죄 ×(대판 1997.2.28, 96도2825) 07. 법원행시, 20. 해경승진, 24. 순경 1차
5. 직무유기교사죄는 피교사자인 공무원별로 1개의 죄가 성립되는 것이다(대판 1997.8.22, 95도984). 18. 경찰간부, 23. 해경승진
6. 직무상 불법건축물 단속의무가 있는 공무원이 타인을 교사하여 불법건축을 하게 한 경우 ⇨ 건축법위반교사죄 ○, 직무유기죄 ×(대판 1980.3.25, 79도2831)
7. 형법 제139조에 규정된 인권옹호직무명령불준수죄와 형법 제122조에 규정된 직무유기죄의 각 구성요건과 보호법익 등을 비교하여 볼 때, 인권옹호직무명령불준수죄가 직무유기죄에 대하여 법조경합 중 특별관계에 있다고 보기는 어렵고 양 죄를 상상적(실체적 ×) 경합관계로 보아야 한다(대판 2010.10.28, 2008도11999).

03

**01** **직무유기죄에 관한 다음 설명 중 가장 옳지 않은 것은?** 18. 법원직

① 경찰관이 압수물을 범죄 혐의의 입증에 사용하도록 하는 등의 조치를 취하지 않고 피압수자에게 돌려준 경우 증거인멸죄와 직무유기죄가 모두 성립하고, 양 죄는 상상적 경합관계에 있다.

② 경찰관이 불법체류자의 신병을 출입국관리사무소에 인계하지 않고 훈방하면서 이들의 인적사항조차 기재해 두지 아니하였다면 직무유기죄가 성립한다.

③ 일단 직무집행의 의사로 자신의 직무를 수행하였다면 그 직무집행의 내용이 위법하다 하더라도 직무유기죄는 성립하지 않는다.

④ 농지사무를 담당한 군 직원이 농지불법전용 사실을 알고 도 아무런 조치를 취하지 않다가 해당 농지의 농지전용허가를 내주기 위해 불법농지전용사실은 일체 기재하지 않은 허위의 출장복명서 및 심사의견서를 작성한 경우 허위공문서작성죄, 동행사죄와 직무유기죄가 별도 성립하고, 각 죄는 실체적 경합관계에 있다.

**해설** ① ×: 증거인멸죄 ○, 직무유기죄 ×(대판 2006.10.19, 2005도3909 전원합의체)
② 대판 2008.2.14, 2005도4202 ③ 대판 2007.7.12, 2006도1390 ④ 대판 1993.12.24, 92도3334

**02** **직무유기죄에 대한 다음 설명으로 가장 적절하지 않은 것은?**(다툼이 있으면 판례에 의함) 21. 경찰승진

① 교육기관·교육행정기관·지방자치단체 또는 교육연구기관의 장이 징계의결을 집행하지 못할 법률상·사실상의 장애가 없는데도 징계의결서를 통보받은 날로부터 법정 시한이 지나도록 집행을 유보하는 모든 경우에 직무유기죄가 성립한다.

② 당직사관으로 주번근무를 하던 육군 중위가 당직근무를 함에 있어서 훈육관실에서 학군사관후보생 2명과 함께 술을 마시고 내무반에서 학군사관후보생 2명 및 애인 등과 함께 화투놀이를 한 다음 애인과 함께 자고 난 뒤 교대할 당직근무자에게 당직근무의 인계, 인수도 하지 아니한 채 퇴근하였다면 직무유기죄가 성립한다.

③ 직무유기라 함은 공무원이 법령, 내규 등에 의한 추상적인 충근의무를 태만히 하는 일체의 경우를 이르는 것이 아니고, 직장의 무단이탈, 직무의 의식적인 포기 등과 같이 그것이 국가의 기능을 저해하며 국민에게 피해를 야기시킬 가능성이 있는 경우를 말한다.

④ 경찰관이 불법체류자의 신병을 출입국관리사무소에 인계하지 않고 훈방하면서 이들의 인적사항조차 기재해 두지 아니하였다면 직무유기죄가 성립한다.

**해설** ① ×: 교육기관 등의 장이 징계의결을 집행하지 못할 법률상·사실상의 장애가 없는데도 징계의결서를 통보받은 날로부터 법정 시한이 지나도록 집행을 유보하는 모든 경우에 직무유기죄가 성립하는 것은 아니고, 그 유보가 의식적인 직무의 방임이나 포기에 해당한다고 볼 수 있는 경우에만 직무유기죄가 성립한다(대판 2014.4.10, 2013도229).
② 대판 1990.12.21, 90도2425 ③ 대판 2009.3.26, 2007도7725 ④ 대판 2008.2.14, 2005도4202

**Answer** 1.① 2.①

**03 직무유기죄에 관한 설명 중 옳지 않은 것은?**(다툼이 있는 경우 판례에 의함)

22. 변호사시험 · 해경 2차

① 경찰공무원이 지명수배 중인 범인을 발견하고도 직무상 의무에 따른 적절한 조치를 취하지 아니하고 오히려 범인을 도피하게 하는 행위를 하였다면, 범인도피죄만 성립하고 직무유기죄는 따로 성립하지 않는다.

② 직무유기죄는 작위의무를 수행하지 아니함으로써 구성요건에 해당하는 사실이 있었고 그 후에도 계속하여 그 작위의무를 수행하지 아니하는 위법한 부작위상태가 계속되는 한 가벌적 위법상태는 계속 존재하고 있다고 할 것이므로, 즉시범이라 할 수 없다.

③ 하나의 행위가 부작위범인 직무유기죄와 작위범인 허위공문서작성 · 행사죄의 구성요건을 동시에 충족하는 경우, 공소제기권자가 작위범인 허위공문서작성 · 행사죄로 공소를 제기하지 아니하고 부작위범인 직무유기죄로만 공소를 제기할 수는 없다.

④ 지방자치단체장이 전국공무원노동조합이 주도한 파업에 참가한 소속 공무원들에 대하여 관할 인사위원회에 징계의결요구를 하지 아니하고 가담 정도의 경중을 가려 자체 인사위원회에 징계의결요구를 하거나 훈계처분을 하도록 지시한 행위는 직무유기죄를 구성하지 않는다.

⑤ 경찰서 방범과장 甲이 부하직원 乙로부터 게임산업진흥에 관한 법률위반 혐의로 오락실을 단속하여 증거물로 오락기의 변조 기판을 압수하여 사무실에 보관 중임을 보고받아 알고 있었음에도, 증거를 인멸할 의도로 乙에게 압수한 변조 기판을 돌려주라고 지시하여 乙이 오락실 업주에게 이를 돌려준 경우, 甲에게 증거인멸죄만 성립하고 직무유기죄는 따로 성립하지 아니한다.

**| 해설** ① 대판 2017.3.15, 2015도1456
② 대판 1997.8.29, 97도675(∴ 계속범)
③ × : ~ 공소를 제기할 수 있다(대판 2008.2.14, 2005도4202).
④ 대판 2007.7.12, 2006도1390
⑤ 대판 2006.10.19, 2005도3909 전원합의체

**Answer** 3. ③

**04 직무유기죄에 관한 설명 중 가장 옳지 않은 것은?**(다툼이 있는 경우 판례에 의함) 23. 법원행시

① 직무유기죄는 공무원이 법령·내규 등에 의한 추상적 충근의무를 태만히 하는 일체의 경우에 성립하는 것이 아니라, 직무의 의식적인 포기 등과 같이 국가의 기능을 저해하고 국민에게 피해를 야기시킬 구체적 위험성이 있고 불법과 책임비난의 정도가 높은 법익침해의 경우에 한하여 성립한다.

② 병가 중인 자의 경우 구체적인 작위의무 내지 국가기능의 저해에 대한 구체적인 위험성이 있다고 할 수 없어 직무유기죄의 주체로 될 수는 없으나, 다른 직무유기죄의 정범과 공범관계가 성립하는 데에는 지장이 없다.

③ 형법 제122조 후단 소정의 직무유기죄는 소위 부진정 부작위범으로서 그 작위의무를 수행하지 아니하여 구성요건에 해당하는 사실이 있었고 그 후에도 계속하여 그 작위의무를 수행하지 아니하는 위법한 부작위 상태가 계속하는 한 가벌적 위법상태는 계속 존재하고 있다.

④ 무단이탈로 인한 직무유기죄 성립 여부는 결근 사유와 기간, 담당하는 직무의 내용과 적시 수행 필요성, 결근으로 직무수행이 불가능한지, 결근 기간에 국가기능의 저해에 대한 구체적인 위험이 발생하였는지 등을 종합적으로 고려하여 신중하게 판단해야 한다.

⑤ 통고처분이나 고발을 할 권한이 없는 세무공무원이 그 권한자에게 범칙사건조사 결과에 따른 통고처분이나 고발조치를 건의하는 등의 조치를 취하지 않았다면, 이는 자신의 직무를 저버린 행위로서 국가의 기능을 저해하며 국민에게 피해를 야기시킬 가능성이 있어 직무유기죄에 해당한다.

**| 해설** ① 대판 2014.4.10, 2013도229

② 대판 1997.4.22, 95도748

③ 대판 1997.8.29, 97도675

④ 대판 2022.6.30, 2021도8361

⑤ ×: ~ (2줄) 취하지 않았다고 하더라도, 구체적 사정에 비추어 그것이 직무를 성실히 수행하지 못한 것이라고 할 수 있을지언정 그 직무를 의식적으로 방임 내지 포기하였다고 볼 수 없다(대판 1997.4.11, 96도2753 ∴ 직무유기죄 ×).

Answer 4.⑤

**05** **직무유기죄에 관한 설명 중 옳은 것은 모두 몇 개인가?**(다툼이 있는 경우 판례에 의함)

기출지문 종합

㉠ 직무집행의 의사로 자신의 직무를 수행한 경우에는 그 직무집행의 내용이 위법한 것으로 평가되는 경우뿐만 아니라 형식적으로 또는 소홀히 직무를 수행한 탓으로 적절한 직무수행에 이르지 못한 경우에도 직무유기죄는 성립한다.
㉡ 경찰관이 방치된 오토바이가 있다는 신고를 받거나 순찰 중 이를 발견하고 오토바이 상회 운영자에게 연락하여 오토바이를 수거해 가도록 하고 그 대가를 받은 경우에 직무유기죄가 성립한다.
㉢ 경찰관인 피고인이 벌금 미납자에 대한 노역장유치 집행을 위하여 검사의 지휘를 받아 형집행장을 집행하는 경우에 벌금 미납자로 지명수배되어 있던 甲을 세 차례에 걸쳐 만나고도 그를 검거하여 검찰청에 신병을 인계하는 등 필요한 조치를 취하지 않은 경우에 피고인은 직무유기죄가 성립하지 않는다.
㉣ 예비군 중대장 甲은 그 소속 예비군대원의 훈련불참사실을 알았지만, 예비군대원의 훈련불참사실을 고의로 은폐할 목적으로 당해 예비군대원이 훈련에 참석한 양 허위내용의 학급편성명부를 작성, 행사한 경우 직무유기죄가 성립한다.
㉤ 병가 중인 공무원의 경우에는 구체적인 작위의무 내지 국가기능의 저해에 대한 구체적인 위험성이 있다고 할 수 없으므로 직무유기죄의 주체로 될 수 없다.
㉥ 공무원이 어떠한 위법사실을 발견하고도 직무상 의무에 따른 적절한 조치를 취하지 아니하고 위법사실을 적극적으로 은폐할 목적으로 허위공문서를 작성, 행사한 경우에는 직무위배의 위법상태는 허위공문서작성 당시부터 그 속에 포함되는 것으로 작위범인 허위공문서작성, 동행사죄만이 성립하고 부작위범인 직무유기죄는 따로 성립하지 아니한다.

① 1개 ② 2개 ③ 3개 ④ 4개

**| 해설** ㉠ × : 직무집행의 의사로 자신의 직무를 수행한 경우에는 그 직무집행의 내용이 위법한 것으로 평가되는 경우(대판 2007.7.12, 2006도1390)뿐만 아니라 형식적으로 또는 소홀히 직무를 수행한 탓으로 적절한 직무수행에 이르지 못한 경우(대판 1997.8.29, 97도675)에도 직무유기죄는 성립하지 않는다.
㉡ ○ : 대판 2002.5.17, 2001도6170
㉢ × : 직무유기죄 ○(대판 2011.9.8, 2009도13371)
㉣ × : 허위공문서 및 동행사죄 ○, 직무유기죄 ×(대판 1982.12.28, 82도2210)
㉤ ○ : 대판 1997.4.22, 95도748
㉥ ○ : 대판 1982.12.28, 82도2210

Answer 5. ③

## THEMA 25 '공무상 비밀누설죄' 총정리

1. 공무원법상 비밀누설죄는 기밀 그 자체를 보호하는 것이 아니라 공무원의 비밀엄수의무의 침해에 의하여 위험하게 되는 이익, 즉 비밀누설에 의하여 위협받는 국가의 기능을 보호하기 위한 것이다(대판 1996.5.10, 95도780 ∴ 추상적 위험범). 13. 경찰간부, 17. 9급 검찰·마약수사, 18. 순경 3차, 19. 순경 1차
2. 형법 제127조의 '법령에 의한 직무상 비밀'은 반드시 법령에 의해 비밀로 규정되었거나 비밀로 명시된 사안에 국한되지 않고, 13. 경찰간부, 18. 법원행시, 23. 변호사시험 정치·군사·외교·경제·사회적 필요에 따라 비밀로 된 사항은 물론 정부나 공무소 또는 국민이 객관적·일반적 입장에서 외부에 알려지지 않는 것이 상당한 이익이 되는 사항도 포함하는 것이나, 동조에서 말하는 비밀이란 실질적으로 그것을 비밀로서 보호할 가치가 있다고 인정할 수 있는 것이어야 한다(대판 1996.5.10, 95도780). 11. 법원행시, 22. 경찰승진

**관련판례**

1. 검찰의 고위간부가 특정사건에 대한 수사가 계속 진행 중인 상태에서 해당 사안에 관한 수사 책임자의 잠정적인 판단 등 수사팀의 내부상황을 확인한 뒤 그 내용을 수사 대상자 측에 전달한 행위는 형법 제127조에 정한 공무상 비밀누설에 해당한다(대판 2007.6.14, 2004도5561). 11. 법원행시, 13. 경찰간부, 20. 순경 2차, 21·22. 수사경과, 23. 경찰승진
2. 변호사 사무실 직원인 피고인 甲이 법원공무원인 피고인 乙에게 부탁하여, 수사 중인 사건의 체포영장 발부자 53명의 명단을 누설받은 경우(대판 2011.4.28, 2009도3642) ⇨ 甲 : 무죄(∵ 피고인 乙이 직무상 비밀을 누설한 행위와 피고인 甲이 이를 누설받은 행위는 대향범 관계에 있으므로 공범에 관한 형법총칙 규정이 적용 × ⇨ 공무상 비밀누설죄의 교사범 ×), 乙 : 공무상 비밀누설죄의 정범 12. 사시, 13. 경찰간부, 19. 7급 검찰, 21. 법원행시
3. 형사사건에 있어서 제출된 증거에 관한 정보는 실질적으로 비밀성을 지녔다 할 것이므로, 경찰관 甲이 간통고소사건을 수사하면서 간통을 부인하는 피의자 乙의 이익을 위하여 고소인 丙이 제출한 간통장면을 촬영한 CD를 乙에게 보여 준 경우 공무상 비밀누설죄에 해당한다(대판 2005.9.15, 2005도4843). 12. 경찰간부
4. 감사원의 감사관이 공개한 기업의 비업무용 부동산 보유실태에 관한 감사원보고서의 내용(대판 1996.5.10, 95도780), 이른바 검찰총장 처의 옷값 대납 사건의 내사결과보고서의 내용(대판 2003.12.26, 2002도7339), 국가정보원 내부감찰과 관련하여 감찰조사개시시점, 감찰대상자의 소속 및 인적사항의 일부(대판 2003.11.28, 2003도5547) 11. 법원행시 ⇨ 공무상 비밀 ×(∵ 비밀로서 보호할 가치 ×)
5. 공무원선발시험 정리원이 수험생의 부탁으로 금품을 받은 후 구술시험문제를 알려준 경우 ⇨ 공무상 비밀누설죄와 수뢰 후 부정처사죄의 상상적 경합(대판 1970.6.30, 70도562) 18. 경찰간부
6. 구청 공무원이 타인의 부탁을 받고 차적 조회 시스템을 이용하여 범죄 현장 부근에서 경찰의 잠복근무에 이용되고 있던 경찰청 소속 차량의 소유관계에 관한 정보를 알아내 타인에게 알려준 경우 ⇨ 공무상 비밀누설죄 ×(대판 2012.3.15, 2010도14734 ∵ '법령에 의한 직무상 비밀'에 해당 ×) 13. 경찰간부, 19. 법원행시, 23. 해경승진
7. 도시계획과에 근무하는 공무원이 서울시청 이전계획과 그 이전부지의 위치를 친구에게 알려준 경우 ⇨ 본죄 ○(대판 1982.6.22, 80도2822)
8. 담당공무원이 수해복구 공사계약을 수의계약 방식으로 체결하기로 하면서 미리 선정된 공사업체에게 공사 예정가격을 알려준 행위는 공무상 비밀누설죄에 해당한다(대판 2008.3.14, 2006도7171).

03

9. 수사지휘서의 기재내용과 이에 관계된 수사상황은 수사기관 내부의 비밀에 해당한다(대판 2018.2.13, 2014도11441 ∴ 공무상 비밀누설죄의 '법령에 의한 직무상 비밀'에 해당함 예 사법경찰관이 내사단계에서 수사의 대상, 방법 등에 관하여 검사가 자신에게 지휘한 내용이 기재된 수사지휘서를 잠재적 피의자에게 교부하고 이에 관계된 수사상황을 알려준 경우 ⇨ 공무상 비밀누설죄 ○). 19. 9급 검찰, 20. 법원행시
10. 제18대 대통령 당선인 甲의 비서실 소속 공무원인 피고인이 당시 甲을 위하여 중국에 파견할 특사단 추천 의원을 정리한 문건을 乙에게 이메일 또는 인편 등으로 전달한 경우 ⇨ 공무상 비밀누설죄 ○(대판 2018.4.26, 2018도2624 ∵ 위 문건이 사전에 외부로 누설될 경우 대통령 당선인의 인사 기능에 장애를 초래할 위험이 있으므로, 종국적인 의사결정이 있기 전까지는 외부에 누설되어서는 아니 되는 비밀로서 보호할 가치가 있는 직무상 비밀에 해당한다.)
11. 공무원이 직무상 알게 된 비밀을 그 직무와의 관련성 혹은 필요성에 기하여 해당 직무의 집행과 관련 있는 다른 공무원에게 직무집행의 일환으로 전달한 경우에는, 관련 각 공무원의 지위 및 관계, 직무집행의 목적과 경위, 비밀의 내용과 전달 경위 등 제반 사정에 비추어 비밀을 전달받은 공무원이 이를 그 직무집행과 무관하게 제3자에게 누설할 것으로 예상되는 등 국가기능에 위험이 발생하리라고 볼 만한 특별한 사정이 인정되지 않는 한, 위와 같은 행위가 비밀의 누설에 해당한다고 볼 수 없다(대판 2021.11.25, 2021도2486). 22. 순경 2차

**01** **공무원의 직무에 관한 죄에 대한 설명으로 가장 적절하지 않은 것은?**(다툼이 있는 경우 판례에 의함) 23. 순경 2차

① 공무원이 태만이나 착각 등으로 인하여 직무를 성실히 수행하지 않은 경우 또는 직무를 소홀하게 수행하였기 때문에 성실한 직무수행을 못한 데 지나지 않는 경우에는 직무유기죄가 성립하지 않는다.

② 경찰공무원이 지명수배 중인 범인을 발견하고도 직무상 의무에 따른 적절한 조치를 취하지 아니하고 오히려 범인을 도피하게 하는 행위를 하였다면, 범인도피죄만 성립하고 직무유기죄는 따로 성립하지 않는다.

③ 공무상 비밀누설죄는 공무원 또는 공무원이었던 자가 법령에 의한 직무상 비밀을 누설하는 것을 구성요건으로 하고 있는바, 여기서 '법령에 의한 직무상 비밀'이란 법령에 의하여 비밀로 규정되었거나 비밀로 분류 명시된 사항에 한정된다.

④ 통고처분이나 고발을 할 권한이 없는 세무공무원이 그 권한자에게 범칙사건 조사 결과에 따른 통고처분이나 고발조치를 건의하는 등의 조치를 취하지 않았다고 하더라도, 구체적 사정에 비추어 그것이 직무를 성실히 수행하지 못한 것이라고 할 수 있을지언정 그 직무를 의식적으로 방임 내지 포기하였다고 볼 수 없다.

해설 ① 대판 2022.6.30, 2021도8361 ② 대판 2017.3.15, 2015도1456
③ ×: ~(3줄) 명시된 사안에 국한되지 않는다(대판 1996.5.10, 95도780).
④ 대판 1997.4.11, 96도2753

Answer 1. ③

**02** **공무원의 직무에 관한 죄에 대한 다음 설명 중 가장 옳은 것은?**(다툼이 있는 경우 판례에 의함)

19. 법원행시

① 병가 중인 공무원의 경우 구체적인 작위의무 내지 국가기능의 저해에 대한 구체적인 위험성이 있다고 할 수 없어 직무유기죄의 주체로 될 수 없고, 따라서 직무유기죄의 주체가 되는 다른 공무원들과의 공범관계가 인정된다고 하더라도 직무유기죄로 처벌할 수는 없다.

② 하나의 행위가 부작위범인 직무유기죄와 작위범인 허위공문서작성·행사죄의 구성요건을 동시에 충족하는 경우 공소제기권자는 작위범인 허위공문서작성·행사죄로만 공소를 제기하여야 한다.

③ 구청 공무원이 타인의 부탁을 받고 차적 조회 시스템을 이용하여 범죄 현장 부근에서 경찰의 잠복근무에 이용되고 있던 경찰청 소속 차량의 소유관계에 관한 정보를 알아내 타인에게 알려준 경우, 위 차량의 소유관계에 관한 정보는 공무상 비밀누설죄에 있어서 '법령에 의한 직무상 비밀'에 해당한다.

④ 교육기관 등의 장이 징계의결을 집행하지 못할 법률상·사실상의 장애가 없는데도 징계의결서를 통보받은 날로부터 법정 시한이 지나도록 그 집행을 유보하는 모든 경우에 직무유기죄가 성립한다.

⑤ 직무유기죄에 있어서 직무를 유기한 때라 함은 공무원이 법령, 내규 등에 의한 추상적 충근의무를 태만히 하는 일체의 경우를 이르는 것이 아니고, 직장의 무단이탈, 직무의 의식적인 포기 등과 같이 그것이 국가의 기능을 저해하며 국민에게 피해를 야기시킬 가능성이 있는 경우를 말한다.

**해설** ① ×: 병가 중인 자(직무유기죄의 주체 ×)가 불법파업에 참여한 경우에도 본죄의 주체가 되는 다른 조합원들과 공범관계(제33조)가 되어 본죄의 공동정범이 된다(대판 1997.4.22, 95도748).
② ×: 부작위범인 직무유기죄로만 공소를 제기할 수 있다(대판 2008.2.14, 2005도4202).
③ ×: ~ 해당하지 않는다(대판 2012.3.15, 2010도4734).
④ ×: ~ (2줄) 모든 경우에 직무유기죄가 성립하는 것은 아니고, 그 유보가 의식적인 직무의 방임이나 포기에 해당한다고 볼 수 있는 경우에만 직무유기죄가 성립한다(대판 2014.4.10, 2013도229).
⑤ ○: 대판 2009.3.26, 2007도7725

Answer 2. ⑤

## THEMA 26 '직권남용죄(직권남용권리행사방해죄)' 총정리

1. 직권남용죄는 공무원이 그 일반적 직무권한에 속하는 사항에 관하여 직권의 행사에 가탁하여 실질적, 구체적으로 위법·부당한 행위를 한 경우에 성립하고, 그 일반적 직무권한은 반드시 법률상의 강제력을 수반하는 것임을 요하지 아니하며, 그것이 남용될 경우 직권행사의 상대방으로 하여금 법률상 의무 없는 일을 하게 하거나 정당한 권리행사를 방해하기에 충분한 것이면 된다(대판 2004.5.27, 2002도6251). 12. 경찰간부, 19. 순경 1차·수사경과, 20. 해경 3차, 21. 해경승진, 22. 법원직
2. 직권남용죄의 '직권남용'이란 공무원이 그의 일반적 권한에 속하는 사항에 관하여 그것을 불법하게 행사하는 것, 즉 형식적·외형적으로는 직무집행으로 보이나 그 실질은 정당한 권한 이외의 행위를 하는 경우를 의미하고, 따라서 직권남용은 공무원이 그의 일반적 권한에 속하지 않는 행위를 하는 경우인 지위를 이용한 불법행위와는 구별되며, 또 직권남용죄에서 말하는 '의무'란 법률상 의무를 가리키고, 단순한 심리적 의무감 또는 도덕적 의무는 이에 해당하지 아니한다(대판 1991.12.27, 90도2800 예 치안본부장인 甲이 국립과학수사연구소 A과장에게 고문치사자의 사인에 관하여 기자간담회에 참고할 메모를 작성하도록 요구하고 A과장으로 하여금 내심의 의사에 반하여 두번이나 고쳐 작성하도록 한 경우에도 직권남용죄는 성립하지 않는다). 20. 변호사시험·순경 2차, 21. 수사경과, 23. 법원행시
3. 어떠한 직무가 공무원의 일반적 권한에 속하는 사항이라고 하기 위해서는 그에 관한 법령상의 근거가 필요하다. 다만 법령상의 근거는 반드시 명문의 근거만을 의미하는 것은 아니고, 명문이 없는 경우라도 법·제도를 종합적, 실질적으로 관찰해서 그것이 해당 공무원의 직무권한에 속한다고 해석되고 그것이 남용된 경우 상대방으로 하여금 의무 없는 일을 행하게 하거나 상대방의 권리를 방해하기에 충분한 것이라고 인정되는 경우에는 직권남용죄에서 말하는 일반적 권한에 포함된다(대판 2019.3.14, 2018도18646). 20. 변호사시험·법원행시, 21. 법원직, 22. 경찰승진
4. 직권남용권리행사방해죄에서의 '의무 없는 일을 하게 한 때'란 '사람'으로 하여금 법령상 의무 없는 일을 하게 하는 때를 의미하므로, 직무집행의 기준과 절차가 법령에 구체적으로 명시되어 있고 실무 담당자에게도 직무집행의 기준을 적용하고 절차에 관여할 고유한 권한과 역할이 부여되어 있다면 실무 담당자로 하여금 그러한 기준과 절차를 위반하여 직무집행을 보조하게 한 경우에는 '의무 없는 일을 하게 한 때'에 해당하나, 공무원이 자신의 직무권한에 속하는 사항에 관하여 실무 담당자로 하여금 그 직무집행을 보조하는 사실행위를 하도록 하더라도 이는 공무원 자신의 직무집행으로 귀결될 뿐이므로 원칙적으로 '의무 없는 일을 하게 한 때'에 해당한다고 할 수 없다(대판 2019.3.14, 2018도18646). 21. 순경 1차, 22. 변호사시험, 23. 법원행시·7급 검찰, 24. 경찰승진
5. 직권남용죄에서 '직권남용'은 '사람으로 하여금 의무 없는 일을 하게 한 것'과 '사람의 권리행사를 방해한 것'과 구별되는 별개의 범죄성립요건으로, 공무원이 한 행위가 직권남용에 해당한다고 하여 바로 상대방이 한 일이 '의무 없는 일'에 해당한다고 인정할 수는 없다(대판 2020.1.30, 2018도2236 전원합의체). 21. 경찰간부·법원직
6. 직권남용 행위의 상대방이 일반 사인인 경우 특별한 사정이 없는 한 직권에 대응하여 따라야 할 의무가 없으므로 그에게 어떠한 행위를 하게 하였다면 '의무 없는 일을 하게 한 때'에 해당할 수 있다. 22. 경찰승진 그러나 상대방이 공무원이거나 법령에 따라 일정한 공적 임무를 부여받고 있는 공공기관 등의 임직원인 경우에는 법령에 따라 임무를 수행하는 지위에 있으므로 그가 직권에 대응하여 어떠한 일을 한 것이 의무 없는 일인지 여부는 관계 법령 등의 내용에 따라 개별적으로 판단하여야 한다. 21. 법원직·순경 1차 따라서 상대방이 공무원 또는 유관기관의 임직원인 경우에는 그가 한 일이

형식과 내용 등에 있어 직무범위 내에 속하는 사항으로서 법령 그 밖의 관련 규정에 따라 직무수행 과정에서 준수하여야 할 원칙이나 기준, 절차 등을 위반하지 않는다면 특별한 사정이 없는 한 법령상 의무 없는 일을 하게 한 때에 해당한다고 보기 어렵다(대판 2020.1.30, 2018도2236 전원합의체). 20. 법원행시

7. 직권남용권리행사방해죄는 공무원에게 직권이 존재하는 것을 전제로 하는 범죄이고, 직권은 국가의 권력 작용에 의해 부여되거나 박탈되는 것이므로, 공무원이 공직에서 퇴임하면 해당 직무에서 벗어나고 그 퇴임이 대외적으로도 공표된다. 공무원인 피고인이 퇴임한 이후에는 위와 같은 직권이 존재하지 않으므로, 퇴임 후에도 실질적 영향력을 행사하는 등으로 퇴임 전 공모한 범행에 관한 기능적 행위지배가 계속되었다고 인정할 만한 특별한 사정이 없는 한, 퇴임 후의 범행에 관하여는 공범으로서 책임을 지지 않는다고 보아야 한다(대판 2020.2.13, 2019도5186).
8. 본죄에서 말하는 '권리'는 법률에 명기된 권리에 한하지 않고 법령상 보호되어야 할 이익이면 족한 것으로서, 공법상의 권리인지 사법상의 권리인지를 묻지 않는다(대판 2010.1.28, 2008도7312 ∴ 범죄수사권도 '권리'에 해당 예 상급 경찰관이 직권을 남용하여 부하 경찰관들의 수사를 중단시키거나 사건을 다른 경찰관서로 이첩하게 한 경우, '권리행사를 방해함으로 인한 직권남용권리행사방해죄'만 성립하고 '의무 없는 일을 하게 함으로 인한 직권남용권리행사방해죄'는 따로 성립하지 아니한다). 19. 수사경과, 20. 변호사시험, 21. 경찰간부·해경승진, 23. 법원행시, 24. 경찰승진

**관련판례**

**• 직권남용권리행사방해죄가 성립하지 않는 경우**

1. 대통령비서실 정책실장이 기업관계자들에게 기업 메세나(Mecenat) 활동의 일환인 미술관 전시회 후원을 요청하여 기업관계자들이 특정 미술관에 후원금을 지급한 경우 ⇨ 직권남용권리행사방해죄 ×(∵ 공무원이 직무와는 상관없이 단순히 개인적인 친분에 근거하여 문화예술 활동에 대한 지원을 권유하거나 협조를 의뢰한 것에 불과한 경우까지 직권남용에 해당한다고 할 수는 없다) 18. 경찰간부, 22. 경력채용, 23. 해경승진, 24. 경찰승진
   ▶ **비교판례**: 대통령비서실 정책실장이 공무원으로 하여금 특별교부세 교부대상이 아닌 특정 사찰의 증·개축사업을 지원하는 특별교부세 교부신청 및 교부결정을 하도록 하게 한 행위가 직권남용권리행사방해죄를 구성한다(대판 2009.1.30, 2008도6950). 12. 경찰간부
2. 대검찰청 공안부장인 피고인이 고등학교 후배인 한국조폐공사 사장에게 위 공사의 쟁의행위 및 구조조정에 관하여 전화통화를 한 것이 직권남용죄와 업무방해죄에 해당하지 않고, 노동조합 및 노동관계조정법 제40조 제2항에서 정한 '간여'에는 해당한다(대판 2005.4.15, 2002도3453). 12. 경찰간부, 18. 경력채용, 21. 해경승진
3. 국가정보원 국장이 A그룹과 B그룹으로 하여금 특정 보수단체에 자금을 지원하게 한 경우 ⇨ 직권남용죄 ×(대판 2019.3.14, 2018도18646 ∵ 국가정보원 국장에게는 사기업에 보수단체에 대한 자금지원을 요청할 수 있는 일반적 직무권한이 없음)
   ▶ **비교판례**: 대통령비서실장 및 정무수석비서관실 소속 공무원들인 피고인들이, 특정 정치성향 시민단체들에 대한 자금지원을 요구하고 그로 인하여 전국경제인연합회 부회장 甲으로 하여금 해당 단체들에 자금지원을 하도록 한 경우 ⇨ 직권남용권리행사방해죄 ○(대판 2020.2.13, 2019도5186 ∵ 피고인들이 자금지원을 요구한 행위는 대통령비서실장과 정무수석비서관실의 일반적 직무권한에 속하는 사항임.)
4. 법무부 검찰국장인 피고인이, 검찰국이 마련하는 인사안 결정과 관련한 업무권한을 남용하여 검사인사담당 검사 甲으로 하여금 2015년 하반기 검사인사에서 부치지청에 근무하고 있던 경력검사 乙을

다른 부치지청으로 다시 전보시키는 내용의 인사안을 작성하게 한 경우, 피고인의 직무집행을 보조하는 甲으로 하여금 그가 지켜야 할 직무집행의 기준과 절차를 위반하여 법령상 의무 없는 일을 하게 한 때에 해당한다고 보기 어렵다(대판 2020.1.9, 2019도11698 ∴ 직권남용권리행사방해죄 ×).

5. 지방공무원 승진임용과 관련하여 임용권자인 지방자치단체장 또는 인사담당 실무자가 단지 인사위원회에 특정 후보자를 승진대상자로 제시·추천하는 의사를 표시하여 특정한 내용의 의결을 유도한 경우 ⇨ 직권남용권리행사방해죄 ×〔대판 2020.12.10, 2019도17879 ∵ 지방공무원법령상 임용권자(기장군수)는 인사위원회의 사전심의 결과에 구속되지 않으며 최종적으로 승진임용대상자를 결정할 권한은 임용권자에게 있으므로, 임용권자의 직권을 남용하거나 인사위원회 위원들에게 의무 없는 일을 하게 한 경우로는 볼 수 없다.〕 22. 순경 2차

- **직권남용권리행사방해죄가 성립한 경우**

1. 검찰의 고위간부가 내사담당 검사로 하여금 내사를 중도에서 그만두고 종결처리토록 한 경우(대판 2007.6.14, 2004도5561). 12. 경찰간부, 18. 경력채용
2. 서울특별시 교육감인 피고인이 인사담당장학관 등에게 지시하여 승진후보자명부상 승진 또는 자격연수 대상이 될 수 없는 특정 교원들을 적격 후보자인 것처럼 추천하거나 임의로 평정점을 조정하는 방법으로 승진임용하거나 그 대상자가 되도록 한 경우(대판 2011.2.10, 2010도13766) 12. 사시
3. 시장(市長)인 피고인 甲이 자신의 인사관리업무를 보좌하는 행정과장 피고인 乙과 공동하여, 평정권자나 실무 담당자 등에게 특정 공무원들에 대한 평정순위 변경을 구체적으로 지시하여 평정단위별 서열명부를 새로 작성하도록 한 경우 ⇨ 직권남용권리행사방해죄의 공동정범 ○(대판 2012.1.27, 2010도11884) 14. 경찰간부
4. 공무원이 직무관련자에게 제3자와 계약을 체결하도록 요구하여 계약 체결을 하게 한 행위가 제3자뇌물수수죄의 구성요건과 직권남용권리행사방해죄의 구성요건에 모두 해당하는 경우에는 제3자뇌물수수죄와 직권남용권리행사방해죄가 각각 성립하고, 위 두 죄는 형법 제40조의 상상적 경합관계에 있다(대판 2017.3.15, 2016도19659). 17. 7급 검찰, 20. 경찰간부, 23. 법원행시
5. 대통령비서실 소속 비서관들인 피고인 甲과 피고인 乙이 4·16세월호참사 특별조사위원회 설립준비 관련 업무를 담당하거나 설립팀장으로 지원근무 중이던 해양수산부 소속 공무원들에게 '세월호 특별조사위 설립준비 추진경위 및 대응방안 문건'을 작성하게 하고, 피고인 甲이 소속 비서관실 행정관 또는 해양수산부 공무원들에게 세월호 특별조사위원회의 동향을 파악하여 보고하도록 지시한 경우, 피고인 甲과 피고인 乙이 해당 공무원들에게 문건을 작성하거나 동향을 보고하게 함으로써 직무수행의 원칙과 기준 등을 위반하여 업무를 수행하게 하여 법령상 의무 없는 일을 하게 한 때에 해당한다고 볼 여지가 있다(대판 2023.4.27, 2020도18296).

- **기수시기**

1. 공무원의 직권남용행위가 있었다 할지라도 현실적으로 권리행사의 방해라는 결과가 발생하지 아니하였다면 직권남용권리행사방해죄의 기수를 인정할 수 없다(대판 2008.12.24, 2007도9287 ㉮ ① 정보통신부장관이 개인휴대통신사업자 선정과 관련하여 서류심사가 완결된 상태에서 청문심사의 배점방식을 변경하여 직권을 남용했다 해도 최종 사업권자로 선정되지 못한 경쟁업체가 가진 구체적인 권리의 현실적 행사가 방해되는 결과가 발생하지 아니하였으므로 직권남용권리행사방해죄에 해당하지 아니한다 : 대판 2006.2.9, 2003도4599 ② 경찰관이 증거수집을 위해 도청장치를 설치하였으나 회의 전에 발각되어 도청기가 제거되어 도청을 못하였다면, 회의진행을 도청당하지 아니할 권리가 침해된 현실적인 사실이 없어 직권남용죄의 기수가 될 수 없다; 대판 1978.10.10, 75도2665). 16. 경찰간부, 18. 경찰승진, 20. 변호사시험, 22. 법원직·경력채용, 23. 법원행시

2. 직권남용권리행사방해죄는 단순히 공무원이 직권을 남용하는 행위를 하였다는 것만으로 곧바로 성립하는 것이 아니다. 직권을 남용하여 현실적으로 다른 사람이 법령상 의무 없는 일을 하게 하였거나 다른 사람의 구체적인 권리행사를 방해하는 결과가 발생하여야 하고, 그 결과의 발생은 직권남용 행위로 인한 것이어야 한다〔대판 2020.1.30, 2018도2236 전원합의체 ⓔ 국방부장관 甲이 乙로 하여금 수사본부의 丙에 대한 수사상황과 구속영장 신청 필요 여부에 관하여 청와대 민정비서관에게 보고하고 그 의견에 따라 丙에 대한 피의사건을 불구속 상태에서 송치하도록 한 경우 ⇨ 직권남용권리행사방해죄 ×(대판 2022.10.27, 2020도15105) ∵ 甲이 법령에 위반하여 乙에게 의무 없는 일을 하게 한 것으로 볼 수 없어 직권을 남용하여 乙의 수사권 행사를 방해한 것이 아님〕. 20. 법원직·법원행시, 23. 7급 검찰, 24. 경찰승진·순경 1차

03

## 01 직권남용권리행사방해죄에 관한 설명 중 가장 적절한 것은?(다툼이 있는 경우 판례에 의함)

19. 수사경과

① 직권남용은 공무원이 그의 일반적 권한에 속하지 않는 행위를 하는 경우인 지위를 이용한 불법행위와는 구별되며, 직권남용죄에서 말하는 '의무'란 법률상 의무를 가리킨다.

② 직권남용죄는 공무원이 그 일반적 직무권한에 속하는 사항에 관하여 직권의 행사에 가탁하여 실질적, 구체적으로 위법·부당한 행위를 한 경우에 성립하고, 그 일반적 직무권한은 반드시 법률상의 강제력을 수반하는 것임을 요한다.

③ '권리행사를 방해한다.'함은 법령상 행사할 수 있는 권리의 정당한 행사를 방해하는 것을 말한다고 할 것이며, 현실적으로 권리행사의 방해라는 결과가 발생하지 아니하였더라도 직권남용죄의 기수를 인정할 수 있다.

④ 상급 경찰관이 직권을 남용하여 부하 경찰관들의 수사를 중단시키거나 사건을 다른 경찰관서로 이첩하게 한 경우 '의무 없는 일을 하게 함으로 인한 직권남용권리행사방해죄'가 성립한다.

**| 해설** ① ○ : 대판 1991.12.27, 90도2800

② × : ~ 수반하는 것임을 요하지 아니한다(대판 2004.5.27, 2002도6251).

③ × : ~ (2줄) 발생하지 아니하였다면 ~ 없다(대판 2008.12.24, 2007도9287).

④ × : ~ 경우, '권리행사를 방해함으로 인한 직권남용권리행사방해죄'만 성립하고 '의무 없는 일을 하게 함으로 인한 직권남용권리행사방해죄'는 따로 성립하지 아니한다(대판 2010.1.28, 2008도7312).

Answer 1. ①

**02** **직권남용권리행사방해죄에 관한 설명 중 옳지 않은 것은?**(다툼이 있는 경우 판례에 의함)

20. 변호사시험

① 직권남용권리행사방해죄에서 '권리'는 법률에 명기된 권리에 한하지 않고 법령상 보호되어야 할 이익이면 족하고 공법상 권리인지 사법상 권리인지를 묻지 않으며, '의무'는 법률상 의무를 가리키고 단순한 심리적 의무감 또는 도덕적 의무는 이에 해당하지 아니한다.

② 어떠한 직무가 공무원의 일반적 권한에 속하는 사항이라고 하기 위해서는 그에 관한 법령상의 근거가 필요하고, 법령상 명문의 근거가 없는 경우에는 직권남용권리행사방해죄가 성립하지 아니한다.

③ 공무원이 자신의 직무권한에 속하는 사항에 관하여 실무 담당자로 하여금 그 직무집행을 보조하는 사실행위를 하도록 하더라도 이는 공무원 자신의 직무집행으로 귀결될 뿐이므로 원칙적으로 직권남용권리행사방해죄에서 말하는 의무 없는 일을 하게 한 때에 해당한다고 할 수 없다.

④ 공무원의 행위가 권리행사를 방해함으로 인한 직권남용권리행사방해죄와 의무 없는 일을 하게 함으로 인한 직권남용권리행사방해죄 두 가지 행위태양에 모두 해당하는 것으로 기소된 경우, 권리행사를 방해함으로 인한 직권남용권리행사방해죄만 성립하고 의무 없는 일을 하게 함으로 인한 직권남용권리행사방해죄는 따로 성립하지 아니한다.

⑤ 공무원의 직권남용행위가 있었다 할지라도 현실적으로 권리행사의 방해라는 결과가 발생하지 아니하였다면 직권남용권리행사방해죄의 기수를 인정할 수 없다.

**해설** ① 대판 2010.1.28, 2008도7312

② ×: 어떠한 직무가 공무원의 일반적 권한에 속하는 사항이라고 하기 위해서는 그에 관한 법령상의 근거가 필요하다. 다만, 법령상의 근거는 반드시 명문의 근거만을 의미하는 것은 아니고, 명문이 없는 경우라도 법·제도를 종합적, 실질적으로 관찰해서 그것이 해당 공무원의 직무권한에 속한다고 해석되고 그것이 남용된 경우 상대방으로 하여금 의무 없는 일을 행하게 하거나 상대방의 권리를 방해하기에 충분한 것이라고 인정되는 경우에는 직권남용죄에서 말하는 일반적 권한에 포함된다(대판 2019.3.14, 2018도18646).

③ 대판 2019.3.14, 2018도18646 ④ 대판 2010.1.28, 2008도7312 ⑤ 대판 2008.12.24, 2007도9287

**03** **직권남용죄에 관한 설명 중 가장 옳지 않은 것은?**(다툼이 있는 경우 판례에 의함) 21. 법원직

① 어떠한 직무가 공무원의 일반적 직무권한에 속하는 사항이라고 하기 위해서는 그에 관한 법령상 근거가 필요하다. 법령상 근거는 반드시 명문의 규정만을 요구하는 것이 아니라 명문의 규정이 없더라도 법령과 제도를 종합적, 실질적으로 살펴보아 그것이 해당 공무원의 직무권한에 속한다고 해석되고, 이것이 남용된 경우 상대방으로 하여금 사실상 의무 없는 일을 하게 하거나 권리를 방해하기에 충분한 것이라고 인정되는 경우에는 직권남용죄에서 말하는 일반적 직무권한에 포함된다.

② 공무원이 한 행위가 직권남용에 해당한다고 하여 그러한 이유만으로 상대방이 한 일이 '의무 없는 일'에 해당한다고 인정할 수는 없다.

**Answer** 2. ② 3. ③

③ 직권남용 행위의 상대방이 일반 사인인 경우 특별한 사정이 없는 한 '의무 없는 일'에 해당하는지는 직권을 남용하였는지와 별도로 그에게 그러한 일을 할 법령상 의무가 있는지를 살펴 개별적으로 판단하여야 한다.

④ 남용에 해당하는가를 판단하는 기준은 구체적인 공무원의 직무행위가 본래 법령에서 그 직권을 부여한 목적에 따라 이루어졌는지, 직무행위가 행해진 상황에서 볼 때 필요성·상당성이 있는 행위인지, 직권행사가 허용되는 법령상의 요건을 충족했는지 등을 종합하여 판단하여야 한다.



해설 ① 대판 2019.3.14, 2018도18646

② 대판 2020.1.30, 2018도2236 전원합의체

③ ×: 직권남용 행위의 상대방이 일반 사인인 경우 특별한 사정이 없는 한 직권에 대응하여 따라야 할 의무가 없으므로 그에게 어떠한 행위를 하게 하였다면 '의무 없는 일을 하게 한 때'에 해당할 수 있다. 그러나 상대방이 공무원이거나 법령에 따라 일정한 공적 임무를 부여받고 있는 공공기관 등의 임직원인 경우에는 법령에 따라 임무를 수행하는 지위에 있으므로 그가 직권에 대응하여 어떠한 일을 한 것이 의무 없는 일인지 여부는 관계 법령 등의 내용에 따라 개별적으로 판단하여야 한다(대판 2020.1.30, 2018도2236 전원합의체).

④ 대판 2020.1.30, 2018도2236 전원합의체

**04** **직권남용권리행사방해죄에 관한 다음 설명 중 가장 옳지 않은 것은?**(다툼이 있는 경우 판례에 의함) 23. 법원행시

① 공무원이 자신의 직무권한에 속하는 사항에 관하여 실무 담당자로 하여금 그 직무집행을 보조하는 사실행위를 하도록 하더라도 원칙적으로 의무 없는 일을 하게 한 때에 해당한다고 할 수 없다.

② 형법 제123조는 "공무원이 직권을 남용하여 사람으로 하여금 의무 없는 일을 하게 하거나 사람의 권리행사를 방해한 때에는 5년 이하의 징역, 10년 이하의 자격정지 또는 1천만 원 이하의 벌금에 처한다."라고 규정하고 있는데, 여기서 말하는 '권리'는 공법상의 권리인지 사법상의 권리인지를 묻지 않는다.

③ 치안본부장인 甲이 국립과학수사연구소 A과장에게 고문치사자의 사인에 관하여 기자간담회에 참고할 메모를 작성하도록 요구하고 A과장으로 하여금 내심의 의사에 반하여 두 번이나 고쳐 작성하도록 한 경우에도 직권남용죄는 성립하지 않는다.

④ 공무원이 직무관련자에게 제3자와 계약을 체결하도록 요구하여 계약 체결을 하게 한 행위가 제3자뇌물수수죄의 구성요건과 직권남용권리행사방해죄의 구성요건에 모두 해당하는 경우에는 제3자뇌물수수죄와 직권남용권리행사방해죄가 각각 성립하고, 위 두 죄는 형법 제40조의 상상적 경합관계에 있다.

⑤ 공무원의 직권남용행위가 있었다면 현실적으로 권리행사의 방해라는 결과가 발생하지 아니하였더라도 직권남용권리행사방해죄는 기수에 이른 것이다.

Answer 4.⑤

| 해설 | ① 대판 2019.3.14, 2018도18646 ② 대판 2010.1.28, 2008도7312
③ 대판 1991.12.27, 90도2800(∵ 직권남용죄에서 말하는 '의무'란 법률상 의무를 가리키고, 단순한 심리적 의무감 또는 도덕적 의무는 이에 해당하지 아니한다.)
④ 대판 2017.3.15, 2016도19659
⑤ ×: 공무원의 직권남용행위가 있었다 할지라도 현실적으로 권리행사의 방해라는 결과가 발생하지 아니하였다면 직권남용권리행사방해죄의 기수를 인정할 수 없다(대판 2008.12.24, 2007도9287).

## 05 직무유기죄와 직권남용죄에 대한 설명으로 옳지 않은 것은?(다툼이 있는 경우 판례에 의함)

21. 경찰간부

① 직무유기죄는 그 직무를 수행하여야 하는 작위의무의 존재와 그에 대한 위반을 전제로 하고 있는바, 공무원이 정당한 이유 없이 그 직무수행을 거부하거나 그 직무를 유기한 때 즉시 성립하는 즉시범이다.
② 직무유기죄는 공무원이 추상적 성실의무를 태만히 하는 일체의 경우에 성립하는 것이 아니라 직장의 무단이탈, 직무의 의식적인 포기 등과 같이 국가의 기능을 저해하고 국민에게 피해를 야기시킬 가능성이 있는 경우에 한하여 성립한다.
③ 직권남용죄에서 '직권남용'은 '사람으로 하여금 의무 없는 일을 하게 한 것'과 '사람의 권리행사를 방해한 것'과 구별되는 별개의 범죄성립요건으로, 공무원이 한 행위가 직권남용에 해당한다고 하여 바로 상대방이 한 일이 '의무 없는 일'에 해당한다고 인정할 수는 없다.
④ '권리행사를 방해함으로 인한 직권남용권리행사방해죄'와 '의무 없는 일을 하게 함으로 인한 직권남용권리행사방해죄'의 두 가지 행위태양에 모두 해당하는 경우, 전자만 성립하고 후자는 따로 성립하지 아니하는 것으로 봄이 상당하다.

| 해설 | ① ×: 즉시범 ×, 계속범 ○(대판 1997.8.29, 97도675 ∵ 위법한 부작위상태가 계속되는 한 가벌적 위법상태는 계속 존재함)
② 대판 2014.4.10, 2013도229 ③ 대판 2020.1.30, 2018도2236 전원합의체
④ 대판 2010.1.28, 2008도7312

## 06 공무원의 직무에 관한 죄에 대한 설명으로 가장 적절하지 않은 것은?(다툼이 있는 경우 판례에 의함)

22. 경찰승진

① 공무원이 어떠한 위법사실을 발견하고도 직무상 의무에 따른 적절한 조치를 취하지 아니하고 위법사실을 적극적으로 은폐할 목적으로 허위공문서를 작성·행사한 경우에는 허위공문서작성죄 및 동행사죄 이외에도 직무유기죄가 성립한다.
② 명문의 규정이 없더라도 법령과 제도를 종합적, 실질적으로 살펴보아 그것이 해당 공무원의 직무권한에 속한다고 해석되고, 이것이 남용된 경우 상대방으로 하여금 사실상 의무 없는 일을 하게 하거나 권리를 방해하기에 충분한 것이라고 인정되는 경우는 직권남용죄에서 말하는 일반적 직무권한에 포함된다.

Answer 5.① 6.①

③ 직권남용 행위의 상대방이 일반 사인인 경우 특별한 사정이 없는 한 직권에 대응하여 따라야 할 의무가 없으므로 그에게 어떠한 행위를 하게 하였다면 직권남용권리행사방해죄의 '의무 없는 일을 하게 한 때'에 해당할 수 있다.

④ 공무상 비밀누설죄에서 말하는 '비밀'이란 실질적으로 그것을 비밀로서 보호할 가치가 있다고 인정할 수 있는 것이어야 한다.

| 해설 ① ×：허위공문서작성죄 및 동행사죄 ○, 직무유기죄 ×(대판 1982.12.28, 82도2210)
② 대판 2019.3.14, 2018도18646 ③ 대판 2020.1.30, 2018도2236 전원합의체
④ 대판 1996.5.10, 95도780



**07 공무원의 직무에 관한 죄의 설명 중 가장 적절하지 않은 것은?**(다툼이 있는 경우 판례에 의함)

22. 순경 2차

① 지방자치단체의 장이 미리 승진후보자명부상 후보자들 중에서 승진대상자를 실질적으로 결정한 다음, 그 내용을 인사위원회 간사, 서기 등을 통해 인사위원회 위원들에게 '승진대상자 추천'이라는 명목으로 제시하여 인사위원회로 하여금 자신이 특정한 후보자들을 승진대상자로 의결하도록 유도하는 행위는 직권남용권리행사방해죄의 구성요건인 '직권의 남용' 및 '의무 없는 일을 하게 한 경우'로 볼 수 있다.

② 공무원이 직무상 알게 된 비밀을 그 직무와의 관련성 혹은 필요성에 기하여 해당 직무의 집행과 관련 있는 다른 공무원에게 직무집행의 일환으로 전달한 경우, 국가기능에 위험이 발생하리라고 볼 만한 특별한 사정이 인정되지 않는 한, 그 행위는 비밀의 누설에 해당하지 아니한다.

③ 직무집행의 의사로 자신의 직무를 수행한 경우에는 그 직무집행의 내용이 위법한 것으로 평가된다는 점만으로 직무유기죄의 성립을 인정할 것은 아니고, 공무원이 태만・분망 또는 착각 등으로 인하여 직무를 성실히 수행하지 아니한 경우나 형식적으로 또는 소홀히 직무를 수행한 탓으로 적절한 직무수행에 이르지 못한 것에 불과한 경우에도 직무유기죄는 성립하지 아니한다.

④ 경찰관들이 현행범으로 체포한 도박혐의자들에게 현행범인체포서 대신에 임의동행동의서를 작성하게 하고, 그나마 제대로 조사도 하지 않은 채 석방하였으며, 압수한 일부 도박자금에 관하여 압수조서 및 목록도 작성하지 않은 채 반환하고, 일부 도박혐의자의 명의도용 사실과 도박 관련 범죄로 수회 처벌받은 전력을 확인하고서도 아무런 추가조사도 없이 석방한 경우, 그 경찰관들에게는 직무유기죄가 성립한다.

| 해설 ① ×：~ 볼 수 없다〔대판 2020.12.10, 2019도17879 ∵ 지방공무원법령상 임용권자(기장군수)는 인사위원회의 사전심의 결과에 구속되지 않으며 최종적으로 승진임용대상자를 결정할 권한은 임용권자에게 있으므로, 임용권자의 직권을 남용하거나 인사위원회 위원들에게 의무 없는 일을 하게 한 경우로는 볼 수 없다〕.
② 대판 2021.11.25, 2021도2486 ③ 대판 2014.4.10, 2013도229 ④ 대판 2010.6.24, 2008도11226

Answer 7.①

**08** **공무원의 직무에 관한 죄에 대한 설명 중 가장 적절하지 않은 것은?**(다툼이 있는 경우 판례에 의함) 23. 경찰승진

① 교육기관의 장이 징계의결을 집행하지 못할 법률상·사실상 장애가 없는데도 징계의결서를 통보받은 날로부터 법정 시한이 지나도록 집행을 유보하는 것이 직무에 관한 의식적인 방임이나 포기에 해당한다고 볼 수 있는 경우 직무유기죄가 성립하지 않는다.

② 직권남용권리행사방해죄는 직권을 남용하여 현실적으로 다른 사람이 법령상 의무 없는 일을 하게 하였거나 다른 사람의 구체적인 권리행사를 방해하는 결과가 발생하여야 하고, 그 결과의 발생은 직권남용 행위로 인한 것이어야 한다.

③ 경찰관이 파출소로 연행되어 온 불법체류자의 신병을 출입국관리사무소에 인계하지 않고 훈방하면서 이들의 인적 사항조차 기재해 두지 않은 경우 직무유기죄가 성립한다.

④ 검찰의 고위간부가 특정사건에 대한 수사가 진행 중인 상태에서 해당 사안에 관한 수사책임자의 잠정적인 판단과 같은 수사팀의 내부 상황을 확인한 뒤 그 내용을 수사 대상자 측에 전달한 경우 공무상 비밀누설죄가 성립한다.

**해설** ① ×: ~ 직무유기죄가 성립한다(대판 2014.4.10, 2013도229).
② 대판 2020.1.30, 2018도2236 전원합의체
③ 대판 2008.2.14, 2005도4202
④ 대판 2007.6.14, 2004도5561

**09** **다음 설명 중 옳은 것은 모두 몇 개인가?**(다툼이 있는 경우 판례에 의함) 기출지문 종합

㉠ 외교상 기밀누설죄는 공무원 또는 공무원이었던 자가 직무와 관련하여 알게 된 외교상 기밀을 누설한 때에 성립하는 신분범이다.
㉡ 대검찰청 공안부장 甲이 고등학교 후배인 한국조폐공사 사장 乙에게 한국조폐공사의 쟁의행위 및 구조조정에 관하여 전화통화를 한 경우 甲에게는 직권남용죄가 적용된다.
㉢ 인신구속에 관한 직무를 보조하는 자가 피해자를 구속하기 위하여 진술조서 등을 허위로 작성한 후 검사와 영장전담판사를 기망하여 구속영장을 발부받아 피해자를 구금한 경우 직권남용감금죄가 성립한다.
㉣ 공무상 비밀누설죄의 보호법익은 비밀 그 자체가 아니라 비밀의 누설에 의하여 위협받는 국가의 기능이다.
㉤ 검찰 고위간부 甲이 사건에 대한 수사가 진행 중인 상태에서 해당 사안에 관한 수사책임자 乙의 잠정적인 판단 등 수사팀의 내부 상황을 확인하고 그 내용을 수사 대상자에게 전달한 행위는 공무상 비밀누설죄를 구성한다.
㉥ 형법 제123조 직권남용죄의 미수범은 처벌하지 아니한다.
㉦ 형법상 불법체포·감금죄와 폭행·가혹행위죄는 모두 미수범을 처벌하는 규정이 있다.

① 1개 ② 2개 ③ 3개 ④ 4개

Answer 8. ① 9. ④

**| 해설** ㉠ × : 외교상 기밀누설죄의 주체는 제한이 없다(∴ 신분범 ×, 제113조).
㉡ × : 직권남용죄 ×(대판 2005.4.15, 2002도3453 ∵ 일반적 직무권한에 속하지 않음)
㉢ ○ : 대판 2006.5.25, 2003도3945
㉣ ○ : 대판 1996.5.10, 95도780
㉤ ○ : 대판 2007.6.14, 2004도5561
㉥ ○ : 공무원의 직무에 관한 죄 ⇨ 미수범 처벌 ○(불법체포 · 감금죄 : 제124조 제2항), 나머지(직무유기죄, 직권남용죄, 폭행 · 가혹행위죄, 피의사실공표죄, 공무상 비밀누설죄, 선거방해죄, 뇌물죄)는 미수범 처벌 ×
㉦ × : 불법체포 · 감금죄의 미수범 처벌 ○(제124조 제1항), 폭행 · 가혹행위죄의 미수범 처벌 ×(제125조)



**10** **직권남용권리행사방해죄에 관한 설명으로 가장 적절하지 않은 것은?**(다툼이 있는 경우 판례에 의함) **24. 경찰승진**

① 직권남용권리행사방해죄에서 말하는 '권리'는 공법상의 권리인지 사법상의 권리인지를 묻지 않는다.
② 공무원이 자신의 직무권한에 속하는 사항에 관하여 실무담당자로 하여금 그 직무집행을 보조하는 사실행위를 하도록 하더라도 이는 공무원 자신의 직무집행으로 귀결될 뿐이므로 원칙적으로 직권남용죄에서 말하는 '의무 없는 일을 하게 한 때'에 해당한다고 할 수 없다.
③ 직권남용권리행사방해죄는 추상적 위험범으로 공무원이 직권을 남용하는 행위를 하면 곧바로 성립하고, 직권을 남용하여 현실적으로 다른 사람이 법령상 의무 없는 일을 하게 하였거나 다른 사람의 구체적인 권리행사를 방해하는 결과가 발생하여야 하는 것은 아니다.
④ 직권남용권리행사방해죄에서 공무원이 직무와는 상관없이 단순히 개인적인 친분에 근거하여 문화예술 활동에 대한 지원을 권유하거나 협조를 의뢰한 것에 불과한 경우에는 직권남용에 해당하지 않는다.

**| 해설** ① 대판 2010.1.28, 2008도7312
② 대판 2019.3.14, 2018도18646
③ × : 직권남용권리행사방해죄는 단순히 공무원이 직권을 남용하는 행위를 하였다는 것만으로 곧바로 성립하는 것이 아니다. 직권을 남용하여 현실적으로 다른 사람이 법령상 의무 없는 일을 하게 하였거나 다른 사람의 구체적인 권리행사를 방해하는 결과가 발생하여야 하고, 그 결과의 발생은 직권남용 행위로 인한 것이어야 한다(대판 2020.1.30, 2018도2236 전원합의체).
④ 대판 2009.1.30, 2008도6950

**Answer** 10. ③

**관련조문**

**제129조【수뢰, 사전수뢰】** ① 공무원 또는 중재인이 그 직무에 관하여 뇌물을 수수, 요구 또는 약속한 때에는 5년 이하의 징역 또는 10년 이하의 자격정지에 처한다.

② 공무원 또는 중재인이 될 자가 그 담당할 직무에 관하여 청탁을 받고 뇌물을 수수, 요구 또는 약속한 후 공무원 또는 중재인이 된 때에는 3년 이하의 징역 또는 7년 이하의 자격정지에 처한다.

**제130조【제3자뇌물제공】** 공무원 또는 중재인이 그 직무에 관하여 부정한 청탁을 받고 제3자에게 뇌물을 공여하게 하거나 공여를 요구 또는 약속한 때에는 5년 이하의 징역 또는 10년 이하의 자격정지에 처한다.

**제131조【수뢰 후 부정처사, 사후수뢰】** ① 공무원 또는 중재인이 전 2조의 죄를 범하여 부정한 행위를 한 때에는 1년 이상의 유기징역에 처한다.

② 공무원 또는 중재인이 그 직무상 부정한 행위를 한 후 뇌물을 수수, 요구 또는 약속하거나 제3자에게 이를 공여하게 하거나 공여를 요구 또는 약속한 때에도 전항의 형과 같다.

③ 공무원 또는 중재인이었던 자가 그 재직 중에 청탁을 받고 직무상 부정한 행위를 한 후 뇌물을 수수, 요구 또는 약속한 때에는 5년 이하의 징역 또는 10년 이하의 자격정지에 처한다.

**제132조【알선수뢰】** 공무원이 그 지위를 이용하여 다른 공무원의 직무에 속한 사항의 알선에 관하여 뇌물을 수수, 요구 또는 약속한 때에는 3년 이하의 징역 또는 7년 이하의 자격정지에 처한다.

**제133조【뇌물공여 등】** ① 제129조부터 제132조까지에 기재한 뇌물을 약속, 공여 또는 공여의 의사를 표시한 자는 5년 이하의 징역 또는 2천만원 이하의 벌금에 처한다.

② 제1항의 행위에 제공할 목적으로 제3자에게 금품을 교부한 자 또는 그 사정을 알면서 금품을 교부받은 제3자도 제1항의 형에 처한다.

**제134조【몰수, 추징】** 범인 또는 사정을 아는 제3자가 받은 뇌물 또는 뇌물로 제공하려고 한 금품은 몰수한다. 이를 몰수할 수 없을 경우에는 그 가액을 추징한다.

▶ 1. **뇌물죄** : 필요적 몰수 · 추징, 미수범 · 예비 · 음모 처벌 ×

2. **뇌물죄의 중요한 구성요건 비교**

| 종 류 | 주 체 | 청 탁 | 부정한 행위 |
|---|---|---|---|
| 단순수뢰죄 | 공무원 또는 중재인 | × | × |
| 사전수뢰죄 | 공무원 또는 중재인이 될 자 | 청탁 | × |
| 제3자뇌물공여죄 | 공무원 또는 중재인 | 부정한 청탁 | × |
| 수뢰 후 부정처사죄 | 공무원 또는 중재인 | ×, 청탁, 부정한 청탁 | 부정한 행위 |
| 부정처사 후 수뢰죄 | 공무원 또는 중재인 | × | 부정한 행위 |
| 사후수뢰죄 | 공무원 또는 중재인이었던 자 | 청탁 | 부정한 행위 |
| 알선수뢰죄 | 공무원 ○, 중재인 × | × | × |

## THEMA 27 '수뢰죄(제129조 제1항)' 총정리

공무원 또는 중재인이 그 직무에 관하여 뇌물을 수수, 요구 또는 약속함으로써 성립하는 범죄이다.

**1. 보호법익** : 직무행위의 불가매수성과 직무집행의 공정성 및 이에 대한 사회일반의 신뢰(통설 · 판례)

**관련판례**

1. 뇌물죄는 직무집행의 공정과 이에 대한 사회의 신뢰에 기하여 직무행위의 불가매수성을 그 직접의 보호법익으로 하고 있고, 직무에 관한 청탁이나 부정한 행위를 필요로 하지 아니하여 수수된 금품의 뇌물성을 인정하는 데 특별히 의무위반행위나 청탁의 유무 등을 고려할 필요가 없으므로, 뇌물은 직무에 관하여 수수된 것으로 족하고 개개의 직무행위와 대가적 관계에 있을 필요는 없으며, 그 직무행위가 특정된 것일 필요도 없다(대판 2009.5.14, 2008도8852). 17. 경찰간부 · 9급 검찰 · 마약수사 · 순경 2차, 19. 법원직, 22. 수사경과 · 경력채용, 23. 법원행시, 24. 해경승진
2. 공무원이 그 이익을 수수하는 것으로 인하여 사회일반으로부터 직무집행의 공정성을 의심받게 되는지 여부도 뇌물죄 성부의 판단기준이 된다(대판 2001.9.18, 2000도5438). 12. 순경 1차, 17. 순경 2차

**2. 수뢰죄와 증뢰죄의 관계**

**관련판례**

1. 뇌물공여죄와 뇌물수수죄는 필요적 공범(대향범)으로서 형법총칙의 공범이 아니므로, 뇌물공여자와 수수자 사이에서는 상대방의 범행에 대하여 형법총칙의 공범규정이 적용되지 않는다(대판 2015.2.12, 2012도4842). 15. 경찰간부, 16. 법원행시, 18. 법원직, 23. 해경승진
2. 뇌물공여죄가 성립하기 위하여는 뇌물을 공여하는 행위와 상대방 측에서 금전적으로 가치가 있는 그 물품 등을 받아들이는 행위가 필요할 뿐 반드시 상대방 측에서 뇌물수수죄가 성립하여야 함을 뜻하는 것은 아니다(대판 2006.2.24, 2005도4737). 17. 9급 검찰, 19. 경력채용, 20. 수사경과, 21. 변호사시험 · 경찰간부 · 경찰승진, 22. 9급 검찰 · 마약수사 · 해경간부 · 해경 2차, 24. 해경승진
3. 오로지 공무원을 함정에 빠뜨릴 의사로 직무와 관련되었다는 형식을 빌려 그 공무원에게 금품을 공여한 경우에도 공무원이 그 금품을 직무와 관련하여 수수한다는 의사를 가지고 받아들이면 뇌물수수죄가 성립한다(대판 2008.3.13, 2007도10804). 18. 9급 검찰, 19. 법원행시 · 수사경과, 22. 7급 검찰

**3. 주체** : 공무원 또는 중재인(진정신분범)

▶ 장래 공무원이 될 자 ⇨ 사전수뢰죄의 주체, 공무원이었던 자 ⇨ 사후수뢰죄의 주체

**관련판례**

1. 뇌물수수죄의 주체는 현재 공무원 또는 중재인의 직에 있는 자에 한정되므로, 공무원이 직무와 관련하여 뇌물수수를 약속하고 퇴직 후 이를 수수하는 경우에는, 뇌물약속과 뇌물수수가 시간적으로 근접하여 연속되어 있다고 하더라도, 뇌물약속죄 및 사후수뢰죄가 성립할 수 있으나 뇌물수수죄는 성립하지 않는다(대판 2008.2.1, 2007도5190). 20. 순경 2차, 21. 경찰간부 · 수사경과, 22. 7급 검찰, 23. 경찰승진 · 법원직

   ▶ **유사판례** : 뇌물의 수수 등을 할 당시 이미 공무원의 지위를 떠난 경우에는 제129조 제1항의 수뢰죄로는 처벌할 수 없고 사후수뢰죄의 요건(재직 중에 청탁을 받고 직무상 부정한 행위를 한 후 뇌물의 수수 등)에 해당할 경우에 한하여 그 죄로 처벌할 수 있을 뿐이다(대판 2013.11.28, 2013도10011 ⓔ 국가공무원이 지방자치단체의 업무에 관하여 별도의 위촉절차 등을 거쳐 그 고유의 직무와 관련이 없는 다른 직무를 수행하게 된 경우에는, 그 위촉이 종료된 후 종전에

위촉받아 수행한 직무에 관하여 금품을 수수하더라도 이는 사후수뢰죄에 해당할 수 있음은 별론으로 하고 일반 수뢰죄로 처벌할 수 없다). 14. 법원직, 18. 경찰승진, 19. 경찰간부 · 수사경과, 21. 해경 1차, 23. 법원행시

2. 임용될 당시 공무원법상 임용결격자에 해당하여 임용행위는 무효였지만 그 후 공무원으로 계속 근무하면서 직무에 관하여 뇌물을 수수한 경우, 수뢰죄가 성립한다(대판 2014.3.27, 2013도11357). 14. 순경 2차, 18. 변호사시험, 19. 7급 검찰 · 철도경찰, 20. 법원행시, 21. 수사경과 · 경찰간부 · 경찰승진, 22. 법원직 · 해경간부, 24. 순경 1차 · 9급 검찰 · 마약수사
3. 집행관사무소의 사무원이 집행관을 보조하여 담당하는 사무의 성질이 국가의 사무에 준하는 측면이 있다는 사정만으로는 형법 제129조 내지 제132조에서 정한 '공무원'에 해당한다고 보기 어렵다(대판 2011.3.10, 2010도14394). 13 · 17. 경찰간부
4. 도시 및 주거환경정비법상 정비사업조합의 임원이 조합 임원의 지위를 상실하거나 직무수행권을 상실한 후에도 조합 임원으로 등기되어 있는 상태에서 계속하여 실질적으로 조합 임원으로서 직무를 수행하여 온 경우, 그 조합 임원을 같은 법 제84조에 따라 형법상 뇌물죄의 적용에서 '공무원'으로 보아야 한다(대판 2016.1.14, 2015도15798). 16. 순경 2차, 17. 법원직
5. 공무원으로 의제되는 재건축조합 조합장인 甲이 재건축상가 일반분양분의 매수를 위한 청탁 명목으로 제공된다는 사정을 알면서 乙을 통하여 丁으로부터 5,000만원이 입금되어 있는 통장과 현금카드를 교부받은 경우 ⇨ 뇌물수수죄(대판 2010.12.23, 2010도13584)
6. 서울특별시 후생복지심의위원회 위원장에 의해 서울시청 구내식당 소속 시간제 종사원으로 고용된 자는 뇌물수수죄의 주체인 '공무원'에 해당하지 않는다(대판 2012.8.23, 2011도12639).

**4. 객체** : 뇌물이란 공무원 또는 중재인의 직무에 관한 위법한 보수(부당한 이익)로서의 모든 이익을 말한다.

① 직무에 관하여(뇌물과 직무의 관련성)

㉠ 뇌물죄에서 말하는 '직무'에는 법령에 정하여진 직무뿐만 아니라 그와 관련 있는 직무, 과거에 담당하였거나 장래에 담당할 직무 외에 사무분장에 따라 현실적으로 담당하지 않는 직무라도 법령상 일반적인 직무권한에 속하는 직무 등 공무원이 그 직위에 따라 공무로 담당할 일체의 직무를 포함한다(㉧ 교통계 근무 경찰관이 도박장개설 및 도박범행을 묵인하는 등 편의를 봐주는 데 대한 사례비를 받은 경우 ⇨ 본죄 ○ : 대판 2003.6.13, 2003도1060). 14. 사시 · 순경 1차, 17. 9급 검찰 · 마약수사, 19. 법원직 · 7급 검찰, 20. 해경 3차, 22 · 23. 경찰간부

㉡ 직무행위의 정당성 여부나 위법 여부는 불문한다.

㉢ 뇌물죄에 있어서의 직무라 함은 공무원이 법령상 관장하는 직무 그 자체뿐만 아니라 그 직무와 밀접한 관계가 있는 행위 또는 관례상이나 사실상 소관하는 직무행위 및 결정권자를 보좌하거나 영향을 줄 수 있는 직무행위도 포함된다(대판 1999.1.29, 98도3584). 13. 법원행시, 21. 순경 1차, 22. 9급 검찰 · 마약수사, 23. 7급 검찰

㉣ 공무원이 장래에 담당할 직무에 대한 대가로 이익을 수수한 경우에도 뇌물수수죄가 성립할 수 있지만, 그 이익을 수수할 당시 장래에 담당할 직무에 속하는 사항이 그 수수한 이익과 관련된 것임을 확인할 수 없을 정도로 막연하고 추상적이거나, 장차 그 수수한 이익과 관련지을 만한 직무권한을 행사할지 자체를 알 수 없다면, 그 이익이 장래에 담당할 직무에 관하여 수수되었다거나 그 대가로 수수되었다고 단정하기 어렵다(대판 2017.12.22, 2017도12346). 19. 법원행시, 20. 법원직, 21. 순경 1차

**관련판례**

• **직무에 관한 것에 해당하는 경우 ⇨ 뇌물죄 ○**

1. 음주운전을 적발·단속하여 운전면허 취소업무 담당자에게 인계하는 업무를 담당하는 경찰관이 피단속자로부터 운전면허가 취소되지 않도록 하여 달라는 청탁을 받고 금원을 받은 경우(대판 1999.11.9, 99도2530) 15. 경찰승진, 16. 순경 2차, 18. 순경 1차, 21. 해경간부·수사경과
2. 경찰관이 재건축조합 직무대행자에 대한 진정사건을 수사하면서 진정인 측에 의하여 재건축 설계업체로 선정되기를 희망하던 건축사사무소 대표로부터 금원을 수수한 경우(대판 2007.4.27, 2005도4204). 12. 경찰간부, 15. 경찰승진, 17. 수사경과, 21. 해경간부
   ▶ **유사판례**: 경찰관이 자신이 조사하는 피의자들이 특정변호사를 변호인으로 선임하도록 알선하고 수임료의 일부를 받은 경우(대판 2000.6.15, 98도3697)
3. 지방의회의 의장선거에서 투표권을 가지고 있는 군의원들이 이와 관련하여 금품 등을 수수할 경우(대판 2002.5.10, 2000도2251) 15. 경찰승진, 17. 수사경과, 21. 해경간부
4. 국회의원이 자신의 직무권한인 의안의 심의·표결권 행사의 연장선상에서 일정한 의안에 관하여 다른 동료의원에게 작용하여 일정한 의정활동을 하도록 권유·설득한 경우 위 직무권한의 행사와 밀접한 관계가 있는 행위가 되므로 그와 관련하여 금품을 수수한 경우(대판 1997.12.26, 97도2609)
   ▶ **유사판례**
   ① 국회의원이 특정 협회로부터 요청받은 자료를 제공하고 그 대가로서 후원금 명목으로 금원을 교부받은 경우, 직무관련성이 있어 뇌물죄가 성립한다(대판 2009.5.14, 2008도8852). 12. 경찰간부, 15. 경찰승진, 21. 해경간부·순경 2차
   ② 정치자금의 명목으로 금품을 주고받았고 정치자금법에 정한 절차를 밟았다고 할지라도, 정치인의 정치활동 전반에 대한 지원의 성격을 갖는 것이 아니라 공무원인 정치인의 특정한 구체적 직무행위와 관련하여 금품 제공자에게 유리한 행위를 기대하거나 또는 그에 대한 사례로서 금품을 제공함으로써 정치인인 공무원의 직무행위에 대한 대가로서의 실체를 가진다면 뇌물성이 인정된다(대판 2017.3.22, 2016도21536). 19·22. 법원행시
5. ① 구청위생계장이 유흥업소업주로부터 건물용도변경허가와 관련하여 금품수수(대판 1989.9.12, 89도597) 08. 경찰승진, 21. 해경간부 ② 매각허부결정문의 문안작성 등 사무를 처리하여 온 법원주사보가 매각허부결정 등을 좌우하여 달라는 취지의 청탁을 받으면서 돈을 받은 경우(대판 1985.2.8, 84도2625) 07. 법원직
6. 시(市)의원인 피고인이 신문사와 노인단체의 부탁을 받고 노인시설에서 구독하는 신문의 구독료 예산을 확보하여 지급되도록 한 다음 수수료 명목의 돈을 수수한 경우 위 돈은 피고인이 직무에 관하여 수수한 것으로 보아야 한다(대판 2011.12.8, 2010도15628).
7. 검사로 발령받아 실무수습 중 특정범죄가중처벌 등에 관한 법률위반(상습절도)사건의 주임검사로서 피의자(女)를 조사하면서 유사성교 및 성교행위를 한 경우 ⇨ 뇌물수수죄 ○(대판 2014.1.29, 2013도13937 ∵ 성행위 ⇨ 뇌물 ○, 사건의 주임검사로서 수사에 대해 직접적이고 포괄적인 권한을 갖고 있었던 이상 직무관련성 및 대가성은 인정됨)

• **직무관련성이 없는 경우 ⇨ 뇌물죄 ×**

1. 공판참여주사가 양형을 감경하여 달라는 청탁을 받은 경우(대판 1980.10.14, 80도1373) 02. 사시, 12. 경찰간부, 15. 경찰승진, 18. 순경 3차, 21. 해경간부
2. 문교부 편수국 공무원인 피고인들이 교과서의 내용검토 및 개편 수정작업을 의뢰받고 그에 소요되는 비용을 받은 경우(대판 1979.5.22, 78도296 ∵ 교과의 내용검토 및 개편 수정작업 ⇨

발행자나 저작자의 책임 ○, 문교부 편수국 공무원의 직무 ×) 12. 경찰간부, 15. 경찰승진, 17. 수사경과, 21. 해경간부

3. 경찰청 정보과 근무 경찰관이 중소기업협동조합중앙회장의 외국인산업연수생에 대한 국내 관리업체 선정과 관련하여 돈을 받은 경우(대판 1999.6.11, 99도275) 11. 경찰승진, 14. 순경 2차, 15. 수사경과, 21. 해경간부
4. 국립대학교 의과대학 교수 겸 국립대학교병원 의사가 구치소로 왕진을 나가 진료하고 진단서를 작성해 주거나 구속집행정지신청에 관한 법원의 사실조회에 대하여 회신을 해주면서 사례금 명목으로 금품을 수수한 경우 뇌물죄의 직무관련성이 인정되지 않는다(대판 2006.6.15, 2005도1420 ∵ 의사로서의 진료업무이지 교육공무원의 직무와 밀접한 관련 있는 행위 ×). 21. 7급 검찰
5. 구 해양수산부 해운정책과 소속 공무원인 피고인이 甲해운회사의 대표이사 등에게서 중국의 선박운항허가 담당부서가 관장하는 중국 국적선사의 선박에 대한 운항허가를 받을 수 있도록 노력해 달라는 부탁을 받고 돈을 받은 경우(대판 2011.5.26, 2009도2453 ∵ 해운정책과 업무에는 대한민국 국적선사의 선박에 관한 것만 포함되어 있을 뿐 외국 국적선사의 선박에 대한 행정처분에 관한 것은 포함되어 있지 않으므로 직무관련성 ×) 18. 순경 1차, 21. 순경 2차, 22. 해경간부 · 수사경과
6. 공무원 甲이 시의 도시과 구획정리계 측량기술원으로 근무하면서 다년간 환지측량업무에 종사하게 된 결과 얻은 지식과 경험을 기초로 체비지에 관한 공개경쟁 입찰에서 입찰예정가격이 대략 어느 정도 될 것이라고 추측한 내용을 乙에게 알려준 경우, 甲이 그 대가로 乙로부터 이익을 받기로 약속하였다고 하더라도 그 이익을 뇌물죄에서 말하는 직무에 관련된 대가라고 보기 어렵다(대판 1983.3.22, 82도1922). 23. 법원행시

② 위법한 보수(부당한 이익)

㉠ 직무행위에 대한 대가관계 : 뇌물은 직무에 관한 부당한 이익 내지 불법한 보수이다. 즉, 뇌물과 직무행위 사이에는 급부와 반대급부라는 대가관계가 있어야 한다. 그러나 뇌물은 개개의 특정한 직무행위와 대가적 관계에 있을 필요는 없고(금원의 수수가 어느 직무행위와 대가관계가 있는 것인지 특정할 수 없다고 하더라도 뇌물죄는 성립한다 : 대판 2007.4.27, 2005도4204) 전체적 · 포괄적으로 대가관계가 있으면 족하다(대판 1997.12.26, 97도2609 예 국회의원이 그 직무권한의 행사로서의 의정활동과 전체적 · 포괄적으로 대가관계가 있는 금원을 교부받은 경우 ⇨ 뇌물수수죄 ○). 16. 경찰간부, 18. 변호사시험, 23. 법원행시 · 해경간부

**관련판례**

**• 사교적 의례로서의 선물과 뇌물의 구별**

1. 공무원이 그 직무의 대상이 되는 사람으로부터 금품 기타 이익을 받은 때에는 그것이 그 사람이 종전에 공무원으로부터 접대 또는 수수받은 것을 갚는 것으로서 사회상규에 비추어 볼 때에 의례상의 대가에 불과한 것이라고 여겨지거나, 개인적인 친분관계가 있어서 교분상의 필요에 의한 것이라고 명백하게 인정할 수 있는 경우 등 특별한 사정이 없는 한 직무와의 관련성이 없는 것으로 볼 수 없고, 공무원의 직무와 관련하여 금품을 수수하였다면 비록 사교적 의례의 형식을 빌어 금품을 주고 받았다 하더라도 그 수수한 금품은 뇌물이 된다(대판 2000.1.21, 99도4940). 14. 법원직, 18. 변호사시험, 19. 순경 1차, 21. 순경 2차, 24. 해경승진 규모가 작은 경우에도 직무행위와 대가관계가 있거나(대판 1984.4.10, 83도1499), 08. 7급 검찰, 15. 수사경과 관습상 승인되는 정도를 초과하는 다액의 금품이나 향응은 뇌물성이 인정된다(대판 1979.5.22, 79도303).

2. 공무원이 수수 · 요구 또는 약속한 금품에 그 직무행위에 대한 대가로서의 성질과 직무 외의 행위에 대한 사례로서의 성질이 불가분적으로 결합되어 있는 경우에는, 그 수수 · 요구 또는 약속한 금품 전부가 불가분적으로 직무행위에 대한 대가로서의 성질을 가진다(대판 2012.1.12, 2011도12642). 18. 경찰승진, 20. 법원직, 22. 법원행시 · 수사경과, 23. 7급 검찰, 24. 순경 1차

㉡ 이익의 불법 · 부당성 : 불법한 보수나 부당한 이익이면 충분하고, 반드시 부도덕한 이익이거나 사리사욕적이어야 하는 것은 아니다.

**관련판례**

뇌물죄에 있어서 금품을 수수한 장소가 공개된 장소이고, 금품을 수수한 공무원이 이를 부하직원들을 위하여 소비하였을 뿐 자신의 사리를 취한 바 없다 하더라도 그 뇌물성이 부인되지 않는다(대판 1996.6.14, 96도865). 14. 수사경과, 15. 순경 2차, 19. 경력채용, 24. 해경승진

▶ **유사판례** : 뇌물죄에 있어서 금품을 수수한 장소가 공개된 공사현장이었고 금품을 수수한 공무원이 이를 공사현장 인부들의 식대 또는 동 공사의 홍보비 등으로 소비하였을 뿐 자신의 사리를 취한 바 없다 하더라도 그 뇌물성이 부인되지 않는다(대판 1985.5.14, 83도2050). 08. 7급 검찰, 15. 수사경과

㉢ 모든 이익 : 뇌물죄에 있어서 내용인 이익은 금전 · 물품 기타의 재산적 이익뿐만 아니라 사람의 수요 · 욕망을 충족시키기에 족한 일체의 유형 · 무형의 이익을 포함한다(대판 1995.6.30, 94도993). 12. 경찰승진, 13. 사시, 17. 9급 검찰 · 마약수사 따라서 제공된 것이 성적 욕구의 충족이라고 해서 달리 볼 이유는 없다(대판 2014.1.29, 2013도13937 ∴ 향응과 같은 무형적 이익도 뇌물에 해당함이 분명한 이상, 뇌물의 개념에 성행위도 포함된다). 16. 순경 2차, 17. 법원직, 18. 순경 1차, 19. 경찰간부, 22. 법원행시, 24. 변호사시험 · 9급 검찰 · 마약수사 투기적 사업에 참여할 기회를 얻는 것도 이에 해당한다(대판 2002.11.26, 2002도3539). 17. 9급 검찰 · 마약수사, 19. 법원직, 21. 수사경과 · 해경승진 · 해경 1차, 22. 해경간부

**관련판례**

• **뇌물성이 인정되는 경우**

1. 공무원이 뇌물로 투기적 사업에 참여할 기회를 제공받은 경우, 뇌물수수죄의 기수 시기는 투기적 사업에 참여하는 행위가 종료된 때로 보아야 하며, 그 행위가 종료된 후 경제사정의 변동 등으로 인하여 당초의 예상과는 달리 그 사업 참여로 아무런 이득을 얻지 못한 경우라도 뇌물수수죄의 성립에는 영향이 없다(대판 2002.11.26, 2002도3539). 14. 사시 · 법원행시, 16. 7급 검찰 · 철도경찰, 22. 법원직 · 경력채용 · 9급 검찰 · 마약수사 · 순경 2차
2. 뇌물로 받은 당좌수표가 후일 부도된 경우(대판 1983.2.22, 82도2964) 14. 사시 · 순경, 16. 경찰승진, 20. 수사경과, 22. 해경간부 · 해경 2차
3. 자동차를 뇌물로 제공한 경우 자동차등록원부에 뇌물수수자가 그 소유자로 등록되지 않았다고 하더라도 자동차의 사실상 소유자로서 자동차에 대한 실질적인 사용 및 처분권한이 있다면 자동차 자체를 뇌물로 취득한 것으로 보아야 한다(대판 2006.4.27, 2006도735). 17. 법원행시 · 경찰승진, 19. 9급 검찰, 21. 변호사시험 · 해경승진, 22. 수사경과 · 경력채용 · 7급 검찰
4. 공무원으로 의제되는 정비사업전문관리업자가 반드시 정비조합이나 조합설립추진위원회와 특정 재건축 · 재개발 정비사업에 관하여 구체적인 업무위탁계약을 체결하여 그 직무에 관하여 이익을 취득하여야 하는 것은 아니다(대판 2008.9.25, 2008도2590). 09. 법원행시
5. 뇌물공여자가 스스로 성행위의 상대방이 되는 것, 즉 성교행위와 유사성교행위를 통해 성(性)적 이익을 제공하는 것도 뇌물죄의 객체가 될 수 있다(대판 2014.1.29, 2013도13937).

03

6. 공무원이 직무에 관하여 금전을 무이자로 차용한 경우에는 차용 당시에 금융이익 상당의 뇌물을 수수한 것으로 보아야 하므로, 공소시효는 금전을 무이자로 차용한 때로부터 기산한다(대판 2012.2.23, 2011도7282). 13. 법원직 · 순경 2차, 16. 경찰승진, 19. 경찰간부 · 7급 검찰, 21. 변호사시험, 22. 해경간부 · 해경 2차

7. 경찰공무원이 슬롯머신 영업에 5천만원을 투자하여 매월 3백만원을 배당받기로 약속한 후 35회에 걸쳐 1억 5백만원을 교부받은 경우, 1억 5백만원은 그 자체가 뇌물이 되는데, 다만 실제의 뇌물의 액수는 5천만원을 투자함으로써 얻을 수 있는 통상적인 이익을 초과한 금액이라고 보아야 한다(대판 1995.6.30, 94도993). 23. 법원행시

• **뇌물성이 인정되지 않는 경우**

수의계약을 체결하는 공무원이 해당 공사업자와 적정한 금액 이상으로 계약금액을 부풀려서 계약하고 부풀린 금액을 자신이 되돌려 받기로 사전에 약정한 다음 그에 따라 수수한 돈은 성격상 뇌물이 아니고 횡령금에 해당한다(대판 2007.10.12, 2005도7112). 14. 순경 1차, 16. 순경 2차, 21. 경찰간부 · 변호사시험 · 해경승진, 23. 경찰승진 · 법원행시, 24. 9급 검찰 · 마약수사

### 5. 행 위

① 뇌물수수죄는 직무에 관하여 뇌물을 수수하면 성립되고, 별도로 뇌물의 요구 또는 약속이 있어야 하는 것은 아니다(대판 1986.11.25, 86도1433). 13. 9급 검찰 · 마약수사

② 뇌물죄는 공여자의 출연에 의한 수뢰자의 영득의사의 실현으로서, 공여자의 특정은 직무행위와 관련이 있는 이익의 부담 주체라는 관점에서 파악하여야 할 것이므로, 금품이나 재산상 이익 등이 반드시 공여자와 수뢰자 사이에 직접 수수될 필요는 없다(대판 2020.9.24, 2017도12389 ㉓ 공무원이 어촌계장에게 선물을 받을 명단을 보내 자신의 이름으로 새우젓을 택배로 발송하게 하고, 그 대금을 지급하지 않는 방법으로 직무에 관하여 뇌물을 받은 경우에는 공여자와 수뢰자 사이에 직접 금품이 수수되지 않았더라도 뇌물공여죄 및 뇌물수수죄가 성립한다). 21. 순경 2차, 23. 경력채용

③ '약속'은 양 당사자의 뇌물수수의 합의를 말하고, 여기에서 '합의'란 그 방법에 아무런 제한이 없고 명시적일 필요도 없지만, 장래 공무원의 직무와 관련하여 뇌물을 주고 받겠다는 양 당사자의 의사표시가 확정적으로 합치하여야 한다(대판 2012.11.15, 2012도9417). 17. 법원직, 20. 경찰승진, 21 · 22. 수사경과 뇌물의 수수를 장래에 기약하는 것이므로 목적물인 이익이 약속 당시에 현존할 필요는 없고 예기할 수 있으면 족하며 또 가액이 확정되었거나 이행기가 확정되었을 필요도 없다(대판 2001.9.18, 2000도5438 ㉓ 공무원이 오랫동안 처분을 하지 못하고 있던 부동산을 개발이 예상되는 다른 토지와 교환계약을 체결한 것만으로도 뇌물약속죄가 성립한다). 14. 경찰간부, 17. 7급 검찰, 18. 법원행시, 20. 법원직, 21. 경찰승진, 23. 해경승진

### 6. 주관적 구성요건 : 고의

뇌물을 받는다는 것은 영득의 의사로 금품을 받는 것을 말하므로, 뇌물인지 모르고 받았다가 뇌물임을 알고 즉시 반환하거나 또는 증뢰자가 일방적으로 뇌물을 두고 가므로 나중에 기회를 보아 반환할 의사로 어쩔 수 없이 일시 보관하다가 반환하는 등 영득의 의사가 없었다고 인정되는 경우라면 뇌물을 받았다고 할 수 없다. 그러나 피고인이 먼저 뇌물을 요구하여 증뢰자로부터 돈을 받았다면 피고인에게는 받은 돈 전부에 대한 영득의 의사가 인정된다(대판 2017.3.22, 2016도21536). 17. 법원행시, 19. 7급 검찰

**관련판례**

1. 공무원이 증뢰자로부터 뇌물인지 모르고 수수하였다가 뇌물임을 알고 즉시 반환한 경우 단순수뢰죄가 성립하지 아니한다(대판 1978.1.31, 77도3755). 15. 경찰간부
2. 피고인이 먼저 뇌물을 요구하여 증뢰자가 제공하는 돈을 받았다면 영득의사가 인정되고, 영득의 의사로 뇌물을 수령한 이상 그 액수가 피고인이 예상한 것보다 너무 많은 액수이어서 후에 이를 반환하였다고 하더라도 뇌물죄의 성립에는 영향이 없다(대판 2007.3.29, 2006도9182). 19. 법원행시, 20. 해경 3차, 22. 경찰간부
3. 불우이웃돕기 성금이나 연극제에 전달할 의사로 금원을 받은 것에 불과하고 자신이 영득할 의사로 수수하였다고 보기는 어려운 경우 뇌물수수죄는 성립하지 아니한다(대판 2010.4.15, 2009도11146). 12. 경찰승진
4. 공무원 甲이 부동산업자인 乙로부터 이 사건 을왕동 토지에 관하여 건축허가를 내줄 것을 부탁받고 그로부터 1~2일 후 만나 3,000만원권 자기앞수표가 든 봉투를 건네받았는데, 그 후 乙과 수시로 통화하면서도 이를 즉시 乙에게 돌려주지 않고 위 자기앞수표를 10일 가량 가지고 있다가 돌려준 경우 ⇨ 뇌물수수죄 ○(대판 2012.8.23, 2010도6504 ∵ 영득의 의사로 수수 ○) 14. 사시

**7. 공동정범** : 대판 2019.8.29, 2018도2738 전원합의체

① 공무원이 아닌 사람(이하 '비공무원'이라 한다.)이 공무원과 공동가공의 의사와 이를 기초로 한 기능적 행위지배를 통하여 공무원의 직무에 관하여 뇌물을 수수하는 범죄를 실행하였다면 공무원이 직접 뇌물을 받은 것과 동일하게 평가할 수 있으므로 공무원과 비공무원에게 형법 제129조 제1항에서 정한 뇌물수수죄의 공동정범이 성립한다. 22. 변호사시험 · 법원행시, 23. 해경승진

② 뇌물수수죄의 공범들 사이에 직무와 관련하여 금품이나 이익을 수수하기로 하는 명시적 또는 암묵적 공모관계가 성립하고 공모 내용에 따라 공범 중 1인이 금품이나 이익을 주고받았다면, 특별한 사정이 없는 한 이를 주고받은 때 금품이나 이익 전부에 관하여 뇌물수수죄의 공동정범이 성립하고, 17. 7급 검찰, 20. 경찰간부 금품이나 이익의 규모나 정도 등에 대하여 사전에 서로 의사의 연락이 있거나 금품 등의 구체적 금액을 공범이 알아야 공동정범이 성립하는 것은 아니다.

③ 금품이나 이익 전부에 관하여 뇌물수수죄의 공동정범이 성립한 이후에 뇌물이 실제로 공동정범인 공무원 또는 비공무원 중 누구에게 귀속되었는지는 이미 성립한 뇌물수수죄에 영향을 미치지 않는다. 공무원과 비공무원이 사전에 뇌물을 비공무원에게 귀속시키기로 모의하였거나 뇌물의 성질상 비공무원이 사용하거나 소비할 것이라고 하더라도 이러한 사정은 뇌물수수죄의 공동정범이 성립한 이후 뇌물의 처리에 관한 것에 불과하므로 뇌물수수죄가 성립하는 데 영향이 없다. 20. 법원행시, 22. 7급 검찰

**8. 죄수 및 타죄와의 관계**

① 뇌물을 요구 또는 약속한 후 이를 수수한 때 ⇨ 포괄하여 1개의 뇌물수수죄(포괄일죄)

② 
- 공무원이 직무수행의 의사로 직무에 관하여 상대방을 공갈하여 뇌물을 수수한 때 ⇨ 본죄와 공갈죄의 상상적 경합
- 직무집행의 의사 없이 또는 직무처리와 대가관계 없이 타인을 공갈하여 재물의 교부를 받은 때 ⇨ 공갈죄만 성립(대판 1994.12.22, 94도2528), 피공갈자에게 증뢰죄 ×(대판 1994.12.22, 94도2528) 13. 경찰간부, 15. 순경 2차, 16. 경찰승진 · 수사경과, 18. 순경 3차, 21. 해경승진, 23. 순경 2차

③ 공무원이 직무에 관하여 타인을 기망하여 재물을 교부받은 때 ⇨ 본죄와 사기죄의 상상적 경합(대판 1985.2.8, 84도2625) 19. 7급 검찰, 22. 경찰간부, 23. 해경승진 · 순경 2차, 24. 변호사시험

④ 뇌물을 받은 일자가 상당한 기간에 걸쳐 있고 돈을 받은 일자 사이에 상당한 기간이 끼어 있더라도 단일하고 계속된 범의 아래 일정 기간 반복하여 행하고 그 피해법익도 동일한 것이라면 수뢰죄의 포괄일죄가 된다(대판 1985.9.24, 85도1502). 13. 법원행시, 16. 법원직·7급 검찰·철도경찰

⑤ 횡령 범행으로 취득한 돈을 공범자끼리 수수한 행위가 공동정범들 사이의 범행에 의하여 취득한 돈을 공모에 따라 내부적으로 분배한 것에 지나지 않는다면 별도로 그 돈의 수수행위에 관하여 뇌물죄가 성립하는 것은 아니다(대판 2019.11.28, 2019도11766 예 대통령의 지위에서 국정원장들에게 국정원 자금을 횡령하여 교부할 것을 지시하고 국정원장으로부터 그들이 횡령한 특별사업비를 교부받은 경우 ⇨ 뇌물죄 ×). 21. 법원행시·법원직, 22. 경찰승진

**01** 뇌물의 요건인 직무관련성이 인정되지 않는 경우는 모두 몇 개인가?(판례에 의함)

12. 경찰간부, 15. 경찰승진, 17. 수사경과, 21. 해경간부

㉠ 문교부 편수국 공무원인 피고인들이 교과서의 내용검토 및 개편 수정작업을 의뢰받고 그에 소요되는 비용을 받은 경우

㉡ 경찰관이 재건축조합 직무대행자에 대한 진정사건을 수사하면서 진정인 측의 재건축 설계업체로 선정되기를 희망하던 건축사사무소 대표로부터 금원을 수수한 경우

㉢ 음주운전을 적발하여 단속에 관련된 제반 서류를 작성한 후 운전면허 취소업무를 담당하는 직원에게 이를 인계하는 업무를 담당하는 경찰관이 피단속자로부터 운전면허가 취소되지 않도록 하여 달라는 청탁을 받고 금원을 교부받은 경우

㉣ 국회의원이 특정 협회로부터 요청받은 자료를 제공하고 그 대가로서 후원금 명목으로 금원을 교부받은 경우

㉤ 구청 위생계장인 피고인이 유흥업소를 경영하는 사람으로부터 건물용도변경허가와 관련하여 금품을 수수한 경우

㉥ 법원의 참여주사인 피고인이 형량(刑量)을 감경하게 하여 달라는 청탁과 함께 금품을 수수한 경우

㉦ 지방의회의 의장 선거에서 투표권을 가지고 있는 군의원들이 의장선거와 관련하여 금품 등을 수수한 경우

㉧ 경찰청 정보과에 근무하는 경찰관이 상대방으로부터 중소기업중앙회장에게 부탁하여 자신의 회사가 중소기업중앙회에 의하여 외국인산업연수생에 대한 국내관리업체로 선정되는 데 힘써 달라는 청탁과 함께 금품을 교부받은 경우

① 2개 ② 3개 ③ 4개 ④ 5개

| 해설 | • 직무관련성 ○ : ㉡ 대판 2007.4.27, 2005도4204 ㉢ 대판 1999.11.9, 99도2530 ㉣ 대판 2009.5.14, 2008도8852 ㉤ 대판 1989.9.12, 89도597 ㉦ 대판 2002.5.10, 2000도2251
• 직무관련성 × : ㉠ 대판 1979.5.22, 78도296(∵ 교과의 내용검토 및 개편 수정작업 ⇨ 발행자나 저작자의 책임 ○, 문교부 편수국 공무원의 직무 ×) ㉥ 대판 1980.10.14, 80도1373(∵ 형사사건의 양형이 참여주사의 직무와 밀접한 관계가 있는 직무 × ∴ 수뢰죄 ×) ㉧ 대판 1999.6.11, 99도275

Answer 1. ②

**02 뇌물죄에 관한 설명 중 가장 적절하지 않은 것은?**(다툼이 있으면 판례에 의함)

16. 경찰승진, 22. 해경간부 · 해경 2차

① 뇌물공여죄의 성립에 반드시 상대방 측의 뇌물수수죄가 성립하여야만 하는 것은 아니다.

② 공무원이 직무집행의 의사 없이 타인을 공갈하여 재물을 교부하게 한 경우에도 재물의 교부자는 뇌물공여죄로 처벌한다.

③ 공무원이 직무에 관하여 금전을 무이자로 차용한 경우에는 차용 당시에 금융이익 상당의 뇌물을 수수한 것으로 보아야 하므로, 공소시효는 금전을 무이자로 차용한 때로부터 기산한다.

④ 뇌물로 공여된 당좌수표가 수수된 후 부도가 되었다 하더라도 뇌물수수죄가 성립한다.

| 해설 ① 대판 2006.2.24, 2005도4737
② × : 피공갈자에게 뇌물공여죄 ×(대판 1994.12.22, 94도2528)
③ 대판 2012.2.23, 2011도7282
④ 대판 1983.2.22, 82도2964

**03 뇌물죄에 대한 설명 중 가장 적절하지 않은 것은?**(다툼이 있으면 판례에 의함) 16. 순경 2차

① 수의계약을 체결하는 공무원이 해당 공사업자와 적정한 금액 이상으로 계약금액을 부풀려서 계약하고 부풀린 금액을 자신이 되돌려 받기로 사전에 약정한 다음 그에 따라 돈을 수수한 경우 뇌물수수죄가 성립한다.

② 뇌물죄에서 뇌물의 내용인 이익이라 함은 금전, 물품 기타의 재산적 이익뿐만 아니라 사람의 수요 욕망을 충족시키기에 족한 일체의 유형 · 무형의 이익을 포함하며, 제공된 것이 성적 욕구의 충족이라고 하여 달리 볼 것이 아니다.

③ 도시 및 주거환경정비법상 정비사업조합의 임원이 조합 임원의 지위를 상실하거나 직무수행권을 상실한 후에도 조합 임원으로 등기되어 있는 상태에서 계속하여 실질적으로 조합 임원으로서 직무를 수행하여 온 경우, 그 조합 임원을 같은 법 제84조에 따라 형법상 뇌물죄의 적용에서 '공무원'으로 보아야 한다.

④ 음주운전을 적발하여 단속에 관련된 제반 서류를 작성한 후 운전면허 취소업무를 담당하는 직원에게 이를 인계하는 업무를 담당하는 경찰관이 피단속자로부터 운전면허가 취소되지 않도록 하여 달라는 청탁을 받고 금원을 교부받은 경우, 뇌물수수죄가 성립한다.

| 해설 ① × : 수의계약을 체결하는 공무원이 해당 공사업자와 적정한 금액 이상으로 계약 금액을 부풀려서 계약하고 부풀린 금액을 자신이 되돌려 받기로 사전에 약정한 다음 그에 따라 수수한 돈은 성격상 뇌물이 아니고 횡령금에 해당한다(대판 2007.10.12, 2005도7112).
② 대판 2014.1.29, 2013도13937
③ 대판 2016.1.14, 2015도15798
④ 대판 1999.11.9, 99도2530

Answer 2.② 3.①

**04 뇌물죄에 관한 다음 설명 중 가장 옳지 않은 것은?**(다툼이 있는 경우 판례에 의함) 18. 법원직

① 공무원이 직접 뇌물을 받지 않고 증뢰자로 하여금 다른 사람에게 뇌물을 공여하도록 한 경우에는 그 다른 사람이 공무원의 사자 또는 대리인으로서 뇌물을 받은 경우 등과 같이 사회통념상 그 다른 사람이 뇌물을 받은 것을 공무원이 직접 받은 것과 같이 평가할 수 있는 관계가 있는 경우에는 형법 제129조 제1항의 뇌물수수죄가 성립한다.

② 뇌물의 내용인 이익은 금전, 물품 기타의 재산적 이익에 한하고 뇌물약속죄에 있어서 뇌물의 목적물인 이익은 약속 당시에 현존하여야 하므로 공무원이 오랫동안 처분을 하지 못하고 있던 부동산을 개발이 예상되는 다른 토지와 교환계약을 체결한 것만으로는 뇌물약속죄가 성립한다고 할 수 없다.

③ 타인을 기망하여 그로부터 뇌물을 수수한 경우라도 뇌물수수죄, 뇌물공여죄가 성립할 수 있고, 이 경우 뇌물을 수수한 공무원에 대하여는 뇌물죄와 사기죄의 상상적 경합범이 성립한다.

④ 뇌물을 공여한 사람과 뇌물을 수수한 사람 사이에서는 상대방의 범행에 대하여 총칙상 공범관계가 성립되지 않는다.

| 해설 ① 대판 2002.4.9, 2001도7056
② ×: ~ 재산적 이익뿐만 아니라 사람의 수요·욕망을 충족시키기에 족한 일체의 유형·무형의 이익을 포함하고, 뇌물약속죄에 있어서 ~ 약속 당시에 현존할 필요는 없고 예기할 수 있으면 족하므로 공무원이 ~ 교환계약을 체결한 것만으로도 뇌물약속죄가 성립한다(대판 2001.9.18, 2000도5438).
③ 대판 1985.2.8, 84도2625 ④ 대판 1971.3.9, 70도2536

**05 뇌물의 죄에 대한 설명 중 가장 적절하지 않은 것은?**(다툼이 있는 경우 판례에 의함) 18. 순경 1차

① 뇌물죄에서 뇌물의 내용인 이익이라 함은 금전, 물품 기타의 재산적 이익뿐만 아니라 사람의 수요·욕망을 충족시키기에 족한 일체의 유형·무형의 이익을 포함하며, 제공된 것이 성적 욕구의 충족이라고 하여 달리 볼 것이 아니다.

② 구 해양수산부 해운정책과 소속 공무원인 피고인이 甲해운회사의 대표이사 등에게서 중국의 선박운항허가 담당부서가 관장하는 중국 국적선사의 선박에 대한 운항허가를 받을 수 있도록 노력해 달라는 부탁을 받고 돈을 받은 경우, 뇌물수수죄가 성립한다.

③ 음주운전을 적발하여 단속에 관련된 제반 서류를 작성한 후 운전면허 취소업무를 담당하는 직원에게 이를 인계하는 업무를 담당하는 경찰관이 피단속자로부터 운전면허가 취소되지 않도록 하여 달라는 청탁을 받고 금원을 교부받은 경우, 뇌물수수죄가 성립한다.

④ 임용될 당시 공무원법상 임용결격자에 해당하여 임용행위는 무효였지만 그 후 공무원으로 계속 근무하면서 직무에 관하여 뇌물을 수수한 경우, 수뢰죄가 성립한다.

| 해설 ① 대판 2014.1.29, 2013도13937
② ×: 뇌물수수죄 ×(대판 2011.5.26, 2009도2453 ∵ 직무관련성 ×)
③ 대판 1999.11.9, 99도2530 ④ 대판 2014.3.27, 2013도11357

Answer 4.② 5.②

**06** **뇌물죄 일반에 관한 설명 중 가장 옳지 않은 것은?**(다툼이 있는 경우 판례에 의함) 19. 법원직

① 뇌물죄에서 말하는 직무에는 공무원이 법령상 관장하는 직무 그 자체뿐만 아니라 직무와 밀접한 관계가 있는 행위 또는 관례상이나 사실상 관여하는 직무행위도 포함되나, 과거에 담당하였던 직무는 현재 그 직무관련성이 인정되지 않으므로 이에 포함되지 않는다.

② 뇌물죄는 직무집행의 공정과 이에 대한 사회의 신뢰에 기하여 직무행위의 불가매수성을 그 직접적 보호법익으로 하고 있으므로 뇌물성은 의무위반행위의 유무와 청탁의 유무 및 금품 수수시기와 직무집행행위의 전후를 가리지 아니한다.

③ 뇌물죄에서 뇌물의 내용인 이익이라 함은 금전, 물품 기타의 재산적 이익뿐만 아니라 사람의 수요 욕망을 충족시키기에 족한 일체의 유형, 무형의 이익을 포함한다고 해석되고, 투기적 사업에 참여할 기회를 얻는 것도 이에 해당한다.

④ 甲이 뇌물 수수의 의사로 1,000만원을 지급받아 그중 300만원을 함께 일하는 다른 공무원 乙에게 교부한 경우에도 1,000만원 전액에 대하여 뇌물수수죄가 성립한다.

**| 해설** ① ×: 과거에 담당하였던 직무도 포함된다(대판 2003.6.13, 2003도1060).
② 대판 2009.5.14, 2008도8852 ③ 대판 2002.11.26, 2002도3539 ④ 대판 1986.11.25, 86도1951

**07** **뇌물죄에 관한 설명 중 가장 적절한 것은?**(다툼이 있는 경우 판례에 의함) 19. 수사경과

① 수수된 금품의 뇌물성을 인정하기 위하여는 그 금품이 개개의 직무행위와 대가적 관계에 있음이 증명되어야 한다.

② 오로지 공무원을 함정에 빠뜨릴 의사로 직무관련의 형식을 빌려 그 공무원에게 금품을 공여한 경우에도 공무원이 그 금품을 직무와 관련하여 수수한다는 의사를 가지고 받아들이면 뇌물수수죄가 성립한다.

③ 공무원이 그 직무에 관하여 금전을 무이자로 차용하여 금융이익 상당의 뇌물을 수수한 경우에 공소시효는 차용금 변제기로부터 기산한다.

④ 뇌물죄에서 직무란 공무원이 그 지위에 수반하여 공무로서 처리하는 일체의 직무를 말하며, 과거에 담당하였거나 또는 장래 담당할 직무 및 사무분장에 따라 현실적으로 담당하지 않는 직무라고 하더라도 법령상 일반적인 직무권한에 속하는 직무 등 공무원이 그 직위에 따라 공무로 담당할 일체의 직무를 말하므로, 뇌물의 수수 등을 할 당시 이미 공무원의 지위를 떠난 경우라도 형법 제129조 제1항의 수뢰죄로 처벌할 수 있다.

**| 해설** ① ×: 개개의 직무행위와 대가적 관계에 있을 필요는 없고, 전체적 · 포괄적으로 대가관계가 있으면 족하다(대판 1997.12.26, 97도2609).
② ○: 대판 2008.3.13, 2007도10804
③ ×: ~ 공소시효를 차용한 때(차용금 변제기 ×)로부터 기산한다(대판 2012.2.23, 2011도7282).
④ ×: 뇌물의 수수 등을 할 당시 이미 공무원의 지위를 떠난 경우에는 제129조 제1항의 수뢰죄로는 처벌할 수 없고 사후수뢰죄의 요건(재직 중에 청탁을 받고 직무상 부정한 행위를 한 후 뇌물의 수수 등)에 해당할 경우에 한하여 그 죄로 처벌할 수 있을 뿐이다(대판 2013.11.28, 2013도10011).

**Answer** 6. ① 7. ②

**08** **다음 설명 중 가장 옳지 않은 것은?**(다툼이 있는 경우 판례에 의함) 20. 법원직

① 공무원이 수수·요구 또는 약속한 금품에 그 직무행위에 대한 대가로서의 성질과 직무 외의 행위에 대한 사례로서의 성질이 불가분적으로 결합되어 있는 경우에는, 그 수수·요구 또는 약속한 금품 전부가 불가분적으로 직무행위에 대한 대가로서의 성질을 가진다.

② 공무원이 장래에 담당할 직무에 대한 대가로 이익을 수수한 경우에도 뇌물수수죄가 성립할 수 있지만, 그 이익을 수수할 당시 장래에 담당할 직무에 속하는 사항이 그 수수한 이익과 관련된 것임을 확인할 수 없을 정도로 막연하고 추상적이거나, 장차 그 수수한 이익과 관련지을 만한 직무권한을 행사할지 자체를 알 수 없다면, 그 이익이 장래에 담당할 직무에 관하여 수수되었다거나 그 대가로 수수되었다고 단정하기 어렵다.

③ 임명권자에 의하여 임용되어 공무에 종사하여 온 사람이 나중에 임용결격자이었음이 밝혀져 당초의 임용행위가 무효인 경우 형법 제129조의 수뢰죄에서 규정한 공무원에 해당하지 아니한다.

④ 뇌물약속죄에서 뇌물의 약속은 직무와 관련하여 장래에 뇌물을 주고받겠다는 양 당사자의 의사표시가 확정적으로 합치하면 성립하고, 뇌물의 가액이 얼마인지는 문제되지 아니하며, 또한 뇌물의 목적물이 이익인 경우에 그 가액이 확정되어 있지 않아도 뇌물약속죄가 성립하는 데에는 영향이 없다.

| 해설 ① 대판 2012.1.12, 2011도12642

② 대판 2017.12.22, 2017도12346

③ ×: 임명권자에 의하여 임용되어 공무에 종사하여 온 甲이 나중에 임용결격자이었음이 밝혀져 당초의 임용행위가 무효라고 하더라도 그가 공무원으로 계속 근무하면서 직무에 관하여 뇌물을 수수한 경우 수뢰죄로 처벌할 수 있다(대판 2014.3.27, 2013도11357).

④ 대판 2001.9.18, 2000도5438

**09** **뇌물죄에 대한 설명으로 가장 적절하지 않은 것은?**(다툼이 있는 경우 판례에 의함) 21. 순경 1차

① 뇌물죄에서 말하는 '직무'에는 결정권자를 보좌하거나 영향을 줄 수 있는 직무행위뿐만 아니라, 관례상이나 사실상 소관하는 직무행위도 포함된다.

② 알선뇌물요구죄가 성립하기 위하여는 알선행위가 장래의 것이라도 무방하므로 뇌물을 요구할 당시 반드시 상대방에게 알선에 의하여 해결을 도모해야 할 현안이 존재하여야 할 필요는 없다.

③ 공무원이 장래에 담당할 직무에 대한 대가로 이익을 수수한 경우에도 뇌물수수죄가 성립할 수 있지만, 이익을 수수할 당시 장래에 담당할 직무에 속하는 사항이 그 수수한 이익과 관련된 것임을 확인할 수 없을 정도로 막연하고 추상적이거나, 장차 그 수수한 이익과 관련지을 만한 직무권한을 행사할지 자체도 알 수 없다면, 그 이익이 장래에 담당할 직무에 관하여 수수되었다고는 단정하기 어렵다.

Answer 8.③ 9.④

④ 공무원이 직무와 관련하여 뇌물수수를 약속하고 퇴직 후 이를 수수하였다면, 뇌물약속과 뇌물수수 사이의 시간적 근접 여부를 불문하고 뇌물수수죄가 성립한다.

**| 해설** ① 대판 1999.1.29, 98도3584
② 대판 2009.7.23, 2009도3924
③ 대판 2017.12.22, 2017도12346
④ ×: ~ 불문하고 뇌물약속죄 및 사후수뢰죄가 성립할 수 있으나 뇌물수수죄는 성립하지 않는다(대판 2008.2.1, 2007도5190).



**10** **공무원의 직무에 관한 죄에 대한 설명으로 가장 적절하지 않은 것은?**(다툼이 있는 경우 판례에 의함)

21. 순경 2차

① (구)해양수산부 해운정책과 소속 공무원이 해운회사의 대표이사에게 중국의 선박운항허가 담당부서가 관장하는 중국 국적선사의 선박에 대한 운항허가를 받을 수 있도록 노력해 달라는 부탁을 받고 돈을 받은 경우에는 직무관련성이 없어 뇌물수수죄가 성립하지 아니한다.
② 국회의원이 대한치과의사협회로부터 요청받은 자료를 제공하고 그 대가로서 후원금 명목으로 금원 1,000만원을 교부받은 경우에는 직무관련성이 있어 뇌물수수죄가 성립한다.
③ 공무원이 어촌계장에게 선물을 받을 명단을 보내 자신의 이름으로 새우젓을 택배로 발송하게 하고, 그 대금을 지급하지 않는 방법으로 직무에 관하여 뇌물을 받은 경우에는 공여자와 수뢰자 사이에 직접 금품이 수수되지 않았더라도 뇌물공여죄 및 뇌물수수죄가 성립한다.
④ 공무원이 직무의 대상이 되는 사람으로부터 사교적 의례의 형식을 빌어 금품을 주고 받은 것이 개인적인 친분관계가 있어서 교분상의 필요에 의한 것이라고 명백하게 인정할 수 있는 경우라도 직무관련성이 있어 뇌물공여죄 및 뇌물수수죄가 성립한다.

**| 해설** ① 대판 2011.5.26, 2009도2453
② 대판 2009.5.14, 2008도8852
③ 대판 2020.9.24, 2017도12389
④ ×: 공무원이 그 직무의 대상이 되는 사람으로부터 금품 기타 이익을 받은 때에는 그것이 그 사람이 종전에 공무원으로부터 접대 또는 수수받은 것을 갚는 것으로서 사회상규에 비추어 볼 때에 의례상의 대가에 불과한 것이라고 여겨지거나, 개인적인 친분관계가 있어서 교분상의 필요에 의한 것이라고 명백하게 인정할 수 있는 경우 등 특별한 사정이 없는 한 직무와의 관련성이 없는 것으로 볼 수 없고, 공무원의 직무와 관련하여 금품을 수수하였다면 비록 사교적 의례의 형식을 빌어 금품을 주고 받았다 하더라도 그 수수한 금품은 뇌물이 된다(대판 2000.1.21, 99도4940).

**Answer** 10. ④

**11** **뇌물죄에 대한 설명으로 가장 적절하지 않은 것은?**(다툼이 있는 경우 판례에 의함) 22. 경찰간부

① 뇌물을 요구하여 증뢰자가 제공하는 뇌물을 영득의 의사로 수령하였으나 그 액수가 예상한 것보다 너무 많은 액수여서 후에 예상을 초과한 액수를 반환하였다면 반환한 부분에 대해서는 뇌물죄가 성립하지 않는다.

② 뇌물죄에서 뇌물의 내용인 이익이라 함은 금전, 물품 기타의 재산적 이익뿐만 아니라 사람의 수요・욕망을 충족시키기에 족한 일체의 유형・무형의 이익을 포함하며 성적 욕구의 충족도 포함될 수 있다.

③ 타인을 기망하여 뇌물을 수수한 경우, 뇌물을 수수한 공무원에 대하여는 뇌물죄와 사기죄의 상상적 경합범이 성립한다.

④ 뇌물죄에서 말하는 '직무'에는 과거에 담당하였거나 장래에 담당할 직무 외에 사무분장에 따라 현실적으로 담당하지 않는 직무라도 법령상 일반적인 직무권한에 속하는 직무 등 공무원이 그 직위에 따라 공무로 담당할 일체의 직무를 포함한다.

**해설** ① ×: 반환한 부분에 대해서도 뇌물죄가 성립한다(대판 2007.3.29, 2006도9182).
② 대판 2014.1.29, 2013도13937 ③ 대판 1977.6.7, 77도1069
④ 대판 2003.6.13, 2003도1060

**12** **수뢰죄에 대한 설명으로 옳지 않은 것은?**(다툼이 있는 경우 판례에 의함) 22. 7급 검찰

① 공무원이 직무와 관련하여 뇌물수수를 약속하고 퇴직 후 이를 수수한 경우, 뇌물약속과 뇌물수수가 시간상으로 근접하여 연속되어 있다고 하더라도 뇌물수수죄는 성립하지 않는다.

② 공무원이 비공무원과 모의하여 그 직무와 관련하여 금품이나 이익을 수수함으로써 그 전부에 관하여 뇌물수수죄의 공동정범이 성립하였다면 뇌물의 성질상 비공무원이 사용하거나 소비할 것이라고 하더라도 이러한 사정은 뇌물수수죄가 성립하는 데 영향이 없다.

③ 뇌물공여자가 오로지 공무원을 함정에 빠뜨릴 의사로 직무와 관련되었다는 형식을 빌려 그 공무원에게 금품을 공여하였다면 공무원이 그 금품을 직무와 관련하여 수수한다는 의사를 가지고 받았더라도 뇌물수수죄가 성립하지 않는다.

④ 뇌물수수자가 법률상 소유권 취득의 요건을 갖추지 않았더라도 뇌물로 제공된 물건에 대한 점유를 취득하고 뇌물공여자 또는 법률상 소유자로부터 반환을 요구받지 않는 관계에 이른 경우에는 그 물건에 대한 실질적인 사용・처분권한을 갖게 되어 그 물건 자체를 뇌물로 받은 것으로 보아야 한다.

**해설** ① 대판 2008.2.1, 2007도5190
② 대판 2019.8.29, 2018도2738 전원합의체
③ ×: ~ (3줄) 가지고 받았더라면 뇌물수수죄가 성립한다(대판 2008.3.13, 2007도10804).
④ 대판 2006.4.27, 2006도735

**Answer** 11. ① 12. ③

**13** **뇌물죄에 관한 설명 중 옳은 것은 모두 몇 개인가?**(다툼이 있는 경우 판례에 의함) 23. 법원행시

㉠ 뇌물은 공무원의 직무에 관하여 공여되거나 수수된 것으로 족하고, 개개의 직무행위와 대가적 관계에 있을 필요가 없으며, 그 직무행위가 특정된 것일 필요도 없다.
㉡ 국가공무원이 지방자치단체의 업무에 관하여 별도의 위촉절차 등을 거쳐 그 고유의 직무와 관련이 없는 다른 직무를 수행하게 된 경우에는, 그 위촉이 종료된 후 종전에 위촉받아 수행한 직무에 관하여 금품을 수수하더라도 이는 사후수뢰죄에 해당할 수 있음은 별론으로 하고 일반 수뢰죄로 처벌할 수 없다.
㉢ 수의계약을 체결하는 공무원이 해당 공사업자와 적정한 금액 이상으로 계약금액을 부풀려서 계약하고 부풀린 금액을 자신이 되돌려 받기로 사전에 약정한 다음 그에 따라 수수한 돈은 성격상 뇌물이 아니고 횡령금에 해당한다.
㉣ 공무원 甲이 시의 도시과 구획정리계 측량기술원으로 근무하면서 다년간 환지측량업무에 종사하게 된 결과 얻은 지식과 경험을 기초로 체비지에 관한 공개경쟁 입찰에서 입찰예정가격이 대략 어느 정도 될 것이라고 추측한 내용을 乙에게 알려준 경우, 甲이 그 대가로 乙로부터 이익을 받기로 약속하였다고 하더라도 그 이익을 뇌물죄에서 말하는 직무에 관련된 대가라고 보기 어렵다.
㉤ 경찰공무원이 슬롯머신 영업에 5천만원을 투자하여 매월 3백만원을 배당받기로 약속한 후 35회에 걸쳐 1억 5백만원을 교부받은 경우, 1억 5백만원은 그 자체가 뇌물이 되는데, 다만 실제의 뇌물의 액수는 5천만원을 투자함으로써 얻을 수 있는 통상적인 이익을 초과한 금액이라고 보아야 한다.

① 1개　② 2개　③ 3개
④ 4개　⑤ 5개

**해설** ㉠ ○ : 대판 2009.5.14, 2008도8852
㉡ ○ : 대판 2013.11.28, 2013도10011
㉢ ○ : 대판 2007.10.12, 2005도7112
㉣ ○ : 대판 1983.3.22, 82도1922
㉤ ○ : 대판 1995.6.30, 94도993

**14** **다음 설명 중 옳지 않은 것은 모두 몇 개인가?**(다툼이 있는 경우 판례에 의함) 기출지문 종합

㉠ 형법 제129조 제2항에 정한 '공무원 또는 중재인이 될 자'란 공무원채용시험에 합격하여 발령을 대기하고 있는 자 또는 선거에 의하여 당선이 확정된 자 등 공무원 또는 중재인이 될 것이 예정되어 있는 자를 의미하는 것이므로, 공직취임의 가능성이 확실하지는 않더라도 어느 정도의 개연성을 갖춘 자까지 포함한다고 할 것은 아니다.
㉡ 국립대학교 부설 연구소가 국가와는 별개의 지위에서 연구소라는 단체의 명의로 체결한 어업피해조사용역계약상의 과업 내용에 의하여 국립대학교 교수가 위 연구소 소속 연구원으로서 수행하는 조사용역업무는 교육공무원의 직무 또는 그와 밀접한 관계가 있거나 그와 관련된 행위에 해당한다고 볼 수 없다.

Answer 13. ⑤ 14. ③

㉢ 여러 사람이 공동으로 뇌물을 수수한 경우 그 가액을 추징하려면 실제로 분배받은 금품만을 개별적으로 추징하여야 하고 수수금품을 개별적으로 알 수 없을 때에는 평등하게 추징하여야 하며 공동정범과 달리 교사범 또는 종범은 뇌물의 공동수수자에 해당할 수 없다.
㉣ 구청장이 구청 관내의 공사 인・허가와 관련하여 건설회사로부터 부정한 청탁을 받고 경로당 누각을 구(區)에 기부채납하게 한 경우, 뇌물수수죄가 성립할 수 있음은 별론으로 하더라도 구청장은 구(區)를 대표하는 지위에 있어 구(區)는 제3자뇌물수수죄의 제3자가 될 수 없으므로 제3자뇌물수수죄가 성립하지 않는다.
㉤ 교통계에서 근무하는 경찰관 甲은 乙의 도박장 개설 및 도박범행을 묵인하고 편의를 봐주는 데 대한 사례비 명목으로 1회에 30만원씩 5회에 걸쳐 합계 150만원을 교부받고, 나아가 도박장 개설 및 도박범행사실을 잘 알면서도 이를 단속하지 아니한 경우에는 甲이 교통계에서 근무하여 그의 직접적인 업무가 아니라고 하더라도 수뢰 후 부정처사죄가 성립한다.
㉥ 뇌물죄에 있어서 금품을 수수한 장소가 공개된 장소이고, 금품을 수수한 공무원이 이를 개인적 용도가 아닌 회식비나 직원들의 휴가비로 소비하였을 뿐 자신의 사리를 취한 바 없다 하더라도 뇌물죄가 성립한다.
㉦ 공무원 甲이 부동산업자 乙로부터 건축허가를 내 줄 것을 부탁받고 그로부터 1~2일 후 만나 3,000만원권 자기앞수표가 든 봉투를 받았는데, 그 후 乙과 수시로 통화하고 만나면서도 이를 즉시 乙에게 돌려주지 않고 위 자기앞수표를 10일 가량 가지고 있다가 돌려준 경우 甲이 영득의 의사로 뇌물을 수수하였다고 보기 어려워 수뢰죄는 성립하지 않는다.
㉧ 뇌물을 받은 일자가 상당한 기간에 걸쳐 있고 돈을 받은 일자 사이에 상당한 기간이 끼어 있더라도 단일하고 계속된 범의 아래 일정 기간 반복하여 행하고 그 피해법익도 동일한 것이라면 수뢰죄의 포괄일죄가 된다.
㉨ 단일하고도 계속된 범의 아래 일정 기간 반복하여 일련의 뇌물수수행위와 부정한 행위가 행하여졌고 그 뇌물수수행위와 부정한 행위 사이에 인과관계가 인정되며 피해법익도 동일하다면, 수뢰 후 부정처사죄의 포괄일죄가 성립한다.

① 2개 ② 3개 ③ 4개 ④ 5개

**| 해설** ㉠ × : 형법 제129조 제2항에 정한 '공무원 또는 중재인이 될 자'란 공무원 또는 중재인이 될 것이 예정되어 있는 자뿐만 아니라 공직취임의 가능성이 확실하지는 않더라도 어느 정도의 개연성을 갖춘 자를 포함한다고 할 것이다(대판 2010.5.13, 2009도7040).
㉡ ○ : 대판 2002.5.31, 2001도670
㉢ × : ~ 하며 공동정범뿐만 아니라 교사범 또는 종범도 뇌물의 공동수수자에 해당할 수 있다(대판 2011.11.24, 2011도9585).
㉣ × : 공무원(구청장)이 지방자치단체(구)를 대표하는 지위에 있더라도 기부채납 재산을 취득한 지방자치단체인 구는 '제3자뇌물제공죄의 제3자'가 될 수 있으나, 건설회사의 관계자들이 피고인(구청장)의 요구를 받고 위 누각을 구에 기부채납한 것이 피고인의 직무와 관련한 부정한 청탁의 대가로 제공된 것이라고 단정할 수 없어 제3자뇌물제공죄 ×(대판 2011.4.14, 2010도12313)
㉤ ○ : 대판 2003.6.13, 2003도1060
㉥ ○ : 대판 1996.6.14, 96도865
㉦ × : 뇌물수수죄 ○(대판 2012.8.23, 2010도6504 ∵ 영득의 의사로 수수)
㉧ ○ : 대판 1985.9.24, 85도1502
㉨ ○ : 대판 2021.2.4, 2020도12103

## THEMA 28 '제3자뇌물공여죄(제3자뇌물수수죄)' 관련판례 총정리

**제130조** 공무원 또는 중재인이 그 직무에 관하여 부정한 청탁을 받고 제3자에게 뇌물을 공여하게 하거나 공여를 요구 또는 약속한 때에는 5년 이하의 징역 또는 10년 이하의 자격정지에 처한다.

1. '부정한 청탁'이란 청탁이 위법·부당한 직무집행을 내용으로 하는 경우는 물론, 청탁의 대상이 된 직무집행 그 자체는 위법·부당하지 않더라도 직무집행을 어떤 대가관계와 연결시켜 직무집행에 관한 대가의 교부를 내용으로 하는 경우도 포함한다. 23. 경찰간부 청탁의 대상인 직무행위의 내용을 구체적으로 특정할 필요도 없다. 부정한 청탁의 내용은 공무원의 직무와 제3자에게 제공되는 이익 사이의 대가관계를 인정할 수 있을 정도로 특정하면 충분하고, 이미 발생한 현안뿐만 아니라 장래 발생될 것으로 예상되는 현안도 위와 같은 정도로 특정되면 부정한 청탁의 내용이 될 수 있다. 부정한 청탁은 명시적인 의사표시가 없더라도 청탁의 대상이 되는 직무집행의 내용과 제3자에게 제공되는 금품이 직무집행에 대한 대가라는 점에 대하여 당사자 사이에 공통의 인식이나 양해가 있는 경우에는 묵시적 의사표시로 가능하다(대판 2019.8.29, 2018도2738 전원합의체). 23. 법원직
2. 묵시적인 의사표시에 의한 부정한 청탁이 있다고 하기 위하여는, 당사자 사이에 청탁의 대상이 되는 직무집행의 내용과 제3자에게 제공되는 금품이 그 직무집행에 대한 대가라는 점에 대하여 공통의 인식이나 양해가 존재하여야 하고, 그러한 인식이나 양해 없이 막연히 선처하여 줄 것이라는 기대에 의하거나 직무집행과는 무관한 다른 동기에 의하여 제3자에게 금품을 공여한 경우에는 묵시적인 의사표시에 의한 부정한 청탁이 있다고 보기 어렵다. 공무원이 먼저 제3자에게 금품을 공여할 것을 요구한 경우에도 마찬가지이다[대판 2009.1.30, 2008도6950 ㉠ 대통령비서실 정책실장이 기업관계자들에게 기업 메세나(Mecenat) 활동의 일환인 미술관 전시회 후원을 요청하여 기업관계자들이 특정 미술관에 후원금을 지급한 경우 ⇨ 제3자뇌물공여죄 ×]. 14. 법원직, 17. 7급 검찰, 18. 순경 2차, 20. 경찰승진, 24. 9급 검찰·마약수사
3. 제3자란 행위자와 공동정범 이외의 사람을 말하고, 교사자나 방조자도 포함될 수 있다. 22. 변호사시험, 23. 해경승진·경찰승진 그러므로 공무원 또는 중재인이 부정한 청탁을 받고 제3자에게 뇌물을 제공하게 하고 제3자가 그러한 공무원 또는 중재인의 범죄행위를 알면서 방조한 경우에는 그에 대한 별도의 처벌규정이 없더라도 방조범에 관한 형법총칙의 규정이 적용되어 제3자뇌물수수방조죄가 인정될 수 있다(대판 2017.3.15, 2016도19659 ㉠ 공무원 甲이 부정한 청탁을 받고 물품구매자들로 하여금 乙이 판매하는 물품을 구입하게 하고 그 대금을 丙명의의 계좌 등으로 지급하게 한 경우 ⇨ 甲 : 제3자뇌물수수죄, 乙 : 제3자뇌물수수방조죄). 20. 경찰간부·법원행시, 21. 경력채용, 22. 변호사시험, 23. 해경승진·법원직
4. 제3자뇌물수수죄에서 뇌물을 받는 제3자가 뇌물임을 인식할 것을 요건으로 하지 않는다. 23. 경력채용 그러나 공무원이 뇌물공여자로 하여금 공무원과 뇌물수수죄의 공동정범 관계에 있는 비공무원에게 뇌물을 공여하게 한 경우에는 공동정범의 성질상 공무원 자신에게 뇌물을 공여하게 한 것으로 볼 수 있다. 공무원과 공동정범 관계에 있는 비공무원은 제3자뇌물수수죄에서 말하는 제3자가 될 수 없고, 공무원과 공동정범 관계에 있는 비공무원이 뇌물을 받은 경우에는 공무원과 함께 뇌물수수죄의 공동정범이 성립하고 제3자뇌물수수죄는 성립하지 않는다(대판 2019.8.29, 2018도2738 전원합의체). 20·21. 법원행시, 22. 경찰승진, 23. 경찰간부

03

5. 사회통념상 공무원 본인이 직접 수수한 것과 동일시할 수 있는 경우(공무원의 사자·대리인으로서 뇌물을 받은 경우나 공무원이 평소 생활비 등을 부담하거나 채무를 부담하고 있는 사람이 뇌물을 받음으로써 그만큼의 지출을 면하게 되는 경우 : 대판 2002.4.9, 2001도7056, 공무원이 실질적인 경영자로 있는 회사가 청탁명목의 금원을 회사 명의의 예금계좌로 송금받은 경우 : 대판 2004.3.26, 2003도8077) ⇨ 단순수뢰죄 ○, 제3자뇌물공여죄 × 14. 법원행시, 17. 경찰승진, 18. 변호사시험·순경 3차, 23. 해경승진·해경간부·법원직
6. 공무원으로 의제되는 정비사업전문관리업체의 대표이사인 피고인이 여러 회사들에게서 재개발정비사업 시공사로 선정되도록 도와달라는 취지의 부탁을 받고 자신이 실질적으로 장악하고 있는 컨설팅회사 명의 계좌로 돈을 교부받은 경우 ⇨ 제3자뇌물공여죄 ×, 단순수뢰죄 ○(대판 2011.11.24, 2011도9585) 13. 법원행시, 15. 경찰간부, 24. 변호사시험
7. 구청장인 피고인이 구청 관내의 공사 인·허가와 관련하여 甲회사로부터 묵시적인 부정한 청탁을 받고 5억원 상당의 경로당 누각을 제3자인 구(區)에 기부채납하게 한 경우 ⇨ 제3자뇌물제공죄 ×(대판 2011.4.14, 2010도12313 ∵ 구(區)는 '제3자뇌물제공죄의 제3자'가 될 수 있으나, 甲회사의 관계자들이 피고인의 요구를 받고 위 누각을 구(區)에 기부채납한 것이 피고인의 직무와 관련한 부정한 청탁의 대가로 제공된 것이라고 단정할 수 없다.) 12. 사시
8. 공무원이 직무관련자에게 제3자와 계약을 체결하도록 요구하여 계약 체결을 하게 한 행위가 제3자뇌물수수죄의 구성요건과 직권남용권리행사방해죄의 구성요건에 모두 해당하는 경우 ⇨ 제3자뇌물수수죄와 직권남용권리행사방해죄의 상상적 경합관계 ○(대판 2017.3.15, 2016도19659) 20. 경찰간부·7급 검찰, 24. 법원행시

**01** **뇌물죄에 대한 다음 설명 중 옳지 않은 것은?**(다툼이 있는 경우 판례에 의함) 15. 경찰간부

① 공무원이 증뢰자로부터 뇌물인지 모르고 수수하였다가 뇌물임을 알고 즉시 반환한 경우 단순수뢰죄가 성립하지 아니한다.

② 공무원이 증뢰자로부터 뇌물을 받고 부정한 행위를 한 경우에는 수뢰 후 부정처사죄가 성립한다.

③ 공무원으로 의제되는 정비사업전문관리업체의 대표이사인 피고인이 여러 회사들에게서 재개발정비사업 시공사로 선정되도록 도와달라는 취지의 부탁을 받고 자신이 실질적으로 장악하고 있는 컨설팅회사 명의 계좌로 돈을 교부받은 경우 제3자 뇌물공여죄가 성립한다.

④ 공무원이었던 자가 그 재직 중에 청탁을 받고 직무상 부정한 행위를 한 후 퇴직하고 뇌물을 수수한 경우에는 사후수뢰죄가 성립한다.

해설 ① 대판 1978.1.31, 77도3755 ② 제131조 제1항
③ × : 제3자뇌물공여죄 ×, 단순수뢰죄 ○(대판 2011.11.24, 2011도9585)
④ 제131조 제3항

Answer 1. ③

**02** **뇌물죄에 관한 설명 중 가장 적절하지 않은 것은?**(다툼이 있는 경우 판례에 의함) 17. 경찰승진

① 공무원이 직접 뇌물을 받지 아니하고 증뢰자로 하여금 공무원 자신의 채권자에게 뇌물을 공여하도록 하여 공무원이 그만큼 지출을 면하게 된 경우에는 뇌물수수죄가 아니라 제3자뇌물제공죄가 성립한다.

② 수의계약을 체결하는 공무원이 해당 공사업자와 적정한 금액 이상으로 계약금액을 부풀려서 계약하고 부풀린 금액을 자신이 되돌려 받기로 사전에 약정한 다음 그에 따라 수수한 돈은 성격상 뇌물이 아니고 횡령금에 해당한다.

③ 자동차를 뇌물로 공여한 경우 자동차등록원부에 뇌물수수자가 그 소유자로 등록되지 않았다고 하더라도 자동차의 사실상 소유자로서 자동차에 대한 실질적인 사용 및 처분권한이 있다면 자동차 자체를 뇌물로 취득한 것으로 보아야 한다.

④ 공무원이 수수한 뇌물가액이 3천만원 이상이면 특정범죄 가중처벌 등에 관한 법률이 적용된다.

| 해설 ① ×: 단순수뢰죄 ○, 제3자뇌물제공죄 ×(대판 2002.4.9, 2001도7056)
② 대판 2007.10.12, 2005도7112 ③ 대판 2006.4.27, 2006도735
④ 특정범죄 가중처벌 등에 관한 법률 제2조

**03** **뇌물죄와 관련된 설명 중 가장 옳지 않은 것은?**(다툼이 있는 경우 판례에 의함) 20. 경찰간부

① 뇌물수수의 공범자들 사이에 직무와 관련하여 금품이나 이익을 수수하기로 하는 명시적 또는 암묵적 공모관계가 성립하고 공모 내용에 따라 공범자 중 1인이 금품이나 이익을 수수하였다면 수수한 금품이나 이익 전부에 관하여 뇌물수수죄의 공모공동정범이 성립할 수 있다.

② 공무원이 직무관련자에게 제3자와 계약을 체결하도록 요구하여 계약 체결을 하게 한 행위가 제3자뇌물수수죄의 구성요건과 직권남용권리행사방해죄의 구성요건에 모두 해당하는 경우 두 범죄는 상상적 경합관계에 있다.

③ 제3자뇌물수수죄에서 제3자란 행위자, 공동정범 그리고 교사자 이외의 사람을 의미하나 방조자는 제3자에 포함될 수 있다.

④ 공무원 또는 중재인이 부정한 청탁을 받고 제3자에게 뇌물을 제공하게 하고 제3자가 그러한 공무원 또는 중재인의 범죄행위를 알면서 방조한 경우에는 그에 대한 별도의 처벌규정이 없더라도 방조범에 관한 형법총칙의 규정이 적용되어 제3자뇌물수수방조죄가 인정될 수 있다.

| 해설 ① 대판 2014.12.24, 2014도10199 ② 대판 2017.3.15, 2016도19659
③ × ④ ○: 제3자뇌물수수죄에서 제3자란 행위자와 공동정범 이외의 사람을 말하고, 교사자나 방조자도 포함될 수 있다. 그러므로 공무원 또는 중재인이 부정한 청탁을 받고 제3자에게 뇌물을 제공하게 하고 제3자가 그러한 공무원 또는 중재인의 범죄행위를 알면서 방조한 경우에는 그에 대한 별도의 처벌규정이 없더라도 방조범에 관한 형법총칙의 규정이 적용되어 제3자뇌물수수방조죄가 인정될 수 있다(대판 2017.3.15, 2016도19659).

Answer 2. ① 3. ③

**04** **뇌물수수죄와 제3자뇌물수수죄에 관한 다음 설명 중 가장 옳지 않은 것은?**(다툼이 있는 경우 판례에 의함) **22. 법원행시**

① 신분관계가 없는 사람이 신분관계로 인하여 성립될 범죄에 가공한 경우에는 신분관계가 있는 사람과 공범이 성립한다.

② 지방공무원법은 공무원은 노동운동이나 그 밖에 공무 외의 일을 위한 집단행위를 하지 못하도록 규정하고, 이를 위반한 경우 처벌하는 규정을 두고 있다. 법이 그 주체를 지방공무원으로 제한하고 있고, 위 법조항에 의하여 행위자의 인격적 요소가 일정한 의미를 가지므로, 지방공무원의 신분을 가지지 아니하는 사람은 지방공무원의 범행에 가공하더라도 형법 제33조 본문에 의해서 공범으로 처벌받을 수 없다.

③ 형법은 제130조에서 제129조 제1항 뇌물수수죄와는 별도로 공무원이 그 직무에 관하여 뇌물공여자로 하여금 제3자에게 뇌물을 공여하게 한 경우에는 부정한 청탁을 받고 그와 같은 행위를 한 때에 뇌물수수죄와 법정형이 동일한 제3자 뇌물수수죄로 처벌하고 있다.

④ 형법 제133조 제1항, 제129조 제1항에서 정한 뇌물공여죄의 고의는 '공무원에게 그 직무에 관하여 뇌물을 공여한다'는 사실에 대한 인식과 의사를 말하고, 미필적 고의로도 충분하다.

⑤ 공무원이 아닌 사람이 공무원과 공동가공의 의사와 이를 기초로 한 기능적 행위지배를 통하여 공무원의 직무에 관하여 뇌물을 수수하는 범죄를 실행하였다면 공무원이 직접 뇌물을 받은 것과 동일하게 평가할 수 있으므로 공무원과 비공무원에게 형법 제129조 제1항에서 정한 뇌물수수죄의 공동정범이 성립한다.

**해설** ①③④⑤ 대판 2019.8.29, 2018도2738 전원합의체
② × : ~ (3줄) 공무원으로 제한하고 있지만, 위 법조항에 ~ 요소가 중요한 의미를 가지는 것은 아니므로, 지방공무원의 ~ 공범으로 처벌받을 수 있다(대판 2012.6.14, 2010도14409).

**05** **다음 설명 중 가장 옳지 않은 것은?**(다툼이 있는 경우 판례에 의함) **23. 법원직**

① 공무원이 직무와 관련하여 뇌물수수를 약속하고 퇴직 후 이를 수수하는 경우에는, 뇌물약속과 뇌물수수가 시간적으로 근접하여 연속되어 있다고 하더라도, 뇌물약속죄 및 사후수뢰죄가 성립할 수 있음은 별론으로 하고, 뇌물수수죄는 성립하지 않는다.

② 제3자뇌물수수죄는 공무원 또는 중재인이 직무에 관하여 부정한 청탁을 받고 제3자에게 뇌물을 공여하게 하는 행위를 구성요건으로 하고 있고, 그중 부정한 청탁은 명시적인 의사표시뿐만 아니라 묵시적인 의사표시로도 가능하며 청탁의 대상인 직무행위의 내용도 구체적일 필요가 없다.

③ 형법 제129조 제1항 뇌물수수죄는 공무원이 직무에 관하여 뇌물을 수수한 때에 적용되는 것으로서, 공무원이 직접 뇌물을 받지 아니하고 증뢰자로 하여금 다른 사람에게 뇌물을 공여하도록 한 경우라도 다른 사람이 공무원의 사자 또는 대리인으로서 뇌물을 받은

**Answer** 4.② 5.④

경우 등과 같이 사회통념상 다른 사람이 뇌물을 받은 것을 공무원이 직접 받은 것과 같이 평가할 수 있는 관계가 있는 경우에는 형법 제129조 제1항 뇌물수수죄가 성립한다.

④ 제3자뇌물수수죄에서 제3자란 행위자와 공범관계에 있지 않은 사람을 말한다. 그러므로 공무원 또는 중재인이 부정한 청탁을 받고 제3자에게 뇌물을 제공하게 하고 제3자가 그러한 공무원 또는 중재인의 범죄행위를 알면서 방조한 경우, 별도의 처벌규정이 없는 이상 제3자에게 제3자뇌물수수방조죄는 성립할 수 없다.

03

| 해설 ① 대판 2008.2.1, 2007도5190
② 대판 2019.8.29, 2018도2738 전원합의체
③ 대판 2002.4.9, 2001도7056
④ ×: 제3자뇌물수수죄에서 제3자란 행위자와 공동정범 이외의 사람을 말하고, 교사자나 방조자도 포함될 수 있다. 그러므로 공무원 또는 중재인이 부정한 청탁을 받고 제3자에게 뇌물을 제공하게 하고 제3자가 그러한 공무원 또는 중재인의 범죄행위를 알면서 방조한 경우에는 그에 대한 별도의 처벌규정이 없더라도 방조범에 관한 형법총칙의 규정이 적용되어 제3자뇌물수수방조죄가 인정될 수 있다(대판 2017.3.15, 2016도19659).

## 06 뇌물죄에 대한 설명으로 옳은 것만을 모두 고르면?(다툼이 있는 경우 판례에 의함)

24. 9급 검찰 · 마약수사

㉠ 뇌물죄에서 뇌물의 내용인 이익이라 함은 금전, 물품 기타의 재산적 이익뿐만 아니라 사람의 수요 · 욕망을 충족시키기에 족한 일체의 유형 · 무형의 이익을 포함하며, 제공된 것이 성적 욕구의 충족이라고 하여 달리 볼 것이 아니다.
㉡ 법령에 기한 임명권자에 의하여 임용되어 공무에 종사하여 온 사람이 나중에 임용결격자이었음이 밝혀져 당초의 임용행위가 무효인 경우, 그가 임용행위라는 외관을 갖추어 실제로 공무를 수행하고 그 직무에 관하여 대가성 있는 재물을 수수하였다 하더라도 수뢰죄로 처벌할 수 없다.
㉢ 수의계약을 체결하는 공무원이 해당 공사업자와 적정한 금액 이상으로 계약금액을 부풀려서 계약하고 부풀린 금액을 자신이 되돌려받기로 사전에 약정한 다음 그에 따라 수수한 돈은 성격상 뇌물이 아니고 횡령금에 해당한다.
㉣ 형법 제130조의 제3자뇌물제공죄에 있어서 '부정한 청탁'은 묵시적 의사표시에 의해서도 가능하므로, 당사자 사이에 청탁에 대한 공통의 인식 없이 막연히 선처하여 줄 것이라는 기대로 제3자에게 금품을 공여한 경우에도 묵시적 의사표시에 의한 부정청탁이 있다고 보아야 한다.

① ㉠, ㉢ ② ㉠, ㉣ ③ ㉠, ㉡, ㉣ ④ ㉡, ㉢, ㉣

| 해설 ㉠ ○: 대판 2014.1.29, 2013도13937
㉡ ×: ~ (3줄) 재물을 수수하였다면 수뢰죄로 처벌할 수 있다(대판 2014.3.27, 2013도111357).
㉢ ○: 대판 2007.10.12, 2005도7112
㉣ ×: ~ (1줄) 묵시적 의사표시에 의해서도 가능하나, 당사자 사이에 청탁에 대한 공통의 인식 없이 막연히 선처하여 줄 것이라는 기대로 제3자에게 금품을 공여한 경우에는 묵시적 의사표시에 의한 부정청탁이 있다고 보기 어렵다(대판 2009.1.30, 2008도6950).

Answer 6. ①

## THEMA 29 '알선수뢰죄' 관련판례 총정리

**제132조** 공무원이 그 지위를 이용하여 다른 공무원의 직무에 속한 사항의 알선에 관하여 뇌물을 수수, 요구 또는 약속한 때에는 3년 이하의 징역 또는 7년 이하의 자격정지에 처한다.

1. 지위를 이용한다고 함은 당해 직무를 처리하는 다른 공무원과 직무상 직접·간접으로 연관관계를 가지고 법률상 또는 사실상 영향을 미칠 수 있으면 족하므로 임면권이나 압력을 가할 수 있는 법적 근거가 필요 없고 상하관계·협동관계·감독관계가 존재할 것도 요하지 않는다(대판 1994.10.21, 94도852). 11. 경찰승진, 13. 사시·순경 2차, 16. 변호사시험, 19. 9급 검찰, 22. 법원행시, 23. 경찰간부
2. 사적 관계(단순한 친족관계, 친구관계) 또는 지위를 이용하지 않은 개인자격의 부탁, 직무와 관계없는 사항을 교섭하고 금품을 수수한 경우 ⇨ 알선수뢰죄 ×(대판 1994.10.21, 94도852) 18. 법원직, 19. 경찰승진, 23. 순경 2차
3. '알선'이란 공무원의 직무에 속하는 일정한 사항에 관하여 당사자의 의사를 공무원 측에 전달하거나 편의를 도모하는 행위 또는 공무원의 직무에 관하여 부탁을 하거나 영향력을 행사하여 당사자가 원하는 방향으로 결정이 이루어지도록 돕는 등의 행위를 의미한다. 이 경우 공무원의 직무는 정당한 직무행위인 경우도 포함되고 알선의 상대방인 공무원이나 직무내용이 구체적으로 특정되어 있을 필요도 없다. 또한 알선의 명목으로 금품을 받았다면 실제로 어떤 구체적인 알선행위를 하였는지와 상관없이 범죄는 성립한다(대판 2017.1.12, 2016도15470). 18. 순경 2차, 22. 법원행시
4. 형법 제132조에서 말하는 알선행위는 장래의 것이라도 무방하므로, 알선뇌물요구죄(알선뇌물수수죄)가 성립하기 위하여는 뇌물을 요구(수수)할 당시 반드시 상대방에게 알선에 의하여 해결을 도모하여야 할 현안이 존재하여야 할 필요는 없다(대판 2009.7.23, 2009도3924 ; 대판 2013.4.11, 2012도16277). 12. 7급 검찰, 15. 경찰간부·법원직, 17. 법원행시, 19. 9급 검찰·마약수사, 21. 순경 1차
5. 알선뇌물요구(수수)죄는 반드시 알선의 상대방인 다른 공무원이나 그 직무의 내용이 구체적으로 특정될 필요까지는 없지만, 알선뇌물요구(수수)죄가 성립하려면 알선할 사항이 다른 공무원의 직무에 속하는 사항으로서 뇌물요구(수수)의 명목이 그 사항의 알선에 관련된 것임이 어느 정도 구체적으로 나타나야 한다. 단지 상대방으로 하여금 뇌물을 요구(수수)하는 자에게 잘 보이면 그로부터 어떤 도움을 받을 수 있다거나 손해를 입을 염려가 없다는 정도의 막연한 기대감을 갖게 하며 뇌물을 요구(수수)하였다면 알선뇌물요구(수수)죄가 성립한다고 볼 수 없다(대판 2009.7.23, 2009도3924 ; 대판 2017.12.22, 2017도12346). 14. 경찰간부, 19. 9급 검찰, 21. 경찰승진, 22. 변호사시험·법원행시
6. 알선행위는 과거의 것이든 장래의 것이든 불문하며 알선행위가 실제로 이행되었는가는 불문한다. 18. 순경 2차
7. '다른 공무원의 직무에 속한 사항의 알선행위'는 그 공무원의 직무에 속하는 사항에 관한 것이면 되는 것이지 그것이 반드시 부정행위라거나 그 직무에 관하여 결재권한이나 최종 결정권한을 갖고 있어야 하는 것이 아니다(대판 2006.4.27, 2006도735 ∴ 공무원이 그 지위를 이용하여 다른 공무원의 정당한 직무에 속한 사항의 알선에 관하여 뇌물을 약속한 경우에도 알선뇌물약속죄가 성립한다). 17. 법원행시, 23. 7급 검찰

**01 다음 설명 중 가장 옳지 않은 것은?**(다툼이 있는 경우 판례에 의함)

17. 법원행시, 19. 9급 검찰 · 마약수사

① 자동차를 뇌물로 받은 경우 자동차등록원부에 그 소유자로 등록되지 않았다고 하더라도 자동차의 사실상 소유자로서 자동차에 대한 실질적인 사용 및 처분권한이 있다면 자동차 자체를 뇌물로 취득하였다고 보아야 한다.

② 알선뇌물수수죄에서 '그 지위를 이용하여'라 함은 친구, 친족관계 등 사적인 관계를 이용하는 경우에는 이에 해당한다고 할 수 없으나, 다른 공무원이 취급하는 사무의 처리에 법률상이거나 사실상으로 영향을 줄 수 있는 관계에 있는 공무원이 그 지위를 이용하는 경우에는 이에 해당하고, 그 사이에 상하관계, 협동관계, 감독권한 등의 특수한 관계가 있음을 요하지 않는다.

③ 알선뇌물요구죄가 성립하기 위하여는 뇌물을 요구할 당시 반드시 상대방에게 알선에 의하여 해결을 도모하여야 할 현안이 존재하여야 할 필요는 없다.

④ 알선뇌물요구죄는 반드시 알선상대방인 다른 공무원이나 그 직무의 내용이 구체적으로 특정될 필요가 없으므로, 상대방으로 하여금 뇌물을 요구하는 자에게 잘 보이면 그로부터 어떤 도움을 받을 수 있다거나 손해를 입을 염려가 없다는 정도의 막연한 기대감을 갖게 하며 뇌물을 요구하였다면 알선뇌물요구죄가 성립한다.

⑤ 공무원이 그 지위를 이용하여 다른 공무원의 정당한 직무에 속한 사항의 알선에 관하여 뇌물을 약속한 경우에도 알선뇌물약속죄가 성립한다.

⑥ 공무원의 직무에 속한 사항에 관한 알선 명목으로 금품 등을 수수한 경우, 그 공무원의 직무는 정당한 직무행위인 경우도 포함되지만 알선의 상대방인 공무원이나 직무내용이 구체적으로 특정될 필요가 있고, 알선의 명목으로 금품을 받았다면 실제로 어떤 구체적인 알선행위를 하였는지와 상관없이 범죄는 성립한다.

**| 해설** ① 대판 2006.4.27, 2006도735
② 대판 1994.10.21, 94도852
③ 대판 2009.7.23, 2009도3924
④ × : ~ (2줄) 특정될 필요까지는 없지만, 상대방으로 ~ 성립한다고 볼 수 없다(대판 2009.7.23, 2009도3924).
⑤ 대판 2006.4.27, 2006도735
⑥ × : ~ (3줄) 구체적으로 특정될 필요까지는 없고, 알선의 명목으로 ~ 성립한다(대판 2017.1.12, 2016도15470).

**02 뇌물죄에 대한 설명으로 옳지 않은 것은?**(다툼이 있는 경우 판례에 의함) 18. 9급 검찰 · 마약수사

① 임명권자에 의하여 임용되어 공무에 종사하여 온 甲이 나중에 임용결격자이었음이 밝혀져 당초의 임용행위가 무효라고 하더라도 그가 공무원으로 계속 근무하면서 직무에 관하여 뇌물을 수수한 경우 수뢰죄로 처벌할 수 있다.

Answer 1. ④⑥ 2. ②

② 알선수뢰죄에서 '공무원이 그 지위를 이용하여'라 함은 친구 등 사적 관계를 이용하는 경우뿐만 아니라 다른 공무원이 취급하는 사무처리에 법률상이거나 사실상으로 영향을 줄 수 있는 관계에 있는 공무원이 그 지위를 이용하는 경우도 포함한다.

③ 공무원 甲이 A주식회사로부터 뇌물을 받은 후 A회사에 유리하게 관계 법령을 해석하여 감액처분을 하였는데, 과세 대상에 관한 규정이 명확하지 않고 그에 관한 확립된 선례도 없어 甲의 처분이 위법하지 않은 경우 甲에게 수뢰 후 부정처사죄가 성립하지 않는다.

④ A가 오로지 공무원 甲을 함정에 빠뜨릴 의사로 직무와 관련되었다는 형식을 빌려 甲에게 금품을 공여한 경우 甲이 그 금품을 직무와 관련하여 수수한다는 의사를 가지고 받아들이면 수뢰죄가 성립한다.

| 해설 ① 대판 2014.3.27, 2013도11357

② ×: 사적 관계를 이용한 경우 ⇨ 알선수뢰죄 ×(대판 1994.10.21, 94도852)

③ 대판 1995.12.12, 95도2320 ④ 대판 2008.3.13, 2007도10804

## 03 뇌물죄에 대한 설명으로 가장 적절하지 않은 것은?(다툼이 있으면 판례에 의함) 21. 경찰승진

① 법령에 기한 임명권자에 의하여 임용되어 공무에 종사하여 온 사람이 나중에 그가 임용결격자이었음이 밝혀져 당초의 임용행위가 무효라고 하더라도 그가 임용행위라는 외관을 갖추어 실제로 공무를 수행한 이상 형법 제129조에서 규정한 공무원으로 봄이 타당하고, 그가 그 직무에 관하여 뇌물을 수수한 때에는 수뢰죄로 처벌할 수 있다.

② 뇌물공여죄가 성립하기 위하여는 뇌물을 공여하는 행위와 상대방 측에서 금전적으로 가치가 있는 그 물품 등을 받아들이는 행위가 필요할 뿐 반드시 상대방 측에서 뇌물수수죄가 성립하여야 하는 것은 아니다.

③ 뇌물약속죄에서 뇌물의 약속은 직무와 관련하여 장래에 뇌물을 주고받겠다는 양 당사자의 의사표시가 확정적으로 합치하면 성립하고, 뇌물의 가액이 얼마인지는 문제되지 않는다.

④ 알선뇌물수수죄와 관련하여 상대방으로 하여금 뇌물을 수수하는 자에게 잘 보이면 어떤 도움을 받을 수 있다거나 손해를 입을 염려가 없다는 정도의 막연한 기대감을 갖게 하고, 뇌물을 수수하는 자 역시 상대방이 그러한 기대감을 가질 것이라고 짐작하면서 수수하였다면 알선뇌물수수죄가 성립한다.

| 해설 ① 대판 2014.3.27, 2013도11357

② 대판 2006.2.24, 2005도4737

③ 대판 2001.9.18, 2000도5438

④ ×: 알선뇌물수수죄가 성립하려면 알선할 사항이 다른 공무원의 직무에 속하는 사항으로서 뇌물수수의 명목이 그 사항의 알선에 관련된 것임이 어느 정도는 구체적으로 나타나야 한다. 단지 상대방으로 하여금 뇌물을 수수하는 자에게 잘 보이면 어떤 도움을 받을 수 있다거나 손해를 입을 염려가 없다는 정도의 막연한 기대감을 갖게 하는 정도에 불과하고, 뇌물을 수수하는 자 역시 상대방이 그러한 기대감을 가질 것이라고 짐작하면서 수수하였다는 사정만으로는 알선뇌물수수죄가 성립하지 않는다(대판 2017.12.22, 2017도12346).

Answer 3. ④

03

## THEMA 30 '뇌물공여 등 죄(증뢰죄, 증뢰물전달죄)' 관련판례 총정리

**제133조** ① 제129조부터 제132조까지에 기재한 뇌물을 약속, 공여 또는 공여의 의사를 표시한 자는 5년 이하의 징역 또는 2천만원 이하의 벌금에 처한다.
② 제1항의 행위에 제공할 목적으로 제3자에게 금품을 교부한 자 또는 그 사정을 알면서 금품을 교부받은 제3자도 제1항의 형에 처한다.

**• 뇌물공여죄**

1. 배임수재자가 배임증재자에게서 그가 무상으로 빌려준 물건을 인도받아 사용하고 있던 중에 공무원이 된 경우, 그 사실을 알게 된 배임증재자가 배임수재자에게 앞으로 물건은 공무원의 직무에 관하여 빌려주는 것이라고 하면서 뇌물공여의 뜻을 밝히고 물건을 계속하여 배임수재자가 사용할 수 있게 한 경우, 특별한 사정(사용기간을 추가로 연장해 주는 등 새로운 이익을 제공)이 없는 한 뇌물공여죄가 성립하지 않는다(대판 2015.10.15, 2015도6232). 16. 사시 · 법원행시, 17. 법원직, 20. 경찰승진
2. 뇌물공여죄의 고의는 '공무원에게 그 직무에 관하여 뇌물을 공여한다'는 사실에 대한 인식과 의사를 말하고, 미필적 고의로도 충분하다. 공여자가 공무원의 요구에 따라 비공무원에게 뇌물을 공여한 경우 공무원과 비공무원 사이의 관계가 형법 제129조 제1항 뇌물수수죄의 공동정범에 해당하고 공여자가 이러한 사실을 인식하였다면 공여자에게 형법 제133조 제1항, 제129조 제1항에서 정한 뇌물공여죄의 고의가 인정된다(대판 2019.8.29, 2018도2738 전원합의체). 22. 법원행시
3. 뇌물수수자가 뇌물공여자에 대한 내부관계에서 물건에 대한 실질적인 사용 · 처분권한을 취득하였으나 뇌물수수 사실을 은닉하거나 뇌물공여자가 계속 그 물건에 대한 비용 등을 부담하기 위하여 소유권 이전의 형식적 요건을 유보하는 경우에는 뇌물수수자와 뇌물공여자 사이에서는 소유권을 이전받은 경우와 다르지 않으므로 그 물건을 뇌물로 수수하고 공여하였다고 보아야 한다. 뇌물수수자가 교부받은 물건을 뇌물공여자에게 반환할 것이 아니므로 뇌물수수자에게 영득의 의사도 인정되고, 뇌물공여자가 교부한 물건을 뇌물수수자로부터 반환받을 것이 아니므로 뇌물공여자에게 고의도 인정된다(대판 2019.8.29, 2018도2738 전원합의체). 20. 법원행시

**• 증뢰물전달죄** : ① 뇌물에 공할 목적으로 제3자에게 금품을 교부하거나 제3자가 그 정을 알면서 교부받는 것이다. ② 여기에서의 제3자란 행위자와 공동정범 이외의 자를 말한다고 할 것이다(대판 2012.12.27, 2012도11200). ③ 제3자의 증뢰물 전달죄는 증뢰자나 수뢰자가 아닌 제3자가 증뢰자로부터 수뢰할 사람에게 전달될 금품이라는 정을 알면서 그 금품을 받은 때에 성립한다(대판 2008.3.14, 2007도10601). 이 경우 제3자가 금품을 수뢰할 사람에게 전달하였느냐는 본죄의 성립에 영향이 없다(대판 1985.1.22, 84도1033). 11. 7급 검찰, 12. 경찰승진 · 변호사시험, 16. 경찰간부, 18. 순경 2차, 20. 해경 3차 ④ 제3자로부터 전달받은 금품을 곧바로 증뢰자에게 반환한 경우에도 증뢰물전달죄는 성립한다(대판 1983.6.28, 82도3129).

**• 죄수 및 타죄와의 관계**

1. 제3자가 교부받은 금품을 수뢰자에게 전달하였다고 해서 증뢰물전달죄 외에 별도로 뇌물공여죄가 성립하는 것은 아니다(대판 1997.9.5, 97도1572). 16. 변호사시험 · 사시 · 법원직, 19. 경찰간부
2. 공무원이 취급하는 사건 또는 사무에 관한 청탁을 받고 청탁 상대방인 공무원에게 제공할 금품을 받아 그 공무원에게 단순히 전달한 경우(증뢰물전달죄 ○)와는 달리, 자기 자신의 이득을 취하기 위하여 공무원이 취급하는 사건 또는 사무에 관하여 청탁한다는 등의 명목으로 금품 등을 교부받으

면 그로써 곧 구 변호사법 위반죄가 성립되고 증뢰물전달죄는 성립할 여지가 없다(대판 2006.11.24, 2005도5567). 10. 법원직

3. 회사의 이사가 회사 자금으로 뇌물을 공여한 경우, 뇌물공여죄와는 별도로 회사에 대하여 업무상 횡령죄가 성립한다(대판 2013.4.25, 2011도9238). 13. 법원행시, 19. 9급 검찰

## 01 뇌물죄 등에 관한 설명 중 가장 옳지 않은 것은?(다툼이 있는 경우 판례에 의함) 17. 법원직

① 배임수재자가 배임증재자로부터 무상으로 물건을 빌려 사용하던 중 공무원이 된 경우 그 사실을 알게 된 배임증재자가 배임수재자에게 앞으로 물건은 공무원의 직무에 관하여 빌려주는 것이라고 하면서 뇌물공여의 뜻을 밝히고 물건을 계속하여 배임수재자가 사용할 수 있게 한 경우는 특별한 사정이 없는 한 뇌물공여죄에 해당하지 않는다.

② 뇌물의 목적물이 이익인 경우 그 가액이 확정되어 있지 않아도 뇌물약속죄가 성립하는 데에는 영향이 없다.

③ 뇌물약속죄의 구성요건인 뇌물의 '약속'은 양 당사자의 뇌물수수의 합의를 말하고, 여기에서 '합의'란 그 방법에 아무런 제한이 없고 명시적이어야 하는 것은 아니며 뇌물을 주고 받겠다는 양 당사자의 의사표시가 확정적으로 합치되어야 하는 것도 아니다.

④ 뇌물죄에서 뇌물의 내용인 이익이라 함은 금전, 물품 기타의 재산적 이익뿐만 아니라 사람의 수요・욕망을 충족시키기에 족한 일체의 유형・무형의 이익을 포함하며 성적욕구의 충족도 이에 포함될 수 있다.

**해설** ① 대판 2015.10.15, 2015도6232
② 대판 1981.8.20, 81도698
③ ×: ~ 확정적으로 합치되어야 한다(대판 2012.11.15, 2012도9417).
④ 대판 2014.1.29, 2013도13937

## 02 뇌물죄에 대한 설명으로 가장 적절한 것은?(다툼이 있는 경우 판례에 의함) 18. 순경 2차

① 공무원이 직무와 관련하여 금품을 수수하였더라도 특별한 청탁이 없이 사교적 의례의 형식을 갖추어 금품을 주고 받았다면 형법 제129조 제1항의 뇌물수수죄가 성립하지 않는다.

② 공무원이 직접 금품을 받지 않고 증뢰자로 하여금 다른 사람에게 금품을 공여하도록 한 경우라도 그가 직무에 관하여 부정한 청탁을 받은 사정이 없다면 이를 형법 제130조의 제3자뇌물제공죄로 처벌하지 못한다.

③ 공무원이 그 지위를 이용하여 다른 공무원의 직무에 관한 사항의 알선에 관하여 금품을 수수한 경우에는 그가 특별한 청탁을 받고 그 같은 행위를 한 사정이 없는 이상 이를 형법 제132조의 알선수뢰죄로 처벌하지 못한다.

**Answer** 1. ③ 2. ②

④ 공무원에게 뇌물로 공여하기 위한 목적이라는 사정을 알면서 증뢰자로부터 금품을 교부받은 자는 그가 실제로 그 금품을 공무원에게 전달하지 않고 있는 이상 형법상 아무런 처벌을 받지 않는다.

| 해설 ① ×：뇌물수수죄 ○(대판 1999.1.29, 98도3584)
② ○：옳다(제130조).
③ ×：청탁의 유무나 알선행위가 실제로 이행되었는가는 불문하고 알선수뢰죄(제132조)가 성립한다(대판 2017.1.12, 2016도15470).
④ ×：증뢰물전달죄 ○(제133조 제2항)(대판 1985.1.22, 84도1033 ∵ 금품을 교부받은 자가 실제로 금품을 공무원에게 전달하였는가는 본죄의 성립에 영향이 없다.)

03

**03 뇌물죄에 대한 다음 설명 중 옳지 않은 것은 모두 몇 개인가?**(다툼이 있는 경우 판례에 의함)

19. 경찰간부

㉠ 뇌물죄에서 뇌물의 내용인 이익이라 함은 금전, 물품 기타의 재산적 이익뿐만 아니라 사람의 수요・욕망을 충족시키기에 족한 일체의 유형・무형의 이익을 포함하지만, 제공된 것이 성적 욕구의 충족은 포함되지 않는다고 보아야 한다.
㉡ 뇌물죄에서 직무란 공무원이 그 지위에 수반하여 공무로서 처리하는 일체의 직무를 말하며, 과거에 담당하였거나 또는 장래 담당할 직무 및 사무분장에 따라 현실적으로 담당하지 않는 직무라고 하더라도 법령상 일반적인 직무권한에 속하는 직무 등 공무원이 그 직위에 따라 공무로 담당할 일체의 직무를 말하므로, 뇌물의 수수 등을 할 당시 이미 공무원의 지위를 떠난 경우라도 형법 제129조 제1항의 수뢰죄로 처벌할 수 있다.
㉢ 형법 제133조 제2항의 제3자 증뢰물전달죄는 제3자가 증뢰자로부터 교부받은 금품을 수뢰할 사람에게 전달하였는지 여부에 관계없이 제3자가 그 정을 알면서 금품을 교부받음으로써 성립하고, 나아가 제3자가 그 교부받은 금품을 수뢰할 사람에게 전달하면 증뢰물전달죄와 별도로 뇌물공여죄가 성립한다.
㉣ 공무원이 그 직무에 관하여 금전을 무이자로 차용하여 금융이익 상당의 뇌물을 수수한 경우에 공소시효는 차용금 변제기로부터 기산한다.

① 1개 ② 2개 ③ 3개 ④ 4개

| 해설 ㉠ ×：성적 욕구의 충족도 포함된다(대판 2014.1.29, 2013도13937).
㉡ ×：~ 지위를 떠난 경우에는 ~ 처벌할 수 없다(대판 2013.11.28, 2013도10011).
㉢ ×：증뢰물전달죄 ○, 뇌물공여죄 ×(대판 1997.9.5, 97도1572)
㉣ ×：무이자로 차용한 때(변제기 ×)로부터 기산(대판 2012.2.23, 2011도7282)

Answer 3.④

## THEMA 31 '뇌물의 몰수 · 추징(필요적 몰수 · 추징)' 총정리

1. **몰수 · 추징의 대상** : 수수한 뇌물, 제공(공여)하였지만 수수하지 않은 뇌물, 공여(제공)를 약속한 뇌물이 포함된다. 13. 경찰간부 그러나 몰수는 특정된 물건에 대한 것이고 추징은 본래 몰수할 수 있었음을 전제로 하는 것임에 비추어 뇌물에 공할 금품이 특정되지 않았던 것은 몰수할 수 없고 그 가액을 추징할 수도 없다(대판 1996.5.8, 96도221). 20. 수사경과, 24. 변호사시험 · 경찰승진

   예 공무원 甲이 A에게 뇌물을 요구하였으나 A가 이를 즉각 거부한 경우에는 요구한 금품이 특정되지 않아 이를 몰수할 수 없으므로 그 가액을 추징할 수도 없다(대판 2015.10.29, 2015도12838). 22. 경찰승진

2. **몰수 · 추징의 상대방** : 현재 뇌물을 보유하고 있는 자
   ① 뇌물 그 자체를 증뢰자에게 반환한 때 ⇨ 증뢰자로부터 몰수 · 추징(대판 1984.2.28, 83도2783)
   ② 수뢰자가 뇌물을 소비하고 같은 금액을 증뢰자에게 반환한 경우, 뇌물로 수수한 자기앞수표를 소비하고 그 금액을 반환한 경우, 뇌물을 은행에 예치한 후에 같은 액수의 돈을 반환한 경우 ⇨ 수뢰자로부터 추징(대판 1999.1.29, 98도3584) 12. 사시 · 변호사시험, 13. 법원행시 · 법원직, 14. 순경 2차, 20. 경찰승진 · 해경 3차, 21. 해경승진, 23. 7급 검찰
   ③ 수뢰자가 뇌물을 제3자에게 다시 뇌물로 공여한 경우 ⇨ 제1수뢰자로부터 전액 추징(대판 1986.11.25, 86도1951 ∵ 수뢰한 돈을 소비하는 방법에 지나지 아니함) 08. 경찰승진, 19. 법원직

3. **몰수 · 추징의 방법**
   ① 여러 사람이 공동으로 뇌물을 수수한 경우 그 가액을 추징하려면 실제로 분배받은 금품만을 개별적으로 추징하여야 하고 수수금품을 개별적으로 알 수 없을 때에는 평등하게 추징하여야 하며, 공동정범뿐만 아니라 교사범 또는 종범도 뇌물의 공동수수자에 해당할 수 있다(대판 2011.11.24, 2011도9585). 14. 법원직, 16. 법원행시, 22. 경력채용
   ② 추징가액산정의 기준시기 : 재판선고시의 가격(몰수불능시의 가격 ×, 취득가액 ×)을 기준으로 정한다(대판 1991.5.28, 91도352). 12. 경찰승진, 15. 법원직 · 순경 3차, 17. 9급 검찰

4. **몰수 · 추징의 범위**

   **관련판례**

   1. 직무에 속한 사항의 알선에 관하여 받은 금품 중의 일부를 받은 취지에 따라 관계공무원에게 뇌물로 공여하거나 다른 알선행위자에게 청탁명목으로 교부한 경우 ⇨ 이를 제외한 나머지 금품만을 몰수 · 추징한다(대판 2002.6.14, 2002도1283 ∵ 그 부분의 이익은 실질적으로 범인에게 귀속 ×, 그러나 금품 중의 일부를 받은 취지에 따르지 않고 독자적인 판단에 따라 경비로 사용한 경우 ⇨ 수뢰자로부터 전액 추징). 10. 7급 검찰, 12. 법원직, 16. 경찰간부, 20. 해경 3차
   2. 공무원이 증뢰자와 함께 향응을 하고 증뢰자가 소요금원을 지출한 경우(대판 2001.10.12, 99도5294) 08. 경찰승진, 12. 법원직
      - 각자에 요한 비용액이 불명인 때 ⇨ 평등하게 분할한 액이 수뢰액이다.
      - 전체 소요금원 − 증뢰자의 소비비용액 = 수뢰자의 수뢰액(피고인의 접대에 요한 비용임)
      - 향응을 제공받는 자리에 피고인(수뢰자) 스스로 제3자를 초대해서 함께 접대를 받은 경우 ⇨ 제3자의 접대에 요한 비용도 피고인의 접대에 요한 비용에 포함시킨다(단, 제3자가 피고인과는 별도의 지위에서 접대를 받는 공무원이라는 특별한 사정이 있는 경우는 제외). 16. 변호사시험 · 경찰간부

3. 금품의 무상차용을 통하여 위법한 재산상 이익을 취득한 경우 범인이 받은 부정한 이익은 그로 인한 금융이익 상당액이므로 추징의 대상이 되는 것은 무상으로 대여받은 금품 그 자체가 아니라 위 금융이익 상당액이다(대판 2008.9.25, 2008도2590). 10. 사시, 23. 경찰승진
   추징의 대상이 되는 금융이익 상당액은 범인이 금융기관으로부터 대출받는 등 통상적인 방법으로 자금을 차용하였을 경우 부담하게 될 대출이율을 기준으로 하거나 그 대출이율을 알 수 없는 경우에는 법정이율을 기준으로 하여, 금품수수일로부터 약정된 변제기까지 금품을 무이자로 차용하여 얻은 금융이익의 수액을 산정한 뒤 이를 추징하여야 한다(대판 2014.5.16, 2014도1547). 15. 법원직, 16. 법원행시
4. 뇌물을 수수한 자가 공동수수자가 아닌 교사범 또는 종범에게 뇌물 중 일부를 사례금 등의 명목으로 교부하였다면 이는 뇌물을 수수하는 데 따르는 부수적 비용의 지출 또는 뇌물의 소비행위에 지나지 아니하므로, 뇌물수수자에게서 수뢰액 전부를 추징하여야 한다(대판 2011.11.24, 2011도9585). 13. 경찰승진, 18. 변호사시험 · 순경 3차, 21. 7급 검찰, 22. 법원행시, 23. 해경간부
5. 특정범죄가중처벌 등에 관한 법률 제2조 제1항의 적용 여부를 가리는 수뢰액을 정함에 있어서는 그 공범자 전원의 수뢰액을 합한 금액을 기준으로 하여야 할 것이고, 각 공범자들이 실제로 취득한 금액이나 분배받기로 한 금액을 기준으로 할 것이 아니다(대판 1999.8.20, 99도1557). 09. 사시, 11. 경찰승진, 12. 순경 1차
6. 피고인이 뇌물로 받은 주식이 압수되어 있지 않고 주주명부상 피고인의 배우자 명의로 등재되어 있으며, 위 배우자는 몰수의 선고를 받은 자가 아니어서 그에 대해서는 몰수물의 제출을 명할 수도 없고, 몰수를 선고한 판결의 효력도 미치지 않으므로 위 주식을 몰수함이 상당하지 아니하다고 보아 몰수하는 대신 그 가액을 추징할 수 있다(대판 2005.10.28, 2005도5822). 06. 순경, 08. 경찰승진
7. 공무원이 뇌물취득을 위하여 상대방에게 뇌물액에 상당하는 금원의 일부를 비용명목으로 출연하거나 경제적 이익을 제공한 경우 ⇨ 그 받은 뇌물 자체를 몰수 · 추징한다(대판 1999.10.8, 99도1638 ∵ 뇌물을 받는 데 지출한 부수적 비용에 불과). 12. 법원직, 19. 법원행시
   ▶ **유사판례** : 공무원이 뇌물을 받는 데에 필요한 경비를 지출한 경우 그 경비는 뇌물수수의 부수적 비용에 불과하여 뇌물의 가액과 추징액에서 공제할 항목에 해당하지 않는다. 뇌물을 받는 주체가 아닌 자가 수고비로 받은 부분이나 뇌물을 받기 위하여 형식적으로 체결된 용역계약에 따른 비용으로 사용된 부분은 뇌물수수의 부수적 비용에 지나지 않는다(대판 2017.3.22, 2016도21536). 17. 7급 검찰 · 법원행시, 18. 경찰간부, 21. 경력채용, 22. 변호사시험, 23. 해경승진
8. 알선의뢰인이 알선수재자에게 공무원이나 금융기관 임직원의 직무에 속한 사항에 관한 알선의 대가를 형식적으로 체결한 고용계약에 터잡아 급여의 형식으로 지급한 경우에, 알선수재자가 수수한 알선수재액은 명목상 급여액이 아니라 원천징수된 근로소득세 등을 제외하고 알선수재자가 실제 지급받은 금액으로 보아야 하고, 또한 위 금액만을 몰수 · 추징하여야 한다(대판 2012.6.14, 2012도534). 13. 법원행시, 16. 사시

03

## 01 다음 뇌물의 몰수와 추징에 관한 설명 중 틀린 것은 몇 개인가?

기출지문 종합

㉠ 수뢰자가 자기앞수표를 뇌물로 받아 이를 소비한 후 자기앞수표 상당액을 증뢰자에게 반환한 경우에는 수뢰자로부터 그 가액을 추징하여야 한다.
㉡ 피고인이 뇌물로 받은 돈을 그후 다른 사람에게 다시 뇌물로 공여한 경우에도 피고인으로부터 그 수뢰액 전부를 추징하여야 한다.
㉢ 뇌물의 몰수가 불가능한 때에 추징하여야 할 가액의 산정은 재판선고시의 가격을 기준으로 하여야 한다.
㉣ 피고인이 증뢰자와 함께 향응을 하고 증뢰자가 이에 소요되는 금원을 지출한 경우에는 증뢰자가 소비한 비용도 결국 증뢰에 따른 비용으로 지출된 것이므로 이를 모두 피고인의 수뢰액으로 인정하여 그 가액을 추징하여야 한다.

① 1개 ② 2개 ③ 3개 ④ 4개

**| 해설** ㉠ ○ : 대판 1999.1.29, 98도3584
㉡ ○ : 대판 1986.11.25, 86도1951
㉢ ○ : 대판 1991.5.28, 91도352
㉣ × : 먼저 피고인의 접대에 요한 비용과 증뢰자가 소비한 비용을 가려내어 전자의 수액을 가지고 피고인의 수뢰액으로 하여야 하고 만일 각자에 요한 비용액이 불명일 때에는 이를 평등하게 분할한 액을 가지고 피고인의 수뢰액으로 인정하여 그 가액을 추징하여야 한다(대판 1977.3.8, 76도1982).

## 02 뇌물죄에 대한 설명으로 옳지 않은 것은?(다툼이 있는 경우 판례에 의함)

16. 경찰간부

① 형법 제133조 제2항의 제3자뇌물취득죄는 제3자가 증뢰자로부터 교부받은 금품을 수뢰할 사람에게 전달하였는지의 여부에 관계없이 제3자가 그 정을 알면서 금품을 교부받음으로써 성립한다.
② 뇌물을 여러 차례에 걸쳐 수수함으로써 그 행위가 여러 개이더라도 그것이 단일하고 계속적 범의에 의하여 이루어지고 동일법익을 침해한 때에는 포괄일죄로 처벌함이 상당하다.
③ 병역면제를 위해 1억원의 뇌물을 받은 헌병수사관 甲이 독자적 판단에 따라 군의관 乙에게 5천만원을 공여한 경우 甲에게 추징하여야 할 금액은 5천만원이다.
④ 피고인이 향응을 제공받는 자리에 피고인 스스로 제3자를 초대하여 함께 접대를 받은 경우 그 제3자가 피고인과는 별도의 지위에서 접대를 받는 공무원이라는 등의 특별한 사정이 없는 한 그 제3자의 접대에 요한 비용도 피고인의 수뢰액으로 보아야 한다.

**| 해설** ① 대판 1985.1.22, 84도1033
② 대판 2000.1.21, 99도4940
③ × : 금품 중의 일부를 받은 취지에 따르지 않고 독자적인 판단에 따라 경비로 사용한 경우 ⇨ 수뢰자(甲)로부터 전액(1억원) 추징(대판 2002.6.14, 2002도1283)
④ 대판 2001.10.12, 99도5294

Answer 1.① 2.③

## 종합문제 뇌물죄

03

**01 뇌물죄에 관한 설명 중 옳은 것(○)과 옳지 않은 것(×)을 올바르게 조합한 것은?**(다툼이 있는 경우 판례에 의함) 18. 변호사시험

> ㉠ 수수된 금품의 뇌물성을 인정하기 위하여는 그 금품이 개개의 직무행위와 대가적 관계에 있음이 증명되어야 한다.
> ㉡ 임용될 당시 지방공무원법상 임용결격자임에도 공무원으로 임용되어 계속 근무하던 중 직무에 관하여 뇌물을 수수한 경우, 임용행위의 무효에도 불구하고 뇌물수수죄의 성립을 인정할 수 있다.
> ㉢ 뇌물공여죄가 성립하기 위하여는 반드시 상대방 측에서 뇌물수수죄가 성립하여야 하는 것은 아니다.
> ㉣ 뇌물을 수수한 자가 공동수수자가 아닌 교사범 또는 종범에게 뇌물 중 일부를 사례금 등의 명목으로 교부한 경우, 실제 수익은 뇌물에서 사례금을 공제한 금액이므로, 전체 뇌물 액수에서 사례금 상당액을 공제한 금액을 뇌물수수자에게서 몰수・추징하여야 한다.
> ㉤ 공무원이 직접 뇌물을 받지 않고 증뢰자로 하여금 자신이 채무를 부담하고 있었던 제3자에게 뇌물을 공여하게 함으로써 자신의 지출을 면하였다면 형법 제130조의 제3자뇌물제공죄가 성립한다.

① ㉠(○), ㉡(×), ㉢(×), ㉣(×), ㉤(○)
② ㉠(○), ㉡(×), ㉢(×), ㉣(○), ㉤(○)
③ ㉠(×), ㉡(×), ㉢(○), ㉣(○), ㉤(×)
④ ㉠(×), ㉡(○), ㉢(○), ㉣(×), ㉤(○)
⑤ ㉠(×), ㉡(○), ㉢(○), ㉣(×), ㉤(×)

**| 해설** ㉠ ×: 개개의 직무행위와 대가적 관계에 있을 필요는 없고, 전체적・포괄적으로 대가관계가 있으면 족하다(대판 1997.12.26, 97도2609).
㉡ ○: 대판 2014.3.27, 2013도11357
㉢ ○: 대판 2006.2.24, 2005도4737
㉣ ×: 뇌물을 수수한 자가 공동수수자가 아닌 교사범 또는 종범에게 뇌물 중 일부를 사례금 등의 명목으로 교부하였다면 이는 뇌물을 수수하는 데 따르는 부수적 비용의 지출 또는 뇌물의 소비행위에 지나지 아니하므로, 뇌물수수자에게서 수뢰액 전부를 추징하여야 한다(대판 2011.11.24, 2011도9585).
㉤ ×: 제3자뇌물제공죄(제130조) ×, 단순수뢰죄(제129조 제1항) ○(대판 2002.4.9, 2001도7056)

**02 뇌물죄에 대한 설명으로 가장 적절한 것은?**(다툼이 있는 경우 판례에 의함) 19. 경찰승진

① 제3자뇌물공여죄에 있어서 묵시적인 의사표시에 의한 부정한 청탁이 있다고 하기 위하여는, 당사자 사이에 청탁의 대상이 되는 직무집행의 내용과 제3자에게 제공되는 금품이 그 직무집행에 대한 대가라는 점에 대하여 공통의 인식이나 양해가 존재하여야 한다.

Answer 1. ⑤ 2. ①

② 공무원이 직무와 관련하여 뇌물수수를 약속하고 퇴직 후 이를 수수하는 경우에 뇌물약속과 뇌물수수가 시간적으로 근접하여 연속되어 있다면 뇌물수수죄가 성립한다.

③ 수의계약을 체결하는 공무원이 해당 공사업자와 적정한 금액 이상으로 계약금액을 부풀려서 계약하고 부풀린 금액을 자신이 되돌려 받기로 사전에 약정한 다음 그에 따라 돈을 수수하였다면 수뢰죄가 성립한다.

④ 알선수뢰죄에서 '공무원이 그 지위를 이용하여'라 함은 친구, 친족관계 등 사적인 관계를 이용하는 경우뿐만 아니라 다른 공무원이 취급하는 사무의 처리에 법률상이거나 사실상으로 영향을 줄 수 있는 관계에 있는 공무원이 그 지위를 이용하는 경우를 말한다.

**| 해설** ① ○ : 대판 2009.1.30, 2008도6950

② × : 뇌물수수죄의 주체는 현재 공무원 또는 중재인의 직에 있는 자에 한정되므로, 공무원이 직무와 관련하여 뇌물수수를 약속하고 퇴직 후 이를 수수하는 경우에는, 뇌물약속과 뇌물수수가 시간적으로 근접하여 연속되어 있다고 하더라도, 뇌물약속죄 및 사후수뢰죄가 성립할 수 있음은 별론으로 하고, 뇌물수수죄는 성립하지 않는다(대판 2008.2.1, 2007도5190).

③ × : 수뢰죄 ×(대판 2007.10.12, 2005도7112 ∵ 수수한 돈은 성격상 뇌물이 아니고 횡령금에 해당함)

④ × : 사적인 관계를 이용한 경우 ⇨ 공무원이 그 지위를 이용하는 경우 ×(대판 1994.10.21, 94도852)

**03** **뇌물죄와 관련된 설명 중 가장 옳지 않은 것은?**(다툼이 있는 경우 판례에 의함) 20. 경찰간부

① 뇌물수수의 공범자들 사이에 직무와 관련하여 금품이나 이익을 수수하기로 하는 명시적 또는 암묵적 공모관계가 성립하고 공모 내용에 따라 공범자 중 1인이 금품이나 이익을 수수하였다면 수수한 금품이나 이익 전부에 관하여 뇌물수수죄의 공모공동정범이 성립할 수 있다.

② 공무원이 직무관련자에게 제3자와 계약을 체결하도록 요구하여 계약 체결을 하게 한 행위가 제3자뇌물수수죄의 구성요건과 직권남용권리행사방해죄의 구성요건에 모두 해당하는 경우 두 범죄는 상상적 경합관계에 있다.

③ 제3자뇌물수수죄에서 제3자란 행위자, 공동정범 그리고 교사자 이외의 사람을 의미하나 방조자는 제3자에 포함될 수 있다.

④ 공무원 또는 중재인이 부정한 청탁을 받고 제3자에게 뇌물을 제공하게 하고 제3자가 그러한 공무원 또는 중재인의 범죄행위를 알면서 방조한 경우에는 그에 대한 별도의 처벌규정이 없더라도 방조범에 관한 형법총칙의 규정이 적용되어 제3자뇌물수수방조죄가 인정될 수 있다.

**| 해설** ① 대판 2014.12.24, 2014도10199 ② 대판 2017.3.15, 2016도19659

③ × ④ ○ : 제3자뇌물수수죄에서 제3자란 행위자와 공동정범 이외의 사람을 말하고, 교사자나 방조자도 포함될 수 있다. 그러므로 공무원 또는 중재인이 부정한 청탁을 받고 제3자에게 뇌물을 제공하게 하고 제3자가 그러한 공무원 또는 중재인의 범죄행위를 알면서 방조한 경우에는 그에 대한 별도의 처벌규정이 없더라도 방조범에 관한 형법총칙의 규정이 적용되어 제3자뇌물수수방조죄가 인정될 수 있다(대판 2017.3.15, 2016도19659).

Answer 3. ③

**04** **뇌물에 관한 죄에 대한 설명 중 가장 적절하지 않은 것은?**(다툼이 있는 경우 판례에 의함)

20. 경찰승진

① 배임수재자가 배임증재자에게서 무상으로 빌린 물건을 인도받아 사용하던 중 공무원이 되었고, 배임증재자가 뇌물공여 의사를 밝히면서 배임수재자가 물건을 계속 사용하도록 한 경우 처음에 정한 사용기간을 연장해 주는 등 새로운 이익을 제공한 것으로 평가할 만한 사정이 없다면 뇌물공여죄가 성립하지 않는다.

② 제3자뇌물공여죄에서 막연히 선처하여 줄 것이라는 기대에 의하거나 직무집행과는 무관한 다른 동기에 의하여 제3자에게 금품을 공여한 경우에는 묵시적인 의사표시에 의한 부정한 청탁이 있다고 보기 어렵다.

③ 뇌물약속죄에서 뇌물의 약속은 양 당사자의 뇌물수수의 합의를 말하고, 여기에서 '합의'란 그 방법에 아무런 제한이 없고 명시적일 필요도 없으므로, 양 당사자의 의사표시가 확정적으로 합치할 필요까지는 없다.

④ 공무원인 甲이 乙로부터 1,000만원을 뇌물로 받아 그중 500만원을 소비하고 나머지 500만원을 은행에 예금하여 두었다가 이를 인출하여 乙에게 반환한 경우, 甲으로부터 1,000만원을 추징하여야 한다.

**| 해설** ① 대판 2015.10.15, 2015도6232
② 대판 2009.1.30, 2008도6950
③ ×: ~ 확정적으로 합치하여야 한다(대판 2012.11.15, 2012도9417).
④ 대판 1999.1.29, 98도3584

**05** **다음 중 뇌물죄에 관한 설명으로 옳지 않은 것은 모두 몇 개인가?**(다툼이 있는 경우 판례에 의함)

20. 해경 3차

㉠ 뇌물죄에서 말하는 직무에는 법령에 정하여진 직무뿐만 아니라 그와 관련 있는 직무를 포함하나, 과거에 담당하였던 직무는 포함되지 않는다.
㉡ 공무원인 甲이 먼저 뇌물 200만원을 요구하였는데 증뢰자로부터 당초 요구액보다 훨씬 많은 2,000만원을 영득의사로 제공 받았다면, 그 액수가 예상한 것보다 너무 많은 액수여서 2주 뒤에 이를 반환하였다고 하더라도 2,000만원 전부에 대해 뇌물수수죄가 성립한다.
㉢ 甲이 뇌물로 제공할 목적으로 乙에게 금품을 교부하였다면 乙이 수뢰할 사람에게 금품을 전달하지 않았다고 하더라도 甲에게는 제3자뇌물교부죄가 성립한다.
㉣ 수뢰자가 자기앞수표를 뇌물로 받아 이를 소비한 후 자기앞수표 상당액을 증뢰자에게 반환하였다면 증뢰자로부터 그 가액을 추징하여야 한다.
㉤ 甲이 A로부터 공무원의 직무에 속한 사항의 알선에 관하여 1,000만원을 받고 그중 일부인 500만원을 받은 취지에 따라 청탁과 관련하여 관계공무원 B에게 뇌물로 공여한 경우에는 甲으로부터 애초에 받은 금원 전부인 1,000만원을 몰수하거나 추징하여야 한다.

① 1개 ② 2개 ③ 3개 ④ 4개

Answer 4.③ 5.③

| 해설 ㉠ × : ~ 과거에 담당하였던 직무도 포함된다(대판 2003.6.13, 2003도1060).
㉡ ○ : 대판 2007.3.29, 2006도9182
㉢ ○ : 대판 1985.1.22, 84도1033
㉣ × : ~ 수뢰자(증뢰자 ×)로부터 ~ 한다(대판 1999.1.29, 98도3584).
㉤ × : ~ (3줄) 애초에 받은 금원 중 받은 취지에 따라 B에게 공여한 500만원을 제외한 500만원을 몰수하거나 추징하여야 한다(대판 2002.6.14, 2002도1283).

**06** **뇌물죄에 대한 설명으로 옳은 것은?**(다툼이 있는 경우 판례에 의함) 21. 7급 검찰

① 뇌물수수자가 공동수수자가 아닌 교사범 또는 종범에게 뇌물 중 일부를 사례금 등의 명목으로 교부한 경우 뇌물수수자에게 수뢰액 전부를 추징하여야 한다.
② 뇌물공여죄와 뇌물수수죄는 필요적 공범관계에 있으므로 뇌물을 수수한 사람에게 뇌물수수의 죄책을 물을 수 없는 경우라면 뇌물을 공여한 사람에게도 뇌물공여의 죄책을 물을 수 없다.
③ 국립대학교 의과대학 교수 겸 국립대학교병원 의사가 구치소로 왕진을 나가 진료하고 진단서를 작성해 주거나 구속집행정지신청에 관한 법원의 사실조회에 대하여 회신을 해주면서 사례금 명목으로 금품을 수수한 경우 뇌물죄의 직무관련성이 인정된다.
④ 수뢰자가 증뢰자에게서 수수한 뇌물을 일단 소비한 다음에 같은 액수의 금원을 증뢰자에게 반환했다면, 수뢰자가 아니라 증뢰자로부터 가액을 추징해야 한다.

| 해설 ① ○ : 대판 2011.11.24, 2011도9585
② × : ~ 뇌물수수의 죄책을 물을 수 없는 경우라도 ~ 뇌물공여의 죄책을 물을 수 있다(대판 1987.12.22, 87도1699 ∵ 뇌물공여죄가 성립되기 위하여서는 반드시 상대방 측에서 뇌물수수죄가 성립되어야만 하는 것은 아님).
③ × : ~ 직무관련성이 인정되지 않는다(대판 2006.6.15, 2005도1420 ∵ 의사로서의 진료업무이지 교육공무원의 직무와 밀접한 관련 있는 행위 ×).
④ × : 증뢰자가 아닌 수뢰자로부터 가액을 추징해야 한다(대판 1999.1.29, 98도3584).

**07** **다음 설명 중 가장 옳은 것은?**(다툼이 있는 경우 판례에 의함) 21. 법원행시

① 횡령 범행으로 취득한 돈을 공범자끼리 수수한 행위가 공동정범들 사이의 범행에 의하여 취득한 돈을 공모에 따라 내부적으로 분배한 것이라면 그 돈의 수수행위에 관하여는 뇌물죄가 성립한다.
② 뇌물의 수수 등을 할 당시 이미 공무원의 지위를 떠난 경우라도 형법 제129조 제1항의 수뢰죄로 처벌할 수 있다.
③ 공무원과 공동정범 관계에 있는 비공무원은 제3자뇌물수수죄에서 말하는 제3자가 될 수 없고, 공무원과 공동정범 관계에 있는 비공무원이 뇌물을 받은 경우에는 공무원과 함께 뇌물수수죄의 공동정범이 성립하고 제3자뇌물수수죄는 성립하지 않는다.

Answer 6.① 7.③

④ 한국환경공단은 환경부장관의 위탁을 받아 건설폐기물 인계·인수에 관한 내용 등의 전산처리를 위한 전자정보처리프로그램인 올바로시스템을 구축·운영하고 있으므로, 그 업무를 수행하는 한국환경공단 임직원은 공전자기록의 작성권한자인 공무원에 해당하고, 한국환경공단은 공무소에 해당한다.

⑤ 공무원이 부정한 청탁을 받고 제3자에게 뇌물을 제공하게 하고 제3자가 그러한 공무원의 범죄행위를 알면서 방조하였더라도 제3자에게 제3자뇌물수수방조죄가 성립할 수 없다.

**| 해설** ① ×：~ 수수행위에 관하여 별도로 뇌물죄가 성립하는 것은 아니다(대판 2019.11.28, 2019도11766).
② ×：~ 처벌할 수 없다(대판 2013.11.28, 2013도10011).
③ ○：대판 2019.8.29, 2018도2378 전원합의체
④ ×：한국환경공단, 한국환경공단 임직원 ⇨ 제227조의 2(공전자기록 위작·변작죄)에 정한 공무소 또는 공무원에 해당 ×(대판 2020.3.12, 2016도19170)
⑤ ×：~ 성립될 수 있다(대판 2017.3.15, 2016도19659).

03

## 08 뇌물죄에 대한 설명으로 가장 적절하지 않은 것은?(다툼이 있는 경우 판례에 의함) 22. 경찰승진

① 공무원과 공동정범 관계에 있는 비공무원이 뇌물을 받은 경우, 비공무원은 제3자 뇌물수수죄에서 말하는 제3자가 될 수 없다.

② 공무원들이 공모하여 특별사업비를 횡령하고 이를 공범자끼리 수수한 행위가 공동정범들 사이의 범행에 의하여 취득한 돈을 내부적으로 분배한 것에 지나지 않는다면 별도로 그 돈의 수수행위에 관하여 뇌물죄가 성립하는 것은 아니다.

③ 공무원 甲이 A에게 2,000만원을 뇌물로 요구하였으나 A가 이를 즉각 거부한 경우에는 요구한 금품이 특정되었으므로, 甲으로부터 2,000만원을 몰수하여야 한다.

④ 공무원이 뇌물을 수수함에 있어 공여자를 기망한 경우에도 뇌물수수죄 및 뇌물공여죄의 성립에는 영향이 없다.

**| 해설** ① 대판 2019.8.29, 2018도2738 전원합의체 ② 대판 2019.11.28, 2019도11766
③ ×：~ 요구한 금품이 특정되지 않아 이를 몰수할 수 없으므로 그 가액을 추징할 수도 없다(대판 2015.10.29, 2015도12838).
④ 대판 1985.2.8, 84도2625

## 09 뇌물죄에 관한 설명 중 옳지 않은 것은?(다툼이 있는 경우 판례에 의함) 22. 변호사시험, 23. 해경승진

① 제3자뇌물수수죄에서 제3자란 행위자와 공동정범 및 교사자와 방조자 이외의 사람을 말한다.

② 공무원이 아닌 사람이 공무원과 공동가공의 의사와 이를 기초로 한 기능적 행위지배를 통하여 공무원의 직무에 관하여 뇌물을 수수하는 범죄를 실행하였다면 공무원이 직접 뇌물을 받은 것과 동일하게 평가할 수 있으므로 공무원과 비공무원에게 형법 제129조 제1항에서 정한 뇌물수수죄의 공동정범이 성립한다.

Answer 8.③ 9.①

③ 단지 상대방으로 하여금 뇌물을 수수하는 자에게 잘 보이면 어떤 도움을 받을 수 있다거나 손해를 입을 염려가 없다는 정도의 막연한 기대감을 갖게 하는 정도에 불과하고, 뇌물을 수수하는 자 역시 상대방이 그러한 기대감을 가질 것이라고 짐작하면서 수수하였다는 사정만으로는 알선뇌물수수죄가 성립하지 않는다.

④ 공무원 또는 중재인이 부정한 청탁을 받고 제3자에게 뇌물을 제공하게 하고 제3자가 그러한 공무원 또는 중재인의 범죄행위를 알면서 방조한 경우에는 그에 대한 별도의 처벌규정이 없더라도 방조범에 관한 형법총칙의 규정이 적용되어 제3자뇌물수수방조죄가 인정될 수 있다.

⑤ 공무원이 뇌물을 받는 데에 필요한 경비를 지출한 경우 그 경비는 뇌물수수의 부수적 비용에 불과하여 뇌물의 가액과 추징액에서 공제할 항목에 해당하지 않는다.

| 해설 ① ×: ~ 행위자와 공동정범 이외의 사람을 말하고, 교사자나 방조자도 포함될 수 있다(대판 2017.3.15, 2016도19659).
②④ 대판 2019.8.29, 2018도2738 전원합의체
③ 대판 2009.7.23, 2009도3924 ⑤ 대판 2017.3.22, 2016도21536

**10** **뇌물죄에 대한 설명 중 옳은 것(○)과 옳지 않은 것(×)을 바르게 표시한 것은?**(다툼이 있는 경우 판례에 의함) **23. 경찰간부**

> ㉠ 뇌물죄에서 말하는 '직무'에는 법령에 정하여진 직무뿐만 아니라 그와 관련 있는 직무, 관례상이나 사실상 소관하는 직무행위, 과거에 담당하였거나 장래에 담당할 직무 외에 사무분장에 따라 현실적으로 담당하고 있지 않아도 법령상 일반적인 직무권한에 속하는 직무 등 공무원이 그 직위에 따라 담당할 일체의 직무를 포함한다.
> ㉡ 형법 제130조(제3자 뇌물제공)에서 정한 '부정한 청탁'이란 그 청탁이 위법하거나 부당한 직무집행을 내용으로 하는 경우는 물론 청탁의 대상이 된 직무집행 그 자체는 위법·부당하지 않다고 하더라도 그 직무집행을 어떤 대가관계와 연결시켜 그 직무집행에 관한 대가의 교부를 내용으로 하는 경우도 포함한다.
> ㉢ 공무원과 공동정범 관계에 있는 비공무원은 제3자 뇌물수수죄에서 말하는 제3자가 될 수 없고, 공무원과 공동정범 관계에 있는 비공무원이 뇌물을 받은 경우에는 공무원과 함께 뇌물수수죄의 공동정범이 성립하고, 제3자 뇌물수수죄는 성립하지 아니한다.
> ㉣ 형법 제132조의 알선수뢰죄는 당해 직무를 처리하는 다른 공무원과 직접·간접의 연관관계를 가지고 법률상 또는 사실상 영향을 미칠 수 있는 지위에 있는 공무원이 그 지위를 이용하여 다른 공무원의 직무에 속한 사항의 알선에 관하여 뇌물을 수수, 요구, 약속한 때에 성립한다.

① ㉠(○), ㉡(○), ㉢(○), ㉣(○) ② ㉠(○), ㉡(○), ㉢(×), ㉣(○)
③ ㉠(×), ㉡(○), ㉢(○), ㉣(×) ④ ㉠(×), ㉡(×), ㉢(×), ㉣(×)

| 해설 ㉠ ○: 대판 2003.6.13, 2003도1060
㉡㉢ ○: 대판 2019.8.29, 2018도2738 전원합의체
㉣ ○: 대판 1994.10.21, 94도852

Answer 10. ①

**11** **뇌물죄에 대한 설명으로 옳은 것은 모두 몇 개인가?**(다툼이 있는 경우 판례에 의함) 기출지문 종합

㉠ 뇌물죄에 있어서 금품을 수수한 장소가 공개된 장소이고, 금품을 수수한 공무원이 이를 개인적 용도가 아닌 회식비나 직원들의 휴가비로 소비하였을 뿐 자신의 사리를 취한 바 없다 하더라도 뇌물죄가 성립한다.
㉡ 공무원이 얻는 어떤 이익이 직무와 대가관계가 있는 부당한 이익으로서 '뇌물'에 해당하는지 여부는 당해 공무원의 직무 내용, 직무와 이익제공자의 관계, 쌍방 간에 특수한 사적인 친분관계가 존재하는지 여부, 이익의 다과, 이익을 수수한 경위와 시기 등의 제반 사정을 참작하여 결정하여야 하나, 공무원이 이익을 수수하는 것으로 인하여 사회일반으로부터 직무집행의 공정성을 의심받게 되는지 여부는 뇌물죄의 성립 여부의 판단기준이 되지 않는다.
㉢ 집행관사무소의 사무원이 집행관을 보조하여 담당하는 사무의 성질은 국가의 사무에 준하는 측면이 있으므로 집행관사무소의 사무원도 뇌물죄의 공무원에 해당한다.
㉣ 뇌물에 공할 금품이 특정되지 않았던 것은 몰수할 수는 없지만, 그 가액을 추징할 수는 있다.
㉤ 병역면제를 위해 1억원의 뇌물을 받은 헌병수사관 甲이 독자적 판단에 따라 군의관 乙에게 5천만원을 공여한 경우 甲에게 추징하여야 할 금액은 5천만원이다.
㉥ 피고인이 향응을 제공받는 자리에 피고인 스스로 제3자를 초대하여 함께 접대를 받은 경우 그 제3자가 피고인과는 별도의 지위에서 접대를 받는 공무원이라는 등의 특별한 사정이 없는 한 그 제3자의 접대에 요한 비용도 피고인의 수뢰액으로 보아야 한다.
㉦ 형사피고사건의 공판참여주사는 공판에 참여하여 양형에 관한 사항의 심리내용을 공판조서에 기재하므로 형사사건의 양형은 참여주사의 직무와 밀접한 관계가 있는 사무이며, 따라서 참여주사가 형량을 감경케 하여 달라는 청탁과 함께 금품을 수수하였다면 뇌물수수죄의 주체가 된다.
㉧ 공무원이 직무집행의 의사 없이 타인을 공갈하여 재물을 교부하게 한 경우에는 공갈죄만이 성립하고 뇌물수수죄는 성립하지 않는다.

① 2개 ② 3개 ③ 4개 ④ 5개

**해설** ㉠ ○ : 대판 1996.6.14, 96도865
㉡ × : ~ (5줄) 의심받게 되는지 여부도 뇌물죄의 성립 여부의 판단기준이 된다(대판 2001.9.18, 2000도5438).
㉢ × : 뇌물죄의 공무원 ×(대판 2011.3.10, 2010도14394)
㉣ × : ~ 것은 몰수할 수 없고, 그 가액을 추징할 수도 없다(대판 1996.5.8, 96도221).
㉤ × : 금품 중의 일부를 받은 취지에 따르지 않고 독자적인 판단에 따라 경비로 사용한 경우 ⇨ 수뢰자(甲)로부터 전액(1억원) 추징(대판 2002.6.14, 2002도1283)
㉥ ○ : 대판 2001.10.12, 99도5294
㉦ × : 뇌물수수죄 ×(대판 1980.10.14, 80도1373 ∵ 직무관련성 × ⇨ 뇌물수수죄의 주체 ×)
㉧ ○ : 대판 1994.12.22, 94도2528

Answer 11. ②

## 12 뇌물죄에 관한 설명 중 옳지 않은 것을 모두 고른 것은?(다툼이 있는 경우 판례에 의함)

24. 변호사시험

㉠ 뇌물죄에서 뇌물의 내용인 이익이라 함은 금전, 물품 기타의 재산적 이익뿐만 아니라 사람의 수요・욕망을 충족시키기에 족한 일체의 유형・무형의 이익을 포함하므로, 제공된 것이 성적 욕구의 충족이라고 하여 달리 볼 것이 아니다.

㉡ 제3자뇌물수수죄의 제3자란 행위자와 공동정범자 이외의 사람을 말하는 것이므로, 공무원이 자신이 실질적으로 장악하고 있는 A회사 명의의 계좌로 뇌물을 받은 경우 제3자뇌물수수죄가 성립한다.

㉢ 뇌물을 수수함에 있어서 공여자를 기망한 경우 뇌물을 수수한 공무원에 대하여는 뇌물죄와 사기죄가 성립하는바 보호법익을 달리하는 양 죄는 실체적 경합범으로 처단하여야 한다.

㉣ 뇌물에 공할 금품에 대한 몰수는 특정된 물건에 대한 것이고 형법 제134조 단서는 이를 몰수할 수 없을 경우에는 그 가액을 추징하도록 규정하고 있는바, 뇌물에 공할 금품이 특정되지 않은 경우에는 그 가액을 추징하여야 한다.

㉤ 甲이 공무원 A에게 뇌물공여의 의사표시를 하였다가 거절된 후 상당한 기간이 지난 뒤에 다시 A에게 별개의 행위로 평가될 수 있는 다른 명목으로 뇌물을 제공하여 A가 이를 수수한 경우, 甲의 전자의 뇌물공여의사표시죄는 후자의 뇌물공여죄에 흡수된다.

① ㉠, ㉣, ㉤ ② ㉡, ㉢, ㉣ ③ ㉡, ㉢, ㉤
④ ㉡, ㉣, ㉤ ⑤ ㉡, ㉢, ㉣, ㉤

**| 해설** ㉠ ○ : 대판 2014.1.29, 2013도13937
㉡ × : 제3자뇌물수수죄 ×, 단순수뢰죄 ○(대판 2011.11.24, 2011도9585)
㉢ × : 뇌물죄와 사기죄의 상상적 경합범 ○(실체적 경합범 ×)(대판 1977.6.7, 77도1069)
㉣ × : 몰수는 특정된 물건에 대한 것이고 추징은 본래 몰수할 수 있었음을 전제로 하는 것임에 비추어 뇌물에 공할 금품이 특정되지 않았던 것은 몰수할 수 없고 그 가액을 추징할 수도 없다(대판 1996.5.8, 96도221).
㉤ × : ~ (3줄) 후자의 뇌물공여죄에 흡수된다고 볼 수 없다(∴ 뇌물공여의사표시죄와 뇌물공여죄의 실체적 경합 ○).

### 최신판례

군수 분야의 고위직 간부로 재직한 경력이 있는 피고인이 방위사업체인 甲주식회사와 경영자문위원 위촉계약을 체결한 후, 甲 회사의 현안과 관련된 군 관계자 상대 로비를 요청받고 그 대가로 자문료 및 활동비 명목으로 금원을 지급받은 경우 ⇨ 특정범죄 가중처벌 등에 관한 법률 위반(알선수재)죄 ×(대판 2023.12.28, 2017도21248 ∵ 위 계약은 일반적 자문・고문계약이라고 볼 여지가 충분하고, 검사가 제출한 증거만으로는 위 계약이 형식적인 것에 불과하여 피고인이 공무원의 직무에 속한 사항의 알선에 관하여 금품을 수수한 것이라는 점이 합리적 의심의 여지가 없을 정도로 증명되었다고 보기 어렵다.)

Answer 12. ⑤

03

## 종합문제 공무원의 직무에 관한 죄

**01 다음 설명 중 옳지 않은 것은 모두 몇 개인가?**(다툼이 있는 경우 판례에 의함)

18. 경찰간부, 23. 해경승진

㉠ 직무유기죄에서 '직무를 유기한 때'란 공무원이 법령, 내규 등에 의한 추상적 성실의무를 태만히 하는 일체의 경우에 성립하는 것이 아니라 직장의 무단이탈, 직무의 의식적인 포기 등과 같이 국가의 기능을 저해하고 국민에게 피해를 야기시킬 가능성이 있는 경우를 가리킨다.
㉡ 직권남용권리행사방해죄에서 공무원이 직무와는 상관없이 단순히 개인적인 친분에 근거하여 문화예술 활동에 대한 지원을 권유하거나 협조를 의뢰한 경우에는 직권남용에 해당하지 않는다.
㉢ 직무유기교사죄는 피교사자인 공무원이 수인이라고 하더라도 1개의 직무유기교사죄만 성립한다.
㉣ 직권남용권리행사방해죄에서 말하는 '권리'는 법률에 명기된 권리에 한하지 않고 법령상 보호되어야 할 이익이면 족하고, 그것이 공법상의 권리인지 사법상의 권리인지를 묻지 않는다.
㉤ 뇌물을 받는 주체가 아닌 자가 수고비로 받은 부분이나 뇌물을 받기 위하여 형식적으로 체결된 용역계약에 따른 비용으로 사용된 부분은 뇌물의 가액과 추징액에서 공제할 항목에 해당한다.

① 2개 ② 3개 ③ 4개 ④ 5개

**| 해설** ㉠ ○ : 대판 2009.3.26, 2007도7725
㉡ ○ : 대판 2009.1.30, 2008도6950
㉢ × : 직무유기교사죄는 피교사자인 공무원별로 1개의 죄가 성립되는 것이다(대판 1997.8.22, 95도984).
㉣ ○ : 대판 2010.1.28, 2008도7312
㉤ × : ~ 해당하지 않는다(대판 2017.3.22, 2016도21536 ∵ 뇌물수수의 부수적 비용에 불과함).

**02 '공무원의 직무에 관한 죄'에 대한 설명으로 가장 적절한 것은?**(다툼이 있는 경우 판례에 의함)

18. 경찰승진

① 교도소 계장이 재소자들을 호송함에 있어 호송교도관들에게 업무를 대강 지시하고 구체적인 감독을 하지 아니하여 피호송자들이 집단도주한 경우 직무유기죄가 성립한다.
② 정보통신부장관이 개인휴대통신 사업자선정과 관련하여 서류심사는 완결된 상태에서 직권을 남용하여 청문심사의 배점방식을 변경하였다면 직권남용죄가 성립한다.
③ 공무원이었던 자가 재직 중에 청탁을 받고 직무상 부정한 행위를 한 후 뇌물의 수수 등을 할 당시 이미 공무원의 지위를 떠난 경우에도, 형법 제129조 제1항의 수뢰죄로 처벌할 수 있다.
④ 공무원이 수수·요구 또는 약속한 금품에 그 직무행위에 대한 대가로서의 성질과 직무외의 행위에 대한 사례로서의 성질이 불가분적으로 결합되어 있는 경우에는, 그 수수·요구 또는 약속한 금품 전부가 불가분적으로 직무행위에 대한 대가로서의 성질을 가진다.

Answer 1.① 2.④

| 해설 | ① × : 직무유기죄 ×(대판 1991.6.11, 91도96 ∵ 고의로 호송계호업무를 포기하거나 직무 또는 직장을 이탈한 것 ×)
② × : 직권남용죄 ×(대판 2006.2.9, 2003도4599 ∵ 현실적으로 권리행사의 방해라는 결과가 발생 ×)
③ × : 사후수뢰죄(제131조 제1항) ○, 수뢰죄(제129조 제1항) ×(대판 2013.11.28, 2013도10011)
④ ○ : 대판 2012.1.12, 2011도12642

**03** **A국립고등학교 졸업생 甲은 이 학교 직원으로 있는 乙에게 현금 1,000만원을 주면서, 교장 丙에게 뇌물로 전해 주고 허위의 성적증명서를 만들어 달라고 부탁하였다. 그러나 乙은 교장 도장을 도용하여 甲의 성적증명서를 위조한 후, 甲에게 전해 주고 그 돈은 자기가 소비하였다. 甲과 乙의 죄책에 대한 설명으로 옳은 것은?**(다툼이 있는 경우 판례에 의함) 17. 7급 검찰

① 甲은 乙로 하여금 丙에게 뇌물을 전달하도록 하였으므로 형법 제133조 제1항의 뇌물공여죄가 성립한다.
② 乙에게 알선수뢰죄는 성립하지 않으나, 乙은 丙에게 주는 뇌물이라는 정을 알고 甲으로부터 현금을 교부받았으므로 형법 제133조 제2항의 증뢰물전달죄가 성립한다.
③ 乙이 권한 없이 성적증명서를 작성한 것이므로 甲과 乙에게는 공문서위조죄 및 동행사죄의 공동정범이 성립한다.
④ 乙은 丙에게 전해 주기로 하고 甲으로부터 받은 현금을 임의로 소비하였으므로 횡령죄가 성립한다.

| 해설 | ① × : 뇌물공여죄(제133조 제1항) ×, 증뢰물전달죄(제133조 제2항) ○ ② ○ : 옳다.
③ × : 공동정범 ×(∵ 공동가공의 의사 ×, 범죄에 대한 본질적 기여를 통한 기능적 행위지배가 존재 ×)
④ × : 횡령죄 ×(대판 1999.6.11, 99도275 ∵ 불법원인급여)

**04** **공무원의 직무에 관한 죄에 대한 설명으로 옳은 것은?**(다툼이 있는 경우 판례에 의함)
19. 7급 검찰

① 법령에 기한 임명권자에 의하여 임용되어 공무에 종사하여 온 사람이 나중에 그가 임용결격자였음이 밝혀져 당초의 임용행위가 무효가 된 경우, 그가 임용 이후 그 직무에 관하여 뇌물을 수수하였더라도 수뢰죄로 처벌할 수 없다.
② 공무원이 그 직무에 관하여 민원인으로부터 금전을 무이자로 차용한 경우에는 차용 당시에 금융이익 상당의 뇌물을 수수한 것으로 보아야 한다.
③ 경찰관이 증거인멸의 고의를 가지고 증거물을 범죄혐의 입증에 사용하도록 하는 등 직무상의 의무에 따른 적절한 조치를 취하지 아니하고 피압수자에게 돌려준 경우에는 증거인멸죄뿐만 아니라 직무유기죄도 별도로 성립한다.
④ 변호사 사무실 직원이 법원공무원에게 부탁하여 수사 중인 사건의 체포영장 발부자 명단을 누설받은 경우, 그 변호사 사무실 직원에게는 형법 제33조 본문에 의해 공무상 비밀누설죄의 교사범이 성립한다.

Answer 3.② 4.②

**| 해설** ① × : 수뢰죄 ○(대판 2014.3.27, 2013도11357)
② ○ : 대판 2012.2.23, 2011도7282
③ × : 증거인멸죄 ○, 직무유기죄 ×(대판 2006.10.19, 2005도3909 전원합의체)
④ × : 공무상 비밀누설죄의 교사범 ×(대판 2011.4.28, 2009도3642)

**05** **공무원의 직무에 관한 죄에 대한 다음 설명 중 가장 옳지 않은 것은?**(다툼이 있는 경우 판례에 의함) 20. 법원직

① 형법 제123조의 직권남용죄에 있어서 직권남용이란 공무원이 그 일반적 직무권한에 속하는 사항에 관하여 직권의 행사에 가탁하여 실질적, 구체적으로 위법·부당한 행위를 하는 경우를 의미하고, 위 죄에 해당하려면 현실적으로 다른 사람이 의무 없는 일을 하였거나 다른 사람의 구체적인 권리행사가 방해되는 결과가 발생하여야 하며, 또한 그 결과의 발생은 직권남용 행위로 인한 것이어야 한다.
② 형법 제128조의 선거방해죄의 주체는 검찰, 경찰 또는 군의 직에 있는 공무원이다.
③ 경찰관이 압수물을 범죄 혐의의 입증에 사용하도록 하는 등의 적절한 조치를 취하지 아니하고 피압수자에게 돌려주어 증거인멸죄를 범한 경우에 별도로 부작위범인 직무유기죄가 성립한다.
④ 뇌물을 수수함에 있어서 공여자를 기망한 점이 있다 하여도 뇌물수수죄, 뇌물공여죄의 성립에는 영향이 없다.

**| 해설** ① 대판 2005.4.15, 2002도3453
② 제128조
③ × : 증거인멸죄 ○, 직무유기죄 ×(대판 2006.10.19, 2005도3909 전원합의체)
④ 대판 1985.2.8, 84도2625

03

**Answer** 5. ③

**06** **공무원의 직무에 대한 죄에 관한 설명 중 옳고 그름의 표시(○, ×)가 바르게 된 것은?**(다툼이 있는 경우 판례에 의함)

24. 순경 1차

㉠ 지방자치단체의 교육기관의 장이 수사기관으로부터 징계사유를 통보받고도 징계요구를 하지 아니하여 주무부장관으로부터 징계요구를 하라는 직무이행명령을 받았다 하더라도 그에 대한 이의의 소를 제기한 경우, 수사기관으로부터 통보받은 자료 등으로 보아 징계사유에 해당함이 객관적으로 명백한 경우 등 특별한 사정이 없는 한 징계사유를 통보받은 날로부터 1개월 내에 징계요구를 하지 않았다는 것만으로 곧바로 직무를 유기한 것에 해당하지 않는다.

㉡ 공무원이 수수 요구 또는 약속한 금품에 그 직무행위에 대한 대가로서의 성질과 직무 외의 행위에 대한 사례로서의 성질이 불가분적으로 결합되어 있는 경우, 그 수수 요구 또는 약속한 금품 전부가 불가분적으로 직무행위에 대한 대가로서의 성질을 가진다.

㉢ 법령에 기한 임명권자에 의하여 임용되어 공무에 종사하여 온 사람이 나중에 임용결격자임이 밝혀져 당초의 임용행위가 무효가 된 경우, 그가 임용행위라는 외관을 갖추어 실제로 공무를 수행하였다 하더라도 수뢰죄의 주체인 공무원이 될 수 없다.

㉣ 직무유기죄는 공무원이 법령 내규 등에 의한 추상적 충근 의무를 태만히 하는 일체의 경우에 성립하는 것이 아니므로 어떠한 형태로든 직무집행의 의사로 자신의 직무를 수행한 경우 그 직무집행의 내용이 위법하다고 평가된다는 점만으로 직무유기죄의 성립을 인정할 수는 없다.

① ㉠(○), ㉡(○), ㉢(×), ㉣(○)
② ㉠(○), ㉡(×), ㉢(○), ㉣(×)
③ ㉠(×), ㉡(○), ㉢(×), ㉣(○)
④ ㉠(×), ㉡(×), ㉢(○), ㉣(○)

**| 해설** ㉠ ○ : 대판 2013.6.27, 2011도797
㉡ ○ : 대판 2012.1.12, 2011도12642
㉢ × : ~ (2줄) 임용행위가 무효라고 하더라도, 그가 임용행위라는 외관을 갖추어 실제로 공무를 수행하였다면 수뢰죄의 주체인 공무원이 될 수 있다(대판 2014.3.27, 2013도11357).
㉣ ○ : 대판 2007.7.12, 2006도1390

**Answer** 6. ①

03

# 제2절 공무방해에 관한 죄

## 관련조문

**제136조 【공무집행방해】** ① 직무를 집행하는 공무원에 대하여 폭행 또는 협박한 자는 5년 이하의 징역 또는 1천만원 이하의 벌금에 처한다.

② 공무원에 대하여 그 직무상의 행위를 강요 또는 제지하거나 그 직을 사퇴하게 할 목적으로 폭행 또는 협박한 자도 전항의 형과 같다.

**제137조 【위계에 의한 공무집행방해】** 위계로써 공무원의 직무집행을 방해한 자는 5년 이하의 징역 또는 1천만원 이하의 벌금에 처한다.

**제138조 【법정 또는 국회회의장모욕】** 법원의 재판 또는 국회의 심의를 방해 또는 위협할 목적으로 법정이나 국회회의장 또는 그 부근에서 모욕 또는 소동한 자는 3년 이하의 징역 또는 700만원 이하의 벌금에 처한다.

**제139조 【인권옹호직무방해】** 경찰의 직무를 행하는 자 또는 이를 보조하는 자가 인권옹호에 관한 검사의 직무집행을 방해하거나 그 명령을 준수하지 아니한 때에는 5년 이하의 징역 또는 10년 이하의 자격정지에 처한다.

**제140조 【공무상 비밀표시무효】** ① 공무원이 그 직무에 관하여 실시한 봉인 또는 압류 기타 강제처분의 표시를 손상 또는 은닉하거나 기타 방법으로 그 효용을 해한 자는 5년 이하의 징역 또는 700만원 이하의 벌금에 처한다.

② 공무원이 그 직무에 관하여 봉함 기타 비밀장치한 문서 또는 도화를 개봉한 자도 제1항의 형과 같다.

③ 공무원이 그 직무에 관하여 봉함 기타 비밀장치한 문서, 도화 또는 전자기록 등 특수매체기록을 기술적 수단을 이용하여 그 내용을 알아 낸 자도 제1항의 형과 같다.

**제140조의 2 【부동산강제집행효용침해】** 강제집행으로 명도 또는 인도된 부동산에 침입하거나 기타 방법으로 강제집행의 효용을 해한 자는 5년 이하의 징역 또는 700만원 이하의 벌금에 처한다.

**제141조 【공용서류 등의 무효, 공용물의 파괴】** ① 공무소에서 사용하는 서류 기타 물건 또는 전자기록 등 특수매체기록을 손상 또는 은닉하거나 기타 방법으로 그 효용을 해한 자는 7년 이하의 징역 또는 1천만원 이하의 벌금에 처한다.

② 공무소에서 사용하는 건조물, 선박, 기차 또는 항공기를 파괴한 자는 1년 이상 10년 이하의 징역에 처한다.

**제142조 【공무상 보관물의 무효】** 공무소로부터 보관명령을 받거나 공무소의 명령으로 타인이 관리하는 자기의 물건을 손상 또는 은닉하거나 기타 방법으로 그 효용을 해한 자는 5년 이하의 징역 또는 700만원 이하의 벌금에 처한다.

**제144조 【특수공무방해】** ① 단체 또는 다중의 위력을 보이거나 위험한 물건을 휴대하여 제136조, 제138조와 제140조 내지 전조의 죄를 범한 때에는 각조에 정한 형의 2분의 1까지 가중한다.

② 제1항의 죄를 범하여 공무원을 상해에 이르게 한 때에는 3년 이상의 유기징역에 처한다. 사망에 이르게 한 때에는 무기 또는 5년 이상의 징역에 처한다.

1. 직무·사직강요죄(제136조), 법정·국회회의장모욕·소동죄(제138조)만 목적범 ○, 나머지는 목적범 ×
2. ┌ 미수범 처벌 ○ : 공무상 비밀표시무효죄, 부동산강제집행효용침해죄, 공용서류 등 무효죄, 공용물 파괴죄, 공무상 보관물무효죄 20. 경찰간부
   └ 미수범 처벌 × : 공무집행방해죄, 위계에 의한 공무집행방해죄, 법정·국회회의장모욕죄, 인권옹호직무방해죄, 특수공무방해죄

## THEMA 32 '공무집행방해죄' 총정리

직무를 집행하는 공무원을 폭행·협박함으로써 성립하는 범죄이다.

**1. 객체** : 직무를 집행하는 공무원

① 공무원(외국의 공무원 ×)

**관련판례**

1. 피고인이 국민기초생활보장법상 '자활근로자'로 선정되어 주민자치센터 사회복지담당 공무원의 복지도우미로 근무하던 甲을 협박하여 그 직무집행을 방해한 경우 ⇨ 공무집행방해죄 ×(대판 2011.1.27, 2010도14484 ∵ 甲이 공무원으로서 공무를 담당하고 있었다고 볼 수 없다.) 13. 경찰간부, 21. 해경승진
2. 피고인이 국민권익위원회 운영지원과 소속 기간제근로자로서 청사 안전관리 및 민원인 안내 등의 사무를 담당한 甲의 공무집행을 방해하였다는 내용으로 기소된 사안에서, 甲은 법령의 근거에 기하여 국가 등의 사무에 종사하는 형법상 공무원이라고 보기 어렵다(대판 2015.5.29, 2015도3430 ∴ 공무집행방해죄 ×). 19. 법원행시, 24. 경찰간부

② 직무집행

> 형법 제136조 제1항의 공무집행방해죄에 있어서 '직무를 집행하는'이라 함은 공무원이 직무수행에 직접 필요한 행위를 현실적으로 행하고 있는 때만을 가리키는 것이 아니라 공무원이 직무수행을 위하여 근무 중인 상태에 있는 때를 포괄한다(대판 2009.1.15, 2008도9919). 15. 순경 1차, 18. 순경 3차, 19. 법원행시·법원직, 21. 해경승진, 22. 해경간부, 23. 경찰승진

**관련판례**

1. 불법주차 차량에 불법주차 스티커를 붙였다가 이를 다시 떼어 낸 직후에 있는 주차단속 공무원을 폭행한 경우, 폭행 당시 주차단속 공무원은 일련의 직무수행을 위하여 근무 중인 상태에 있었다고 보아야 한다는 이유로 공무집행방해죄가 성립한다(대판 1999.9.21, 99도383). 13. 순경 2차, 14. 법원직, 16. 경찰승진, 18. 순경 1차, 19. 경력채용, 22. 해경 2차
2. 노동조합관계자들과 사용자 측 사이의 다툼을 수습하려 하였으나 노동조합 측이 지시에 따르지 않자 경비실 밖으로 나와 회사의 노사분규 동향을 파악하거나 파악하기 위해 대기 또는 준비 중이던 근로감독관을 폭행한 행위는 공무집행방해죄를 구성한다(대판 2002.4.12, 2000도3485). 08. 법원행시, 10. 경찰승진, 15. 법원직
3. 불법주차 단속권한이 없는 야간 당직 근무 중인 구청 소속 청원경찰에게 불법주차 단속을 요구하였으나 그 청원경찰이 현장을 확인만 하고 주간 근무자에게 전달하여 단속하겠다고 했다는 이유로 민원인이 청원경찰을 폭행한 경우, 그 민원인에게는 공무집행방해죄가 성립한다(대판 2009.1.15, 2008도9919). 10. 사시, 21. 해경승진, 22. 순경 2차
4. 수도검침원이 수도검침하려는 甲의 집으로 가다가 도중에 공터에서 폭행당한 경우 ⇨ 본죄 ×, 폭행죄 ○(대판 1979.7.24, 79도1201 ∵ 공무집행 중 ×) 07. 법원직, 24. 해경간부

③ 직무집행의 적법성 : 직무집행은 적법한 것이어야 한다(명문규정 ×).

> 공무집행방해죄는 공무원의 직무집행이 적법한 경우에 한하여 성립하는 것이고, 여기서 적법한 공무집행이라고 함은 그 행위가 공무원의 추상적 권한에 속할 뿐 아니라 구체적 직무집행에 관한 법률상 요건과 방식을 갖춘 경우를 가리키는 것이므로, 이러한 적법성이 결여된 직무행위를 하는 공무원에게 대항하여 폭행을 가하였다고 하더라도 이를 공무집행방해죄로 다스릴 수는 없다(대판 1992.5.22, 92도506). 17. 경찰승진, 18. 순경 3차, 19. 경찰간부, 20. 법원행시, 21. 해경간부, 22. 해경 2차

**관련판례**

• **적법한 직무집행** × ⇨ 폭행 · 협박 ⇨ 공무집행방해죄 ×, 폭행 · 협박죄 · 상해죄 ×(∵ 정당방위)

1. 경찰관이 적법절차를 준수하지 않은 채 실력으로 피의자를 체포하려고 하였다면 적법한 공무집행이라고 할 수 없다. 그리고 경찰관의 체포행위가 적법한 공무집행을 벗어나 불법하게 체포한 것으로 볼 수밖에 없다면, 피의자가 그 체포를 면하려고 반항하는 과정에서 경찰관에게 상해를 가한 것은 불법체포로 인한 신체에 대한 현재의 부당한 침해에서 벗어나기 위한 행위로서 정당방위에 해당하여 위법성이 조각된다(대판 2017.9.21, 2017도10866 ∴ 공무집행방해죄 ×, 상해죄 ×). 18. 경찰승진

▶ **유사판례** : ① 피고인이 경찰관의 불심검문을 받아 운전면허증을 교부한 후 경찰관에게 큰 소리로 욕설을 하였는데, 경찰관이 피고인을 모욕죄의 현행범으로 체포하려고 하자 피고인이 반항하면서 경찰관에게 상해를 가한 경우(대판 2011.5.26, 2011도3682) ② 경찰관 乙이 현행범 甲을 체포하면서 범죄사실의 요지와 구속의 이유 등을 고지하지 아니한 채 체포하려고 하자 甲이 그 체포를 면하려고 반항하는 과정에서 乙에게 상해를 가한 경우(대판 2006.11.23, 2006도2732) 15. 9급 검찰 · 철도경찰, 21. 변호사시험, 22. 경찰간부 ③ 검사가 참고인조사를 받는 줄 알고 검찰청에 자진출석한 변호사사무실 사무장을 합리적 근거 없이 긴급체포하자 그 변호사가 이를 제지하는 과정에서 위 검사에게 상해를 가한 경우(대판 2006.9.8, 2006도148) 16. 경찰승진, 17. 변호사시험, 22. 해경 2차, 24. 해경간부 ④ 출입국관리법 위반으로 범죄사실의 요지와 구속의 이유 등을 고지받지 못한 채 경찰관에게 현행범으로 체포되어 피고인의 차로 이동하던 중 뒷좌석 유리창을 내리고 도주하려 하였고, 이에 경찰관이 수갑을 채우면서 제지하려고 하자 경찰관의 얼굴을 때려 찰과상을 입힌 경우(대판 2006.11.23, 2006도2732) 11. 7급 검찰

2. 경찰관이 벌금형에 따르는 노역장 유치의 집행을 위하여 형집행장을 소지하지 아니한 채 피고인을 구인할 목적으로 그의 주거지를 방문하여 임의동행의 형식으로 데리고 가다가, 피고인이 동행을 거부하며 다른 곳으로 가려는 것을 제지하면서 체포 · 구인하려고 하자 피고인이 이를 거부하면서 경찰관을 폭행한 경우 ⇨ 공무집행방해죄 ×, 폭행죄 ×(대판 2010.10.14, 2010도8591) 13. 경찰승진, 16. 수사경과, 17. 법원행시

▶ **비교판례** : 경찰관이 도로를 순찰하던 중 벌금 미납으로 수배된 피고인과 조우(遭遇)하여 형집행장을 소지하지 아니한 채 급속을 요하여 그에게 형집행 사유와 더불어 형집행장이 발부되어 있는 사실을 고지하고 벌금 미납으로 인한 노역장 유치의 집행을 위해 구인하려 하였는데, 피고인이 이에 저항하여 그 경찰관을 폭행한 경우 공무집행방해죄가 성립한다(대판 2017.9.26, 2017도9458, 그러나 이 경우에 형집행장이 발부되어 있는 사실을 고지하지 않고 형집행 사유와 벌금 미납으로 인한 지명수배 사실을 고지한 경우 ⇨ 공무집행방해죄 ×, 폭행죄 ×). 18. 순경 2차, 21. 법원행시, 22. 경찰승진, 23. 해경승진

3. 피의자에 대한 구속영장을 소지하였다 하더라도 체포 당시 피의자에게 범죄사실의 요지, 체포의 이유 및 변호인을 선임할 권리 등을 고지하지 않고 실력으로 연행하려 하는 경찰관에게 피의자가 반항하며 폭행한 경우 ⇨ 공무집행방해죄 ×, 폭행죄 ×(대판 1996.12.23, 96도2673) 13. 수사경과

▶ **유사판례** : ① 현행범인으로서의 요건을 갖추고 있었다고 인정되지 않는 상황에서 경찰관들이 동행을 거부하는 자를 체포하거나 강제로 연행하려고 하자 피고인이 강제연행을 거부하는 자를 도와 경찰관들에 대하여 폭행을 하는 등의 방법으로 그 연행을 방해한 경우(대판 1991.9.24, 91도1314) 17 · 21. 법원행시 ② 경찰관들이 현행범이나 준현행범도 아닌 피고인을 법원의 영장도 없이 체포하려고 피고인의 집에 강제로 들어가려고 하여 피고인이 이를 제지하는 행위를 한 경우(대판 1991.12.10, 91도2395) ③ 위법한 집회 · 시위가 장차 특정 지역에서

개최될 것이 예상된다고 하더라도, 이와 시간적 · 장소적으로 근접하지 않은 다른 지역에서 그 집회 · 시위에 참가하기 위하여 출발 또는 이동하는 행위를 함부로 제지하는 경우(대판 2008.11.13, 2007도9794) 14. 수사경과, 16. 순경 1차, 22. 순경 2차 ④ 한미FTA 비준동의안에 대한 국회 외교통상 상임위원회(이하 '외통위'라 한다.)의 처리 과정에서, 甲정당 당직자인 피고인들이 甲정당 소속 외통위 위원 등과 함께 외통위 회의장 출입문 앞에 배치되어 출입을 막고 있던 국회 경위들을 밀어내기 위해 국회 경위들의 옷을 잡아당기거나 밀치는 등의 행위를 한 경우(대판 2013.6.13, 2010도13609) 14. 순경 2차 ⑤ 경찰관이 자신을 폭행한 피고인을 공무집행방해죄의 현행범으로 체포함에 있어 범죄사실의 요지는 고지하였으나 변호인을 선임할 수 있음은 말하지 아니하고 변명할 기회를 주지 아니한 경우 피고인이 연행을 거부하면서 경찰관을 폭행한 경우(대판 2004.11.26, 2004도5894) 07. 법원행시

4. 법무부 의정부출입국관리소 소속 출입국관리공무원이 관리자(공장장)의 사전 동의 없이 사업장(공장)에 진입하여 불법체류자 단속업무를 개시한 경우, 공무집행행위의 적법성이 부인되어 공무집행방해죄가 성립하지 않는다(대판 2009.3.12, 2008도7156). 11. 사시, 14. 순경 1차, 20. 경찰간부
5. 적법한 직무집행 × ⇨ ① 의경이 면허증 제시요구에 응하지 않는 자나 음주측정을 거절한 자를 파출소로 연행하려고 한 경우(대판 1992.2.11, 91도2797 ; 대판 1994.10.25, 94도2283) 03. 순경, 21. 해경승진 ② 운전 중 운전면허증의 제시요구에 응하지 않는다고 무리하게 면허증 제시를 계속 요구하는 경찰관을 폭행한 경우(대판 1992.2.11, 91도2797) ③ 법정형이 긴급체포사유에 해당되지 않는 범죄혐의로 기소중지된 자를 경찰관이 연행하려고 한 경우(대판 1991.5.10, 91도453) 07. 법원직 ④ 경찰관 甲이 음주운전을 종료한 후 40분 이상이 경과한 시점에서 길가에 앉아 있던 운전자를 술냄새가 난다는 점만을 근거로 음주운전의 현행범으로 체포한 경우(대판 2007.4.13, 2007도1249) 18. 경찰승진
6. 버스전용차선 위반단속의 불공정과 무례한 언행에 항의하자 단속원이 욕설을 하여 그 시비를 가리기 위하여 경찰서로 가자며 다투는 과정에서 단속원을 밀어뜨린 경우(대판 1992.2.11, 91도2797) 03. 경찰승진, 04. 순경
7. 제주 강정마을 관광미항 건설공사를 반대하는 피고인들의 카약 출항을 차단하기 위한 경찰의 강정포구 봉쇄조치는 적법한 직무집행으로 평가될 수 없다(대판 2018.12.27, 2016도19371).
8. 질서유지선은 집회 또는 시위의 장소 안에도 설정할 수 있으나 최소한의 범위를 정하여 설정되어야 하고, 경찰관들을 줄지어 서는 등의 방법으로 배치하는 것은 집시법상 질서유지선이라고 할 수는 없으므로, 경찰이 집회장소 내 화단 앞에 플라스틱 구조물 등으로 질서유지선을 설정하고 경찰관들을 배치하여 질서유지선을 형성한 것은 위법하다(대판 2019.1.10, 2016도21311).

- **적법한 직무집행** ○ ⇨ 폭행 · 협박 ⇨ 공무집행방해죄 ○, 상해 ⇨ 공무집행방해죄와 폭행치상죄(상해죄)의 상상적 경합(공무집행방해치상죄 ×) 19. 법원직, 22. 해경간부

1. 검문 중이던 경찰관들이, 자전거를 이용한 날치기 사건 범인과 흡사한 인상착의의 피고인이 자전거를 타고 다가오는 것을 발견하고 정지를 요구하였으나 멈추지 않아, 앞을 가로막고 소속과 성명을 고지한 후 검문에 협조해 달라는 취지로 말하였음에도 불응하고 그대로 전진하자, 따라가서 재차 앞을 막고 검문에 응하라고 요구하였는데, 이에 피고인이 경찰관들의 멱살을 잡아 밀치거나 욕설을 하는 등 항의한 경우 ⇨ 공무집행방해죄 ○(대판 2012.9.13, 2010도6203 ∵ 경찰관들의 행위는 적법한 불심검문에 해당한다.) 14. 순경 1차, 16. 수사경과, 17. 법원행시
2. 피고인이 甲시청 옆 도로의 보도에서 철야농성을 위해 천막을 설치하던 중 이를 제지하는 甲시청 소속 공무원들에게 폭행을 가한 경우, 도로관리권에 근거한 공무집행을 하는 공무원에 대하여

03

폭행을 가한 피고인의 행위는 공무집행방해죄를 구성한다(대판 2014.2.13, 2011도10625). 14. 순경 2차, 20. 법원행시

3. 법외 단체인 전국공무원노동조합의 지부장 등과 위 지부 소속 군청 공무원들이 군(郡) 청사시설인 사무실을 임의로 사용하자 지방자치단체장의 자진폐쇄 요청 후 행정대집행법에 따라 행정대집행을 행하던 공무원들을 폭행한 경우 ⇨ 특수공무집행방해죄(대판 2011.4.28, 2007도7514 ∵ 적법한 직무집행 ○) 13. 경찰승진
4. 공사현장 출입구 앞 도로 한복판을 점거하고 공사차량의 출입을 방해하던 피고인의 팔과 다리를 잡고 도로 밖으로 옮기려고 한 경찰관의 행위는 적법한 공무집행에 해당하므로 경찰관의 팔을 물어뜯은 피고인의 행위는 공무집행방해죄 및 상해죄가 성립한다(대판 2013.9.26, 2013도643). 18. 경찰간부
5. 재개발지역 내 주민들이 철거에 반대하여 건물 옥상에 망루를 설치하고 농성하던 중 피고인 등이 던진 화염병에 의해 발생한 화재로 일부 농성자 및 진압작전 중이던 일부 경찰관이 사망하거나 상해를 입은 경우 ⇨ 특수공무집행방해치사상죄 ○(용산철거민사건 : 대판 2010.11.11, 2010도7621) 18. 경찰승진
6. 교육인적자원부 장관이 약학대학 학제개편에 관한 공청회를 개최하면서 행정절차법상 통지절차를 위반했다는 이유로 다중이 위력으로 공청회 진행을 방해한 경우 ⇨ 특수공무집행방해죄 ○(대판 2007.10.12, 2007도6088 ∵ 통지 절차 위반은 경미한 흠에 불과 ⇨ 적법한 공무집행 ○) 20. 경찰간부
7. 경찰관이 신분증을 제시하지 않고 불심검문을 하였으나, 검문하는 사람이 경찰관이고 검문하는 이유가 범죄행위에 관한 것임을 피고인이 충분히 알고 있었다고 보이는 경우에는 신분증을 제시하지 않았다고 하여 그 불심검문이 위법한 공무집행이라고 할 수 없다(대판 2014.12.11, 2014도7976). 16. 순경 1차, 21. 경찰승진 · 해경 1차
8. 야간에 집에서 음악을 크게 틀어놓는 등 인근소란행위를 하면서도 경찰관의 개문 요청을 거부하는 자를 집 밖으로 나오게 하기 위해 일시적으로 전기를 차단한 것이 경찰관직무집행법에 따른 적법한 직무집행이라고 보아야 한다(대판 2018.12.13, 2016도19417 ㉮ 인근소란으로 몇 개월 동안 수십 차례 112신고를 당한 피고인이 신고를 받고 출동한 경찰관들의 개문요청을 거부하였고 경찰관들이 피고인을 집 밖으로 나오게 하기 위해 전기를 차단하자 식칼을 들고 나와 경찰관들을 협박한 경우 ⇨ 특수공무집행방해죄 ○) 21. 순경 2차, 24. 경찰간부
9. 피의사실의 요지 및 변호인선임권 등의 고지나 체포영장의 제시 및 고지 등은 체포를 위한 실력행사에 들어가기 전에 미리 하는 것이 원칙이다. 그러나 달아나는 피의자를 쫓아가 붙들거나 폭력으로 대항하는 피의자를 실력으로 제압하는 경우에 적법한 현행범인 체포라고 하려면, 피의자를 붙들거나 제압하는 과정에서 피의사실의 요지 등을 고지하거나, 그것이 여의치 않은 경우에는 일단 붙들거나 제압한 후에 지체 없이 고지하여야 한다〔대판 2017.3.15, 2013도2168 ㉮ 경찰관들이 甲에 대한 현행범인의 체포 또는 긴급체포 과정에서 미란다 원칙상 고지사항의 일부만 고지하고 신원확인절차를 밟으려는 순간 甲이 유리조각을 쥐고 휘둘러 이를 제압하려는 경찰관들에게 상해를 입힌 경우, 그 제압과정 중이나 후에 지체 없이 미란다 원칙을 고지하면 되는 것이므로 甲은 위 경찰관들의 긴급체포업무에 관한 정당한 직무집행을 방해한 것으로 볼 수 있다(대판 2007.11.29, 2007도7961)〕. 18. 경찰간부, 19. 변호사시험, 24. 법원행시
10. 강제집행시에 집행관이 데리고 있는 인부에게 폭행을 가한 경우(대판 1970.5.12, 70도561), 08. 순경 피고인이 가옥명도를 집행하는 집행관에게 욕설을 하고 그를 마루 밑으로 떨어뜨리면서 불법집행이라고 소리친 경우(대판 1969.2.18, 68도44)

11. 경찰공무원이 3회에 걸친 음주측정 후에도 확인할 수 없어 다시 검사받을 것을 요구한 경우(대판 1992.4.28, 92도220) 07. 경찰승진
12. 대학생들에 의해 전경 50여 명이 납치 · 감금되어 있는 대학교 도서관 건물에 경찰관이 압수 · 수색영장 없이 진입한 경우(대판 1990.6.22, 90도767) 07. 경찰승진
13. 적법한 소집절차를 밟아 소집된 지방의회 회의의 의결사항 중에 지방의회에 속하지 아니하는 사항이 포함되어 있었다고 하더라도 지방의회 의원들이 그 회의에 참석하고 그 회의에서 의사진행을 하는 직무행위를 적법한 것으로 볼 수 있다(대판 1998.5.12, 98도662). 08. 순경
14. 덕수궁 대한문 화단 앞 인도('농성 장소')를 불법적으로 점거한 뒤 천막 · 분향소 등을 설치하고 농성을 계속하다가 관할 구청이 행정대집행으로 농성 장소에 있던 물건을 치웠음에도 대책위 관계자들이 이에 대한 항의의 일환으로 기자회견 명목의 집회를 개최하려고 하자, 출동한 경찰 병력이 농성 장소를 둘러싼 채 대책위 관계자들의 농성 장소 진입을 제지하는 과정에서 피고인들이 경찰관을 밀치는 등으로 공무집행을 방해한 경우 ⇨ 공무집행방해죄 ○(대판 2021.10.14, 2018도2993 ∵ 경찰 행정상 즉시강제로서 적법한 공무집행 ○)
15. 경찰관의 현행범인 체포경위 및 그에 관한 현행범인체포서와 범죄사실의 기재에 다소 차이가 있더라도, 그것이 논리와 경험칙상 장소적 · 시간적 동일성이 인정되는 범위 내라면 그 체포행위가 공무집행방해죄의 요건인 적법한 공무집행에 해당한다(대판 2008.10.9, 2008도3640). 21. 법원행시
16. 음주운전 신고를 받고 출동한 경찰관 A는 만취한 상태로 시동이 걸린 차량 운전석에 앉아 있는 甲을 발견하고 음주측정을 위해 하차를 요구하였고, 甲이 차량을 운전하지 않았다고 다투자 지구대로 가서 차량 블랙박스를 확인하자고 하였다. 이에 甲이 명시적인 거부 의사표시 없이 도주하자, A가 甲을 10m 정도 추격하여 앞을 막고 제지하는 과정에서 甲이 A를 폭행하였다면 공무집행방해죄가 성립한다(대판 2020.8.20, 2020도7193 ∵ 정당한 직무집행 ○). 21. 순경 2차, 22. 변호사시험, 23. 경찰간부
17. 시청 청사 내 주민생활복지과 사무실에 술에 취한 상태로 찾아가 소란을 피우던 피고인을 소속 공무원 甲과 乙이 제지하며 밖으로 데리고 나가려 하자, 피고인이 甲과 乙의 멱살을 잡고 수회 흔든 다음 휴대전화를 휘둘러 甲의 뺨을 때린 경우 ⇨ 공무집행방해죄 ○(대판 2022.3.17, 2021도13883 ∵ 소란을 피우는 민원인을 제지하거나 사무실 밖으로 데리고 나가는 행위도 민원 담당 공무원의 직무에 수반되는 행위로 적법한 직무집행임) 24. 해경간부 · 법원행시

• **적법성의 판단**

1. 공무집행행위 당시의 구체적인 상황에 기하여 객관적 · 합리적으로 판단해야 하며, 사후적으로(재판시를 기준으로) 순수한 객관적 기준에서 판단해서는 안 된다[대판 1991.5.10, 91도453 예 비록 피고인이 식당 안에서 소리를 지르거나 양은그릇을 부딪치는 등의 소란행위가 업무방해죄의 구성요건에 해당하지 않아 사후적으로 무죄로 판단된다고 하더라도, 피고인이 상황을 설명해 달라거나 밖에서 얘기하자는 경찰관의 요구를 거부하고 경찰관 앞에서 소리를 지르고 양은그릇을 두드리면서 소란을 피웠다. 이에 경찰관들이 업무방해죄의 현행범으로 체포하려고 하자 저항하며 경찰관에게 상해를 가한 경우 ⇨ 공무집행방해죄와 상해죄 ○(대판 2013.8.23, 2011도4763 ∵ 적법한 공무집행 ○, 정당방위 ×)]. 15. 순경 1차, 21. 9급 검찰 · 마약수사, 22. 법원직 · 수사경과, 23. 법원행시 · 경찰승진, 24. 해경간부
2. 공무원이 구체적 상황에 비추어 그 인적 · 물적 능력의 범위 내에서 적절한 조치라는 판단에 따라 직무를 수행한 경우에는, 그러한 직무수행이 객관적 정당성을 상실하여 현저하게 불합리한 것으로 인정되지 않는 한 이를 위법하다고 할 수 없다(대판 2021.9.16, 2015도12632).

**2. 행위** : 폭행 · 협박

형법 제136조에 규정된 공무집행방해죄에 있어서의 폭행은 공무를 집행하는 공무원에 대하여 유형력을 행사하는 행위를 말하는 것으로 그 폭행은 공무원에 직접적으로나 간접적으로 하는 것을 포함한다고 해석되며, 또 동조에 규정된 협박이라 함은 사람을 공포케 할 수 있는 해악을 고지함을 말하는 것이나 그 방법도 언어 · 문서, 직접 · 간접 또는 명시 · 묵시를 가리지 아니한다(대판 1981.3.24, 81도326). 09. 순경, 21. 해경승진

① 폭행 : 광의의 폭행(공무집행 중인 공무원에 대한 직접 · 간접적 유형력의 행사 : 대판 1998.5.12, 98도662)

사람에 대한 유형력의 행사로 족하고 반드시 그 신체에 대한 것임을 요하지 아니하며(대판 2018.3.29, 2017도21537), 18. 순경 2차, 20. 경찰간부, 21 · 23. 해경승진 제3자(예 집달관 대리가 아니고 그 인부 : 대판 1970.5.12, 70도561 08. 순경)나 물건에 대한 유형력의 행사라도 간접적으로 공무원에 대한 유형력의 행사가 되면 본죄는 성립한다.

**관련판례**

1. 집회 · 시위과정에서 음향을 이용하여 청각기관을 직접 자극하는 경우, 일시적으로 상당한 소음이 발생하였다는 사정만으로는 공무집행방해죄의 폭행이 있었다고 할 수 없으나, 그것이 의사전달수단으로서 합리적 범위를 넘어서 상대방에게 고통을 줄 의도로 음향을 이용하였다면 이를 공무집행방해죄의 폭행으로 인정할 수 있다(대판 2009.10.29, 2007도3584). 12. 경찰간부 · 7급 검찰, 14. 법원직, 16. 사시, 19. 수사경과, 22. 9급 검찰 · 마약수사, 23. 경찰승진
2. 피고인이 노조원들과 함께 경찰관인 피해자들이 파업투쟁 중인 공장에 진입할 경우에 대비하여 그들의 부재중에 미리 윤활유나 철판조각을 바닥에 뿌려 놓은 것에 불과하고, 위 피해자들이 이에 미끄러져 넘어지거나 철판조각에 찔려 다쳤다는 것에 지나지 않은 경우 ⇨ 특수공무집행방해치상죄 ×(부평쌍용자동차 로디우스공장사건 : 대판 2010.12.23, 2010도7412 ∵ 면전에서 그들의 공무집행을 방해할 의도로 뿌린 것 × ⇨ 폭행 ×) 17. 경찰승진, 22. 해경 2차 · 7급 검찰 · 순경 2차
3. 파출소 바닥에 인분이 들어있는 물통을 던지고 재떨이에 인분을 담아 바닥에 던지는 행위 ⇨ 본죄의 폭행 ○(대판 1981.3.24, 81도326) 08. 순경, 13. 수사경과
4. 차량을 일단 정차한 다음 경찰관의 운전면허증 제시요구에 불응하고 다시 출발하는 과정에서 경찰관이 잡고 있던 운전석 쪽의 열린 유리창 윗부분을 놓지 않은 채 어느 정도 진행하다가 차량속도가 빨라지자 더 이상 따라가지 못하고 손을 놓아 버린 경우 ⇨ 폭행 ×(대판 1996.4.26, 96도281) 17 · 23. 법원행시
5. 甲과 乙이 술값을 내지 않고 행패를 부린다는 신고를 받고 출동한 경찰관이 현장정리를 마치고 복귀할 때 순찰차 앞바퀴덮개에 몸을 밀착시키고, 순찰차 보닛 위에 드러누워 15분간 순찰차의 이동을 방해한 경우 ⇨ 공무집행방해죄 ○(대판 2017.4.11, 2016도9660 ∵ 직접 경찰관을 폭행하지는 않았지만 甲과 乙이 합세해 순찰차의 진행을 방해한 것은 직무를 집행하는 경찰관들에 대한 간접적인 유형력행사로 공무집행방해죄의 폭행에 해당한다.)
6. 피고인이 甲과 주차문제로 언쟁을 벌이던 중, 112 신고를 받고 출동한 경찰관 乙이 甲을 때리려는 피고인을 제지하자 자신만 제지를 당한 데 화가 나서 손으로 乙의 가슴을 밀치고, 피고인을 현행범으로 체포하며 순찰차 뒷좌석에 태우려고 하는 乙의 정강이 부분을 양발로 걷어차는 등 폭행한 경우 ⇨ 공무집행방해죄 ○(대판 2018.3.29, 2017도21537 ∵ 적법한 직무집행 ○, 폭행 ○) 21. 법원행시, 24. 순경 1차

7. 피고인이 지구대 내에서 약 1시간 이상 경찰관에게 큰소리로 욕을 하고 의자에 드러눕거나 다른 사람들에게 시비를 걸고, 경찰관들이 피고인을 내보낸 뒤 문을 잠그자 다시 들어오기 위해 출입문을 계속해서 두드리는 등 소란을 피운 경우, 공무원에 대한 간접적인 유형력의 행사로 볼 수 있어 공무집행방해죄가 성립할 수 있다(대판 2013.12.26, 2013도11050). 18. 순경 2차, 22. 수사경과, 23. 해경승진

② 협박 : 협박은 객관적으로 상대방으로 하여금 공포심을 느끼게 할 정도의 것으로 족하고 피해자(공무원)에게 현실로 공포심을 일으켰거나 현실적으로 피해자의 자유의사가 제압된 것을 요하는 것은 아니다(대판 1987.4.28, 87도453). 07. 법원직, 14. 9급 검찰 · 마약수사

**관련판례**

공무집행방해죄에 있어서 협박이라 함은 상대방에게 공포심을 일으킬 목적으로 해악을 고지하는 행위를 의미하는 것으로서 고지하는 해악의 내용이 그 경위, 행위 당시의 주위 상황, 행위자의 성향, 행위자와 상대방과의 친숙함의 정도, 지위 등의 상호관계 등 행위 당시의 여러 사정을 종합하여 객관적으로 상대방으로 하여금 공포심을 느끼게 하는 것이어야 하고, 그 협박이 경미하여 상대방이 전혀 개의치 않을 정도인 경우에는 협박에 해당하지 않는다(대판 2006.1.13, 2005도4799). 11. 경찰승진, 12. 법원행시, 13. 경찰간부, 19. 순경 1차

1. 경찰관의 임의동행 요구에 이를 거절하고 자신의 방으로 피하여 문을 잠그고 면도칼로 가슴을 그어 피를 내어 죽어버리겠다고 한 경우 ⇨ 피고인의 행위가 자해 · 자학행위는 될지언정 경찰관에 대한 유형력의 행사시 해악의 고지표시가 되는 폭행 · 협박으로 볼 수 없다(대판 1976.3.9, 75도3779). 16. 경찰승진, 19. 경력채용, 22. 해경 2차
2. 가옥명도를 집행하는 집달리에게 욕설을 하고 그를 마루 밑으로 떨어뜨리면서 불법집행이라고 소리를 친 경우 ⇨ 협박 ○(대판 1969.2.18, 68도44) 07. 경찰승진
3. 지역사회에 상당한 영향력을 행사할 수 있는 수산업협동조합 조합장인 피고인이 수사 중인 해양경찰서 소속 경찰공무원에게 전화를 걸어 해양경찰청 고위간부들과의 친분관계를 이용하여 인사상 불이익을 가하겠다고 폭언한 경우 ⇨ 공무집행방해죄 ○(대판 2011.2.11, 2010도15986 ∵ 협박 ○) 13. 경찰승진
4. 폭력행위 등 전과 12범인 피고인이 자신이 운영하는 술집에서 떠들며 놀다가 주민의 신고를 받고 출동한 경찰로부터 조용히 하라는 주의를 받은 것에 앙심을 품고 새벽 4시에 파출소에 뒤쫓아가 "우리 집에 무슨 감정이 있느냐, 이 순사새끼들 죽고 싶으냐."는 등의 폭언을 한 경우 ⇨ 공무집행방해죄 ○(대판 1989.12.26, 89도1204 ∵ 협박 ○) 17. 법원행시

③ 폭행 · 협박의 정도 : 폭행 · 협박 · 위계가 아닌 방법(위력)으로 공무원이 직무상 수행하는 공무를 방해한 경우 공무집행방해죄는 물론 업무방해죄로도 처벌할 수 없다〔대판 2009.11.19, 2009도4166 전원합의체 예 ㉠ 동사무소에서 기초생활수급자 지원금이 줄어들었다는 이유로 담당 직원에게 소리를 지르고 욕설을 하면서 기물을 파손하는 등 정상적인 근무를 못하게 한 경우(대판 2009.11.19, 2009도4166 전원합의체) ㉡ 경찰청 민원실에서 말똥을 책상 및 민원실 바닥에 뿌리고 소리를 지르는 등 난동을 부린 행위(대판 2010.2.25, 2008도9049) ㉢ 위력으로 시장(市長)의 기자회견 업무를 방해한 행위(대판 2011.7.28, 2009도11104)〕. 17. 7급 검찰 · 순경 2차, 18. 법원직, 19. 법원행시 · 경찰간부 · 수사경과, 22. 해경 2차

④ 기수시기 : 추상적 위험범(구체적 위험범 ×)으로서 공무원에 대하여 폭행 · 협박을 하면 기수에 이르며, 구체적으로 직무집행의 방해라는 결과발생을 요하지도 아니한다(대판 2018.3.29, 2017도21537). 19. 변호사시험, 20. 경찰간부 · 경력채용, 22. 순경 2차, 23. 해경승진, 23 · 24. 순경 1차

3. **주관적 구성요건**(고의) : 공무집행방해죄에 있어서의 범의는 상대방이 직무를 집행하는 공무원이라는 사실, 그리고 이에 대하여 폭행 또는 협박을 한다는 사실을 인식하는 것을 그 내용으로 하고, 그 인식은 불확정적인 것이라도 소위 미필적 고의가 있다고 보아야 하며, 그 직무집행을 방해할 의사를 필요로 하지 아니한다(대판 1995.1.24, 94도1949). 16. 순경 1차, 19. 경찰간부, 21. 해경 1차, 22. 법원직

4. **죄수 및 타죄와의 관계**

**관련판례**

1. 동일한 공무를 집행하는 수인의 공무원에 대하여 폭행한 경우에는 공무원의 수에 따라 수개의 공무집행방해죄가 성립하므로, 범죄피해신고를 받고 출동한 두 명의 경찰관에게 욕설을 하면서 순차로 폭행을 하여 신고처리 및 수사업무에 관한 정당한 직무집행을 방해한 경우, 두 경찰관에 대한 공무집행방해죄는 상상적 경합관계에 있다(대판 2009.6.25, 2009도3505 ∵ 동일한 장소·기회에 이루어진 폭행행위는 사회관념상 1개의 행위임). 11. 사시, 14. 9급 검찰·마약수사, 18. 순경 1차·2차, 19. 법원직, 20. 경찰승진, 21. 해경승진·해경 1차, 22. 해경간부, 23. 법원행시
2. 절도범인이 체포를 면탈할 목적으로 경찰관에게 폭행, 협박을 가한 때에는 준강도죄와 공무집행방해죄를 구성하고 양 죄는 상상적 경합관계에 있으나, 강도범인이 체포를 면탈할 목적으로 경찰관에게 폭행을 가한 때에는 강도죄와 공무집행방해죄는 실체적 경합관계에 있고 상상적 경합관계에 있는 것이 아니다(대판 1992.7.28, 92도917). 10. 경찰승진, 22. 7급 검찰

**01** **공무집행방해죄에 관한 설명 중 가장 적절하지 않은 것은?**(다툼이 있으면 판례에 의함)

15. 순경 1차

① 직무수행에 직접 필요한 행위를 현실적으로 행하고 있는 공무원뿐만 아니라 직무수행을 위하여 근무 중인 공무원에 대한 폭행도 공무집행방해죄를 구성한다.

② 공무집행방해죄는 공무원의 적법한 공무집행이 전제로 되는데, 추상적 권한에 속하는 공무원의 어떠한 공무집행이 적법한지 여부는 행위 당시의 구체적 상황에 기하여 객관적·합리적으로 판단하여야 하고 사후적으로 순수한 객관적 기준에서 판단할 것은 아니다.

③ 직무를 집행하는 공무원에게 해악을 고지하였더라도 상대방이 전혀 개의치 않을 정도의 경미한 것인 때에는 공무집행방해죄를 구성하는 협박에 해당되지 않는다.

④ 동일한 공무를 집행하는 수인(數人)의 공무원에 대하여 폭행을 가한 경우에 그 폭행이 동일한 장소 및 기회에 이루어진 때에는 여럿의 공무집행방해죄는 실체적 경합의 관계에 있다 할 것이다.

해설 ① 대판 2009.1.15, 2008도9919
② 대판 1991.5.10, 91도453
③ 대판 2006.1.13, 2005도4799
④ × : 실체적 경합 ×, 상상적 경합 ○(대판 2009.6.25, 2009도3505 ∵ 사회관념상 1개의 행위)

Answer 1. ④

## 02 다음 중 공무집행방해죄가 성립하지 않는 것을 모두 고른 것은?(다툼이 있는 경우 판례에 의함)

17. 법원행시

㉠ 피고인이 차량을 일단 정차한 다음 경찰관의 운전면허증 제시요구에 불응하고 다시 출발하는 과정에서 경찰관이 잡고 있던 운전석 쪽의 열린 유리창 윗부분을 놓지 않은 채 어느 정도 진행하다가 차량속도가 빨라지자 더 이상 따라가지 못하고 손을 놓아버린 경우
㉡ 현행범인으로서의 요건을 갖추고 있었다고 인정되지 않는 상황에서 경찰관들이 동행을 거부하는 자를 체포하거나 강제로 연행하려고 하자 피고인이 강제연행을 거부하는 자를 도와 경찰관들에 대하여 폭행을 하는 등의 방법으로 그 연행을 방해한 경우
㉢ 경찰관이 벌금형에 따르는 노역장 유치의 집행을 위하여 형집행장을 소지하지 아니한 채 피고인을 구인할 목적으로 그의 주거지를 방문하여 임의동행의 형식으로 데리고 가다가, 피고인이 동행을 거부하며 다른 곳으로 가려는 것을 제지하면서 체포·구인하려고 하자 피고인이 이를 거부하면서 경찰관을 폭행한 경우
㉣ 검문 중이던 경찰관들이 자전거를 이용한 날치기 사건 범인과 흡사한 인상착의의 피고인이 자전거를 타고 다가오는 것을 발견하고 정지를 요구하였으나 멈추지 않아 앞을 가로막고 검문에 협조해 달라고 하였음에도 불응하고 그대로 전진하자, 따라가서 재차 앞을 막고 검문에 응하라고 요구하였는데, 이에 피고인이 경찰관들의 멱살을 잡아 밀치는 등 항의하면서 폭행한 경우
㉤ 폭력행위 등 전과 12범인 피고인이 자신이 운영하는 술집에서 떠들며 놀다가 주민의 신고를 받고 출동한 경찰로부터 조용히 하라는 주의를 받은 것에 앙심을 품고 새벽 4시에 파출소에 뒤쫓아가 "우리 집에 무슨 감정이 있느냐, 이 순사새끼들 죽고 싶으냐."는 등의 폭언을 한 경우

① ㉠, ㉣ ② ㉠, ㉡, ㉢ ③ ㉠, ㉡, ㉣
④ ㉡, ㉢ ⑤ ㉡, ㉢, ㉤

| 해설 |
- **공무집행방해죄** ○ : ㉣ 대판 2010.10.14, 2010도8591(∵ 적법한 불심검문 ○) ㉤ 대판 1989.12.26, 89도1204(∵ 협박 ○)
- **공무집행방해죄** × : ㉠ 대판 1996.4.26, 96도281(∵ 폭행 ×) ㉡ 대판 1991.9.24, 91도1314(∵ 적법한 직무집행 ×) ㉢ 대판 2010.10.14, 2010도8591(∵ 적법한 직무집행 ×)

## 03 다음 설명 중 옳은 것을 모두 고른 것은?(다툼이 있는 경우 판례에 의함) 18. 순경 2차, 23. 해경승진

㉠ 경찰관이 도로를 순찰하던 중 벌금 미납으로 수배된 피고인과 조우(遭遇)하여 형집행장을 소지하지 아니한 채 급속을 요하여 그에게 형집행 사유와 더불어 형집행장이 발부되어 있는 사실을 고지하고 벌금 미납으로 인한 노역장 유치의 집행을 위해 구인하려 하였는데, 피고인이 이에 저항하여 그 경찰관을 폭행한 경우 공무집행방해죄가 성립한다.
㉡ 형법상 공무집행방해죄는 직무를 집행하는 공무원에 대하여 폭행 또는 협박한 경우에 성립하는 범죄로서 여기서의 폭행은 반드시 신체에 대한 것임을 요하지 아니하며, 또한 구체적 위험범으로서 구체적으로 직무집행의 방해라는 결과발생을 필요로 한다.

Answer 2.② 3.②

ⓒ 피고인이 지구대 내에서 약 1시간 이상 경찰관에게 큰소리로 욕을 하고 의자에 드러눕거나 다른 사람들에게 시비를 걸고, 경찰관들이 피고인을 내보낸 뒤 문을 잠그자 다시 들어오기 위해 출입문을 계속해서 두드리는 등 소란을 피운 경우, 공무원에 대한 간접적인 유형력의 행사로 볼 수 있어 공무집행방해죄가 성립할 수 있다.
ⓓ 피고인이 같은 장소에서 함께 출동한 경찰관들 중 먼저 경찰관 A를 폭행하고 곧이어 이를 제지하는 경찰관 B를 폭행한 경우, 위와 같이 동일한 장소에서 동일한 기회에 이루어진 폭행행위는 사회관념상 1개의 행위로 평가하는 것이 상당하므로 A와 B에 대한 공무집행방해죄는 포괄일죄의 관계에 있다.



① ⓐ, ⓑ ② ⓐ, ⓒ ③ ⓑ, ⓒ ④ ⓒ, ⓓ

**| 해설** ⓐ ○ : 대판 2017.9.26, 2017도9458(그러나 이 경우에 형집행장이 발부되어 있는 사실을 고지하지 않고 형집행 사유와 벌금 미납으로 인한 지명수배 사실을 고지한 경우 ⇨ 공무집행방해죄 ×, 폭행죄 ×)
ⓑ × : 형법상 공무집행방해죄는 직무를 집행하는 공무원에 대하여 폭행 또는 협박한 경우에 성립하는 범죄로서, 여기서의 폭행은 사람에 대한 유형력의 행사로 족하고 반드시 신체에 대한 것임을 요하지 아니하며, 또한 추상적 위험범으로서 구체적으로 직무집행의 방해라는 결과발생을 요하지도 아니한다(대판 2018.3.29, 2017도21537).
ⓒ ○ : 대판 2013.12.26, 2013도11050
ⓓ × : 상상적 경합 ○, 포괄일죄 ×(대판 2009.6.25, 2009도3505)

**04** **甲이 주점에서 술에 취하여 옆 자리 손님을 폭행하였는데, 이를 신고받은 경찰관 A와 B가 출동하였다. 甲은 경찰관 A와 B에게 욕설을 하며 경찰관 A의 얼굴을 주먹으로 때리고, 곧이어 이를 제지하는 B의 다리를 걷어차 폭행하였다. 위 사안과 관련한 다음 설명 중 가장 옳은 것은?**(다툼이 있는 경우 판례에 의함) 19. 법원직

① 위 사안에서 甲의 폭행으로 경찰관 A가 상해를 입었다면, 공무집행방해치상죄가 성립한다.
② 공무집행방해죄에 있어서 '직무를 집행하는'이라 함은 공무원이 직무수행에 직접 필요한 행위를 현실적으로 행하고 있는 때만을 가리키므로, 출동만 한 상태의 경찰관 A, B에 대하여는 공무집행방해죄가 성립하지 않는다.
③ 공무집행방해죄는 국가적 법익에 관한 죄이나, 위 사안과 같이 甲이 같은 목적으로 출동한 경찰관 A, B를 폭행한 경우에, 두 개의 공무집행방해죄가 성립한다.
④ 위 사안과 같은 경우, 동일한 장소에서 동일한 기회에 폭행이 이루어졌으나, 두 명의 공무원에 대한 폭행은 실체적 경합관계이다.

**| 해설** ① × : 공무집행방해죄와 폭행치상죄의 상상적 경합 ○, 공무집행방해치상죄 ×
② × : ~ 때만을 가리키는 것이 아니라 공무원이 직무수행을 위하여 근무 중인 상태에 있는 때를 포괄하고, 직무의 성질에 따라서는 직무수행의 과정을 개별적으로 분리하여 부분적으로 각각의 개시와 종료를 논하는 것이 부적절하고 여러 종류의 행위를 포괄하여 일련의 직무수행으로 파악함이 상당한 경우가 있으므로, 출동만 한 상태의 경찰관 A, B에 대하여는 공무집행방해죄가 성립한다(대판 2018.3.29, 2017도21537).

Answer 4. ③

③ ○ : 동일한 공무를 집행하는 수인의 공무원에 대하여 폭행한 경우에는 공무원의 수에 따라 수개의 공무집행방해죄가 성립한다(대판 2009.6.25, 2009도3505).
④ × : 동일한 장소에서 동일한 기회에 이루어진 폭행행위는 사회관념상 1개의 행위로 평가하는 것이 상당하므로 위 사안의 경우 상상적 경합관계에 있다(대판 2009.6.25, 2009도3505).

**05** **다음 설명 중 가장 옳지 않은 것은?**(다툼이 있는 경우 판례에 따름) 21. 해경 1차

① 공무집행방해죄에 있어서의 범의는 상대방이 직무를 집행하는 공무원이라는 사실, 그리고 이에 대하여 폭행 또는 협박을 한다는 사실을 인식하는 것을 그 내용으로 하고, 그 인식은 불확정적인 것이라도 소위 미필적 고의가 있다고 보아야 하며, 그 직무집행을 방해할 의사를 반드시 필요로 한다.
② 불심검문을 하게 된 경위, 불심검문 당시의 현장 상황과 검문을 하는 경찰관들의 복장, 피고인이 공무원증 제시나 신분 확인을 요구하였는지 여부 등을 종합적으로 고려하여, 검문하는 사람이 경찰관이고 검문하는 이유가 범죄행위에 관한 것임을 피고인이 충분히 알고 있었다고 보이는 경우에는 신분증을 제시하지 않았다고 하여 그 불심검문이 위법한 공무집행이라고 할 수 없다.
③ 공무집행방해죄에서 폭행이라 함은 공무원에 대하여 직접적인 유형력의 행사뿐만 아니라 간접적으로 유형력을 행사하는 행위도 포함하는 것이고, 음향으로 상대방의 청각기관을 직접적으로 자극하여 육체적 · 정신적 고통을 주는 행위도 유형력의 행사로서 폭행에 해당할 수 있다.
④ 피고인이 범죄 피해 신고를 받고 출동한 두 명의 경찰관에게 욕설을 하면서 순차로 폭행을 하여 신고처리 및 수사업무에 관한 정당한 직무집행을 방해한 경우, 두 명의 경찰관에 대한 공무집행방해죄는 상상적 경합관계에 있다.

**| 해설** ① × : ~ 방해할 의사를 필요로 하지 않는다(대판 1995.1.24, 94도1949).
② 대판 2014.12.11, 2014도7976
③ 대판 2009.10.28, 2007도3584
④ 대판 2009.6.25, 2009도3505

**06** **폭행에 대한 설명으로 옳지 않은 것은?**(다툼이 있는 경우 판례에 의함) 22. 9급 검찰 · 마약수사

① 피해자에게 근접하여 욕설을 하면서 때릴 듯이 손발을 휘두르거나 물건을 던지는 행위는 직접 피해자의 신체에 접촉하지 않더라도 이는 피해자에 대한 불법한 유형력의 행사로서 폭행에 해당한다.
② 피고인이 피해자에게 욕설을 한 것만을 가지고 당연히 폭행을 한 것이라고 할 수는 없을 것이고, 피해자 집의 대문을 발로 찬 것이 막바로 또는 당연히 피해자의 신체에 대하여 유형력을 행사한 경우에 해당한다고 할 수도 없다.

**Answer** 5. ① 6. ③

③ 공무원의 직무 수행에 대한 비판이나 시정 등을 요구하는 집회・시위 과정에서 일시적으로 상당한 소음이 발생하였다는 사정만으로도 공무집행방해죄에서의 음향으로 인한 폭행이 인정된다.

④ 거리상 멀리 떨어져 있는 사람에게 전화기를 이용하여 전화하면서 고성을 내거나 그 전화 대화를 녹음 후 듣게 하더라도 수화자의 청각기관을 자극하여 그 수화자로 하여금 고통스럽게 느끼게 할 정도의 음향이 아닌 경우에는 신체에 대한 유형력의 행사를 한 것으로 보기 어렵다.

03

**| 해설** ① 대판 1990.2.13, 89도1406
② 대판 1991.1.29, 90도2153
③ ×: ~ 폭행이 있었다고 할 수는 없다. 그러나 집회・시위과정에서 음향을 이용하여 청각기관을 직접 자극하는 경우 그것이 의사전달 수단으로서 합리적 범위를 넘어서 상대방에게 고통을 줄 의도로 음향을 이용하였다면 이를 공무집행방해죄의 폭행으로 인정할 수 있다(대판 2009.10.29, 2007도3584).
④ 대판 2003.1.10, 2000도5716

**07** **공무방해에 관한 죄에 대한 다음 설명 중 옳고 그름의 표시(○, ×)가 모두 바르게 된 것은?**(다툼이 있는 경우 판례에 의함) 22. 순경 2차

㉠ 형법 제136조에서 정한 공무집행방해죄는 직무를 집행하는 공무원에 대하여 폭행 또는 협박한 경우에 성립하는 범죄로서 여기서의 폭행은 사람에 대한 유형력의 행사로 족하고 반드시 그 신체에 대한 것임을 요하지 아니하며, 또한 추상적 위험범으로서 구체적으로 직무집행의 방해라는 결과발생을 요하지도 아니한다.
㉡ 甲이 노조원들과 함께 경찰관 P 등이 파업투쟁 중인 공장에 진입할 경우에 대비하여 미리 윤활유나 철판조각을 바닥에 뿌려 놓았고, P 등이 이에 미끄러져 넘어지거나 철판조각에 찔려 다친 경우, 설령 甲 등이 그 윤활유나 철판조각을 P 등의 면전에서 그들의 공무 집행을 방해할 의도로 뿌린 것이 아니라 하더라도 甲의 행위는 특수공무집행방해치상죄에 해당한다.
㉢ 야간 당직 근무 중인 청원경찰이 불법주차 단속요구에 응하여 현장을 확인만 하고 주간 근무자에게 전달하여 단속하겠다고 했다는 이유로 민원인이 청원경찰을 폭행한 경우, 야간 당직 근무자는 불법주차 단속권한이 없기 때문에 민원인의 행위는 공무집행방해죄에 해당하지 않는다.
㉣ 집회를 주최하거나 참가하는 것이 형사처벌의 대상이 되는 위법한 집회・시위가 장차 특정지역에서 개최될 것이 예상되자, 경찰관 P가 이와 시간적・장소적으로 근접하지 않은 다른 지역에서 그 집회・시위에 참가하기 위하여 출발 또는 이동하는 행위를 제지한 경우, 이는 공무집행방해죄의 보호대상이 되는 공무원의 적법한 직무집행에 해당하지 않는다.

① ㉠(○) ㉡(○) ㉢(×) ㉣(○)
② ㉠(○) ㉡(×) ㉢(×) ㉣(○)
③ ㉠(×) ㉡(○) ㉢(○) ㉣(○)
④ ㉠(○) ㉡(×) ㉢(○) ㉣(×)

**| 해설** ㉠ ○: 대판 2018.3.29, 2017도21537
㉡ ×: ~ (4줄) 의도로 뿌린 것이 아니라면 甲의 행위는 ~ 해당하지 않는다(대판 2010.12.23, 2010도7412 ∵ 피해자들에 대한 유형력의 행사 × ⇨ 폭행 ×)

Answer 7. ②

㉢ × : ~ (3줄) 폭행한 경우, 야간 당직 근무자는 불법주차 단속권한은 없지만 민원 접수를 받아 다음날 관련 부서에 전달하여 처리하고 있으므로 불법주차 단속업무는 야간 당직 근무자들의 민원업무이자 경비업무로서 공무집행방해죄의 '직무집행'에 해당하여 공무집행방해죄가 성립한다(대판 2009.1.15, 2008도9919).
㉣ ○ : 대판 2008.11.13, 2007도9794

## 08 공무집행방해죄에 관한 설명 중 옳은 것은 모두 몇 개인가?(다툼이 있는 경우 판례에 의함)

기출지문 종합

> ㉠ 공무원의 직무 수행에 대한 비판이나 시정 등을 요구하는 집회·시위 과정에서 일시적으로 상당한 소음이 발생하였다는 사정만으로도, 이를 공무집행방해죄에서의 음향으로 인한 폭행이 있었다고 할 수 있다.
> ㉡ 불법주차 차량에 불법주차 스티커를 붙였다가 이를 다시 떼어 낸 직후에 있는 주차단속 공무원을 폭행한 경우, 폭행 당시 주차단속 공무원은 불법주차 단속의 직무수행을 하고 있지 않았다고 보아야 하므로 공무집행방해죄가 성립하지 않는다.
> ㉢ 출입국관리공무원이 관리자의 사전 동의 없이 사업장에 진입하여 불법체류자 단속업무를 개시한 경우, 공무집행행위의 적법성이 부인되어 공무집행방해죄가 성립하지 않는다.
> ㉣ 국민기초생활보장법상 '자활근로자'로 선정되어 주민자치센터 사회복지담당 공무원의 복지도우미로 근무하던 사람을 협박하여 그 직무집행을 방해한 경우 공무집행방해죄가 성립한다.
> ㉤ 공무집행방해죄에서의 협박은 공무를 집행하는 공무원으로 하여금 객관적 공포심을 느끼게 하는 것만으로는 부족하고, 현실로 공포심을 일으킬 것까지 요구되는 것이다.
> ㉥ 경찰공무원이 자동차운전자에게 후렛쉬봉에 의한 3회에 걸친 음주측정 후에도 이를 확인할 수 없자 다시 음주측정기로 검사받을 것을 요구하자 운전자가 경찰관을 폭행한 경우 공무집행방해죄가 성립한다.

① 1개 ② 2개 ③ 3개 ④ 4개

**해설** ㉠ × : ~ 있었다고 할 수는 없다. 그러나 집회·시위과정에서 음향을 이용하여 청각기관을 직접 자극하는 경우 그것이 의사전달 수단으로서 합리적 범위를 넘어서 상대방에게 고통을 줄 의도로 음향을 이용하였다면 이를 공무집행방해죄의 폭행으로 인정할 수 있다(대판 2009.10.29, 2007도3584).
㉡ × : 불법주차 차량에 불법주차 스티커를 붙였다가 이를 다시 떼어 낸 직후에 있는 주차단속 공무원을 폭행한 경우, 폭행 당시 주차단속 공무원은 일련의 직무수행을 위하여 근무 중인 상태에 있었다고 보아야 한다는 이유로 공무집행방해죄가 성립한다(대판 1999.9.21, 99도383).
㉢ ○ : 대판 2009.3.12, 2008도7156
㉣ × : 대판 2011.1.27, 2010도14484(∵ 복지도우미가 공무원으로서 공무를 담당하고 있었다고 볼 수 없다.)
㉤ × : 공무집행방해죄에 있어서의 협박은 객관적으로 상대방으로 하여금 공포심을 느끼게 할 정도의 것으로 족하고 피해자(공무원)에게 현실로 공포심을 일으켰거나 현실적으로 피해자의 자유의사가 제압된 것을 요하는 것은 아니다(대판 1987.4.28, 87도453).
㉥ ○ : 대판 1992.4.28, 92도220(∵ 적법한 직무집행 ○)

Answer 8. ②

**09 공무방해에 관한 죄에 대한 설명으로 가장 옳지 않은 것은?**(다툼이 있는 경우 판례에 의함)

24. 해경간부

① 단순히 장래의 직무집행을 예상하여 폭행·협박을 가하는 행위는 공무집행방해죄에 해당하지 않는다.

② 민원상담 시도 종료 이후 소란을 피우고 있는 민원인을 사무실에서 퇴거시키는 등의 후속조치는 민원안내 업무와 관련된 직무수행이라고 할 수 없다.

③ 직무행위의 적법성에 대한 판단은 당해 직무행위 시점에서의 구체적 상황을 토대로 하는 객관적 판단이어야 한다.

④ 검사나 사법경찰관이 긴급체포의 요건을 갖추지 못하였음에도 불구하고 수사기관에 자진출석한 자를 실력으로 체포하려고 하였다면 적법한 공무집행이라고 할 수 없다.

**| 해설** ① 대판 1979.7.24, 79도1201

② ×: ~ 직무수행이라고 할 수 있다(대판 2022.3.17, 2021도13883).

③ 대판 2021.10.14, 2018도2993

④ 대판 2006.9.8, 2006도148

03

Answer 9. ②

## THEMA 33 '위계에 의한 공무집행방해죄' 총정리

위계로써 공무원의 직무집행을 방해함으로써 성립하는 범죄이다.

1. **위계** : 위계에 의한 공무집행방해죄에서 위계란 행위자의 행위목적을 이루기 위하여 상대방에게 오인, 착각, 부지를 일으키게 하여 그 오인, 착각, 부지를 이용하는 것을 말하는 것으로 상대방이 이에 따라 그릇된 행위나 처분을 하여야만 이 죄가 성립하는 것이고, 만약 범죄행위가 구체적인 공무집행을 저지하거나 현실적으로 곤란하게 하는 데까지는 이르지 아니하고 미수에 그친 경우에는 위계에 의한 공무집행방해죄로 처벌할 수 없다(대판 2021.4.29, 2018도18582). 22. 경찰승진 · 법원행시, 24. 순경 1차 따라서 담당 공무원들 모두의 공모 또는 양해 아래 부정한 행위가 이루어졌다면 이로 말미암아 오인 등을 일으킨 상대방이 있다고 할 수 없으므로, 그러한 행위는 위계에 의한 공무집행방해죄에서의 위계에 해당한다고 볼 수 없다(대판 2015.2.26, 2013도13217).
2. **직무집행** : 위계에 의한 공무집행방해죄에서의 공무원의 직무집행이란 법령의 위임에 따른 공무원의 적법한 직무집행인 이상 공권력의 행사를 내용으로 하는 권력적 작용뿐만 아니라 사경제주체로서의 활동을 비롯한 비권력적 작용도 포함된다(대판 2003.12.26, 2001도6349). 15. 순경 3차, 17 · 19. 순경 1차 · 수사경과, 21. 해경간부, 22. 법원행시 · 경찰간부 · 경찰승진 · 해경 2차

**관련판례**

- **위계에 의한 공무집행방해죄 ○**

1. 국가시험과 관련된 경우 ⇨ 위계에 의한 공무집행방해죄 ○

① 입학고사문제를 사전에 입수하여 미리 알고 응시한 경우(대판 1966.4.26, 66도30) 02. 행시

② 감독관의 눈을 피하여 답안쪽지를 전달한 경우(대판 1967.5.23, 67도650)

③ 자신이 마치 자신의 형인 양 시험감독자를 속이고 원동기장치자전거 운전면허시험에 대리로 응시한 경우(대판 1986.9.9, 86도1245) 12. 순경 2차, 17. 경찰간부 · 법원행시, 21. 해경승진

④ 간호보조원양성소의 경영주인 피고인이 간호보조원자격시험에 응시하려는 자로 하여금 사용하게 할 의도로 그 시험의 응시자격을 증명하는 간호보조원 교육과정이수에 관한 수료증명서를 허위로 작성 · 교부하여, 그들이 시험관리당국에 제출하여 응시자격을 인정받아 응시한 경우 ⇨ 피고인들은 위 공소외인들과 공무집행방해죄의 공동정범의 죄책을 면할 수 없고, 무형위조의 사후행위로서 처벌의 대상이 되지 않는다고 볼 수 없다(대판 1982.7.27, 82도1301). 02. 행시, 04. 경찰간부, 08. 순경

⑤ 고등학교입학원서 추천서란을 사실과 다르게 조작 · 허위기재하여 그 추천서 성적이 학교입학전형자료가 되게 한 경우(대판 1983.9.27, 83도1864) 08. 순경, 10. 법원행시

⑥ ○○○학교의 입시지정곡이 공무상 비밀에 해당하고 피고인이 이를 유출한 행위가 위계에 의한 공무집행방해에 해당한다(대판 2019.1.10, 2017도11523).

2. 행정관청에 허위의 출원사유나 허위의 소명자료를 제출한 경우 ⇨ 담당 공무원이나 해당 관청의 충분한 심사 ○ ⇨ 불충분한 심사가 원인 ×, 출원인의 위계행위가 원인 ○ ⇨ 위계에 의한 공무집행방해죄 ○ 16. 경찰간부, 22. 법원행시

① 개인택시 운송사업을 양도할 수 없는 사람이 허위의 진단서를 첨부하여 직접 운전을 할 수 없는 것처럼 행정관청을 기망하고 이를 신뢰한 행정관청으로부터 양도인가처분을 받은 경우(대판 2002.9.4, 2002도2064) 14. 변호사시험, 15. 경찰승진 · 순경 3차, 17. 경찰간부 · 수사경과

② 범죄행위로 인하여 강제출국 당한 전력이 있는 사람이 외국 주재 한국영사관 담당직원에게 허위의 호구부 및 외국인등록신청서 등을 제출하여 사증 및 외국인등록증을 발급받은 경우(대판 2009.2.26, 2008도11862). 13. 법원행시, 17. 수사경과, 22. 법원직, 23. 순경 2차

▶ **유사판례** : 신청인이 허위의 자료를 첨부하여 비자발급 신청을 하였고, 이에 대하여 외국 주재 한국영사관 업무 담당자가 충분히 심사하였으나 신청사유 및 소명자료가 허위인 것을 발견하지 못하여 이를 수리한 경우(대판 2011.4.28, 2010도14696) 12. 경찰간부, 16. 법원행시

③ 등기신청인이 제출한 허위의 소명자료 등에 대하여 등기관이 나름대로 충분히 심사를 하였음에도 이를 발견하지 못하여 등기가 마쳐진 경우, 등기관에게 등기신청이 실체법상의 권리관계와 일치하는지를 심사할 실질적인 권한이 없다고 하더라도 위계에 의한 공무집행방해죄가 성립할 수 있다(대판 2016.1.28, 2015도17297). 17. 7급 검찰, 20. 법원행시, 21. 9급 검찰・마약수사, 22. 경찰간부

④ 지방자치단체의 공사입찰에 있어서 허위서류를 제출하여 입찰참가자격을 얻고 낙찰자로 결정되어 계약을 체결한 경우(대판 2003.10.9, 2000도4993) 14. 경찰승진

▶ **유사판례** : 피고인들이 공모하여 허위 물량배정계획서와 일괄 작성한 견적서들을 지방조달청에 제출하여 위계로써 지방조달청장의 단체수의계약 체결에 관한 정당한 직무집행을 방해한 경우 ⇨ 위계에 의한 공무집행방해죄 ○(대판 2011.5.26, 2011도1484)

⑤ 감척어선 입찰자격이 없는 자가 제3자와 공모하여 제3자의 대리인 자격으로 제3자 명의로 입찰에 참가하고, 낙찰받은 후 낙찰대금을 자신의 자금으로 지급하여 감척어선에 대한 실질적 소유권을 취득한 경우(대판 2003.12.26, 2001도6349) 07. 순경, 14. 경찰승진

⑥ 병역법상 지정업체에서 전문연구요원이나 산업기능요원으로 근무할 의사가 없음에도 해당 지정업체의 장과 공모하여 허위내용의 편입신청서를 제출하여 관할지방병무청장으로부터 전문연구요원이나 산업기능요원 편입을 승인받고, 나아가 관할지방병무청장의 실태조사를 회피하기 위하여 허위 서류를 작성・제출하는 등의 방법으로 파견근무를 신청하여 관할관청으로부터 파견근무를 승인받은 경우(대판 2008.6.26, 2008도1011 ; 대판 2009.3.12, 2008도1321) 16. 법원직, 18. 경력채용, 22. 해경간부

⑦ 담당자가 아닌 공무원이 출원인의 청탁을 들어줄 목적으로 자신의 업무 범위에 속하지도 않는 업무에 관하여 그 일부를 담당공무원을 대신하여 처리하면서 위계를 써서 담당공무원으로 하여금 인・허가 처분을 하게 한 경우(대판 2008.3.13, 2007도7724)

3. **수사기관에 적극적으로 허위의 증거를 조작・제출한 경우(수사기관이 충분한 수사를 하더라도 증거가 허위임을 발견 ×) ⇨ 위계에 의한 공무집행방해죄 ○** 17. 순경 2차, 21. 9급 검찰・마약수사, 22. 경찰승진・순경 1차, 24. 법원행시

① 음주운전을 하다가 교통사고를 야기한 후 그 형사처벌을 면하기 위하여 타인의 혈액을 자신의 혈액인 것처럼 교통사고 조사 경찰관에게 제출하여 감정하도록 한 경우(대판 2003.7.25, 2003도1609) 13. 경찰간부, 17. 법원행시・수사경과, 18. 법원직・순경 1차・경력채용, 21・23. 경찰승진

▶ **유사판례** : 타인의 소변을 마치 자신의 소변인 것처럼 수사기관에 건네주어 필로폰 음성반응이 나오게 한 경우(대판 2007.10.11, 2007도6101) 20. 해경승진, 23. 순경 1차・2차

② 수산업협동조합장이 동양화를 뇌물로 수수한 혐의에 대하여 조사받으면서 작성일자를 소급하여 허위기재한 기증물관리대장을 제출하여 무혐의처분을 받은 경우(대판 2011.2.11, 2010도15986)

4. 기 타

① 공무원(중간결재자)이 어업허가를 받을 수 없는 사실을 알면서도 오히려 부하직원으로 하여금 어업허가 처리기안문서를 작성하게 한 다음 중간 결재를 한 후 정을 모르는 농수산국장의 최종 결재를 받은 경우 ⇨ 위계에 의한 공무집행방해죄 ○, 직무유기죄 ×(대판 1997.2.28, 96도2825) 12. 사시, 13. 변호사시험

② 변호사가 접견을 핑계로 수용자를 위하여 휴대전화와 증권거래용 단말기를 구치소 내로 몰래 반입하여 이용하게 한 행위(대판 2005.8.25, 2005도1731) 15. 경찰승진, 17. 법원행시 · 수사경과, 18. 순경 1차, 20. 해경승진

• **위계에 의한 공무집행방해죄 ×**

1. **행정관청에 허위의 출원사유나 허위의 소명자료를 제출한 경우 ⇨ 담당 공무원이나 해당 관청의 불충분한 심사 ○, 출원자의 위계가 원인 × ⇨ 위계에 의한 공무집행방해죄 ×** 15. 법원직, 22. 법원행시

① 개인택시운송면허신청서에 허위의 소명자료(허위로 발급받은 운전면허경력증명서)를 첨부하여 개인택시운송사업면허를 받은 경우(대판 1988.5.10, 87도2079) 12. 경찰간부 · 순경 2차, 14. 9급 검찰, 15. 순경 3차

② 화물자동차 운송주선사업자가 관할 행정청에 주기적으로 허가기준에 관한 사항을 신고하는 과정에서 가장납입에 의하여 발급받은 허위의 예금잔액증명서를 제출하는 부정한 방법으로 허가를 받은 경우(대판 2011.8.25, 2010도7033) 15. 순경 3차, 16. 법원행시, 17. 수사경과, 22. 경찰간부 · 해경간부

③ 건축공사를 하면서 허위의 준공신고서, 준공검사 현장조사서 등을 첨부하여 준공검사를 신청하였고, 이를 진실한 것으로 알고 받아들인 관계공무원으로부터 준공필증을 교부받은 경우(대판 1982.12.14, 82도2207) 10. 법원행시

④ 외국 주재 한국영사관에 허위의 소명자료를 제출하여 비자를 신청하였는데 업무담당자가 사실을 충분히 확인하지 아니한 채 신청인 제출의 허위의 소명자료를 가볍게 믿고 비자를 발급하였다면 위계에 의한 공무집행방해죄는 성립하지 않는다(대판 2011.4.28, 2010도14696). 17. 법원직, 21. 경찰승진

2. 단순히 공무원의 감시 · 단속을 피하여 금지규정을 위반한 것에 지나지 않는다면 그에 대하여 벌칙을 적용하는 것은 별론으로 하고 그 행위가 위계에 의한 공무집행방해죄에 해당한다고 할 수 없다. **피고인이 금지규정을 위반하여 감시 · 단속을 피하는 것을 공무원이 적발하지 못하였다면 이는 공무원이 감시 · 단속이라는 직무를 소홀히 한 결과일 뿐 위계로 공무집행을 방해한 것이라고 볼 수 없다(대판 2022.3.31, 2018도15213).** 24. 경찰간부

① 과속단속카메라에 촬영되더라도 불빛을 반사시켜 차량 번호판이 식별되지 않도록 하는 기능이 있는 제품('파워매직세이퍼')을 차량 번호판에 뿌린 상태로 차량을 운행한 행위(대판 2010.4.15, 2007도8024) 17. 7급 검찰, 18. 법원직 · 수사경과, 20. 경찰승진, 23. 순경 2차

② 교도관과 재소자가 상호 공모하여 재소자가 교도관으로부터 담배를 교부받아 이를 흡연한 행위 및 휴대폰을 교부받아 외부와 통화한 행위(대판 2003.11.13, 2001도7045) 11. 경찰승진, 17. 법원행시 · 순경 2차

③ 녹음 · 녹화 등을 할 수 있는 전자장비가 교정시설의 안전 또는 질서를 해칠 우려가 있는 금지물품에 해당하여 반입을 금지할 필요가 있는 경우, 수용자가 아닌 사람이 교도관의 검사 · 단속을

피하여 위와 같은 금지물품을 교정시설 내로 반입한 행위(예 방송국 프로듀서와 촬영감독이 수용 중인 피의자를 접견하면서 촬영하기 위하여, 피의자의 지인인 것처럼 접견을 허가 받은 후, 반입이 금지되어 있는 명함지갑 모양의 녹음·녹화 장비를 교정시설 내로 반입한 행위) ⇨ 위계에 의한 공무집행방해죄 ×(대판 2022.3.31, 2018도15213 ∵ 교도관의 검사·단속을 피하여 단순히 금지규정을 위반하는 행위를 한 것일 뿐임) 23. 법원행시

3. **수사기관에 대하여 허위진술·허위신고·허위증거를 제출한 경우 ⇨ 수사기관의 불충분한 수사에 의한 것 ○, 위계에 의한 수사방해 × ⇨ 위계에 의한 공무집행방해죄 ×** 20. 법원행시

① 수사기관에 대하여 피의자가 허위자백을 하거나 참고인이 허위진술을 한 경우(대판 1971.3.9, 71도186) 또는 허위신고를 한 경우(대판 1974.12.10, 74도2841) 14. 법원행시, 18. 순경 3차, 22. 변호사시험

② 피의자나 참고인이 아닌 자가 자발적이고 계획적으로 피의자를 가장하여 수사기관에 대해 허위사실을 진술한 경우(대판 1977.2.8, 76도3685 ∴ 범인은닉죄 ○) 13. 법원행시, 23. 순경 2차

4. 기 타

① 민사소송을 제기함에 있어 피고의 주소를 허위로 기재하여 변론기일소환장 등을 허위주소로 송달하게 한 경우(대판 1996.10.11, 96도312 ∵ 법원공무원의 구체적이고 현실적인 어떤 직무집행이 방해되었다고 할 수 없음) 11. 법원행시, 12. 순경 2차, 15. 순경 3차·경찰승진, 17. 수사경과, 19. 경력채용, 22. 경찰간부·해경간부·법원직

▶ **유사판례** : 법원은 당사자의 허위 주장 및 증거 제출에도 불구하고 진실을 밝혀야 하는 것이 그 직무이므로, 가처분신청시 당사자가 허위의 주장을 하거나 허위의 증거를 제출하였다 하더라도 그것만으로 법원의 구체적이고 현실적인 어떤 직무집행이 방해되었다고 볼 수 없으므로 이로써 바로 위계에 의한 공무집행방해죄가 성립한다고 볼 수 없다(대판 2012.4.26, 2011도17125 예 허위의 매매계약서 및 영수증을 소명자료로 첨부하여 가처분신청을 하여 법원으로부터 유체동산에 대한 가처분결정을 받은 경우). 17. 법원직·7급 검찰, 21. 9급 검찰·마약수사, 20·22. 경찰간부·경찰승진, 23. 법원행시

② 건물점유자로서 명도집행을 저지할 수 있는 정당한 권능이 있는 자가 그 점유사실을 입증하기 위한 수단으로 실효된 임대차계약서 사본을 제시하면서 자신이 정당한 임차인인 것처럼 주장한 경우(대판 1984.1.31, 83도2290) 12. 법원행시, 16. 사시, 18. 수사경과

③ 범죄행위가 구체적인 공무집행을 저지하거나 현실적으로 곤란하게 하는 데까지 이르지 아니하고 미수에 그친 경우(대판 2003.2.11, 2002도4293 ∵ 미수범 처벌 ×) 16. 순경 1차, 18. 경찰간부, 19. 수사경과, 22. 법원행시·경찰승진

예 ㉠ 甲은 경매브로커로부터 丙의 입찰가격을 알아내어 乙에게 알려줌으로써 乙로 하여금 부동산을 낙찰받게 한 경우 ⇨ 경매·입찰방해죄 ○, 본죄 ×(대판 2000.3.24, 2000도102) 16. 사시

㉡ 피고인이 허위사실이 기재된 귀화허가신청서를 담당공무원에게 제출하여 그에 따라 귀화허가업무를 담당하는 행정청이 그릇된 행위나 처분을 하여야만 위계에 의한 공무집행방해죄가 기수 및 종료에 이른다고 할 것이고, 한편 단지 허위사실이 기재된 귀화허가신청서를 제출하여 접수되게 한 사정만으로는 구체적인 직무집행을 저지하거나 현실적으로 곤란하게 하는 데까지 이르렀다고 단정할 수 없다(대판 2017.4.27, 2017도2583 ∴ 위계에 의한 공무집행방해죄 ×).

ⓒ 미결수용자 甲이 6명의 집사변호사를 고용하여 총 51회에 걸쳐 변호인 접견을 가장하여 개인적인 업무와 심부름을 하게 하고 소송서류 외의 문서를 수수한 경우 ⇨ 위계에 의한 공무집행방해죄 ×(대판 2022.6.30, 2021도244 ∵ 피고인이 이 사건 접견변호사들에게 지시한 접견이 접견교통권 행사의 한계를 일탈한 경우에 해당할 수는 있겠지만, 그 행위가 위계에 해당한다거나 그로 인해 교도관의 구체적이고 현실적인 직무집행이 방해되었다고 보기 어렵다.) 23. 경찰승진

④ 국립대학교의 전임교원 공채심사위원인 학과장이 지원자의 부탁을 받고 이미 논문접수가 마감된 학회지에 지원자의 논문이 게재되도록 돕고, 그 후 연구실적심사의 기준을 강화하자고 제안한 경우(대판 2009.4.23, 2007도1554) 14. 법원행시, 18. 경력채용, 21. 순경 2차

⑤ 甲은 乙이 리스기간이 만료하고도 차량을 납부하지 않자 차량 도난신고를 하면 전국수배가 되어 차량을 신속히 회수할 수 있다는 점을 알고 경찰서 지구대에 허위차량도난신고를 한 경우 ⇨ 위계에 의한 공무집행방해죄 ×(∵ 경찰공무원의 적법한 수사직무에 관해 잘못된 행위나 처분을 하게 했다거나 경찰공무원의 구체적인 직무집행을 저지하거나 현실적으로 곤란하게 하는 데 이르렀다고 보기는 어렵다.) 무고죄 ○(∵ 차량 운전자를 절도용의자로 만든 것) : 대판 2012.4.13, 2011도11761 13. 경찰간부

⑥ 초등학교를 졸업하였음에도 초등학교 중퇴 이하의 학력자라는 허위내용의 인우보증서를 첨부하여 운전면허 구술시험에 응시하였다는 사실만으로는 위계에 의한 공무집행방해죄가 성립하지 않는다(대판 2007.3.29, 2006도8189). 14. 법원행시

⑦ 행정청에 대한 일방적 통고로 효과가 완성되는 '신고'의 경우 신고인이 신고서에 허위사실을 기재하였다 하더라도 그것만으로는 담당 공무원의 구체적이고 현실적인 직무집행이 방해받았다고 볼 수 없어 위계에 의한 공무집행방해죄는 성립하지 않는다(대판 2011.9.8, 2010도7034). 17. 법원직, 22. 법원행시

⑧ 특정 정당 소속 지방의회의원인 피고인들 등이 지방의회 의장 선거를 앞두고 '甲을 의장으로 추대'하기로 서면합의하고 그 이행을 확보하기 위해 투표용지에 가상의 구획을 설정하고 각 의원별로 기표할 위치를 미리 정하기로 구두합의하는 방법으로 선거를 사실상 기명·공개투표로 치르기로 공모한 다음 그 정을 모르는 임시의장 乙이 선거를 진행할 때 사전공모에 따라 투표하여 단독 출마한 甲이 의장에 당선되도록 한 경우 ⇨ 위계에 의한 공무집행방해죄 ×(대판 2020.12.10, 2015도9296 ∵ 피고인들 등이 '지방의회 임시의장의 무기명투표 관리에 관한 직무집행을 방해'하였다고 평가할 사정에 관한 검사의 증명이 없거나 부족하다.) 21. 법원행시

**3. 주관적 구성요건** : 고의 이외에 공무집행을 방해하려는 의사가 있어야 한다(다수설·판례). 17. 경찰승진, 19. 경찰간부, 22. 수사경과

**관련판례** : 자가용차를 운전하다가 교통사고를 낸 사람이 경찰관서에 신고함에 있어 가해차량이 자가용일 경우 피해자와 합의하는 데 불리하다고 생각하여 영업용택시를 운전하다가 사고를 내었다고 허위신고를 하였다 하더라도 이 사실만으로 공무원의 직무집행을 방해할 의사가 있었다고 단정하기 어려우므로 위계로 인한 공무집행방해죄가 성립하지 않는다(대판 1974.12.10, 74도2841). 06. 경찰간부, 09. 경찰승진, 14. 순경 2차, 18. 수사경과

**01** **위계에 의한 공무집행방해죄에 관한 설명이다. 다음 중 가장 적절하지 않은 것은?**(다툼이 있으면 판례에 의함) 15. 순경 3차

① 화물자동차 운송주선사업자가 관할 행정청에 주기적으로 허가기준에 관한 사항을 신고하는 과정에서 가장납입에 의하여 발급받은 허위의 예금잔액증명서를 제출하는 부정한 방법으로 허가를 받는 행위는 위계에 의한 공무집행방해죄를 구성하지 않는다.

② 개인택시 운송사업 양도·양수를 위하여 허위의 출원사유를 주장하면서 의사로부터 허위 진단서를 발급받아 이를 소명자료로 제출하여 행정관청으로부터 양도·양수 인가처분을 받은 경우 위계에 의한 공무집행방해죄가 성립한다.

③ 위계에 의한 공무집행방해죄에서의 공무집행이란 법령의 위임에 따른 공무원의 적법한 직무집행인 이상 공권력의 행사를 내용으로 하는 권력적 작용뿐만 아니라 사경제주체로서의 활동을 비롯한 비권력적 작용도 포함되는 것으로 봄이 상당하다.

④ 민사소송을 제기함에 있어 피고의 주소를 허위로 기재하여 법원공무원으로 하여금 변론기일소환장 등을 허위주소로 송달케 한 행위는 위계에 의한 공무집행방해죄가 성립한다.

| 해설 ① 대판 2011.8.25, 2010도7033
② 대판 2002.9.4, 2002도2064 ③ 대판 2003.12.26, 2001도6349
④ ×: 민사소송을 제기함에 있어 피고의 주소를 허위로 기재하여 법원공무원으로 하여금 변론기일소환장 등을 허위주소로 송달케 하였다는 사실만으로는 이로 인하여 법원공무원의 구체적이고 현실적인 어떤 직무집행이 방해되었다고 할 수는 없으므로, 이로써 바로 위계에 의한 공무집행방해죄가 성립한다고 볼 수는 없다(대판 1996.10.11, 96도312).

**02** **다음 설명 중 위계에 의한 공무집행방해죄가 성립하지 않는 경우는?**(다툼이 있는 경우 판례에 의함) 16. 법원직

① 불법체류를 이유로 강제출국 당한 중국 동포가 중국에서 이름과 생년월일을 변경한 호구부를 발급받아 중국 주재 대한민국 총영사관에 제출하여 입국사증을 받은 다음, 다시 입국하여 외국인등록증을 발급받고 귀화허가신청서를 제출한 경우

② 음주운전을 하다가 교통사고를 야기한 후 그 형사처벌을 면하기 위하여 타인의 혈액을 자신의 혈액인 것처럼 교통사고 조사 경찰관에게 제출하여 감정하도록 한 경우

③ 당사자가 법원에 가처분신청을 하면서 허위의 주장을 하거나 허위의 증거를 제출한 경우

④ 병역법상의 지정업체에서 산업기능요원으로 근무할 의사가 없음에도 해당 지정업체의 장과 공모하여 허위내용의 편입신청서를 제출하여 관할관청으로부터 산업기능요원 편입을 승인받고, 관할관청의 실태조사를 회피하기 위하여 허위서류를 작성·제출하는 등의 방법으로 파견근무를 신청하여 관할관청으로부터 파견근무를 승인받은 경우

| 해설 • **위계에 의한 공무집행방해죄** ×: ③ 대판 2012.4.26, 2011도17125
• **위계에 의한 공무집행방해죄** ○: ① 대판 2005.3.10, 2004도8470 ② 대판 2003.7.25, 2003도1609 ④ 대판 2009.3.12, 2008도1321

Answer 1.④ 2.③

**03 다음 설명 중 옳은 것은 모두 몇 개인가?**(다툼이 있는 경우 판례에 의함) 16. 법원행시

㉠ 등기신청인이 제출한 허위의 소명자료 등에 대하여 등기관이 나름대로 충분히 심사를 하였음에도 이를 발견하지 못하여 등기가 마쳐지게 되었다 하더라도 위계에 의한 공무집행방해죄는 성립하지 않는다.
㉡ 행정관청이 사실을 충분히 확인하지 아니한 채 출원자가 제출한 허위의 출원사유나 허위의 소명자료를 가볍게 믿고 인가 또는 허가를 하였다면 이는 행정관청의 불충분한 심사에 기인한 것이어서 위계에 의한 공무집행방해죄를 구성하지 않는다.
㉢ 가처분신청시 당사자가 법원에 허위의 주장을 하거나 허위의 증거를 제출하였다 하더라도 이로써 바로 위계에 의한 공무집행방해죄가 성립한다고 볼 수 없다.
㉣ 화물자동차 운송주선사업자인 피고인이 관할 행정청에 주기적으로 허가기준에 관한 사항을 신고하는 과정에서 허위 서류를 제출하는 부정한 방법으로 허가를 받아왔다면, 위계에 의한 공무집행방해죄가 성립한다.
㉤ 신청인이 허위의 자료를 첨부하여 비자발급 신청을 하였고, 이에 대하여 외국 주재 한국영사관 업무담당자가 충분히 심사하였으나 신청사유 및 소명자료가 허위인 것을 발견하지 못하여 이를 수리한 경우, 신청인에게 위계에 의한 공무집행방해죄가 성립한다.
㉥ 국립대학교의 전임교원 공채심사위원인 학과장이 지원자의 부탁을 받고 이미 논문접수가 마감된 학회지에 지원자의 논문이 게재되도록 돕고, 그 후 연구실적심사의 기준을 강화하자고 제안한 경우, 위계에 의한 공무집행방해죄가 성립한다.
㉦ 위계에 의한 공무집행방해죄에 있어서 범죄행위가 구체적인 공무집행을 저지하거나 현실적으로 곤란하게 하는 데까지는 이르지 아니하고 미수에 그친 경우 위계에 의한 공무집행방해죄의 미수죄가 성립한다.

① 1개 ② 2개 ③ 3개
④ 4개 ⑤ 5개

| 해설 | ㉠ ×: 위계에 의한 공무집행방해죄 ○(대판 2016.1.28, 2015도17297)
㉡ ○: 대판 1988.5.10, 87도2079
㉢ ○: 대판 2012.4.26, 2011도17125
㉣ ×: 위계에 의한 공무집행방해죄 ×(대판 2011.8.25, 2010도7033)
㉤ ○: 대판 2011.4.28, 2010도14696
㉥ ×: 위계에 의한 공무집행방해죄 ×(대판 2009.4.23, 2007도1554)
㉦ ×: ~ 미수죄가 성립하지 않는다(대판 2003.2.11, 2002도4293 ∵ 미수범 처벌규정 ×).

Answer 3. ③

**04** **공무집행방해죄에 관한 설명 중 가장 옳지 않은 것은?**(다툼이 있는 경우 판례에 의함) 17. 법원직

① 위계에 의한 공무집행방해죄는 상대방의 오인, 착각, 부지를 일으키고 이를 이용하는 위계에 의해 상대방이 그릇된 행위나 처분을 하게 함으로써 성립한다.

② 행정청에 대한 일방적 통고로 효과가 완성되는 '신고'의 경우 신고인이 신고서에 허위사실을 기재하였다 하더라도 그것만으로는 담당 공무원의 구체적이고 현실적인 직무집행이 방해받았다고 볼 수 없어 위계에 의한 공무집행방해죄는 성립하지 않는다.

③ 등기관은 등기신청이 실체법상의 권리관계와 일치하는지를 심사할 권한이 없으므로 등기관이 등기신청인이 제출한 허위의 소명자료에 대해 충분히 심사를 하였으나 이를 발견하지 못한 채 등기가 마쳐졌다 하더라도 위계에 의한 공무집행방해죄는 성립하지 않는다.

④ 외국 주재 한국영사관에 허위의 소명자료를 제출하여 비자를 신청하였는데 업무담당자가 사실을 충분히 확인하지 아니한 채 신청인 제출의 허위의 소명자료를 가볍게 믿고 비자를 발급하였다면 위계에 의한 공무집행방해죄는 성립하지 않는다.

⑤ 행정청이 당사자의 신청에 따라 인·허가처분을 함에 있어 사실을 충분히 확인하지 아니한 채 신청인이 제출한 사실과 다른 신청사유나 소명자료를 믿고 인·허가를 한 경우에는 위계에 의한 공무집행방해죄는 성립하지 않는다.

| 해설 ① 대판 2015.2.26, 2013도13217
② 대판 2011.9.8, 2010도7034
③ ×: 위계에 의한 공무집행방해죄 ○(대판 2016.1.28, 2015도17297)
④ 대판 2011.4.28, 2010도14696 ⑤ 대판 1988.5.10, 87도2079

**05** **다음 중 위계에 의한 공무집행방해죄가 성립하는 것은 모두 몇 개인가?**(다툼이 있는 경우 판례에 의함) 17. 법원행시, 20. 해경승진

㉠ 법원에 가처분신청을 하면서 허위의 증거를 제출한 경우
㉡ 음주운전을 하다가 교통사고를 야기한 후 그 형사처벌을 면하기 위하여 타인의 혈액을 자신의 혈액인 것처럼 교통사고 조사 경찰관에게 제출하여 감정하도록 한 경우
㉢ 교도관과 재소자가 상호 공모하여 재소자가 교도관으로부터 담배를 교부받아 이를 흡연한 경우
㉣ 변호사가 접견을 핑계로 수용자를 위하여 휴대전화와 증권거래용 단말기를 구치소 내로 몰래 반입하여 이용하게 한 경우
㉤ A가 마치 B인 것처럼 시험감독자를 속이고 운전면허시험에 대리로 응시한 경우

① 1개 ② 2개 ③ 3개 ④ 4개 ⑤ 5개

| 해설 • **위계에 의한 공무집행방해죄** ○: ㉡ 대판 2003.7.25, 2003도1609 ㉣ 대판 2005.8.25, 2005도1731 ㉤ 대판 1986.9.9, 86도1245
• **위계에 의한 공무집행방해죄** ×: ㉠ 대판 2012.4.26, 2011도17125 ㉢ 대판 2003.11.13, 2001도7045

Answer 4.③ 5.③

**06** **공무방해의 죄에 대한 설명으로 옳지 않은 것은?**(다툼이 있는 경우 판례에 의함) 17. 7급 검찰

① 민원인이 경찰청 민원실에서 욕설을 하고 소란을 피우는 등 위력으로 공무원의 직무집행을 방해한 경우, 공무집행방해죄는 물론 업무방해죄도 성립하지 아니한다.

② 법원에 가처분신청시 당사자가 허위주장을 하거나 허위증거를 제출한 경우, 위계에 의한 공무집행방해죄가 성립하지 아니한다.

③ 등기신청인이 제출한 허위의 소명자료 등에 대하여 등기관이 나름대로 충분히 심사를 하였음에도 이를 발견하지 못하여 등기가 마쳐진 경우, 등기관에게 등기신청이 실체법상의 권리관계와 일치하는지를 심사할 실질적인 권한이 없다면 위계에 의한 공무집행방해죄가 성립하지 아니한다.

④ 운전자가 과속단속카메라에 촬영되더라도 불빛을 반사시켜 차량 번호판이 식별되지 않도록 하는 기능이 있는 제품을 차량 번호판에 뿌린 상태로 차량을 운행한 경우, 위계에 의한 공무집행방해죄가 성립하지 아니한다.

| 해설 ① 대판 2010.2.25, 2008도9049 ② 대판 2012.4.26, 2011도17125
③ ×: ~(3줄) 실질적인 권한이 없다고 하더라도 위계에 의한 공무집행방해죄가 성립할 수 있다(대판 2016.1.28, 2015도17297).
④ 대판 2010.4.15, 2007도8024

**07** **위계에 의한 공무집행방해죄에 관한 설명 중 가장 적절하지 않은 것은?**(다툼이 있는 경우 판례에 의함) 18. 수사경과

① 음주운전을 하다가 교통사고를 야기한 후 그 형사처벌을 면하기 위하여 타인의 혈액을 자신의 혈액인 것처럼 교통사고조사 경찰관에게 제출하여 감정하도록 한 경우 위계에 의한 공무집행방해죄가 성립한다.

② 자가용차를 운전하다가 교통사고를 낸 사람이 경찰관서에 신고함에 있어 가해차량이 자가용일 경우 피해자와 합의하는 데 불리하다고 생각하여 영업용택시를 운전하다가 사고를 내었다고 허위신고한 경우에는 위계에 의한 공무집행방해죄가 성립한다.

③ 과속단속카메라에 촬영되더라도 불빛을 반사시켜 차량 번호판이 식별되지 않도록 하는 기능이 있는 제품('파워매직세이퍼')을 차량 번호판에 뿌린 상태로 차량을 운행한 행위는 위계에 의한 공무집행방해죄가 성립하지 아니한다.

④ 건물점유자로서 명도집행을 저지할 수 있는 권능이 있는 자가 실효된 임대차계약서 사본을 제시하면서 자신이 정당한 임차인인 것처럼 주장하였다면 위계에 의한 공무집행방해죄가 성립하지 않는다.

| 해설 ① 대판 2003.7.25, 2003도1609
② ×: 위계에 의한 공무집행방해죄 ×(대판 1974.12.10, 74도2841 ∵ 공무집행을 방해할 의사 ×)
③ 대판 2010.4.15, 2007도8024 ④ 대판 1984.1.31, 83도2290

Answer 6.③ 7.②

**08** **공무집행방해죄에 대한 설명으로 옳지 않은 것은?**(다툼이 있는 경우 판례에 의함)

21. 9급 검찰 · 마약수사

① 공무원의 직무적법성 여부는 행위 당시의 구체적 상황을 기초로 판단하여야 한다.
② 등기신청인이 제출한 허위의 소명자료 등에 대하여 심사권이 있는 등기공무원이 나름대로 충분히 심사를 하였음에도 이를 발견하지 못하여 등기가 마쳐지게 된 경우 위계에 의한 공무집행방해죄가 성립하지 않는다.
③ 피의자가 적극적으로 허위의 증거를 조작하여 제출하고 그 증거 조작의 결과 수사기관이 그 진위에 관하여 나름대로 충실한 수사를 하더라도 제출된 증거가 허위임을 발견하지 못할 정도에 이르렀다면 위계에 의한 공무집행방해죄가 성립한다.
④ 가처분 신청시 당사자가 허위의 주장을 하거나 허위의 증거를 제출한 경우 그것만으로는 법원에 대한 위계에 의한 공무집행방해죄가 성립하지 않는다.

| 해설 ① 대판 2013.8.23, 2011도4763
② ×: ~ 성립한다(대판 2016.1.28, 2015도17297).
③ 대판 2003.7.25, 2003도1609
④ 대판 2012.4.26, 2011도17125

**09** **위계에 의한 공무집행방해죄에 대한 설명이다. 아래 설명 중 옳지 않은 것은 모두 몇 개인가?** (다툼이 있는 경우 판례에 의함)

22. 경찰간부

㉠ 민사소송을 제기하면서 피고의 주소를 허위로 기재하여 법원공무원으로 하여금 변론기일소환장 등을 허위주소로 송달케 한 행위는 법원공무원의 구체적이고 현실적인 직무의 집행을 방해한 것으로 평가할 수 있으므로 위계에 의한 공무집행방해죄가 성립한다.
㉡ 화물자동차 운송주선사업자인 피고인이 관할 행정청에 주기적으로 허가기준에 관한 사항을 신고하는 과정에서 허위 서류를 제출하는 부정한 방법으로 허가를 받은 경우 위계에 의한 공무집행방해죄가 성립하지 않는다.
㉢ 등기신청은 단순한 '신고'가 아니라 그 신청에 따른 등기관의 심사 및 처분을 예정하고 있는 것이므로, 등기신청인이 제출한 허위의 소명자료 등에 대하여 등기관이 나름대로 충분히 심사를 하였음에도 이를 발견하지 못하여 그 등기가 마쳐지게 되었다면 위계에 의한 공무집행방해죄가 성립할 수 있다.
㉣ 허위의 매매계약서 및 영수증을 소명자료로 첨부하여 가처분신청을 하여 법원으로부터 유체동산에 대한 가처분결정을 받은 행위는 위계에 의한 공무집행방해죄에 해당한다.
㉤ 위계에 의한 공무집행방해죄에서 공무원의 직무집행이란 법령의 위임에 따른 공무원의 적법한 직무집행 중 공권력의 행사를 내용으로 하는 권력적 작용을 의미하고 사경제주체로서의 활동을 비롯한 비권력적 작용은 포함되지 않는다.

① 1개 ② 2개 ③ 3개 ④ 4개

03

Answer 8.② 9.③

**| 해설** ㉠ ×：~(3줄) 평가할 수 없으므로 ~ 성립하지 않는다(대판 1996.10.11, 96도312).
㉡ ○：대판 2011.8.25, 2010도7033
㉢ ○：대판 2016.1.28, 2015도17297
㉣ ×：위계에 의한 공무집행방해죄 ×(대판 2012.4.26, 2011도17125 ∵ 그것만으로는 법원의 구체적이고 현실적인 어떤 직무집행이 방해되었다고 볼 수 없음)
㉤ ×：~(2줄) 권력적 작용뿐만 아니라 ~ 비권력적 작용도 포함된다(대판 2003.12.26, 2001도6349).

**10** **공무방해에 관한 죄에 대한 설명으로 가장 적절한 것은?**(다툼이 있는 경우 판례에 의함)

**23. 순경 2차**

① 불법체류를 이유로 강제출국 당한 중국 동포인 피고인이 중국에서 이름과 생년월일을 변경한 호구부를 발급받아 중국 주재 대한민국 총영사관에 제출하여 입국사증을 받은 다음, 다시 입국하여 외국인등록증을 발급받고 귀화허가신청서까지 제출한 경우, 출원인의 적극적인 위계에 의해 사증 및 외국인등록증이 발급되었던 것이므로 위계에 의한 공무집행방해죄가 성립하고, 귀화허가가 이루어지지 아니하였더라도 위 죄의 성립에 아무런 영향이 없다.
② 과속단속카메라에 촬영되더라도 불빛을 반사시켜 차량 번호판이 식별되지 않도록 하는 기능이 있는 제품을 차량 번호판에 뿌린 상태로 차량을 운행한 경우, 이는 공무원의 감시·단속업무를 적극적으로 방해한 것으로 위계에 의한 공무집행방해죄가 성립한다.
③ 마약범죄 피의자가 타인의 소변을 마치 자신의 소변인 것처럼 수사기관에 건네주어 필로폰 음성반응이 나오게 한 경우, 위계에 의한 공무집행방해죄는 성립하지 않는다.
④ 피의자나 참고인이 아닌 자가 자발적이고 계획적으로 피의자를 가장하여 수사기관에 대하여 허위사실을 진술한 경우 위계에 의한 공무집행방해죄가 성립한다.

**| 해설** ① ○：대판 2009.2.26, 2008도11862
② ×：위계에 의한 공무집행방해죄 ×(대판 2010.4.15, 2007도8024 ∵ 이는 단순히 공무원의 감시·단속을 피하여 금지규정에 위반하는 행위를 한 것에 불과하지 공무원의 감시·단속업무를 적극적으로 방해한 것으로 볼 수 없음)
③ ×：위계에 의한 공무집행방해죄 ○(대판 2007.10.11, 2007도6101)
④ ×：위계에 의한 공무집행방해죄 ×(대판 1977.2.8, 76도3685)

**Answer** 10. ①

## 종합문제 공무집행방해죄

**01** **공무방해에 관한 죄에 대한 설명 중 가장 적절하지 않은 것은?**(다툼이 있으면 판례에 의함)

16. 경찰승진, 22. 해경 2차

① 경찰관의 임의동행 요구에 이를 거절하고 자신의 방으로 피하여 문을 잠그고 면도칼로 가슴을 그어 피를 내어 죽어버리겠다고 한 경우 공무집행방해죄에 해당하지 않는다.
② 공무집행방해죄가 성립하기 위해서는 공무원의 직무집행이 적법해야 한다.
③ 불법주차 차량에 불법주차 스티커를 붙였다가 이를 다시 떼어 낸 직후에 있는 주차단속 공무원을 폭행한 경우, 공무집행방해죄가 성립한다.
④ 위계를 행사하여 공무집행을 방해한 경우에 위계에 의한 공무집행방해죄 이외에 별도로 업무방해죄가 성립한다.

| 해설 ① 대판 1976.3.9, 75도3779
② 대판 1992.5.22, 92도506
③ 대판 1999.9.21, 99도383
④ ×: 형법이 업무방해죄와는 별도로 공무집행방해죄를 규정하고 있는 것은 공무에 관해서는 폭행·협박 또는 위계의 방법으로 그 집행을 방해하는 경우에 한하여 처벌하겠다는 취지이며, 따라서 공무집행을 방해하는 행위에 대해서는 업무방해죄로 의율할 수 없다(대판 2009.11.9, 2009도4166 전원합의체).

**02** **다음 중 옳은 것은 모두 몇 개인가?**(다툼이 있는 경우 판례에 의함)

19. 경찰간부

> ㉠ 공무집행방해죄에 있어서의 범의는 상대방이 직무를 집행하는 공무원이라는 사실, 그리고 이에 대하여 폭행 또는 협박을 가한다는 사실에 대한 인식과 그 직무집행을 방해할 의사가 있어야 인정할 수 있다.
> ㉡ 위계에 의한 공무집행방해죄에 있어서 고의 이외에 직무집행을 방해할 의사는 요구되지 않는다.
> ㉢ 공무집행방해죄에 있어서 적법한 공무집행이라고 함은 그 행위가 해당 공무원의 추상적 직무권한에 속하면 되고 구체적 직무집행에 관한 법률상 요건과 방식을 갖출 필요는 없다.
> ㉣ 폭행·협박·위계가 아닌 방법으로 공무원이 직무상 수행하는 공무를 방해한 경우에는 공무집행방해죄는 물론 업무방해죄로도 처벌할 수 없다.

① 1개 ② 2개 ③ 3개 ④ 4개

| 해설 ㉠ ×: 직무집행을 방해할 의사 ×(대판 1995.1.24, 94도1949)
㉡ ×: 직무집행을 방해할 의사 ○(대판 1974.12.10, 74도2841)
㉢ ×: ~ 방식을 갖추어야 한다(대판 1992.5.22, 92도506).
㉣ ○: 대판 2009.11.19, 2009도4166 전원합의체

Answer 1.④ 2.①

**03 공무방해에 관한 죄에 대한 설명으로 가장 적절하지 않은 것은?**(다툼이 있는 경우 판례에 의함)

22. 경찰승진

① 위계공무집행방해죄의 직무집행이란 법령의 위임에 따른 공무원의 권력적 작용을 의미하며, 사경제 주체로서의 활동을 비롯한 비권력적 작용은 이에 포함되지 않는다.

② 경찰관 A가 도로를 순찰하던 중 벌금 미납으로 지명수배된 甲과 조우하게 되어 형집행장 발부사실은 고지하지 않은 채 노역장 유치의 집행을 위하여 甲을 구인하려 하자, 甲이 이에 저항하여 A의 가슴을 양손으로 수차례 밀친 경우에는 공무집행방해죄가 성립하지 않는다.

③ 피의자 등이 적극적으로 허위의 증거를 조작하여 제출하고 그 증거조작의 결과 수사기관이 그 진위에 관하여 나름대로 충실한 수사를 하더라도 제출된 증거가 허위임을 발견하지 못할 정도에 이르렀다면 위계공무집행방해죄가 성립한다.

④ 위계가 공무원의 구체적인 직무집행을 저지하거나 현실적으로 곤란하게 하는 데까지는 이르지 않은 경우에는 위계공무집행방해죄로 처벌되지 아니한다.

**| 해설** ① ×: ~ 권력적 작용뿐만 아니라 사경제 ~ 비권력적 작용도 포함된다(대판 2003.12.26, 2001도6349).
② 대판 2017.9.26, 2017도9458 ③ 대판 2003.7.25, 2003도1609 ④ 대판 2003.2.11, 2002도4293

**04 공무집행방해에 관한 죄에 대한 설명으로 가장 적절하지 않은 것은?**(다툼이 있는 경우 판례에 의함)

21. 순경 2차

① 甲은 평소 집에서 심한 고성과 욕설 등으로 이웃 주민들로부터 수회에 걸쳐 112신고가 있어 왔던 사람으로, 한밤중에 甲의 집이 소란스러워 잠을 이룰 수 없다는 112신고를 받고 출동한 경찰관들이 인터폰으로 문을 열어달라고 하였으나 욕설을 하며 소란행위를 계속하였다. 이에 경찰관들이 甲을 만나기 위해 일시적으로 전기차단기를 내리자 식칼을 들고 나와 욕설을 하며 경찰관들을 향해 찌를 듯이 협박하였더라도 경찰관들의 단전조치를 적법한 공무집행으로 볼 수 없어 甲에게는 특수공무집행방해죄가 성립하지 아니한다.

② 국립대학교의 전임교원 공채심사위원인 학과장 甲이 지원자 A의 부탁을 받고 이미 논문접수가 마감된 학회지에 A의 논문이 게재되도록 돕고, 그 후 연구실적심사의 기준을 강화하자고 제안한 경우에는 설사 甲의 행위가 결과적으로는 A에게 유리한 결과가 되었다 하더라도 위계공무집행방해죄가 성립하지 아니한다.

③ 음주운전 신고를 받고 출동한 경찰관 A는 만취한 상태로 시동이 걸린 차량 운전석에 앉아있는 甲을 발견하고 음주측정을 위해 하차를 요구하였고, 甲이 차량을 운전하지 않았다고 다투자 지구대로 가서 차량 블랙박스를 확인하자고 하였다. 이에 甲이 명시적인 거부 의사표시 없이 도주하자, A가 甲을 10m 정도 추격하여 앞을 막고 제지하는 과정에서 甲이 A를 폭행하였다면 공무집행방해죄가 성립한다.

**Answer** 3. ① 4. ①

④ 甲이 허위의 매매계약서 및 영수증을 소명자료로 첨부하여 가처분신청을 하여 법원으로부터 유체동산에 대한 가처분결정을 받은 경우에는 甲의 행위만으로 법원의 구체적이고 현실적인 어떤 직무집행이 방해되었다고 볼 수 없으므로 위계공무집행방해죄가 성립하지 아니한다.

**| 해설** ① × : 특수공무집행방해죄 ○(대판 2018.12.13, 2016도19417 ∵ 경찰관들의 단전조치 ⇨ 적법한 공무집행 ○)
② 대판 2009.4.23, 2007도1554
③ 대판 2020.8.20, 2020도7193(∵ 정당한 직무집행 ○)
④ 대판 2012.4.26, 2011도17125



## 05 공무방해에 관한 죄에 대한 설명으로 가장 적절한 것은?(다툼이 있는 경우 판례에 의함)

22. 수사경과

① 공무집행방해죄는 공무원의 적법한 공무집행이 전제로 되는데, 공무집행이 적법한지 여부는 사후적으로 순수한 객관적 기준에서 판단할 것이지, 행위 당시의 구체적 상황에 기하여 판단할 것은 아니다.

② 피고인이 지구대 내에서 약 1시간 이상 경찰관에게 큰소리로 욕을 하고 의자에 드러눕거나 다른 사람들에게 시비를 걸고, 경찰관들이 피고인을 내보낸 뒤 문을 잠그자 다시 들어오기 위해 출입문을 계속해서 두드리는 등 소란을 피운 경우, 공무원에 대한 간접적인 유형력의 행사로 볼 수 있어 공무집행방해죄가 성립할 수 있다.

③ 과속단속카메라에 촬영되더라도 불빛을 반사시켜 차량 번호판이 식별되지 않도록 하는 기능이 있는 제품('파워매직세이퍼')을 차량 번호판에 뿌린 상태로 차량을 운행한 행위는 위계에 의한 공무집행방해죄가 성립한다.

④ 위계에 의한 공무집행방해죄가 성립하기 위해 고의 이외에 직무집행을 방해할 의사는 요구되지 않는다.

**| 해설** ① × : 공무집행방해죄에서 공무원의 공무집행이 적법한지 여부는 행위 당시의 구체적 상황에 기하여 객관적 합리적으로 판단하여야 하고 사후적으로 순수한 객관적 기준에서 판단할 것은 아니다(대판 1991.5.10, 91도453).
② ○ : 대판 2013.12.26, 2013도11050
③ × : 위계에 의한 공무집행방해죄 ×(대판 2010.4.15, 2007도8024)
④ × : ~ 방해할 의사가 요구된다(대판 1974.12.10, 74도2841).

## 06 공무집행방해죄에 대한 설명으로 옳은 것은?(다툼이 있는 경우 판례에 의함)

23. 경찰간부

① 공무집행방해죄의 폭행은 사람에 대한 유형력의 행사이고 이는 반드시 신체에 대한 것임을 요하며, 본죄에서 '직무를 집행하는'이란 공무원이 직무수행에 직접 필요한 행위를 현실적으로 행하고 있는 때만을 가리킨다.

**Answer** 5.② 6.②

② 음주운전 신고를 받고 출동한 경찰관 P가 시동이 걸린 차량 운전석에 앉아 있던 만취한 甲을 발견하고 음주측정을 위하여 하차를 요구하자 甲이 운전하지 않았다고 다투었고, 이에 P가 차량 블랙박스 확인을 위해 경찰서로 임의동행할 것을 요구하자, 甲이 차량에서 내리자마자 도주하여 P가 이미 착수한 음주측정 직무를 계속하기 위하여 甲을 10미터 정도 추격하여 도주를 제지한 것은 정당한 직무집행에 해당한다.

③ 위계에 의한 공무집행방해죄에서 '공무원의 직무집행'이란 법령의 위임에 따른 공무원의 적법한 직무집행으로서 공권력을 내용으로 하는 권력적 작용에 한정하므로, 사경제주체로서의 활동을 비롯한 비권력적 작용은 포함하지 아니한다.

④ 위력으로써 공무원이 직무상 수행하는 공무를 방해하는 행위에 대해서는 형법 제314조의 업무방해죄로 처단할 수 있다.

**| 해설** ① ×: ~ 유형력의 행사로 족하고 반드시 그 신체에 대한 것임을 요하지 아니하며, ~ 행하고 있는 때만을 가리키는 것이 아니라 공무원이 직무수행을 위하여 근무 중인 상태에 있는 때를 포괄한다(대판 2018.3.29, 2017도21537). ② ○: 대판 2020.8.20, 2020도7193

③ ×: 위계에 의한 공무집행방해죄에서의 공무원의 직무집행이란 법령의 위임에 따른 공무원의 적법한 직무집행인 이상 공권력의 행사를 내용으로 하는 권력적 작용뿐만 아니라 사경제주체로서의 활동을 비롯한 비권력적 작용도 포함된다(대판 2003.12.26, 2001도6349).

④ ×: ~ 처단할 수 없다(대판 2009.11.19, 2009도4166 전원합의체 ∵ '공무' ⇨ 업무방해죄의 '업무' ×).

**07** **공무방해에 관한 죄에 대한 설명 중 가장 적절하지 않은 것은?**(다툼이 있는 경우 판례에 의함)

**23. 경찰승진**

① 공무원의 직무집행이 적법한지 여부는 행위 당시의 구체적인 상황을 토대로 객관적 합리적으로 판단해야 한다.

② 공무원의 직무수행에 대한 비판이나 시정 등을 요구하는 집회 시위 과정에서 상대방에게 고통을 줄 의도로 의사전달 수단으로서 합리적인 범위를 넘어서는 정도의 음향을 이용하였다면 공무집행방해죄의 폭행에 해당할 수 있다.

③ 음주운전을 하다가 교통사고를 야기한 후 그 형사처벌을 면하기 위해 타인의 혈액을 자신의 혈액인 것처럼 교통사고 조사 경찰관에게 제출하여 감정하도록 한 경우 위계에 의한 공무집행방해죄가 성립한다.

④ 미결수용자 甲이 변호사 6명을 고용하여 총 51회에 걸쳐 변호인 접견을 가장해 변호사들로 하여금 甲의 개인적 업무와 심부름을 하도록 하고, 소송서류 외의 문서를 수수한 경우 변호인 접견 업무 담당 교도관의 직무집행을 대상으로 한 위계에 의한 공무집행방해죄가 성립한다.

**| 해설** ① 대판 2021.10.14, 2018도2993 ② 대판 2009.10.29, 2007도3584 ③ 대판 2003.7.25, 2003도1609
④ ×: 위계에 의한 공무집행방해죄 ×(대판 2022.6.30, 2021도244 ∵ 피고인이 이 사건 접견변호사들에게 지시한 접견이 접견교통권 행사의 한계를 일탈한 경우에 해당할 수는 있겠지만, 그 행위가 위계에 해당한다거나 그로 인해 교도관의 구체적이고 현실적인 직무집행이 방해되었다고 보기 어렵다.)

**Answer** 7. ④

## 08 공무집행방해죄에 관한 다음 설명 중 가장 옳지 않은 것은?(다툼이 있는 경우 판례에 의함)

23. 법원행시

① 甲이 차량을 일단 정차한 다음 경찰관의 운전면허증 제시요구에 불응하고 다시 출발하는 과정에서, 경찰관이 잡고 있던 운전석 쪽의 열린 유리창 윗부분을 놓지 않은 채 10 내지 15m 가량을 걸어서 따라가다가 차량속도가 빨라지자 더 이상 따라가지 못하고 손을 놓아 버린 경우, 이러한 사실만으로는 甲의 행위가 공무집행방해죄에 있어서의 폭행에 해당한다고 할 수 없다.

② 경찰관 A, B가 甲에 대하여 접수된 피해신고를 받고 함께 출동하여 신고 처리 및 수사 업무를 집행하던 중, 甲이 같은 장소에서 A, B에게 욕설을 하면서 먼저 경찰관 A를 폭행하고 곧이어 이를 제지하는 경찰관 B를 폭행한 경우, 경찰관 A와 경찰관 B에 대한 공무집행방해죄는 형법 제40조에 정한 상상적 경합의 관계에 있다.

③ 공무집행방해죄는 공무원의 적법한 공무집행이 전제로 되는데, 현행범 체포의 적법성은 체포 당시의 구체적 상황을 기초로 객관적으로 판단하여야 하고, 사후에 범인으로 인정되었는지에 의할 것은 아니다.

④ 방송국 프로듀서와 촬영감독이 수용 중인 피의자를 접견하면서 촬영하기 위하여, 피의자의 지인인 것처럼 접견을 허가 받은 후, 반입이 금지되어 있는 명함지갑 모양의 녹음·녹화 장비를 교정시설 내로 반입한 행위는 위계에 의한 공무집행방해죄를 구성한다.

⑤ 가처분신청시 당사자가 허위의 주장을 하거나 허위의 증거를 제출하였다 하더라도 그것만으로 바로 위계에 의한 공무집행방해죄가 성립한다고 볼 수 없다.

**| 해설** ① 대판 1996.4.26, 96도281 ② 대판 2009.6.25, 2009도3505 ③ 대판 2013.8.23, 2011도4763
④ × : 위계에 의한 공무집행방해죄 ×(대판 2022.3.31, 2018도15213 ∵ 교도관의 검사·단속을 피하여 단순히 금지규정을 위반하는 행위를 한 것일 뿐임)
⑤ 대판 2012.4.26, 2011도17125

## 09 공무방해에 관한 죄에 관한 설명 중 가장 옳지 않은 것은?(다툼이 있는 경우 판례에 의함)

기출지문 종합

① 노동조합관계자들과 사용자 측 사이의 다툼을 수습하려 하였으나 노동조합 측이 지시에 따르지 않자 경비실 밖으로 나와 회사의 노사분규 동향을 파악하거나 파악하기 위해 대기 또는 준비 중이던 근로감독관을 폭행한 행위는 공무집행방해죄를 구성한다.

② 피고인이 甲시청 옆 도로의 보도에서 철야농성을 위해 천막을 설치하던 중 이를 제지하는 甲시청 소속공무원들에게 폭행을 가한 사안에서, 도로관리권에 근거한 공무집행을 하는 공무원에 대하여 폭행을 가한 피고인의 행위는 공무집행방해죄를 구성한다.

③ 경찰관 甲이 음주운전을 종료한 후 40분 이상이 경과한 시점에서 길가에 앉아 있던 운전자를 술냄새가 난다는 점만을 근거로 음주운전의 현행범으로 체포한 것은 적법한 공무집행으로 볼 수 없다.

**Answer** 8. ④ 9. ④⑤

④ 직무를 집행하는 공무원에 대하여 위험한 물건을 휴대하여 고의로 상해를 가한 경우에는 특수공무집행방해치상죄뿐만 아니라, 이와 별도로 특수상해죄를 구성한다.

⑤ 甲이 자신을 현행범 체포하려는 경찰관에 대항하여 경찰관을 폭행하였는데, 사후에 甲이 범인으로 인정되지 아니하였다면, 甲은 최소한 공무집행방해죄의 죄책을 지지는 않는다.

**| 해설** ① 대판 2002.4.12, 2000도3485 ② 대판 2014.2.13, 2011도10625 ③ 대판 2007.4.13, 2007도1249 ④ ×: 특수공무집행방해치상죄만 성립(대판 2008.11.27, 2008도7311 ∵ 특수공무집행방해치상죄는 부진정결과적 가중범임) ⑤ ×: 현행범 체포의 적법성은 체포 당시의 구체적 상황을 기초로 객관적으로 판단하여야 하고, 사후에 범인으로 인정되었는지에 의할 것은 아니다(대판 2013.8.23, 2011도4763).

## 10 공무집행방해죄에 관한 다음 설명 중 가장 옳지 않은 것은?(다툼이 있는 경우 판례에 의함)

기출지문 종합

① 피고인이 甲과 주차문제로 언쟁을 벌이던 중, 112 신고를 받고 출동한 경찰관 乙이 甲을 때리려는 피고인을 제지하자 자신만 제지를 당한 데 화가 나서 손으로 乙의 가슴을 밀치고, 피고인을 현행범으로 체포하며 순찰차 뒷좌석에 태우려고 하는 乙의 정강이 부분을 양발로 걷어차는 등 폭행한 것은 경찰관의 112 신고처리에 관한 직무집행을 방해한 것에 해당한다.

② 경찰관의 현행범인 체포경위 및 그에 관한 현행범인체포서와 범죄사실의 기재에 다소 차이가 있더라도, 그것이 논리와 경험칙상 장소적 · 시간적 동일성이 인정되는 범위 내라면 그 체포행위가 공무집행방해죄의 요건인 적법한 공무집행에 해당한다.

③ 달아나는 피의자를 쫓아가 붙들거나 폭력으로 대항하는 피의자를 실력으로 제압하는 경우에 적법한 현행범인 체포라고 하려면, 피의자를 붙들거나 제압하는 과정에서 피의사실의 요지 등을 고지하거나, 그것이 여의치 않은 경우에는 일단 붙들거나 제압한 후에 지체 없이 고지하여야 한다.

④ 재개발지역 내 주민들이 철거에 반대하여 건물 옥상에 망루를 설치하고 농성하던 중 피고인 등이 던진 화염병에 의해 발생한 화재로 일부 농성자 및 진압작전 중이던 일부 경찰관이 사망하거나 상해를 입은 경우, 경찰의 위 농성 진압작전을 위법한 직무수행으로 볼 수 없으므로 피고인들에게 특수공무집행방해치사상죄 등이 성립한다.

⑤ 특정 정당 소속 지방의회의원인 피고인들 등이 지방의회 의장 선거를 앞두고 '甲을 의장으로 추대'하기로 서면합의하고 그 이행을 확보하기 위해 투표용지에 가상의 구획을 설정하고 각 의원별로 기표할 위치를 미리 정하기로 구두합의하는 방법으로 선거를 사실상 기명 · 공개투표로 치르기로 공모한 다음 그 정을 모르는 임시의장 乙이 선거를 진행할 때 사전공모에 따라 투표하여 단독 출마한 甲이 의장에 당선되도록 하였다면, 위계에 의한 공무집행방해죄가 성립한다.

**| 해설** ① 대판 2018.3.29, 2017도21537 ② 대판 2008.10.9, 2008도3640
③ 대판 2017.3.15, 2013도2168 ④ 대판 2010.11.11, 2010도7621
⑤ ×: 위계에 의한 공무집행방해죄 ×(대판 2020.12.10, 2015도9296 ∵ 피고인들 등이 '지방의회 임시의장의 무기명투표 관리에 관한 직무집행을 방해'하였다고 평가할 사정에 관한 검사의 증명이 없거나 부족하다.)

Answer 10. ⑤

## THEMA 34 '공무상 비밀표시무효죄' 관련판례 총정리

1. 공무상 비밀표시무효죄가 성립하기 위하여는 행위 당시에 강제처분의 표시가 현존할 것을 요한다(대판 1997.3.11, 96도2801). 12. 법원직, 15. 경찰간부
2. 공무원이 그 직권을 남용하여 위법하게 실시한 봉인 또는 압류 기타 강제처분의 표시임이 명백하여 법률상 당연무효 또는 부존재라고 볼 수 있는 경우에는 그 봉인 등의 표시는 공무상 표시무효죄의 객체가 되지 아니하여 이를 손상 또는 은닉하거나 기타 방법으로 그 효용을 해한다 하더라도 공무상 표시무효죄가 성립하지 아니한다 할 것이지만,12. 법원행시 공무원이 실시한 봉인 등의 표시에 절차상 또는 실체상의 하자가 있다고 하더라도 객관적 · 일반적으로 그것이 공무원이 그 직무에 관하여 실시한 봉인 등으로 인정할 수 있는 상태에 있다면 적법한 절차에 의하여 취소되지 아니하는 한 공무상 표시무효죄의 객체로 된다고 할 것이다(대판 2001.1.16, 2000도1757 ; 대판 2007.3.15, 2007도312 예 ① 유체동산의 가압류집행에 있어 가압류공시서의 기재에 다소의 흠이 있으나 그 기재 내용을 전체적으로 보아 가압류공시서에 그 가압류목적물이 특정되었다고 인정할 수 있다면 그 가압류가 유효하고, 해당 가압류공시서는 공무상 표시무효죄의 객체가 될 수 있다. ② 특허권을 침해하였다는 소명에 따라 가처분집행이 행하여졌으나 그 가처분에 위반되는 행위를 하였고, 그 후의 본안소송에서 위 특허가 무효라는 취지의 대법원 판결이 선고된 경우 ⇨ 공무상 표시무효죄 ○). 12. 경찰승진, 17. 경찰간부, 18. 순경 3차, 19. 법원행시, 21. 해경간부
3. 출입금지가처분의 대상이 된 건조물 등에 가처분 채권자의 승낙을 얻어 출입하는 경우, 비록 가처분결정이나 그 결정의 집행으로서 집행관이 실시한 고시에 그러한 취지가 명시되어 있지 않다고 하더라도, 출입금지가처분 표시의 효용을 해한 것이라고 할 수 없다(대판 2006.10.13, 2006도4740). 12. 법원직, 18. 법원행시, 20. 경찰간부

   **유사판례** : 채무자가 불가피한 사정으로 채권자의 승낙을 얻어 압류물을 이동시켰으나 집행관의 승인을 얻지 못한 경우 공무상 표시무효죄가 성립하지 않는다(대판 2004.7.9, 2004도3029). 09. 법원직, 15. 경찰간부
4. 가처분은 가처분 채무자에 대한 부작위 명령을 집행하는 것이므로 가처분의 채무자가 아닌 제3자가 그 부작위 명령을 위반한 행위는 그 가처분집행 표시의 효용을 해한 것으로 볼 수 없다(대판 2007.11.16, 2007도5539 예 온천수사용금지가처분결정이 있기 전부터 온천이용허가권자인 가처분채무자로부터 이를 양수하고 임대차계약의 형식을 빌어 온천수를 이용하여 온 사람이 위 금지명령을 위반하여 계속 온천수를 사용한 경우). 15. 경찰간부, 17. 법원행시 · 법원직
5. 집행관이 부작위명령을 고지하였을 뿐 구체적인 집행행위를 하지 아니하였다면, 단순히 피신청인이 위 가처분의 부작위명령을 위반하였다는 것만으로는 공무상 표시의 효용을 해하는 행위에 해당하지 않는다(대판 2008.12.24, 2006도1819 예 집행관이 영업방해금지 가처분결정의 취지를 고시한 공시서를 게시하였을 뿐 어떠한 구체적 집행행위를 하지 않은 상태에서 위 가처분에 의하여 부과된 부작위명령을 피고인이 위반한 경우 : 대판 2010.9.30, 2010도3364). 12. 법원직, 15. 경찰간부, 17. 법원행시
6. 직접점유자(임차인)에 대한 점유이전금지가처분결정이 집행된 후에는 그 피신청인인 직접점유자가 그 가처분 목적물의 간접점유자(소유자)에게 그 점유를 이전하였을지라도 그 가처분표시의 효용을 해하는 경우에 해당한다(대판 1980.12.23, 80도1963 ∴ 공무상 비밀표시무효죄 ○). 11. 사시, 12. 법원행시, 20. 경찰간부

7. 집행관이 채무자 겸 소유자의 건물에 대한 점유를 해제하고 이를 채권자에게 인도한 후 채무자의 출입을 봉쇄하기 위하여 출입문을 판자로 막아둔 것을 채무자가 이를 뜯어내고 그 건물에 들어갔다 하더라도 이는 강제집행이 완결된 후의 행위로서 채권자들의 점유를 침범하는 것은 별론으로 하고 공무상 표시무효죄에 해당하지는 않는다(대판 1985.7.23, 85도1092). 12. 법원행시, 20. 경찰간부
8. 변호사의 자문을 받아 문제가 없다는 말을 듣고 압류물을 집달관의 승인 없이 관할구역 밖으로 옮긴 경우 공무상 표시무효죄가 성립한다(대판 1992.5.26, 91도894). 08. 법원행시 · 법원직, 20. 경찰간부
9. 집행관이 유체동산을 가압류하면서 이를 채무자에게 보관하도록 한 경우 그 가압류의 효력은 압류된 물건의 처분행위를 금지하는 효력이 있으므로, 채무자가 가압류된 유체동산을 제3자에게 양도하고 그 점유를 이전한 경우 ⇨ 공무상 표시무효죄 ○(대판 2018.7.11, 2015도5403) 22. 7급 검찰, 24. 법원행시
10. 공무원이 그 직무에 관하여 실시한 봉인 등의 표시를 손상 또는 은닉 기타의 방법으로 그 효용을 해함에 있어서 그 봉인 등의 표시가 법률상 효력이 없다고 믿은 것은 법규의 해석을 잘못하여 행위의 위법성을 인식하지 못한 것이라고 할 것이므로 그와 같이 믿은 데에 정당한 이유가 없는 이상, 그와 같이 믿었다는 사정만으로는 공무상 표시무효죄의 죄책을 면할 수 없다고 할 것이다(대판 2000.4.21, 99도5563). 17. 법원행시

    **비교판례** : 민사소송법 기타 공법의 해석을 잘못하여 압류물의 효력이 없어진 것으로 착오하였거나 또는 봉인 등을 손상 또는 효력을 해할 권리가 있다고 오신한 경우에는 형벌법규의 부지와 구별되어 범의를 조각한다(제16조)고 해석할 것이다(대판 1970.9.22, 70도1206).
11. 압류된 골프장시설을 보관하는 회사의 대표이사가 위 압류시설의 사용 및 봉인의 훼손을 방지할 수 있는 적절한 조치 없이 골프장을 개장하게 하여 봉인이 훼손되게 한 경우, 부작위에 의한 공무상 표시무효죄에 해당한다(대판 2005.7.22, 2005도3034). 20. 경찰간부, 23. 순경 1차
12. 압류상태에서 그 용법에 따라 종전대로 사용하는 경우(예 압류표시된 원동기를 가동시켜 사용한 경우) ⇨ 본죄 ×(대판 1984.3.13, 83도3291 ∵ 압류의 효용을 해하는 것이 아님) 01. 법원행시

**01** **공무상 비밀표시무효죄에 관련된 설명 중 옳지 않은 것은?**(다툼이 있는 경우 판례에 의함)

15. 경찰간부

① 공무상 비밀표시무효죄가 성립하기 위해서는 행위 당시에 강제처분의 표시가 현존할 것을 요한다.

② 집행관이 영업방해금지 가처분결정의 취지를 고시한 공시서를 게시하였을 뿐 구체적인 집행행위를 하지 아니하였다면 피신청인이 가처분의 부작위명령을 위반하였다는 것만으로는 공무상 표시의 효용을 해하는 행위에 해당하지 않는다.

③ 가처분의 채무자가 아닌 제3자가 가처분상의 부작위명령을 위반한 것은 가처분 집행 표시의 효용을 해한 행위에 해당하지 아니한다.

④ 채무자가 불가피한 사정으로 채권자의 승낙을 얻어 압류물을 이동시켰으나 집행관의 승인을 얻지 못한 경우 공무상 비밀표시무효죄가 성립한다.

| 해설 ① 대판 1997.3.11, 96도2801
② 대판 2010.9.30, 2010도3364
③ 대판 2007.11.16, 2007도5539
④ × : 공무상 비밀표시무효죄 ×(대판 2004.7.9, 2004도3029)

**02** **다음 중 공무상 표시무효죄가 인정된 경우로 옳은 것을 모두 고르면?**(다툼이 있는 경우 판례에 의함)

20. 경찰간부

㉠ 출입금지가처분의 대상이 된 건조물 등에 가처분 채권자의 승낙을 얻어 출입했는데 가처분결정이나 그 결정의 집행으로서 집행관이 실시한 고시에는 그러한 취지가 명시되어 있지 않은 경우
㉡ 집행관이 채무자 겸 소유자의 건물에 대한 점유를 해제하고 이를 채권자에게 인도한 후 채무자의 출입을 봉쇄하기 위하여 출입문을 판자로 막아둔 것을 채무자가 뜯어내고 그 건물에 들어간 경우
㉢ 직접점유자(임차인)에 대한 점유이전금지가처분결정이 집행된 후 직접점유자가 그 가처분 목적물의 간접점유자(소유자)에게 그 점유를 이전한 경우
㉣ 변호사의 자문을 받아 문제가 없다는 말을 듣고 압류물을 집행관의 승인 없이 관할구역 밖으로 옮긴 경우
㉤ 압류된 골프장시설을 보관하는 회사의 대표이사가 압류시설의 사용 및 봉인의 훼손을 방지할 수 있는 적절한 조치 없이 골프장을 개장하여 봉인이 훼손된 경우

① ㉠, ㉡ ② ㉡, ㉢, ㉣ ③ ㉢, ㉣, ㉤ ④ ㉣, ㉤

| 해설 • **공무상 표시무효죄** ○ : ㉢ 대판 1980.12.23, 80도1963 ㉣ 대판 1992.5.26, 91도894 ㉤ 대판 2005.7.22, 2005도3034
• **공무상 표시무효죄** × : ㉠ 대판 2006.10.13, 2006도4740 ㉡ 대판 1985.7.23, 85도1092

Answer 1.④ 2.③

## 종합문제 공무방해에 관한 죄

**01** **다음 설명 중 가장 옳지 않은 것은?**(다툼이 있는 경우 판례에 의함) 20. 경찰간부

① 공무상 비밀표시무효죄와 공용물파괴죄는 미수범 처벌규정이 있으나 공무집행방해죄와 국회의장모욕죄는 미수범 처벌규정이 없다.

② 출입국관리공무원이 관리자의 사전 동의 없이 사업장에 진입하여 불법체류자 단속업무를 개시하였다면 그 상태에서 피고인이 단속공무원을 칼로 찔렀다 할지라도 특수공무집행방해죄는 성립하지 않는다.

③ 법원은 당사자의 허위 주장 및 증거 제출에도 불구하고 진실을 밝혀야 하는 것이 그 직무이므로 가처분신청시 당사자가 허위의 주장을 하거나 허위의 증거를 제출하였다 하더라도 이로써 바로 위계에 의한 공무집행방해죄가 성립한다고 볼 수 없다.

④ 교육인적자원부 장관이 약학대학 학제개편에 관한 공청회를 개최하면서 행정절차법상 통지 절차를 위반했다면 다중이 위력으로 공청회 진행을 방해했을지라도 특수공무집행방해죄는 성립하지 않는다.

| 해설 | ① 제143조
② 대판 2009.3.12, 2008도7156(∵ 적법한 직무집행 ×)
③ 대판 2012.4.26, 2011도17125
④ × : 특수공무집행방해죄 ○(대판 2007.10.12, 2007도6088 ∵ 통지 절차 위반은 경미한 흠에 불과 ⇨ 적법한 공무집행 ○)

**02** **공무방해에 관한 죄에 대한 다음 설명 중 가장 옳은 것은?**(다툼이 있는 경우 판례에 의함) 19. 법원행시

① 형법상 공무원이라 함은 법령의 근거에 기하여 국가 또는 지방자치단체 및 이에 준하는 공법인의 사무에 종사하는 자로서 그 노무의 내용이 단순한 기계적 육체적인 것에 한정되어 있지 않은 자를 말하므로, 국민권익위원회 운영지원과 소속 기간제근로자로서 국민권익위원회의 청사 안전관리 및 민원인 안내를 담당하는 자는 공무집행방해죄에서의 공무원에 해당한다.

② 등기관은 그 등기신청이 실체법상의 권리관계와 일치하는지 여부를 심사할 실질적인 심사권한은 없으므로, 등기신청인이 허위의 소명자료 등을 제출하였다고 하더라도 등기관의 구체적이고 현실적인 직무집행이 방해받았다고 볼 수 없어 위계에 의한 공무집행방해죄가 성립할 수 없다.

③ 공무집행방해죄에서 공무원의 직무집행이란 법령의 위임에 따른 공무원의 적법한 직무집행으로서 공권력의 행사를 내용으로 하는 권력적 작용을 의미하고 사경제주체로서의 활동을 비롯한 비권력적 작용은 포함되지 않는다.

Answer 1. ④ 2. ⑤

④ 특허권을 침해하였다는 소명이 있음을 이유로 가처분집행이 행하여졌으나 후일 그 본안 소송에서 위 특허가 무효라는 취지의 대법원 판결이 선고되어 그 피보전권리의 부존재가 확정된 경우에는 공무상표시무효죄가 성립하지 않는다.

⑤ 공무집행방해죄에 있어서 '직무를 집행하는'이라 함은 공무원이 직무수행에 직접 필요한 행위를 현실적으로 행하고 있는 때만을 가리키는 것이 아니라 공무원이 직무수행을 위하여 근무 중인 상태에 있는 때를 포괄한다.

| 해설 ① ×: 국민권익위원회 운영지원과 소속 기간제근로자 ⇨ 형법상 공무원 ×(대판 2015.5.29, 2015도3430)

② ×: 등기신청인이 제출한 허위의 소명자료 등에 대하여 등기관이 나름대로 충분히 심사를 하였음에도 이를 발견하지 못하여 등기가 마쳐진 경우, 등기관에게 등기신청이 실체법상의 권리관계와 일치하는지를 심사할 실질적인 권한이 없다고 하더라도 위계에 의한 공무집행방해죄가 성립할 수 있다(대판 2016.1.28, 2015도17297).

③ ×: ~ 포함된다(대판 2003.12.26, 2001도6349).

④ ×: 공무상 표시무효죄 ○(대판 2007.3.15, 2007도312)

⑤ ○: 대판 2009.1.15, 2008도9919



**03** **공무방해에 관한 죄에 대한 설명으로 옳지 않은 것은?**(다툼이 있는 경우 판례에 의함)

22. 7급 검찰

① 노조원들이 파업투쟁 중인 공장에 경찰관들이 진입할 것에 대비하여 경찰관들의 부재중에 미리 윤활유나 철판 조각을 바닥에 뿌려 놓은 경우, 그 후 공장에 진입하던 경찰관들이 이로 인해 미끄러져 넘어지거나 철판 조각에 찔려 다쳤다고 하더라도 특수공무집행방해치상죄가 성립하지 않는다.

② 절도범인이 체포를 면탈할 목적으로 경찰관에게 폭행을 가한 때에는 준강도죄와 공무집행방해죄를 구성하고 양 죄는 상상적 경합관계에 있으나, 강도범인이 체포를 면탈할 목적으로 경찰관에게 폭행을 가한 때에는 강도죄와 공무집행방해죄는 실체적 경합관계에 있다.

③ 집행관이 법원으로부터 피신청인에 대하여 부작위를 명하는 가처분이 발령되었음을 고시하는 데 그치고 나아가 봉인 또는 물건을 자기의 점유로 옮기는 등의 구체적인 집행행위를 하지 아니한 경우, 단순히 피신청인이 가처분의 부작위명령을 위반하였다는 것만으로는 공무상 표시무효죄가 성립하지 않는다.

④ 집행관이 유체동산을 가압류하면서 이를 채무자에게 보관하도록 한 경우, 채무자가 가압류된 유체동산을 제3자에게 양도하고 그 점유를 이전한 경우라도 채무자와 양수인이 가압류된 유체동산을 원래 있던 장소에 그대로 두었다면 특별한 사정이 없는 한 공무상 표시무효죄가 성립하지 않는다.

| 해설 ① 대판 2010.12.23, 2010도7412(∵ 폭행 ×)

② 대판 1992.7.28, 92도917

Answer 3. ④

③ 대판 2010.9.30, 2010도3364(∵ 집행관이 부작위명령을 고지하였을 뿐 구체적인 집행행위를 하지 아니하였다면, 단순히 피신청인이 위 가처분의 부작위명령을 위반하였다는 것만으로는 공무상 표시의 효용을 해하는 행위에 해당하지 않는다.)
④ × : 공무상 표시무효죄 ○(대판 2018.7.11, 2015도5403 ∵ ~ (2줄) 그 점유를 이전한 경우, 이는 가압류집행이 금지하는 처분행위로서, 특별한 사정이 없는 한 가압류 표시 자체의 효력을 사실상으로 감쇄 또는 멸각시키는 행위에 해당한다. 이는 채무자와 양수인이 가압류된 유체동산을 원래 있던 장소에 그대로 두었더라도 마찬가지이다.)

## 04 **공무방해의 죄에 관한 설명 중 가장 적절하지 않은 것은?**(다툼이 있는 경우 판례에 의함)

23. 순경 1차

① 형법 제136조에서 정한 공무집행방해죄는 직무를 집행하는 공무원에 대하여 폭행 또는 협박한 경우에 성립하는 범죄로서, 구체적으로 직무집행의 방해라는 결과가 발생할 것을 요하지는 않는다.
② 공용서류 등 무효죄의 '공무소에서 사용하는 서류 기타 전자기록'에는 공문서로서의 효력이 생기기 이전의 서류, 정식의 접수 및 결재 절차를 거치지 않은 문서, 결재 상신 과정에서 반려된 문서도 포함된다.
③ 타인의 소변을 마치 자신의 소변인 것처럼 수사기관에 건네주어 필로폰 음성반응이 나오게 한 경우, 수사기관의 착오를 이용하여 적극적으로 피의사실에 관한 증거를 조작한 것이므로 위계에 의한 공무집행방해죄를 구성한다.
④ 공무상 표시무효죄는 공무원이 그 직무에 관하여 실시한 봉인 또는 압류 기타 강제처분의 표시를 적극적으로 손상·은닉하거나 기타 방법으로 그 효용을 해하는 것을 요건으로 하므로, 부작위에 의한 방법으로는 공무상 표시무효죄를 범할 수 없다.

**해설** ① 대판 2018.3.29, 2017도21537 ② 대판 2020.12.10, 2015도19296 ③ 대판 2007.10.11, 2007도6101
④ × : ~ (2줄)의 표시를 손상·은닉하거나 기타 방법으로 그 효용을 해하는 것을 요건으로 하므로, 부작위에 의한 방법으로도 공무상 표시무효죄를 범할 수 있다(대판 2005.7.22, 2005도3034).

## 05 **공무원의 직무 및 공무방해에 관한 죄에 대한 설명 중 가장 적절한 것은?**(다툼이 있는 경우 판례에 의함)

21. 경력채용

① 경찰공무원이 지명수배 중인 범인을 발견하고도 직무상 의무에 따른 적절한 조치를 취하지 아니하고 오히려 범인을 도피하게 하는 행위를 하였다면 범인도피죄와 직무유기죄가 모두 성립하고 양 죄는 실체적 경합관계에 있다.
② 뇌물을 받기 위하여 형식적으로 체결된 용역계약에 따른 비용으로 사용된 부분은 뇌물수수의 부수적 비용에 지나지 않으므로 뇌물의 가액과 추징액에서 공제할 항목에 해당하지 않는다.
③ 공무원이 부정한 청탁을 받고 제3자에게 뇌물을 제공하게 하고 제3자가 그러한 공무원의 범죄행위를 알면서 방조하였다 하더라도 공무원과 제3자는 대향범 관계에 있으므로 방조범에 관한 형법 총칙 규정이 적용되지 아니한다.

**Answer** 4.④ 5.②

④ 업무방해죄가 성립하기 위하여는 업무방해의 결과가 실제로 발생하여야 하나 형법 제136조에서 정한 공무집행방해죄는 추상적 위험범으로서 구체적으로 직무집행의 방해라는 결과발생을 요하지 아니한다.

**| 해설** ① ×: 작위범인 범인도피죄 ○, 부작위범인 직무유기죄 ×(대판 2017.3.15, 2015도1456)
② ○: 대판 2017.3.22, 2016도21536
③ ×: 제3자뇌물수수죄에서 제3자란 행위자와 공동정범 이외의 사람을 말하고, 교사자나 방조자도 포함될 수 있다. 그러므로 공무원 또는 중재인이 부정한 청탁을 받고 제3자에게 뇌물을 제공하게 하고 제3자가 그러한 공무원 또는 중재인의 범죄행위를 알면서 방조한 경우에는 그에 대한 별도의 처벌규정이 없더라도 방조범에 관한 형법총칙의 규정이 적용되어 제3자뇌물수수방조죄가 인정될 수 있다(대판 2017.3.15, 2016도19659).
④ ×: 업무방해죄의 성립에는 업무방해의 결과가 실제로 발생함을 요하지 않고, 업무방해의 결과를 초래할 위험이 발생하는 것이면 족하며(대판 2008.1.17, 2006도1721), 형법 제136조에서 ~ 아니한다(대판 2018.3.29, 2017도21537).

03

**06** **공무방해에 관한 죄에 대한 설명으로 적절하지 않은 것은 모두 몇 개인가?**(다툼이 있는 경우 판례에 의함)

기출지문 종합

㉠ 부동산강제집행효용침해죄의 객체인 강제집행으로 명도 또는 인도된 부동산에는 강제집행으로 퇴거집행된 부동산은 포함되지 않는다.
㉡ 참고인이 수사기관에 대하여 허위진술을 한 사실만으로는 위계에 의한 공무집행방해죄가 성립하지 않는다.
㉢ 공무집행방해죄는 공무원의 직무집행이 적법한 경우에 한하여 성립하고, 여기서 적법한 공무집행이라고 함은 그 행위가 공무원의 추상적 권한에 속하면 충분하며, 구체적으로 그 권한 내에 있어야 할 필요는 없다.
㉣ 유체동산의 가압류집행에 있어 가압류공시서의 기재에 다소의 흠이 있다면, 그 기재 내용을 전체적으로 보아 가압류공시서에 그 가압류목적물이 특정되었다고 인정할 수 있더라도 그 가압류는 당연무효이고, 해당 가압류공시서는 공무상 표시무효죄의 객체가 될 수 없다.
㉤ 경찰공무원이 작성한 진술조서가 미완성이고 작성자와 진술자가 서명·날인 또는 무인한 것이 아니어서 공문서로서의 효력이 없다 하더라도 형법 제141조 제1항이 규정하고 있는 '공무소에서 사용하는 서류'로 볼 수 있다.

① 1개 ② 2개 ③ 3개 ④ 4개

**| 해설** ㉠ ×: ~ 부동산도 포함된다(대판 2003.5.13, 2001도3212).
㉡ ○: 대판 1971.3.9, 71도186
㉢ ×: ~ 추상적인 직무권한에 속할 뿐 아니라 구체적으로 그 권한 내에 있어야 한다(대판 1991.5.10, 91도453).
㉣ ×: ~ 다소의 흠이 있으나 그 기재 내용을 ~ 인정할 수 있다면 그 가압류가 유효하고, 해당 ~ 될 수 있다(대판 2001.1.16, 2000도1757).
㉤ ○: 대판 2006.5.25, 2003도3945

Answer 6. ③

**07 공무방해에 관한 죄에 대한 설명 중 가장 적절하지 않은 것은?**(다툼이 있는 경우 판례에 의함)

19. 순경 1차

① 공무집행방해죄에서 공무원의 공무집행이 적법한지 여부는 행위 당시의 구체적 상황에 기하여 객관적 합리적으로 판단하여야 하고 사후적으로 순수한 객관적 기준에서 판단할 것은 아니다.

② 공무집행방해죄에서 협박이란 상대방에게 공포심을 일으킬 목적으로 해악을 고지하는 행위를 의미하는 것으로서 그 협박이 경미하여 상대방이 전혀 개의치 않을 정도인 경우에는 협박에 해당하지 않는다.

③ 부동산강제집행효용침해죄의 객체인 강제집행으로 명도 또는 인도된 부동산에는 강제집행으로 퇴거집행된 부동산은 포함되지 않는다.

④ 공무집행방해죄는 추상적 위험범으로서 구체적으로 직무집행의 방해라는 결과발생을 요하지 않는다.

**| 해설** ① 대판 1991.5.10, 91도453 ② 대판 2006.1.13, 2005도4799
③ ×: ~ 부동산도 포함된다(대판 2003.5.13, 2001도3212).
④ 대판 2018.3.29, 2017도21537

**08 공무방해에 관한 죄에 설명으로 가장 적절하지 않은 것은?**(다툼이 있는 경우 판례에 의함)

24. 경찰간부

① 국민권익위원회 운영지원과 소속 기간제 근로자로서 청사 안전관리 및 민원인 안내 등의 사무를 담당한 A의 공무집행을 甲이 방해한 경우, A는 법령의 근거에 기하여 국가 등의 사무에 종사하는 형법상 공무원으로 보기 어려워, 甲을 공무집행방해죄로 처벌할 수 없다.

② 법령에서 일정한 행위를 금지하면서 이를 위반하는 행위에 대한 벌칙을 정하고 공무원 A로 하여금 그 금지규정의 위반 여부를 감시·단속하도록 한 경우, A의 감시·단속을 단순히 피하여 금지규정을 위반한 甲의 행위는 위계에 의한 공무집행방해죄에 해당한다.

③ 甲의 집이 소란스럽다는 주민들의 112신고를 받고 출동한 경찰관 A가 甲에게 인터폰으로 문을 열어달라고 하였으나 욕설을 하고 문을 열어주지 않아, A가 甲을 만나기 위해 전기차단기를 내리자 화가 난 甲이 식칼을 들고 나와 욕설을 하면서 A를 향해 찌를 듯이 협박한 경우, 특수공무집행방해죄에 해당한다.

④ 도심광장에 무단설치된 천막에 대해 행정대집행법이 정한 계고 및 대집행영장에 의한 통지절차를 거치지 아니하고 행하는 공무원 A의 철거대집행에 대항하여, 甲이 A에게 폭행·협박을 가한 행위는 특수공무집행방해죄에 해당하지 않는다.

**| 해설** ① 대판 2015.5.29, 2015도3430
② ×: ~ 위계에 의한 공무집행방해죄에 해당한다고 할 수 없다(대판 2022.3.31, 2018도15213).
③ 대판 2018.12.13, 2016도19417 ④ 대판 2010.11.11, 2009도11523

Answer 7.③ 8.②

**09 공무방해에 대한 죄에 관한 설명으로 가장 적절한 것은?**(다툼이 있는 경우 판례에 의함)

24. 순경 1차

① 위계로써 구체적인 공무집행을 저지하거나 현실적으로 곤란하게 하는 데까지 이르지 아니하였다 하더라도 위계에 의한 공무집행방해죄가 성립한다.

② 공무원 甲이 출원인이 어업허가를 받을 수 없는 자라는 사실을 알면서도 그 직무상의 의무에 따른 적절한 조치를 취하지 않고 오히려 부하직원으로 하여금 어업허가 처리기안문을 작성하게 한 다음 甲 스스로 중간결재를 하는 등 위계로써 결재권자의 최종 결재를 받은 경우, 甲에게는 작위범인 위계에 의한 공무집행방해죄만이 성립하고 부작위범인 직무유기죄는 따로 성립하지 아니한다.

③ 甲과 A가 주차문제로 언쟁을 벌이던 중 112신고를 받고 출동한 경찰관 P가 A를 때리려는 甲을 제지하자, 甲이 자신만 제지를 당한 데 화가 나서 손으로 P의 가슴을 밀치고 계속 욕설을 하면서 자신을 현행범으로 체포하며 순찰차 뒷자석에 태우려는 P의 정강이 부분을 수 차례 걷어차는 등 폭행한 경우, 이는 공무집행방해죄의 '폭행'에 해당하지 않는다.

④ 형법 제136조의 공무집행방해죄는 침해범으로서 현실적으로 직무집행이 방해되어야 기수에 이른다.

| 해설 ① × : ~ 이르지 아니한 경우 위계에 의한 공무집행방해죄가 성립하지 않는다(대판 2003.2.11, 2002도4293).

② ○ : 대판 1997.2.28, 96도2825

③ × : ~ '폭행'에 해당한다(대판 2018.3.29, 2017도21537).

④ × : 형법 제136조의 공무집행방해죄는 추상적 위험범(구체적 위험범 ×, 침해범 ×)으로서 공무원에 대하여 폭행·협박을 하면 기수에 이르며, 구체적으로 직무집행의 방해라는 결과발생을 요하지도 아니한다(대판 2018.3.29, 2017도21537).

Answer 9. ②

**10 공무방해에 관한 죄에 관한 다음 설명 중 옳은 것은 모두 몇 개인가?**(다툼이 있는 경우 판례에 의함) 24. 법원행시

㉠ 경찰관들이 甲에 대한 현행범인의 체포 또는 긴급체포 과정에서 미란다 원칙상 고지사항의 일부만 고지하고 신원확인절차를 밟으려는 순간 甲이 유리조각을 쥐고 휘둘러 이를 제압하려는 경찰관들에게 상해를 입힌 경우, 그 제압과정 중이나 후에 지체 없이 미란다 원칙을 고지하면 되는 것이므로 甲은 위 경찰관들의 긴급체포업무에 관한 정당한 직무집행을 방해한 것으로 볼 수 있다.

㉡ 시청 청사 내 주민생활복지과 사무실에 술에 취한 상태로 찾아가 소란을 피우던 乙을 소속 공무원 A와 B가 제지하며 밖으로 데리고 나가려 하자, 乙이 A와 B의 멱살을 잡고 수회 흔든 다음 휴대전화를 휘둘러 A의 뺨을 때린 것은 시청 소속 공무원들의 적법한 직무집행을 방해한 행위에 해당하므로 공무집행방해죄를 구성한다고 보아야 한다.

㉢ 피의자가 적극적으로 허위의 증거를 조작하여 제출하고 그 증거 조작의 결과 수사기관이 그 진위에 관하여 나름대로 충실한 수사를 하더라도 제출된 증거가 허위임을 발견하지 못할 정도에 이르렀다면, 이는 위계로 수사기관의 수사행위를 적극적으로 방해한 것으로서 위계 공무집행방해죄가 성립한다.

㉣ 집행관이 유체동산을 가압류하면서 이를 채무자에게 보관하도록 한 경우 그 가압류의 효력은 압류된 물건의 처분행위를 금지하는 효력이 있으므로, 채무자가 가압류된 유체동산을 제3자에게 양도하고 그 점유를 이전한 경우, 이는 가압류집행이 금지하는 처분행위로서, 특별한 사정이 없는 한 가압류표시 자체의 효력을 사실상으로 감쇄 또는 멸각시키는 행위에 해당하고, 이는 채무자와 양수인이 가압류된 유체동산을 원래 있던 장소에 그대로 두었더라도 마찬가지이다.

㉤ 형법 제141조 제1항이 규정하고 있는 공용서류은닉죄에 있어서의 범의란 피고인에게 공무소에서 사용하는 서류라는 사실과 이를 은닉하는 방법으로 그 효용을 해한다는 사실의 인식을 의미하므로, 경찰이 작성한 진술조서가 미완성이고 작성자와 진술자가 서명·날인 또는 무인한 것이 아니어서 공문서로서의 효력이 없다면 공무소에서 사용하는 서류라고 할 수는 없다.

① 1개 ② 2개 ③ 3개
④ 4개 ⑤ 5개

**| 해설** ㉠ ○ : 대판 2007.11.29, 2007도7961
㉡ ○ : 대판 2022.3.17, 2021도13883(∵ 민원상담 시도 종료 이후 소란을 피우고 있는 민원인을 사무실에서 퇴거시키는 등의 후속조치는 민원안내 업무와 관련된 직무수행이라고 할 수 있음. ⇨ 적법한 직무집행 ○)
㉢ ○ : 대판 2003.7.25, 2003도1609
㉣ ○ : 대판 2018.7.11, 2015도5403
㉤ × : ~ (4줄) 공문서로서의 효력이 없다고 하더라도 '공무소에서 사용하는 서류'에 해당한다(대판 2006.5.25, 2003도3945).

Answer 10. ④

# 제3절 도주와 범인은닉의 죄

관련조문

**제145조【도주, 집합명령위반】** ① 법률에 따라 체포되거나 구금된 자가 도주한 경우에는 1년 이하의 징역에 처한다.

② 제1항의 구금된 자가 천재지변이나 사변 그 밖에 법령에 따라 잠시 석방된 상황에서 정당한 이유 없이 집합명령에 위반한 경우에도 제1항의 형에 처한다.

**제146조【특수도주】** 수용설비 또는 기구를 손괴하거나 사람에게 폭행 또는 협박을 가하거나 2인 이상이 합동하여 전조 제1항의 죄를 범한 자는 7년 이하의 징역에 처한다.

**제147조【도주원조】** 법률에 의하여 구금된 자를 탈취하거나 도주하게 한 자는 10년 이하의 징역에 처한다.

**제148조【간수자의 도주원조】** 법률에 의하여 구금된 자를 간수 또는 호송하는 자가 이를 도주하게 한 때에는 1년 이상 10년 이하의 징역에 처한다.

**제151조【범인은닉과 친족간의 특례】** ① 벌금 이상의 형에 해당하는 죄를 범한 자를 은닉 또는 도피하게 한 자는 3년 이하의 징역 또는 500만원 이하의 벌금에 처한다.

② 친족, 동거의 가족이 본인을 위하여 전항의 죄를 범한 때에는 처벌하지 아니한다.

**〈도주죄와 범인은닉죄, 위증죄와 증거인멸죄, 무고죄의 법조문 정리〉**

1. 도주죄의 미수는 모두 처벌된다(도주죄, 집합명령위반죄, 특수도주죄, 도주원조죄, 간수자도주원조죄).
2. 예비・음모 처벌 : (단순)도주원조죄, 간수자도주원조죄 11. 경찰승진, 22. 법원행시
   ▶ 범인은닉죄, 위증죄, 증거인멸죄, 무고죄 ⇨ 미수・예비・음모 처벌 ×
3. 친족간의 특례규정 ⇨ 도주죄 ×, 위증죄 ×, 범인은닉죄 ○, 증거인멸죄 ○ 20. 법원행시
4. 자수・자백 특례규정(필요적 감면) ⇨ 위증죄, 무고죄

## THEMA 35 '도주죄' 관련판례 총정리

1. 사법경찰관이 피고인을 수사관서까지 동행한 것이 사실상의 강제연행, 즉 불법체포에 해당하고, 불법 체포로부터 6시간 상당이 경과한 후에 이루어진 긴급체포 또한 위법하므로 피고인은 불법체포된 자로서 형법 제145조 제1항에 정한 '법률에 의하여 체포 또는 구금된 자'가 아니어서 도주죄의 주체가 될 수 없다(대판 2006.7.6, 2005도6810). 14. 법원행시, 17. 경찰간부, 21. 해경간부 · 해경승진
2. 도주죄는 즉시범으로서 범인이 간수자의 실력적 지배를 이탈한 상태에 이르렀을 때에 기수가 되어 도주행위가 종료하는 것이고, 도주원조죄는 도주죄에 있어서의 범인의 도주행위를 야기시키거나 이를 용이하게 하는 등 그와 공범관계에 있는 행위를 독립한 구성요건으로 하는 범죄이므로, 도주죄의 범인이 도주행위를 하여 기수에 이르른 이후에 범인의 도피를 도와주는 행위는 범인도피죄에 해당할 수 있을 뿐 도주원조죄에는 해당하지 아니한다(대판 1991.10.11, 91도1656). 19. 법원행시 · 변호사시험 · 순경 2차, 20. 경찰간부 · 경찰승진, 21. 해경간부 · 해경 2차, 23. 해경승진
3. 법원이 선고기일에 피고인에 대하여 실형을 선고하면서 구속영장을 발부하는 경우 검사가 법정에 재정하여 법원으로부터 구속영장을 전달받아 집행을 지휘하고, 그에 따라 피고인이 피고인 대기실로 인치되었다면 다른 특별한 사정이 없는 한 피고인은 형법 제145조 제1항의 '법률에 의하여 체포 또는 구금된 자'에 해당한다(대판 2023.12.28, 2020도12586).

### '범인은닉 · 도피죄' 총정리

1. **주체** : 범인 이외의 자

**관련판례**

1. 범인이 자신을 위하여 타인으로 하여금 허위의 자백을 하게 하여 범인도피죄를 범하게 하는 행위는 방어권의 남용으로 범인도피죄의 교사죄에 해당한다(대판 2000.3.24, 2000도20). 14. 법원행시, 16. 경찰승진, 19. 9급 검찰, 22. 경찰간부, 24. 해경승진 · 순경 1차
2. 범인이 자신을 위하여 타인으로 하여금 허위의 자백을 하게 범인도피죄를 범하게 하는 행위는 범인도피교사죄에 해당하는데 이 경우 그 타인이 형법 제151조 제2항에 의하여 처벌을 받지 아니하는 친족, 호주 또는 동거가족에 해당한다 하여 달리 볼 것이 아니므로, 무면허운전으로 사고를 낸 사람이 동생을 경찰서에 대신 출두시켜 피의자로 조사받도록 한 행위는 범인도피교사죄를 구성한다(대판 2006.12.7, 2005도3707). 16. 법원직 · 수사경과, 21. 경찰간부 · 7급 검찰, 22. 변호사시험 · 경찰승진, 23. 법원행시
이와 같은 법리는 범인을 위해 타인이 범하는 범인도피죄를 범인 스스로 방조하는 경우에도 마찬가지로 적용된다(대판 2008.11.13, 2008도7647 ㉠ 甲이 배우자로 하여금 허위의 자백을 하게 하여 범인도피죄를 범하게 한 경우 ⇨ 범인도피방조죄 ○). 11. 사시, 21. 7급 검찰
3. 범인 스스로 도피하는 행위는 처벌되지 아니하므로, 범인이 도피를 위하여 타인에게 도움을 요청하는 행위 역시 도피행위의 범주에 속하는 한 처벌되지 아니하며, 범인의 요청에 응하여 범인을 도운 타인의 행위가 범인도피죄에 해당한다고 하더라도 이를 방어권의 남용으로 볼 수 없는 한 마찬가지이다[대판 2014.4.10, 2013도12079 ㉠ 벌금 이상의 형에 해당하는 죄를 범하고 도피 중이던 甲이 친구에게 그런 사실을 설명하고 수사기관의 추적을 피하기 위해 위 친구에게 요청하여 속칭 '대포폰'을 개설하여 받고, 위 친구를 전화로 불러 그가 운전하는 차를 타고 시내를 이동하여 다닌 경우 ⇨ 乙 : 범인도피죄 ○, 甲 : 범인도피교사죄 ×(∵ 피고인의 행위는 형사사법에 중대한 장애를 초래한다고 보기 어려운 통상적 도피의 한 유형으로 방어권의 남용으로 볼 수 없음)]. 15. 사시, 18. 법원직, 19. 법원행시 · 수사경과, 20. 해경 1차

4. 범인도피죄는 타인을 도피하게 하는 경우에 성립할 수 있는데, 여기에서 타인에는 공범도 포함되나 범인 스스로 도피하는 행위는 처벌되지 않는다. 또한 공범 중 1인이 그 범행에 관한 수사절차에서 참고인 또는 피의자로 조사받으면서 자기의 범행을 구성하는 사실관계에 관하여 허위로 진술하고 허위 자료를 제출하는 것은 자신의 범행에 대한 방어권행사의 범위를 벗어난 것으로 볼 수 없어, 이러한 행위가 다른 공범을 도피하게 하는 결과가 된다고 하더라도 범인도피죄로 처벌할 수 없다. 이때 공범이 이러한 행위를 교사하였더라도 범죄가 될 수 없는 행위를 교사한 것에 불과하여 범인도피교사죄가 성립하지 않는다(대판 2018.8.1, 2015도20396 예 피고인들이 강제집행면탈죄의 공동정범으로서 한 범인도피교사 행위와 범인도피 행위는 자신들의 범행 은닉과 밀접불가분 관계에 있어 자기도피와 마찬가지로 적법행위에 대한 기대가능성이 없고, 방어권 남용으로 보기 어렵다). 20. 해경 1차, 20 · 22. 경찰승진 · 순경 1차, 23. 7급 검찰, 24. 법원행시

2. **객체** : 법정형이 벌금 이상의 형에 해당하는 죄를 범한 자

**관련판례**

1. 제151조 제1항의 '죄를 범한 자'라 함은 범죄의 혐의를 받아 수사대상이 되어 있는 자를 포함하며, 나아가 도피하게 한 당시에는 아직 수사대상이 되어 있지 않았더라도 범인도피죄가 성립한다(대판 2003.12.12, 2003도4533). 14. 순경 2차, 18. 수사경과, 22. 경찰간부 · 해경간부, 24. 순경 1차
2. 진범인에 한하지 않고 범죄혐의로 수사 또는 소추 중인 자를 포함한다(대판 1982.1.26, 81도1931 ∴ 구속수사의 대상이 된 공소외인이 그 후 무혐의로 석방되었다 하더라도 본죄의 성립에는 영향이 없다). 13. 법원행시, 15. 사시

3. **행위** : 은닉 또는 도피하게 하는 것

① 범인은닉죄라 함은 죄를 범한 자임을 인식하면서 장소를 제공하여 체포를 면하게 하는 것만으로 성립한다 할 것이고, 죄를 범한 자에게 장소를 제공한 후 동인에게 일정 기간 동안 경찰에 출두하지 말라고 권유하는 언동을 하여야만 범인은닉죄가 성립하는 것이 아니며, 03. 법무사, 05. 사시 또 그 권유에 따르지 않을 경우 강제력을 행사하여야만 한다거나, 죄를 범한 자가 은닉자의 말에 복종하는 관계에 있어야만 범인은닉죄가 성립하는 것은 더욱 아니다(대판 2002.10.11, 2002도3332). 23. 법원행시

② 형법 제151조의 범인도피죄에서 '도피하게 하는 행위'는 은닉 이외의 방법으로 범인에 대한 수사, 재판 및 형의 집행 등 형사사법의 작용을 곤란 또는 불가능하게 하는 일체의 행위를 말하는 것으로서 그 수단과 방법에는 어떠한 제한이 없다. 또한, 위 죄는 위험범으로서 현실적으로 형사사법의 작용을 방해하는 결과를 초래할 것이 요구되지 아니하지만, 12. 법원행시 · 순경 1차, 13. 7급 검찰, 20. 해경 1차, 21. 수사경과 같은 조에 함께 규정되어 있는 은닉행위에 비견될 정도로 수사기관의 발견 · 체포를 곤란하게 하는 행위, 즉 직접 범인을 도피시키는 행위 또는 도피를 직접적으로 용이하게 하는 행위에 한정된다. 21. 해경간부 그 자체로는 도피시키는 것을 직접적인 목적으로 하였다고 보기 어려운 어떤 행위의 결과 간접적으로 범인이 안심하고 도피할 수 있게 한 경우까지 포함하는 것은 아니다(대판 2008.12.24, 2007도11137). 19. 법원행시, 20. 순경 1차, 24. 해경승진

③ 범인도피죄에 있어서 벌금 이상의 형에 해당하는 자에 대한 인식은 실제로 벌금 이상의 형에 해당하는 범죄를 범한 자라는 것을 인식함으로써 족하고 그 법정형이 벌금 이상이라는 것까지 알 필요는 없는 것이고 범죄의 구체적인 내용이나 범인의 인적사항 및 공범이 있는 경우 공범의 구체적 인원수 등까지 알 필요는 없다(대판 1995.12.26, 93도904). 12. 법원행시, 14. 경찰승진, 19. 수사경과, 21. 해경승진

**관련판례**

**• 본죄에 해당하는 경우**

1. 범인이 기소중지자임을 알고도 다른 사람(피고인의 처)의 명의로 대신 임대차계약을 체결해 준 경우(대판 2004.3.26, 2003도8226) 16. 순경 1차, 20. 경찰승진, 21. 경찰간부 · 해경간부 · 해경승진, 23. 법원행시
2. 범인 아닌 자가 수사기관에서 범인임을 자처하고 허위사실을 진술하여 진범의 체포와 발견에 지장을 초래하게 한 경우(대판 1996.6.14, 96도1016 예 다른 사람의 교통사고 사실을 숨기고 자신이 교통사고를 일으켰다고 경찰에 신고한 경우), 범인에게 수사진행상황을 알려주는 경우(대판 1967.5.23, 67도366) 16. 법원직 · 경찰승진, 19. 순경 1차, 21. 경찰간부
3. 수표가 지급거절이 되리라는 것을 알면서 그 수표부도 직전에 발행인을 은닉한 경우(대판 1990.3.27, 89도1480 ∴ 범인은닉에 관한 범의 ○) 11. 경찰승진
4. ① 범인으로 혐의를 받아 수사기관으로부터 수사 중인 경우에 범인 아닌 다른 자로 하여금 범인으로 가장케 하여 수사를 받도록 함으로써 범인체포에 지장을 초래케 하는 경우(대판 1967.5.23, 67도366) ② 피의자 아닌 자가 수사기관에 대하여 피의자임을 자처하고 허위사실을 진술하거나(대판 2000.11.24, 2000도4078) ③ 공범이 더 있다는 사실을 숨긴 채 허위보고를 하고 조사받고 있는 범인에게 다른 공범이 더 있다는 사실을 실토하지 못하도록 하여(대판 1995.12.26, 93도904) 범인의 체포와 발견에 지장을 초래하게 하는 행위

**• 본죄에 해당하지 않는 경우**

1. **수사기관에서 피의자나 참고인이 조사를 받으면서(적극적으로 수사기관을 기만하여 착오에 빠지게 하여 범인의 발견 · 체포를 곤란 내지 불가능하게 할 정도의 것이 아닌) 단순히 알고 있는 사실을 묵비하거나 허위로 진술한 경우(대판 2003.2.14, 2002도5374 ; 대판 1997.9.9, 97도1596 ∵ 수사기관은 범죄사건을 수사함에 있어서 피의자나 참고인의 진술 여하에 불구하고 피의자를 확정하고 그 피의사실을 인정할 만한 객관적인 제반 증거를 수집 · 조사하여야 할 권리와 의무가 있다.)** 12. 법원행시 · 법원직, 19. 경찰승진, 21. 해경 2차

   ① 참고인이 수사기관에서 진술을 함에 있어 단순히 범인으로 체포된 사람과 동인이 목격한 범인이 동일함에도 불구하고 동일한 사람이 아니라고 하여 허위진술을 하여 진정한 범인이 석방된 경우(대판 1987.2.10, 85도897) 10. 법원직, 14. 경찰승진, 18. 수사경과, 21. 7급 검찰

   ② 참고인이 실제의 범인이 누군지도 정확하게 모르는 상태에서 수사기관에서 실제의 범인이 아닌 어떤 사람을 범인이 아닐지도 모른다고 생각하면서도 그를 범인이라고 지목하는 허위의 진술을 한 결과 범인으로 지목된 사람이 구속기소됨으로써 실제의 범인이 용이하게 도피하는 결과를 초래한 경우(대판 1997.9.9, 97도1596) 14. 순경 2차, 16. 경찰승진, 21 · 22. 경찰간부

   ③ 피의자가 사법경찰관으로부터 신문을 받으면서 공범의 이름을 알면서도 이를 알려주지 않은 경우(대판 1984.4.10, 83도3288), 피의자가 수사기관에서 공범에 관하여 묵비하거나 허위로 진술한 경우(대판 2010.3.25, 2009도14065) 12. 법원행시, 16. 법원직

   ④ 게임산업진흥에 관한 법률 위반 혐의로 수사기관에서 조사받는 피의자가 사실은 게임장 · 오락실 · 피씨방 등의 실제 업주가 아님에도 불구하고 자신이 실제 업주라고 허위로 진술한 경우(대판 2010.2.11, 2009도12164) 14. 순경 2차 · 법원행시, 18. 법원직, 19. 수사경과, 20. 해경 1차

   ▶ **주의** : 그러나 甲이 실제 업주를 숨기고 자신이 대신하여 처벌받기로 하는 이른바 '바지사장'의 역할을 맡기로 하는 등 수사기관을 착오에 빠뜨리기로 하고, 범행경위에 대해 적극적으로 허위로 진술하거나 허위 자료를 제시하는 행위를 하는 경우 범인도피죄가 성립한다(대판 2010.2.11, 2009도12164). 21 · 23. 7급 검찰

⑤ 폭행사건 현장의 참고인이 출동한 경찰관에게 범인의 이름 대신 허무인의 이름을 대면서 구체적인 인적사항에 대한 언급을 피한 경우(대판 2008.6.26, 2008도1059) 21. 경찰간부 · 7급 검찰

2. 도로교통법 위반으로 체포된 범인이 타인의 성명을 모용하여 타인의 행세를 한다는 것을 알면서 신원보증서를 작성하여 수사기관에 제출하는 보증인이 피의자의 인적사항과 자신의 인적사항을 허위로 기재하여 제출한 경우(대판 2003.2.14, 2002도5374) 15. 사시, 18. 법원직 · 7급 검찰, 24. 법원행시
3. 범인에게 단순히 안부를 묻거나 통상의 안부인사를 한 경우(대판 1992.6.12, 92도736 예 피고인이 주점 개업식 날 찾아온 범인에게 "도망다니면서 이렇게 와 주니 고맙다. 항상 몸조심하고 주의하여 다녀라. 열심히 살면서 건강에 조심하라."고 말한 경우) 20. 순경 1차, 24. 해경승진
4. 일반인이 범인을 고소·고발하지 않거나 수사기관에 인계하지 않는 경우(대판 1984.2.14, 83도2209 예 피고인들이 부정수표단속법 피의자 A가 공소외 B에 대하여 지는 또 다른 노임채무를 인수키로 하는 지불각서를 작성하여 주고 위 B가 A를 수사당국에 인계하는 것을 포기하기로 하는 합의가 이루어져 위 A가 수사당국에 인계되지 않은 경우 ⇨ 범인도피죄 ×) 23. 법원행시

### 4. 계속범

범인도피죄는 범인을 도피하게 함으로써 기수에 이르지만, 범인도피행위가 계속되는 동안에는 범죄행위도 계속되고 행위가 끝날 때 비로소 범죄행위가 종료된다. 따라서 공범자의 범인도피행위 도중에 그 범행을 인식하면서 그와 공동의 범의를 가지고 기왕의 범인도피상태를 이용하여 스스로 범인도피행위를 계속한 경우에는 범인도피죄의 공동정범(종범 ×)이 성립하고, 12. 경찰간부, 14. 법원행시, 18. 법원직, 19. 경찰승진, 20. 순경 1차, 21. 해경간부 이는 공범자의 범행을 방조한 종범의 경우도 마찬가지이다(대판 2012.8.30, 2012도6027 예 甲이 수사기관 및 법원에 출석하여 乙 등의 사기 범행을 자신이 저질렀다는 취지로 허위자백하였는데, 그 후 甲의 사기 피고사건 변호인으로 선임된 피고인이 甲과 공모하여 진범 乙 등을 은폐하는 허위자백을 유지하게 함으로써 범인을 도피하게 한 경우, 피고인의 행위는 정범인 甲에게 결의를 강화하게 한 방조행위로 평가될 수 있다. ∴ 범인도피방조죄 ○, 범인도피죄의 공동정범 ×). 19. 경찰승진, 21. 수사경과, 22. 경찰간부, 24. 법원행시

### 5. 죄 수

**관련판례**

경찰공무원이 지명수배 중인 범인을 발견하고도 직무상 의무에 따른 적절한 조치를 취하지 아니하고 오히려 범인을 도피하게 하는 행위를 하였다면, 그 직무위배의 위법상태는 범인도피행위 속에 포함되어 있다고 보아야 할 것이므로, 이와 같은 경우에는 작위범인 범인도피죄만이 성립하고 부작위범인 직무유기죄는 따로 성립하지 아니한다(대판 2017.3.15, 2015도1456). 18. 경찰승진, 21. 순경 2차 · 경력채용, 22. 순경 1차

### 6. 친족간의 특례(제151조 제2항 : 친족 또는 동거의 가족이 본인을 위하여 범인은닉죄를 범한 때에는 벌하지 아니한다. 10. 경찰승진, 16. 순경 1차)

**관련판례**

사실혼관계에 있는 자는 민법소정의 친족이라 할 수 없어 제151조 제2항(범인은닉과 친족간의 특례) 및 제155조 제4항(증거인멸 등과 친족간의 특례)에서 말하는 친족에 해당하지 않는다(대판 2003.12.12, 2003도4533 : 동거하여 사실혼관계에 있는 자가 교통사고를 내자 사건 당일 그 증거물인 사고차량을 치워 수리하도록 하는 한편, 외국으로 도피케 한 경우 ⇨ 증거인멸죄와 범인도피죄 ○) 18. 7급 검찰, 19. 변호사시험 · 법원행시 · 경찰승진 · 순경 2차, 21. 법원직 · 수사경과

03

## 01 범인도피죄에 관한 다음 설명 중 가장 옳지 않은 것은? 18. 법원직

① 범인 스스로 도피하는 행위는 처벌되지 않으므로 범인이 도피를 위하여 타인에게 도움을 요청하였고 실제 그 타인이 범인도피에 도움을 주었다 하더라도 타인에게 도움을 요청한 행위가 통상적 도피행위의 범주에 속하는 한 범인도피교사죄는 성립하지 않는다.

② 공범자의 범인도피행위의 도중에 그 범행을 인식하면서 그와 공동의 범의를 가지고 기왕의 범인도피상태를 이용하여 스스로 범인도피행위를 계속한 경우에는 범인도피죄의 공동정범이 성립한다.

③ 피의자가 사실은 게임장 · 오락실 · 피씨방 등의 실제 업주가 아니라 그 종업원임에도 불구하고 자신이 실제 업주라고 허위로 진술하였다고 하더라도 그 자체만으로 범인도피죄를 구성하는 것은 아니다.

④ 신원보증인이 수사기관에 대하여 피의자의 신분, 직업, 주거 등을 보증하고 향후 수사기관이나 법원의 출석요구에 사실상 협조하겠다는 의사를 표시한 신원보증서에 피의자의 인적사항을 허위로 기재하여 제출한 행위는 범인도피죄를 구성한다.

**| 해설** ① 대판 2014.4.10, 2013도12079 ② 대판 2012.8.30, 2012도6027 ③ 대판 2010.2.11, 2009도12164
④ × : 범인도피죄 ×(대판 2003.2.14, 2002도5374)

## 02 도주와 범인은닉의 죄에 대한 설명으로 가장 적절하지 않은 것은?(다툼이 있는 경우 판례에 의함) 19. 경찰승진

① 법률에 의하여 체포 또는 구금된 자가 수용설비 또는 기구를 손괴하거나 위험한 물건을 휴대하거나 2인 이상이 합동하여 도주한 때에는 특수도주죄로 가중처벌된다.

② 형법 제151조 제2항은 친족 또는 동거의 가족이 본인을 위하여 범인도피죄를 범한 때에는 처벌하지 아니한다고 규정하고 있는데, 여기서 말하는 친족에는 사실혼 관계에 있는 자는 포함되지 않는다.

③ 참고인이 수사기관에서 범인에 관하여 조사를 받으면서 그가 알고 있는 사실을 묵비하거나 허위로 진술하였다고 하더라도, 그것이 적극적으로 수사기관을 기만하여 착오에 빠지게 함으로써 범인의 발견 또는 체포를 곤란 내지 불가능하게 할 정도가 아닌 한 범인도피죄를 구성하지 않고, 이러한 법리는 피의자가 수사기관에서 공범에 관하여 묵비하거나 허위로 진술한 경우에도 그대로 적용된다.

④ 공범자의 범인도피 행위 도중에 그 범행을 인식하면서 그와 공동의 범의를 가지고 기왕의 범인도피상태를 이용하여 스스로 범인도피행위를 계속한 경우에는 범인도피죄의 공동정범이 성립하고, 이는 공범자의 범행을 방조한 종범의 경우도 마찬가지이다.

**| 해설** ① × : ~ 손괴하거나 폭행 또는 협박을 가하거나(위험한 물건을 휴대하거나 ×) 2인 ~ 된다(제146조).
② 대판 2003.12.12, 2003도4533 ③ 대판 2008.12.24, 2007도11137 ④ 대판 2012.8.30, 2012도6027

**Answer** 1.④ 2.①

**03** **도주와 범인은닉의 죄에 관한 설명 중 가장 옳지 않은 것은?**(다툼이 있는 경우 판례에 의함)

19. 법원행시

① 도주죄의 범인이 도주행위를 하여 기수에 이르른 이후에 범인의 도피를 도와주는 행위는 범인도피죄에 해당할 수 있을 뿐 도주원조죄에는 해당하지 아니한다.

② 형법 제151조 제2항은 친족 또는 동거의 가족이 본인을 위하여 범인도피죄 등을 범한 때에는 처벌하지 아니한다고 규정하고 있는바, 사실혼관계에 있는 자는 민법 소정의 친족이라 할 수 없어 위 조항에서 말하는 친족에 해당하지 않는다.

③ 변호인이 의뢰인의 요청에 따른 변론행위라는 명목으로 수사기관이나 법원에 대하여 적극적으로 허위의 진술을 하거나 피고인 또는 피의자로 하여금 허위진술을 하도록 하는 것은 허용되지 않으므로, 변호인이 진범을 은폐하는 허위자백을 적극적으로 유지하게 한 경우 범인도피방조죄의 죄책을 질 수 있다.

④ 범인도피죄에 있어서 도피의 수단과 방법에는 아무런 제한이 없으므로, 그 자체로는 도피시키는 것을 직접적인 목적을 하였다고 보기 어려운 어떤 행위의 결과 간접적으로 범인이 안심하고 도피할 수 있게 한 경우에도 도피하게 하는 행위에 포함된다.

⑤ 범인 스스로 도피하는 행위는 처벌되지 아니하는 것이므로, 범인이 도피를 위하여 타인에게 도움을 요청하는 행위 역시 도피행위의 범주에 속하는 한 처벌되지 아니하는 것이며, 범인의 요청에 응하여 범인을 도운 타인의 행위가 범인도피죄에 해당한다고 하더라도 이를 방어권의 남용으로 볼 수 없는 한 마찬가지이다.

| 해설 ① 대판 1991.10.11, 91도1656
② 대판 2003.12.12, 2003도4533
③ 대판 2012.8.30, 2012도6027
④ ×: ~ (3줄) 한 경우에는 ~ 포함되지 않는다(대판 2008.12.24, 2007도11137).
⑤ 대판 2014.4.10, 2013도12079

**04** **범인은닉 도피죄에 관한 설명으로 가장 적절하지 않은 것은?**(다툼이 있는 경우 판례에 의함)

20. 순경 1차

① 주점 개업식날 찾아 온 범인에게 '도망다니면서 이렇게 와 주니 고맙다. 항상 몸조심하고 주의하여 다녀라. 열심히 살면서 건강에 조심해라'고 말한 것은 단순히 안부를 묻거나 통상적인 인사말에 불과하므로 범인도피죄에 해당하지 않는다.

② 범인이 타인으로 하여금 허위의 자백을 하게 하는 등으로 범인도피죄를 범하게 하는 경우와 같이 그것이 방어권의 남용으로 볼 수 있을 때에는 범인도피교사죄에 해당할 수 있다.

③ 범인도피죄는 그 자체로 도피시키는 것을 직접적인 목적으로 하였다고 보기 어려운 행위를 한 결과 간접적으로 범인이 안심하여 도피할 수 있게 한 경우도 포함된다.

Answer 3.④ 4.③

④ 범인도피죄는 범인을 도피하게 함으로써 기수에 이르지만 범인도피행위가 계속되는 동안에는 범죄행위도 계속되고 행위가 끝날 때 비로소 범죄행위가 종료되며, 공범자의 범인도피행위 도중에 그 범행을 인식하면서 그와 공동의 범의를 가지고 기왕의 범인도피상태를 이용하여 스스로 범인도피행위를 계속한 자에 대하여는 범인도피죄의 공동정범이 성립한다.

**| 해설** ① 대판 1992.6.12, 92도736 ② 대판 2000.3.24, 2000도20
③ ×: ~ 경우까지 포함하는 것은 아니다(대판 2008.12.24, 2007도11137).
④ 대판 2012.8.30, 2012도6027

## 05 도주와 범인은닉의 죄에 대한 설명 중 가장 적절하지 않은 것은?(다툼이 있는 경우 판례에 의함)

20. 경찰승진

① 도주죄는 즉시범으로서 범인이 간수자의 실력적 지배를 이탈한 상태에 이르렀을 때에 기수가 되어 도주행위가 종료하는 것이고, 도주죄의 범인이 도주행위를 하여 기수에 이른 이후에 범인의 도피를 도와주는 행위는 범인도피죄에 해당할 수 있을 뿐 도주원조죄에 해당하지 아니한다.
② 가석방 보석 중에 있는 자와 형집행정지 구속집행정지 중에 있는 자도 도주죄의 주체가 될 수 있다.
③ 범인이 기소중지자임을 알고도 범인의 부탁으로 다른 사람의 명의로 대신 임대차계약을 체결해 준 경우 범인도피죄가 성립한다.
④ 공범 중 1인이 그 범행에 관한 수사절차에서 참고인 또는 피의자로 조사받으면서 자기의 범행을 구성하는 사실관계에 관하여 허위로 진술하고 허위 자료를 제출하는 것은 자신의 범행에 대한 방어권행사의 범위를 벗어난 것으로 볼 수 없어, 이러한 행위가 다른 공범을 도피하게 하는 결과가 된다고 하더라도 범인도피죄로 처벌할 수 없다.

**| 해설** ① 대판 1991.10.11, 91도1656
② ×: ~ 될 수 없다(∵ 법률에 의해 체포·구금된 자 ×).
③ 대판 2004.3.26, 2003도8226 ④ 대판 2018.8.1, 2015도20396

## 06 범인도피죄에 대한 설명 중 가장 적절하지 않은 것은 모두 몇 개인가?(다툼이 있는 경우 판례에 의함)

19. 수사경과, 21. 경찰간부

㉠ 범인 아닌 자가 수사기관에서 범인임을 자처하고 허위사실을 진술하여 진범의 체포와 발견에 지장을 초래하게 한 행위는 범인은닉죄에 해당한다.
㉡ 범인이 기소중지자임을 알고도 그의 부탁으로 다른 사람의 명의로 대신 임대차계약을 체결해 주는 데 그친 행위는 범인도피죄에 해당하지 않는다.

Answer 5.② 6.①

㉢ 폭행사건 현장의 참고인이 출동한 경찰관에게 범인의 이름 대신 허무인의 이름을 대면서 구체적인 인적사항에 대한 언급을 피한 경우 범인도피죄가 성립하지 않는다.
㉣ 참고인이 수사기관에서 진범이 아닐지 모른다고 생각하면서도 특정인을 범인으로 지목하는 허위진술을 하여 그 사람이 구속됨으로써 실제 범인이 용이하게 도피하는 결과를 초래한 경우, 그 참고인을 범인도피죄로 처벌할 수 있다.
㉤ 범인이 자신을 위하여 타인으로 하여금 허위자백을 하게 하여 범인도피죄를 범하게 하는 행위는 방어권 남용으로 범인도피교사죄에 해당하는바, 그 타인이 형법 제151조 제2항에 의하여 처벌을 받지 아니하는 친족에 해당한다 하여 달리 볼 것은 아니다.
㉥ 불법체포(강제연행)로부터 6시간 경과한 후에 긴급체포된 자는 도주죄의 주체가 될 수 없다.
㉦ 도피 중이던 피고인이 공소외인에게 자동차를 이용하여 원하는 목적지로 이동시켜 달라고 요구하거나 속칭 대포폰을 구해 달라고 부탁함으로써 피고인의 요청에 응하도록 한 경우 통상적 도피의 한 유형으로 볼 여지가 충분하므로 범인도피죄의 교사범에 해당하지 않는다.
㉧ 범인도피죄에 있어서 벌금 이상의 형에 해당하는 자에 대한 인식은 실제로 벌금 이상의 형에 해당하는 범죄를 범한 자라는 것을 인식함으로써 족하고 그 법정형이 벌금 이상이라는 것까지 알 필요는 없는 것이고 범죄의 구체적인 내용이나 범인의 인적사항 및 공범이 있는 경우 공범의 구체적 인원수 등까지 알 필요는 없다.

① 2개 ② 3개 ③ 4개 ④ 5개

**| 해설** ㉠ ○ : 대판 1996.6.14, 96도1016
㉡ × : 범인도피죄 ○(대판 2004.3.26, 2003도8226)
㉢ ○ : 대판 2008.6.26, 2008도1059
㉣ × : 범인도피죄 ×(대판 1997.9.9, 97도1596)
㉤ ○ : 대판 2006.12.7, 2005도3707
㉥ ○ : 대판 2006.7.6, 2005도6810(∵ 사법경찰관이 피고인을 수사관서까지 동행한 것이 사실상의 강제연행, 즉 불법체포에 해당하고, 불법체포로부터 6시간 상당이 경과한 후에 이루어진 긴급체포 또한 위법하므로 피고인은 불법체포된 자로서 형법 제145조 제1항에 정한 '법률에 의하여 체포 또는 구금된 자'가 아니어서 도주죄의 주체가 될 수 없다.)
㉦ ○ : 대판 2014.4.10, 2013도12079
㉧ ○ : 대판 1995.12.26, 93도904

**07** **범인은닉 · 도피죄에 대한 설명으로 옳지 않은 것은?**(다툼이 있는 경우 판례에 의함) 21. 7급 검찰

① 甲이 피해자를 폭행한 자의 인적 사항을 묻는 경찰관의 질문에 답하면서, 범인의 이름 대신 단순히 허무인의 이름을 진술하고 구체적인 인적 사항에 대하여는 모른다고 진술하는 데 그쳤을 뿐이라면 범인도피죄가 성립하지 않는다.
② 甲이 실제 업주를 숨기고 자신이 대신하여 처벌받기로 하는 이른바 '바지사장'의 역할을 맡기로 하는 등 수사기관을 착오에 빠뜨리기로 하고, 범행경위에 대해 적극적으로 허위로 진술하거나 허위 자료를 제시하는 행위를 하는 경우 범인도피죄가 성립한다.

Answer 7. ③

③ 甲이 자신을 위하여 배우자로 하여금 허위의 자백을 하게 하여 범인도피죄를 범하게 하는 경우, 배우자는 형법 제151조 제2항에 의하여 처벌을 받지 아니하는 친족에 해당하므로, 甲은 친족 간의 특례규정에 의하여 처벌되지 않는 행위를 방조한 것이므로 범인도피방조죄가 성립하지 않는다.

④ 참고인 甲이 수사기관에서 진술을 함에 있어 단순히 범인으로 체포된 사람과 자신이 목격한 범인이 동일함에도 불구하고 동일한 사람이 아니라고 허위진술을 한 정도의 것만으로는 甲의 그 허위진술로 말미암아 증거가 불충분하게 되어 범인을 석방하게 되는 결과가 되었다 하더라도 범인도피죄가 성립하지 않는다.

**| 해설** ① 대판 2008.6.26, 2008도1059
② 대판 2010.2.11, 2009도12164
③ ×: ~ (2줄) 처벌을 받지 아니하는 친족에 해당하나, 甲의 행위는 방어권의 남용으로 범인도피방조죄가 성립한다(대판 2008.11.13, 2008도7647).
④ 대판 1987.2.10, 85도897

## 08 도주와 범인은닉에 대한 설명으로 가장 적절하지 않은 것은?(다툼이 있는 경우 판례에 의함)

22. 경찰간부

① 乙이 수사기관 및 법원에 출석하여 丙 등의 사기 범행을 자신이 저질렀다는 취지로 허위자백하였는데, 그 후 乙의 사기 피고사건 변호인으로 선임된 甲이 乙의 결의를 강화하여 진범 丙 등을 은폐하는 허위자백을 유지하게 한 경우, 甲에 대하여 범인도피방조죄가 성립한다.

② 참고인이 실제의 범인이 누군지도 정확하게 모르는 상태에서 수사기관에서 실제의 범인이 아닌 어떤 사람을 범인이 아닐지도 모른다고 생각하면서도 그를 범인이라고 지목하는 허위의 진술을 한 경우 범인도피죄가 성립된다.

③ 범인 스스로 도피하는 행위는 처벌되지 아니하는 것이므로 범인이 도피를 위하여 타인에게 도움을 요청하는 행위 역시 도피행위의 범주에 속하는 한 처벌되지 않으나, 범인이 타인으로 하여금 허위의 자백을 하게 하는 등으로 범인도피죄를 범하게 하는 경우와 같이 방어권의 남용으로 볼 수 있을 때에는 범인도 피교사죄에 해당할 수 있다.

④ 형법 제151조 제1항의 '죄를 범한 자'는 범죄의 혐의를 받아 수사대상이 되어 있는 자를 포함하고, 벌금 이상의 형에 해당하는 죄를 범한 자라는 것을 인식하면서도 도피하게 한 경우에는 아직 수사대상이 되어 있지 않았다고 하더라도 범인도피죄가 성립한다.

**| 해설** ① 대판 2012.8.30, 2012도6027
② ×: 범인도피죄 ×(대판 1997.9.9, 97도1596)
③ 대판 2000.3.24, 2000도20
④ 대판 2003.12.12, 2003도4533

Answer 8. ②

**09 범인도피죄에 대한 설명으로 옳은 것은?**(다툼이 있는 경우 판례에 의함) 23. 7급 검찰

① '도피하게 하는 행위'란 은닉을 포함하여 범인에 대한 수사, 재판, 형의 집행 등 형사사법의 작용을 곤란하게 하거나 불가능하게 하는 일체의 행위를 말한다.

② 범인이 자신을 위하여 타인으로 하여금 허위의 자백을 하게 하여 범인도피죄를 범하게 하는 행위는 방어권의 남용으로 범인도피교사죄에 해당하지만, 그 타인이 형법 제151조 제2항에 의하여 처벌을 받지 아니하는 친족 또는 동거 가족에 해당한다면 범인도피교사죄에 해당하지 않는다.

③ 甲이 참고인조사절차에서 자기의 범행을 구성하는 사실관계에 관하여 허위로 진술함으로써 공범 乙을 도피하게 하는 결과가 된다고 하더라도 범인도피죄로 처벌할 수 없으며, 이때 乙이 甲에게 이러한 행위를 교사하였더라도 乙에게는 범인도피교사죄가 성립하지 않는다.

④ 참고인이 수사기관에서 범인에 관하여 조사를 받으면서 그가 알고 있는 사실을 묵비하거나 허위로 진술한 경우, 그것이 적극적으로 수사기관을 기만하여 착오에 빠지게 함으로써 범인의 발견 또는 체포를 곤란 내지 불가능하게 할 정도의 것이라 하더라도 그 참고인에게는 범인도피죄가 성립하지 않는다.

**| 해설** ① ×: '도피하게 하는 행위'란 은닉 이외의 방법으로(은닉을 포함하여 ×) 범인에 대한 수사, 재판, 형의 집행 등 형사사법의 작용을 곤란하게 하거나 불가능하게 하는 일체의 행위를 말한다(대판 2013.1.10, 2012도13999).
② ×: ~ (2줄) 범인도피교사죄에 해당하는데 이 경우 그 타인이 형법 제151조 제2항에 의하여 처벌을 받지 아니하는 친족 또는 동거 가족에 해당하더라도 범인도피교사죄에 해당한다(대판 2006.12.7, 2005도3707).
③ ○: 대판 2018.8.1, 2015도20396 ④ ×: ~ (3줄) 불가능하게 할 정도의 것이라면 그 참고인에게 범인도피죄가 성립한다(대판 2010.2.11, 2009도12164).

**10 범인은닉 · 도피죄에 관한 설명 중 옳지 않은 것은 모두 몇 개인가?**(다툼이 있는 경우 판례에 의함) 23. 법원행시

㉠ 범인은닉죄라 함은 죄를 범한 자임을 인식하면서 장소를 제공하여 체포를 면하게 하는 것만으로 성립한다 할 것이고, 죄를 범한 자에게 장소를 제공한 후 동인에게 일정 기간 동안 경찰에 출두하지 말라고 권유하는 언동을 하여야만 범인은닉죄가 성립하는 것이 아니며, 또 그 권유에 따르지 않을 경우 강제력을 행사하여야만 한다거나, 죄를 범한 자가 은닉자의 말에 복종하는 관계에 있어야만 범인은닉죄가 성립하는 것은 더욱 아니다.

㉡ 甲이 乙이 기소중지자임을 알고도 乙의 부탁으로 다른 사람의 명의로 대신 임대차계약을 체결해 준 것만으로 甲이 乙을 은닉 내지 도피시키려는 의사가 있었다고 보기 어려우므로 甲에게는 범인도피죄를 인정할 수 없다.

㉢ 피고인들이 부정수표단속법 피의자 A가 공소외 B에 대하여 지는 또 다른 노임채무를 인수키로 하는 지불각서를 작성하여 주고 위 B가 A를 수사당국에 인계하는 것을 포기하기로 하는 합의가 이루어져 위 A가 수사당국에 인계되지 않은 경우이면 피고인들에 대하여 범인도피죄의 성립을 인정할 수 있다.

Answer 9. ③ 10. ④

㉣ 범인이 자신을 위하여 타인으로 하여금 허위의 자백을 하게 하여 범인도피죄를 범하게 하는 행위는 방어권의 남용으로 범인도피교사죄에 해당하지만, 그 타인이 형법 제151조 제2항에 의하여 처벌을 받지 아니하는 친족 또는 동거의 가족에 해당할 경우 범인도피교사죄가 성립하지 않는다.

① 없 음　② 1개　③ 2개　④ 3개　⑤ 4개

**해설** ㉠ ○ : 대판 2002.10.11, 2002도3332
㉡ × : 범인도피죄 ○(대판 2004.3.26, 2003도8226 ∵ 은닉 내지 도피시키려는 의사 ○)
㉢ × : ~ 범인도피죄의 성립을 인정할 수 없다(대판 1984.2.14, 83도2209).
㉣ × : ~ (3줄) 해당한다 하여 달리 볼 것은 아니다(대판 2006.12.7, 2005도3707 ∴ 범인도피교사죄 ○).

**11** **범인도피죄에 관한 설명 중 가장 옳지 않은 것은?**(다툼이 있는 경우 판례에 의함) 24. 법원행시

① 범인도피죄는 범인을 도피하게 함으로써 기수에 이르지만, 범인도피행위가 계속되는 동안에는 범죄행위도 계속되고 행위가 끝날 때 비로소 범죄행위가 종료되므로, 공범자의 범인도피행위 도중에 그 범행을 인식하면서 그와 공동의 범의를 가지고 기왕의 범인도피상태를 이용하여 스스로 범인도피행위를 계속한 경우에는 범인도피죄의 공동정범이 성립한다.
② 범인이 자신을 위하여 형법 제151조 제2항에 의하여 처벌을 받지 아니하는 친족 등으로 하여금 허위의 자백을 하게 하여범인도피죄를 범하게 하는 경우 범인도피교사죄가 성립한다.
③ 피고인이 검사로부터 범인을 검거하라는 지시를 받고서도 그 직무상의 의무에 따른 적절한 조치를 취하지 아니하고 오히려 범인에게 전화로 도피하라고 권유하여 그를 도피하게 한 경우 범인도피죄만이 성립하고 부작위범인 직무유기죄는 따로 성립하지 않는다.
④ 공범 중 1인이 그 범행에 관한 수사절차에서 참고인 또는 피의자로 조사받으면서 자기의 범행을 구성하는 사실관계에 관하여 허위로 진술하고 허위 자료를 제출하는 것은 자신의 범행에 대한 방어권 행사의 범위를 벗어난 것으로 볼 수 없으므로, 이러한 행위가 다른 공범을 도피하게 하는 결과가 된다고 하더라도 범인도피죄로 처벌할 수 없다.
⑤ 도로교통법위반으로 체포된 범인이 타인의 성명을 모용한다는 정을 알면서 신원보증인으로서 신원보증서를 작성하여 수사기관에 제출하면서 피의자의 인적 사항을 허위로 기재하였다면 수사기관에 대한 적극적 기망의사나 범인을 석방시킬 의도가 없었다고 하더라도 범인도피죄가 성립한다.

**해설** ① 대판 2012.8.30, 2012도6027 ② 대판 2006.12.7, 2005도3707
③ 대판 1996.5.10, 96도51 ④ 대판 2018.8.1, 2015도20396
⑤ × : ~ (2줄) 인적 사항을 허위로 기재하였다고 하더라도, 그로써 적극적으로 수사기관을 기망한 결과 피의자를 석방하게 하였다는 등 특별한 사정이 없는 한 범인도피죄가 성립하지 않는다(대판 2003.2.14, 2002도5374 ∵ 신원보증서 ⇨ 피의자 석방의 필수적 요건 ×, 법적 효력 ×, 보증인에게 법적으로 진실한 서류를 작성·제출할 의무 ×).

Answer 11. ⑤

## 제4절 위증과 증거인멸의 죄

관련조문

**제152조 【위증, 모해위증】** ① 법률에 의하여 선서한 증인이 허위의 진술을 한 때에는 5년 이하의 징역 또는 1천만원 이하의 벌금에 처한다.
② 형사사건 또는 징계사건에 관하여 피고인, 피의자 또는 징계혐의자를 모해할 목적으로 전항의 죄를 범한 때에는 10년 이하의 징역에 처한다.

**제153조 【자백, 자수】** 전조의 죄를 범한 자가 그 공술한 사건의 재판 또는 징계처분이 확정되기 전에 자백 또는 자수한 때에는 그 형을 감경 또는 면제한다.

**제154조 【허위의 감정, 통역, 번역】** 법률에 의하여 선서한 감정인, 통역인 또는 번역인이 허위의 감정, 통역 또는 번역을 한 때에는 전 2조의 예에 의한다.

**제155조 【증거인멸 등과 친족간의 특례】** ① 타인의 형사사건 또는 징계사건에 관한 증거를 인멸, 은닉, 위조 또는 변조하거나 위조 또는 변조한 증거를 사용한 자는 5년 이하의 징역 또는 700만원 이하의 벌금에 처한다.
② 타인의 형사사건 또는 징계사건에 관한 증인을 은닉 또는 도피하게 한 자도 제1항의 형과 같다.
③ 피고인, 피의자 또는 징계혐의자를 모해할 목적으로 전 2항의 죄를 범한 자는 10년 이하의 징역에 처한다.
④ 친족, 동거의 가족이 본인을 위하여 본조의 죄를 범한 때에는 처벌하지 아니한다.

1. ┌ 위증죄, 증거인멸죄 ⇨ 목적범 ×
   └ 모해위증죄, 모해증거인멸죄 ⇨ (부진정)목적범 ○
2. 전부 다 미수범처벌규정 ×

## THEMA 36 '위증죄의 주체[법률에 의하여 선서한 증인(진정신분범)]' 총정리

**1. 법률에 의한 선서** : 법률에 근거하여 법률이 정한 절차와 형식에 따라 유효하게 행해지는 것

**관련판례**

1. 제3자가 심문절차로 진행되는 소송비용확정신청사건이나(대판 1995.4.11, 95도186) 가처분신청사건에서(대판 2003.7.25, 2003도180) 증인으로 선서를 하고 기억에 반하는 허위의 공술을 한 경우 ⇨ 위증죄 ×(∵ 그 선서는 법률상 근거가 없어 무효임) 16. 경찰간부, 17. 경찰승진 · 순경 1차, 19. 법원직, 21 · 23. 해경승진
2. 증인신문절차에서 법률에 규정된 증인 보호를 위한 규정이 지켜진 것으로 인정되지 않는 경우라 하더라도, 당해 사건에서 증인 보호에 사실상 장애가 초래되었다고 볼 수 없는 경우에까지 예외 없이 위증죄의 성립을 부정할 것은 아니라고 할 것이다(대판 2010.1.21, 2008도942 전원합의체). 17. 법원행시

**2. 선서시점** : 선서는 증언 이전에 하는 사전선서가 원칙이나 사후선서(진술한 후에 선서한 경우)의 경우도 포함됨(통설, 대판 1974.6.25, 74도1231)

**3. 증인** : 법원 또는 법관에 대하여 과거의 경험사실을 진술하는 제3자(∴ 형사피고인이나 민사소송의 당사자 ⇨ 본죄의 주체 ×)

**관련판례**

1. 민사소송의 당사자인 법인의 대표자가 위증한 경우 ⇨ 본죄 ×(대판 1998.3.10, 97도1168 ∵ 증인 ×) 17. 7급 검찰 · 경찰간부, 18. 경찰승진, 20. 수사경과 · 해경 3차, 23. 법원직 · 해경승진, 24. 법원행시
2. 재판장이 신문 전에 증인에게 증언거부권을 고지하지 않은 경우에도 증인이 침묵하지 아니하고 진술한 것이 자신의 진정한 의사에 의한 것인지 여부를 기준으로 위증죄의 성립 여부를 판단하여야 한다(대판 2010.1.21, 2008도942 전원합의체). 11. 법원직
   ① 증언거부사유가 있음에도 증인이 증언거부권을 고지받지 못함으로 인하여 그 증언거부권을 행사하는 데 사실상 장애가 초래되었다고 볼 수 있는 경우에는 위증죄의 성립을 부정하여야 할 것이다(대판 2010.1.21, 2008도942 전원합의체 ⓔ 재판장이 선서할 증인에 대하여 선서 전에 위증의 벌을 경고하지 않았다는 등의 사유는 그 증인신문절차에서 증인 자신이 위증의 벌을 경고하는 내용의 선서서를 낭독하고 기명날인 또는 서명한 이상 위증의 벌을 몰랐다고 할 수 없을 것이므로 증인 보호에 사실상 장애가 초래되었다고 볼 수 없고, 따라서 위증죄의 성립에 지장이 없다). 18. 경찰간부 · 순경 1차, 20. 7급 검찰, 21. 해경승진, 22. 경찰승진, 23. 법원행시

   ⓔ ㉠ 甲은 乙과 쌍방 상해 사건으로 기소되어 공동피고인으로 함께 재판을 받던 중 乙에 대한 상해 사건이 변론분리되면서 피해자인 증인으로 채택되어 증언거부 사유가 발생하게 되었는데도, 재판장으로부터 증언거부권을 고지받지 못한 상태에서 자신은 폭행한 사실이 없다고 거짓 진술한 경우 ⇨ 위증죄 ×(대판 2010.1.21, 2008도942 전원합의체) 18. 변호사시험

   ㉡ 사촌관계에 있는 甲의 도박 사실 여부에 관하여 증언거부사유가 발생하게 되었는데도 재판장으로부터 증언거부권을 고지받지 못한 상태에서 허위 진술을 하게 된 경우 ⇨ 위증죄 ×(대판 2010.2.25, 2009도13257) 16. 경찰간부

   ㉢ 증 · 수뢰사건으로 기소되어 공동피고인으로 함께 재판을 받다가 상대방인 공동피고인에 대한 사건이 변론분리되어 뇌물공여 또는 뇌물수수의 증인으로 채택되었는데, 증언거부권을 고지받지 못한 상태에서 자신들의 종전 주장을 되풀이함에 따라 거짓 진술에 이르게 된 경우 ⇨ 위증죄 ×(대판 2012.3.29, 2009도11249)

② 선서 전에 재판장으로부터 증언거부권을 고지받지 아니하였다 하더라도 이로 인하여 증언거부권이 사실상 침해당한 것으로 평가할 수는 없는 경우 ⇨ 위증죄 ○(대판 2010.2.25, 2007도6273)

예 ㉠ 전 남편에 대한 도로교통법 위반(음주운전) 사건의 증인으로 법정에 출석한 전처가 증언거부권을 고지받지 않은 채 공소사실을 부인하는 전 남편의 변명에 부합하는 내용을 적극적으로 허위 진술한 경우 ⇨ 위증죄 ○(대판 2010.2.25, 2007도6273) 13. 변호사시험 · 순경 2차, 17. 수사경과, 24. 경찰간부

㉡ 재판장이 선서할 증인에 대하여 선서 전에 위증의 벌을 경고하지 않았다는 등의 사유는 그 증인신문절차에서 증인 자신이 위증의 벌을 경고하는 내용의 선서서를 낭독하고 기명날인 또는 서명한 이상 위증의 벌을 몰랐다고 할 수 없을 것이므로 증인 보호에 사실상 장애가 초래되었다고 볼 수 없고, 따라서 위증죄의 성립에 지장이 없다(대판 2010.1.21, 2008도942 전원합의체). 23. 법원행시

▶ **비교판례** : 민사소송절차에 증인으로 출석한 피고인이, 증언거부권이 있는데도 재판장으로부터 증언거부권을 고지받지 않은 상태에서 허위의 증언을 한 경우 ⇨ 위증죄 ○(대판 2011.7.28, 2009도14928 ∵ 민사소송법은 형사소송법과는 달리 증언거부권 제도를 두면서도 증언거부권 고지에 관한 규정을 따로 두고 있지 않으므로) 16 · 18. 경찰간부, 22. 법원행시

3. ① 자신의 강도상해 범행을 일관되게 부인하였으나 유죄판결이 확정된 피고인이 별건으로 기소된 공범의 형사사건에서 자신의 범행사실을 부인하는 증언을 한 경우, 피고인에게 사실대로 진술할 기대가능성이 있으므로 위증죄가 성립한다(대판 2008.10.23, 2005도10101) 16. 순경 2차, 18. 순경 3차, 19. 변호사시험, 21. 수사경과 · 해경간부, 24. 경찰승진

② 이미 유죄판결을 받아 확정된 후 별건으로 기소된 공범 甲에 대한 피고사건의 증인으로 출석하여 허위의 진술을 한 경우, 증언에 앞서 증언거부권을 고지받지 못하였더라도 위증죄가 성립한다(대판 2011.11.24, 2011도11994). 14. 법원행시, 15. 경찰간부

4. 공동피고인으로 재판을 받던 중 소송절차가 분리되지 않은 이상 위증죄가 성립하지 않는다. 그러나 소송절차가 분리되어 피고인의 지위에서 벗어나게 되면 다른 공동피고인에 대한 공소사실에 관하여 증인이 될 수 있다(대판 2008.6.26, 2008도3300). 10. 사시, 17. 경찰간부, 24. 법원행시

이는 대향범인 공동피고인의 경우에도 다르지 않다(대판 2012.3.29, 2009도11249).

03

## THEMA 37 '위증죄의 행위(허위의 진술을 하는 것)' 총정리

### 1. 허위의 의미

- 객관설 : 증언의 진술내용이 객관적 진실에 합치되느냐의 여부로 허위 여부를 판단
- 주관설 : 증인의 주관적 기억을 기준으로 허위 여부를 판단(통설 · 판례)

**관련판례**

1. ① 기억에 반하는 진술을 하였으나 진술내용이 객관적 사실과 일치한 경우 ⇨ 위증죄 ○(주관설 : 대판 1980.4.8, 80도2783) 13. 변호사시험, 15. 경찰승진, 17. 경찰간부, 18. 순경 3차, 19. 순경 2차, 20. 법원직, 21. 수사경과 · 해경간부, 23. 해경승진 ② 증인이 기억에 합치되는 진술을 하였으나 진술내용이 객관적 사실과 불일치한 경우 ⇨ 위증죄 ×(주관설 : 대판 1984.2.14, 84도1098) 13. 수사경과, 22. 법원행시
2. ① 전문한 사실을 직접 목격한 것처럼 진술한 경우(대판 1984.3.27, 84도48), 전해들은 금품전달사실을 자신이 전달한 것으로 진술한 경우(대판 1990.5.8, 90도448) 14. 사시, 15. 경찰승진, 19. 법원직 ② 잘 알지 못하면서 잘 알고 있다고 진술한 경우(대판 1986.9.9, 86도57) 15. 경찰간부, 16. 경찰승진, 17. 수사경과 ③ 상세한 내용의 증인신문사항에 대하여 증인이 그 상세한 신문사항내용을 파악하지 못하였거나 또는 기억하지 못함에도 불구하고 이를 그대로 긍정하는 취지의 답변을 한 경우(대판 1981.6.23, 81도118) 10. 경찰승진 ⇨ 허위의 진술 ○ ⇨ 위증죄 ○
3. 증인이 선서 후 증인진술서에 기재된 구체적인 내용에 관하여 진술함이 없이 단지 그 증인진술서에 기재된 내용이 사실대로라는 취지의 진술만을 한 경우, 그것이 증인진술서에 기재된 내용 중 특정 사항을 구체적으로 진술한 것과 같이 볼 수 있는 등의 특별한 사정이 없는 한 기재된 내용에 허위가 있다 하더라도 그 부분에 관하여 법정에서 증언한 것으로 보아 위증죄로 처벌할 수는 없다(대판 2010.5.13, 2007도1397). 16. 사시, 17. 7급 검찰, 20. 해경 3차, 23. 해경승진
4. 증언이 기본적인 사항에 관한 것이 아니고 지엽적인 상황에 관한 진술이라 하더라도 그것이 허위진술인 이상 위증죄가 성립한다(대판 2018.5.15, 2017도19499). 21. 경력채용

### 2. 허위의 진술 : 당해 신문절차에 있어서의 증언 전체를 일체로 파악하여 판단(대판 1996.3.12, 96도2864)

① 진술의 대상 : 경험한 사실에 한하고 이에 대한 가치판단은 제외됨

**관련판례**

1. 증인의 진술이 경험한 사실에 대한 법률적 평가이거나 단순한 의견에 지나지 아니하는 경우에는 위증죄에서 말하는 허위의 공술이라고 할 수 없으며, 경험한 객관적 사실에 대한 증인 나름의 법률적 · 주관적 평가나 의견을 부연한 부분에 다소의 오류나 모순이 있더라도 위증죄가 성립하는 것은 아니다(대판 2009.3.12, 2008도11007). 13. 변호사시험, 16. 수사경과, 18. 경찰승진, 23. 법원직, 24. 법원행시
2. 증인의 증언이 기억에 반하는 허위진술인지 여부는 그 증언의 단편적인 구절에 구애될 것이 아니라 당해 신문절차에 있어서의 증언 전체를 일체로 파악하여 판단하여야 할 것이므로, 사소한 부분에 관하여 기억과 불일치하더라도 그것이 신문취지의 몰이해 또는 착오에 기인한 것이라면 위증이 될 수 없으며(대판 2007.10.26, 2007도5076), 09. 경찰승진, 22. 법원행시 그 진술이 객관적 사실과 부합하지 않는다고 하여 그 증언이 곧바로 기억에 반하는 진술이라고 단정할 수는 없고(대판 1996.8.23, 95도192), 23. 법원직 증언의 의미가 그 자체로 불분명하거나 다의적으로 이해될 수 있는 경우에는 언어의 통상적인 의미와 용법, 문제된 증언이 나오게 된 전후 문맥,

신문의 취지, 증언이 행하여진 경위 등을 종합하여 당해 증언의 의미를 명확히 한 다음 허위성을 판단하여야 한다(대판 2001.12.27, 2001도5252). 24. 법원행시

3. 증언의 내용인 사실의 전체적 취지가 객관적 사실에 일치하고 그것이 기억에 반하는 공술이 아니라면 그 사실을 구성하는 일부 사소한 부분에 다른 점이 있어도 그 진술의 취지가 기억에 일치하는 것이라면 그것만으로는 위증죄의 성립이 인정될 수 없다(대판 1983.2.8, 81도207). 20. 법원행시

② 진술의 내용 : 증인신문(직접신문뿐만 아니라 반대신문 · 인정신문도 포함)의 대상이 되는 것이면 무엇이든지 해당되므로 요증사실일 필요도 없고, 재판결과에 영향을 미치는 것이 아니어도 무방하다(대판 1986.3.25, 86도159). 13. 변호사시험, 14. 법원직, 15. 순경 3차, 17. 법원행시, 20. 수사경과, 22. 경찰간부, 23. 해경승진, 24. 경찰승진

③ 기수시기 및 죄수 : 본죄의 미수처벌 ×
선서 후에 증언하는 경우 ⇨ 신문절차가 종료한 때, 진술한 후에 선서한 경우 ⇨ 선서가 종료한 때에 기수가 됨(대판 1974.6.25, 74도1231).

**관련판례**

1. 허위진술을 신문이 끝나기 전에 이를 취소 · 시정한 경우(대판 1983.2.8, 81도697), 원고대리인 신문시에 한 증언을 피고대리인과 재판장 신문시에 취소 시정한 경우 앞의 증언부분만을 따로 떼어 위증이라고 보는 것은 위법하다. ⇨ 위증죄 ×(대판 1984.3.27, 83도2853), 선서한 증인이 일단 기억에 반하는 허위의 진술을 하였더라도 그 신문이 끝나기 전에 그 진술을 철회 · 시정한 경우 위증이 되지 아니한다(대판 2008.4.24, 2008도1053). 12. 법원행시 · 경찰간부, 19. 법원직, 20 · 21. 수사경과, 24. 경찰승진 · 순경 1차
   - ▶ **비교판례** : 증인신문절차에서 허위의 진술을 하고 그 진술이 철회 · 시정된 바 없이 그대로 증인신문절차가 종료된 경우 그로써 위증죄는 기수에 달하고, 11. 9급 검찰 그 후 별도의 증인 신청 및 채택절차를 거쳐 그 증인이 다시 신문을 받는 과정에서 종전 신문절차에서의 진술을 철회 · 시정한다 하더라도 제153조에 의한 형의 감면사유에 해당할 수 있을 뿐, 이미 종결된 종전 증인신문절차에서 행한 위증죄의 성립에 어떤 영향을 주는 것은 아니다(대판 2010.9.30, 2010도7525). 14. 사시, 17. 7급 검찰, 20. 법원직 · 경찰승진, 23. 변호사시험, 24. 법원행시
2. 하나의 사건에 관하여 한번 선서한 증인이 같은 기일에 여러 가지 사실에 관하여 허위진술을 한 때 ⇨ 포괄일죄(대판 1990.2.23, 89도1212) 16. 법원직, 17. 법원행시, 18. 경찰승진, 19. 변호사시험, 20. 수사경과, 22. 경찰간부
3. 민사소송사건이나 행정소송사건의 같은 심급에서 변론기일을 달리하여 수차 증인으로 나가 수개의 허위진술을 하더라도 최초로 한 선서의 효력을 유지시킨 후 증언한 이상 1개의 위증죄를 구성함에 그친다(대판 2005.3.25, 2005도60 ; 대판 2007.3.15, 2006도9463). 13. 법원직, 23. 해경승진
4. 하나의 소송사건에서 동일한 선서하에 이루어진 법원의 감정명령에 따라 감정인이 동일한 감정명령사항에 대하여 수차례에 걸쳐 허위의 감정보고서를 제출하는 경우에는 단일한 범의하에 계속하여 허위의 감정을 한 것으로서 포괄하여 1개의 허위감정죄를 구성한다(대판 2000.11.28, 2000도1089). 19. 법원행시

### 3. 기 타

① 자백의 절차에 관하여는 아무런 제한이 없으므로 그가 공술한 사건을 다루는 기관에 대한 자발적인 고백은 물론, 위증사건의 피고인 또는 피의자로서 법원이나 수사기관의 심문에 의한 고백도 위 자백의 개념에 포함된다(대판 1973.11.27, 73도1639). 10. 사시, 20. 경찰승진

② 자기의 형사사건에 관하여 타인을 교사하여 위증죄를 범하게 한 경우에는 방어권남용으로서 위증죄의 교사범이 성립한다(대판 2004.1.27, 2003도5114 ∵ 방어권 남용). 13. 순경 2차, 16. 경찰승진, 17. 수사경과, 18. 순경 3차, 19. 변호사시험, 21. 해경간부, 22. 경찰간부 · 법원행시, 23. 법원직

③ 甲이 乙을 모해할 목적으로 丙에게 위증을 교사한 경우(단, 丙에게는 모해의 목적이 없음)에 甲과 丙의 죄책은?(판례에 의함) ⇨ 甲은 모해위증교사죄로 처단, 丙은 단순위증죄로 처단(대판 1994.12.23, 93도1002 ∵ '모해할 목적'을 가지고 있었는가 아니면 그러한 목적이 없었는가 하는 점은 형법 제33조 단서 소정의 '신분관계로 인하여 형의 경중이 있는 경우'에 해당한다.) 15. 경찰간부, 17. 수사경과, 20. 법원행시, 21. 9급 검찰 · 마약수사, 23. 해경승진 · 순경 1차, 24. 변호사시험

④ 모해위증죄에 있어서 모해할 목적이란 피고인 · 피의자 또는 징계혐의자를 불리하게 할 목적을 의미하는 것으로서, 이러한 모해할 목적은 허위의 진술을 함으로써 피고인에게 불리하게 될 것이라는 인식이 있으면 충분하고 그 결과의 발생을 희망할 필요까지는 없다 할 것이다(대판 2007.12.27, 2006도3575). 17. 순경 1차, 20. 법원행시, 23. 해경승진

## 01 다음 중 甲에게 위증죄가 성립하지 않는 경우는?(다툼이 있는 경우 판례에 의함) 17. 경찰간부

① 민사소송의 당사자인 A법인의 대표자 甲은 증인으로 선서한 후 허위의 증언을 하였다.
② 소송절차가 분리된 공범인 공동피고인 甲은 증언거부권을 고지받은 상태에서 자기의 범죄사실에 대하여 허위로 진술하였다.
③ 甲은 민사법정에서 증인으로 출석하여 자기의 기억에 반하는 사실을 증언하였는데, 그 내용이 객관적 사실과 부합하였다.
④ 형사법정에서 증인 甲은 자신의 기억에 반하는 허위의 진술을 하였는데, 그 내용이 당해 사건의 요증사실에 해당하지 않았으며 판결에 전혀 영향을 미치지 않았다.

| 해설 |
- **위증죄** ○ : ② 대판 2008.6.26, 2008도3309 ③ 대판 1980.4.8, 80도2783 ④ 대판 1990.2.23, 89도1212
- **위증죄** × : ① 대판 1998.3.10, 97도1168(∵ 소송당사자 ⇨ 위증죄의 주체 ×)

## 02 위증죄에 대한 설명으로 옳은 것만을 모두 고른 것은?(다툼이 있는 경우 판례에 의함)

17. 7급 검찰, 20. 해경 3차, 23. 해경승진

㉠ 민사소송의 당사자는 증인능력이 없으므로 당해 사건의 증인으로 출석하여 선서하고 증언하였다고 하더라도 위증죄의 주체가 될 수 없다.
㉡ 민사소송절차에서 증인이 선서 후 증인진술서에 기재된 구체적인 내용에 관하여 진술함이 없이 단지 그 증인 진술서에 기재된 내용이 사실대로라는 취지의 진술만을 한 경우, 그것이 증인진술서에 기재된 내용 중 특정 사항을 구체적으로 진술한 것과 같이 볼 수 있는 등의 특별한 사정이 없는 한 기재된 내용에 일부 허위가 있다고 하더라도 위증죄가 성립하지 아니한다.

Answer 1.① 2.④

ⓒ 증인이 증인신문절차에서 허위의 진술을 하고 그대로 증인신문절차가 종료된 후, 별도의 증인 신청 및 채택 절차를 거쳐 그 증인이 다시 신문을 받는 과정에서 종전 증인신문절차에서의 진술을 철회·시정하더라도 종전 증인신문절차에서 행한 위증죄의 성립에는 영향이 없다.
ⓓ 증인이 소송사건의 같은 심급에서 변론기일을 달리하여 수차 증인으로 나가 수 개의 허위진술을 하였더라도 최초에 한 선서의 효력을 유지시킨 후 증언하였다면 1개의 위증죄가 성립한다.

① ⓑ, ⓒ ② ⓐ, ⓑ, ⓓ
③ ⓐ, ⓒ, ⓓ ④ ⓐ, ⓑ, ⓒ, ⓓ



| 해설 ⓐ ○ : 대판 1998.3.10, 97도1168
ⓑ ○ : 대판 2010.5.13, 2007도1397
ⓒ ○ : 대판 2010.9.30, 2010도7525
ⓓ ○ : 대판 2007.3.15, 2006도9463

**03** **위증죄에 대한 설명으로 가장 적절하지 않은 것은?**(다툼이 있는 경우 판례에 의함) 18. 경찰승진

① 증인의 증언은 그 전부를 일체로 관찰·판단하는 것이므로 선서한 증인이 일단 기억에 반하는 허위의 진술을 하였더라도 그 신문이 끝나기 전에 그 진술을 철회·시정한 경우 위증이 되지 아니한다.
② 허위의 진술이란 그 객관적 사실이 허위라는 것이 아니라 스스로 체험한 사실을 기억에 반하여 진술하는 것을 뜻하고, 법률에 의하여 선서한 증인의 진술이 경험한 객관적 사실에 대한 증인 나름의 법률적·주관적 평가나 의견을 부연한 부분에 다소의 오류나 모순이 있더라도 위증죄가 성립하는 것은 아니다.
③ 하나의 사건에 관하여 한 번 선서한 증인이 같은 기일에 수개의 사실에 관하여 기억에 반하는 허위의 진술을 한 경우 한 개의 위증죄가 성립한다.
④ 민사소송의 당사자인 법인의 대표자 甲이 선서하고 증언을 한 경우 위증죄의 주체가 될 수 있다.

| 해설 ① 대판 2008.4.24, 2008도1053 ② 대판 2009.3.12, 2008도11007 ③ 대판 1990.2.23, 89도1212
④ × : ~ 될 수 없다(대판 1998.3.10, 97도1168 ∵ 소송당사자 ⇨ 증인 ×).

**04** **위증죄에 관한 다음 설명 중 가장 옳지 않은 것은?**(다툼이 있는 경우 판례에 의함) 19. 법원직

① 선서한 증인이 일단 기억에 반하는 허위의 진술을 하였다면 위증죄는 기수에 달하고 그 신문이 끝나기 전에 그 진술을 철회·시정한 경우에도 위증죄의 성립에 어떤 영향을 주는 것은 아니다.
② 심문절차로 진행되는 가처분 신청사건에서 증인으로 선서를 하고 허위의 공술을 하였다고 하더라도 위증죄는 성립하지 않는다.

Answer 3. ④ 4. ①

③ 타인으로부터 전해들은 금품의 전달사실을 마치 증인 자신이 전달한 것처럼 진술한 것은 증인의 기억에 반하는 허위진술이라고 할 것이므로 그 진술부분은 위증에 해당한다.
④ 단순위증죄와 마찬가지로 모해위증죄를 범한 자도 그 공술한 사건의 재판 또는 징계처분이 확정되기 전에 자백 또는 자수한 때에는 그 형을 감경 또는 면제한다.

| 해설 ① ×：선서한 증인이 일단 기억에 반하는 허위의 진술을 하였더라도 그 신문이 끝나기 전에 그 진술을 철회·시정한 경우 위증이 되지 아니한다(대판 2008.4.24, 2008도1053 ∵ 신문절차가 종료한 때에 위증죄는 기수에 달함).
② 대판 2003.7.25, 2003도180
③ 대판 1990.5.8, 90도448
④ 제153조

## 05 위증죄에 관한 설명 중 옳지 않은 것은?(다툼이 있는 경우 판례에 의함) 19. 변호사시험

① 위증죄와 모해위증죄의 관계에서 '모해할 목적'을 가지고 있었는가 아니면 그러한 목적이 없었는가 하는 범인의 특수한 상태는 형법 제33조 단서 소정의 '신분관계'에 해당된다.
② 甲이 자신의 강도상해 범행을 일관되게 부인하였으나 유죄판결이 확정된 후, 별건으로 기소된 공범의 형사사건에서 자신의 강도상해 범행사실을 부인하는 위증을 한 경우, 甲에게 위증죄가 성립한다.
③ 하나의 사건에 관하여 한 번 선서한 증인 甲이 같은 기일에 여러 가지 사실에 관하여 기억에 반하는 허위의 진술을 하는 경우에는 포괄하여 1개의 위증죄를 구성한다.
④ 甲이 자기의 형사사건에서 허위의 진술을 하는 경우 위증죄로 처벌되지 않으나, 자기의 형사사건에 관하여 타인을 교사하여 위증죄를 범하게 하는 경우에는 위증교사범의 죄책을 부담한다.
⑤ 甲이 제9회 공판기일에 증인으로 출석하여 선서한 후 기억에 반하는 허위 진술한 것을 철회·시정한 바 없이 증인신문절차가 그대로 종료되었지만, 그 후 다시 증인으로 신청된 甲이 위 사건의 제21회 공판기일에 다시 출석하여 선서한 후 종전의 제9회 기일에서 한 진술이 허위 진술임을 시인하고 이를 철회하는 취지의 진술을 하였다면 甲에게 위증죄가 성립하지 않는다.

| 해설 ① 대판 1994.12.23, 93도1002
② 대판 2008.10.23, 2005도10101
③ 대판 1990.3.23, 89도1212
④ 대판 2004.1.27, 2003도5114
⑤ ×：~ (2줄) 그대로 종료된 경우 위증죄는 기수에 달하고, 그 후 ~ 진술은 하였더라도 甲에게 위증죄가 성립한다(대판 2010.9.30, 2010도7525).

Answer 5.⑤

**06** **위증죄에 관한 다음 설명 중 가장 옳은 것은?**(다툼이 있는 경우 판례에 의함) 20. 법원직

① 위증죄는 그 진술이 판결에 영향을 미쳤는지 여부나 지엽적인 사항인지 여부와 무관하게 성립하나, 경험한 사실에 대한 법률적 평가인 경우에는 위증죄가 성립하지 않는다.

② 위증죄에서의 허위의 진술이란 증인이 자신의 기억에 반하는 사실을 진술하는 것을 말하나, 그 내용이 객관적 사실과 부합하는 경우에는 위증죄가 성립하지 않는다.

③ 증인의 증언은 그 전부를 일체로 관찰·판단하는 것이므로, 증인이 증인신문절차에서 허위의 진술을 하고 그 진술이 철회·시정된 바 없이 그대로 증인신문절차가 종료된 후, 별도의 증인 신청 및 채택 절차를 거쳐 그 증인이 다시 신문을 받는 과정에서 종전 신문절차에서의 진술을 철회·시정한 경우에는 위증죄가 성립되지 않는다.

④ 피고인이 자기의 형사사건에 관하여 타인을 교사하여 위증죄를 범하게 하는 것은 형사소송에 있어서의 방어권을 인정하는 취지상 처벌의 대상이 되지 않는다.

| 해설 ① ○ : 대판 2009.3.12, 2008도11007
② × : ~ 부합한다 하더라도 위증죄가 성립한다(대판 1980.4.8, 80도2783).
③ × : ~ (4줄) 경우에도 위증죄가 성립한다(대판 2010.9.30, 2010도7525).
④ × : 위증죄의 교사범 ○(대판 2004.1.27, 2003도5114 ∵ 방어권 남용)

**07** **위증죄에 관한 설명 중 가장 적절하지 않은 것은?**(다툼이 있으면 판례에 의함) 17. 수사경과

① 증인이 선서를 하고서 진술한 증언 내용이 자신이 그 증언내용 사실을 잘 알지 못하면서도 잘 아는 것으로 증언한 것이라면 위증죄가 성립한다.

② 자기의 형사사건에 관하여 타인을 교사하여 위증죄를 범하게 한 경우에는 방어권 남용으로서 위증죄의 교사범이 성립한다.

③ 전 남편이 도로교통법위반(음주운전)으로 기소된 사건에서, 증인으로 출석한 전처가 증언거부권을 고지받지 않은 상태에서 전 남편인 피고인의 변명을 두둔하는 허위의 진술을 적극적으로 행한 경우 증언거부권의 불고지, 가족관계에 기초한 애정적 관계를 고려할 때 기대가능성이 없어 위증죄가 성립하지 아니한다.

④ 甲이 乙을 모해할 목적으로 丙에게 위증을 교사하여 丙이 위증을 한 경우, 丙에게 모해의 목적이 없었던 경우에도 甲을 모해위증교사죄로 처단할 수 있다.

| 해설 ① 대판 1986.9.9, 86도57
② 대판 2004.1.27, 2003도5114
③ × : 위증죄 ○(대판 2010.2.25, 2007도6273 ∵ 증언거부권이 사실상 침해 당한 것으로 평가할 수 없음)
④ 대판 1994.12.23, 93도1002

Answer 6.① 7.③

**08** **위증죄에 관한 설명 중 옳지 않은 것은?**(다툼이 있는 경우 판례에 의함) **기출지문 종합**

① 위증죄는 법률에 의하여 선서한 증인 본인만이 행위주체가 되는 진정신분범이다.

② 제3자가 심문절차로 진행되는 가처분 신청사건에서 증인으로 출석하여 선서를 하고 진술함에 있어서 허위의 공술을 하였다고 하더라도 위증죄는 성립하지 않는다.

③ 제3자가 심문절차로 진행되는 소송비용확정신청사건에서 증인으로 출석하여 선서를 하고 진술함에 있어서 허위의 공술을 하였다면 위증죄가 성립한다.

④ 사촌관계에 있는 甲의 도박사실 여부에 관하여 증언거부사유가 발생하게 되었는데도 재판장으로부터 증언거부권을 고지받지 못한 상태에서 허위진술을 하게 된 경우 위증죄가 성립하지 않는다.

⑤ 민사소송절차에서 재판장이 증인에게 증언거부권을 고지하지 아니하였다 하여 절차위반의 위법이 있다고 할 수 없으므로 적법한 선서절차를 마쳤음에도 허위진술을 한 증인에 대해서는 달리 특별한 사정이 없는 한 위증죄가 성립한다.

**| 해설** ① 타당하다. ② 대판 2003.7.25, 2003도180
③ × : 위증죄 ×(대판 1995.4.11, 95도186 ∵ 그 선서는 법률상 근거가 없어 무효임)
④ 대판 2010.2.25, 2009도13257 ⑤ 대판 2011.7.28, 2009도14928

**09** **다음 설명 중 가장 옳지 않은 것은?**(다툼이 있는 경우 판례에 의함) **22. 법원행시**

① 위증죄는 법률에 의하여 선서한 증인이 자기의 기억에 반하는 사실을 진술함으로써 성립하므로, 증인의 진술이 경험한 사실에 대한 법률적 평가이거나 단순한 의견에 지나지 아니하는 경우에는 위증죄에서 말하는 '허위의 진술'이라고 할 수 없다.

② 위증죄에서 증인의 증언이 기억에 반하는 허위 진술인지 여부를 가릴 때에는 그 증언의 단편적인 구절에 구애될 것이 아니라 당해 신문절차에서 한 증언 전체를 일체로 파악하여야 한다.

③ 민사소송절차에서 재판장이 증인에게 증언거부권을 고지하지 않은 경우 절차위반의 위법이 있다고 할 수 있으므로, 적법한 선서절차를 마친 후 허위진술을 한 증인에 대해서도 달리 특별한 사정이 없는 한 위증죄가 성립하지 않는다고 보아야 한다.

④ 피고인이 자기의 형사사건에 관하여 허위의 진술을 하는 행위는 피고인의 방어권을 인정하는 취지에서 처벌의 대상이 되지 않으나, 법률에 의하여 선서한 증인이 타인의 형사사건에 관하여 위증을 하면 형법 제152조 제1항의 위증죄가 성립되므로 자기의 형사사건에 관하여 타인을 교사하여 위증죄를 범하게 하는 것은 이러한 방어권을 남용하는 것이어서 교사범의 죄책을 부담한다.

⑤ 위증죄는 법률에 의하여 선서한 증인이 자기의 기억에 반하는 사실을 진술함으로써 성립하는 것이므로, 그 진술이 객관적 사실과 부합하지 않는다고 하더라도 증인의 기억에 반하는지 여부를 가려보기 전에는 위증이라고 단정할 수는 없다.

**Answer** 8. ③ 9. ③

| 해설 | ① 대판 2009.3.12, 2008도11007
② 대판 2007.10.26, 2007도5076
③ ×: 민사소송절차에서 재판장이 증인에게 증언거부권을 고지하지 아니하였다 하여 절차위반의 위법이 있다고 할 수 없으므로 적법한 선서절차를 마쳤음에도 허위진술을 한 증인에 대해서는 달리 특별한 사정이 없는 한 위증죄가 성립한다(대판 2011.7.28, 2009도14928).
④ 대판 2004.1.27, 2003도5114
⑤ 대판 1984.2.14, 84도1098



**10 범인은닉 · 도피죄 및 위증죄 등에 관한 다음 설명 중 옳지 않은 것은 모두 몇 개인가?**(다툼이 있는 경우 판례에 의함) 23. 법원행시

㉠ 범인은닉죄라 함은 죄를 범한 자임을 인식하면서 장소를 제공하여 체포를 면하게 하는 것만으로 성립한다 할 것이고, 죄를 범한 자에게 장소를 제공한 후 동인에게 일정 기간 동안 경찰에 출두하지 말라고 권유하는 언동을 하여야만 범인은닉죄가 성립하는 것이 아니며, 또 그 권유에 따르지 않을 경우 강제력을 행사하여야만 한다거나, 죄를 범한 자가 은닉자의 말에 복종하는 관계에 있어야만 범인은닉죄가 성립하는 것은 더욱 아니다.
㉡ 甲이 乙이 기소중지자임을 알고도 乙의 부탁으로 다른 사람의 명의로 대신 임대차계약을 체결해 준 것만으로 甲이 乙을 은닉 내지 도피시키려는 의사가 있었다고 보기 어려우므로 甲에게는 범인도피죄를 인정할 수 없다.
㉢ 피고인들이 부정수표단속법 피의자 A가 공소외 B에 대하여 지는 또 다른 노임채무를 인수키로 하는 지불각서를 작성하여 주고 위 B가 A를 수사당국에 인계하는 것을 포기하기로 하는 합의가 이루어져 위 A가 수사당국에 인계되지 않은 경우이면 피고인들에 대하여 범인도피죄의 성립을 인정할 수 있다.
㉣ 범인이 자신을 위하여 타인으로 하여금 허위의 자백을 하게 하여 범인도피죄를 범하게 하는 행위는 방어권의 남용으로 범인도피교사죄에 해당하지만, 그 타인이 형법 제151조 제2항에 의하여 처벌을 받지 아니하는 친족 또는 동거의 가족에 해당할 경우 범인도피교사죄가 성립하지 않는다.
㉤ 재판장이 선서할 증인에 대하여 선서 전에 위증의 벌을 경고하지 않았다는 등의 사유는 그 증인신문절차에서 증인 자신이 위증의 벌을 경고하는 내용의 선서서를 낭독하고 기명날인 또는 서명한 이상 위증의 벌을 몰랐다고 할 수 없을 것이므로 증인 보호에 사실상 장애가 초래되었다고 볼 수 없고, 따라서 위증죄의 성립에 지장이 없다.

① 없 음 ② 1개 ③ 2개
④ 3개 ⑤ 4개

| 해설 | ㉠ ○: 대판 2002.10.11, 2002도3332
㉡ ×: 범인도피죄 ○(대판 2004.3.26, 2003도8226 ∵ 은닉 내지 도피시키려는 의사 ○)
㉢ ×: ~ 범인도피죄의 성립을 인정할 수 없다(대판 1984.2.14, 83도2209).
㉣ ×: ~ (3줄) 해당한다 하여 달리 볼 것은 아니다(대판 2006.12.7, 2005도3707 ∴ 범인도피교사죄 ○).
㉤ ○: 대판 2010.1.21, 2008도942 전원합의체

Answer 10. ④

**11** **다음 설명 중 가장 옳지 않은 것은?**(다툼이 있는 경우 판례에 의함) 23. 법원직

① 위증죄에 있어서 증인의 증언이 기억에 반하는 허위진술인지 여부는 그 증언의 단편적인 구절에 구애될 것이 아니라 당해 신문절차에 있어서의 증언 전체를 일체로 파악하여 판단하여야 할 것이고, 그 진술이 객관적 사실과 부합하지 않는다고 하여 그 증언이 곧바로 기억에 반하는 진술이라고 단정할 수는 없다.

② 위증죄는 법률에 의하여 선서한 증인이 자기의 기억에 반하는 사실을 진술함으로써 성립하므로, 증인의 진술이 경험한 사실에 대한 법률적 평가이거나 단순한 의견에 지나지 아니하는 경우에는 위증죄에서 말하는 허위의 진술이라고 할 수 없고, 경험한 사실에 기초한 주관적 평가나 법률적 효력에 관한 견해를 부연한 부분에 다소의 오류가 있다 하여도 위증죄가 성립하지 않는다.

③ 피고인이 자기의 형사사건에 관하여 허위의 진술을 하는 행위는 피고인의 방어권을 인정하는 취지에서 처벌의 대상이 되지 않으나, 법률에 의하여 선서한 증인이 타인의 형사사건에 관하여 위증을 하면 형법 제152조 제1항의 위증죄가 성립되므로 자기의 형사사건에 관하여 타인을 교사하여 위증죄를 범하게 하는 것은 이러한 방어권을 남용하는 것이어서 교사범의 죄책을 부담한다.

④ 민사소송의 당사자는 증인능력이 없으므로 증인으로 선서하고 증언하였다고 하더라도 위증죄의 주체가 될 수 없으나, 민사소송에서의 당사자인 법인의 대표자의 경우에는 증인으로 선서하고 증언하는 것이 가능하므로 위증죄의 주체가 될 수 있다.

**| 해설** ① 대판 1996.8.23, 95도192 ② 대판 2009.3.12, 2008도11007 ③ 대판 2004.1.27, 2003도5114
④ ×: 민사소송에서의 당사자인 법인의 대표자 ⇨ 위증죄의 주체 ×(대판 1998.3.10, 97도1168)

**12** **위증죄에 관한 설명으로 가장 적절한 것은?**(다툼이 있는 경우 판례에 의함) 24. 경찰승진

① 자신의 범행을 일관되게 부인하였으나 유죄판결이 확정된 피고인이 별건으로 기소된 공범의 형사사건에서 증인으로 출석한 후 선서하고 증언함에 있어 자신의 기억에 반하는 허위의 진술을 한 경우 위증죄가 성립한다.

② 선서한 증인이 일단 기억에 반하는 허위의 진술을 하였다면 위증죄는 기수에 달하고 그 신문이 끝나기 전에 그 진술을 철회 시정한 경우에도 위증죄가 성립한다.

③ 피고인이 자기의 형사사건에 관하여 타인을 교사하여 위증죄를 범하게 한 경우 위증교사죄로 처벌할 수 없다.

④ 위증죄에 있어서 허위 진술의 내용은 요증사실에 관한 것이거나 판결에 영향을 미친 것에 한정된다.

**| 해설** ① ○: 대판 2008.10.23, 2005도10101 ② ×: 선서한 증인이 일단 기억에 반하는 허위의 진술을 하였더라도 그 신문이 끝나기 전에 그 진술을 철회·시정한 경우 위증이 되지 아니한다(대판 2008.4.24, 2008도1053). ③ ×: 위증교사죄 ○(대판 2004.1.27, 2003도5114)
④ ×: ~ 영향을 미치는 것이 아니어도 무방하다(대판 1990.2.23, 89도1212).

**Answer** 11. ④ 12. ①

## THEMA 38 '증거인멸죄' 총정리

1. **객체** : 타인의 형사사건 또는 징계사건에 관한 증거(제1항) 또는 증인(제2항)

① 타인 : 행위자 이외의 자〔자기사건에 대한 증거인멸 ⇨ ×(구성요건해당성 배제)〕 19. 7급 검찰, 22. 경찰승진

**관련판례**

1. 자신의 형사사건에 관한 증거은닉(인멸)을 위하여 타인에게 도움을 요청하는 행위는 원칙적으로 처벌하지 아니하나, 그것이 방어권의 남용이라고 볼 수 있을 때는 증거은닉(인멸)교사죄로 처벌할 수 있다(대판 2016.7.29, 2016도5596).

① 자기의 형사사건이나 징계사건의 증거를 인멸(위조)하기 위해 타인을 교사한 경우 ⇨ 증거인멸죄(증거위조죄)의 교사범 ○(대판 2000.3.24, 99도5275 ; 대판 2011.2.10, 2010도15986 ∵ 방어권의 남용 ○) 15. 변호사시험, 18. 경찰승진, 19. 9급 검찰, 20. 법원행시, 24. 해경승진

② 국회의원인 甲이 乙로부터 금품과 안마의자를 받은 후, 乙이 비자금을 조성하여 정치인들에게 로비하였다는 등의 혐의를 받게 되자, 금품은 乙에게 반환하면서도 정치활동과 무관한 안마의자를 A에게 보관하여 달라고 부탁하고 보좌관 B에게 그 운반을 지시하여 A와 B로 하여금 요청에 응하도록 한 경우 ⇨ 증거은닉교사죄 ×〔대판 2016.7.29, 2016도5596 ∵ 피고인(甲)의 행위가 형사사법작용에 중대한 장애를 초래하였다거나 그러한 위험성이 있었다고 보기 어렵고 자기 자신이 한 증거은닉 행위의 범주에 속한다고 볼 여지가 충분하여 방어권을 남용한 정도에 이르렀다고 단정하기 어렵다.〕

2. 피고인 자신이 직접 형사처분이나 징계처분을 받게 될 것을 두려워한 나머지 자기의 이익을 위하여 증거를 인멸한 행위가 동시에 공범자의 증거를 인멸하는 결과(공범자 아닌 자의 증거를 인멸하는 결과도 동일)가 된 경우 ⇨ 본죄 ×(대판 1995.9.29, 94도2608) 19. 변호사시험 · 7급 검찰, 22. 경찰간부 · 해경간부, 23. 법원행시

3. 피고인 자신이 직접 형사처분을 받게 될 것을 두려워한 나머지 자기의 이익을 위하여 그 증거가 될 자료를 은닉하였다면 증거은닉죄에 해당하지 않고, 제3자와 공동하여 그러한 행위를 하였다고 하더라도 마찬가지이다(대판 2018.10.25, 2015도1000). 22. 법원행시 · 경찰간부, 23. 순경 1차

4. 피고인이 카카오톡을 통하여 대통령선거 후보자의 유세일정을 알리고 참석을 권유한 행위 등이 공직선거법위반에 해당하고, 카카오톡 대화나 전화 통화 상대방으로 하여금 관련 부분을 삭제하도록 한 행위가 증거인멸교사에 해당한다(대판 2018.12.27, 2018도14492).

② 형사사건 또는 징계사건

**관련판례**

1. 증거은닉죄에 있어서 타인의 형사사건 또는 징계사건이란 은닉행위시에 수사 또는 징계절차가 개시되기 전이라도 장차 형사 또는 징계사건이 될 수 있는 것까지를 포함한다(대판 1982.4.27, 82도274). 11. 경찰승진, 16. 법원행시, 18. 순경 3차, 19. 변호사시험, 21. 수사경과 · 해경간부

▶ **유사판례** : 증거위조죄에서 '타인의 형사사건'이란 증거위조 행위시에 아직 수사절차가 개시되기 전이라도 장차 형사사건이 될 수 있는 것까지 포함하고, 그 형사사건이 기소되지 아니하거나 무죄가 선고되더라도 증거위조죄의 성립에 영향이 없다(대판 2011.2.10, 2010도15986). 17. 순경 1차, 21. 경찰간부, 22. 해경간부, 23. 해경승진, 24. 법원행시

2. 증거인멸 등 죄는 위증죄와 마찬가지로 국가의 형사사법작용 내지 징계작용을 그 보호법익으로 하므로, 위 법조문에서 말하는 '징계사건'이란 국가의 징계사건에 한정되고 사인(私人) 간의 징

계사건은 포함되지 않는다(대판 2007.11.30, 2007도4191). 11. 법원행시, 14. 경찰승진, 21. 경찰간부, 22. 해경간부

③ 증거 : '증거'란 타인의 형사사건 또는 징계사건에 관하여 수사기관이나 법원 또는 징계기관이 국가의 형벌권 또는 징계권의 유무를 확인하는 데 관계있다고 인정되는 일체의 자료를 뜻한다. 따라서 범죄 또는 징계사유의 성립 여부에 관한 것뿐만 아니라 형 또는 징계의 경중에 관계있는 정상을 인정하는 데 도움이 될 자료까지도 본조가 규정한 증거에 포함되며(대판 2021.1.28, 2020도2642), 타인에게 유리한 것이건 불리한 것이건 불문하며 증거가치의 유무 및 정도를 불문한다(대판 2007.6.28, 2002도3600). 11. 경찰승진, 22. 7급 검찰, 23. 법원행시 · 순경 1차 · 법원직

2. **행위** : 증거의 인멸 · 은닉 · 위조 · 변조 또는 위조 · 변조된 증거의 사용(제1항), 증인을 은닉 · 도피하게 하는 것(제2항)

**관련판례**

1. 범죄현장을 목격하지도 않은 선서무능력자에게 형사법정에서 현장을 목격한 것처럼 허위증언하도록 하거나(대판 1998.2.10, 97도2961) 참고인이 수사기관에서 허위진술을 하거나 참고인에 대하여 허위진술을 하도록 교사하는 경우(대판 1995.4.7, 94도3412)는 증거위조에 해당하지 않는다(∵ 위조란 증거 자체를 위조함을 말한 것임). 17. 9급 검찰 · 마약수사, 20. 법원행시, 21. 경찰간부, 22. 해경간부 · 수사경과, 23. 해경승진 · 법원직
   - ▶ **유사판례** : 참고인이 타인의 형사사건 등에서 직접 진술 또는 증언하는 것을 대신하거나 그 진술 등에 앞서서 허위의 사실확인서나 진술서를 작성하여 수사기관 등에 제출하거나 또는 제3자에게 교부하여 제3자가 이를 제출한 경우 ⇨ 증거위조죄 ×(대판 2011.7.28, 2010도2244 ∵ 새로운 증거를 창조한 것이 아닐뿐더러, 참고인이 수사기관에서 허위의 진술을 하는 것과 차이가 없음) 15. 수사경과, 18. 경찰간부, 20. 법원행시, 22. 7급 검찰, 24. 해경승진
   - ▶ **비교판례** : 참고인이 타인의 형사사건 등에 관하여 제3자와 대화를 하면서 허위로 진술하고 위와 같은 허위 진술이 담긴 대화 내용을 녹음한 녹음파일 또는 이를 녹취한 녹취록을 만들어 수사기관 등에 제출하는 것은, 증거위조죄를 구성한다(대판 2013.12.26, 2013도8085). 16. 법원행시, 17. 9급 검찰 · 마약수사, 18. 경찰간부, 20. 해경승진, 22. 해경간부, 23. 변호사시험 · 순경 2차
2. 증거위조죄에서 '위조'란 문서에 관한 죄에서의 위조개념과는 달리 새로운 증거의 창조를 의미하는 것이므로 존재하지 아니한 증거를 이전부터 존재하고 있는 것처럼 만들어 내는 행위도 위조에 해당하며, 증거가 문서의 형식을 갖는 경우 증거위조죄의 증거에 해당하는지는 그 작성권한 유무나 내용의 진실성에 좌우되지 않는다(대판 2007.6.28, 2002도3600 예 타인의 형사사건과 관련하여 수사기관이나 법원에 제출하거나 현출되게 할 의도로 법률행위 당시에는 존재하지 아니하였던 처분문서를 사후에 그 작성일을 소급하여 작성하는 것은 증거위조죄의 구성요건을 충족시키는 것이라고 보아야 하고, 비록 그 내용이 진실하다 하여도 국가의 형사사법기능에 대한 위험이 있다는 점은 부인할 수 없다). 15. 변호사시험, 17. 순경 1차 · 9급 검찰 · 마약수사, 21. 경력채용, 22. 7급 검찰, 23. 해경승진 · 법원직, 24. 법원행시
   - ▶ **비교판례** : 그러나 사실의 증명을 위해 작성된 문서가 그 사실에 관한 내용이나 작성명의 등에 아무런 허위가 없다면 '증거위조'에 해당한다고 볼 수 없다. 설령 사실증명에 관한 문서가 형사사건 또는 징계사건에서 허위의 주장에 관한 증거로 제출되어 그 주장을 뒷받침하게 되더라도 마찬가지이다(대판 2021.1.28, 2020도2642 예 돈을 송금하였다가 되돌려 받는 방법으로 송금자료를 만들어 피해 변제의 증거로 제출한 경우 ⇨ 증거위조 ×). 22. 순경 1차 · 7급 검찰, 23. 법원직, 24. 변호사시험 · 법원행시

3. 수산업협동조합장이 풍어제 관련 기부금을 횡령한 후 조합 직원에게 허위증거를 만들라고 지시하였는데, 기부금 횡령사건에 관하여는 불기소처분을 받은 경우 ⇨ 증거위조죄의 교사범(대판 2011.2.11, 2010도15986) 12. 사시
4. 甲이 乙을 교사하여 자기의 형사사건에 관한 증거를 변조하도록 하였더라도, 乙이 甲과 공범관계에 있는 형사사건에 관한 증거를 변조한 것에 해당하여 乙이 증거변조죄로 처벌되지 않는 경우, 증거변조죄의 간접정범은 물론 교사범도 성립하지 않는다(대판 2011.7.14, 2009도13151). 17. 변호사시험
5. 피고인 자신이 직접 형사처분이나 징계처분을 받게 될 것을 두려워한 나머지 자기의 이익을 위하여 증인이 될 사람을 도피하게 한 행위가 동시에 다른 공범자의 형사사건이나 징계사건에 관한 증인을 도피하게 한 결과가 된 경우 ⇨ 증인도피죄 ×(대판 2003.3.14, 2002도6134) 12. 법원직 · 7급 검찰, 14. 법원행시, 18. 경찰승진, 19. 9급 검찰, 20. 해경승진, 23. 순경 2차
6. 경찰관이 압수물을 범죄혐의의 입증에 사용하도록 하는 등의 적절한 조치를 취하지 아니하고 피압수자에게 돌려준 경우, 작위범인 증거인멸죄만이 성립하고 부작위범인 직무유기(거부)죄는 따로 성립하지 아니한다(대판 2006.10.19, 2005도3909 전원합의체). 15. 변호사시험
7. 제155조 제3항(모해증거인멸죄)에서 말하는 '피의자'라고 하기 위해서는 수사기관에 의하여 범죄의 인지 등으로 수사가 개시되어 있을 것을 필요로 하고, 그 이전의 단계에서는 장차 형사입건될 가능성이 크다고 하더라도 그러한 사정만으로 '피의자'에 해당한다고 볼 수는 없다(대판 2010.6.24, 2008도12127). 17. 9급 검찰 · 마약수사, 21. 경찰간부, 22. 해경간부 · 수사경과

03

**01** **증거위조죄에 대한 설명으로 옳지 않은 것은?**(다툼이 있는 경우 판례에 의함)

17. 9급 검찰 · 마약수사, 22. 해경간부

① 피의자에 대한 모해목적의 증거위조죄에서 '피의자'에는 수사 개시 이전의 단계에서 장차 형사입건될 가능성이 있는 대상자도 포함된다.

② 선서무능력자로서 범죄현장을 목격하지 않은 사람으로 하여금 형사법정에서 범죄현장을 목격한 양 허위의 증언을 하도록 하는 것은 증거위조죄를 구성하지 않는다.

③ 참고인이 타인의 형사사건 등에 관하여 제3자와 대화를 하면서 허위로 진술하고 위와 같은 허위 진술이 담긴 대화 내용을 녹음한 녹음파일 또는 이를 녹취한 녹취록을 만들어 수사기관에 제출하는 것은 증거위조죄를 구성한다.

④ 타인의 형사사건과 관련하여 수사기관이나 법원에 제출하거나 현출되게 할 의도로 법률행위 당시에는 존재하지 아니하였던 처분문서를 사후에 그 작성일을 소급하여 작성하는 것은 증거위조죄를 구성한다.

| 해설 ① × : 모해증거인멸죄에서 말하는 '피의자'라고 하기 위해서는 수사기관에 의하여 범죄의 인지 등으로 수사가 개시되어 있을 것을 필요로 하고, 그 이전의 단계에서는 장차 형사입건될 가능성이 크다고 하더라도 그러한 사정만으로 '피의자'에 해당한다고 볼 수는 없다(대판 2010.6.24, 2008도12127).
② 대판 1998.2.10, 97도2961 ③ 대판 2013.12.26, 2013도8085
④ 대판 2007.6.28, 2002도3600

Answer 1. ①

## 02 증거인멸 등에 관한 설명 중 옳지 않은 것은 모두 몇 개인가?(다툼이 있는 경우 판례에 의함)

20. 법원행시

㉠ 피고인이 자기의 이익을 위하여 그 증거가 될 자료를 인멸하였다면, 그 행위가 동시에 다른 공범자의 형사사건이나 징계사건에 관한 증거를 인멸한 결과가 된다고 하더라도 이는 증거인멸죄에 해당하지 않는다.

㉡ 피고인이 자기의 이익을 위하여 제3자와 공동하여 증거가 될 자료를 은닉하는 행위를 하였다면 증거은닉죄에 해당하지 않는다.

㉢ 피고인이 타인을 교사하여 자기의 형사사건에 관한 증거를 인멸하게 하였다면 증거인멸교사죄가 성립한다.

㉣ 참고인이 타인의 형사사건과 관련하여 수사기관에서 조사를 받기에 앞서서 허위의 내용을 담은 진술서를 작성하여 수사기관에 제출한 경우 증거위조죄를 구성한다.

㉤ 참고인이 타인의 형사사건과 관련하여 수사기관에서 조사를 받으면서 허위로 진술하여 그 정을 모르는 담당 공무원으로 하여금 허위의 내용이 담긴 참고인진술조서를 작성토록 한 경우 증거위조죄의 간접정범이 성립한다.

① 1개 ② 2개 ③ 3개
④ 4개 ⑤ 없 음

**해설** ㉠ ○ : 대판 1995.9.29, 94도2608
㉡ ○ : 대판 2018.10.25, 2015도1000
㉢ ○ : 대판 2000.3.24, 99도5275
㉣ × : 증거위조죄 ×(대판 2011.7.28, 2010도2244 ∵ 새로운 증거를 창조하는 것이 아닐뿐더러, 참고인이 수사기관에서 허위의 진술을 하는 것과 차이가 없음)
㉤ × : 참고인이 수사기관에서 허위의 진술을 한 경우 ⇨ 증거위조죄 ×(대판 1995.4.7, 94도3412)

## 03 증거인멸의 죄에 대한 설명 중 옳은 것은 모두 몇 개인가?(다툼이 있는 경우 판례에 의함)

21. 경찰간부, 22. 해경간부

㉠ 형법 제155조 제1항의 증거인멸 등 죄에서 말하는 '징계사건'에는 국가의 징계사건은 물론 사인 간의 징계사건도 포함된다.

㉡ 형법 제155조 제1항에서 타인의 형사사건에 관한 증거를 위조한다 함은, 증거 자체를 위조하는 것뿐 아니라 널리 참고인이 수사기관에서 허위의 진술을 하는 것까지를 포함하는 개념으로 보아야 한다.

㉢ 형법 제155조 제1항의 증거위조죄에서 '타인의 형사사건'이란 증거위조 행위시에 아직 수사절차가 개시되기 전이라도 장차 형사사건이 될 수 있는 것까지 포함하지만, 이후 그 형사사건이 기소되지 아니하거나 무죄가 선고된 경우 증거위조죄는 성립하지 않는다.

㉣ 형법 제155조 제3항의 모해목적 증거인멸 등 죄에서 '피의자'라고 하기 위해서는 수사기관에 의하여 수사가 개시되어 있을 것을 필요로 하고, 그 이전의 단계에서는 장차 형사입건될 가능성이 크다고 하더라도 피의자에 해당한다고 볼 수는 없다.

Answer 2. ② 3. ①

① 1개　　② 2개　　③ 3개　　④ 4개

| 해설 ㉠ ×: 국가의 징계사건에 한정되고 사인 간의 징계사건은 포함되지 않는다(대판 2007.11.30, 2007도4191).
㉡ ×: ~ 함은 증거 자체를 위조함을 말하는 것이고, 참고인이 ~ 허위의 진술을 하는 것은 포함되지 않는다(대판 2011.7.28, 2010도2244).
㉢ ×: ~ (2줄) 포함하고, 이후 ~ 무죄가 선고되더라도 증거위조죄의 성립에 영향이 없다(대판 2011.2.10, 2010도15986).
㉣ ○: 대판 2010.6.24, 2008도12127

03

**04** **증거위조죄에 대한 설명으로 옳지 않은 것은?**(다툼이 있는 경우 판례에 의함) 22. 7급 검찰

① 증거위조죄의 '증거'에는 범죄 또는 징계 사유의 성립 여부에 관한 것뿐만 아니라 형 또는 징계의 경중과 관계있는 정상을 인정하는 데 도움이 될 자료까지도 포함된다.
② 증거위조죄의 '위조'란 새로운 증거의 창조를 의미하는 것이므로 존재하지 아니한 증거를 이전부터 존재하고 있는 것처럼 작출하는 행위도 증거위조에 해당하며, 증거가 문서의 형식을 갖는 경우 증거위조죄에서의 증거에 해당하는지가 그 작성 권한의 유무나 내용의 진실성에 좌우되는 것은 아니다.
③ 사실의 증명을 위해 작성된 문서가 그 사실에 관한 내용이나 작성명의 등에 아무런 허위가 없다면 증거위조에 해당하지 않지만, 이 문서가 형사사건 또는 징계사건에서 허위의 주장에 관한 증거로 제출되어 그 주장을 뒷받침하게 되었다면 증거위조에 해당한다.
④ 참고인이 타인의 형사사건에서 직접 진술 또는 증언하는 것을 대신하거나 그 진술 등에 앞서서 허위의 사실확인서나 진술서를 작성하여 수사기관에 제출하더라도 증거위조죄가 성립하지 않는다.

| 해설 ① 대판 2021.1.28, 2020도2642
② 대판 2007.6.28, 2002도3600
③ ×: ~ (2줄) 증거위조에 해당한다고 볼 수 없다. 설령 이 문서가 ~ (3줄) 그 주장을 뒷받침하게 되더라도 마찬가지이다(대판 2021.1.28, 2020도2642 ∴ 증거위조 ×).
④ 대판 2011.7.28, 2010도2244

Answer 4. ③

**05** **다음 설명 중 가장 옳지 않은 것은?**(다툼이 있는 경우 판례에 의함) 24. 법원행시

① 증거위조죄에서 말하는 '증거'라 함은 타인의 형사사건 또는 징계사건에 관하여 수사기관이나 법원 또는 징계기관이 국가의 형벌권 또는 징계권의 유무를 확인하는 데 관계있다고 인정되는 일체의 자료를 뜻하나, 범죄 또는 징계사유의 성립 여부에 관한 것만이 이에 해당할 뿐, 형 또는 징계의 경중에 관계있는 정상을 인정하는 데 도움이 될 자료는 이에 포함되지 않는다.

② 증거위조죄의 '위조'란 문서에 관한 죄의 위조 개념과는 달리 새로운 증거의 창조를 의미하나, 사실의 증명을 위해 작성된 문서가 그 사실에 관한 내용이나 작성명의 등에 아무런 허위가 없다면 '증거위조'에 해당한다고 볼 수 없다.

③ 참고인이 수사기관에서 허위의 진술을 하는 것은 증거위조죄의 위조에 해당하지 않는다.

④ 증거가 문서의 형식을 갖는 경우 증거위조죄에 있어서의 증거에 해당하는지 여부가 그 작성권한의 유무나 내용의 진실성에 좌우되는 것은 아니다.

⑤ 증거위조죄에서 타인의 형사사건이란 증거위조 행위시에 아직 수사절차가 개시되기 전이라도 장차 형사사건이 될 수 있는 것까지 포함하고, 그 형사사건이 기소되지 아니하거나 무죄가 선고되더라도 증거위조죄의 성립에 영향이 없다.

| 해설 ① ×: ~ (3줄) 일체의 자료를 뜻한다. 따라서 범죄 또는 징계사유의 성립 여부에 관한 것뿐만 아니라 형 또는 징계의 경중에 관계 있는 정상을 인정하는 데 도움이 될 자료까지도 포함된다(대판 2021.1.28, 2020도2642).

② 대판 2021.1.28, 2020도2642

③ 대판 1995.4.7, 94도3412

④ 대판 2007.6.28, 2002도3600

⑤ 대판 2011.2.10, 2010도15986

Answer 5. ①

## 종합문제 위증과 증거인멸의 죄

**01 위증과 증거인멸의 죄에 대한 설명 중 가장 적절하지 않은 것은?**(다툼이 있는 경우 판례에 의함)

17. 순경 1차

① 제3자가 심문절차로 진행되는 가처분 신청사건에서 증인으로 출석하여 선서를 하고 허위 공술을 한 경우 위증죄가 성립하지 않는다.

② 모해위증죄에서 모해의 목적은 허위의 진술을 함으로써 피고인에게 불리하게 될 것이라는 인식이 있으면 충분하고 그 결과의 발생까지 희망할 필요는 없다.

③ 증거위조죄에서 '타인의 형사사건'이란 증거위조 행위시에 아직 수사절차가 개시되기 전이라도 장차 형사사건이 될 수 있는 것까지 포함하나 그 형사사건이 기소되지 아니하거나 무죄가 선고될 경우 증거위조죄가 성립하지 않는다.

④ 타인의 형사사건과 관련하여 수사기관이나 법원에 제출하거나 현출되게 할 의도로 법률행위 당시에는 존재하지 아니하였던 처분문서를 사후에 그 작성일을 소급하여 작성하는 것은 증거위조죄의 구성요건을 충족시키는 것이라고 보아야 하고, 비록 그 내용이 진실하다 하여도 국가의 형사사법기능에 대한 위험이 있다는 점은 부인할 수 없다.

| 해설 ① 대판 2003.7.25, 2003도180 ② 대판 2007.12.27, 2006도3575
③ ×: ~ (2줄) 것까지 포함하고, ~ 선고되더라도 증거위조죄의 성립에 영향이 없다(대판 2011.2.10, 2010도15986). ④ 대판 2007.6.28, 2002도3600

**02 위증과 증거인멸의 죄에 관한 설명 중 옳지 않은 것은 몇 개인가?**(다툼이 있는 경우 판례에 의함)

18. 경찰간부

㉠ 민사소송절차에 증인으로 출석한 자가 재판장으로부터 증언거부권을 고지받지 않은 상태에서 허위의 증언을 하였다면 비록 증인으로서 적법하게 선서를 마치고 한 허위진술이라도 위증죄는 성립하지 않는다.

㉡ 형사소송절차에서 재판장이 신문 전에 증인에게 증언거부권을 고지하지 않은 경우, 자기부죄거부특권에 관한 것이거나 증언거부사유가 있음에도 증인이 증언거부권을 고지받지 못함으로 인하여 증언거부권을 행사하는 데 사실상 장애가 초래되었다면 위증죄는 성립하지 않는다.

㉢ 참고인이 타인의 형사사건에 관하여 제3자와 대화를 하면서 허위로 진술하고 그 진술이 담긴 대화 내용을 녹음한 녹음 파일 또는 이를 녹취한 녹취록을 만들어 수사기관에 제출하는 행위는 증거위조죄를 구성한다.

㉣ 참고인이 타인의 형사사건에 관하여 직접 진술하기에 앞서 허위의 사실확인서나 진술서를 작성하여 수사기관에 제출한 것은 존재하지 않는 문서를 이전부터 존재하고 있는 것처럼 작출하는 방법으로 새로운 증거를 창조한 것이어서 증거위조죄를 구성한다.

① 1개 ② 2개 ③ 3개 ④ 4개

Answer 1.③ 2.②

| 해설 | ㉠ ×: ~ 위증죄는 성립한다(대판 2011.7.28, 2009도14928).
㉡ ○: 대판 2010.1.21, 2008도942 전원합의체
㉢ ○: 대판 2013.12.26, 2013도8085
㉣ ×: 증거위조죄 ×(대판 2011.7.28, 2010도2244 ∵ 새로운 증거를 창조하는 것이 아닐뿐더러, 참고인이 수사기관에서 허위의 진술을 하는 것과 차이가 없음)

**03 위증과 증거인멸의 죄에 대한 설명으로 가장 적절하지 않은 것은?**(다툼이 있는 경우 판례에 의함)

18. 순경 3차, 21. 해경간부

① 자신의 강도범행을 일관되게 부인하였으나 법원으로부터 유죄판결이 확정된 피고인이 별건으로 기소된 공범의 형사사건에서 선서 후 범행사실을 부인하는 증언을 하였다면, 피고인에게 사실대로 진술할 것이라는 기대가능성이 있으므로 위증죄가 성립한다.
② 피고인이 자기의 형사사건에 관하여 타인을 교사하여 위증죄를 범하게 하였더라도, 이러한 피고인의 행위는 방어권의 정당한 행사로 위증죄의 교사범이 성립하지 않는다.
③ 선서한 증인이 자기의 기억에 반하는 증언을 하였다면, 그 증언 내용이 객관적 사실과 부합한다 하더라도 위증죄가 성립한다.
④ 증거은닉죄에 있어서 '타인의 형사사건 또는 징계사건'에는 이미 수사가 개시되거나 징계절차가 개시된 사건만이 아니라 수사 또는 징계절차 개시 전이라도 장차 형사사건 또는 징계사건이 될 수 있는 사건도 포함된다.

| 해설 | ① 대판 2008.10.23, 2005도10101
② ×: 위증죄의 교사범 ○(대판 2004.1.27, 2003도5114 ∵ 방어권 남용 ○)
③ 대판 1980.4.8, 80도2783
④ 대판 1982.4.27, 82도274

**04 다음 설명 중 옳지 않은 것은?**(다툼이 있는 경우 판례에 의함)

19. 9급 검찰 · 마약수사

① 자기의 형사사건에 관한 증거를 인멸하도록 타인에게 부탁하여 죄를 범하게 한 경우에는 증거인멸교사죄가 성립한다.
② 자기를 위하여 타인으로 하여금 허위의 자백을 하게 하여 범인도피죄를 범하게 한 경우에는 범인도피교사죄가 성립한다.
③ 증인될 자를 자기를 위하여 도피하게 한 것이 다른 공범자의 증인을 도피하게 하는 결과가 된 경우에는 증인도피죄가 성립한다.
④ 자기의 형사사건에 관하여 타인에게 부탁하여 위증하게 한 경우에는 위증교사죄가 성립한다.

| 해설 | ① 대판 2000.3.24, 99도5275 ② 대판 2000.3.24, 2000도20
③ ×: 증인도피죄 ×(대판 2003.3.14, 2002도6134)
④ 대판 2004.1.27, 2003도5114

Answer 3.② 4.③

**05 위증과 증거인멸에 대한 설명이다. 아래 설명 중 옳은 것은 모두 몇 개인가?**(다툼이 있는 경우 판례에 의함) 22. 경찰간부

> ㉠ 피고인이 자기의 형사사건에 관하여 허위의 진술을 하는 행위는 위증죄의 처벌대상이 되지 않으나, 자기의 형사사건에 관하여 타인을 교사하여 위증죄를 범하게 하는 경우에는 교사범의 죄책을 부담한다.
> ㉡ 피고인 자신이 직접 형사처분이나 징계처분을 받게 될 것을 두려워한 나머지 자기의 이익을 위하여 그 증거가 될 자료를 인멸한 경우, 그 행위가 동시에 다른 공범자의 형사사건이나 징계사건에 관한 증거를 인멸한 결과가 된다면 증거인멸죄의 죄책을 부담한다.
> ㉢ 위증죄는 선서한 증인이 고의로 자신의 기억에 반하는 증언을 함으로써 성립하고, 그 진술이 당해 사건의 요증사항인 여부 및 재판의 결과에 영향을 미친 여부는 위증죄의 성립에 아무 관계가 없다.
> ㉣ 피고인 자신이 자기의 이익을 위하여 제3자와 공동하여 증거가 될 자료를 은닉한 경우 증거은닉죄에 해당하지 않는다.
> ㉤ 하나의 사건에 관하여 한 번 선서한 증인이 같은 기일에 여러 가지 사실에 관하여 기억에 반하는 허위의 진술을 한 경우 이는 각 진술마다 수 개의 위증죄를 구성한다.

① 2개 ② 3개 ③ 4개 ④ 5개

**| 해설** ㉠ ○ : 대판 2004.1.27, 2003도5114(∵ 방어권 남용)
㉡ × : 증거인멸죄 ×(대판 1995.9.29, 94도2608)
㉢ ○ : 대판 1990.2.23, 89도1212
㉣ ○ : 대판 2018.10.25, 2015도1000
㉤ × : ~ 한 경우 한 개의 위증죄를 구성한다(대판 1990.2.23, 89도1212).

03

Answer 5. ②

# 제5절 무고의 죄

**관련조문**

**제156조 【무고】** 타인으로 하여금 형사처분 또는 징계처분을 받게 할 목적으로 공무소 또는 공무원에 대하여 허위의 사실을 신고한 자는 10년 이하의 징역 또는 1천 500만원 이하의 벌금에 처한다.

**제157조 【자백 · 자수】** 제153조는 전조에 준용한다.

▶ 목적범 ○, 친족간의 특례규정 ×, 과실범처벌규정 ×, 상습범처벌규정 ×, 미수범처벌규정 ×

## THEMA 39 '무고죄' 총정리

1. **성질 및 보호법익** : 무고죄는 국가의 형사사법권 또는 징계권의 적정한 행사를 주된 보호법익으로 하고, 다만 개인의 부당하게 처벌 또는 징계받지 아니할 이익을 부수적으로 보호하는 죄이므로, 설사 무고에 있어서 피무고자의 승낙이 있었다고 하더라도 무고죄의 성립에는 영향을 미치지 못한다(대판 2005.9.30, 2005도2712). 14. 변호사시험, 16. 경찰승진 · 7급 검찰 · 철도경찰, 18. 경찰간부 · 순경 3차, 20. 수사경과, 21. 해경 2차, 22. 법원행시, 23. 순경 2차

2. **주체** : 제한이 없다(비신분범).

   **관련판례** : 타인 명의의 고소장을 대리하여 작성하고 제출하는 형식으로 고소가 이루어진 경우 명의자를 대리한 자가 실제 고소의 의사를 가지고 고소행위를 주도한 경우라면 무고죄의 주체는 명의자를 대리한 자로 보아야 한다(대판 2007.3.30, 2006도6017). 13. 경찰간부, 16. 수사경과, 21. 7급 검찰, 23. 경찰승진, 24. 해경승진

3. **행위의 대상**(상대방) : 무고에 대한 직권행사를 할 수 있는 공무소 또는 공무원에게 하여야 함.

   예 1. 피고인이 변호사인 피해자로 하여금 징계처분을 받게 할 목적으로 서울지방변호사회에 위 변호사회 회장을 수취인으로 하는 허위 내용의 진정서를 제출한 경우 ⇨ 무고죄 ○(대판 2010.11.25, 2010도1020 ∵ 변호사에 대한 징계처분은 형법 제156조에서 정하는 '징계처분'에 포함된다고 봄이 상당하고, 그 징계 개시의 신청권이 있는 지방변호사회의 장은 형법 제156조에서 정한 '공무소 또는 공무원'에 포함된다.) 13. 법원행시, 16. 순경 2차, 18. 경찰승진 · 수사경과, 21. 해경승진

   2. 사립학교 교원에 대한 학교법인 등의 징계처분은 형법 제156조(무고죄)의 '징계처분'에 포함되지 않는다(대판 2014.7.24, 2014도6377 예 피고인이 사립대학교 교수인 피해자들로 하여금 징계처분을 받게 할 목적으로 국민권익위원회에서 운영하는 범정부 국민포털인 국민신문고에 민원을 제기한 경우, 피해자들은 사립학교 교원이므로 피고인의 행위가 무고죄에 해당하지 않는다. ∴ 무죄). 15. 법원직 · 순경 3차, 16. 법원행시, 18. 순경 1차 · 경력채용, 21 · 23. 변호사시험

4. **행위** : 허위사실을 신고하는 것

   ① 허위의 사실 : 객관적 진실에 반하는 사실(▶ 위증죄는 주관적인 기억에 반하는 사실임)로 형사처분 또는 징계처분의 원인이 될 수 있는 것이어야 한다.

㉠ 허위 여부의 판단

**관련판례**

• **객관적 사실에 부합하는 경우 ⇨ 무고죄 ×**

1. 신고자가 그 신고내용을 허위라고 믿었다 하더라도 그것이 객관적으로 진실한 사실에 부합할 때에는 허위사실의 신고에 해당하지 않아 무고죄는 성립하지 않는 것이며, 한편 위 신고한 사실의 허위 여부는 그 범죄의 구성요건과 관련하여 신고사실의 핵심 또는 중요내용이 허위인가에 따라 판단하여 무고죄의 성립 여부를 가려야 한다(대판 1991.10.11, 91도1950). 13. 경찰승진, 19. 순경 1차·2차, 20. 경찰간부·수사경과, 23. 해경승진
2. 신고사실이 객관적 사실관계와 일치하는 경우에는 법률적 평가나 죄명을 잘못 적은 정도로는 허위신고라 할 수 없다. 그러므로 재물편취를 횡령으로, 횡령을 절도로, 권리행사방해를 절도로 잘못 기재하여 신고하였더라도 허위신고로 되지 않는다(대판 1985.9.24, 84도1737). 17. 순경 2차
3. 신고사실이 진실한 이상 형사책임을 부담할 자를 잘못 신고한 경우에도 본죄로 되지 않는다(대판 1982.4.27, 82도274). 15. 경찰간부, 21. 경력채용

• **일부 객관적 진실에 반하는 내용이 포함된 경우**

1. 정황을 과장한 경우 ⇨ 무고죄 ×

무고죄에 있어서 '허위의 사실'이라 함은 그 신고된 사실로 인하여 상대방이 형사처분이나 징계처분 등을 받게 될 위험이 있는 것이어야 하고, 비록 신고내용에 일부 객관적 진실에 반하는 내용이 포함되었다 하더라도 그것이 독립하여 형사처분 등의 대상이 되지 아니하고 단지 신고사실의 정황을 과장하는 데 불과하거나 허위인 일부 사실의 존부가 전체적으로 보아 범죄사실의 성립 여부에 직접 영향을 줄 정도에 이르지 아니하는 내용에 관계되는 것이라면 무고죄가 성립하지 아니한다(대판 2008.8.21, 2008도3754). 06·07. 사시, 16. 경찰간부

① 피고인이 구타를 당한 것이 사실인 이상 이를 고소함에 있어서 입지 않은 상해사실을 포함시킨 경우(대판 1973.12.26, 73도2771) 15. 경찰간부

② 피고인이 강간을 당한 것이 사실인 이상 이를 고소함에 있어서 강간으로 입은 것이 아닌 상해사실을 포함시킨 경우(대판 1983.1.18, 82도2170) 08. 경찰승진, 23. 법원행시

③ 서로 멱살을 잡고 밀고 당기는 과정에서 상처를 입게 된 이상 폭행당하여 상해를 입었다고 고소한 경우(대판 1986.7.22, 86도582)

④ 폭행을 당하지는 않았더라도 그와 다투는 과정에서 시비가 되어 서로 허리띠나 옷을 잡고 밀고 당기면서 평소에 좋은 상태가 아니던 요추부에 경도의 염좌증세가 생겼을 가능성이 충분히 있는 상태에서 구타를 당하여 상해를 입었다고 고소한 경우(대판 1996.5.31, 96도771) 08. 경찰승진

⑤ 피고인 자신이 상대방의 범행에 공범으로 가담하였음에도 자신의 가담사실을 숨기고 상대방만을 고소한 경우, 이를 허위의 사실로 볼 수 없고, 전체적으로 보아 상대방의 범죄사실의 성립 여부에 직접 영향을 줄 정도에 이르지 아니하는 내용에 관계되는 것이므로 무고죄가 성립하지 않는다(대판 2008.8.21, 2008도3754). 12. 법원행시, 13. 경찰간부, 14. 순경 1차, 15. 변호사시험, 19. 법원직, 20. 경찰승진·수사경과, 21. 해경간부, 24. 해경승진

▶ **비교판례** : 피고인이 甲, 乙과 공모하여 은행으로부터 대출금을 편취한 것과는 별도로 甲이 피고인을 기망하여 위 대출금을 편취하였으니 처벌해 달라는 취지로 고소하여 甲에 대해 사기죄로 공소제기까지 된 경우, 위 고소는 甲에 대한 관계에서 독립하여

형사처분 등의 대상이 되는 허위사실의 고소로 볼 여지가 있음으로 무고죄가 성립한다(대판 2010.2.25, 2009도1302).

⑥ 고소인이 甲에게 대여하였다가 이미 변제받은 금원에 관하여 甲이 수개월간 변제치 않고 있었던 점을 들어 위 금원을 착복하였다고 고소장에 기재한 경우 그것이 甲으로부터 아직 변제받지 못한 금원에 관한 고소내용의 정황을 과장한 것이라면 특별의 사정이 없는 한 무고죄가 성립하지 않는다(대판 1987.6.9, 87도1029). 17. 법원직, 21. 해경 2차

2. 정황을 과장한 경우로 볼 수 없거나 일부 허위인 사실이 보호법익을 침해할 우려가 있을 정도로 고소사실 전체의 성질을 변경시키는 때 ⇨ 무고죄 ○

일부 허위인 사실이 국가의 심판 작용을 그르치거나 부당하게 처벌을 받지 아니할 개인의 법적 안정성을 침해할 우려가 있을 정도로 고소사실 전체의 성질을 변경시키는 때에는 무고죄가 성립한다(대판 2009.1.30, 2008도8573). 12. 법원행시, 17. 경찰승진, 22. 순경 1차

① 피고소인들이 피고인과 甲과의 싸움을 말리려고 하다가 피고인이 말을 듣지 아니하여 만류를 포기하고 옆에서 보고만 있었을 뿐 피고소인들이 피고인이 팔을 잡은 사실이 없었는데도 "피고소인들이 피고인의 양팔을 잡아 가세하고 甲이 피고인의 안면부를 때려 상해를 입혔다."라고 고소한 경우 ⇨ 무고죄 ○(대판 1995.2.24, 94도3068 ∵ 단지 신고사실의 정황을 과장하는 데 불과하다고 볼 수 없음) 05. 경찰승진

② 피고인이 고소를 통하여 甲에게 실제로 돈을 대여한 바 없거나 또는 일부 대여한 돈을 이미 변제받았음에도 불구하고 마치 돈을 대여하였거나 그로 인한 채권이 여전히 존재하는 것처럼 내세워 허위내용의 사실을 신고한 경우 무고죄가 성립한다(대판 1995.3.10, 94도2598).

③ 경찰관이 甲을 현행범으로 체포하려는 상황에서 乙이 경찰관을 폭행하여 乙을 현행범으로 체포하였는데, 乙이 경찰관의 현행범 체포업무를 방해한 일이 없다며 경찰관을 불법체포로 고소한 경우(대판 2009.1.30, 2008도8573) 11. 경찰승진

④ 피고인이 먼저 자신을 때려 주면 돈을 주겠다고 하여 甲, 乙이 피고인을 때리고 지갑을 교부받아 그 안에 있던 현금을 가지고 간 것임에도, '甲 등이 피고인을 폭행하여 돈을 빼앗았다.'는 취지로 허위사실을 신고한 경우(대판 2010.4.29, 2010도2745) 11. 경찰승진

⑤ 피고인이 차용인을 차용금 사기죄로 고소하면서 대여금의 용도에 관하여 '도박자금'으로 빌려준 사실을 감추고 ㉠ 고소내용이 차용인이 차용금의 용도를 속이는 바람에 대여하게 되었다는 취지로 고소한 경우 ⇨ 무고죄 ○(∵ 허위사실 신고 ○), ㉡ 고소내용이 차용인이 변제의사와 능력도 없이 차용금 명목으로 돈을 편취하였으니 사기죄로 처벌하여 달라고 고소한 경우 ⇨ 무고죄 ×(대판 2011.9.8, 2011도3489 ∵ 사기죄의 성립 여부에 영향을 줄 정도의 중요한 부분을 허위로 신고 ×)

▶ **유사판례**

1. 도박자금으로 빌려주었다는 사실을 감추고 단순한 대여금인 것처럼 하여 "피고소인이 사고가 나서 급하다고 하면서 120만원을 빌려간 후 변제하지 아니하고 있으니 사기로 처벌하여 달라."는 취지로 고소한 경우 ⇨ 무고죄 ○(대판 2004.1.16, 2003도7178 ∵ ⑤ ㉠에 해당) 07. 경찰승진, 08. 7급 검찰, 20. 해경 1차
2. 금원을 대여한 甲은 차용금을 갚지 않은 乙을 '乙이 변제의사와 능력도 없이 차용금 명목으로 돈을 편취하였으니 사기죄로 처벌하여 달라.'는 내용으로 고소하면서, 대여금의 용도에 관하여 '도박자금'으로 빌려준 사실을 감추고 '내비게이션 구입에 필요한 자금'

이라고 허위기재한 경우 ⇨ 무고죄 ×(대판 2011.9.8, 2011도3489 ∵ ⑤ⓛ에 해당) 12. 순경 1차, 13. 법원행시, 14. 사시, 19. 경찰간부, 20. 해경 1차, 21. 경찰승진, 22. 수사경과

• 기 타

1. 1통의 고소, 고발장에 의하여 수개의 혐의사실을 들어 무고로 고소, 고발한 경우 그중 일부사실은 진실이나 다른 사실은 허위인 때에는 그 허위사실부분만이 독립하여 무고죄를 구성한다(대판 1989.9.26, 88도1533). 16. 법원행시, 21. 수사경과, 22. 해경 2차
2. 범죄의 성립을 조각하는 사유(위법성조각사유)를 알고 있었음에도 불구하고 이를 숨기고 범죄가 되는 사실만 신고한 때에는 허위의 사실을 신고한 경우에 해당한다(대판 1998.3.24, 97도2956). 13. 수사경과, 16 · 19. 경찰간부
3. 증언을 한 자가 그 재판 과정에서 자신의 증언과 반대되는 취지의 증언을 한 다른 증인을 위증죄로 고소하였다가 그 고소가 허위임이 밝혀진 경우 무고죄가 성립한다(대판 2005.4.14, 2003도1080).
4. 위증으로 고소 · 고발한 사실 중 위증한 당해사건의 요증사항이 아니고 재판결과에 영향을 미친 바 없는 사실만이 허위라고 인정되더라도 무고죄의 성립에는 영향이 없다(대판 1989.9.26, 88도1533). 06. 사시, 16. 경찰승진, 22. 수사경과
5. 피고인이 甲주식회사에서 리스한 승용차를 乙에게 담보로 제공하고 돈을 차용하면서 약정기간 내에 갚지 못할 경우 이를 처분하더라도 아무런 이의를 제기하지 않기로 하였는데, 변제기 이후 乙 등이 차량을 처분하자 피고인의 허락 없이 마음대로 처분하였다는 취지로 고소한 경우, 위 고소 내용은 허위사실 기재로서 그 자체로 독립하여 무고죄가 성립한다(대판 2012.5.24, 2011도11500).
6. 성폭행 등의 피해를 입었다는 신고사실에 관하여 불기소처분 내지 무죄판결이 내려졌다고 하여, 그 자체를 무고를 하였다는 적극적인 근거로 삼아 신고내용을 허위라고 단정하여서는 아니 된다(대판 2019.7.11, 2018도2614). 21. 법원직, 24. 경찰간부 · 경찰승진

ⓛ 허위사실은 형사처분 또는 징계처분의 원인이 될 수 있는 것이어야 한다.

**관련판례**

1. "이미 채무를 변제받았음에도 공정증서를 보관하고 있음을 기화로 주택을 가압류하였다."는 취지의 허위의 고소장을 제출한 경우 ⇨ 무고죄 ×〔대판 2003.6.13, 2003도1060 ∵ 본안소송을 제기하지 아니한 채 가압류를 한 것만으로 ⇨ 사기죄의 실행의 착수 × ⇨ 신고된 사실 자체가 형사처분의 원인(형사범죄구성)이 안됨〕
2. 타인에게 형사처벌을 받게 할 목적으로 허위의 사실을 신고하였다 하더라도 그 사실 자체가 범죄가 되지 않는다면 무고죄는 성립하지 않는다(대판 2013.9.26, 2013도6862). 15. 변호사시험 · 경찰간부, 16. 수사경과, 19. 법원직
3. 허위사실의 적시정도는 수사기관 · 감독기관에 대해 수사권 · 징계권의 발동을 촉구할 수 있는 정도의 것이면 충분하고 반드시 범죄구성요건사실이나 징계요건사실을 구체적으로 명시하거나 법률적 평가까지 기재하여야 할 필요는 없다(대판 2006.5.25, 2005도4642). 14. 순경 1차, 16. 법원직, 17. 수사경과, 19. 경찰간부, 21 · 23. 경찰승진, 24. 해경승진
4. 허위의 사실을 신고하였다 하더라도 그 사실 자체가 형사범죄로 구성되지 아니한다면 무고죄는 성립하지 아니하므로, "피고소인이 송이의 채취권을 이중으로 양도하여 손해를 입었으니 엄벌하여 달라."는 내용의 고소사실은 횡령죄나 배임죄 기타 형사범죄를 구성하지 않는 내용의 신고에 불과하여 그 신고내용이 허위라고 하더라도 무고죄가 성립할 수 없다(대판 2007.4.13, 2006도558). 14. 사시, 16. 7급 검찰 · 철도경찰, 17. 법원직, 18. 경찰승진

**관련판례**

1. 공소시효가 완성되었더라도 마치 공소시효가 완성되지 않은 것처럼 고소한 경우 ⇨ 본죄 ○(대판 1995.12.5, 95도1728 ∵ 국가기관의 직무를 그르칠 염려가 있음.) 12. 순경 3차, 15. 법원행시, 16. 사시 · 경찰간부 · 경찰승진, 17. 수사경과, 20. 변호사시험 · 법원직, 21. 해경승진
2. 신고사실에 대한 벌칙규정이 없거나 사면 또는 공소시효가 완성되었음이 신고내용 자체에 의해 분명한 경우 ⇨ 본죄 ×(대판 1994.2.8, 93도3445 ∵ 형사처분의 대상이 되지 않는 것) 12. 순경 3차, 15. 법원행시, 18. 경찰승진
3. 친고죄에 해당하여 고소기간의 경과로 공소제기할 수 없음이 신고내용 자체에 의해 분명한 경우 ⇨ 본죄 ×(대판 1998.4.14, 98도150 ∵ 국가기관의 직무를 그르치게 할 위험이 없음) 07. 경찰승진, 15. 법원행시, 20. 경찰간부, 21. 법원직, 24. 변호사시험
4. 허위사실의 요건은 적극적 증명이 있어야 하고 단지 신고사실의 진실성을 인정할 수 없다는 소극적 증명만으로 곧 그 신고사실이 객관적 진실에 반하는 허위사실이라고 단정하여 무고죄의 성립을 인정할 수는 없다(대판 2004.1.27, 2003도5114 ; 대판 2007.10.11, 2007도6406). 17. 순경 2차, 18. 순경 1차, 19 · 20. 경찰간부, 21. 경찰승진 · 변호사시험, 22. 법원직 · 7급 검찰

② 신고 : 자진하여(자발적으로) 사실을 고지하는 것(방법에는 제한 × : 구두 · 문서 불문, 익명 · 기명 불문, 고소장 · 진정서 불문) 17. 법원직

**관련판례** : 수사기관의 요청에 의해 알고 있는 사실을 말하는 경우나 수사기관의 신문에 대하여 허위의 진술을 하는 경우, 피고인이 수사기관에 한 진정 및 그와 관련된 부분을 수사하기 위한 검사의 추문에 대한 대답으로서 진정내용 이외의 사실에 관하여 한 진술 ⇨ 신고 ×(대판 1985.7.26, 85모14 ; 대판 1990.8.14, 90도595), 07 · 08. 경찰승진 다만 고소장에 기재하지 않은 사실을 고소보충조서를 받으면서 자진하여 진술한 경우 ⇨ 신고 ○(대판 1996.2.9, 95도2652), 13. 경찰승진, 15. 법원직, 16. 사시, 22. 수사경과 · 순경 1차, 23. 법원행시 피고인이 위조수표에 대한 부정수표단속법 제7조의 고발의무가 있는 은행원을 도구로 이용하여 수사기관에 고발을 하게 하고 이어 수사기관에 대하여 특정인을 위조자로 지목한 경우, 이는 사법경찰관의 질문에 답변으로 한 것이라 할지라도 자발성이 인정되어 무고죄가 성립한다(대판 2005.12.22, 2005도3203). 10. 사시, 12. 순경 3차, 13. 법원행시

③ 기수시기 : 허위의 신고가 당해 공무소 또는 공무원에게 도달한 때

㉠ 도달한 이상 수사착수 여부나 공소제기 여부는 불문하고(대판 1983.9.27, 83도1775), 21. 수사경과 · 해경승진 피고인이 최초에 작성한 허위내용의 고소장을 경찰관에게 제출한 이상 그 후에 그 고소장을 되돌려 받았다 하더라도 무고죄의 성립에 영향이 없다(대판 1985.2.8, 84도2215). 13. 경찰간부, 16. 7급 검찰 · 철도경찰, 19. 수사경과 · 9급 검찰, 23. 경찰승진, 24. 해경승진

㉡ 허위사실을 신고하였으나 도달하지 않았을 때 ⇨ 무죄(∵ 본죄의 미수범처벌 ×)

**관련판례**

1. 허위로 신고한 사실이 무고행위 당시 형사처분의 대상이 될 수 있었던 경우에는 무고죄는 기수에 이르고, 이후 그러한 사실이 형사범죄가 되지 않는 것으로 판례가 변경되었더라도 특별한 사정이 없는 한 이미 성립한 무고죄에는 영향을 미치지 않는다(대판 2017.5.30, 2015도15398). 17. 순경 2차 · 법원행시, 18. 경찰간부 · 7급 검찰 · 경력채용, 21. 해경 2차, 22. 순경 1차, 23. 법원직, 24. 변호사시험
2. 범행일시를 특정하지 않은 고소장을 제출한 후, 고소보충진술시에 범죄사실의 공소시효가 아직 완성되지 않은 것으로 진술한 피고인이 그 이후 검찰이나 제1심 법정에서 다시 범죄의 공소시효가 완성된 것으로 정정 진술한 경우, 이미 고소보충진술시에 무고죄가 성립하였다

(대판 2008.3.27, 2007도11153 ∵ 신고된 범죄사실이 이미 공소시효가 완성된 것이어서 무고죄가 성립하지 아니하는 경우에 해당하는지 여부는 그 신고시를 기준으로 하여 판단하여야 함). 16. 사시, 21. 해경승진·7급 검찰

**5. 주관적 구성요건** : 고의 + 목적(목적범 ○)

① 고의 : 허위사실에 대한 인식도 고의의 내용에 포함됨(대판 1985.11.12, 84도2215). 그러나 허위사실에 대한 미필적 인식(고의)으로 족하며 확정적 고의임을 불요(통설·판례)

**관련판례**

1. 무고죄에 있어서 신고사실이 객관적 사실과 일치하지 않는 것이라도 신고자가 진실이라고 확신하고 신고하였을 때에는 무고죄가 성립하지 않는다고 할 것이나, 신고자가 알고 있는 객관적 사실관계에 의하여 신고사실이 허위라거나 허위일 가능성이 있다는 인식을 하면서도 이를 무시한 채 무조건 자신의 주장이 옳다고 생각하는 경우까지 포함되는 것은 아니다(대판 2008.5.29, 2006도6347). 16. 사시, 22. 순경 1차, 23. 법원직, 24. 경찰승진
2. 무고죄의 범의는 반드시 확정적 고의일 필요가 없고 미필적 고의로도 충분하므로, 신고자가 허위라고 확신한 사실을 신고한 경우뿐만 아니라 진실하다는 확신 없는 사실을 신고하는 경우에도 그 범의를 인정할 수 있다(대판 2022.6.30, 2022도3413). 13. 법원행시, 24. 변호사시험·경찰간부
3. 甲의 처가 간통한 사실이 없지만 만취하여 떠드는 甲을 달랠 방편으로 甲에게 간통한 사실이 있다고 자백을 하자 甲이 부인을 간통으로 고소한 경우 ⇨ 무고죄 ×(대판 1983.7.12, 83도1395 ∵ 무고의 범의 ×) 06. 경찰승진
4. 피무고자의 승낙을 받아 허위사실을 기재한 고소장을 제출하였다면 피무고자에 대한 형사처분이라는 결과발생을 의욕한 것은 아니라 하더라도 적어도 그러한 결과발생에 대한 미필적인 인식은 있었던 것으로 보아야 하며(대판 2005.9.30, 2005도2712), 06. 법원행시, 07. 법원직, 14. 변호사시험, 18. 경찰승진 고소인이 고소장을 접수하면서 수사기관의 고소인 출석요구에 응하지 않음으로써 고소가 각하될 것으로 의도하고 있었다고 하더라도 무고죄가 성립한다(대판 2006.8.25, 2006도3631). 13. 변호사시험·법원행시
5. 고소당한 범죄가 유죄로 인정되는 경우에 고소를 당한 사람이 고소인에 대하여 "고소당한 죄의 혐의가 없는 것으로 인정된다면 고소인이 자신을 무고한 것에 해당하므로 고소인을 처벌해 달라."는 내용의 고소장을 제출하였다면 고소인을 무고한다는 범의를 인정할 수 있다(대판 2007.3.15, 2006도9453). 14. 사시, 15. 순경 3차, 17. 경찰승진·수사경과, 21. 7급 검찰·해경승진
6. 종업원이 의약품을 처방·판매하지 아니하였음에도, 약사가 무자격자인 종업원으로 하여금 불특정 다수의 환자들에게 의약품을 판매하도록 지시하거나 실제로 자신에게 의약품을 판매하였다는 취지로 기재하여 신고한 경우 ⇨ 무고죄 ○(대판 2022.6.30, 2022도3413 ∵ 피고인의 민원은 객관적 사실관계에 반하는 허위사실이고, 미필적으로나마 그 허위 또는 허위의 가능성을 인식한 무고의 고의가 있었음.)

② 목적 : 타인으로 하여금 형사처분 또는 징계처분을 받게 할 목적〔결과발생에 대한 미필적 인식으로 족하고 그것을 희망·의욕할 필요는 없음(다수설, 대판 2006.5.25, 2005도4642)〕

**관련판례**

1. '형사처분 또는 징계처분을 받게 할 목적'은 허위신고를 함에 있어서 다른 사람이 그로 인하여 형사 또는 징계처분을 받게 될 것이라는 인식이 있으면 족한 것이고 그 결과발생을 희망하는 것까지를 요하는 것은 아니므로, 고소인이 고소장을 수사기관에 제출한 이상 그러한 인식은 있었다고 보아야 한다(대판 2005.9.30, 2005도2712). 15. 법원행시, 16. 법원직, 18. 경력채용, 22. 경찰승진

03

2. 고소인이 고소장을 수사기관에 제출한 이상 그러한 인식은 있다 할 것이고, 나아가 고소를 한 목적이 상대방을 처벌받도록 하는 데 있지 않고 시비를 가려 달라는 데에 있다고 하여 무고죄의 범의가 없다고 할 수 없다(대판 1995.12.12, 94도3271). 08. 순경

▶ **유사판례**

1. 피고인이 고소를 한 목적이 피고소인들을 처벌받도록 하는 데에 있지 아니하고 단지 회사 장부상의 비리를 밝혀 정당한 정산을 구하는 데에 있다 하여 무고죄의 범의가 없다고 할 수 없다(대판 1991.5.10, 90도2601). 18. 경찰승진, 21. 해경간부
2. 신고자가 허위 내용임을 알면서도 신고한 이상 그 목적이 필요한 조사를 해 달라는 데에 있다는 등의 이유로 무고의 범의가 없다고 할 수 없다(대판 2022.6.30, 2022도3413). 23. 법원직

③ 타인 : 특정되고 인식할 수 있는 범인(자기) 이외의 제3자(자연인 · 법인 불문)

㉠ 살아 있는 실재인이어야 하므로 사자(死者)나 허무인(虛無人)에 대한 무고 ⇨ 무고죄 ×(특정되지 않은 성명불상자에 대한 무고죄는 성립하지 않는다. 공무원에게 무익한 수고를 끼치는 일은 있어도 심판 자체를 그르치게 할 염려가 없으며 피무고자를 해할 수도 없기 때문이다 ; 대판 2022.9.29, 2020도11754) 22. 법원행시, 24. 경찰승진

㉡ 스스로 본인을 무고하는 자기무고는 무고죄의 구성요건에 해당하지 아니하여 무고죄를 구성하지 않으나, 피무고자의 교사 · 방조하에 제3자가 피무고자에 대한 허위의 사실을 신고한 경우에는 제3자의 행위는 무고죄의 구성요건에 해당하여 무고죄를 구성하므로, 제3자를 교사 · 방조한 피무고자도 교사 · 방조범으로서의 죄책을 부담한다(대판 2008.10.23, 2008도4852). 17. 수사경과 · 순경 2차, 20. 변호사시험 · 법원직 · 7급 검찰, 22. 법원행시, 23. 경찰승진, 24. 해경승진

▶ **비교판례** : 자기 자신을 무고하기로 제3자와 공모하고 이에 따라 무고행위에 가담하였더라도 이는 자기 자신에게는 무고죄의 구성요건에 해당하지 않아 범죄가 성립할 수 없는 행위를 실현하고자 한 것에 지나지 않아 무고죄의 공동정범으로 처벌할 수 없다(대판 2017.4.26, 2013도12592). 18. 경찰간부, 20. 변호사시험 · 7급 검찰, 21. 경찰승진, 23. 법원직 · 순경 1차

6. **죄수결정의 기준** : 피무고자의 수를 표준으로 결정 06. 경찰간부, 08. 경찰승진

7. **자수 · 자백에 대한 특례**(제157조) : 무고죄를 범한 자가 그 신고한 사건에 대한 재판 또는 징계처분이 확정되기 전에 자백 또는 자수한 때에는 형을 감경 또는 면제한다(필요적 감면).

**관련판례**

1. 자백이란 자신의 범죄사실(타인으로 하여금 형사처분 또는 징계처분을 받게 할 목적으로 공무소 또는 공무원에 대하여 허위의 사실을 신고하였음)을 자인하는 것을 말하고, 단순히 그 신고한 내용이 객관적 사실에 반한다고 인정함에 지나지 아니하는 것은 이에 해당하지 아니한다(대판 1995.9.5, 94도755). 15. 수사경과, 22. 법원행시
2. 자백의 절차에 관해서는 아무런 법령상의 제한이 없으므로 그가 신고한 사건을 다루는 기관에 대한 고백이나 그 사건을 다루는 재판부에 증인으로 다시 출석하여 전에 그가 한 신고가 허위의 사실이었음을 고백하는 것은 물론 무고 사건의 피고인 또는 피의자로서 법원이나 수사기관에서의 신문에 의한 고백 또한 자백의 개념에 포함된다. 형법 제153조에서 정한 '재판이 확정되기 전'에는 피고인의 고소사건 수사 결과 피고인의 무고 혐의가 밝혀져 피고인에 대한 공소가 제기되고 피고소인에 대해서는 불기소결정이 내려져 재판절차가 개시되지 않은 경우도 포함된다(대판 2018.8.1, 2018도7293). 20. 경찰간부, 22. 법원행시, 23. 변호사시험

03

**01** **무고죄에 대한 설명으로 옳은 것은?**(다툼이 있는 경우 판례에 의함) 15. 경찰간부

① 무고죄가 성립하기 위해서는 신고자가 진실하다는 확신 없는 사실을 신고하면 족하고 신고사실이 허위라는 점을 확신할 필요까지는 없다.
② 피고인이 구타를 당했으나 입지 않은 상해사실을 포함하여 고소한 경우 무고죄에 해당한다.
③ 신고사실이 진실하더라도 형사책임을 부담할 자를 잘못 신고한 경우 무고죄에 해당한다.
④ 형사처분을 받게 할 목적으로 허위사실을 신고한 경우 그 사실 자체가 범죄가 되지 않는 경우에도 무고죄가 성립한다.

| 해설 ① ○ : 대판 1991.12.31, 91도2127 ② × : 무고죄 ×(대판 1973.12.26, 73도2771)
③ × : 무고죄 ×(대판 1982.4.27, 82도274) ④ × : 무고죄 ×(대판 1992.10.13, 92도1799)

**02** **무고죄에 관한 설명 중 옳은 것은 모두 몇 개인가?**(다툼이 있는 경우 판례에 의함) 15. 법원행시

㉠ 허위사실을 신고한 경우라도 그 사실에 관한 공소시효가 완성되어 공소권이 소멸되었음이 그 신고내용 자체에 의하여 분명한 때에는 무고죄는 성립하지 않는다.
㉡ 공무소에 신고한 허위사실이 친고죄로서 그에 대한 고소기간이 경과한 것이 신고내용 자체에 의하여 분명한 경우 무고죄는 성립하지 않는다.
㉢ 객관적으로 고소사실에 대한 공소시효가 완성되었다면 고소를 제기하면서 마치 공소시효가 완성되지 아니한 것처럼 고소한 경우에도 무고죄는 성립하지 않는다.
㉣ 피고인이 사립대학교 교수인 피해자들로 하여금 징계처분을 받게 할 목적으로 국민권익위원회에서 운영하는 범정부 국민포털인 국민신문고에 민원을 제기한 경우, 피해자들은 사립학교 교원이므로 피고인의 행위가 무고죄에 해당하지 않는다.
㉤ 무고죄에서 형사처분 또는 징계처분을 받게 할 목적은 허위신고를 함에 있어서 다른 사람이 그로 인하여 형사 또는 징계처분을 받게 될 것이라는 인식만으로는 부족하고 그 결과발생을 희망하는 것까지를 요하므로, 고소인이 허위 내용의 고소장을 수사기관에 제출하였다고 하더라도, 실제 수사기관에서 허위 내용을 진술하지 않았다면 무고죄가 성립한다고 볼 수 없다.
㉥ 피무고자의 교사·방조하에 제3자가 피무고자에 대한 허위의 사실을 신고한 경우에는 제3자의 행위는 무고죄의 구성요건에 해당하여 무고죄를 구성하므로, 제3자를 교사·방조한 피무고자도 교사·방조범으로서의 죄책을 부담한다.

① 2개 ② 3개 ③ 4개 ④ 5개 ⑤ 없 음

| 해설 ㉠ ○ : 대판 1994.2.8, 93도3445(∵ 형사처분의 대상이 되지 않는 것)
㉡ ○ : 대판 1998.4.14, 98도150(∵ 국가기관의 직무를 그르치게 할 위험이 없음)
㉢ × : 무고죄 ○(∵ 국가기관의 직무를 그르칠 염려가 있음)
㉣ ○ : 대판 2014.7.24, 2014도6377
㉤ × : '형사처분 또는 징계처분을 받게 할 목적'은 허위신고를 함에 있어서 다른 사람이 그로 인하여 형사 또는 징계처분을 받게 될 것이라는 인식이 있으면 족한 것이고 그 결과발생을 희망하는 것까지를 요하는 것은 아니므로, 고소인이 고소장을 수사기관에 제출한 이상 그러한 인식은 있었다고 보아야 한다(대판 2005.9.30, 2005도2712).
㉥ ○ : 대판 2008.10.23, 2008도4852

Answer 1. ① 2. ③

**03** **다음 설명 중 가장 옳지 않은 것은?**(다툼이 있는 경우 판례에 의함) 17. 법원직

① 고소인이 甲에게 대여하였다가 이미 변제받은 금원에 관하여 甲이 수개월간 변제치 않고 있었던 점을 들어 위 금원을 착복하였다고 고소장에 기재한 경우 그것이 甲으로부터 아직 변제받지 못한 금원에 관한 고소내용의 정황을 과장한 것이라면 특별의 사정이 없는 한 무고죄가 성립하지 않는다.

② 피고인이 '피고소인 甲이 2010. 1. 1. 피고인과의 사이에 피고인이 10년간 甲소유의 임야에 자생하는 송이를 채취하고 甲에게 그 대가를 지급하기로 하는 계약을 체결하였는데, 甲이 이후 乙에게 위 임야에 자생하는 송이 채취권을 이중으로 넘겨주어 피고인으로 하여금 손해를 입게 하였다.'는 고소장을 제출하였는데, 피고인이 2010. 1. 1. 피고소인 甲과 위 내용과 같은 계약을 체결한 사실이 없는 것으로 드러난 경우 피고인의 위 고소 행위는 무고죄에 해당한다.

③ 무고죄에서 허위사실의 신고방식은 구두에 의하건 서면에 의하건 관계가 없다.

④ 피무고자의 승낙을 받아 허위사실을 기재한 고소장을 제출한 경우 무고죄가 성립될 수 있다.

**| 해설** ① 대판 1987.6.9, 87도1029
② ×: 무고죄 ×(대판 2007.4.13, 2006도558 ∵ 고소사실은 횡령죄나 배임죄 기타 형사범죄를 구성하지 않는 내용의 신고에 불과하여 그 신고내용이 허위라고 하더라도 무고죄가 성립할 수 없다.)
③ 타당하다. ④ 대판 2005.9.30, 2005도2712

**04** **무고죄에 대한 설명으로 가장 적절한 것은?**(다툼이 있는 경우 판례에 의함) 17. 순경 2차

① 신고자가 객관적 사실관계를 사실 그대로 신고한 이상 그 객관적 사실을 토대로 한 나름대로의 주관적 법률평가를 잘못하고 이를 신고하였다 하여 그 사실만을 가지고 허위사실을 신고한 것에 해당하여 무고죄가 성립한다고 할 수 없다.

② 신고자가 그 신고내용을 허위라고 믿었다면 그것이 객관적으로 진실한 사실에 부합할 때에도 허위사실의 신고에 해당하여 무고죄가 성립한다.

③ 무고죄는 국가의 형사사법권 또는 징계권의 적정한 행사를 주된 보호법익으로 하는 죄이므로, 스스로 본인을 무고하는 자기무고는 무고죄의 구성요건에 해당하여 무고죄를 구성한다.

④ 무고죄에 있어서 신고한 사실이 객관적 사실에 반하는 허위사실이라는 요건은 신고사실의 진실성을 인정할 수 없다는 소극적 증명만으로 곧 그 신고사실이 객관적 진실에 반하는 허위사실이라고 단정하여 무고죄의 성립을 인정할 수 있고, 적극적인 증명이 있어야만 하는 것은 아니다.

**| 해설** ① ○: 대판 1985.6.25, 83도3245
② ×: 무고죄 ×(대판 1991.10.11, 91도1950 ∵ 허위사실의 신고 ×)
③ ×: 무고죄 ×(대판 2008.10.23, 2008도4852 ∵ 자기무고는 무고죄의 구성요건에 해당 ×)
④ ×: 적극적 증명 ⇨ 무고죄 ○, 소극적 증명 ⇨ 무고죄 ×(대판 2007.10.11, 2007도6406)

**Answer** 3. ② 4. ①

**05** **무고죄에 대한 설명으로 가장 적절하지 않은 것은?**(다툼이 있는 경우 판례에 의함) 18. 경찰승진

① 무고죄에서의 무고는 '타인으로 하여금 형사처분 또는 징계처분'을 받게 할 목적으로 허위의 사실을 신고하는 행위를 말하며 이때 '징계처분'에는 변호사에 대한 징계처분도 포함된다.

② 피무고자의 승낙을 받아 허위사실을 기재한 고소장을 제출하였다면 피무고자에 대한 형사처분이라는 결과발생을 의욕하지 않았더라도 그러한 결과발생에 대한 미필적 인식은 있었으므로 무고죄가 인정될 수 있다.

③ 피고인이 허위사실을 신고하였지만 신고된 범죄사실에 대한 공소시효가 완성되었음이 신고내용 자체에 의하여 분명한 경우 무고죄가 성립하지 않는다.

④ 피고인 자신이 상대방의 범행에 가담하였음에도 자신의 가담사실을 숨기고 상대방만을 고소한 경우에 무고죄가 성립한다.

**| 해설** ① 대판 2010.11.25, 2010도10202
② 대판 2005.9.30, 2005도2712 ③ 대판 1994.2.8, 93도3445
④ × : 무고죄 ×(대판 2008.8.21, 2008도3754 ∵ 허위사실로 볼 수 없고, 범죄사실의 성립 여부에 직접 영향을 줄 정도에 이르지 아니하는 내용에 관계되는 것임)

**06** **무고죄에 관한 설명 중 옳지 않은 것은 모두 몇 개인가?**(다툼이 있는 경우 판례에 의함)
19. 경찰간부

> ㉠ 위법성조각사유가 있음을 알면서도 이를 숨기고 범죄가 되는 사실만 신고한 때에는 허위의 사실을 신고한 때에 해당한다.
> ㉡ 허위사실의 적시 정도는 수사기관·감독기관에 대해 수사권, 징계권의 발동을 촉구할 수 있을 정도를 넘어서 구체적으로 명시하거나 법률적 평가까지 기재하여야 한다.
> ㉢ 신고한 사실이 객관적 진실에 반하는 허위사실이라는 점에 관하여는 적극적 증명이 없더라도 신고사실의 진실성을 인정할 수 없다면 무고죄의 성립을 인정할 수 있다.
> ㉣ 금원을 대여한 甲은 차용금을 갚지 않은 乙을 '乙이 변제 의사와 능력도 없이 차용금 명목으로 돈을 편취하였으니 사기죄로 처벌해 달라.'는 내용으로 고소하면서 대여금의 용도에 관하여 '도박자금'으로 빌려준 사실을 감추고 '내비게이션 구입에 필요한 자금'이라고 허위 기재한 경우 무고죄가 성립한다.

① 1개 ② 2개 ③ 3개 ④ 4개

**| 해설** ㉠ ○ : 대판 1998.3.24, 97도2956
㉡ × : ~ 촉구하는 정도의 것이면 충분하고 구체적으로 ~ 기재하여야 하는 것은 아니다(대판 2006.5.25, 2005도4642 ; 대판 2009.3.26, 2008도6895).
㉢ × : 무고죄 ×(대판 2007.10.11, 2007도6406 ∵ 소극적 증명 ×, 적극적 증명 ○)
㉣ × : 무고죄 ×(대판 2011.9.8, 2011도3489 ∵ 사기죄의 성립 여부에 영향을 줄 정도의 중요한 부분을 허위로 신고 ×)

**Answer** 5. ④ 6. ③

## 07 무고죄에 관한 설명 중 옳지 않은 것을 모두 고른 것은?(다툼이 있는 경우 판례에 의함)

20. 변호사시험

㉠ 甲의 교사·방조하에 乙이 甲에 대한 허위의 사실을 신고한 경우, 乙의 행위는 무고죄를 구성하고 乙을 교사·방조한 甲도 무고죄의 교사·방조범으로 처벌된다.
㉡ 甲이 자기 자신을 무고하기로 乙과 공모하고 이에 따라 무고행위에 가담한 경우, 甲과 乙은 무고죄의 공동정범으로 처벌된다.
㉢ 타인으로 하여금 형사처분을 받게 할 목적으로 공무소에 대하여 허위의 사실을 신고하였다고 하더라도 그 사실이 친고죄로서 그에 대한 고소기간이 경과하여 공소를 제기할 수 없음이 그 신고내용 자체에 의하여 분명한 경우에는 무고죄가 성립하지 아니한다.
㉣ 타인으로 하여금 형사처분을 받게 할 목적으로 공무소에 대하여 허위의 사실을 고소하면서 객관적으로 그 고소사실에 대한 공소시효가 완성되었음에도 마치 공소시효가 완성되지 아니한 것처럼 고소하였다면 형사소추의 실익이 없어 무고죄가 성립하지 아니한다.
㉤ 타인으로 하여금 형사처분을 받게 할 목적으로 공무소 또는 공무원에 대하여 허위로 신고한 사실이 무고행위 당시 형사처분의 대상이 될 수 있었던 경우에는 무고죄가 기수에 이르고, 이후 그 사실이 형사범죄가 되지 않는 것으로 판례가 변경되었더라도 특별한 사정이 없는 한 이미 성립한 무고죄에는 영향을 미치지 않는다.

① ㉡, ㉣ ② ㉢, ㉤ ③ ㉠, ㉡, ㉤
④ ㉠, ㉢, ㉣ ⑤ ㉡, ㉣, ㉤

**해설** ㉠ ○ : 대판 2008.10.23, 2008도4852
㉡ × : 자기 자신을 무고하기로 제3자와 공모하고 이에 따라 무고행위에 가담하였더라도 이는 자기 자신에게는 무고죄의 구성요건에 해당하지 않아 범죄가 성립할 수 없는 행위를 실현하고자 한 것에 지나지 않아 무고죄의 공동정범으로 처벌할 수 없다(대판 2017.4.26, 2013도12592).
㉢ ○ : 대판 1998.4.14, 98도150
㉣ × : 무고죄 ○(대판 1995.12.5, 95도1728 ∵ 국가기관의 직무를 그르칠 염려가 있음)
㉤ ○ : 대판 2017.5.30, 2015도15398

## 08 무고죄에 관한 다음 설명 중 가장 옳지 않은 것은?(다툼이 있는 경우 판례에 의함) 21. 법원직

① 성폭행 등의 피해를 입었다는 신고사실에 관하여 불기소처분 내지 무죄판결이 내려졌다고 하여, 그 자체를 무고를 하였다는 적극적인 근거로 삼아 신고내용을 허위라고 단정하여서는 아니 된다.
② 개별적, 구체적인 사건에서 성폭행 등의 피해자임을 주장하는 자가 처하였던 특별한 사정을 충분히 고려하지 아니한 채 진정한 피해자라면 마땅히 이렇게 하였을 것이라는 기준을 내세워 성폭행 등의 피해를 입었다는 점 및 신고에 이르게 된 경위 등에 관한 변소를 쉽게 배척하여서는 아니 된다.

Answer 7.① 8.③

③ 타인으로 하여금 형사처분을 받게 할 목적으로 공무소에 대하여 허위의 사실을 신고하였다면, 그 사실이 친고죄로서 그에 대한 고소기간이 경과하여 공소를 제기할 수 없음이 그 신고내용 자체에 의하여 분명한 경우에도 당해 국가기관의 직무를 그르치게 할 위험이 없다고 할 수 없으므로 무고죄가 성립한다.

④ 무고죄에서 신고한 사실이 객관적 진실에 반하는 허위사실이라는 요건은 적극적 증명이 있어야 하고, 신고사실의 진실성을 인정할 수 없다는 소극적 증명만으로 곧 그 신고사실이 객관적 진실에 반하는 허위의 사실이라 단정하여 무고죄의 성립을 인정할 수는 없다.



**| 해설** ①② 대판 2019.7.11, 2018도2614

③ ×: ~ 위험이 없으므로 무고죄가 성립하지 아니한다(대판 1998.4.14, 98도150).

④ 대판 2007.10.11, 2007도6406

**09** **무고죄에 대한 설명으로 적절하지 않은 것을 모두 고른 것은?**(다툼이 있는 경우 판례에 의함)

21. 경찰승진

> ㉠ 무고죄에서의 허위사실 적시의 정도는 수사관서 또는 감독관서에 대하여 수사권 또는 징계권의 발동을 촉구하는 정도의 것이면 충분하고 반드시 범죄구성요건 사실이나 징계요건 사실을 구체적으로 명시하여야 하는 것은 아니다.
>
> ㉡ 신고한 사실이 객관적 진실에 반하는 허위사실이라는 점에 관하여는 적극적인 증명이 있어야 하며, 신고사실의 진실성을 인정할 수 없다는 점만으로 곧 그 신고사실이 객관적 진실에 반하는 허위사실이라고 단정하여 무고죄의 성립을 인정할 수는 없다.
>
> ㉢ 피고인이 돈을 갚지 않는 甲을 차용금 사기로 고소하면서 대여금의 용도에 관하여 '도박자금'으로 빌려준 사실을 감추고 '내비게이션 구입에 필요한 자금'이라고 허위 기재했을 뿐 甲이 차용금의 용도를 속이는 바람에 대여하게 되었다는 취지로 주장한 사실이 없더라도, 피고인이 대여의 일시·장소를 사실과 달리 기재하였다면 무고죄가 성립한다.
>
> ㉣ 甲이 자기 자신을 무고하기로 乙과 공모하고 이에 따라 무고행위에 가담하였다면 甲은 乙과 함께 무고죄의 공동정범으로 처벌된다.
>
> ㉤ 1통의 고소, 고발장에 의하여 수개의 혐의사실을 들어 무고로 고소, 고발한 경우 그중 일부 사실은 진실이나 다른 사실은 허위인 때에는 그 허위사실 부분만이 독립하여 무고죄를 구성한다.

① ㉠, ㉡, ㉤ ② ㉠, ㉣ ③ ㉡, ㉢, ㉤ ④ ㉢, ㉣

**| 해설** ㉠ ○: 대판 2006.5.25, 2005도4642 ㉡ ○: 대판 2007.10.11, 2007도6406

㉢ ×: ~ (3줄) 주장한 사실이 없었다면, 피고인이 ~ 달리 기재하였더라도 무고죄가 성립하지 않는다(대판 2011.9.8, 2011도3489).

㉣ ×: 甲이 자기 자신을 무고하기로 乙과 공모하고 이에 따라 무고행위에 가담하였더라도 甲을 무고죄의 공동정범으로 처벌할 수 없다(대판 2017.4.26, 2013도12592 ∵ 자기 자신에게는 무고죄의 구성요건에 해당하지 않아 범죄가 성립할 수 없는 행위를 실현하고자 한 것에 지나지 않음).

㉤ ○: 대판 1989.9.26, 88도1533

Answer 9.④

**10** **무고죄에 대한 설명으로 옳지 않은 것은?**(다툼이 있는 경우 판례에 의함) 21. 7급 검찰

① 신고한 사실이 객관적 진실에 반하는 허위사실이라는 요건은 적극적 증명이 있어야 하고, 신고사실의 진실성을 인정할 수 없다는 소극적 증명만으로 무고죄의 성립을 인정할 수 없다.

② 타인 명의의 고소장을 대리하여 작성하고 제출하는 형식으로 고소가 이루어진 경우, 그 명의자는 고소의 의사가 없이 이름만 빌려준 것에 불과하고 명의자를 대리한 자가 실제 고소의 의사를 가지고 고소행위를 주도한 경우라 하더라도 그 명의자를 무고죄의 주체로 보아야 한다.

③ 범행일시를 특정하지 않은 고소장을 제출한 후 고소보충진술시에 범죄사실의 공소시효가 아직 완성되지 않은 것으로 허위 진술한 다음, 그 이후 검찰이나 제1심 법정에서 다시 범죄의 공소시효가 완성된 것으로 정정 진술하였더라도 고소보충진술시에 무고죄가 성립하였다고 보아야 한다.

④ 고소를 당한 甲이 자신의 결백을 주장하기 위하여 고소인에 대하여 '고소당한 죄의 혐의가 없는 것으로 인정된다면 고소인이 자신을 무고한 것에 해당하므로 고소인을 처벌해 달라.'는 내용의 고소장을 제출하였는데 甲이 고소당한 범죄가 유죄로 인정되는 경우, 甲에게 무고죄가 성립한다.

**해설** ① 대판 2004.1.27, 2003도5114
② ×: 타인 명의의 고소장을 대리하여 작성하고 제출하는 형식으로 고소가 이루어진 경우 명의자를 대리한 자가 실제 고소의 의사를 가지고 고소행위를 주도한 경우라면 무고죄의 주체는 명의자를 대리한 자로 보아야 한다(대판 2007.3.30, 2006도6017).
③ 대판 2008.3.27, 2007도11153 ④ 대판 2007.3.15, 2006도9453

**11** **무고죄에 관한 설명으로 옳지 않은 것을 모두 고른 것은?**(다툼이 있는 경우 판례에 의함) 22. 순경 1차

㉠ 자기자신을 무고하기로 제3자와 공모하고 이에 따라 무고행위에 가담한 경우 무고죄의 공동정범으로 처벌할 수 없다.
㉡ 신고사실의 일부에 허위의 사실이 포함되어 있다고 하더라도 그 허위부분이 범죄의 성부에 영향을 미치는 중요한 부분이 아니고 단지 신고한 사실을 과장한 것에 불과한 경우에는 무고죄에 해당하지 아니하지만, 그 일부 허위인 사실이 국가의 심판작용을 그르치거나 부당하게 처벌을 받지 아니할 개인의 법적 안정성을 침해할 우려가 있을 정도로 고소사실 전체의 성질을 변경시키는 때에는 무고죄가 성립될 수 있다.
㉢ 신고자가 진실이라고 확신하고 신고하였을 때에는 무고죄가 성립하지 않는다고 할 것이고, '진실이라고 확신한다' 함에는 신고자가 알고 있는 객관적 사실관계에 의하여 신고사실이 허위라거나 허위일 가능성이 있다는 인식을 하면서도 이를 무시한 채 무조건 자신의 주장이 옳다고 생각하는 경우까지 포함되는 것은 아니다.

Answer 10.② 11.④

㉣ 무고죄에 있어서의 신고는 자발적인 것이어야 하고 수사기관 등의 추문에 대하여 허위의 진술을 하는 것은 무고죄를 구성하지 않는 것이므로, 당초 고소장에 기재하지 않은 사실을 수사기관에서 고소보충조서를 받을 때 자진하여 진술하였다 하더라도 이 진술부분까지 신고한 것으로 볼 수는 없다.

㉤ 타인에게 형사처분을 받게 할 목적으로 '허위의 사실'을 신고한 행위가 무고죄를 구성하기 위해서는 신고된 사실 자체가 형사처분의 대상이 될 수 있어야 하므로, 허위로 신고한 사실이 신고 당시에는 형사처분의 대상이 될 수 있었으나 이후 그러한 사실이 형사처분의 대상이 되지 않는 것으로 대법원판례가 변경된 경우 무고죄는 성립하지 않는다.

① ㉠, ㉡ ② ㉡, ㉢ ③ ㉢, ㉣ ④ ㉣, ㉤

해설 ㉠ ○ : 대판 2017.4.26, 2013도12592
㉡ ○ : 대판 2009.1.30, 2008도8573 ㉢ ○ : 대판 2008.5.29, 2006도6347
㉣ × : ~ (3줄) 자진하여 진술하였다면 이 진술부분까지 신고한 것으로 볼 수 있다(대판 1996.2.9, 95도2652). ㉤ × : 허위로 신고한 사실이 무고행위 당시 형사처분의 대상이 될 수 있었다면 무고죄는 기수에 이르고, 이후 그 사실이 형사범죄가 되지 않는 것으로 판례가 변경되었다고 하더라도 특별한 사정이 없는 한 이미 성립한 무고죄에는 영향을 미치지 않는다(대판 2017.5.30, 2015도15398).

**12** **무고죄에 관한 설명 중 가장 옳지 않은 것은?**(다툼이 있는 경우 판례에 의함) 22. 법원행시

① 허무인에 대한 무고는 공무원에게 무익한 수고를 끼치는 일은 있어도 심판 자체를 그르치게 할 염려는 없으며, 또한 피무고자를 해할 수도 없으므로 피무고자는 실재인임을 요한다.

② 스스로 본인을 무고하는 자기무고는 무고죄의 구성요건에 해당하지 아니하나 피무고자의 교사·방조하에 제3자가 피무고자에 대한 허위의 사실을 신고한 경우 제3자의 행위는 무고죄의 구성요건에 해당하여 무고죄를 구성하므로, 제3자를 교사·방조한 피무고자는 교사·방조범으로서의 죄책을 부담한다.

③ 피고인이 甲, 乙에 대하여 무고한 고소사건의 처리 결과를 심리해 보고, 이들에 대하여 불기소결정 등이 내려져 그 재판이 확정된 적이 없으며 피고인이 甲, 乙에 대해 허위의 사실을 고소하였음을 법원에 자백하였다면 형법 제157조, 제153조에 따라 형의 필요적 감면조치를 하여야 한다.

④ 무고에 있어서 피무고자의 승낙이 있었다고 하더라도 무고죄의 성립에는 영향을 미치지 못한다.

⑤ 무고죄에 있어서 형의 필요적 감면사유에 해당하는 자백이란 자신의 범죄사실, 즉 타인으로 하여금 형사처분 또는 징계처분을 받게 할 목적으로 공무소 또는 공무원에 대하여 허위의 사실을 신고하였음을 자인하는 것을 말하므로, 단순히 그 신고한 내용이 객관적 사실에 반한다고 인정하는 것도 자백에 해당한다.

해설 ① 옳다. ② 대판 2008.10.23, 2008도4852
③ 대판 2018.8.1, 2018도7293 ④ 대판 2005.9.30, 2005도2712
⑤ × : ~ 인정하는 것은 자백에 해당하지 아니한다(대판 1995.9.5, 94도755).

Answer 12. ⑤

**13** **무고죄에 관한 다음 설명 중 가장 옳지 않은 것은?**(다툼이 있는 경우 판례에 의함) 22. 법원직

① 무고죄는 국가의 형사사법권 또는 징계권의 적정한 행사를 주된 보호법익으로 하는 것이지 개인의 부당하게 처벌 또는 징계받지 아니할 이익을 보호하는 죄는 아니므로, 설사 무고에 있어서 피무고자의 승낙이 있었다고 하더라도 무고죄의 성립에는 영향을 미치지 못한다 할 것이다.

② 고소인이 차용금을 갚지 않는 차용인을 사기죄로 고소함에 있어서, 피고소인이 차용금의 용도를 속이는 바람에 대여하였다고 주장하는 경우, 실제 용도에 관하여 고소인이 허위로 신고를 할 경우에는 그것만으로도 무고죄에 있어서의 허위의 사실을 신고한 경우에 해당한다.

③ 무고죄에서 신고한 사실이 객관적 사실에 반하는 허위사실이라는 요건은 적극적인 증명이 있어야 하며, 신고사실의 진실성을 인정할 수 없다는 소극적 증명만으로 곧 그 신고 사실이 객관적 진실에 반하는 허위사실이라고 단정하여 무고죄의 성립을 인정할 수는 없다.

④ 무고죄에 있어서 형사처분 또는 징계처분을 받게 할 목적은 허위신고를 함에 있어서 다른 사람이 그로 인하여 형사 또는 징계처분을 받게 될 것이라는 인식이 있으면 족한 것이고 그 결과발생을 희망하는 것까지를 요하는 것은 아니므로, 고소인이 고소장을 수사기관에 제출한 이상 그러한 인식은 있었다고 보아야 한다.

**| 해설** ① ×: ~ 적정한 행사를 주된 보호법익으로 하고 개인의 부당하게 ~ 이익을 부수적으로 보호하는 죄이므로, 설사 ~ 것이다(대판 2005.9.30, 2005도2712).
② 대판 2011.9.8, 2011도3489 ③ 대판 2007.10.11, 2007도6406 ④ 대판 2005.9.30, 2005도2712

**14** **무고죄에 대한 설명 중 가장 적절하지 않은 것은?**(다툼이 있는 경우 판례에 의함) 23. 경찰승진

① 스스로 본인을 무고하는 자기 무고행위는 무고죄의 구성요건에 해당하지 않는다.

② 무고죄에 있어서 허위사실 적시의 정도는 수사관서 또는 감독관서에 대하여 수사권 또는 징계권의 발동을 촉구하는 정도로는 충분하지 않고, 범죄구성요건사실이나 징계요건사실을 구체적으로 명시하여야 한다.

③ 甲이 허위내용의 고소장을 경찰관에게 제출하여 허위사실의 신고가 수사기관에 도달하였다면, 그 후에 해당 고소장을 되돌려 받았다 하더라도 무고죄 성립에 영향을 미치지 못한다.

④ 외관상 타인 명의의 고소장을 대리하여 작성하고 제출하는 형식으로 고소가 이루어진 경우, 그 명의자는 고소 의사 없이 이름만 빌려준 것에 불과하고 명의자를 대리한 자가 실제 고소의 의사를 가지고 고소행위를 주도한 경우라면 그 명의자를 대리한 자를 신고자로 보아 무고죄의 주체로 인정하여야 한다.

**| 해설** ① 대판 2008.10.23, 2008도4852
② ×: ~ (2줄) 촉구하는 정도로 충분하고, ~ 구체적으로 명시할 필요는 없다(대판 2006.5.25, 2005도4642). ③ 대판 1985.2.8, 84도2215 ④ 대판 2007.3.30, 2006도6017

**Answer** 13. ① 14. ②

**15 무고죄에 관한 설명으로 옳지 않은 것을 모두 고른 것은?**(다툼이 있는 경우 판례에 의함)

**24. 경찰승진**

| |
|---|
| ㉠ 무고죄에 있어 타인은 자연인은 물론 법인도 포함하므로 특정되지 않은 이름을 알 수 없는 사람(성명불상자)에 대한 무고죄는 성립한다.<br>㉡ 성폭행 등의 피해를 입었다는 신고사실에 관하여 불기소처분 내지 무죄판결이 내려졌다고 하여, 그 자체를 무고를 하였다는 적극적인 근거로 삼아 신고내용을 허위라고 단정하여서는 아니 된다.<br>㉢ 신고자가 알고 있는 객관적인 사실관계에 의하더라도 신고 사실이 허위라거나 또는 허위일 가능성이 있다는 인식을 하지 못하였다면 무고의 고의를 부정할 수 있다.<br>㉣ 공동피고인 중 1인이 타범죄로 조사를 받는 과정에서 사법경찰관의 신문에 따라 다른 공동피고인의 범죄사실을 진술한 경우에 위 진술내용이 허위라면 이는 무고에 해당한다. |

① ㉠, ㉢ ② ㉠, ㉣ ③ ㉡, ㉢ ④ ㉢, ㉣

**| 해설** ㉠ × : 특정되지 않은 성명불상자에 대한 무고죄는 성립하지 않는다. 공무원에게 무익한 수고를 끼치는 일은 있어도 심판 자체를 그르치게 할 염려가 없으며 피무고자를 해할 수도 없기 때문이다(대판 2022.9.29, 2020도11754).

㉡ ○ : 대판 2019.7.11, 2018도2614

㉢ ○ : 대판 2008.5.29, 2006도6347

㉣ × : ~ 진술내용이 허위라 하더라도 이를 무고라고는 할 수 없다(대결 1985.7.26, 85모14).

03

Answer 15. ②

## 종합문제 도주죄와 범인은닉죄, 위증죄와 증거인멸죄, 무고죄

**01** **'증거인멸 및 무고의 죄'에 대한 설명으로 가장 적절한 것은?**(다툼이 있는 경우 판례에 의함)

**18. 경찰승진**

① 자기의 형사사건에 관한 증거를 인멸하기 위하여 타인을 교사하여 죄를 범하게 한 자에 대하여 교사범의 죄책을 부담하게 할 수 없다.

② 피고인 자신이 직접 형사처분이나 징계처분을 받게 될 것을 두려워한 나머지 자기의 이익을 위하여 증인이 될 사람을 도피하게 하였다면, 그 행위가 동시에 다른 공범자의 형사사건이나 징계사건에 관한 증인을 도피하게 한 결과가 된다고 하더라도 이를 증인도피죄로 처벌할 수 없다.

③ 피고인이 고소를 한 목적이 피고소인들을 처벌받도록 하는 데에 있지 아니하고 단지 회사 장부상의 비리를 밝혀 정당한 정산을 구하는 데에 있다면 무고의 범의가 없다.

④ 甲이 경찰서에 "A가 송이의 채취권을 이중으로 양도하여 손해를 입었으니 엄벌하여 달라."는 내용의 고소장을 제출하였다면, 고소사실이 횡령이나 배임죄 기타 형사범죄를 구성하지 않는다고 하더라도 그 신고 내용이 허위라면 무고죄가 성립한다.

**| 해설** ① ×: 증거인멸죄의 교사범 ○(대판 2000.3.24, 99도5275 ∵ 방어권의 남용 ○)
② ○: 대판 2003.3.14, 2002도6134
③ ×: ~ 있다고 하여 무고죄의 범의가 없다고 할 수 없다(대판 1991.5.10, 90도2601).
④ ×: 무고죄 ×(대판 2007.4.13, 2006도558 ∵ 횡령죄나 배임죄 기타 형사범죄를 구성하지 않는 내용의 신고에 불과)

**02** **위증과 무고의 죄에 대한 설명 중 가장 적절한 것은?**(다툼이 있는 경우 판례에 의함)

**20. 경찰승진**

① 유죄판결이 확정된 피고인이 별건으로 기소된 공범의 형사사건에서 자신의 범행사실을 부인하는 증언을 한 경우 피고인에게 사실대로 진술할 것이라는 기대가능성이 없으므로 위증죄가 성립하지 않는다.

② 별도의 증인신청 및 채택 절차를 거쳐 그 증인이 다시 신문을 받는 과정에서 종전 신문절차에서 한 허위의 진술을 철회 시정한 경우 위증죄가 성립하지 아니한다.

③ 상대방의 범행에 공범으로 가담한 자가 자신의 범죄 가담사실을 숨기고 상대방인 공범자만을 고소하였다면 무고죄가 성립한다.

④ 위증죄에 있어서 형의 감면 규정은 재판 확정전의 자백을 형의 필요적 감면 사유로 한다는 것이고, 자발적인 고백은 물론 법원이나 수사기관의 심문에 의한 고백도 위 자백의 개념에 포함된다.

**Answer** 1. ② 2. ④

| 해설 | ① × : 위증죄 ○(대판 2008.10.23, 2005도10101 ∵ 기대가능성 ○)
② × : 위증죄 ○(대판 2010.9.30, 2010도7525 ∵ 종전 신문절차가 종료된 경우 ⇨ 위증죄 기수 ○)
③ × : 무고죄 ×(대판 2008.8.21, 2008도3754 ⇨ 허위의 사실 ×, 상대방의 범죄사실의 성립 여부에 직접 영향을 줄 정도 ×)
④ ○ : 대판 1973.11.27, 73도1639



## 03 위증죄 및 무고죄에 대한 설명 중 가장 적절하지 않은 것은?(다툼이 있는 경우 판례에 의함)

21. 경력채용

① 증언이 기본적인 사항에 관한 것이 아니고 지엽적인 상황에 관한 진술인 경우에는 허위 진술이더라도 위증죄가 성립하지 않는다.

② 증거위조죄에서 '위조'란 문서에 관한 죄에 있어서의 위조 개념과는 달리 새로운 증거의 창조를 의미하는 것이므로, 증거가 문서의 형식을 갖는 경우 증거위조죄에 있어서의 증거에 해당하는지 여부가 그 작성권한의 유무나 내용의 진실성에 좌우되는 것은 아니다.

③ 신고한 사실이 진실한 사실로서 허위의 사실을 신고한 것이 아닌 이상 그 신고된 사실에 대해 형사책임을 부담할 자를 잘못 선택한 경우라도 무고죄가 성립하지 않는다.

④ 형사사건에 관하여 피고인을 모해할 목적으로 위증죄를 범한 경우에, 그러한 목적 없이 위증죄를 범한 경우와 마찬가지로 재판이 확정되기 전에 자백하였다면 그 형을 감경 또는 면제한다.

| 해설 | ① × : 증언이 기본적인 사항에 관한 것이 아니고 지엽적인 상황에 관한 진술이라 하더라도 그것이 허위 진술인 이상 위증죄가 성립한다(대판 2018.5.15, 2017도19499).
② 대판 2007.6.28, 2002도3600
③ 대판 2017.5.30, 2015도15398
④ 제153조

## 04 다음 설명 중 가장 적절하지 않은 것은?(다툼이 있는 경우 판례에 의함)

22. 경찰승진

① 甲이 무면허운전으로 교통사고를 내자 자신의 아들 乙을 경찰서에 대신 출석시켜 피의자로 조사받도록 한 경우, 乙을 범인도피죄로 처벌할 수는 없고 甲의 행위 역시 범인도피교사죄에 해당하지 않는다.

② 乙과 공동정범 관계에 있는 甲이 수사절차에서 조사받으면서 자기의 범행을 구성하는 사실관계에 관하여 허위로 진술하고 허위자료를 제출한 경우, 그것이 乙을 도피하게 하는 결과가 되더라도 甲을 범인도피죄로 처벌할 수 없고 乙이 그러한 행위를 교사하였더라도 범인도피교사죄가 성립하지 않는다.

③ 증인이 증언거부권을 고지받지 못함으로 인하여 그 증언거부권을 행사하는 데 사실상 장애가 초래되었다고 볼 수 있는 경우에는 위증죄의 성립이 부정된다.

Answer 3. ① 4. ①

④ 무고죄에 있어서 '형사처분 또는 징계처분을 받게 할 목적'은 허위신고를 함에 있어서 다른 사람이 그로 인하여 형사 또는 징계처분을 받게 될 것이라는 인식이 있으면 족하고 그 결과 발생을 희망하는 것을 요하는 것은 아니다.

| 해설 ① ×: 乙 ⇨ 범인도피죄 ×(제151조 제2항), 甲 ⇨ 범인도피교사죄 ○(대판 2006.12.7, 2005도3707)
② 대판 2018.8.1, 2015도20396
③ 대판 2010.1.21, 2008도942 전원합의체
④ 대판 2005.9.30, 2005도2712

**05** **다음 설명 중 옳고 그름의 표시(○, ×)가 바르게 된 것은?**(다툼이 있는 경우 판례에 의함)

23. 순경 1차

㉠ 범죄 또는 징계사유의 성립 여부에 관한 것뿐만 아니라 형 또는 징계의 경중에 영향을 미치는 정상을 인정하는 데 도움이 될 자료까지도 증거위조죄에서 규정한 '증거'에 포함된다.
㉡ 자신이 직접 형사처분을 받게 될 것을 두려워한 나머지 자기의 이익을 위하여 그 증거가 될 자료를 은닉하였다면 증거은닉죄에 해당하지 않고, 제3자와 공동하여 그러한 행위를 하였더라도 마찬가지이다.
㉢ 모해위증죄에 있어서 甲이 A를 모해할 목적으로 그러한 목적이 없는 乙에게 위증을 교사한 경우, 공범종속성에 관한 일반 규정인 형법 제31조 제1항이 공범과 신분에 관한 형법 제33조 단서에 우선하여 적용되므로 신분이 있는 甲이 신분이 없는 乙보다 무겁게 처벌된다.
㉣ 甲이 자기 자신을 무고하기로 乙과 공모하고 공동의 의사에 따라 乙과 함께 자신을 무고한 경우, 甲과 乙은 무고죄의 공동정범으로서의 죄책을 진다.

① ㉠(○), ㉡(○), ㉢(○), ㉣(×)
② ㉠(○), ㉡(○), ㉢(×), ㉣(×)
③ ㉠(×), ㉡(○), ㉢(○), ㉣(○)
④ ㉠(×), ㉡(×), ㉢(○), ㉣(○)

| 해설 ㉠ ○: 대판 2021.1.28, 2020도2642
㉡ ○: 2018.10.25, 2015도1000
㉢ ×: ~ 교사한 경우, 형법 제33조 단서가 공범종속성에 관한 일반 규정인 형법 제31조 제1항에 우선하여 적용되므로 신분이 있는 甲이 신분이 없는 乙보다 무겁게 처벌된다(대판 1994.12.23, 93도1002).
㉣ ×: 자기 자신을 무고하기로 제3자와 공모하고 이에 따라 무고행위에 가담하였더라도 이는 자기 자신에게는 무고죄의 구성요건에 해당하지 않아 범죄가 성립할 수 없는 행위를 실현하고자 한 것에 지나지 않아 무고죄의 공동정범으로 처벌할 수 없다(대판 2017.4.26, 2013도12592).

Answer 5. ②

**06** **증거인멸죄 및 무고죄 등에 관한 다음 설명 중 가장 옳은 것은?**(다툼이 있는 경우 판례에 의함)

23. 법원행시

① 증거인멸죄는 피고인 자신이 직접 형사처분이나 징계처분을 받게 될 것을 두려워한 나머지 자기의 이익을 위하여 그 증거가 될 자료를 인멸한 경우에는 성립하지 않지만 그 행위가 동시에 다른 공범자의 형사사건이나 징계사건에 관한 증거를 인멸한 결과가 될 경우에는 성립한다.

② 증거인멸죄에서 '증거'라 함은 타인의 형사사건 또는 징계사건에 관하여 수사기관이나 법원 또는 징계기관이 국가의 형벌권 또는 징계권의 유무를 확인하는 데 관계있다고 인정되는 일체의 자료를 의미하고, 타인에게 유리한 것이건 불리한 것이건 가리지 아니하며 또 증거가치의 유무 및 정도를 불문한다.

③ 공동피고인 중 1인이 타범죄로 조사를 받는 과정에서 사법경찰관 및 검사의 심문에 따라 다른 공동피고인의 범죄사실을 진술한 경우에 위 진술내용이 허위라면 이는 무고에 해당한다.

④ 고소인이 A에게 대여하였다가 이미 변제받은 금원에 관하여 A가 이를 수개월간 변제치 않고 있었던 점을 들어 위 금원을 착복하였다는 표현으로 고소장에 기재한 경우 이것이 A로부터 아직 변제받지 못한 나머지 금원에 관한 고소내용의 정황을 과장한 것이거나 또는 주관적 법률평가를 잘못하였음에 지나지 아니한 것이라 하더라도 이는 허위의 사실을 들어 고소한 것이다.

⑤ 강간을 당하여 상해를 입었다는 고소내용은 하나의 강간행위에 대한 고소사실이나, 이를 분리하여 강간에 관한 고소사실과 상해에 관한 고소사실의 두 가지 고소내용이라고 볼 수 있고, 피고인이 공소외 A로부터 강간을 당한 것이 사실인 이상 이를 고소함에 있어서 강간으로 입은 것이 아닌 상해사실을 포함시킨 경우에는 고소내용의 정황을 단순히 과장한 것이 아니므로 따로이 무고죄를 구성한다.

**해설** ① ×：~ (2줄) 성립하지 않고, 그 행위가 동시에 다른 공범자의 형사사건이나 징계사건에 관한 증거를 인멸한 결과가 될 경우에도 성립하지 않는다(대판 1995.9.29, 94도2608).

② ○：대판 2021.1.28, 2020도2642

③ ×：~ (2줄) 진술내용이 허위라 하더라도 이를 무고라고는 할 수 없다(대결 1985.7.26, 85모14).

④ ×：~ (4줄) 지나지 아니한 것이라면 특별한 사정이 없는 한 허위의 사실을 들어 고소하였다고 단정할 수는 없다(대판 1987.6.9, 87도1029).

⑤ ×：~ 하나의 강간행위에 대한 고소사실이고, 이를 분리하여 강간에 관한 고소사실과 상해에 관한 고소사실의 두 가지 고소내용이라고 볼 수는 없으므로, 피고인이 공소외 A로부터 강간을 당한 것이 사실인 이상 이를 고소함에 있어서 강간으로 입은 것이 아닌 상해사실을 포함시켰다 하더라도 이는 고소내용의 정황을 과장한 것에 지나지 아니하여 따로이 무고죄를 구성하지 아니한다(대판 1983.1.18, 82도2170).

Answer 6. ②

## 07 다음 중 옳은 것을 모두 고른 것은?(다툼이 있는 경우 판례에 의함)

23. 순경 2차

> ㉠ 위증죄는 법률에 의하여 선서한 증인이 사실에 관하여 기억에 반하는 진술을 한 때에 성립하고, 증인의 진술이 경험한 사실에 대한 법률적 평가이거나 단순한 의견에 지나지 아니하는 경우에는 위증죄에서 말하는 허위의 공술이라고 할 수 없으나 경험한 객관적 사실에 대한 증인 나름의 법률적·주관적 평가나 의견을 부연한 부분에 다소의 오류나 모순이 있는 경우 위증죄가 성립한다.
>
> ㉡ 피고인 자신이 직접 형사처분이나 징계처분을 받게 될 것을 두려워한 나머지 자기의 이익을 위하여 그 증거가 될 자료를 인멸하였다면, 그 행위가 동시에 다른 공범자의 형사사건이나 징계사건에 관한 증거를 인멸한 결과가 된다고 하더라도 이를 증거인멸죄로 다스릴 수 없다.
>
> ㉢ 피고인 자신을 위해 증인을 도피하게 한 행위가 동시에 다른 공범자의 형사사건이나 징계사건에 관한 증인을 도피하게 한 결과로 되는 경우 증인도피죄가 성립한다.
>
> ㉣ 참고인이 타인의 형사사건 등에 관하여 제3자와 대화를 하면서 허위로 진술하고 위와 같은 허위 진술이 담긴 대화 내용을 녹음한 녹음파일 또는 이를 녹취한 녹취록을 만들어 수사 기관 등에 제출하는 것은 증거위조죄를 구성하지 아니한다.
>
> ㉤ 무고죄는 국가의 형사사법권 또는 징계권의 적정한 행사를 주된 보호법익으로 하고 다만, 개인의 부당하게 처벌 또는 징계받지 아니할 이익을 부수적으로 보호하는 죄이므로, 설사 무고에 있어서 피무고자의 승낙이 있었다고 하더라도 무고죄가 성립한다.

① ㉠, ㉡ ② ㉡, ㉣ ③ ㉡, ㉤ ④ ㉢, ㉤

**해설** ㉠ × : ~ (3줄) 허위의 공술이라고 할 수 없으며, 경험한 객관적 사실에 대한 증인 나름의 법률적·주관적 평가나 의견을 부연한 부분에 다소의 오류나 모순이 있더라도 위증죄가 성립하는 것은 아니다(대판 2009.3.12, 2008도11007).
㉡ ○ : 대판 1995.9.29, 94도2608
㉢ × : 증인도피죄 ×(대판 2003.3.14, 2002도6134)
㉣ × : 증거위조죄 ○(대판 2013.12.26, 2013도8085)
㉤ ○ : 대판 2005.9.30, 2005도2712

## 08 위증과 무고의 죄에 관한 설명으로 가장 적절하지 않은 것은?(다툼이 있는 경우 판례에 의함)

24. 경찰간부

① 무고죄의 범의는 반드시 확정적 고의일 필요가 없고 미필적 고의로도 충분하다. 이에 신고자가 허위라고 확신한 사실을 신고한 경우와 달리 진실하다는 확신 없는 사실을 신고한 경우에는 무고죄의 범의를 인정할 수 없다.
② 모해위증죄에 있어서 '모해할 목적'은 허위의 진술을 함으로써 피고인에게 불리하게 될 것이라는 인식이 있으면 충분하고, 그 결과의 발생까지 희망할 필요는 없다.
③ 증인신문절차에서 법률에 규정된 증인 보호를 위한 규정이 지켜진 것으로 인정되지 않은 경우라도, 당해 사건에서 증인보호에 사실상 장애가 초래되었다고 볼 수 없는 경우에까지 예외없이 위증죄의 성립이 부정되는 것은 아니다.

Answer 7. ③ 8. ①

④ 성폭행 등의 피해를 입었다는 신고사실에 관하여 불기소처분 내지 무죄판결이 내려졌다고 하여, 그 자체를 무고를 하였다는 적극적인 근거로 삼아 신고내용을 허위라고 단정하여서는 아니 된다.

| 해설 ① × : 무고죄의 범의는 반드시 확정적 고의일 필요가 없고 미필적 고의로도 충분하므로, 신고자가 허위라고 확신한 사실을 신고한 경우뿐만 아니라 진실하다는 확신 없는 사실을 신고하는 경우에도 그 범의를 인정할 수 있다(대판 2022.6.30, 2022도3413).
② 대판 2007.12.27, 2006도3575
③ 대판 2010.1.21, 2008도942
④ 대판 2019.7.11, 2018도2614



**09** **국가의 기능에 대한 죄에 관한 설명으로 가장 적절하지 않은 것은?**(다툼이 있는 경우 판례에 의함)

24. 순경 1차

① 범인 스스로 도피하는 행위는 처벌되지 않으므로, 범인이 도피를 위하여 타인에게 도움을 요청하는 행위 역시 도피행위의 범주에 속하는 한 처벌되지 않고, 범인이 타인으로 하여금 허위의 자백을 하게 하는 등으로 범인도피죄를 범하게 하는 경우와 같이 그것이 방어권의 남용으로 볼 수 있을 때라 하더라도 범인도피교사죄로 처벌할 수 없다.

② 직권남용권리행사방해죄는 단순히 공무원이 직권을 남용하는 행위를 하였다는 것만으로 곧바로 성립하는 것이 아니라, 직권을 남용하여 현실적으로 다른 사람으로 하여금 법령상 의무 없는 일을 하게 하였거나 다른 사람의 구체적인 권리행사를 방해하는 결과가 발생하여야 하고, 그 결과의 발생은 직권남용 행위로 인한 것이어야 한다.

③ 형법 제151조 제1항의 범인도피죄에서 '죄를 범한 자'라 함은 범죄의 혐의를 받아 수사대상이 되어 있는 자를 포함하고, 나아가 벌금 이상의 형에 해당하는 죄를 범한 자라는 것을 인식하면서도 도피하게 한 경우에는 그 자가 당시에는 아직 수사 대상이 되어 있지 않았다고 하더라도 범인도피죄가 성립한다.

④ 증인의 증언은 그 전부를 일체로 관찰·판단하는 것이므로 선서한 증인이 일단 기억에 반하는 허위의 진술을 하였더라도 그 신문이 끝나기 전에 그 진술을 철회·시정한 경우 위증이 되지 않는다.

| 해설 ① × : ~ (4줄) 방어권의 남용으로 볼 수 있을 때에는 범인도피교사죄에 해당할 수 있다(대판 2000.3.24, 2000도20).
② 대판 2020.1.30, 2018도2236 전원합의체
③ 대판 2003.12.12, 2003도4533
④ 대판 2008.4.24, 2008도1053

Answer 9. ①

## 종합문제 형법 각론

**01** **다음 설명 중 가장 옳지 않은 것은?**(다툼이 있는 경우 판례에 의함) **18. 경찰간부**

① 甲은 이미 2시간 전쯤 乙의 가해행위에 의해서 부상을 당하여 의자에 누워있던 丙을 밀어 땅바닥에 떨어지게 하였는데, 그 후 丙이 사망하였으나 그 사망의 원인이 甲의 가해행위 때문인지 아니면 乙의 가해행위 때문인지 밝혀지지 않은 경우 甲에게는 폭행치사죄가 성립한다.

② 甲이 乙에게 근접하여 욕설을 하면서 때릴 듯이 손발이나 물건을 휘두르거나 던지는 행위는 乙에 대한 불법한 유형력의 행사로서 폭행에 해당한다.

③ 공사현장 출입구 앞 도로 한복판을 점거하고 공사차량의 출입을 방해하던 甲의 팔과 다리를 잡고 도로 밖으로 옮기려고 한 경찰관의 적법한 공무집행에 대해, 甲이 경찰관의 팔을 물어뜯어 상해를 입힌 경우 甲에게는 공무집행방해치상죄가 성립한다.

④ 거리상 멀리 떨어져 있는 사람에게 전화기를 이용하여 전화하면서 고성을 내거나 그 전화대화를 녹음 후 듣게 하는 경우, 특수한 방법으로 수화자의 청각기관을 자극하여 수화자로 하여금 고통스럽게 느끼게 할 정도의 음향을 이용하였다는 등의 특별한 사정이 없는 한 폭행죄에 있어서의 신체에 대한 유형력의 행사를 한 것으로 보기 어렵다.

| 해설 | ① 대판 2000.7.28, 2000도2466
② 대판 1990.2.13, 89도1406
③ × : 공무집행방해죄와 상해죄의 상상적 경합 ○(대판 2013.9.26, 2013도643)
④ 대판 2003.1.10, 2000도5716

**02** **다음 사례 중 괄호 안의 범죄가 인정되지 않는 것은?**(다툼이 있는 경우 판례에 의함)

**19. 9급 검찰 · 마약수사**

① 채권자가 빚 독촉을 하다가 시비 중 멱살을 잡고 대드는 채무자의 손을 뿌리치고 그를 뒤로 밀어 넘어뜨려 아래로 뒹굴게 하여 그 순간 채무자의 등에 업힌 그의 딸에게 두개골 골절상을 입혀 사망하게 한 경우(폭행치사죄)

② 피해자 법인이나 단체의 대표자 또는 실질적으로 의사결정을 하는 최종결재권자 등 기망의 상대방이 기망행위자와 동일인이거나 기망행위자와 공모하는 등 기망행위를 알고 있었던 경우(사기죄)

③ 회사직원이 영업비밀 등을 적법하게 반출한 후, 퇴사시에 그 영업비밀 등을 회사에 반환하거나 폐기할 의무가 있음에도 경쟁업체에 유출할 목적으로 이를 반환하거나 폐기하지 아니한 경우(업무상 배임죄)

Answer 1. ③ 2. ②

④ 사법경찰관이 내사단계에서 수사의 대상, 방법 등에 관하여 검사가 자신에게 지휘한 내용이 기재된 수사지휘서를 잠재적 피의자에게 교부하고 이에 관계된 수사상황을 알려준 경우(공무상 비밀누설죄)

**| 해설** ① 폭행치사죄 ○(대판 1972.11.28, 72도2201)
② 사기죄 ×(대판 2017.9.26, 2017도8449 ∵ 기망행위로 인한 착오 ×, 기망행위와 처분행위 사이에 인과관계 ×)
③ 업무상 배임죄 ○(대판 2017.6.29, 2017도3808)
④ 공무상 비밀누설죄 ○(대판 2018.2.13, 2014도11441)



**03** **범죄와 그 보호법익에 대한 설명으로 가장 적절한 것은?**(다툼이 있는 경우 판례에 의함)

18. 순경 3차

① 형법 제287조의 미성년자 약취유인죄는 미성년자의 자유 외에 보호감독자의 감호권도 보호법익으로 한다.
② 형법 제127조의 공무상 비밀누설죄는 비밀누설에 의하여 위협받는 국가의 기능이 아니라 비밀 그 자체를 보호법익으로 한다.
③ 성폭력범죄의 처벌 등에 관한 특례법 제13조의 통신매체이용음란죄는 성적 자기결정권에 반하여 성적 수치심을 일으키는 그림 등을 개인의 의사에 반하여 접하지 않을 권리를 보장하기 위한 것으로 개인의 성적 자유를 보호하기 위한 것이며, 사회적 법익으로서 건전한 성풍속을 보호하기 위한 구성요건이 아니다.
④ 형법 제156조의 무고죄는 국가의 형사사법권 또는 징계권의 적정한 행사를 보호법익으로 하며, 부당하게 처벌 또는 징계받지 않을 개인적 이익을 보호하기 위한 구성요건이 아니다.

**| 해설** ① ○ : 대판 2003.2.11, 2002도7115
② × : 국가의 기능 ○, 비밀 그 자체 ×(대판 1996.5.10, 95도780)
③ × : ~ (3줄) 보호하기 위한 것으로 성적 자기결정권과 일반적 인격권의 보호, 사회의 건전한 성풍속 확립을 보호법익으로 한다(대판 2018.9.13, 2018도9775).
④ × : ~ 적정한 행사를 주된 보호법익으로 하고, 다만 개인에게 부당하게 ~ 개인적 이익을 부수적으로 보호한다(대판 2005.9.30, 2005도2712).

**04** **다음 설명 중 가장 옳은 것은?**(다툼이 있는 경우 판례에 의함) 17. 법원직

① 이미 수신이 완료된 전기통신에 관하여 남아 있는 기록이나 내용을 열어보는 등의 행위는 통신비밀보호법에 규정된 통신제한조치 중 '전기통신의 감청'에 원칙적으로 해당한다.
② 형법 제65조에서 '형의 선고가 효력을 잃는다.'는 의미는 형의 실효와 마찬가지로 형의 선고에 의한 법적 효과가 소급하여 소멸한다는 것이다.

**Answer** 3.① 4.③

③ 대주가 차주의 신용 상태를 인식하고 있어 장래의 변제지체 또는 변제불능에 대한 위험을 예상하고 있었던 경우에는 다른 특별한 사정이 없는 한 차주가 제대로 변제하지 못하였다는 사정만으로 차주에게 편취의 범의가 있었다고 단정할 수 없다.

④ 정비사업조합의 임원이 조합 임원의 지위를 상실하거나 직무수행권을 상실하였다면 조합 임원으로 등기되어 있는 상태에서 실질적으로 조합 임원으로서 직무를 수행해 왔다 하더라도 형법상 뇌물죄의 적용에서 공무원으로 볼 수는 없다.

**| 해설** ① ×: ~ 해당하지 않는다(대판 2016.10.13, 2016도8137).
② ×: 형의 선고가 효력을 잃는다는 것은 형의 선고의 법률적 효과가 없어진다는 것이지 선고가 있었다는 기왕의 사실까지 없어지는 것은 아니다(대판 2003.12.26, 2003도3768). 따라서 형의 선고에 의한 법적 효과가 소급하여 소멸한다는 것은 아니다.
③ ○: 대판 2016.4.28, 2012도14516
④ ×: ~ 공무원으로 보아야 한다(대판 2016.1.14, 2015도15798).

**05** **다음의 ㉠부터 ㉣까지의 설명 중 옳고 그름의 표시(○, ×)가 모두 바르게 된 것은?**(다툼이 있는 경우 판례에 의함) 21. 순경 1차

㉠ 직권남용 행위의 상대방이 공무원이거나 법령에 따라 일정한 공적 임무를 부여받고 있는 공공기관 등의 임직원인 경우에는 법령에 따라 임무를 수행하는 지위에 있으므로 그가 직권에 대응하여 어떠한 일을 한 것이 의무 없는 일인지 여부는 관계 법령 등의 내용에 따라 개별적으로 판단하여야 한다.
㉡ 공무원이 자신의 직무와 관련된 상대방에게 공무원 자신 또는 자신이 지정한 제3자를 위하여 재산적 이익 등의 제공을 요구하고 상대방은 어떠한 이익을 기대하며 그에 대한 대가로 요구에 응하였다면, 다른 사정이 없는 한 협박을 요건으로 하는 강요죄가 성립하지 않는다.
㉢ 공무원이 자신의 직무권한에 속하는 사항에 관하여 실무담당자로 하여금 그 직무집행을 보조하는 사실행위를 하도록 하였다면, 이는 원칙적으로 직권남용권리행사방해죄에서 말하는 '의무 없는 일을 하게 한 때'에 해당한다.
㉣ 학대죄는 자기의 보호 또는 감독을 받는 사람에게 육체적으로 고통을 주거나 정신적으로 차별대우를 하는 행위가 있음과 동시에 범죄가 완성되는 상태범 또는 즉시범이다.

① ㉠(○), ㉡(○), ㉢(×), ㉣(○)
② ㉠(○), ㉡(×), ㉢(×), ㉣(×)
③ ㉠(×), ㉡(○), ㉢(○), ㉣(○)
④ ㉠(○), ㉡(○), ㉢(×), ㉣(×)

**| 해설** ㉠ ○: 대판 2020.1.30, 2018도2236 전원합의체
㉡ ○: 대판 2020.2.13, 2019도5186
㉢ ×: ~ 해당한다고 할 수 없다(대판 2019.3.14, 2018도18646).
㉣ ○: 대판 1986.7.8, 84도2922

Answer 5. ①

**06** 우리 형법에 대한 설명으로 가장 옳은 것은? 17. 법원행시

① 형법은 죄를 지어 외국에서 형의 전부 또는 일부의 집행을 받은 자에 대하여 형을 감경 또는 면제할 수 있도록 규정하고 있으므로, 반드시 감경 또는 면제하여야 하는 것은 아니다.

② 형법 제357조는 타인의 사무를 처리하는 자가 부정한 청탁을 받고 재물이나 재산상 이익을 취득한 경우 배임수재죄로 처벌하고 있으나, 재물이나 재산상 이익을 본인이 아닌 제3자에게 제공하도록 한 경우에는 처벌할 수 있는 근거가 없다.

③ 형법은 개정을 통해 500만원 이하의 벌금형에 대해서도 집행을 유예할 수 있도록 벌금형에 대한 집행유예 제도를 도입하였다.

④ 형법 제114조의 범죄단체조직죄는 법정형의 제한 없이 범죄를 목적으로 단체를 조직하기만 하면 구성요건에 해당하게 되어 그 처벌범위가 너무 넓다는 비판이 제기되고 있다.

⑤ 형법은 판결선고 전의 구금일수는 그 전부 또는 일부를 유기징역, 유기금고, 벌금이나 과료에 관한 유치 또는 구류에 산입할 수 있도록 하고 있다.

| 해설 ① × : 죄를 지어 외국에서 형의 전부 또는 일부가 집행된 사람에 대해서는 그 집행된 형의 전부 또는 일부를 선고하는 형에 산입한다(제7조).
② × : 타인의 사무를 처리하는 자가 그 임무에 관하여 부정한 청탁을 받고 재물 또는 재산상의 이익을 취득하거나 제3자로 하여금 이를 취득하게 한 때에는 5년 이하의 징역 또는 1천만원 이하의 벌금에 처한다(제357조 제1항).
③ ○ : 제62조 제1항
④ × : 사형, 무기 또는 장기 4년 이상의 징역에 해당하는 범죄를 목적으로 하는 단체 또는 집단을 조직하거나, 이에 가입하거나 그 구성원으로 활동한 사람은 그 목적한 죄에 정한 형으로 처벌한다. 다만, 형을 감경할 수 있다(제114조).
⑤ × : 판결선고 전의 구금일수는 그 전부를 유기징역, 유기금고, 벌금이나 과료에 관한 유치 또는 구류에 산입한다(제57조 제1항).

**07** 형법상 범죄의 구성요건에 대한 설명으로 옳은 것은? 21. 9급 검찰 · 마약수사

① 외교상 기밀누설죄(제113조 제1항), 공무상 비밀누설죄(제127조) 및 업무상 비밀누설죄(제317조 제1항)는 신분범이다.

② 수뢰죄(제129조 제1항), 증뢰죄(제133조 제1항) 및 알선수뢰죄(제132조)는 뇌물을 약속한 때에도 성립한다.

③ 직권남용죄(제123조), 불법체포 · 감금죄(제124조) 및 폭행 · 가혹행위죄(제125조)의 행위주체는 같다.

④ 사전수뢰죄(제129조 제2항)와 사후수뢰죄(제131조 제3항)는 범죄의 성립에 '부정한 청탁'을 요구한다.

Answer 6. ③ 7. ②

**| 해설** ① ×: 외교상 기밀누설죄 ⇨ 신분범 ×, 공무상 비밀누설죄 및 업무상 비밀누설죄 ⇨ 신분범 ○
② ○: 수뢰죄 및 알선수뢰죄(뇌물을 수수, 요구 또는 약속한 때), 증뢰죄(뇌물을 약속, 공여 또는 공여의 의사를 표시한 때)
③ ×: 직권남용죄의 주체 ⇨ 공무원, 불법체포·감금죄 및 폭행·가혹행위죄의 주체 ⇨ 재판, 검찰, 경찰 기타 인식구속에 관한 직무를 행하는 자 또는 이를 보조하는 자
④ ×: 사전수뢰죄 ⇨ '청탁', 사후수뢰죄 ⇨ '청탁'(부정한 청탁 ×)

**08** **형법상 구성요건에 대한 설명으로 옳은 것은?**(다툼이 있는 경우 판례에 의함) **21. 경찰간부**

① 특수상해죄(형법 제258조의 2)는 흉기를 휴대하거나 2인 이상이 합동하여 상해 또는 존속상해의 죄를 범한 경우를 처벌하는 규정이다.
② 중체포·감금죄(형법 제277조)는 사람을 체포 또는 감금하여 생명에 대한 위험을 발생하게 한 경우를 처벌하는 규정으로, 결과적 가중범이자 구체적 위험범이다.
③ 준사기죄(형법 제348조)는 미성년자의 심신상실 또는 항거 불능 상태를 이용하여 재물의 교부를 받거나 재산상의 이익을 취득한 경우를 처벌하는 규정이다.
④ 업무상 과실장물취득죄(형법 제364조)는 '업무'가 신분요소로 작용하는 경우로서, 업무자의 신분이 있는 경우에만 범죄가 성립하는 진정신분범이다.

**| 해설** ① ×: ~( )는 단체 또는 다중의 위력을 보이거나 위험한 물건을 휴대하여 상해 ~ 규정이다.
② ×: 중체포·감금죄 ⇨ 결과적 가중범 ×, 구체적 위험범 ×
③ ×: ~( )는 미성년자의 지려천박 또는 사람의 심신장애를 이용하여 재물의 ~ 규정이다.
④ ○: 옳다.

**09** **다음 설명 중 가장 옳지 않은 것은?**(다툼이 있는 경우 판례에 의함) **20. 법원행시**

① 경합범 가중시 징역과 금고는 동종의 형으로 간주하여 징역형으로 처벌한다.
② 형의 선고유예를 받은 날로부터 1년을 경과한 때에는 면소된 것으로 간주한다.
③ 벌금 또는 과료에 관한 유치기간에 산입된 판결선고 전 구금일수는 형법 제72조 제2항(가석방의 경우에 벌금 또는 과료의 병과가 있는 때에는 그 금액을 완납하여야 한다)의 경우에 있어서 그에 해당하는 금액이 납입된 것으로 간주한다.
④ 자기의 소유에 속하는 물건이라도 압류 기타 강제처분을 받거나 타인의 권리 또는 보험의 목적물이 된 때에는 형법 제13장(방화와 실화의 죄)의 규정의 적용에 있어서 타인의 물건으로 간주한다.
⑤ 형법 제38장(절도와 강도의 죄)의 죄에 있어서 관리할 수 있는 동력은 재물로 간주한다.

**| 해설** ① 제38조 제2항
② ×: ~ 2년(1년 ×)을 ~ 간주한다(제60조).
③ 제73조 제2항 ④ 제176조 ⑤ 제346조

**Answer** 8. ④ 9. ②

**10** **형법에 관한 다음 설명 중 가장 옳지 않은 것은?**(다툼이 있는 경우 판례에 의함) 20. 법원행시

① 형법은 범죄를 목적으로 하는 단체 또는 집단을 조직하거나 이에 가입 또는 그 구성원으로 활동한 사람은 그 목적한 죄에 정한 형으로 처벌하고, 다만 형을 감경할 수 있다는 조항을 두고 있다.

② 인신매매 범죄에 대한 형법 규정은 대한민국 영역 밖에서 죄를 범한 외국인에게도 적용하는 규정을 두고 있다.

③ 3년 이하의 징역이나 금고 또는 500만원 이하의 벌금형을 선고할 경우에만 1년 이상 5년 이하의 기간 형의 집행을 유예할 수 있다.

④ 가석방의 기간은 무기형에 있어서는 10년으로 하고, 유기형에 있어서는 남은 형기로 하되, 그 기간은 10년을 초과할 수 없다.

⑤ 형법은 공무원이 직권을 이용하여 제7장 공무원의 직무에 관한 죄 이외의 죄를 범한 때에는 그 죄에 정한 형의 2분의 1까지 가중하도록 하는 규정을 두고 있다.

**| 해설** ① ×: 형법은 사형, 무기 또는 장기 4년 이상의 징역에 해당하는 범죄를 목적으로 ~ 있다(제114조).
② 제296조의 2 ③ 제62조 제1항
④ 제73조의 2 제1항 ⑤ 제135조

**11** **다음 설명 중 옳은 것을 모두 고른 것은?**(다툼이 있는 경우 판례에 의함) 22. 변호사시험

㉠ 특수강간이 미수에 그쳤다 하더라도 그로 인하여 피해자가 상해를 입었다면 성폭력범죄의 처벌 등에 관한 특례법에 의한 특수강간치상죄의 기수가 성립한다.
㉡ 강도가 재물강취의 뜻을 재물의 부재로 이루지 못한 채 미수에 그쳤으나 그 자리에서 항거불능의 상태에 빠진 피해자를 간음할 것을 결의하고 실행에 착수했으나 역시 미수에 그쳤더라도 반항을 억압하기 위한 폭행으로 피해자에게 상해를 입힌 경우에는 강도강간미수죄와 강도치상죄의 실체적 경합범이 성립한다.
㉢ 재물을 강취한 후 피해자를 살해할 목적으로 현주건조물에 방화하여 사망에 이르게 한 경우, 강도살인죄와 현주건조물방화치사죄에 해당하고 그 두 죄는 상상적 경합관계에 있다.
㉣ 수뢰 후 부정처사죄는 반드시 뇌물수수 등의 행위가 완료된 이후에 부정한 행위가 이루어져야 함을 의미하는 것은 아니고, 결합범 또는 결과적 가중범 등에서의 기본행위와 마찬가지로 뇌물수수 등의 행위를 하는 중에 부정한 행위를 한 경우도 포함한다.

① ㉠, ㉡ ② ㉡, ㉢ ③ ㉢, ㉣
④ ㉠, ㉢, ㉣ ⑤ ㉡, ㉢, ㉣

**| 해설** ㉠ ○: 대판 2008.4.24, 2007도10058
㉡ ×: ~ 상상적(실체적 ×) 경합범이 성립한다(대판 1988.6.28, 88도820).
㉢ ○: 대판 1998.12.8, 98도3416
㉣ ○: 대판 2021.2.4, 2020도12103

Answer 10. ① 11. ④

**12** **다음 중 가장 옳지 않게 설명한 사람은?**(다툼이 있는 경우 판례에 의함) 22. 법원행시

• (영준) 약사가 아닌 사람이 이미 개설된 약국의 시설과 인력을 인수하고 그 운영을 지배·관리하는 등 종전 개설자의 약국 개설·운영행위와 단절되는 새로운 개설·운영행위를 한 것으로 볼 수 있는 경우라면 약사법에서 금지하는 약사가 아닌 사람의 약국 개설행위에 해당해!
• (미영) 성폭력범죄의 처벌 등에 관한 특례법 제6조에서 정하는 '정신적인 장애가 있는 사람'이란 '정신적 인기능이나 손상 등의 문제로 일상생활이나 사회생활에서 상당한 제약을 받는 사람'을 가리켜. 따라서 장애인복지법에 따른 장애인 등록을 하지 않았다거나 그 등록기준을 충족하지 못하더라도 여기에 해당할 수 있어!
• (수정) 피고인이 甲의 부재 중에 甲의 처 乙과 혼외 성관계를 가질 목적으로 乙이 열어준 현관 출입문을 통하여 甲과 乙이 공동으로 거주하는 아파트에 들어갔다면, 피고인이 乙로부터 현실적인 승낙을 받아 통상적인 출입방법에 따라 주거에 들어 갔으므로 주거의 사실상 평온상태를 해치는 행위태양으로 주거에 들어간 것이 아니어서 주거에 침입한 것으로 볼 수 없어 주거침입죄는 성립하지 않아!
• (학식) 주거침입강제추행죄 및 주거침입강간죄 등은 사람의 주거 등을 침입한 자가 피해자를 간음, 강제추행 등 성폭력을 행사한 경우에 성립하는 것으로서, 주거침입죄를 범한 후에 사람을 강간하는 등의 행위를 하여야 하는 일종의 신분범이야. 따라서 그 실행의 착수시기는 주거침입행위를 한 때야!
• (철호) 골프시설의 운영자가 골프회원에게 불리하게 변경된 내용의 회칙에 대하여 동의한다는 내용의 등록신청서를 제출하지 아니하면 회원으로 대우하지 아니하겠다고 통지한 것은 강요죄에 해당해!

① 영준 ② 미영 ③ 수정
④ 학식 ⑤ 철호

**해설** • 영준 ○ : 대판 2021.7.29, 2021도6092
• 미영 ○ : 대판 2021.10.28, 2021도9051
• 수정 ○ : 대판 2021.9.9, 2020도12630 전원합의체
• 학식 × : 주거침입강제추행죄 및 주거침입강간죄 등은 사람의 주거 등을 침입한 자가 피해자를 간음, 강제추행 등 성폭력을 행사한 경우에 성립하는 것으로서, 주거침입죄를 범한 후에 사람을 강간하는 등의 행위를 하여야 하는 일종의 신분범이고, 선후가 바뀌어 강간죄 등을 범한 자가 그 피해자의 주거에 침입한 경우에는 이에 해당하지 않고 강간죄 등과 주거침입죄 등의 실체적 경합범이 된다. 그 실행의 착수시기는 주거침입 행위 후 강간죄 등의 실행행위에 나아간 때이다(대판 2021.8.12, 2020도17796).
• 철호 ○ : 대판 2003.9.26, 2003도763

**13** **국가적 법익에 대한 죄에 관한 설명 중 옳지 않은 것은?**(다툼이 있는 경우 판례에 의함) 23. 변호사시험

① 수의계약을 체결하는 공무원이 공사업자와 계약금액을 부풀려서 계약하고 부풀린 금액을 자신이 되돌려 받기로 사전에 약정한 다음 그에 따라 수수한 돈은 성격상 뇌물이 아니고 횡령금에 해당한다.

Answer 12. ④ 13. ②

② 참고인이 타인의 형사사건 등에 관하여 제3자와 대화를 하면서 허위로 진술하고 위와 같은 허위 진술이 담긴 대화 내용을 녹음한 녹음파일 또는 이를 녹취한 녹취록을 만들어 수사기관에 제출한 것은 증거위조죄를 구성하지 않는다.
③ 공무상 비밀누설죄에서의 '법령에 의한 직무상 비밀'이란 반드시 법령에 의하여 비밀로 규정되었거나 비밀로 분류 명시된 사항에 한정되지는 않는다.
④ 무고죄에서의 '징계처분'은 공법상의 감독관계에서 질서유지를 위하여 과하는 신분적 제재를 의미하므로, 사립대학교 교수로 하여금 소속 학교법인에 의한 인사권의 행사로서 징계처분을 받게 할 목적으로 허위의 민원을 제기하더라도 무고죄는 성립하지 않는다.
⑤ 甲의 고소 내용이 허위임이 확인되어 피고소인에 대해 불기소결정이 내려져 재판절차가 개시되지 않고 이후 甲이 무고로 기소된 사안에서, 甲이 위 허위고소로 인한 무고 재판 중 자신의 무고 범행을 자백하였다면, 甲의 위 무고죄에 대하여는 형을 감경 또는 면제하여야 한다.

**| 해설** ① 대판 2007.10.12, 2005도7112
② ×: ~ 증거위조죄를 구성한다(대판 2013.12.26, 2013도8085).
③ 대판 1996.5.10, 95도780 ④ 대판 2014.7.24, 2014도6377 ⑤ 대판 2018.8.1, 2018도7293



**14** **주관적 범죄성립요건에 관한 설명 중 옳은 것은?**(다툼이 있는 경우 판례에 의함) 24. 변호사시험

① 살의를 가지고 피해자를 구타하여(ⓐ행위) 피해자가 정신을 잃고 축 늘어지자 죽은 것으로 오인하고 증거를 인멸할 목적으로 피해자를 모래에 파묻었는데(ⓑ행위) 피해자는 ⓑ행위로 사망한 것이 판명된 경우, 사망의 직접 원인은 ⓑ행위이므로 살인미수죄가 성립한다.
② 행위자의 행위가 긴급피난에 해당하기 위해서는 긴급피난상황에 대한 인식만 있으면 족하며, 위난을 피하고자 하는 의사까지 필요한 것은 아니다.
③ 모해의 목적을 가지고 모해의 목적을 가지지 않은 사람을 교사하여 위증하게 한 경우, 공범종속성에 따라 모해위증교사죄가 아니라 위증교사죄가 성립한다.
④ 증인이 착오에 빠져 자신의 기억에 반한다는 인식 없이 객관적 사실에 반하는 내용의 증언을 한 경우에 위증의 범의를 인정할 수 있다.
⑤ 물품대금 청구소송 중인 거래회사로부터 우연히 착오송금을 받은 행위자가 물품대금에 대한 적법한 상계권을 행사한다는 의사로 착오송금된 금원의 반환을 거부한 경우, 횡령죄 요건인 불법영득의사의 성립을 부정할 수 있다.

**| 해설** ① ×: ~ (3줄) 판명된 경우, 전 과정을 개괄적으로 보면 피해자의 살해라는 처음에 예견된 사실이 결국 실현된 것으로서 살인죄의 죄책을 면할 수 없다(대판 1988.6.28, 88도650 ∴ 살인기수죄 ○).
② ×: ~ 긴급피난상황에 대한 인식만으로는 부족하고, 위난을 피하고자 하는 의사(주관적 정당화요소: 피난의사)가 있어야 한다(대판 1997.4.17, 96도3376).
③ ×: ~ 경우, 형법 제33조 단서에 따라 모해위증교사죄로 처벌된다(대판 1994.12.23, 93도1002).
④ ×: ~ 인정할 수 없다(대판 1991.5.10, 89도1748).
⑤ ○: 대판 2022.12.29, 2021도2088

**Answer** 14. ⑤

## 공편저자 약력·저서


### 조충환

- 중앙대학교 법학박사(형사법전공)

現 • 박문각 경찰승진 형사소송법 대표교수

前 • 중앙대·울산대 출강
- 노량진 남부경찰학원 대표강사
- 노량진 남부행정고시학원 대표강사
- 노량진 한교경찰학원 대표강사
- 노량진 베리타스경찰학원 대표강사
- 법무부 출간 교정지 출제위원
- 경찰청 인터넷방송 초빙교수


#### 주요저서

- SPA 형법
- SPA 형사소송법
- 객관식 테마 형법
- 객관식 테마 형사소송법
- ALL THAT 올댓 형사법 형법 총론
- ALL THAT 올댓 형사법 형법 각론
- ALL THAT 올댓 형사법 수사·증거
- 수사경과 대비 형사법능력평가
- COPSPA 경찰 형법
- COPSPA 경찰 형사소송법
- 3+3 형법
- 3+3 형사소송법
- 논문 다수

#### 상 훈

- 중앙대 강의평가 우수강사 총장 표창(3회)
- 모범강사 전국학원연합회 회장표창


### 양 건

現 • 박문각 경찰승진 형법 대표교수
- 공무원저널 형사법 판례교실 집필위원
- 법률저널 경찰·교정직 집필위원

前 • 조이에듀경찰학원 형법 대표강사
- 신림동 태학관 법정연구회 강의
- 종로행정고시학원 경찰승진 형법 대표강사
- 중앙경찰고시학원 형법 대표강사
- 경찰승진특강
- 노량진 한교경찰학원 대표강사(형법)
- 노량진 베리타스경찰학원 대표강사(형법)


#### 주요저서

- SPA 형법
- SPA 형사소송법
- 객관식 테마 형법
- 객관식 테마 형사소송법
- ALL THAT 올댓 형사법 형법 총론
- ALL THAT 올댓 형사법 형법 각론
- ALL THAT 올댓 형사법 수사·증거
- 수사경과 대비 형사법능력평가
- COPSPA 경찰 형법
- COPSPA 경찰 형사소송법
- 3+3 형법
- 3+3 형사소송법


**2025** 판례·기출증보판
**조충환·양건** 

**형 법** 각론 Ⅱ

초판인쇄 : 2024년 6월 15일　초판발행 : 2024년 6월 20일
공편저자 : 조충환·양건　발 행 인 : 박 용
발 행 처 : (주)박문각출판　등 록 : 2015. 4. 29 제2019-000137호
주 소 : 06654 서울시 서초구 효령로 283 서경 B/D
전 화 : 교재문의 (02) 6466-7202
팩 스 : (02) 584-2927

저자와의 협의하에 인지생략





정가 74,000원(전4권)

ISBN 979-11-7262-087-5
ISBN 979-11-7262-083-7(세트)